"가장 확실한 기본서!"

– 전형태(대성마이맥 대표 강사)

다년간 현장과 온라인에서 문법을 지도해 온 필자 … 인지 물어본다면, '친절한 설명'과 '체계적 개념 배치 … 에게도 국어 문법은 낯설고 어려운 부분이 많기 때문에 교과외식의 친절한 설명은 이 장벽을 넘을 수 있게 해 주고, 체계적 개념 배치는 단계적 개념 학습으로 이후의 개념을 더 수월하게 학습하도록 도와주기 때문입니다. 〈100인의 지혜〉는 이 두 가지를 모두 가지고 있습니다. 학습의 흐름에서 문장과 음운을 이해하기 위해 반드시 필요한 단어 부분을 먼저 제시하고 있고, 중간 중간 개념 확인 문제와 실전적 Tip을 통해 학습을 보조해 주고 있습니다. 국어 기본서가 필요한 선생님이나 학생에게 적극 추천합니다.

"개념부터 차근차근 밟아가다 보면 내신과 수능을 모두 정복할 수 있습니다."

– 이지은(숭문고등학교 교사)

문법·화법·작문 영역은 공부할 내용이 비교적 한정적이고, 개념을 탄탄히 다져 두기만 하면 문학, 독서 영역에 비해 적용이 쉽다는 특성이 있지요. 그래서 일정 시간을 투자하여 공부해 둔다면 수능에서 나의 무기가 될 수 있는 영역들입니다. 또한 내신과 수능의 간극이 크지 않기 때문에 공부를 해 두면 내신과 수능 모두를 잡을 수 있는 장점이 있지요. 〈100인의 지혜〉를 통해 개념을 꼼꼼히 익히고, 기출 문제를 통해 실전에 대비하며 국어 실력을 키워 보세요. 특히 이 교재는 학생들이 공부를 하면서 가졌던 의문이나 헷갈릴 수 있는 내용을 자세히 안내하고 있어 국어 개념을 명확히 이해하는 데 큰 도움이 되리라 생각합니다.

"핵심 개념과 적용 원리를 꿰뚫는 정말 제대로 된 단 한 번의 정리!"

– 강석령(대치동 깊은생각국어학원 원장)

학생들이 '문법·화법·작문'을 소홀히 하는 경우가 많습니다. 그러나 수능 국어에서는 '문법·화법·작문'이 '독서'와 '문학'과 마찬가지로 15문항 출제됩니다. '문법·화법·작문'을 제대로 정리하는 것이 수능 고득점의 출발점입니다. '문법·화법·작문'은 '독서'나 '문학'에 비해 학습 효과가 뚜렷합니다. 객관성이나 규칙성이 분명하기 때문입니다. 그런 점에서 일정 기간의 집중 학습으로도 성적 향상을 기대할 수 있습니다. 〈100인의 지혜〉는 핵심 내용을 쉽고 친절하게 풀이해 주면서도 일목요연하게 파악할 수 있도록 도표로 정리하였습니다. 특히, 학생들이 어려워하고 헷갈리는 부분은 특별히 강조해서 잘 이해할 수 있도록 배려했습니다. 다른 어떤 교재보다도 정리가 잘 된 책입니다. 제대로 된 단 한 번의 정리, 이 책과 함께라면 가능합니다.

"문법과 화작, 더 이상 어려워하거나 포기하지 마세요!"

– 김용윤(분당 올가교육 강사)

현장 강의를 하다 보면 많은 학생들이 문법 수업을 어려워하는 경우를 자주 보게 됩니다. 문법 개념은 많이 들어 봤는데 각 개념이 따로따로 겉돌고 있는 학생, 개념은 완벽하게 정립이 되었는데 문제풀이로 적용이 안 되는 학생, 아예 문법 기초가 정립되어 있지 않은 학생 등. 〈100인의 지혜〉는 이런 학생들도 충분히 자기주도 학습을 할 수 있게 친절하게 만들었습니다. 기존의 어떤 문법 개념서보다도 스스로 읽고 이해하기 편할 것입니다. 또 문법과 화작의 핵심 개념에 대한 쉬운 설명과 함께 개념과 연결된 문제를 통해 공부한 부분을 제대로 이해했는지 학생 스스로 점검할 수 있게 구성했습니다. 이 책은 문법·화법·작문 영역을 어떻게 접근해야 하는지 막막했던 학생들에게 확실한 길을 안내해 주는 길라잡이가 될 것입니다.

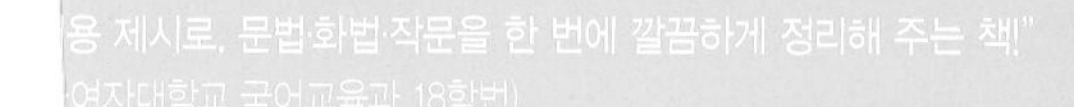

"… 용 제시로, 문법·화법·작문을 한 번에 깔끔하게 정리해 주는 책!"

– … 여자대학교 국어교육과 18학번)

… 〉의 가장 큰 장점은 문법을 구조화하여 제시하고 있다는 점입니다. '국 … ' 하는 학생들도 문법에서의 미묘한 차이와 수많은 예외들 때문에 골치를 썩곤 하죠. 이 교재는 '무작정 외우라'는 말 대신 학생들이 궁금해 하고, 헷갈려 할 만한 개념들을 예시를 들어 설명하고 있어 문법 개념들을 일목요연하게 정리할 수 있는 좋은 학습 도구가 될 것입니다. 이번 기회에 한번 확실하게 개념을 잡아서 문법 때문에 발목 잡히는 일은 없도록 해요! 또 상대적으로 대충, 또는 가볍게 넘어가 버릴 수 있는 화법과 작문 영역에서도 학생들이 꼭 알아야 할 부분만을 골라서 제시하고 있어, '문법·화법·작문을 한 번에 깔끔하게 정리하고 싶다.' 하는 모든 학생들에게 이 교재를 꼭 추천 드립니다.

"문법·화법·작문의 정확한 개념과 기출 문제까지 모두 담은 책!"

– 정수인(서울대학교 인류학과 19학번)

많은 학생이 화법과 작문이나 문법 영역을 쉽게 생각하는 경향이 있습니다. 하지만 직접 2019 수능을 경험한 사람으로서, 화·작·문 문제를 정확하고 빠르게 푸는 것이 수능 국어 1교시의 승패를 결정한다는 것을 체감했었기 때문에, 후배들에게 화법과 작문, 문법의 개념 공부를 탄탄히 하라는 말을 해 주고 싶습니다! 〈100인의 지혜〉는 이러한 화·작·문 영역의 기본을 쌓는 데 아주 좋은 책입니다. 핵심 개념을 빠짐없이 구체적으로 다루고 있으면서도 개념을 체화할 수 있는 기본 문제와, 교육청과 평가원의 기출까지 모두 담고 있기 때문입니다. 화·작·문 영역의 기초를 탄탄히 쌓고자 하는 후배들에게 이 교재를 적극 추천합니다.

"헷갈리는 개념을 다시 확인하고, 실전 문제로 수능의 감을 잡을 수 있는 책!"

– 전영빈(한국외국어대학교 이탈리아어통번역학과 19학번)

〈100인의 지혜〉는 문법·화법·작문의 개념을 탄탄하게 쌓을 수 있는 책입니다. 기존의 줄글 형식으로 꽉 채운 개념서가 아닌, 중요하고 핵심적인 내용 중심으로 설명하고 있기 때문입니다. 그래서 화·작·문 영역에 자신이 없는 학생들도 지루하지 않게, 쉽게 이해할 수 있을 것입니다. 이 책은 고등학교의 내신과 수능을 대비하려는 예비고 학생들에서부터, 수능의 기초를 다지고 내신 대비를 위한 개념서가 필요한 학생들까지 모두 잘 이용할 수 있는 책이라고 생각합니다. 기초를 다진 이후에도 문제 풀이할 때 개념 확인용으로 사용하기에도 좋습니다. 특히 '수능 다가가기' 코너는 앞서 배웠던 개념들이 실제 수능 문제에서 어떻게 쓰이는지 잘 나타내 주는 코너라 그 활용도가 매우 높을 것입니다.

"차곡차곡 머릿속에 입력하게 해 주는 꼼꼼하고 체계적인 설명!"

– 김예진(이화여자대학교 사학과 19학번)

〈100인의 지혜〉의 가장 큰 장점은 충분한 설명이라고 생각합니다. 제가 국어 문법 공부를 할 때 가장 어려움을 느꼈던 부분이 바로 충분치 못한 설명으로 이해하기 어려웠던 점이었습니다. 이 책에서는 예시를 들어주며 설명을 하다 보니, 개념을 쉽게 이해할 수 있었고, 무엇보다 개념 학습의 날개 부분과 문제 해설에 궁금한 부분들에 대한 보충 설명이 잘 되어 있습니다. 그리고 문법 개념들을 도식화해서 개념 학습의 처음과 단원의 마무리 학습에 제시해 주어 단원의 내용을 확실히 머리에 입력할 수 있었습니다. 이렇게 도식화하여 정리한 내용들은 필수 개념을 제대로 이해하고 숙지하는 데 큰 도움이 될 것 같습니다. 그래서 이 책을 국어 문법을 처음 공부하거나 기본기를 확실하게 다지려는 학생들에게 추천하고 싶습니다.

정말, 제대로 된 국어 기본서를 만나다!

문법·화작편

100인의 지혜를 함께 연구하고 집필한 100인의 국어 공부 전문가를 소개합니다

강석령(경기)
강영애(경기)
강재호(대전)
강 찬(경기)
고영일(인천)
권용덕(경북)
김금진(서울)
김대명(대전)
김동훈(충북)
김면수(인천)
김민진(경기)
김상희(경기)
김선미(제주)
김소원(충북)
김송이(서울)
김수영(인천)
김용윤(서울)
김영미(충북)
김정욱(경기)
김주욱(서울)
김준실(경기)
김지연(경기)
김태동(서울)
김태원(서울)
김현수(경남)
김형주(경북)
김 흙(경기)
김희성(서울)
문동열(서울)
문효상(충북)
박노덕(대구)
박대권(충북)
박상준(부산)
박수영(서울)
박수진(경남)
박의용(서울)
박인규(인천)
박재한(대구)
박정민(서울)
박진영(충남)
박철선(부산)
박 현(전북)
박혜영(경기)
서주희(서울)
성부경(울산)
성옥주(서울)
송언효(경남)
신동호(서울)
신영수(서울)
신영은(경기)
안은현(경남)
안학수(대구)
양상열(경기)
양성정(전북)
염성준(경기)
오승현(서울)
오지희(제주)
옹기현(전북)
유성주(서울)
유승기(경남)
윤귀성(광주)
윤미정(서울)
윤성민(전북)
윤예미(경남)
이강산(대전)
이금희(대구)
이다영(서울)
이도실(전남)
이동규(서울)
이서영(전북)
이선영(제주)
이성우(경기)
이성훈(경기)
이수진(경기)
이순형(경기)
이신우(대구)
이영완(서울)
이영지(경기)
이원재(경기)
이유림(울산)
이윤진(전북)
이재환(서울)
이진규(충북)
이진영(경기)
이한준(서울)
장금주(경기)
전지훈(서울)
전형근(대전)
전형태(서울)
전희재(경기)
정기훈(파주)
정민지(서울)
정영수(경남)
정은화(경기)
정지성(경북)
정청석(서울)
정현나(경기)
정현성(서울)
정홍희(경기)
조나연(서울)
조선희(서울)
조성오(경기)
조영란(광주)
진달래(전남)
진은영(전북)
차민기(경남)
차성만(경기)
차승훈(울산)
채재준(경기)
천가은(경기)
천수섭(경기)
최상근(경기)
최수남(강원)
표지현(경남)
하 랑(서울)
하선희(전남)
한상철(충북)
황선욱(제주)
황양규(경남)

내용 감수

민현식 | 서울대학교 국어교육과 교수, 전 국립국어원장, 〈국어〉 〈독서와 문법〉 〈언어와 매체〉 교과서 집필
신명선 | 인하대학교 국어교육과 교수, 〈국어〉 〈독서와 문법〉 〈언어와 매체〉 교과서 집필
오현아 | 강원대학교 국어교육과 교수, 〈국어〉 〈언어와 매체〉 교과서 집필
조진수 | 전남대학교 국어교육과 교수, 〈국어〉 〈언어와 매체〉 교과서 집필
이지은 | 숭문고등학교 교사, 〈국어〉 〈독서와 문법〉 〈언어와 매체〉 교과서 집필
전형태 | 대성마이맥 국어 대표 강사, 이강학원/강남대성학원 출강

대학생 검토단

정우주(이화여대), 정수인(서울대), 전영빈(한국외대), 김예진(이화여대)

기획/편집 ...... 김덕유, 고명선, 박지인, 김현아, 이하은
디자인 ...... **표지** 김희정, 김지현 **내지** 박희춘, 이혜진
삽화 ...... 최준석
조판 ...... 대진문화(구민범, 강성희)

수능&내신 모두 잡는 명강사

100인의 지혜

문법 화작

"국어 공부의 지혜를 쌓아 볼까?"

국어 공부의 새로운 해법, 100인의 지혜

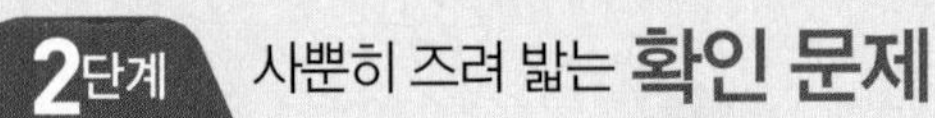

" 국어 1등급을 향해, 〈100인의 지혜〉와 함께 힘차게 출발! "

1단계 개념 학습

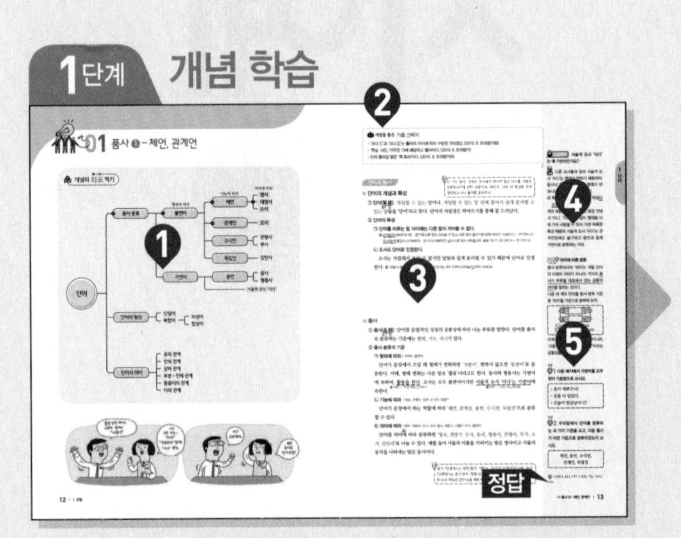

★ **수능과 내신에 모두 통하는 기본 개념을 학습합니다.**

❶ **개념의 좌표 찍기** 배워야 할 개념과 전체의 관계를 도식으로 볼 수 있어요. 매 단원에 나타난 도식을 확인하면서 개념 간의 관계를 체계적으로 이해할 수 있을 거예요.

❷ **기출 선택지** 해당 단원에서 배울 개념어가 실제 문제에서는 어떻게 나오는지 미리 살펴보세요.

❸ **개념 설명** 기본 개념을 빠짐없이 다루었고, 다양한 예를 들어 개념을 정확하면서도 쉽고 친절하게 풀이했어요.

❹ **깨알 강의(짚고 가요, 궁금해요)** 개념 학습 과정에서 여러분이 궁금해할 만한 내용, 중요한 내용을 정리했어요.

❺ **개념 콕** 본문과 관련된 확인 문제를 통해 기본 개념을 제대로 이해했는지 빠르게 확인해 보세요. 정답은 오른쪽 페이지 날개 부분 하단에 있어요.

2단계 사뿐히 즈려 밟는 확인 문제

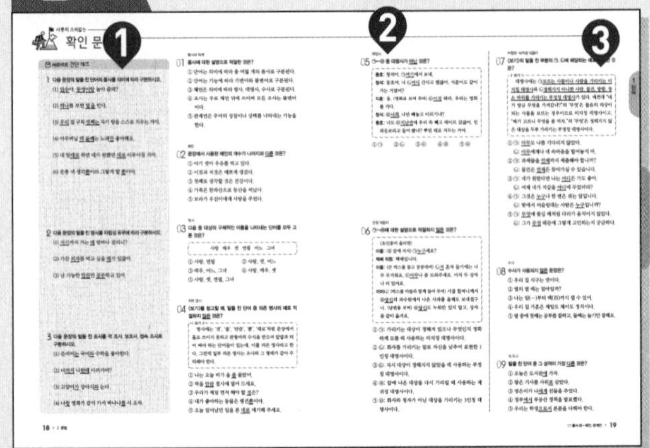

★ **개념을 확인하고 적용해 봅니다.**

❶ **바로바로 간단 체크** 개념을 잘 이해했는지 스스로 정리하고 확인하는 문제예요. '빈칸 채우기 / OX 문제 / 선 잇기' 등 다양한 유형의 쉬운 문제로 실력을 점검해 보세요.

❷ **확인 문제** 비교적 쉬운 난이도의 문제를 통해, 앞에서 배운 개념을 적용해 볼 수 있도록 구성했어요.

❸ **기출 변형 문제** 전국 연합 모의고사나 평가원 모의고사, 수능에 나온 문제들을 변형해서 실전 시험 문제에 대비할 수 있도록 했어요. 선지를 보면서 "아, 수능에 개념이 이렇게 나오는구나!" 하고 감을 잡아 보세요.

1 국어 공부 전문가들의 지혜를 담은 국어 기본서!

전국의 국어 고수 선생님들이 참여하여 만든 책입니다. 놓쳐서는 안 될 내용, 여러분이 어려워하거나 궁금해하는 내용을 잘 정리해 뒀어요. 그리고 똘똘한 선배들의 공부 경험도 참고하였지요. 여러분이 이 〈100인의 지혜〉를 잘 따라온다면 수능과 내신 국어 1등급의 실력자로 올라설 수 있을 거예요.

2 빈틈없이 완벽하게, '개념&기출'의 환상 조합!

기출 문제의 물음과 선택지를 하나하나 분석하여 수능과 내신에 모두 통하는 핵심 개념을 빠짐없이 넣었어요. 그리고 그러한 개념이 문제로 출제되는 원리를 연구하여 '개념'과 '기출'의 환상적인 조합을 이끌어 낸 거예요. 이제 '개념 따로, 기출 따로'인 학습법은 버리고, '개념&기출'로 국어 공부의 새로운 해법을 찾자구요.

3 수능과 내신에 모두 통하는 단계별 학습법!

〈100인의 지혜〉는 단계별 훈련을 통해 수능과 내신의 기초를 확실하게 다지고 탄탄한 국어 실력을 쌓을 수 있도록 만들었어요. 개념 학습 → 확인 문제 → 수능 다가가기 단계를 차근차근 따라오면, 반드시 목표에 이를 수 있답니다.

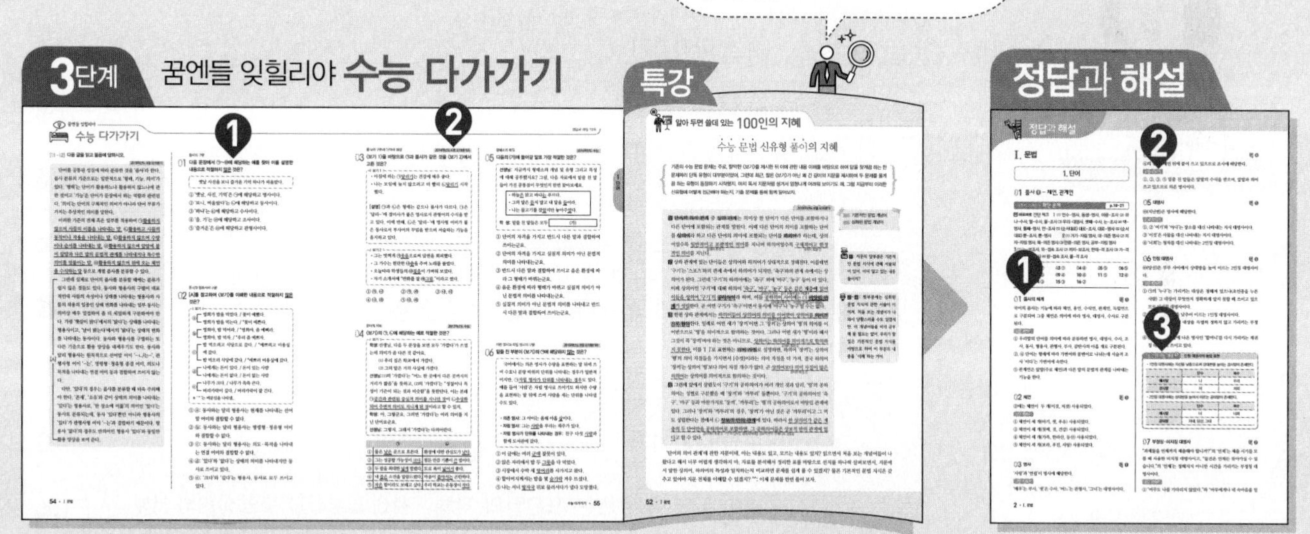

★ 수능 기출 문제에 도전해 봅니다.

1, 2단계에서 공부한 개념을 바탕으로 하여 종합적인 문제 해결력과 사고력을 발휘할 단계이죠.

❶ **수능 기출 문제** 평가원 모의고사·수능의 기출 문제를 실었어요. 혼자 힘으로 풀어 본 후, 〈정답과 해설〉의 친절한 설명을 보며 다시 한번 답을 찾는 방법을 생각해 보세요. 꿈엔들 잊히지 않도록요!

❷ **출처** 몇 학년도의 어떤 시험에 나온 문제인지 확인하면서 평가의 흐름을 가늠해 볼 수 있을 거예요.

★ 틀린 문제, 헷갈리는 선택지는 해설을 꼭 확인하세요.

❶ **정답 풀이** 정답이 정답일 수밖에 없는 이유를 설명했어요. 친절한 풀이를 통해 출제 의도를 확인하고, 문제 해결력을 높일 수 있어요.

❷ **오답 풀이** 오답인 이유를 정확하고 상세하게 제시했어요. 헷갈리는 문제나 선택지는 "꺼진 불도 다시 보자."라는 생각으로 찬찬히 살펴 보세요.

❸ **1등급만 아는 개념+** 문제와 관련 있으나 본문에서 다루지 않은 심화 개념을 설명했어요. 1등급을 목표로 한다면, 집중해서 읽고 꼭 기억해 두세요.

Contents

문법(언어와 매체)에 나오는 **필수 개념**을 빠짐없이 넣었으며, 정확하고 꼼꼼하게 설명했습니다. **화법과 작문**에서는 문제 풀이의 기초가 되는 **핵심 개념**만을 간단명료하게 정리했습니다.

I 문법

“ 개념에서 기출까지, 빈틈없이 완벽하게! ”

문법 개념 찾아보기

화법 & 작문 개념 찾아보기

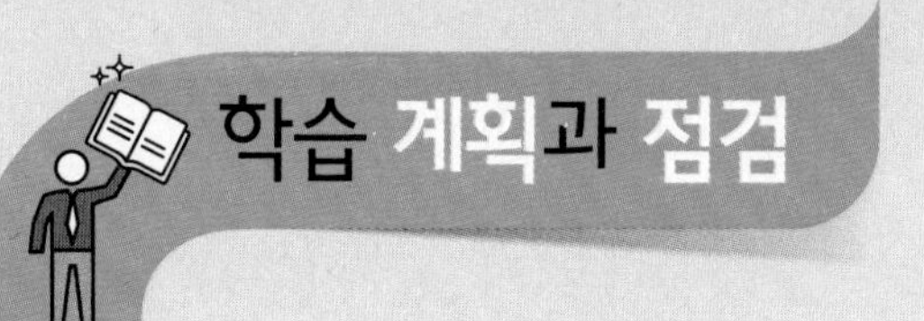

학습 계획과 점검

- 이 책은 학생 스스로가 하루에 **1강씩** 주 **5일간** 꾸준히 공부한다면, **약 6주** 동안 **32차**에 걸쳐 끝낼 수 있게 설계했습니다. 하루에 **2강씩** 주 **3일간** 꾸준히 공부한다면, **5주** 동안 **16차**에 걸쳐 끝낼 수도 있습니다. (1강에 1시간 공부 기준)
- 자신의 수준이나 학습 패턴에 맞게 아래의 계획표를 참고하여 공부해 보세요.

대단원	중단원	소단원		공부한 날짜		성취도
				32차 완성	16차 완성	자기 평가
I 문법	단어	01 품사 ❶ – 체언, 관계언	1강	월 일	월 일	☺ 😐 ☹
		02 품사 ❷ – 용언	2강	월 일		☺ 😐 ☹
		03 품사 ❸ – 수식언, 독립언	3강	월 일	월 일	☺ 😐 ☹
		04 단어의 형성	4강	월 일		☺ 😐 ☹
		05 단어의 의미	5강	월 일	월 일	☺ 😐 ☹
		알쓸지혜/수능 다가가기	6강	월 일		☺ 😐 ☹
	문장	06 문장 성분	7강	월 일	월 일	☺ 😐 ☹
		07 문장 구조	8강	월 일		☺ 😐 ☹
		08 문법 요소 ❶ – 종결, 높임, 시간	9강	월 일	월 일	☺ 😐 ☹
		09 문법 요소 ❷ – 피동, 사동, 부정, 인용	10강	월 일		☺ 😐 ☹
		10 올바른 문장 표현	11강	월 일	월 일	☺ 😐 ☹
		수능 다가가기/알쓸지혜	12강	월 일		☺ 😐 ☹
	음운	11 음운과 음운 체계	13강	월 일	월 일	☺ 😐 ☹
		12 음운의 변동 ❶ – 교체	14강	월 일		☺ 😐 ☹
		13 음운의 변동 ❷ – 탈락, 첨가, 축약	15강	월 일	월 일	☺ 😐 ☹
		수능 다가가기	16강	월 일		☺ 😐 ☹
	담화	14 담화 & 수능 다가가기	17강	월 일	월 일	☺ 😐 ☹
	국어 규범	15 표준어와 표준 발음법	18강	월 일		☺ 😐 ☹
		16 한글 맞춤법	19강	월 일	월 일	☺ 😐 ☹
		17 외래어 표기법, 국어의 로마자 표기법	20강	월 일		☺ 😐 ☹
		알쓸지혜/수능 다가가기	21강	월 일	월 일	☺ 😐 ☹
	국어사	18 훈민정음의 창제 원리	22강	월 일		☺ 😐 ☹
		19 국어의 변천	23강~24강	월 일	월 일	☺ 😐 ☹
		알쓸지혜/수능 다가가기	25강	월 일	월 일	☺ 😐 ☹
	언어・매체	20 언어와 매체 언어 & 수능 다가가기	26강	월 일		☺ 😐 ☹
II 화법과 작문	화법	01 화법의 본질과 태도 02 대화, 면접, 면담	27강	월 일	월 일	☺ 😐 ☹
		03 발표, 연설 04 토의, 토론, 협상	28강	월 일		☺ 😐 ☹
		알쓸지혜/수능 다가가기	29강	월 일	월 일	☺ 😐 ☹
	작문	05 작문의 본질과 태도 06 정보를 전달하는 글, 설득하는 글	30강	월 일		☺ 😐 ☹
		07 사회적 상호 작용을 위한 글, 자기표현적 글	31강	월 일	월 일	☺ 😐 ☹
		수능 다가가기	32강	월 일		☺ 😐 ☹

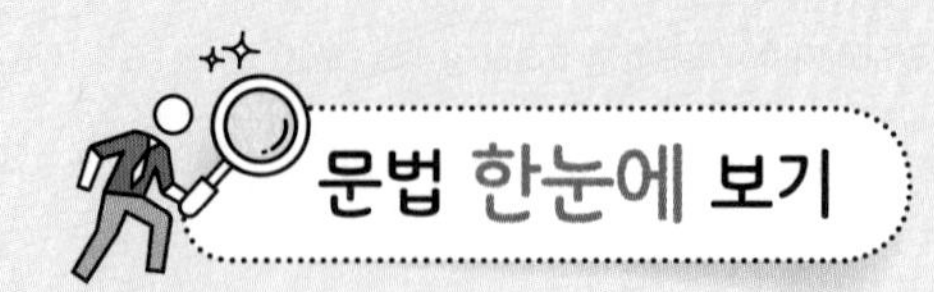

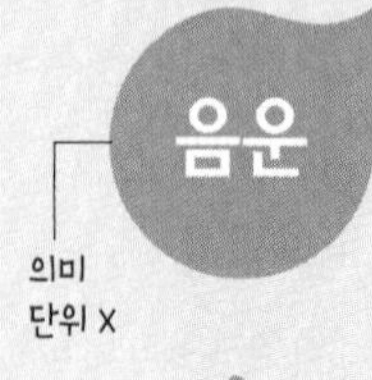

음운

말의 의미 차이를 가져오는 소리의 가장 작은 단위

음운 변동 현상의 **기본 개념을 완전히 숙지**해야 해. 음운은 **표준 발음법**과 연관이 깊으니 함께 공부하도록 하자. 다양한 단어에서 음운 변동 현상을 찾아낼 수 있을 정도로 개념을 완전히 이해하기!

출제율 ★★★★☆

의미 단위 X

음운이 모여서 단어가 되고,

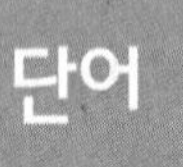

단어

홀로 쓸 수 있는 가장 작은 말의 단위

우리에게 익숙한 단위이지. 그래서 **우리 책에선 '단어'를 가장 먼저 배워.** 하지만 익숙하다고 소홀히 하면 안 돼. **'어근, 어간, 어미, 접사'** 와 같은 용어를 **명확히 이해하기!** 그러지 않으면 단어 영역 전반을 이해하기 힘들어.

출제율 ★★★★★

단어가 모여서 문장이 되고,

문장

완결된 내용을 나타내는 최소 단위

문장은 단어 영역의 개념들과 연관되어 있으므로, 단어에서 배운 개념을 토대로 각 영역을 구조화하면서 익혀야 해. **문장 구조**와 **문법 요소**를 정확하게 분석하고 파악하는 연습을 많이 하는 게 좋아.

출제율 ★★★★☆

의미 단위 O

문장이 모여 담화가 되지.

담화

문장 단위의 말들이 맥락과 어우러져 이루어진 단위

둘 이상의 문장(발화)으로 이루어진 말의 단위를 뜻해. 담화에서는 맥락을 이해하는 것이 중요하니까 전체 **맥락 속 부분의 의미**와 **기능**을 잘 파악할 수 있어야 해. 상대적으로 출제율이 낮은 파트이니, 우리 책에 실린 **기출 문제를 꼼꼼히** 풀면서 한 번에 싹 정리하자!

출제율 ★☆☆☆☆

공시적 접근

국어 규범

정확하고 효과적인 의사소통을 위해 말과 글에 관해 정한 규칙

규정을 모두 외우려고 하기보다는 **규범을 이해하고 사례에 적용**할 수 있어야 해. 그러려면 **음운, 단어, 문장 파트의 주요 개념을 잘 익히고 있어야** 하지. 또한 모든 조항을 살펴보기는 어려우니 우리 책에 실린, 주요 기출 조항부터 잘 익히기!

출제율 ★★★☆☆

통시적 접근

국어사

'고대 – 중세 – 근대 – 현대'로 이어지는, 국어의 변천 과정

각 시대의 문법적 특징을 달달 외울 필요는 없어. 하지만 **각 시대의 대표적 특징을 이해**하고 있어야 문제에 〈보기〉로 주어진 언어 자료를 쉽게 독해할 수 있을 거야.

출제율 ★★☆☆☆

〈언어와 매체〉 교과서에 실린 내용이야.

언어와 매체 언어

언어의 본질적인 특성과, 매체 언어를 다룬 파트

언어의 특성은 아직 출제된 적은 없지만 아주 기본적인 지식이니 읽고 넘어가. 매체 언어는 〈언어와 매체〉 교과서에 실린 내용인데, 수능이 교과서를 바탕으로 해서 출제되는 만큼 소홀히 하지는 말기!

출제율 ☆☆☆☆☆

I

문법

우리는 '단어'부터 공부할 거야. 품사와 형태소(단어의 형성)를 먼저 익히면, 음운의 변동과 문장에 대해 더 잘 이해할 수 있거든. 자, 그럼 시작해 보자!

100人

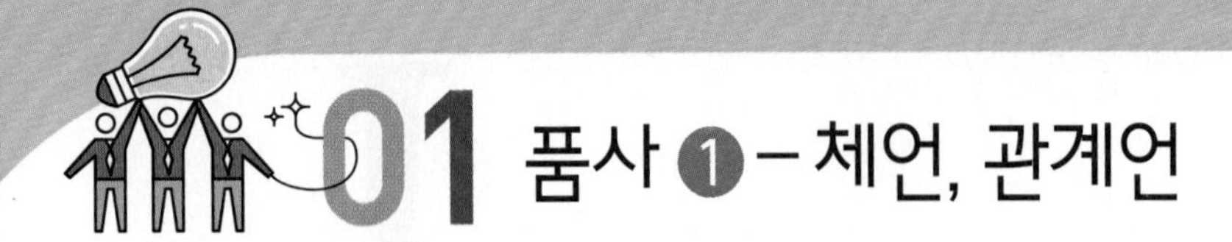

01 품사 ① – 체언, 관계언

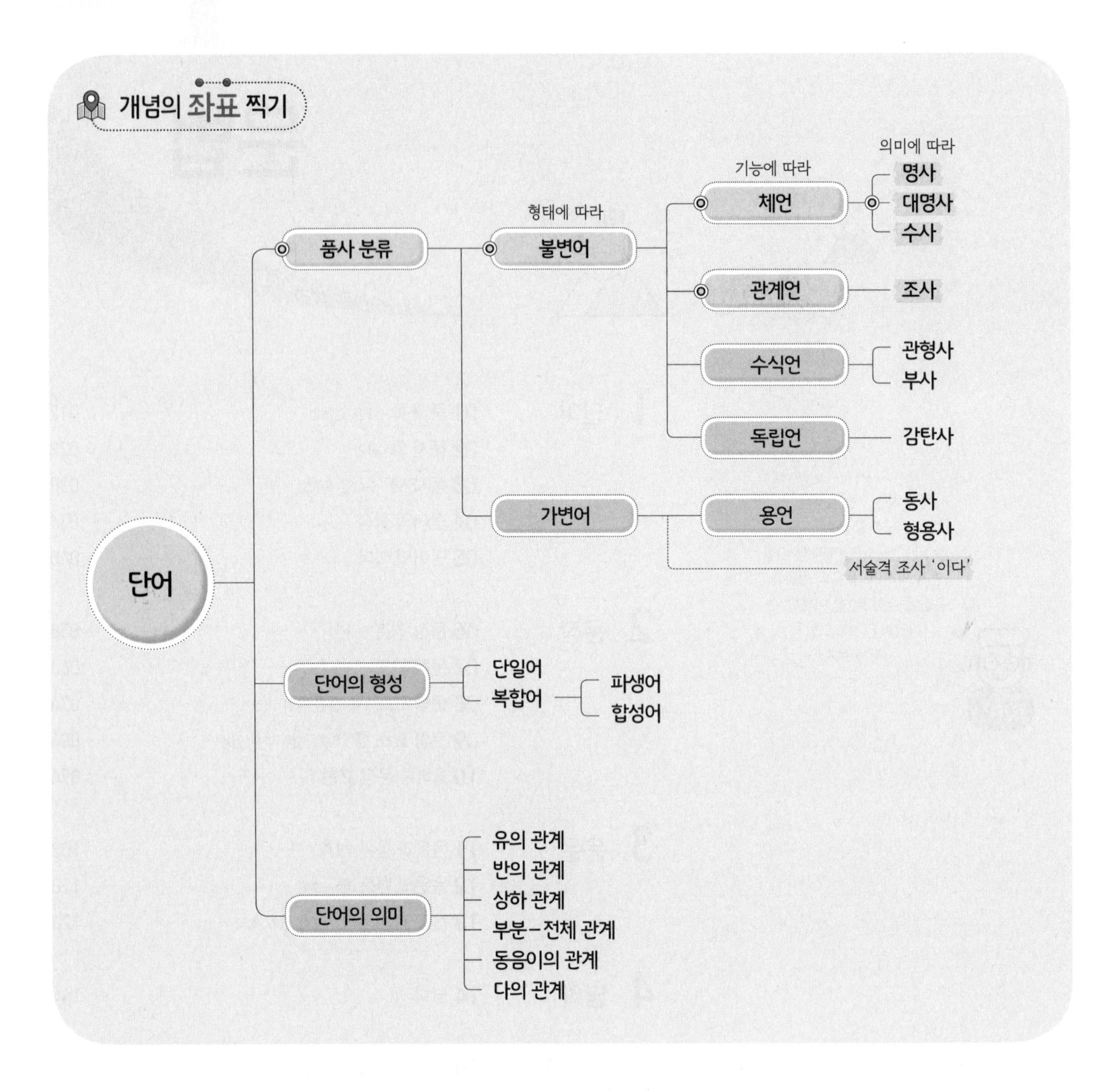
개념의 좌표 찍기
단어
품사 분류
형태에 따라
불변어
기능에 따라
체언
의미에 따라
명사
대명사
수사
관계언
조사
수식언
관형사
부사
독립언
감탄사
가변어
용언
동사
형용사
서술격 조사 '이다'
단어의 형성
단일어
복합어
파생어
합성어
단어의 의미
유의 관계
반의 관계
상하 관계
부분–전체 관계
동음이의 관계
다의 관계

끝말 잇기 하자.
나부터 할게!
'나들이'
이?
그럼 나는…
'이다'
'학생이다' 할 때
'이다' 말야.
야?
그게 뭐야.
왜?
조사도
단어인걸?

개념을 품은 기출 선택지

- '크다 [1]'과 '크다 [2]'는 **품사**의 차이에 따라 구분된 것이겠군. (2015. 9. 모의평가Ⓑ)
- '옛날, 사진, 기억'은 ㉠에 해당하고 **명사**이다. (2019. 9. 모의평가)
- ㉢에 들어갈 말은 '**격 조사**'이다. (2016. 6. 모의평가Ⓐ)

단어와 품사

01~03 '품사' 단원은 우리말의 무수히 많은 단어를 어떻게 분류하는가에 관한 내용이야. 따라서 '단어'의 특성을 먼저 정리하고 나서 품사를 공부하자.

단어의 개념과 특성

① **단어(單語)**: 자립할 수 있는 말이나, 자립할 수 있는 말 뒤에 붙어서 쉽게 분리할 수 있는 말들(홑로 말)을 '단어'라고 한다. 단어의 자립성은 띄어쓰기를 통해 잘 드러난다.

② **단어의 특성**

㉠ **단어를 이루는 말 사이에는 다른 말이 끼어들 수 없다.**

예 큰아버지(아버지의 형) : 중간에 다른 말이 끼어들 수 없고, 다른 말이 들어가면 본래 의미가 사라진다.(→ 한 단어 ○)
큰 아버지(몸집이 큰 아버지) : '큰 우리 아버지'와 같이 다른 말이 끼어들어도 본래 의미가 유지된다.(→ 한 단어 ×)

㉡ **조사도 단어로 인정한다.**

조사는 자립해서 쓰일 수 없지만 앞말과 쉽게 분리될 수 있기 때문에 단어로 인정한다. 예 '하늘이 매우 푸르다.'라는 문장에서 단어는 모두 4개이다.(하늘/이/매우/푸르다)

품사

① **품사(品詞)**: 단어를 문법적인 성질의 공통성에 따라 나눈 부류를 말한다. 단어를 품사로 분류(물건 말)하는 기준에는 형태, 기능, 의미가 있다.

② **품사 분류의 기준**

㉠ **형태에 따라** / 가변어, 불변어

단어가 문장에서 쓰일 때 형태가 변화하면 '가변어', 변하지 않으면 '불변어'로 분류한다. 이때, 형태 변화는 다른 말로 '활용'이라고도 한다. 동사와 형용사는 가변어에 속하며, 활용을 한다(예 '먹다' → '먹고, 먹으니, 먹어서'). 조사는 모두 불변어이지만 서술격 조사 '이다'는 가변어에 속한다(예 '이다' → '이고, 이니, 이어서').

㉡ **기능에 따라** / 체언, 관계언, 용언, 수식언, 독립언

단어가 문장에서 하는 역할에 따라 '체언, 관계언, 용언, 수식언, 독립언'으로 분류할 수 있다.

㉢ **의미에 따라** / 명사, 대명사, 수사, 조사, 동사, 형용사, 관형사, 부사, 감탄사

단어를 의미에 따라 분류하면 '명사, 대명사, 수사, 동사, 형용사, 관형사, 부사, 조사, 감탄사'로 나눌 수 있다. 예를 들어 사물의 이름을 가리키는 말은 명사이고 사물의 동작을 나타내는 말은 동사이다.

품사 1단원에서는 체언(명사, 대명사, 수사)과 관계언(조사)을, 품사 2단원에서는 용언(동사, 형용사)을, 품사 3단원에서는 수식언(관형사, 부사)과 독립언(감탄사)을 배우게 될 거야.

궁금해요 서술격 조사 '이다'는 왜 가변어인가요?

다른 조사들과 달리 서술격 조사 '이다'는 형태가 변하기 때문이야. 동사나 형용사도 아닌데 형태가 변하니까 아주 특이한 녀석이지.

예 학생이다. / 학생이니?
학생이므로

위의 예문을 보면 '이다'는 문장 안에서 '이니', '이므로'와 같이 형태를 바꿔 가며 사용할 수 있어. 이런 독특한 특성 때문에 서술격 조사 '이다'는 관계언임에도 불구하고 용언과 함께 가변어로 분류하는 거야.

개념+ 의미에 따른 분류

품사 분류 기준에서의 '의미'는 개별 단어의 어휘적 의미가 아니라, 각각의 품사가 부류를 대표해서 갖는 공통적 의미를 말하는 것이다.
다음 네 개의 단어를 품사 분류 기준 중 '의미'를 기준으로 분류해 보자.

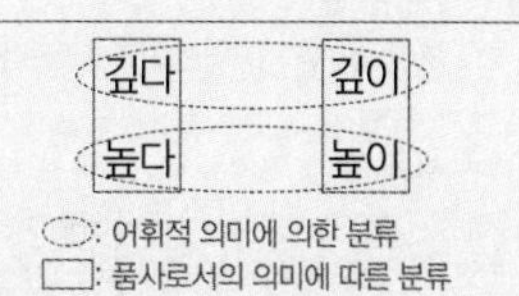

이때 '깊다'와 동일한 품사는 '깊이'가 아니라, '사물의 상태를 나타내는 말'이라는 공통점을 지닌 '높다'이다.

개념 콕 1 다음 예시에서 가변어를 모두 찾아 기본형으로 쓰시오.

- 웃이 예쁘구나!
- 옷을 다 입었다.
- 오늘이 한글날이니?

개념 콕 2 우리말에서 단어를 품사로 분류하는 세 가지 기준을 쓰고, <보기>가 어떤 품사 분류 기준에 따라 분류되었는지 쓰시오.

보기
체언, 용언, 수식언, 관계언, 독립언

콕 1 예쁘다, 입다, 이다 2 형태, 기능, 의미 / 기능

1 체언

문장에서 주어(무엇이), 목적어(무엇을), 보어(무엇이 (되다/아니다))의 기능을 주로 하는 명사, 대명사, 수사를 묶어서 체언(體(몸)言(말))이라고 한다. 형태가 변하지 않으며 조사와 결합하여 쓰이는 것이 특징이다.

명사

명사(名詞(이름 말))는 사람이나 사물, 장소 등의 이름을 나타내는 단어이다. 관형어(체언 앞에서 체언을 꾸며 주는 말(🔗 62쪽))의 꾸밈을 받을 수 있으며, '-들'이 붙어 복수(둘 이상의 수)의 의미를 나타낼 수 있다는 특징이 있다. 명사는 다음 기준에 따라 여러 갈래로 나뉜다.

사용 범위에 따라

보통 명사	같은 종류의 사물에 두루 쓰이는 이름. 예 산, 강, 도시, 과자
고유 명사⊕	특정한 사람이나 사물을 다른 것들과 구별하기 위해 붙인 이름. 예 한라산, 금강, 부산, 고래밥

자립성 유무에 따라

자립 명사	다른 말의 도움을 받지 않고 자립적으로 쓸 수 있는 명사. 예 사람, 바다, 하늘, 꽃
의존 명사⊕	앞에 꾸며 주는 말(관형어)이 있어야만 쓸 수 있는 명사. 예 것, 데, 따름, 뿐, 대로, 만큼

의존 명사는 앞에 반드시 꾸며 주는 말(관형어)이 있어야 문장에 쓰일 수 있으므로 문장의 첫머리에 나타나지 않는다.

예 • 나는 잘못한 것이 없다.
• 부끄러울 따름입니다.
• 누구도 비가 올 줄 몰랐다.
• 그 책을 다 읽는 데 이틀이 걸렸다.
• 최선을 다할 뿐이다.
• 그가 떠난 지도 꽤 오래되었다.

짚고 가요

품사의 통용 – 의존 명사 vs 조사

하나의 단어는 기본적으로 하나의 품사에 속해. 그렇지만 어떤 단어들은 두 가지 이상의 품사에 속하기도 하는데, 이것을 품사의 통용(通用(통하여 쓰임.))이라고 해. 앞에서 의존 명사의 예로 든 '만큼'을 통해 품사의 통용이 무엇인지 알아보자. 다음 두 문장을 보렴.

앞 문장의 '만큼'은 관형어 '먹을'의 꾸밈을 받으면서 조사 '만'과 결합한 의존 명사야. 한편 뒷문장의 '만큼'은 앞말 '너'와 결합한 조사이지. 이처럼 의존 명사와 조사로 통용되는 말에는 '만큼' 외에도 '대로, 뿐' 등이 있단다. '만큼, 대로, 뿐'이 의존 명사인지 조사인지 헷갈릴 때에는 ① 관형어의 꾸밈을 받는가? ② 띄어쓰기가 되어 있는가? 이 두 가지를 확인해 봐. 둘을 모두 만족하면 의존 명사야. ^^
참, 시험에는 이렇게 같은 모양의 두 단어를 주고, 각각의 품사가 무엇인지 가려내게 하는 품사 통용 문제가 종종 나와. 그래서 품사 단원에서는, 'OO사 VS OO사'와 같은 방식으로, 같은 모양의 단어가 다른 품사로 사용되는 경우들을 살펴보게 될 거야.

개념⊕ 고유 명사의 특징

① 특정한 하나의 개체에만 쓰이는 말이므로, 복수성을 전제로 한 표현을 할 수 없다.
예 • 어느 금강산이 더 높니?(×)
• 두 금강산(×)
② 복수형을 취하면 '보통 명사'가 되기도 한다.
예 그들은 이 나라의 이완용들(매국 행위를 일삼는 사람들)이다.

개념⊕ 단위성 의존 명사

수효나 분량 따위의 단위를 나타내는 의존 명사를 말한다. 이때 수량을 표현하는 말 뒤에서 '자립 명사'가 '단위성 의존 명사'처럼 쓰이는 경우도 있다.
예 한 개, 두 분
→ '개', '분'은 단위를 나타내는 단위성 의존 명사임.
예 두 사람
→ '사람'은 자립 명사이지만 수량을 표현하는 말 뒤에서 단위성 의존 명사처럼 쓰임.

개념 콕 3 밑줄 친 '대로' 중 품사가 다른 하나는?

① 좋을 대로 해.
② 너는 너대로 살아.
③ 종현이가 오는 대로 떠나자.
④ 먹는 대로 살이 붙어서 고민이야.
⑤ 하루하루는 성실하게, 인생 전체는 흘러가는 대로.

대명사

대명사(代名詞)는 사람이나 사물, 장소 등의 이름을 대신하여 가리키는 단어이다.
대신하다

인칭 대명사와 지시 대명사

① **인칭(人稱) 대명사**: 사람을 대신해서 가리키는 대명사이다. 누구를 가리키느냐에 따라 1인칭 대명사, 2인칭 대명사, 3인칭 대명사로 나뉜다.
사람

말하는 이를 가리킴.	듣는 이를 가리킴.	말하는 이, 듣는 이가 아닌 사람을 가리킴.
1인칭	2인칭	3인칭
나, 저, 우리, 저희 등	너, 자네, 그대, 당신, 너희, 여러분 등	이이, 이분, 그, 그이, 그분, 저이, 저분

② **지시(指示) 대명사**: 사물이나 장소의 이름을 대신해서 가리키는 대명사이다.
가리키다 보이다

예 [사물] 이것, 그것, 저것　　[장소] 여기, 거기, 저기

재귀칭(再歸稱) 대명사
다시 돌이켜 일컫다

대체로 한 문장 안에서 앞에 나온 명사를 다시 가리킬 때 쓰이는 대명사이다. '저, 저희, 자기, 당신' 등이 있다. 재귀 대명사는 앞에 유정 명사가 나올 때만 쓸 수 있다.
1, 2인칭에 나온 '저, 저희, 당신'과는 쓰임이 다름.
감정을 나타낼 수 있는 대상을 가리키는 명사

신희는 자기밖에 모른다.
앞에 나온 '신희'를 가리킴.

할머니는 당신밖에 모르신다.
- 앞에 나온 '할머니'를 가리킴.
- '당신'은 '자기'에 비해 높임의 의미가 있음.

부정칭(不定稱) 대명사, 미지칭(未知稱) 대명사
정하지 않음 일컫다　알지 못함 일컫다

부정칭 대명사	특정 대상이 아닌 '아무나' 또는 '아무 것'을 가리킬 때 사용하는 대명사. 예 아무, 누구, 어디, 무엇 / 누구든지 괜찮아.
미지칭 대명사	알지 못하는 특정 사람이나 대상을 가리킬 때 사용하는 대명사. 예 누구, 어디, 무엇 / 누구신데요?

수사

사물의 수량이나 순서를 나타내는 단어이다.

양수사(量數詞) 수량 세다 말	수량을 가리키는 단어. 예 하나, 둘, 일(一), 이(二) / 둘에 셋을 더하면 다섯이다.
서수사(序數詞) 순서 세다 말	순서를 가리키는 단어. 예 첫째, 둘째, 제일(第一), 제이(第二) 우리의 이념은 첫째는 진리이고 둘째는 정의이다.

궁금해요 '부정칭'과 '미지칭' 대명사가 헷갈려요.

품사 공부하다 보니 슬슬 눈이 감기는데, 잠이 깨도록 무서운 이야기 하나 해 줄까? 길을 잃고 아주 으스스한 폐가에 들어섰다고 상상해 보자. "거기 ①누구 없어요?" 그때 갑자기, 웬 소복 입은 여인이 나타난 거야! "깜짝이야! ②누구세요?"
이때, ①의 '누구'가 바로 '부정칭 대명사'야. 가리키는 대상이 정해져 있지 않으니 '아무나'로 바꿔도 말이 되지. ②의 '누구'는 '미지칭 대명사'야. 가리키는 대상은 정해져 있으나 그게 누구인지 정확히 모르니 말야. 어때, 잠이 좀 달아났니? ^^

개념
콕 4 밑줄 친 말이 재귀칭 대명사인 것에 V표 하시오.

(1) 저희가 잘못했어요. (　　)
(2) 그들은 저희가 잘못했다고 빌기 시작했다. (　　)
(3) 당신은 모를 거야. (　　)
(4) 어머님은 당신께서 직접 하는 것을 좋아하셨다. (　　)

개념
콕 5 밑줄 친 말이 부정칭이면 '부', 미지칭이면 '미'라고 쓰시오.

(1) 이번 총회에서는 누구를 회장으로 뽑아야 할까? (　　)
(2) 철수는 누구를 만나더라도 반갑게 대한다. (　　)
(3) 누구가 시합에서 이겼지? (　　)
(4) 누구가 와도 이 일은 해결하지 못한다. (　　)

콕 3 ② 4 (2), (4) 5 (1) 미 (2) 부 (3) 미 (4) 부

짚고 가요

수사 VS 수 관형사, 수사 VS 명사

많은 친구들이 헷갈려 하는 것 중 하나가 수사와 수 관형사의 구분이야. 아래 문장에서 수사를 모두 찾아보렴.

> **사과 두 개 중 하나만 주세요.**
> 두: 수 관형사 / 개: 의존 명사 / 하나: 수사 / 만: 조사

'두', '하나'라고 말한 친구가 있다면, 아쉽지만 '두'는 정답이 아니야. ㅠㅠ '두'는 수사 '둘'과 비슷하게 생겼지만 '수 관형사'란다. 수 관형사는 체언 앞에서 체언을 꾸며 주면서, 수나 양을 나타내는 말이야. 수사와 어떻게 구별하냐구? 수사는 조사와 결합할 수 있지만(예 하나만), 수 관형사는 조사와 결합하지 못한단다.(예 두만(×))
자, 한 문장만 더 보자! '첫째는 교사야.'란 문장에서 '첫째'가, '첫째, 둘째, 셋째…'의 순서 중 하나라면 수사지만, 이 말이 사람(맏이)을 뜻한다면 명사야. '첫째'는 문장에서 어떤 의미로 쓰였느냐에 따라 수사가 될 수도 있고, 명사가 될 수도 있는 거지.^^

개념+ **격**

문장에서 서술어에 대하여 단어가 가지는 일정한 자격을 말한다. 국어에서 격은 조사로 표현되는데, 어떠한 격을 나타내느냐에 따라서 격 조사의 이름이 결정된다.

예 우유를 마신다: 앞말(우유)이 목적어임을 표시하는 조사 '를'은 '목적격 조사'임.

2 관계언

관계언(關係言)은 주로 체언 뒤에 붙어서 다양한 문법적 관계를 나타내거나 특정한 의미를 더해 주는 기능을 하는 단어이다. 국어의 관계언은 '조사'뿐이다.

(관계: 둘 이상의 사람, 사물, 현상 따위가 서로 관련을 맺거나 관련이 있음. / 문법적 관계를 나타내거나: 격 조사 / 특정한 의미를 더해 주는: 보조사)

조사

조사는 다음과 같은 특징이 있다.

첫째, 홀로 쓰이지 못하지만 앞말에서 쉽게 분리할 수 있으므로 단어로 인정한다.

둘째, 서술격 조사 '이다'를 제외하고 활용하지 않는 불변어이다.
예 학생이고, 학생이며, 학생이구나('이다'만 가변어)

셋째, 여러 개의 조사가 한꺼번에 결합하기도 한다. 예 집에서만이(에서+만+이)

마지막으로, 생략이 쉬운 편이다. 예 소희가 밥 먹었니?(소희가 밥을 먹었니?)

● **격 조사**+: 앞에 오는 체언이 문장에서 일정한 자격을 갖게 해 주는 조사이다.

주격 조사	이/가, 께서, 에서+	앞의 체언이 현상이나 행위의 주체가 되게 한다. 예 소희가 발표를 한다.
서술격 조사	이다 조사 중 유일한 가변어	체언을 서술어가 되게 한다. 예 소희는 학생이지? 네, 학생입니다.
목적격 조사	을/를(ㄹ)	앞의 체언이 행위의 대상이 되게 한다. 예 소희가 밥을 먹는다.
보격 조사	이/가	'되다', '아니다' 앞에서 불완전한 의미를 보충하게 한다. 예 소희는 대학생이 되었다.
관형격 조사	의	체언을 관형어가 되게 한다. 예 이것은 소희의 책이다.
부사격 조사	에, 에게, 에서, (으)로, 와/과, 보다 등	체언을 부사어가 되게 한다. (부사어: 주로 용언을 꾸며 주는 말(62쪽)) 예 소희의 책으로 공부하자.
호격 조사	아/야, (이)여, 이시여	체언을 부름의 자리에 놓이게 하여 독립어가 되게 한다. 예 소희야! 성민아!

개념+ **'에서'의 두 가지 쓰임**

'에서'는 주격 조사로 쓰이기도 하고, 부사격 조사로 쓰이기도 한다.

① 주격 조사
예 서울시에서 광장을 만들었다.
(광장을 만든 주체, 즉 주어가 '서울시'이므로 주격 조사)

② 부사격 조사
예 우리는 서울시에서 머물렀다.
(우리가 머문 장소가 '서울시'이므로 부사격 조사)

개념 콕 6 밑줄 친 말의 품사가 다른 하나는?

> ① 둘째가 어느덧 열 살이 되었고, ② 첫째는 삼수생이 되었다. 올해 나의 소원은 첫째도 ③ 첫째의 합격, ④ 둘째도 ⑤ 첫째의 합격이다.

호격 조사 / 주격 조사 / 부사격 조사 / 관형격 조사 / 목적격 조사

하은아, 다은이가 방에서 언니의 책을 읽고 있니?

독립어 / 주어 / 부사어 / 관형어 / 목적어

주격 조사 / 보격 조사

물이 얼음이 된다.

주어 / 보어

보조사

앞말에 특별한 의미를 더해 주는 조사이다. 보조사는 체언이나 부사, 용언, 다른 조사 뒤 등 다양한 위치에 붙을 수 있다.

각각의 격에 맞는 자리에만 쓰이는 격 조사와 달리, 보조사는 격에 상관없이 비교적 자유롭게 쓰임.

보조사	의미	예문
은/는	• 대조 • 화제	• 춤은 잘 추는데 노래는 못한다. • 그 가수는 노래를 잘한다.
만	한정(오직)	하루 종일 잠만 잤다.
도	더함(역시)	자장면을 먹고 탕수육도 먹자.
요	높임	제가요, 숙제를 깜박했어요.
뿐	단독	진정한 친구는 너뿐이야.
마다	낱낱이 모두	사람마다 성격이 다르다.
(이)라도	차선의 것	이거라도 드실래요?
까지	• 범위의 끝 • 포함된 것에 더함	• 1시부터 3시까지 • 너까지(=마저/조차) 이러기야?

궁금해요 '은/는'은 주격 조사 아닌가요?

'은/는, 이/가'를 묶어 주격 조사라고 잘못 생각하는 친구들이 종종 있어. 하지만 '은/는'은 주어 자리뿐만 아니라 다양한 자리에 쓰일 수 있는 보조사란다. 아래 세 문장을 보렴. '는'이 주어 자리뿐만 아니라 다양한 위치에 놓이면서 뜻을 더해 주고 있지?

예 • 너는 그를 잘 모른다. (주어 자리) • 네가 그는 잘 모른다. (목적어 자리) • 네가 그를 잘은 모른다. (부사어 자리)

접속 조사

두 개 이상의 단어를 같은 자격으로 이어 주는 조사이다. 보통 '와/과'는 글말에서 잘 쓰이고, '(이)랑', '하고'는 입말에서 잘 쓰인다.

나는 시와 소설을 좋아한다.

└ 시와 소설을 대등한 자격으로 이어 주는 접속 조사

주의할 점은 '와/과, 하고, 랑'이 항상 접속 조사로 쓰이는 것은 아니라는 것이다. 이 조사들이 '닮다, 결혼하다, 만나다'와 같은 서술어와 함께 쓰일 때에는, 앞말이 부사어가 되게 하는 부사격 조사이다.

나는 외할머니랑 닮았어. (부사격 조사) **견우는 직녀와 만났다.** (부사격 조사)

➲ "나는 시와 소설을 좋아한다."는 "나는 시를 좋아한다.", "나는 소설을 좋아한다."의 두 문장으로 나눌 수 있으나, 위의 두 문장은 "나는 닮았어.", "외할머니는 닮았어." / "견우는 만났다.', '직녀는 만났다."로 나누면 의미가 충분히 전달되지 않는다.

1 단어

개념

콕 7 다음 문장에 쓰인 조사의 종류를 파악한 <보기>를 참고하여 빈칸에 들어갈 알맞은 말을 쓰시오.

내가 방에서 너의 책을 볼게.

보기
'내가'는 주어이므로, '가'는 주격 조사이다.

(1) '방에서'는 부사어이므로, '에서'는 (　　　) 조사이다.
(2) '너의'는 관형어이므로, '의'는 (　　　) 조사이다.
(3) '책을'은 목적어이므로, '을'은 (　　　) 조사이다.

개념

콕 8 <보기>를 참고하여 밑줄 친 부분에 쓰인 조사를 격 조사, 보조사로 구분하시오.

보기
서울에서만 꽃이 피었다.
→ 에서(격 조사) + 만(보조사)

(1) 내 사랑은 여기까지이다.
(2) 너만이라도 따뜻하게 먹어라.
(3) 초등학생까지도 모두 나왔다.
(4) 믿는 것은 오직 나 자신뿐이다.
(5) 그마저도 못 먹겠으면 그냥 남겨라.

콕 6 ④ 7 (1) 부사격 (2) 관형격 (3) 목적격 8 (1) 까지(보조사)+이다(격 조사) (2) 만(보조사)+이라도(보조사) (3) 까지(보조사)+도(보조사) (4) 뿐(보조사)+이다(격 조사) (5) 마저(보조사)+도(보조사)

사뿐히 즈려밟는

확인 문제

✔ 바로바로 간단 체크

1 다음 문장의 밑줄 친 단어의 품사를 의미에 따라 구분하시오.

(1) 민수야, 동생이랑 놀아 줄래?

(2) 하나를 보면 열을 안다.

(3) 우리 집 규칙 셋째는 자기 방을 스스로 치우는 거야.

(4) 아주버님 댁 둘째는 노래만 좋아해요.

(5) 내 말대로 하면 네가 원했던 대로 이루어질 거야.

(6) 온통 네 생각뿐이라 그렇게 할 뿐이야.

2 다음 문장의 밑줄 친 명사를 자립성 유무에 따라 구분하시오.

(1) 학교까지 가는 데 얼마나 걸리니?

(2) 가끔 피자를 먹고 싶을 때가 있잖아.

(3) 난 노력한 만큼 성적이 올랐어.

3 다음 문장의 밑줄 친 조사를 격 조사, 보조사, 접속 조사로 구분하시오.

(1) 준석이는 국어와 수학을 좋아한다.

(2) 너까지 나한테 이러기야?

(3) 고양이가 강아지와 논다.

(4) 나랑 영희가 가서 바나나를 사 오자.

품사의 체계

01 품사에 대한 설명으로 적절한 것은?

① 단어는 의미에 따라 총 여덟 개의 품사로 구분된다.
② 단어는 기능에 따라 가변어와 불변어로 구분된다.
③ 체언은 의미에 따라 명사, 대명사, 수사로 구분된다.
④ 조사는 주로 체언 뒤에 쓰이며 모든 조사는 불변어이다.
⑤ 관계언은 주어의 성질이나 상태를 나타내는 기능을 한다.

체언

02 문장에서 사용된 체언의 개수가 나머지와 다른 것은?

① 아기 셋이 우유를 먹고 있다.
② 이것과 저것은 예쁘게 생겼다.
③ 첫째로 생각할 것은 건강이다.
④ 가족은 한라산으로 등산을 떠났다.
⑤ 보라가 우진이에게 사탕을 주었다.

명사

03 다음 중 대상의 구체적인 이름을 나타내는 단어를 모두 고른 것은?

사랑 매우 셋 연필 어느 그녀

① 사랑, 연필
② 사랑, 셋, 어느
③ 매우, 어느, 그녀
④ 사랑, 매우, 셋
⑤ 사랑, 셋, 연필, 그녀

의존 명사

04 〈보기〉를 참고할 때, 밑줄 친 단어 중 의존 명사의 예로 적절하지 않은 것은?

보기

명사에는 '것', '줄', '만큼', '뿐', '대로'처럼 문장에서 홀로 쓰이지 못하고 관형어의 수식을 받으며 앞말과 띄어 써야 하는 단어들이 있는데, 이를 의존 명사라고 한다. 그런데 일부 의존 명사는 조사와 그 형태가 같아 주의해야 한다.

① 나는 오늘 비가 올 줄 몰랐어.
② 먹을 만큼 접시에 덜어 드세요.
③ 우리가 제일 먼저 해야 할 것은?
④ 내가 좋아하는 동물은 펭귄뿐이야.
⑤ 오늘 일어났던 일을 본 대로 얘기해 주세요.

대명사

05 ㉠~㉤ 중 대명사가 아닌 것은?

동호: 청석아, ㉠여기에서 보네.
청석: 동호야, 너 ㉡어디 간다고 했잖아. 지훈이도 같이 가는 거였어?
지훈: 응. (영화표 보여 주며) ㉢이것 봐라. 우리는 영화 볼 거다.
청석: ㉣너희, 나만 빼놓고 이러기냐?
동호: 너도 ㉤지난번에 우리 쏙 빼고 데이트 갔잖아. 인과응보라고 들어 봤냐? 뿌린 대로 거두는 거야.

① ㉠ ② ㉡ ③ ㉢ ④ ㉣ ⑤ ㉤

인칭 대명사

06 ㉠~㉤에 대한 설명으로 적절하지 않은 것은?

(초인종이 울리면)
아들: (문 앞에 서서) ㉠누구세요?
택배 직원: 택배입니다.
아들: (큰 박스를 들고 끙끙대며) ㉡저 혼자 들기에는 너무 무거워요. ㉢아무나 좀 도와주세요. 아직 두 상자나 더 있어요.
어머니: (박스를 아들과 함께 들어 주며) 시골 할머니께서 ㉣당신의 과수원에서 나온 사과를 올해도 보내셨구나. (남편을 보며) ㉤당신도 누워만 있지 말고, 상자 좀 같이 옮겨요.

① ㉠: 가리키는 대상이 정해져 있으나 무엇인지 정확하게 모를 때 사용하는 미지칭 대명사이다.
② ㉡: 화자를 가리키는 말로 자신을 낮추어 표현한 1인칭 대명사이다.
③ ㉢: 지시 대상이 정해지지 않았을 때 사용하는 부정칭 대명사이다.
④ ㉣: 앞에 나온 대상을 다시 가리킬 때 사용하는 재귀칭 대명사이다.
⑤ ㉤: 화자와 청자가 아닌 대상을 가리키는 3인칭 대명사이다.

부정칭·미지칭 대명사

07 〈보기〉의 밑줄 친 부분의 ㉠, ㉡에 해당하는 예로 적절한 것은?

보기

대명사에는 ㉠모르는 사물이나 사람을 가리키는 미지칭 대명사와 ㉡정해지지 아니한 사람, 물건, 방향, 장소 따위를 가리키는 부정칭 대명사가 있다. 예컨대 "네가 방금 무엇을 가져갔냐?"의 '무엇'은 물음의 대상이 되는 사물을 모르는 경우이므로 미지칭 대명사이고, "배가 고프니 무엇을 좀 먹자."의 '무엇'은 정해지지 않은 대상을 두루 가리키는 부정칭 대명사이다.

① ㉠: 아무도 나를 기다리지 않았다.
㉡: 아무에게나 네 속마음을 털어놓지 마.
② ㉠: 과제물을 언제까지 제출해야 합니까?
㉡: 물건은 언제든 찾아가실 수 있습니다.
③ ㉠: 네가 원한다면 나는 어디든 가도 좋아.
㉡: 어제 내가 지갑을 어디에 두었더라?
④ ㉠: 그것은 누구나 한 번은 겪는 일입니다.
㉡: 밖에서 어슬렁대는 사람은 누구입니까?
⑤ ㉠: 무엇에 쫓길 때처럼 다리가 움직이지 않았다.
㉡: 그가 무엇 때문에 그렇게 고민하는지 궁금하다.

수사

08 수사가 사용되지 않은 문장은?

① 우리 집 식구는 넷이다.
② 열의 열 배는 얼마일까?
③ 나는 일(一)부터 백(百)까지 셀 수 있어.
④ 우리 집 가훈은 제일도 제이도 정직이다.
⑤ 딸 중에 첫째는 공부를 잘하고, 둘째는 놀기만 잘해요.

격 조사

09 밑줄 친 단어 중 그 성격이 가장 다른 것은?

① 오늘은 도서관에 가자.
② 왕은 기사를 사위로 삼았다.
③ 영은이가 나에게 선물을 주었다.
④ 정부에서 부동산 정책을 발표했다.
⑤ 우리는 학생으로서 본분을 다해야 한다.

격 조사

10 〈보기〉를 바탕으로 조사의 쓰임을 이해한 것으로 적절하지 않은 것은?

보기
㉠ 할머니께서 부산에서 오셨다.
㉡ 희범이가 올해 대학생이 되었다.
㉢ 언니가 밤에 핸드폰을 보고 있다.
㉣ 친구야, 우리의 추억을 소중히 간직하자.

① ㉠의 '에서'는 앞말과 결합해 앞말이 부사어임을 나타낸다.
② ㉠의 '께서'와 ㉡의 '가'는 앞말이 주어의 역할을 하게 한다.
③ ㉡의 '이'는 서술어 '되다' 앞에서 쓰였으므로 보격 조사이다.
④ ㉢에는 주격 조사, 부사격 조사, 목적격 조사, 서술격 조사가 쓰였다.
⑤ ㉣에는 호격 조사 '야', 관형격 조사 '의', 목적격 조사 '을'이 쓰였다.

보조사

11 〈보기〉를 바탕으로 보조사에 대해 이해한 내용으로 적절하지 않은 것은?

보기
㉠ 만화 영화만 보지 말고, 뉴스도 좀 봐라.
㉡ 인생은 짧고, 예술은 길다.
㉢ 빨리는 못 하지만 실수 없이 일하겠습니다.
㉣ 저는 저만의 방식으로 살아가겠어요.

① ㉠을 보니, 보조사를 씀으로써 '한정'과 '더함'이라는 특별한 의미가 보태어졌군.
② ㉡을 보니, 보조사 '은'은 대조의 의미를 나타내는군.
③ ㉢, ㉣을 보니 보조사는 체언이 아닌 단어에도 결합할 수 있군.
④ ㉣에서 문장의 끝에 위치하는 보조사 '요'는 높임의 의미를 더해 주는군.
⑤ ㉠~㉣을 보니 보조사는 다른 조사와 함께 사용하지 못하는군.

품사의 분류 2016학년도 6월 고2 학력평가

12 〈보기〉의 [가]를 바탕으로 [나]를 분석한 내용으로 적절하지 않은 것은?

보기
[가] 품사는 단어를 '형태', '기능', '의미'를 기준으로 분류한 것이다. ㉠'형태'에 따라 불변어, 가변어로, ㉡'기능'에 따라 체언, 용언, 수식언, 관계언, 독립언으로 나뉜다. 그리고 ㉢'의미'에 따라 명사, 대명사, 수사, 동사, 형용사, 관형사, 부사, 조사, 감탄사로 나뉜다.
[나] 열에 아홉은 매우 착실한 학생이다.

① ㉠에 따라 나누면 '착실한'과 '이다'는 가변어이다.
② ㉡에 따라 나누면 '열'과 '학생'은 체언이다.
③ ㉡에 따라 나누면 '은'과 '이다'는 관계언이다.
④ ㉢에 따라 나누면 '아홉'과 '학생'은 같은 품사이다.
⑤ ㉢에 따라 나누면 '매우'와 '착실한'은 다른 품사이다.

명사와 조사의 특성 2016학년도 11월 고2 학력평가(변형)

13 〈보기〉의 ㉠~㉤에 대해 탐구한 내용으로 가장 적절한 것은?

보기
• 그는 너보다(㉠) 열심히 공부했다.
• 나는 꽃(㉡)을 받고 어찌할 바(㉢)를 몰랐다.
• 네가 질문하고 싶은 것(㉣)이 무엇이니?
• 교실 안은 숨소리가 들릴 만큼(㉤) 조용하다.

① ㉠과 ㉢은 꾸미는 말의 꾸밈을 받을 수 있는 특징이 있다.
② ㉠과 ㉣은 자립하여 쓰일 수 없으므로 단어로 인정되지 않는다.
③ ㉡과 ㉣은 조사가 붙어 문장 안에서 주어, 목적어 등으로 사용된다.
④ ㉡과 ㉤은 문장에서 홀로 사용될 수 있기 때문에 단어로 인정된다.
⑤ ㉢과 ㉤은 홀로 쓰일 수 있는 말에 붙어 쉽게 분리되는 특징이 있다.

조사 2014학년도 6월 고1 학력평가

14 〈보기〉를 바탕으로 '조사'의 특징을 이끌어 낸 것으로 적절하지 않은 것은?

보기
ㄱ. 동생이 책을 읽는다. / 여기가 천국이다.
ㄴ. 엄마와 나는 영화를 보았다. / 나랑 동생은 학교로 갔다.
ㄷ. 오늘은 물만 마셨다. / 오늘은 물도 마셨다.
ㄹ. 꽃이 예쁘게도 피어 있다. / 천천히만 가거라.
ㅁ. 이것이 좋다. / 이것 좋다. / 이것만으로도 좋다.

① ㄱ : 앞의 체언이 문장에서 일정한 자격을 갖도록 해 준다.
② ㄴ : 두 체언을 같은 자격으로 이어 준다.
③ ㄷ : 앞의 체언을 다른 품사로 만들어 준다.
④ ㄹ : 체언 이외에 용언이나 부사 뒤에 붙어 쓰이기도 한다.
⑤ ㅁ : 생략하거나 둘 이상 겹쳐 쓰이기도 한다.

보조사 2015학년도 6월 모의평가

15 〈보기〉의 밑줄 친 부분에 해당하는 예로 적절하지 않은 것은?

보기
국어의 조사 중에는 결합하는 앞말과 다른 말과의 문법적인 관계를 표시하는 격 조사와 특별한 뜻을 더해 주는 보조사가 있다. 격 조사는 특정한 문장 성분에만 쓰인다. 가령 주격 조사는 주어에, 목적격 조사는 목적어에 쓰인다. 반면 보조사는 하나의 문장 성분에만 쓰이는 것이 아니라 여러 문장 성분에 쓰일 수 있다.

① "삼촌이 밤에만 글을 썼다."에서의 '만'.
② "선수들이 오늘은 간식을 먹었다."에서의 '은'.
③ "내가 친구한테 가방을 선물했다."에서의 '한테'.
④ "아이들이 유치원에서 악기도 연주한다."에서의 '도'.
⑤ "누나가 일기를 책으로까지 만들었다."에서의 '까지'.

조사 2014학년도 4월 고3 학력평가(변형)

16 다음은 사전의 일부이다. 이를 바탕으로 〈보기〉를 탐구한 내용으로 적절하지 않은 것은?

가 조 [1] (받침 없는 체언 뒤에 붙어)
1 어떤 상태나 상황에 놓인 대상, 또는 상태나 상황을 겪거나 일정한 동작을 하는 주체를 나타내는 격 조사.
2 ('되다', '아니다' 앞에 쓰여) 바뀌게 되는 대상이나 부정하는 대상임을 나타내는 격 조사. 바뀌게 되는 대상을 나타낼 때는 대체로 조사 '로'로 바뀔 수 있다.
[2] (받침 없는 체언이나 부사어 뒤, 연결 어미 '-지' 뒤에 붙어) 앞말을 지정하여 강조하는 보조사. 연결 어미 '-지' 뒤에 오는 '가'는 '를'이나 'ㄹ'로 바뀔 수 있으며, 흔히 뒤에는 부정적인 표현이 온다.

이 조 [1] (받침 있는 체언 뒤에 붙어)
1 어떤 상태를 보이는 대상이나 일정한 상태나 상황을 겪는 경험주 또는 일정한 동작의 주체임을 나타내는 격 조사.
2 ('되다', '아니다' 앞에 쓰여) 바뀌게 되는 대상이나 부정하는 대상임을 나타내는 격 조사. 바뀌게 되는 대상을 나타낼 때는 대체로 조사 '으로'로 바뀔 수 있다.
[2] ('-고 싶다' 구성에서 본동사의 목적어나 받침 있는 부사어 뒤에 붙어) 앞말을 지정하여 강조하는 보조사.

보기
• 어느새 연못 속의 ⓐ올챙이가 ⓑ개구리가 되었다.
• 아무리 청소를 해도 방이 ⓒ깨끗하지가 않다.
• 그 넓던 갈대밭이 모두 ⓓ뽕밭이 되었다.
• 나는 ⓔ백두산이 제일 보고 싶다.

① ⓐ의 '가'와 ⓓ의 '이'는 '가[1]'과 '이[1]'를 보니 앞 체언의 받침 유무에 따라 선택된 격 조사이겠군.
② ⓑ의 '가'는 '가[1]2'를 볼 때 조사 '로'로 바꾸어 쓸 수 있으므로 '되다' 앞에 쓰여 부정하는 대상임을 나타내는 격 조사이겠군.
③ ⓒ의 '가'는 '가[2]'를 볼 때 '를'로 바꾸어 쓸 수 있으므로 앞말을 지정하여 강조하는 보조사로 쓰였군.
④ ⓓ의 '이'는 '이[1]2'를 볼 때 조사 '으로'로 바꾸어 쓸 수 있으므로 '되다' 앞에 쓰여 바뀌게 되는 대상을 나타내는 격 조사이겠군.
⑤ ⓔ의 '이'는 '이[2]'를 볼 때 앞말을 지정하여 강조하는 보조사이겠군.

02 품사 ❷ – 용언

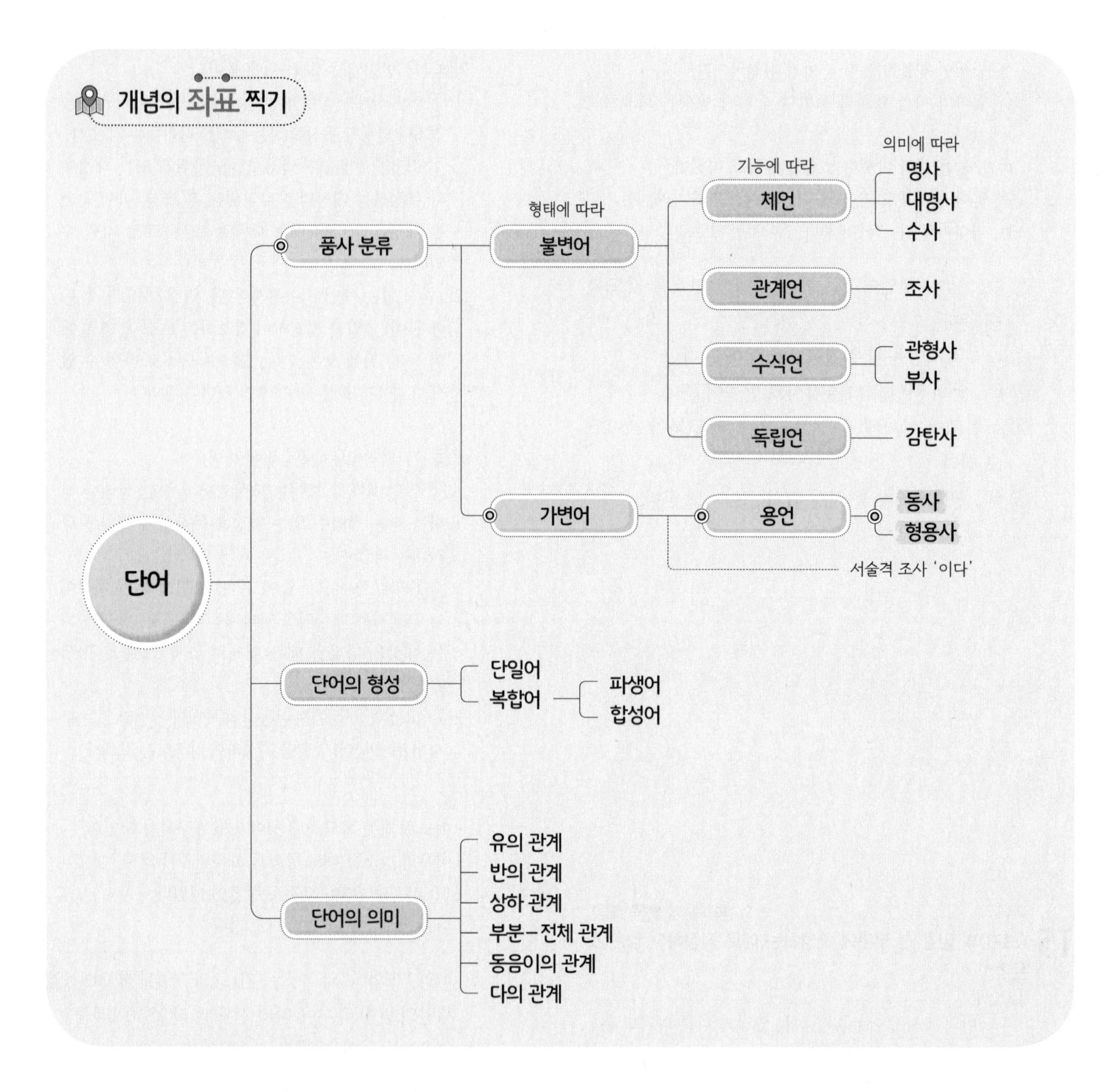
개념의 좌표 찍기
단어
품사 분류
형태에 따라
불변어
기능에 따라
체언
의미에 따라
명사
대명사
수사
관계언
조사
수식언
관형사
부사
독립언
감탄사
가변어
용언
동사
형용사
서술격 조사 '이다'
단어의 형성
단일어
복합어
파생어
합성어
단어의 의미
유의 관계
반의 관계
상하 관계
부분-전체 관계
동음이의 관계
다의 관계

밥을 먹____.
문제가 남느냐? 내가 남느냐?
용언은
먹었니?
형태가
변해요
먹어요
먹는다

개념을 품은 **기출 선택지**

- '보니, 떠올랐다'는 ㉡에 해당하고 **동사**이다. (2019. 9. 모의평가)
- **동사**와는 달리 **형용사**는 현재를 나타내는 선어말 어미와 결합할 수 없다. (2019. 9. 모의평가)
- **보조 용언** 구성 '-고 있-'은 크게 두 가지 의미를 지닌다. (2016. 수능)

1 용언

문장의 주어를 서술하는 기능을 가진 단어를 용언(用言)(작용 말)이라고 한다. 용언은 '어찌하다'의 의미를 지닌 동사와, '어떠하다'의 의미를 지닌 형용사로 나뉜다. 동사와 형용사는 어미를 취하여 활용을 하는 가변어로, 부사어의 꾸밈을 받을 수 있다는 공통점이 있다.

동사

사람이나 사물의 동작이나 작용을 나타내는 단어를 동사(動詞)(움직이다)라고 한다. 목적어의 필요 유무에 따라 자동사와 타동사로 나뉜다.

자동사	예 소희가 잔다. 소희가 뛴다. 소희가 걷는다. ➲ 동사 '자다, 뛰다, 걷다'는 주어에만 관련된 동작이나 작용이므로, 목적어가 필요하지 않음.
타동사	예 소희가 나를 잡았다. 소희가 벨을 눌렀다. ➲ 동사 '잡다', '누르다'는 목적어('나를', '벨을')가 반드시 필요함.

형용사

사람이나 사물의 성질이나 상태를 나타내는 단어를 형용사(形容詞)(사물의 어떠함을 말이나 글 또는 시늉을 통하여 드러냄.)라고 한다. '예쁘다', '맛있다'처럼 일반적인 형용사인 성상(性狀)(성질상태) 형용사와, 앞에 나온 형용사를 다시 가리키는 지시(指示)(어떤 대상을 가리켜 보이는 것) 형용사가 있다.

성상 형용사	예 예쁘다, 맛있다, 고요하다, 달다, 쓰다 등
지시 형용사	예 이러하다(이렇다), 그러하다(그렇다), 저러하다(저렇다) 등

짚고 가요

동사와 형용사 구분하기

쉽게 비유를 하면 동사는 그 의미가 '동영상'에 가깝고, 형용사는 '사진'에 가까워. 즉 동사는 '움직임'을, 형용사는 특정 시점에서의 '성질과 상태'를 나타내는 단어인 거지. 그래서 '예뻐지다'는 동사고, '예쁘다'는 형용사인 거야. 그런데 이렇게 의미 차이로 둘을 구분하기 어려운 때가 있어. 이럴 때는 특정 어미와 결합해서 활용할 수 있는지, 없는지를 확인하면 쉬워. 형용사는 다음의 예처럼 동사에 비해 결합하지 못하는 어미들이 꽤 있거든.

어미	동사	형용사
① 현재형 선어말 어미 '-ㄴ/는-'	○(걷는다, 뛴다)	×(예쁜다, 아름답는다)
② 관형사형 전성 어미 '-는'	○(걷는, 뛰는)	×(예쁘는, 아름답는)
③ 청유형 종결 어미 '-자'	○(걷자, 뛰자)	×(예쁘자, 아름답자)
④ 명령형 종결 어미 '-어라/아라'	○(걸어라, 뛰어라)	×(예뻐라, 아름다워라)
⑤ 의도·목적의 연결 어미 '-러/려'	○(걸으러, 뛰려)	×(예쁘러, 아름다우려)

단, 동사라고 해도 위의 어미 ①~⑤와 모두 결합하는 것은 아니야. 내신과 수능을 막론하고 자주 출제되는 내용이니까, 위 내용은 꼭 이해하고 가자.

궁금해요 **'있다'는 동사인가요, 형용사인가요?**

'있다'는 동사와 형용사로 통용되는 단어야. "한 장소에 머묾."이라는 의미로 쓰일 때는 동사로, '존재, 소유'와 같은 상태의 의미를 나타낼 때는 형용사로 구분하면 돼. 단, 형용사 '있다'는 예외적으로 관형사형 어미 '-는'과 결합할 수 있어.

> 돈이 있는 사람

위 예문에서 '있다'는 '소유'의 의미를 나타내므로 형용사이지만, 관형사형 전성 어미 '-는'과 결합한 것 보이지?
참고로 '없다'도 형용사이면서 '있다'처럼 관형사형 전성 어미 '-는'과 결합하여 활용되니까 기억해 둬.

개념 콕 1 **빈칸에 들어갈 알맞은 말을 쓰시오.**

> 용언은 주어를 ㉠_____하는 기능을 하며, 의미에 따라 사물의 움직임을 나타내는 ㉡_____와 사물의 상태를 나타내는 ㉢_____로 구분한다.

개념 콕 2 **다음 밑줄 친 단어의 품사를 의미에 따라 구분하시오.**

(1) 그녀의 남편은 참 젊다.
(2) 친구가 보낸 편지를 받았다.
(3) 하늘을 보며 잔디밭에 누웠다.
(4) 집이 없는 건 슬픈 일이야.
(5) 아기가 클수록 점점 예뻐진다.

콕 1 ㉠ 서술 ㉡ 동사 ㉢ 형용사 2 (1) 형용사 (2) 동사 (3) 동사 (4) 형용사 (5) 동사

2 용언의 활용

용언은 가변어로 어간에 붙는 어미를 달리하며 형태를 변화하는데 이러한 형태 변화를 활용이라고 한다.

어간과 어미

용언이 활용할 때 형태가 변하지 않는 부분을 어간, 형태가 변하는 부분을 어미라고 한다. 이때 '어간+-다'의 형태를 용언의 기본형으로 본다.

달리다	달리니	달리고	달리면
→ 용언의 기본형			■ 어간 ■ 어미

용언은 어간에 어떤 어미가 붙어 활용되느냐에 따라 서술어뿐만 아니라 관형어나 부사어 등 다양한 문장 성분으로 쓰인다.

예 너는 귀여운(관형어) 사람이다. 말도 귀엽게(부사어) 한다.(기본형: 귀엽다, 품사: 형용사)

어미의 종류

어미는 놓이는 위치에 따라 어말(語末: 말 끝) 어미와 선어말(先語末: 먼저 말 끝) 어미로 나뉜다. 어말 어미는 용언의 끝에 오는 어미이고, 선어말 어미는 어말 어미 앞에 나타나는 어미를 말한다. 어말 어미는 용언의 활용에 필수적이지만, 선어말 어미는 경우에 따라 있을 수도, 없을 수도 있다. 또 둘 이상의 선어말 어미가 오는 경우도 있다(예 하시었겠더구나). 어미는 용언의 어간 뒤에 붙어 다양한 문법적인 기능(높임, 시제, 문장의 유형, 문장의 확대 등)을 더해 준다.

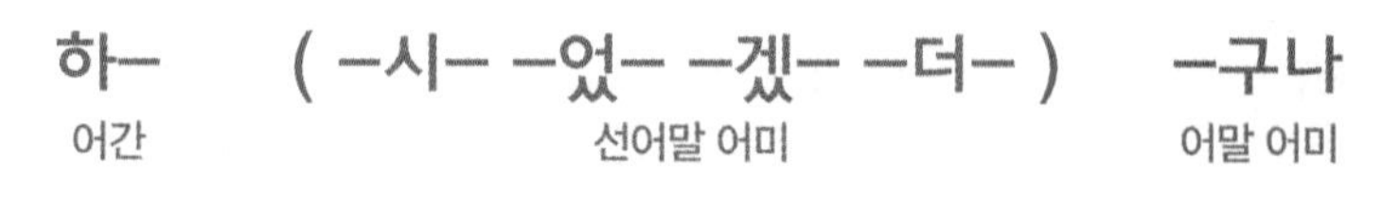

우리말의 어미는 다음과 같은 체계로 분류된다.

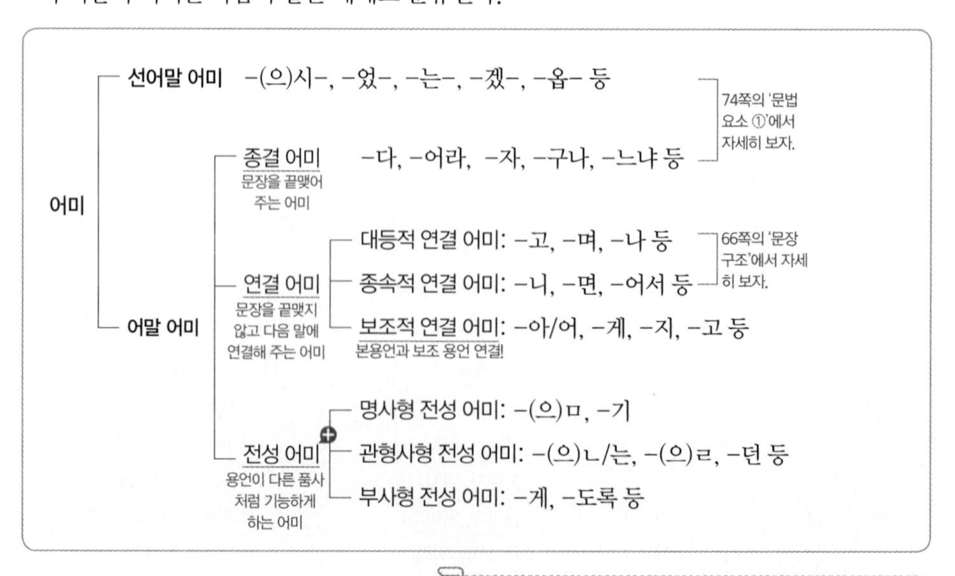

어미는 '2. 문장' 단원에서 자세하게 배울 거야. 여기서는 '전성 어미'에 대해서만 알아보자.

개념 콕 3 '먹었겠구나'의 어간과 어미를 분석하시오.

(1) 어간: ____________

(2) 선어말 어미: ____________

(3) 어말 어미: ____________

개념 콕 4 다음 문장에서 형태가 변하는 단어를 모두 찾아 그 기본형을 쓰시오.

> 범준이는 하얀 벚꽃이 핀 길을 걸었다.

개념+ 전성 어미

전성(轉成) 어미란 용언의 어간에 붙어 용언이 다른 품사처럼 기능하도록 하는 어미를 말한다. 전성 어미는 용언의 품사는 바꾸지 않으면서 그 기능만 바꾸어 준다.

바뀌어서 다른 것이 됨.

> **그 사람이 성실함은 알아줘야 해.**
> ➲ 형용사 '성실하다'에 명사형 전성 어미 '-ㅁ'이 결합하여 명사처럼 기능하게 해 줌.
>
> **시원한 바람이 불어왔다.**
> ➲ 형용사 '시원하다'에 관형사형 전성 어미 '-ㄴ'이 결합하여 관형사처럼 기능(체언을 꾸밈)하게 해 줌.

3 본용언과 보조 용언+

보통 문장에서 하나의 용언이 서술어의 기능을 하는 것이 일반적이지만, 두 용언이 함께 쓰여 문장을 서술하는 경우도 있다. 이때 문장의 주어를 주되게 서술하면서 보조 용언의 도움을 받는 용언을 본용언, 본용언의 뒤에 붙어서 그 뜻을 보충해 주는 용언을 보조 용언(補助用言)이라고 한다. 보조 용언은 동사처럼 활용되면 보조 동사, 형용사처럼 활용되면 보조 형용사로 구분한다.

보태어 도움.
예 보다, 두다
예 싶다, 않다

> **이 소리를 들어 보아라.**
> 들어: 본용언 / 보아라: 보조 용언(보조 동사)
>
> **오늘은 날씨가 춥지 않다.**
> 춥지: 본용언 / 않다: 보조 용언(보조 형용사)

본용언은 문장에서 핵심적인 뜻을 지니고 있어서 생략할 수 없고 단독으로 사용할 수 있지만, 보조 용언은 생략이 가능하며 본용언 없이 단독으로 쓰일 수 없다.

예 이 소리를 들어라(○)
예 이 소리를 보아라(×)

개념+ 보조 용언의 특징

① 본용언과 보조 용언을 연결하는 '-아/어'는 '-아서/어서'로 바꾸어 쓸 수 없다.
예 • 영수는 사과를 먹어 버렸다.(○)
• 영수는 사과를 먹어서 버렸다.(×)

② 본용언과 보조 용언 사이에는 다른 단어가 끼어들 수 없다.
예 • 사과를 먹어 버렸다.(○)
• 사과를 먹어 급히 버렸다.(×)

짚고 가요

품사 VS 문장 성분

아직까지는 품사에 대해서만 공부했지만, 뒤에서 문장을 공부하고 나면 품사와 문장 성분이 엄청 헷갈리게 될 거야. 그러니까 품사와 문장 성분에 대해 미리 짚고 가자. 쉽게 예를 들어 볼게. '김천재'라는 친구가 연극에서 외계인 역할을 맡았다고 생각해 봐.

품사는 단어의 고유한 성분이야. 변하지 않지. 연극에서 어떤 역할을 맡았든 간에, 친구가 '김천재'라는 이름을 가진 사람이라는 사실은 변하지 않잖아?

품사도 비슷해. 문장에 쓰인 단어의 품사를 알아보려면 단어를 기본형으로 바꾸어 봐. 예를 들어 '예쁜 눈'에서 '예쁜'의 품사가 궁금하다면 먼저 기본형인 '예쁘다'로 바꿔 보는 거야. 그러면 '예쁘다'가 사람이나 사물의 상태를 나타내는 형용사라는 걸 쉽게 알 수 있지.

한편 문장 성분은 문장에서 단어가 하는 역할이야. 위의 예시로 치면 '김천재'가 맡은 외계인에 해당하지. 그런데 '김천재'가 다른 연극을 한다면 당연히 역할이 바뀌겠지? 문장 성분도 이와 같아. 문장에 따라 단어가 하는 역할이 달라질 수 있지. 그래서 똑같이 '예쁘다'라는 단어도 '예쁜 눈'에서는 문장 성분이 관형어이고, '예쁘게 웃는다.'에서는 문장 성분이 부사어일 수 있는 거야.

엄청나게 중요한 내용이니까, 품사와 문장 성분이 어떻게 다른지는 꼭 이해하고 있어야 해.

개념
콕 5 다음 밑줄 친 단어의 품사를 쓰시오.

(1) 이 책은 가볍게 읽기 좋다.
(2) 환한 웃음이 매력적이다.

개념
콕 6 밑줄 친 단어가 보조 용언이 아닌 것은?

① 책을 읽고 싶다.
② 밥을 먹고 갔다.
③ 일이 다 끝나 간다.
④ 초콜릿이 녹아 버렸다.
⑤ 영화를 본 감상을 적어 두다.

콕 3 (1) 먹- (2) -었-, -겠- (3) -구나 4 하얗다, 피다, 걷다 5 (1) 동사 (2) 명사 6 ②

개념+ 규칙 용언(vs 불규칙 용언)

① 활용할 때 어간과 어미의 형태가 일정하게 유지되는 용언

1. (허리가) 굽다:
굽고, 굽지, 굽어서, 굽으니
2. (불에) 굽다:
굽고, 굽지, 구워서, 구우니

1은 활용할 때 어간과 어미의 형태가 일정하게 유지되는 규칙 용언이다. 한편 2는 1과 같은 조건에서 활용을 하는데도 '구워서', '구우니'와 같이 어간의 'ㅂ'이 'ㅗ/ㅜ'로 바뀌는 불규칙 용언이다.

② 활용 양상이 국어의 자연스러운 음운 규칙으로 설명되는 용언

1. (글을) 쓰다:
쓰- + -어 → 써
2. 다르다:
다르- + -아 → 달라

1은 활용할 때 어간의 형태가 달라졌지만 'ㅡ 탈락'이라는 보편적인 음운 변동 규칙으로 설명할 수 있으므로 규칙 용언이다.
131쪽
반면 2는 어간의 'ㅡ'가 탈락한 뒤 'ㄹ'이 덧붙어 '달라'의 형태가 된다. 이 경우는 보편적인 음운 변동 현상으로 설명할 수 없는 현상이므로 불규칙 용언으로 본다.

개념 콕 6 불규칙 용언이 아닌 것은?

① 벗다 ② 돕다
③ 푸다 ④ 흐르다
⑤ 생각하다

콕 6 ①

4 규칙 활용과 불규칙 활용

대부분의 용언은 활용할 때 어간이나 어미의 형태가 일정하게 유지되거나, 달라진다 해도 그 현상을 일정한 규칙으로 설명할 수 있다. 이를 규칙 활용이라고 하며, 규칙 활용하는 용언을 규칙 용언이라고 한다. 그러나 용언이 활용할 때 어간 또는 어미가 달라지면서 그 현상을 일정한 규칙으로 설명할 수 없는 경우도 있다. 이를 불규칙 활용이라고 하며, 불규칙 활용하는 용언을 불규칙 용언이라고 한다.

(1) 어간이 변하는 불규칙 활용

종류	형태	불규칙 활용의 예	규칙 활용의 예
'ㅅ' 불규칙	어간의 끝소리 'ㅅ'이 모음 앞에서 탈락함. 예 짓- + -어 → 지어	젓다, 붓다, 낫다 등	벗다, 빗다, 솟다, 빼앗다 등
'ㅂ' 불규칙	어간의 끝소리 'ㅂ'이 모음 앞에서 'ㅗ/ㅜ'로 바뀜. 예 돕- + -아 → 도와	줍다, 눕다, 괴롭다, (고기를) 굽다 등	뽑다, 잡다, 씹다, (허리가) 굽다 등
'ㄷ' 불규칙	어간의 끝소리 'ㄷ'이 모음 앞에서 'ㄹ'로 바뀜. 예 싣- + 어 → 실어	(궁금한 것을) 묻다, 일컫다, 긷다 등	(땅에) 묻다, 돋다, 닫다, 쏟다, 얻다 등
'르' 불규칙	어간의 끝소리 'ㅡ'가 '아/어' 앞에서 탈락하고 'ㄹ'이 덧붙음. 예 흐르- + -어 → 흘러	부르다, 그르다 (시간이) (말을) 이르다 등	치르다, 들르다 등 'ㅡ' 탈락
'우' 불규칙	어간의 끝소리 'ㅜ'가 모음 앞에서 탈락함. 예 푸- + -어 → 퍼	푸다	두다, 주다 등

(2) 어미가 변하는 불규칙 활용

종류	형태	불규칙 활용의 예	규칙 활용의 예
'여' 불규칙	어간 '하-' 뒤에 오는 어미 '-아'가 '-여'로 바뀜. 예 하- + -아 → 하여	'하다'로 끝나는 용언 (일하다, 사랑하다, …)	- 사- + -아 → 사
'러' 불규칙	어간이 '르'로 끝나는 용언의 '-어'가 '-러'로 바뀜. 예 이르- + -어 → (장소에) 이르러	푸르다, 누르다 등	치르다, 들르다 등
'오' 불규칙	어간 '달-/다-'의 뒤에는 명령형 어미 '-아/어라'가 '-오'로 바뀜. 예 달- + -아라 → 다오	달다 말하는 이가 듣는 이에게 어떤 것을 주도록 요구하다.	주다 등 주- + -어라 → 주어라

(3) 어간과 어미가 모두 변하는 불규칙 활용

종류	형태	불규칙 활용의 예	규칙 활용의 예
'ㅎ' 불규칙	어간의 'ㅎ'이 탈락하면서 어미도 바뀜. 예 파랗- + -아 → 파래	누렇다, 빨갛다, 까맣다 등	좋다, 놓다 등 좋- + -아 → 좋아

사뿐히 즈려밟는

확인 문제

✔ 바로바로 간단 체크

1 다음 밑줄 친 단어를 동사와 형용사로 구분하시오.

(1) 고생을 했더니 얼굴이 늙었다.

(2) 호주머니에 지갑이 없다.

(3) 인상 펴고 이야기 하자.

(4) 들판에 핀 꽃을 보니 좋다.

(5) 그리운 언니에게 편지를 쓰고 싶어.

(6) 겁나면 내 손을 꼭 잡아.

2 밑줄 친 용언의 어간과 어미를 〈보기〉와 같이 분석하시오.

> 보기
> 그렇게 할 리가 없다. → 어간: 하– / 어미: –ㄹ

(1) 누가 발을 밟았다.

(2) 친구에게 케이크를 먹게 해라.

(3) 글에 덧붙는 말이 많다.

(4) 민주가 마음에 드는 펜을 사서 웃음.

3 밑줄 친 단어가 본용언이면 '본', 보조 용언이면 '보'를 쓰시오.

(1) 손님, 이 옷을 한번 입어 보세요. (   )

(2) 형이 반찬을 손으로 집어 먹었다. (   )

(3) 오늘은 날씨가 춥지 않다. (   )

(4) 나는 그 섬에 다리를 건너서 갔다. (   )

용언의 이해

01 용언에 대한 설명으로 적절하지 않은 것은?

① 동사, 형용사를 아울러 가리키는 이름이다.
② 동사는 주어의 움직임이나 작용을 나타내는 품사이다.
③ 용언이 활용할 때 형태 변화 여부에 따라 어간과 어미로 나눌 수 있다.
④ 주어의 성질이나 상태를 나타내는 형용사를 성상 형용사라고 한다.
⑤ 용언이 활용하면 품사가 바뀌며, 문장에서 다양한 기능을 할 수 있다.

동사와 형용사

02 다음 밑줄 친 단어를 동사와 형용사로 구분한 것 중 적절하지 않은 것은?

① 방에 벽지가 너무 밝다. – 형용사
② 깜깜한 밤이 가고 날이 밝는다. – 동사
③ 멋지게 늙는 비결이 뭔지 궁금하다. – 동사
④ 젊은 사람일수록 미래를 대비해야 한다. – 형용사
⑤ 돈이 있는 사람도, 돈이 없는 사람도 똑같이 대우해야 한다. – 동사

어미의 종류

03 어미의 종류를 다음과 같이 나타낼 때, ㉠~㉤에 들어갈 말을 바르게 배열한 것은?

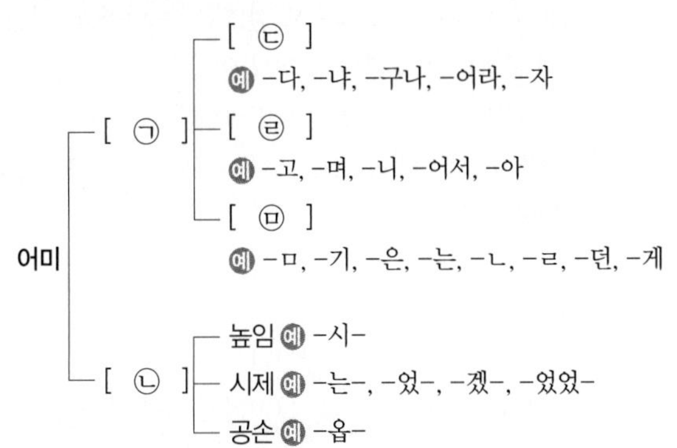

	㉠	㉡	㉢	㉣	㉤
①	선어말 어미	어말 어미	종결 어미	연결 어미	전성 어미
②	선어말 어미	어말 어미	전성 어미	연결 어미	종결 어미
③	선어말 어미	어말 어미	연결 어미	종결 어미	전성 어미
④	어말 어미	선어말 어미	종결 어미	연결 어미	전성 어미
⑤	어말 어미	선어말 어미	종결 어미	전성 어미	연결 어미

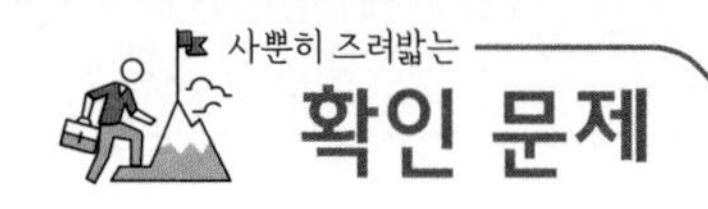

확인 문제

본용언과 보조 용언

04 〈보기〉의 설명을 참고할 때 밑줄 친 단어의 성격이 가장 다른 것은?

보기

용언은 문장 안에서 자립적으로 쓰여 서술어의 기능을 하는 것이 대부분이지만 경우에 따라서는 의존적으로 쓰여 다른 서술어를 도와주는 기능을 하기도 한다. 이러한 용언을 '보조 용언'이라고 한다. 본용언은 문장에서 제외하면 문장이 성립하지 않거나 원래 문장과 의미가 통하지 않게 되지만, 보조 용언은 생략해도 문장에 큰 영향이 없다.

① 새빨간 딸기를 씻어 먹었다.
② 나는 항상 어머니를 도와 드린다.
③ 날씨가 추워지니, 현아가 더 보고 싶다.
④ 나는 책을 읽은 후에는 감상을 적어 둔다.
⑤ 내가 좋아하는 닭다리를 오빠가 먹어 버렸다.

규칙 활용과 불규칙 활용

05 선생님의 설명에서 밑줄 친 부분에 해당하는 것을 예시에서 골라 바르게 묶은 것은?

보기

선생님: 용언이 활용할 때 대부분의 용언은 어간이나 어미의 기본 형태가 유지되거나, 달라진다 해도 그 현상을 일정한 규칙으로 설명할 수 있어요. 이를 규칙 활용이라고 해요. 그러나 어간과 어미가 결합하여 활용할 때 어간이나 어미가 달라지는 양상을 음운 규칙으로 설명할 수 없는 경우도 있어요. 이를 불규칙 활용이라고 한답니다.

[예시]
㉠ 시원한 냇물에 발을 담갔다.
㉡ 서진이의 물음에 그는 난처한 웃음을 지었다.
㉢ 로저 선장은 자신의 보물을 땅속에 묻었다.
㉣ 하늘을 나는 비행선을 타고 세계 여행을 떠난다.
㉤ 단풍이 하도 빨개서 불이 붙은 듯하다.

① ㉠, ㉢
② ㉡, ㉤
③ ㉠, ㉢, ㉤
④ ㉡, ㉣, ㉤
⑤ ㉠, ㉡, ㉢, ㉣

용언의 이해 2013학년도 11월 고2 학력평가Ⓑ

06 〈보기〉의 자료를 바탕으로 '용언'에 대해 탐구한 결과로 적절하지 않은 것은?

보기

ㄱ. 날씨가 덥다.
ㄴ. 날씨가 더워 온다. / 날씨가 더워온다.
ㄷ. 철수가 밥을 먹고 갔다. / *철수가 밥을 먹고갔다.
ㄹ. 영희가 종이배를 접어 띄웠다.
→ 영희가 종이배를 접었다. + 영희가 종이배를 띄웠다.

* 비문에 해당함.

① ㄱ, ㄴ으로 볼 때, 한 용언이 홀로 쓰이기도 하고 다른 용언과 어울려 쓰이기도 하는군.
② ㄴ의 경우, 뒤의 용언이 앞의 용언의 의미를 보충하는 역할을 하는군.
③ ㄷ으로 볼 때, 문장 안에서 두 용언이 모두 실질적인 의미를 가지고 있으면 띄어 써야 하는군.
④ ㄴ과 ㄷ은 모두 ㄹ처럼 의미가 성립하는 두 문장으로 나눌 수 있겠군.
⑤ ㄴ~ㄹ로 볼 때, 두 용언이 어울려 쓰일 경우 '-아/어', '-고'와 같은 어미로 연결되는군.

용언의 활용 2017학년도 3월 고2 학력평가

07 〈보기〉의 밑줄 친 부분에 해당하는 예로 적절하지 않은 것은?

보기

어간에 관형사형 전성 어미 '-ㄴ'을 결합하고자 할 때, 어간의 끝소리가 'ㄹ'인 경우에는 'ㄹ'을 탈락시키고 '-ㄴ'을 붙여야 한다. 그러나 실생활에서는 'ㄹ'을 탈락시키지 않고 '-은'을 잘못 붙여 사용하는 경우가 많다.

• 녹슬-+-ㄴ → 녹슨(○)
　　　　　　→ 녹슬은(×)

① 자신의 잘못임을 깨달은 형은 누나에게 사과했다.
② 언니는 시들은 꽃다발을 부여잡고 눈물을 흘렸다.
③ 낯설은 땅에 정착한 주민들은 모든 것이 새로웠다.
④ 나는 차창 밖으로 내밀은 어머니의 손을 붙잡았다.
⑤ 석양빛을 받아 붉게 물들은 구름이 꽤 아름다웠다.

동사와 형용사 | 2014학년도 3월 고3 학력평가Ⓐ

08 〈보기〉의 ㉠을 설명할 수 있는 사례로 가장 적절한 것은?

보기

동사는 움직임이나 작용을 나타내고, 형용사는 성질이나 상태를 나타낸다. 그런데 ㉠하나의 단어가 하나 이상의 문법적 성질을 가지고 있어 동사와 형용사 두 가지로 사용되는 경우가 있다. '밝다'의 경우, '달이 밝다.'에서는 '환하다'의 의미로 쓰여 형용사가 되고 '날이 밝는다.'에서는 '밤이 지나고 환해지다'의 의미로 쓰여 동사가 된다.

① 그녀의 속눈썹은 길다. / 긴 겨울방학이 끝났다.
② 나이보다 얼굴이 젊다. / 젊은 나이에 성공을 했다.
③ 봄바람이 따뜻하다. / 따뜻한 마음씨를 가져야 한다.
④ 나는 너에 대한 기대가 크다.
우리 아들은 키가 쑥쑥 큰다.
⑤ 외출하기에는 시간이 너무 늦다.
그는 늦은 나이에 대학에 진학했다.

어미의 종류 | 2014학년도 9월 모의평가Ⓐ

09 〈보기〉를 바탕으로 어미를 분류한 것 중, 적절하지 않은 것은?

보기

단어의 끝에 들어가는 어말 어미는 그 기능에 따라 다음과 같이 분류할 수 있다.

㉠ 문장을 끝맺어 주는 기능을 하는 어미.
예 '동생은 책을 읽었다.'의 '–다'
㉡ 두 문장을 연결해 주는 기능을 하는 어미.
예 '이것은 장미꽃이고, 저것은 국화꽃이다.'의 '–고'
㉢ 용언을 명사, 관형사, 부사처럼 기능하게 하는 어미.
예 '내일 읽을 책을 미리 준비해라.'의 '–을'

① '지금쯤 누나는 집에 도착했겠구나.'의 '–구나'는 ㉠에 해당한다.
② '할아버지께서는 어디 갔다 오시지?'의 '–지'는 ㉠에 해당한다.
③ '이렇게 일찍 가는 이유가 뭐니?'의 '–는'은 ㉡에 해당한다.
④ '형은 밥을 먹었으나, 누나는 밥을 먹지 않았다.'의 '–으나'는 ㉡에 해당한다.
⑤ '지금은 운동하기에 좋은 시간이다.'의 '–기'는 ㉢에 해당한다.

어미와 의존 명사 | 2013학년도 7월 고3 학력평가Ⓐ

10 다음의 ㉠, ㉡에 들어갈 용례로 적절하지 않은 것은?

보기

학생: 선생님, '이렇게 많은 걸 언제 다 모았니?'라고 할 때, 여기서 '걸'은 띄어 써야 하나요? 아니면 붙여 써야 하나요? '걸'은 앞말에 붙여 쓰기도 하고 띄어 쓰기도 해서 혼란스러워요.

선생님: 이 경우에는 띄어 쓰는 것이 맞아요. '걸'은 '것을'을 구어적으로 나타낸 것이랍니다. 여기서 '거'는 의존 명사 '것'에 해당하므로 앞말과 띄어 써야겠지요. 그런데 '걸'이 가벼운 반박이나 감탄의 뜻을 나타낼 때에는 앞말에 붙여 써야 합니다. 왜냐하면 이 때 '걸'은 '–ㄴ걸, –는걸' 등과 같은 어미의 일부이기 때문이지요. 그럼 이를 바탕으로 각각의 용례에 해당하는 것을 찾아볼까요?

띄어 쓰는 경우	붙여 쓰는 경우
㉠	㉡

① ㉠: 몸에도 좋지 않은 걸 왜 먹니?
② ㉠: 내가 바라는 걸 너는 알고 있지?
③ ㉡: 야, 눈이 많이 쌓였는걸.
④ ㉡: 그만하면 훌륭하던걸 뭐.
⑤ ㉡: 날이 흐린걸 보니 곧 비가 오겠네.

용언의 불규칙 활용 | 2014학년도 4월 고3 학력평가Ⓐ

11 〈보기〉의 밑줄 친 내용을 설명하기 위해 활용할 수 있는 사례로 가장 적절한 것은?

보기

동음이의(同音異義) 관계에 있는 용언들은, 그 기본형은 같지만 다양한 어미를 결합시켜 활용을 해 보면 하나는 규칙, 다른 하나는 불규칙 활용을 함으로써 두 용언의 활용 형태가 서로 달라지는 경우가 있다. 이를 통해 동음이의 관계의 두 용언이 각각 서로 다른 단어임을 좀 더 명확하게 확인할 수 있다.

① 친구가 병이 낫다. / 동생이 형보다 인물이 낫다.
② 벽에 바른 벽지가 울다. / 시합에 진 어린이가 울다.
③ 소나무가 마당 쪽으로 굽다. / 어머니께서 빵을 굽다.
④ 친구에게 약속 시간을 이르다. / 약속 장소에 이르다.
⑤ 장작이 벽난로에서 타다. / 학교에 가려고 버스를 타다.

1 단어

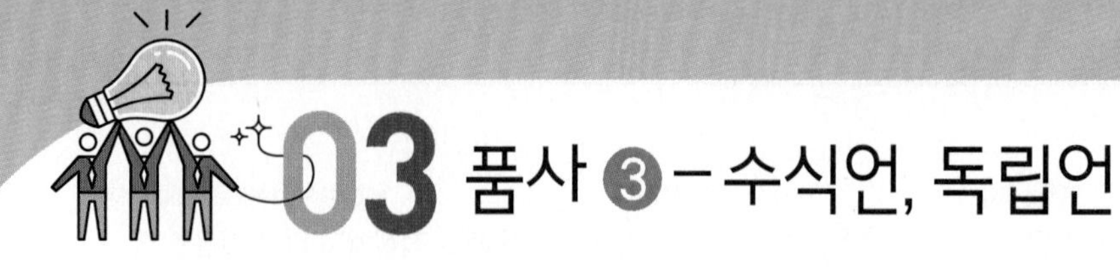

03 품사 ③ – 수식언, 독립언

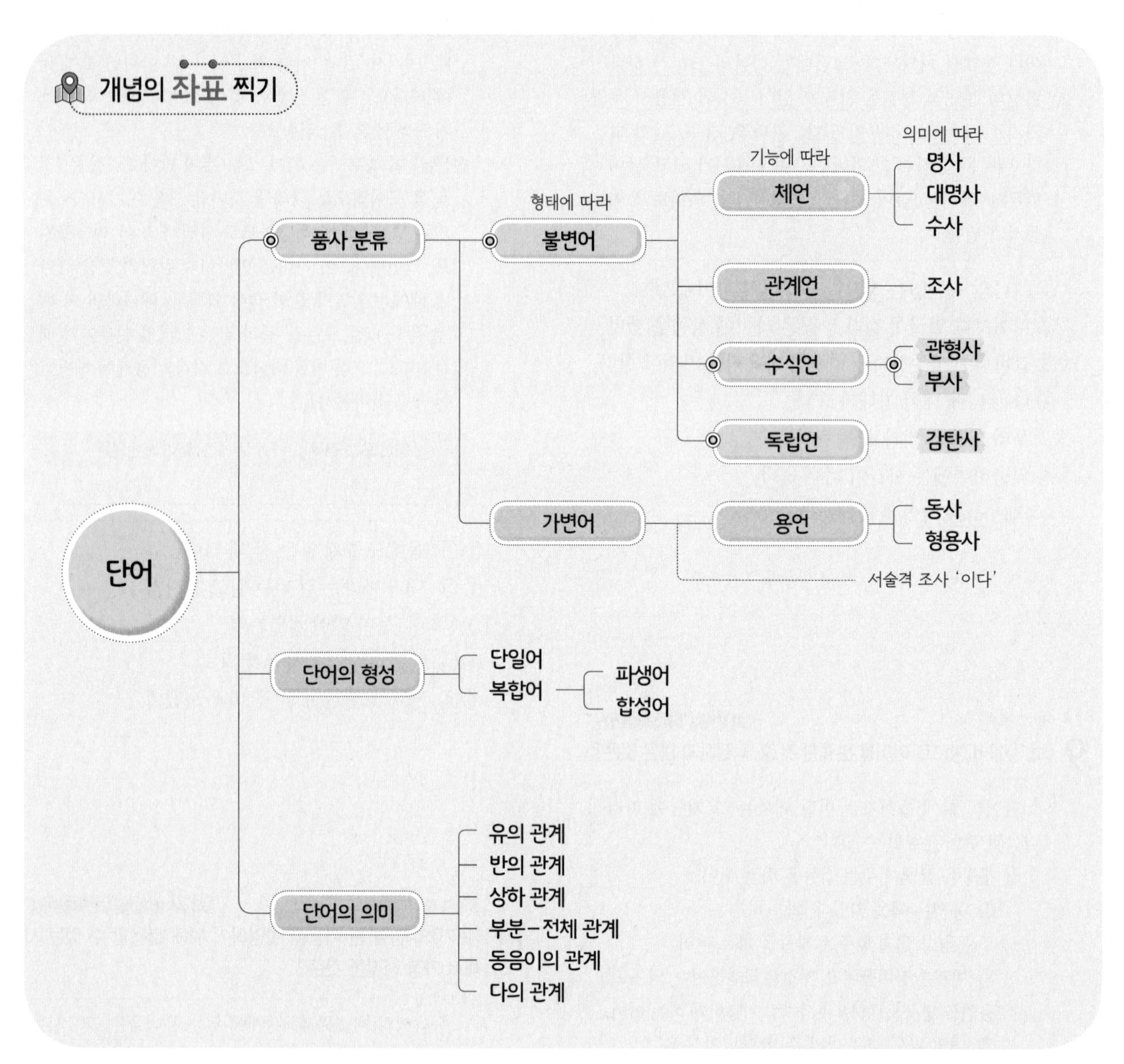

부사는 바빠요. 용언, 관형사, 부사, 체언을 모두 꾸미거든요.

개념을 품은 기출 선택지

- **관형사**는 명사를, **부사**는 동사를 수식함. (2017. 3. 고2 학력평가)
- ㄷ에서 '바로'는 **부사**를 **수식**하고 있다. (2017. 11. 고2 학력평가)
- ⓒ에서 '네'는 말하는 이의 응답을 나타내는 **감탄사**이다. (2017. 7. 고3 학력평가)

1 수식언

다른 말을 수식하는 기능을 하는 단어를 수식언(修飾言)이라고 한다. 국어의 수식언은 의미에 따라 관형사와 부사로 나뉘는데, 이들은 활용하지 않는 불변어이다.

(꾸미다 꾸미다)

관형사

체언 앞에 놓여서 체언을 꾸며 주는 단어를 관형사(冠形詞)라고 한다. 조사와 결합할 수 없으며, 형태가 변하지 않는다는 특징이 있다.

(주로 명사를 꾸밈) (헌 옷(○), 헌의 옷(×))

성상 관형사	사물의 성질이나 상태를 꾸며 줌.(새, 헌, 옛, 맨 등) (맨: 맨 꼭대기) 예 새 책은 제목이 무엇이더라?
지시 관형사	어떤 대상을 가리킴.(이, 그, 저, 어느, 무슨, 웬, 다른 등) 예 그 사람들도 따뜻한 마음을 가진 사람들이다.
수 관형사	수량이나 순서를 나타냄. 단위를 나타내는 체언과 쓰이는 경우가 많음. (한, 두, 세, 석, 다섯, 여러, 모든 등) 예 세 사람, 연필 다섯 자루

부사

주로 용언이나 문장을 꾸며 주는 단어를 부사(副詞)라고 한다. 부사는 체언이나 관형사, 다른 부사를 수식하기도 한다. 부사는 수식 범위에 따라 성분 부사와 문장 부사로 나뉜다.

(副: 돕다)

빨리 왔다. / 더 빨리 왔다.
(동사(용언)) (부사)

바로 옆에 앉았다. / 아주 새 옷
(명사(체언)) (관형사)

성분 부사: 문장의 어느 한 성분만을 수식하는 부사이다.

성상 부사	'잘, 아주, 너무' 등 사람이나 사물의 모양, 성질, 상태를 나타냄.	예 너무 무섭다.
지시 부사	'이리, 그리, 저리, 어찌, 언제' 등 장소나 시간을 가리켜 한정하거나 앞 이야기에 나온 사실을 가리킴.	예 그리 가지 마라.
부정 부사	'못, 아니(안)' 등 용언의 의미를 부정함.	예 더는 못 먹겠다.

짚고 가요

'지시 관형사'와 '지시 대명사'

ㄱ. 그것은 저 사람에게 물어봐.
ㄴ. 이도 저도 귀찮다.

ㄱ에서 '그것'은 명사를 대신해서 가리키는 '대명사'이고 '저'는 사람을 꾸미는 관형사야. 관형사 뒤에는 조사가 결합할 수 없는 반면(저의 사람 ×), 대명사는 체언이므로 조사와 결합할 수 있지. 이처럼 ㄴ의 '이'와 '저'는 조사와 결합하고, 이것, 저것과 마찬가지로 어떤 대상을 가리키고 있기 때문에 대명사인 거야. 이때 '저'는 ㄱ에서는 지시 관형사로 ㄴ에서는 지시 대명사로 쓰였으므로, '품사의 통용'에 해당해. '이'와 '그'도 마찬가지로 지시 관형사, 지시 대명사로 통용되어 쓰인단다.

개념+ 의성 부사, 의태 부사

성상 부사의 한 종류로 의성 부사와 의태 부사가 있다. 이들은 사물의 소리와 모양을 흉내내는 의미를 지니며, 각각 '의성어'와 '의태어'라고 하기도 한다.

예 • 까마귀가 까옥까옥 운다. (의성 부사)
• 깡충깡충 뛰지 말고 사뿐사뿐 걸어라. (의태 부사)

개념 콕 1 다음 문장에서 관형사를 찾아 ○표시를 하시오.

(1) 그녀는 예쁜 새 운동화를 신고 왔다.
(2) 영수의 나쁜 습관 세 가지를 지적해 주었다.
(3) 어떤 잘생긴 남자가 영희를 찾아왔다.

콕 1 (1) 새 (2) 세 (3) 어떤

개념+ 관형어와 부사의 배열 순서

하나의 말을 여러 관형사나 부사가 수식해 줄 수 있는데, 이들이 배열되는 데에는 일정한 순서가 있다.

① 관형사: 지시 + 수 + 성상
예 저 모든 새 집

② 부사: 지시 + 성상 + 부정
예 저리 잘 안 먹는 아이가 키는 어떻게 컸을까?

문장 부사: 문장 전체를 수식하는 부사이다.

양태 부사	'과연, 다행히, 분명히' 등 말하는 이의 태도나 주관적인 판단을 표현함.	예 과연 그녀가 제 시간에 올까?
접속 부사	'그리고, 그래서, 그러나, 또는, 및' 등 앞말과 뒷말, 또는 앞 문장과 뒤 문장을 이어 줌.	예 • 정치, 경제 및 문화 • 불을 껐다. 그러나 잠이 오지 않았다.

수식언인 관형사와 부사는 불변어로 활용을 하지 않는 것이 특징이다. 따라서 문장에서 다른 말을 꾸며 주는 말이 수식언인지 용언인지 헷갈릴 경우, 형태 변화가 있는지 없는지 즉, 활용 여부를 살펴 둘을 구분할 수 있다.

기차가 빠르게 지나간다.
빠르다, 빠르니, 빠르고 → 형용사

기차야, 빨리 지나가라.
형태가 변하지 않음 → 부사

➲ '빠르게'가 '지나간다'를 수식한다는 이유로 품사를 부사라고 착각할 수 있지만 이는 그 기본형이 '빠르다'로, '빠르고, 빠르니'와 같이 활용할 수 있는 형용사이다. 한편 '빨리'는, 용언인 '지나가라'를 수식하면서 활용할 수 없으므로 부사이다.

'빠르게'는 부사형 전성 어미가 쓰여서 부사처럼 기능하지만, 그 품사는 바뀌지 않는다는 거! 꼭 기억해 두자.

2 독립언

독립언은 문장에서 독립적으로 쓰이는 단어를 말한다. 국어의 독립언은 '감탄사' 한 가지이다.
(문장에서 독립적으로 쓰이는: 문장 속 다른 성분에 얽매이지 않음.)

감탄사

감탄사(感歎詞)는 화자의 부름, 느낌, 놀람이나 대답을 나타내는 단어이다. 불변어로 조사와 결합하지 않으며, 독립성이 강하기 때문에 다른 말과 떨어져 단독으로 문장을 이룰 수 있다. 독립적인 요소임을 나타내기 위해 뒤에 쉼표(,)나 느낌표(!)를 쓰는 경우가 많다. 또 다른 품사에 비해 위치 이동이 비교적 자유로운 편이다.
(感歎詞: 느끼고 탄식함 말)

예 아, 한발 늦었구나. / 네, 알겠습니다. / 흥! 멋대로 해 봐. / 여보, 어디 있어요? 저기, 나 할 말이 있어. / 그게 아니라, 음, 내 느낌이 그렇다고.

짚고 가요

품사의 통용 – 감탄사 VS 다른 품사

감탄사와 다른 품사가 헷갈릴 때는, '감탄사는 불변어이고 조사가 붙지 않는다'는 것만 기억하면 돼. 즉, 어미가 붙어 활용이 가능하면 감탄사가 아니고, 조사가 붙어 있어도 감탄사가 아니야. 다음 예문들을 보면서 감탄사와 다른 품사를 구별해 봐.^^

① • 정말! 네가 왔구나. (정말: 감탄사) • 정말이니? (정말이니: 명사+서술격 조사)
② • 옳소, 동의하오. (옳소: 감탄사) • 그대 말이 옳소. (옳소: 형용사(옳다))
→ 품사의 통용에 해당함.

③ • 철수야, 이것 좀 도와줘. (철수야: 명사+호격 조사) • 학생, 이것 좀 도와줘. (학생: 명사(호격 조사 생략))
④ • 청춘, 참으로 찬란하다. (청춘: 명사(문장 첫머리의 제시어나 표제어))
⑤ • 네 정성이 대단하구나! (대단하구나: 형용사(대단하다: 대단하- + -구나))
→ 품사의 통용 X, 감탄사로 착각하기 쉬운 표현

개념 콕 2 다음 밑줄 친 부사가 문장 부사이면 '문', 성분 부사이면 '성'을 쓰시오.

(1) 엄청 많이 먹어서 체했다. ( )

(2) 비탈길에서 데굴데굴 굴렀다. ( )

(3) 제발 거실을 어지르지 마세요. ( )

개념 콕 3 다음 문장에서 감탄사를 찾아 ○표시 하시오.

(1) 뭐? 다시 가야 한다고?

(2) 우리 피자 시켜 먹어요, 네?

(3) 그게 언제더라, 어, 기억이 안 나네.

콕 2 (1) 성 (2) 성 (3) 문 3 (1) 뭐 (2) 네 (3) 어

확인 문제

정답과 해설 6쪽

✔ 바로바로 간단 체크

1 다음 밑줄 친 단어의 품사를 형태에 따라 구분하시오.

(1) 학생이기 때문에 나쁘게 볼 수 없다.

(2) 네가 비밀을 모두 말하면 나도 솔직히 털어 놓을게.

(3) 와, 그렇게 하는 건 쉽지 않은데.

(4) 입에 쓴 약이 몸에는 좋다는데, 진짜야?

(5) 너 그 옷을 입으니까 멋지구나.

2 다음 밑줄 친 단어의 품사를 의미에 따라 구분하시오.

(1) 네가 준 책들이 전부 마음에 들어.

(2) 우아! 과연 그렇게 됐구나!

(3) 두 사람이 와서 제일 큰 식탁을 샀다.

(4) 집중, 그것만이 잘 살 길이다.

(5) 흠, 선호는 안 갈 것이라고 하던데.

(6) 예쁜 시계를 찾으면 꼭 내게 보여 줘.

(7) 급하게 가면 다칠 수도 있으니까, 음, 조심조심 걷자.

(8) 찬희가 즐겁게 춤을 춤.

(9) 그것은 저 사람에게 물어 봐, 좀.

(10) 여보, 짐 좀 들어 주세요.

(11) 여러 사람이 가져온 게 총 넷이다.

품사의 구분

01 다음 문장에 대한 이해로 적절하지 않은 것은?

> 할머니, 저 두 헌 집은 언제 세워졌나요?

① '할머니'는 호격 조사가 생략된 체언이다.
② '저'는 '집'을 수식하는 지시 관형사이다.
③ '두'는 '헌'을 수식하는 수 관형사이다.
④ '헌'은 '집'을 수식하는 성상 관형사이다.
⑤ '언제'는 잘 모르는 때를 의미하는 부사이다.

형용사와 부사

02 밑줄 친 단어 중 의미에 따른 품사 구분이 다른 것은?

① 풍선이 높게 날아올랐다.
② 나는 어제 예쁜 옷을 샀다.
③ 들판에 꽃이 아름답게 피었다.
④ 잠수함을 타고 바닷속 깊이 들어갔다.
⑤ 발표하는 수민이의 얼굴이 붉게 상기되었다.

관형사

03 <보기>의 내용으로 볼 때, 밑줄 친 단어 중 관형사의 예로 적절하지 않은 것은?

> 보기
> 관형사는 형태가 고정된 불변어로 체언 앞에서 뒤에 오는 체언을 수식하는 기능을 한다. 관형사는 어떠한 경우에도 조사를 취하지 않는다는 특징이 있다.

① 몇 번을 물어봤지만 대답이 없다.
② 온갖 음식을 다 먹고 배탈이 났다.
③ 이 나무는 매우 아름다운 꽃이 핀다.
④ 철수가 최신 휴대폰을 샀다고 자랑했다.
⑤ 그는 자기 일이 아닌 다른 일에는 관심이 없다.

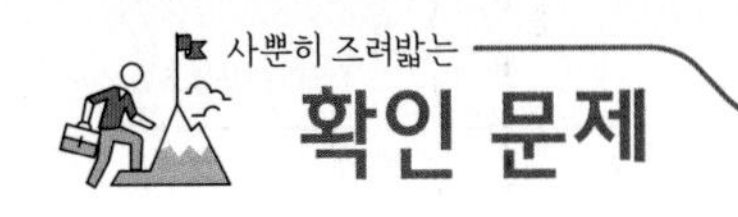

품사의 구분

04 밑줄 친 단어 중 품사가 다른 하나는?

① 급히 은행에 간다.
② 영희가 잠을 통 못 잔다.
③ 여기에서 하루를 보낼까?
④ 그가 언제 도착하는지 아니?
⑤ 민수가 설마 그런 말을 했을까?

부사의 이해

05 〈보기〉의 밑줄 친 부분을 이해한 내용으로 적절한 것은?

보기

㉠ 이리 가져오시오.
㉡ 발을 쾅쾅 굴렀다.
㉢ 그녀는 분명히 착한 사람일 거야.
㉣ 네 실력이 겨우 그것이냐?
㉤ 색종이 또는 한지를 가져오세요.

① ㉠: '이리'는 체언을 수식한다.
② ㉡: '쾅쾅'은 발소리를 흉내 내는 부사로 문장 전체를 수식한다.
③ ㉢: '분명히'는 말하는 이의 주관적인 판단을 표현하며 명사를 수식한다.
④ ㉣: '겨우'는 '그것이다'라는 가변어를 수식한다.
⑤ ㉤: '또는'은 '색종이'와 '한지'라는 두 단어를 연결해 준다.

수식언의 이해

06 관형사와 부사에 대한 설명으로 적절하지 않은 것은?

① '이 신발', '저 모자'에서 '이'와 '저'는 지시 관형사로 조사와 결합할 수 없다.
② '다행히 시간 내에 일을 끝마쳤다.'에서 '다행히'는 문장 전체를 꾸며 주는 문장 부사이다.
③ '자동차가 빠르게 달린다.'와 '빨리 와라.'에서 '빠르게'는 형용사의 활용형이고, '빨리'는 부사이다.
④ '친구 다섯이 부산에 놀러 갔다.'와 '다섯 친구가 부산에 놀러 갔다.'에서 '다섯'은 품사가 서로 다르다.
⑤ '온갖 신발', '헌 모자'에서 '온갖'은 형태가 바뀌지 않고 체언을 수식하므로 관형사이고, '헌'은 '헐다'라는 단어가 활용한 형태이므로 동사이다.

독립언의 이해

07 독립언에 대한 설명으로 적절하지 않은 것은?

① 불변어로 조사나 어미가 붙을 수 없다.
② 문장 내에 놓이는 위치가 자유로운 편이다.
③ '영주야, 학교 가자.'에서 '영주야'는 감탄사로 독립언에 해당한다.
④ 품사의 기능상으로는 '독립언'이라 하고, 의미상으로는 '감탄사'라고 한다.
⑤ 상대방을 의식하지 않고 감정을 표출하는 감정 감탄사, 상대방을 의식하며 자기의 생각을 표시하는 의지 감탄사 등이 있다.

감탄사

08 감탄사가 들어 있지 않은 문장은?

① 네, 그렇습니다.
② 허허, 이것 참 야단났네.
③ 여보세요, 길 좀 물어 볼게요.
④ 아이고, 정말 오랜만에 얼굴 보는구먼.
⑤ 청춘, 이것은 듣기만 해도 가슴이 설레는 말이다.

감탄사

09 ㉠~㉢이 감탄사인 이유로 적절한 것은?

보기

㉠그래, 네 말이 맞아.
㉡자, 이제 결론을 내립시다.
㉢어, 그건 네가 알아서 하도록 해.

① 문장의 주어로 쓰이므로
② 어미가 붙어 형태가 변하므로
③ 다른 문장 성분을 꾸며 주므로
④ 문장에서 독립적으로 쓰이므로
⑤ 앞말에 붙어 특별한 의미를 더해 주므로

형용사와 관형사 2014학년도 6월 고2 학력평가Ⓐ

10 〈보기〉의 밑줄 친 단어를 바르게 분류한 것은?

보기

형용사와 관형사를 구별하는 기준의 하나로 '서술하는 기능'이 있다. 예를 들어, '동물원에는 큰 사자가 있다.'에서 '큰'은 '사자가 크다'처럼 주어인 '사자가'를 서술하는 기능을 하므로 형용사이다. 그러나 관형사는 그런 기능을 하지 못한다.

ㄱ. 정원에 아름다운 꽃이 피었다.
ㄴ. 웬 말이 그렇게 많은지 모르겠다.
ㄷ. 수리를 하고 나니 새 가구가 되었다.
ㄹ. 모여 있던 모든 사람들이 일제히 나를 쳐다봤다.
ㅁ. 그의 빠른 일처리가 사람들을 만족스럽게 하였다.

	형용사	관형사
①	ㄱ, ㄷ	ㄴ, ㄹ, ㅁ
②	ㄱ, ㅁ	ㄴ, ㄷ, ㄹ
③	ㄴ, ㄹ	ㄱ, ㄷ, ㅁ
④	ㄱ, ㄷ, ㅁ	ㄴ, ㄹ
⑤	ㄴ, ㄷ, ㄹ	ㄱ, ㅁ

기능에 따른 품사 구분 2016학년도 9월 고2 학력평가

11 〈보기〉의 ㉠~㉢에 해당하는 것을 바르게 분류한 것은?

보기

㉠관형사, ㉡대명사, ㉢부사 중에는 '이, 그, 여기, 이리, 그리' 등과 같이 '지시성'을 지닌 단어들이 있다. 이들은 지시성이라는 공통점 때문에 구별이 쉽지 않으므로 문장 내에서의 기능을 통해 단어의 품사를 파악해야 한다.

ⓐ이 사과는 맛있게 생겼다.
ⓑ그 책 좀 나에게 빌려줄 수 있어?
ⓒ여기가 바로 우리의 고향입니다.
ⓓ이리 가까이 오게.
ⓔ그리 물건을 보내겠습니다.

	㉠	㉡	㉢
①	ⓐ	ⓑ, ⓒ	ⓓ, ⓔ
②	ⓐ, ⓑ	ⓒ	ⓓ, ⓔ
③	ⓑ, ⓒ	ⓓ, ⓔ	ⓐ
④	ⓑ, ⓓ	ⓔ	ⓐ, ⓒ
⑤	ⓒ, ⓓ	ⓐ	ⓑ, ⓔ

부사와 조사의 구분 2013학년도 9월 고1 학력평가(변형)

12 〈보기〉를 참고하여 각 항목에 해당하는 예문을 작성하였다. 적절하지 않은 것은?

보기

1. '같이'가 조사로 쓰일 경우 – 앞말에 붙여 쓴다.
 ㄱ. 체언 뒤에 붙어 '~처럼'의 뜻일 때
 ㄴ. '때'를 나타내는 명사 뒤에 붙어 '때'를 강조할 때
2. '같이'가 부사로 쓰일 경우 – 앞말과 띄어 쓴다.
 ㄷ. '서로 함께'의 의미일 때
 ㄹ. '어떤 상황이나 행동 따위와 다름이 없이'의 의미일 때

① ㄱ: 그는 눈같이 맑은 영혼의 소유자였다.
② ㄴ: 내일은 새벽같이 일어나야 한다.
③ ㄷ: 지난 10년 동안 같이 알고 지낸 사이야.
④ ㄹ: 예상한 바와 같이 우리 반이 이겼어.
⑤ ㄹ: 은숙이와 친구는 같이 사업을 했다.

품사의 통용 2017학년도 7월 고3 학력평가(변형)

13 ㉠, ㉡에 해당하는 예로 적절한 것은?

보기

단어는 하나의 품사로 사용되는 경우가 일반적이지만 둘 이상의 품사로 사용되는 경우도 있다.

가령 '그는 모든 원인을 자기의 잘못으로 돌렸다.'의 '잘못'은 조사와 결합하는 명사이지만, '그는 길을 잘못 들어서 한참 헤맸다.'의 '잘못'은 용언을 수식하는 부사이다. '잘못'이 ㉠명사와 부사로 쓰인 것이다.

또한 '노력한 만큼 대가를 얻다.'의 '만큼'은 관형어의 수식을 받는 명사이지만, '집을 대궐만큼 크게 짓다.'의 '만큼'은 앞말과 비슷한 정도나 한도임을 나타내는 조사이다. '만큼'이 ㉡명사와 조사로 쓰인 것이다.

① ㉠ ┌ 둘에 다섯을 더하면 일곱이다.
  └ 여기에 사과 일곱 개가 있다.
② ㉠ ┌ 너 커서 무엇이 되고 싶니?
  └ 가구가 커서 방에 들어가지 않는다.
③ ㉠ ┌ 식구 모두가 여행을 떠났다.
  └ 그릇에 담긴 소금을 모두 쏟았다.
④ ㉡ ┌ 나를 처벌하려면 법대로 해라.
  └ 큰 것은 큰 것대로 따로 모아 두다.
⑤ ㉡ ┌ 모두 같이 학교에 갑시다.
  └ 얼음장같이 차가운 방바닥이 생각난다.

04 단어의 형성

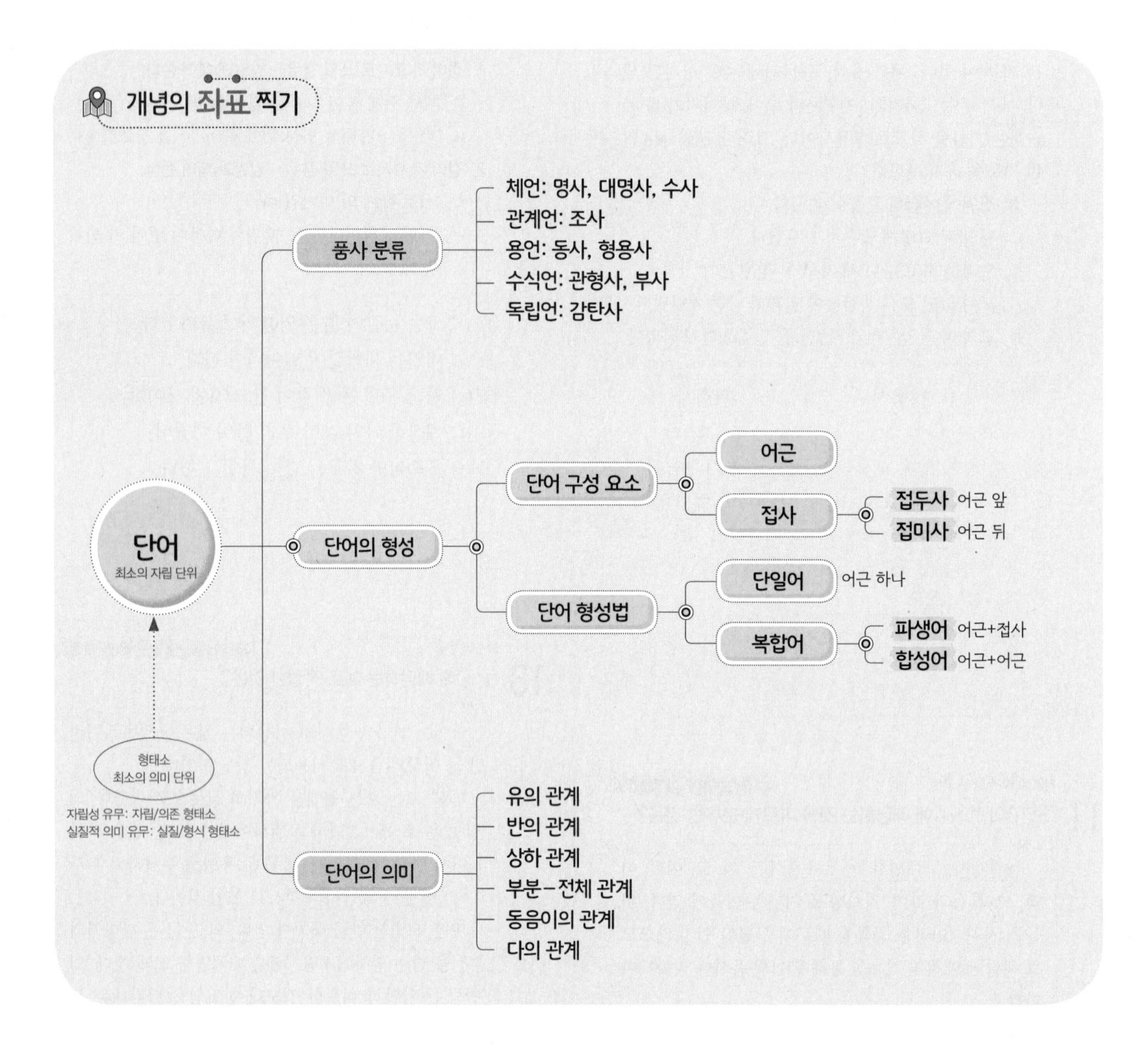

개념의 좌표 찍기
단어
최소의 자립 단위
형태소
최소의 의미 단위
자립성 유무: 자립/의존 형태소
실질적 의미 유무: 실질/형식 형태소
품사 분류
체언: 명사, 대명사, 수사
관계언: 조사
용언: 동사, 형용사
수식언: 관형사, 부사
독립언: 감탄사
단어의 형성
단어 구성 요소
어근
접사
접두사 어근 앞
접미사 어근 뒤
단어 형성법
단일어 어근 하나
복합어
파생어 어근+접사
합성어 어근+어근
단어의 의미
유의 관계
반의 관계
상하 관계
부분-전체 관계
동음이의 관계
다의 관계

닭
옻
닭
통
닭
불닭
찜닭
'어근'에 '어근'이나 '접사'가 붙어서 말을 만들어요.

개념을 품은 기출 선택지

- **형태소**를 더 작게 쪼개면 뜻이 사라진다. (2017. 6. 고2 학력평가)
- '맨손으로'의 '맨손'은 ㉡에 해당하는 예로, **파생 접사** '맨-'이 **어근** '손' 앞에 결합했다. (2018. 수능)
- ⓑ는 그 직접 구성 요소 중 하나가 **파생어**인 **합성어**이다. (2017. 9. 모의평가)

1 형태소의 개념

- **형태소(形態素)**: 일정한 의미를 가진 가장 작은 말의 단위
- 이때의 '의미'는 실질적인 뜻과 문법적인 뜻 모두를 포함한 개념이다.
- 형태소는 더 이상 쪼갤 수 없으며, 쪼개면 의미가 사라진다.

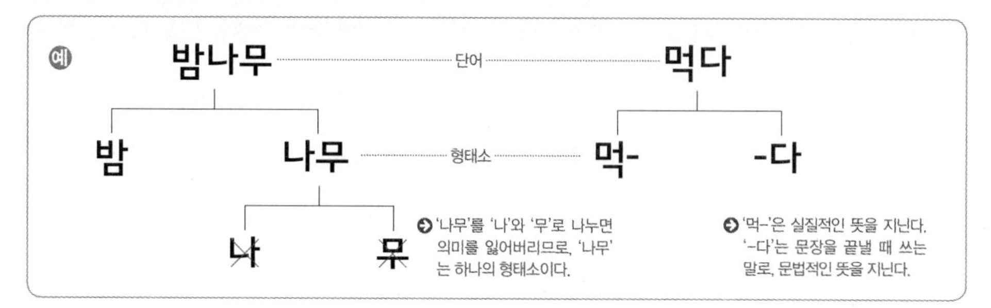

2 형태소의 분류

자립성 유무에 따라	자립 형태소	다른 형태소의 도움 없이 혼자 쓰일 수 있는 형태소. 예 명사, 대명사, 수사, 관형사, 부사, 감탄사 ➲ 어간, 어미, 조사를 제외한 모든 말들
	의존 형태소	반드시 다른 말에 기대어 쓰이는 형태소. 예 조사, 용언의 어간과 어미, 접사
실질적 의미의 유무에 따라	실질 형태소	구체적인 대상이나 구체적인 동작, 상태를 나타내는 실질적 의미를 지닌 형태소. 예 명사, 대명사, 수사, 관형사, 부사, 감탄사, 용언의 어간
	형식 형태소 (문법 형태소)	실질적인 뜻이 없이 문법적인 의미만을 표시하는 형태소. 예 조사, 어미, 접사

짚고 가요

형태소를 분석하는 방법

① 문장을 어절 단위로 쪼갠다. 예 하늘이/매우/새파랗다.
② 조사를 쪼갠다. 예 하늘/이/매우/새파랗다.
③ 어간과 어미를 쪼갠다. 예 하늘/이/매우/새파랗-/-다.
④ 접사를 쪼갠다. 예 하늘/이/매우/새-/파랗-/-다.

마지막에 나온 '접사'라는 개념은 다음 페이지에서 배울 거야. 지금은 다음의 표를 이해하면서 형태소를 분석하는 방법과 형태소의 유형을 익히자. ^^

	하늘이 매우 파랗다.				
어절	하늘이		매우	파랗다	
단어	하늘 (명사)	이★ (조사)	매우 (부사)	파랗다 (형용사)	
형태소	하늘	이	매우	파랗-★ (형용사의 어간)	-다 (종결 어미)
	자립·실질	의존·형식	자립·실질	의존·실질	의존·형식

개념+ 이형태

이형태(異形態)는 의미나 기능이 동일한 하나의 형태소임에도 주위 환경에 따라 모양을 달리하는 형태소를 말한다. 예를 들어, 주격 조사 '이/가'는 의미와 기능이 동일하나, 앞말이 자음으로 끝나면 '이', 앞말이 모음으로 끝나면 '가'의 형태로 붙는다.

예 하늘이 맑다. / 소리가 맑다.

궁금해요 용언의 형태소 분석이 헷갈려요.

대부분의 실질 형태소는 자립 형태소이고, 형식 형태소는 의존 형태소야. 그런데 용언의 '어간'은 이렇게 대응되지 않지. '어간'은 실질적인 의미를 가지고 있는 실질 형태소이지만 홀로 쓰일 수는 없는 의존 형태소에 속하거든. 헷갈리지 말자.^^

예 맑다 → 맑- + -다
(의미상)실질, (형식상)의존

2 단어의 구성 요소

단어를 구성하는 요소에는 어근과 접사가 있다.

어근: 단어를 형태소로 분석했을 때, 실질적 의미를 나타내는 중심 부분을 어근(語根 말 뿌리)이라고 한다.

접사: 단어를 형태소로 분석했을 때, 어근에 붙어 그 의미를 더하거나 제한하는 부분을 접사(接辭 접할 말)라고 한다. 어근과 결합하는 위치에 따라 접두사(接頭辭 머리)와 접미사(接尾辭 꼬리)로 나뉜다.

접두사	접미사
• 어근의 앞에 붙어 특정한 뜻을 더하거나 강조하는 접사이다. • 단어의 품사를 바꾸지는 못한다.	• 어근의 뒤에 붙어 특정한 뜻을 더하는 접사이다. • 단어의 품사를 바꾸기도 한다.
예 미숙한 ← 접두사가 더하는 의미 → 야생의 선-: 선무당 풋-: 풋고추 개-: 개살구 돌-: 돌배 들-: 들국화	예 명사로 ← 접미사로 인해 바뀐 품사 → 형용사로 -개: 덮개 -기: 읽기 -롭-: 향기롭다

짚고 가요

어근 VS 어간

어근은 단어의 형성과 관련된 개념이야. 단어에서 의미의 중심이 되는 부분, 말하자면 뿌리에 해당하는 부분이지. 그래서 모든 단어에는 반드시 어근이 있어. 접사는 이 어근을 제외한 나머지 부분이라고 생각하면 돼.

예 먹히다 → 먹(어근)+히+다

반면에 어간은 모든 단어가 아니라, 용언의 활용과 관련된 개념이야. 용언의 기본형에서 '-다'를 제외한 부분이라고 생각하면 쉬워. 그러니까 어간은 용언에만 해당하는 개념이라고 생각하면 돼.

예 먹히다 → 먹히(어간)+다

3 단어 형성법

단어는 형성 방법에 따라 단일어와 복합어로 나눌 수 있다. 복합어는 어근의 앞이나 뒤에 접사가 붙어서 만들어진 파생어(派生語 물갈래 날)와, 접사 없이 어근과 어근이 직접 합쳐져서 만들어진 합성어(合成語 합할 이룰)로 나뉜다.

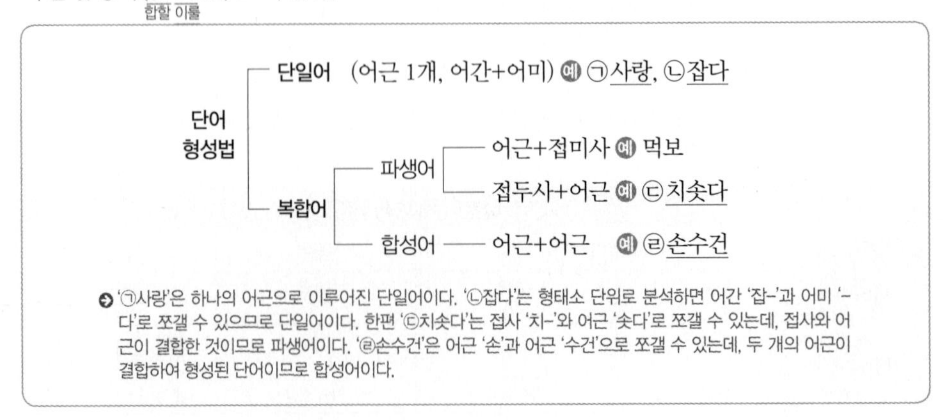

'㉠사랑'은 하나의 어근으로 이루어진 단일어이다. '㉡잡다'는 형태소 단위로 분석하면 어간 '잡-'과 어미 '-다'로 쪼갤 수 있으므로 단일어이다. 한편 '㉢치솟다'는 접사 '치-'와 어근 '솟다'로 쪼갤 수 있는데, 접사와 어근이 결합한 것이므로 파생어이다. '㉣손수건'은 어근 '손'과 어근 '수건'으로 쪼갤 수 있는데, 두 개의 어근이 결합하여 형성된 단어이므로 합성어이다.

개념 콕 1 〈보기〉의 문장을 형태소로 알맞게 분석한 것은?

보기
저녁무렵에볶음밥을먹었다.

① 저녁무렵에/볶음밥을/먹었다.
② 저녁/무렵/에/볶음/밥/을/먹었/다.
③ 저녁/무렵/에/볶/음/밥/을/먹/었/다.
④ 저/녁/무/렵/에/볶/음/밥/을/먹/었/다.

개념 콕 2 다음은 어근과 어간에 관한 진술들이다. 맞으면 O, 틀리면 X 하시오.

(1) '지우개'의 어근은 '지우-', 접사는 '-개'다. ( )
(2) '잡히다'를 형태소로 분석하면 '잡-', '-히-', '-다'이다. ( )
(3) '잡히다'의 어근은 '잡-'과 '-히-'이고 '-다'는 접사이다. ( )
(4) '잡히다'의 어간은 '잡히-', 어미는 '-다'이다. ( )

파생어

접두사에 의한 파생어

어근 앞에 접두사가 결합하여 만들어지는 파생어로, 접두 파생어라고도 한다. 접두사는 뒤에 오는 어근에 의미를 더하거나 제한하며, 어근의 품사를 바꾸는 일이 거의 없다.

접두사 예	의미	파생어 예
군-	쓸데없는, 덧붙은	군말, 군불, 군살, 군소리, 군식구, 군침
짓-	마구, 함부로, 몹시	짓구기다, 짓누르다, 짓밟다, 짓이기다, 짓찧다
새- / 시-	매우 짙고 선명하게	새빨갛다/시뻘겋다, 새파랗다/시퍼렇다

접미사에 의한 파생어

어근 뒤에 접미사가 결합하여 만들어지는 파생어로, 접미 파생어라고도 한다. 접미사는 어근에 뜻을 더하거나 제한하는 것뿐만 아니라, 품사 자체를 바꾸기도 한다.

㉠ 어근에 붙어 의미를 더하는 경우

접미사 예	의미	파생어 예
-쟁이	그것이 나타내는 속성을 많이 가진 사람	수다쟁이, 겁쟁이, 고집쟁이
-꾸러기	그것이 심하거나 많은 사람	장난꾸러기, 욕심꾸러기, 잠꾸러기

㉡ 어근의 품사를 바꾸는 경우

명사로 파생됨.		형용사로 파생됨.		동사로 파생됨.	
-(으)ㅁ	기쁨, 울음, 춤 (용언 → 명사)	-답-	정답다, 어른답다 (명사 → 형용사)	-하-	이룩하다, 위반하다 (명사 → 동사)
-이	높이, 먹이, 높이 (용언 → 명사)	-롭-	새롭다 (관형사 → 형용사)		
-기	달리기, 쓰기, 크기, 밝기 (용언 → 명사)	-스럽-	자랑스럽다 (명사 → 형용사)	-거리-	철렁거리다, 덜컹거리다 (부사 → 동사)

짚고 가요

명사형 전성 어미 VS 명사 파생 접미사 '-(으)ㅁ', '-기'

'-(으)ㅁ', '-기'는 명사형 전성 어미로도 쓰이고, 파생 접사로도 쓰여서 이 둘을 구분해야 하는 경우가 종종 있어. 이 둘을 구별할 때에는 서술어의 기능이 있는지 여부를 판단하면 돼.
용언의 어간에 명사형 전성 어미 '-(으)ㅁ', '-기'가 붙으면 품사는 바뀌지 않고, 모양만 명사처럼 변해. 서술어의 기능은 그대로 하지. 반면 어근에 명사 파생 접미사 '-(으)ㅁ', '-기'가 붙으면 품사가 명사로 바뀌어.

토끼가 ㉠잠을 ㉡잠.

㉠의 '잠'은 동사 '자다'의 어근 '자-'에 명사 파생 접미사 '-(으)ㅁ'이 붙어서 품사가 명사로 바뀌었어. 이렇게 품사가 바뀌면 각각 다른 단어로 보고, 사전에도 따로 등재가 되지. 문장에서 목적어의 기능을 하니 서술어의 기능은 당연히 없어. ㉡의 '잠'은 어간 '자-'에 명사형 전성 어미가 붙은 거야. 따라서 품사는 그대로 동사야. 문장에서 '토끼가'라는 주어를 서술하는 기능을 하고 있잖아. 어때, 어렵지 않지? ^^

개념+ **'-쟁이'와 '-장이'**

'-쟁이'는 '그것을 나타내는 속성을 많이 가진 사람'의 뜻을 더하는 접미사이고, '-장이'는 '그것과 관련된 기술을 가진 사람'의 뜻을 더하는 접미사이다. 예 간판장이, 땜장이, 양복장이

짚고 가요

접미사의 표기 원칙

접미 파생어가 만들어질 때 일반적으로는 접미사를 밝혀 적지만, 그렇지 않은 경우도 있어. 한글 맞춤법 제19항은 그 예외를 다음과 같이 밝히고 있지.
다만, 어간에 '-이'나 '-음'이 붙어서 명사로 바뀐 것이라도 그 어간의 뜻과 멀어진 것은 원형을 밝히어 적지 아니한다.

노름 (놀- + -음)
➲ '노름(도박)'은 '놀다'의 어간 '놀-'과 뜻이 멀어졌기 때문에 접미사의 원형을 밝혀서 적지 않음.

[붙임] 어간에 '-이'나 '-음' 이외의 모음으로 시작된 접미사가 붙어서 다른 품사로 바뀐 것은 그 어간의 원형을 밝히어 적지 아니한다.

노래(놀- + -애)
무덤(묻- + -엄)
마중(맞- + -웅)

개념 콕 **3** 단어의 파생 전 품사와 파생 후 품사를 〈보기〉와 같이 각각 쓰시오.

보기
• 꾸다 → 꿈(접미사 '-(으)ㅁ')
동사 → 명사

(1) 높다 → 높이다(접미사 '-이-')
________ → ________

(2) 낮다 → 낮추다(접미사 '-추-')
________ → ________

(3) 울다 → 울보(접미사 '-보')
________ → ________

콕 1 ③ 2 (1) ○ (2) ○ (3) × (4) ○ 3 (1) 형용사, 동사 (2) 형용사, 동사 (3) 동사, 명사

짚고 가요

구 VS 합성어 59쪽
다음 밑줄 친 두 말 중 어느 것이 구(句)이고, 어느 것이 합성어일까?

- 할아버지께서 ㉠돌아가시다.
- 길을 ㉡돌아 가다.

㉠은 합성어이고, ㉡은 구야. 합성어는 하나의 단어이므로 그 사이에 다른 말이 낄 수 없어. '돌아가시다'는 '죽다'의 의미를 지녔는데, '돌아서 가시다'와 같이 다른 말을 넣으면 그 의미를 잃게 돼. 반면 ㉡은 두 단어로 이루어진 구이기 때문에, '돌아서 가다'라고 해도 그 의미를 유지한단다. 즉, '돌다'와 '가다'의 의미가 각각 살아 있기에 둘을 분리할 수 있는 거야.

개념+ 통사적
통사(統辭)는 '문장'을 뜻하는데, 여기서의 문장은 곧 우리말 어법에 맞는 문장을 말한다. 따라서 '비통사적'은 '우리말 어법에 맞지 않는'이라고 생각하면 된다.

개념
콕 4 다음 합성어를 대등, 종속, 융합 합성어로 구분하여 쓰시오.
(1) 마소
(2) 소나무
(3) 피땀(노력)

개념
콕 5 통사적 합성어가 아닌 것은?
① 큰집 ② 남녀
③ 뛰놀다 ④ 앞서다
⑤ 들어가다

콕 4 (1) 대등 (2) 종속 (3) 융합 5 ③

합성어

의미 관계에 따른 합성어의 종류

대등 합성어	두 어근이 본래의 의미를 가지고 대등한 자격으로 결합된 합성어이다. 예 논밭(논 + 밭), 손발(손 + 발), 오가다(오다 + 가다) 등
종속 합성어	앞의 어근이 뒤의 어근을 수식하는 합성어이다. 예 책가방(책을 넣는 가방), 손수건(손을 닦는 수건), 돌아보다(돌아서 보다) 등
융합 합성어	어근이 지닌 본래의 의미와 다른, 새로운 의미가 생겨난 합성어이다. 예 밤낮(늘, 항상), 춘추(나이), 돌아가다(죽다) 등

형성 방법에 따른 합성어의 종류

㉠ **통사적 합성어**: 어근의 배열 방식이 우리말의 어순이나 결합 방식과 일치하는 합성어이다.

통사적 합성법	예
관형사 + 명사	새해(새 + 해), 온종일(온 + 종일), 첫사랑(첫 + 사랑) 등
부사 + 용언	가로막다(가로 + 막다), 잘되다(잘 + 되다) 등
명사 + 명사	길바닥(길 + 바닥), 손발(손 + 발) 등
용언의 관형사형 + 명사	큰집(크- + -ㄴ + 집), 작은아버지(작- + -은 + 아버지) 등
용언 어간 + -아/어(연결 어미) + 용언	돌아가다(돌- + -아 + 가- + -다), 들어가다(들- + -어 + 가- + -다) 등
명사 + 조사 생략 + 용언	귀먹다(귀(가) 먹다), 힘들다(힘(이) 들다), 앞서다(앞(에) 서다) 등
부사 + 부사(의성 부사, 의태 부사)	펄럭펄럭, 철썩철썩, 구불구불, 울긋불긋 등

㉡ **비통사적 합성어**: 어근의 배열 방식이 우리말 어순이나 결합 방식과 일치하지 않는 합성어이다.

비통사적 합성법	예
용언 어간 + 어미 생략 + 용언	검붉다(검고 붉다), 굶주리다(굶고 주리다), 날뛰다(날고 뛰다) 등
용언 어간 + 어미 생략 + 명사	늦더위(늦- + 더위), 덮밥(덮- + 밥), 접칼(접- + 칼) 등
부사 + 명사('관형사+명사'여야 일반적인 단어 배열법에 해당함)	부슬비(부슬[부사] + 비[명사]), 산들바람(산들[부사] + 바람[명사]) 등

우리말에서 조사는 생략 가능하지만, 어미는 생략할 수 없어. 이를 바탕으로 어미가 생략되는 것은 비통사적 합성어, 조사가 생략되는 것은 통사적 합성어임을 기억해!

짚고 가요

합성어인지 파생어인지 헷갈릴 때에는?

'불꽃놀이(불+꽃+놀-+-이)'는 합성어일까, 파생어일까? 이럴 땐 딱! 처음 나눈 요소로 판단하면 돼. '불꽃'과 '놀이'로 나누는 것이 자연스럽지?('불꽃놀다'라는 말은 없으니 '불꽃놀 + -이'로 나누는 것도 이상하고, '불 + 꽃놀이'로 나누면 꽃에다 불을 지르는 놀이인가? 이상하잖아.) 이처럼 단어를 직접 이루고 있는 두 부분으로 나눌 때에는 첫째, 나뉜 말들이 실제로 존재하는 말들인지, 둘째, 나뉜 상태에서도 두 말이 어우러져 나타내는 전체 의미가 여전히 통하는가를 살피면 돼.
이와 같이, 여러 개의 어근과 접사로 이루어진 복합어에서 어떤 성분들의 결합이 먼저 일어났는가를 살피는 것을 '직접 구성 요소 분석'이라고 한다.

확인 문제

정답과 해설 8쪽

✔ 바로바로 간단 체크

1 예와 같이 다음 단어를 단일어, 파생어, 합성어로 구분하시오.

예	하늘	단일어
(1)	논밭	
(2)	믿다	
(3)	손수건	
(4)	하나	
(5)	헛기침	
(6)	잡히다	
(7)	뛰어나다	
(8)	도둑질	
(9)	마개	
(10)	뛰놀다	

2 예와 같이 다음 파생어에서 접사를 찾아 쓰시오.

예	헛고생	헛-
(1)	사랑스럽다	
(2)	새롭다	
(3)	공부하다	
(4)	높이	
(5)	짓밟히다	

3 예와 같이 다음 단어를 통사적 합성어·비통사적 합성어로 구분하시오.

예	논밭	통사적 합성어
(1)	오르내리다	
(2)	덮밥	
(3)	스며들다	
(4)	앞서다	
(5)	높푸르다	

형태소의 종류

01 다음 문장을 자립 형태소와 의존 형태소로 바르게 분석한 것은?

> 나는 예쁜 모자를 보았다.

	자립 형태소	의존 형태소
①	나, 모자	는, 예쁜, 를, 보았다
②	나, 모자	는, 예쁘-, -ㄴ, 를, 보-, -았-, -다
③	나, 모자	는, 예쁜, 를, 보았-, -다
④	나, 예쁜, 모자, 보았다	는, 를
⑤	나, 는, 모자, 를	예쁘-, -ㄴ, 보-, -았-, -다

형태소와 단어의 이해

02 다음 문장을 통해 형태소와 단어에 대해 파악한 것으로 적절하지 않은 것은?

> 하늘이 매우 파랗다.

① '하늘'은 실질·자립 형태소이며 하나의 단어이다.
② '이'는 형식·의존 형태소이며 혼자서는 단어가 될 수 없다.
③ '매우'는 실질·자립 형태소이며 하나의 단어이다.
④ '파랗-'은 실질·의존 형태소이며 혼자서는 단어가 될 수 없다.
⑤ '-다'는 형식·의존 형태소이며 혼자서는 단어가 될 수 없다.

형태소 분석

03 다음 문장에 대한 설명으로 적절한 것은?

> 집에 늦게 돌아온 날은 감기를 앓았다.

① 이 문장에서 형식 형태소는 9개이다.
② 이 문장은 9개의 단어로 이루어져 있다.
③ 이 문장은 13개의 형태소로 이루어져 있다.
④ 이 문장에서 혼자 쓰일 수 있는 형태소는 5개이다.
⑤ 이 문장에서 실질적인 의미를 가진 형태소는 8개이다.

단어의 형성 방법

04 〈보기〉의 [A]~[E]에 들어갈 말을 바르게 연결한 것은?

보기

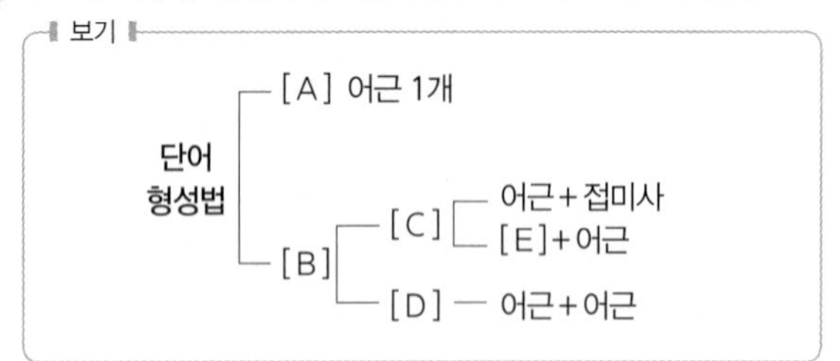

	[A]	[B]	[C]	[D]	[E]
①	단일어	복합어	파생어	합성어	접두사
②	단일어	복합어	합성어	파생어	접두사
③	단일어	파생어	복합어	합성어	접두사
④	복합어	단일어	파생어	합성어	접두사
⑤	복합어	단일어	합성어	파생어	접두사

단어의 형성 방법

05 단어의 형성 방법이 다른 하나는?

① 맨손 ② 군말 ③ 첫사랑
④ 헛살다 ⑤ 새하얗다

접사의 기능 이해

06 다음 파생어 중 접사에 의해 품사 변화가 일어나지 않은 것은?

① 잠 ② 높이 ③ 신사답다
④ 시아버지 ⑤ 메마르다

파생어

07 접사의 의미와 그 예시의 연결이 적절하지 않은 것은?

① '군밤'의 '군-': '쓸데 없는'의 뜻을 더하는 접사
② '덮개'의 '-개': '사람, 간단한 도구'의 뜻을 더하는 접사
③ '되찾다'의 '되-': '도리어, 다시, 도로'의 뜻을 더하는 접사
④ '헛수고'의 '헛-': '소용이 없거나 속이 비었거나 참되지 못함'의 의미를 더하는 접사
⑤ '옹기장이'의 '-장이': '직종·물건 이름 등에 붙어 그것을 만들거나 그 직종에 종사하는 기술자'임을 나타내는 접사

파생어

08 파생어의 접사를 탐구한 내용으로 적절하지 않은 것은?

① '홀아비'의 '홀-'은 '짝이 없고 하나뿐'이라는 뜻을 더하는 접두사이다.
② '먹히다'의 '-히-'는 접미사로, 동사인 '먹다'의 품사를 바꾸는 역할을 하고 있다.
③ '풋나물'에서 '풋-'은 '처음 나온' 또는 '덜 익은'의 뜻을 더하는 접두사이다.
④ '믿음'의 '-음'은 'ㄹ' 이외의 받침 있는 용언의 어간에 붙어 명사를 만드는 접미사이다.
⑤ '잠꾸러기'에서 '-꾸러기'는 '어떤 버릇이 많거나 어떤 일을 잘 일으키는 사람'의 뜻을 더하는 접미사이다.

합성어의 의미 관계

09 〈보기〉의 ㉠~㉣을 통해 합성어의 의미 관계를 이해한 것으로 적절하지 않은 것은?

보기

㉠ 시현이는 손발이 크다.
㉡ 돌다리를 건너면 집에 도착한다.
㉢ 바늘방석에 앉은 듯 마음이 편치 않다.
㉣ 춘추(春秋)복을 사러 가다.
올해 춘추(春秋)가 어떻게 되십니까?

① ㉠의 '손발'은 대등 합성어로, 비슷한 예로는 '앞뒤', '물병' 등이 있다.
② ㉡의 '돌다리'는 한 어근이 다른 어근을 수식하는 종속 합성어로, 비슷한 예로는 '손수건', '책가방' 등이 있다.
③ ㉢의 '바늘방석'은 어근 각각의 의미를 벗어나 새로운 뜻을 나타내는 융합 합성어이다.
④ ㉢의 '바늘방석'과 같은 예로는 '피땀을 흘리며 일하다'의 '피땀'을 들 수 있다.
⑤ ㉣의 '춘추'는 문맥에 따라 대등 합성어 또는 융합 합성어로 쓰일 수 있다.

통사적 합성어

10 〈보기〉의 ㉠~㉣에 대한 설명으로 적절하지 않은 것은?

보기
㉠ 한번, 온종일
㉡ 큰집, 날짐승, 작은아버지
㉢ 귀먹다, 힘들다, 본받다, 앞서다
㉣ 길바닥, 손발, 고무신

① ㉠은 '관형사 + 명사'가 결합한 구성으로 통사적 합성어에 해당한다.
② ㉡은 '용언의 관형사형 + 명사'가 결합한 구성으로 통사적 합성어에 해당한다.
③ ㉢은 '체언 + (조사 생략) + 용언'의 구성으로 통사적 합성어에 해당한다.
④ ㉢에서 '귀먹다'와 '힘들다'는 '주어 + 서술어'의 관계이고 '본받다'와 '앞서다'는 '목적어 + 서술어'의 관계이다.
⑤ ㉣은 '명사 + 명사'가 결합한 구성으로 통사적 합성어에 해당한다.

비통사적 합성어

11 〈보기〉의 밑줄 친 부분의 사례로 적절한 것은?

보기
비통사적 합성어의 유형으로는 용언과 체언이 연결될 때 관형사형 전성 어미가 생략되는 것, 용언과 다른 용언이 연결될 때 연결 어미가 생략되는 것, 부사가 체언 앞에 오는 형식을 취하는 것 등을 들 수 있다.

① 큰집 ② 누비옷 ③ 새언니
④ 뛰놀다 ⑤ 부슬비

비통사적 합성어

12 비통사적 합성어에 해당하는 것은?

① 길짐승 ② 깡충깡충 ③ 가로막다
④ 돌아가다 ⑤ 척척박사

형태소의 이해 2018학년도 6월 고1 학력평가

13 〈보기〉의 설명을 참고할 때, ㉠을 분석한 내용으로 적절하지 않은 것은?

보기
'형태소'는 뜻을 가진 말의 가장 작은 단위이다. 형태소는 의미의 유무에 따라 구체적인 대상이나 동작, 상태를 표시하는 실질적인 의미를 지닌 실질 형태소와 문법적인 기능을 수행하는 형식 형태소로 나눌 수 있다. 그리고 자립성의 유무에 따라 다른 말에 기대어 쓰이지 않고 홀로 사용될 수 있는 자립 형태소와 다른 말에 기대어 사용되는 의존 형태소로 나눌 수 있다.

㉠하늘이 매우 높고 푸르다.

① 자립 형태소는 모두 4개이다.
② 형식 형태소는 모두 3개이다.
③ 의존 형태소는 모두 5개이다.
④ 실질 형태소이면서 의존 형태소는 모두 2개이다.
⑤ 실질 형태소이면서 자립 형태소는 모두 2개이다.

단어 형성법 2016학년도 6월 고1 학력평가

14 〈보기〉를 바탕으로 단어 형성에 대해 이해한 내용으로 적절하지 않은 것은?

보기
단어의 실질적인 의미를 나타내는 중심 부분을 어근이라 하고, 일부 어근에 붙어서 그 의미를 제한하며 어근과 달리 독립적으로 쓰이지 못하는 주변 부분을 접사라고 한다. 단어는 구성 방식에 따라 하나의 어근으로 이루어진 단일어, 어근과 어근이 결합한 합성어, 어근과 접사가 결합한 파생어로 구분할 수 있다.

① '새해'는 접사와 어근이 결합한 파생어이다.
② '밤낮'은 어근과 어근이 결합한 합성어이다.
③ '구경꾼'은 어근과 접사가 결합한 파생어이다.
④ '이슬비'는 어근과 어근이 결합한 합성어이다.
⑤ '민들레'는 하나의 어근으로 이루어진 단일어이다.

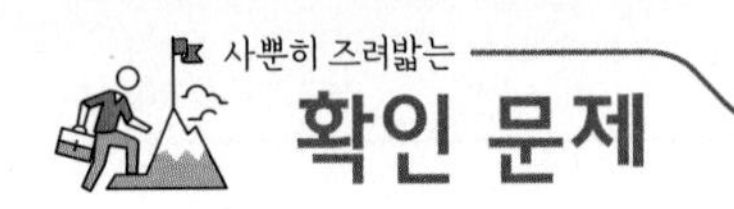

직접 구성 요소 분석 — 2013학년도 9월 고2 학력평가Ⓐ

15 **단어의 계층 구조가 〈보기〉와 같은 것은?**

보기

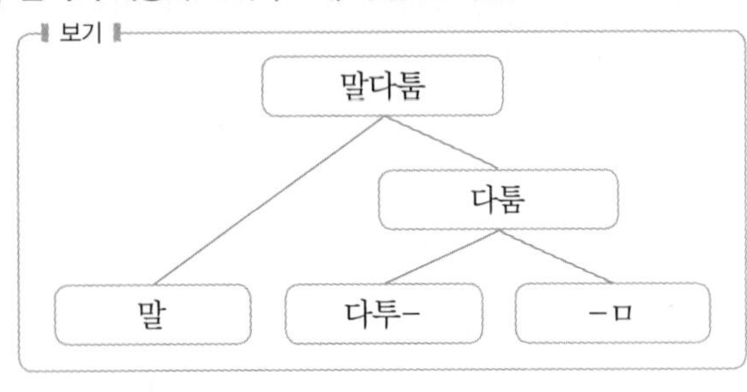

① 달리기　② 나들이　③ 글짓기
④ 들기름　⑤ 웃음보

단어 형성법의 이해 — 2018학년도 3월 고3 학력평가

16 **〈보기〉의 밑줄 친 부분과 관련한 탐구로 적절하지 않은 것은?**

보기

선생님: 지난 시간에 모둠별로 〈그림〉의 대상을 지칭하는 새말을 만드는 활동을 했어요. <u>이번 시간에는 지난 시간에 만든 새말들의 단어 구조에 대해 탐구해 봅시다.</u>

• 모둠 활동 결과

새말

㉠ 오이칼, 껍질칼
㉡ 깎작깎작칼, 사각사각칼
㉢ 까개, 깎개
㉣ 긁도구, 밀도구
㉤ 박박이, 쓱쓱이

① ㉠은 명사 어근들을 결합하여 만든 통사적 합성어입니다.
② ㉡은 부사 어근과 명사 어근을 결합하여 만든 비통사적 합성어입니다.
③ ㉢은 동사 어근에 접사를 결합하여 만든 파생어입니다.
④ ㉣은 명사 어근에 접사를 결합하여 만든 파생어입니다.
⑤ ㉤은 부사 어근에 접사를 결합하여 만든 파생어입니다.

어간과 어근 분석 — 2015학년도 3월 고3 학력평가Ⓐ(변형)

17 **〈보기〉의 ㉠~㉢에 들어갈 말로 적절한 것은?**

보기

선생님: 어간은 용언의 활용 시 변하지 않는 부분을, 어근은 단어 분석 시 실질적 의미를 나타내는 중심 부분을 가리킵니다. 이때 용언이 단일어일 경우 어간과 어근이 일치하지만, 용언이 파생어나 합성어일 경우 어간과 어근이 일치하지 않습니다. 그렇다면 이번에는 다음 세 단어의 어간과 어근을 분석해 볼까요?

용언	어간	어근
줄이다	줄이-	㉠
힘들다	힘들-	㉡
오가다	오가-	㉢

	㉠	㉡	㉢
①	줄이-	힘들-	오가-
②	줄이-	힘들-	오-, 가-
③	줄-	힘들-	오가-
④	줄-	힘, 들-	오-, 가-
⑤	줄-	힘, 들-	오가-

단어 형성의 원리 — 2015학년도 3월 고2 학력평가

18 **〈보기〉의 ㉠~㉤에 들어갈 어휘의 예로 적절하지 않은 것은?**

보기

합성어는 어근의 배열 양상에 따라 통사적 합성어와 비통사적 합성어로 나뉜다. 어근의 배열이 우리말의 일반적인 문장 구성 방식과 일치하는 것을 통사적 합성어라 하고, 그렇지 않은 것을 비통사적 합성어라 한다. 합성어에서 어근의 구체적 결합 양상은 다음과 같다.

〈통사적 합성어의 유형과 예〉
• 체언+체언:밤낮
• 체언+용언: ㉠
• 관형사+체언: ㉡
• 용언의 관형사형+체언: ㉢

〈비통사적 합성어의 유형과 예〉
• 부사+체언: 보슬비
• 용언의 어간+체언: ㉣
• 용언의 어간+용언의 어간: ㉤

① ㉠: 낯설다　② ㉡: 첫사랑
③ ㉢: 뜬소문　④ ㉣: 덮밥
⑤ ㉤: 앞서다

05 단어의 의미

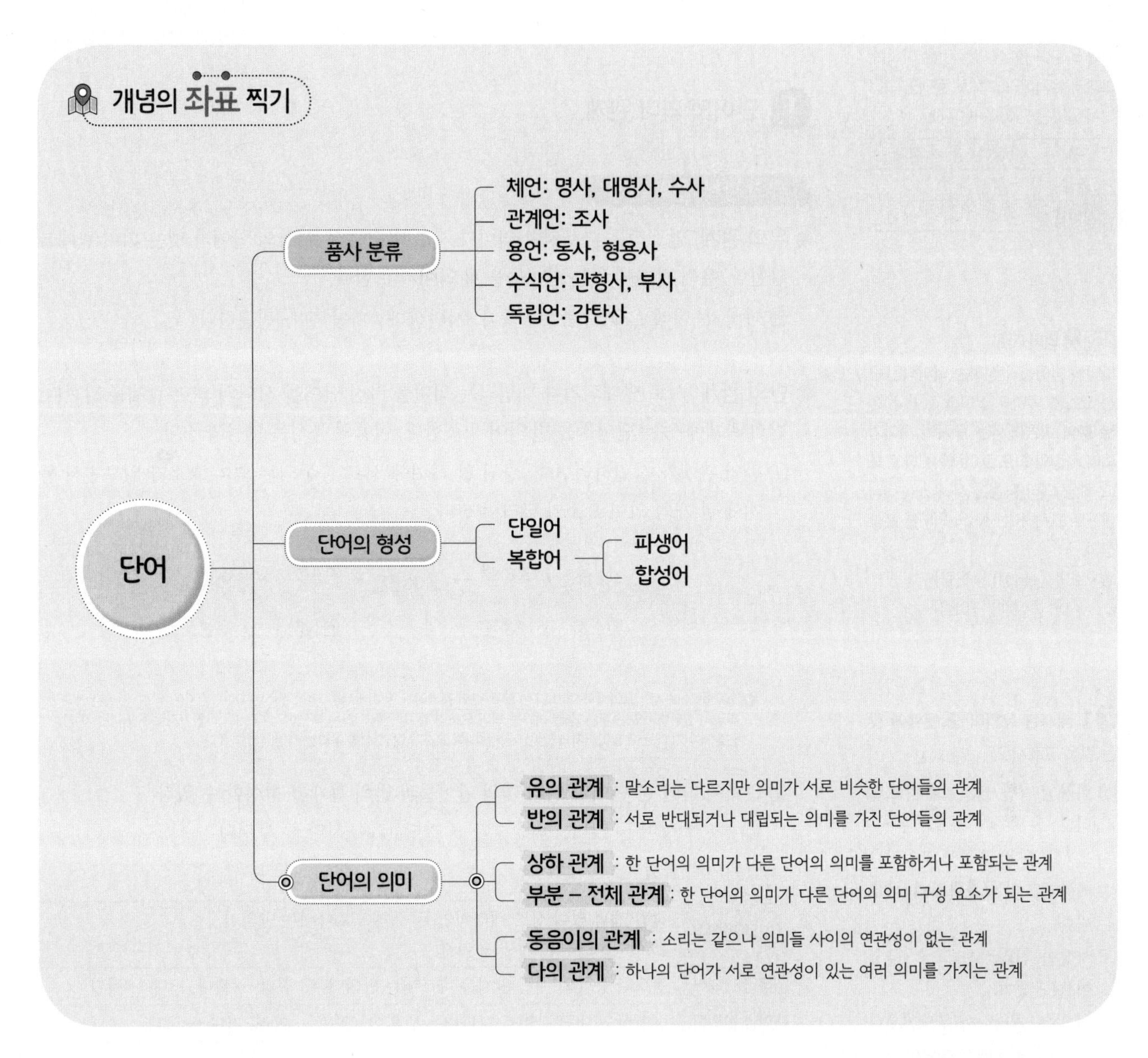

하나의 단어가 여러 뜻을 지닌 말, 다의어

짚고 가요

유의어 간의 미묘한 의미 차이

유의 관계를 맺고 있는 단어들은 기본 의미가 서로 비슷할 뿐, 완전히 같은 의미는 아니기 때문에 어느 경우에나 바꾸어 쓸 수 있는 것은 아니야. 그래서 유의어라고 해도 문맥을 고려해서 알맞은 단어를 써야 해.

예	잡다	쥐다
공을	○	○
자리를	○	×

개념+ **의미 자질**

하나의 단어를 구성하는 의미적인 구성 요소를 의미 자질이라고 한다. 성분 분석 이론에서는 단어의 의미가 의미 자질의 합으로 이루어진다고 보고, 해당 의미 자질을 지니면 +, 아니면 –로 표시하여 단어의 의미를 분석한다.

예 • 소년: [+남성], [+어림]
• 소녀: [–남성], [+어림]

개념 콕 1 **제시된 유의어 중 문맥에 맞는 말을 고르시오.**

(1) 회장님, (말/말씀) 부탁드립니다.
(2) 그 (집/주택) 음식이 맛있어.
(3) 제품 표면이 (단단하다/야무지다).
(4) 이상한 전화라서 그냥 (끊었어/절단했어).
(5) 새 잎은 (여리니까/부드러우니까) 아주 조심해서 다뤄야 해.

개념 콕 2 **다음은 '손자'와 '할머니'가 반의 관계를 형성할 수 없는 이유이다. 빈칸에 들어갈 알맞은 말을 쓰시오.**

손자와 할머니는 '사람'이라는 공통되는 의미 요소가 있지만 (　　　)과 (　　　)이라는 두 가지 의미 요소가 다르기 때문에 반의 관계를 형성할 수 없다.

개념을 품은 **기출 선택지**

- '타다2–[1]'의 **반의어**로는 '주다'가 가능하겠군. (2014. 6. 고1 학력평가)
- '걸다[1]'과 '걸다[2]'는 별개의 표준어로 구분되어 있으므로 **동음이의어**이군. (2013. 9. 고1 학력평가)
- (가)의 '홍수'는 **중심적 의미**로, (나)의 '홍수'는 **주변적 의미**로 사용되었다. (2016. 6. 모의평가)

1 단어의 의미 관계

유의 관계, 반의 관계

유의 관계: 말소리는 다르지만 의미가 서로 비슷한 둘 이상의 단어가 맺는 의미 관계를 말한다. 유의 관계에 있는 단어들을 유의어라고 한다.

예 아버지–아빠 / 자주–종종 / 죽다–사망하다 / 가난하다–빈곤하다

반의 관계: 서로 반대되거나 대립되는 의미를 가진 단어들 사이의 의미 관계를 말한다. 반의 관계에 있는 단어들을 반의어라고 한다. 이들의 특성은 다음과 같다.

① 반의 관계가 성립하려면 한 쌍의 말 사이에 서로 공통되는 의미 요소+가 있으면서 동시에 한 개의 의미 요소가 달라야 한다.

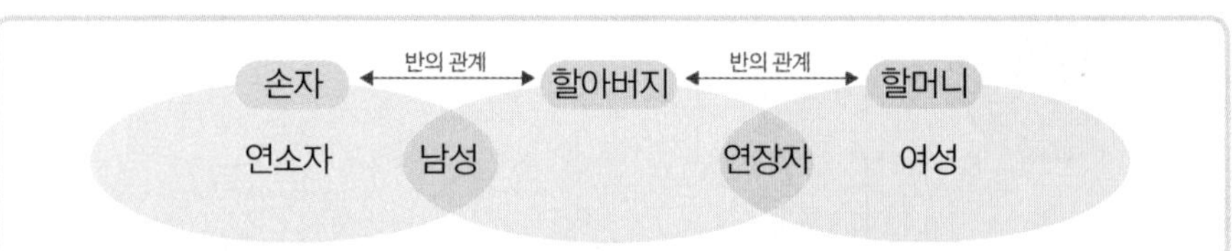

➲ '할아버지–손자', '할아버지–할머니'는 모두 반의 관계이다. 할아버지는 '남성, 연장자'이고, 손자는 '남성, 연소자'이다. 따라서 할아버지와 손자는 '성별'이라는 의미 요소가 같고 '연령'이라는 측면에서 다르다. 마찬가지로 할머니는 '여성, 연장자'이기 때문에 할아버지와 '연령'이라는 의미 요소가 같고 '성별'이라는 측면에서 다르다.

② 문맥에 따라 한 단어가 여러 개의 단어들과 반의 관계를 형성할 수 있다.

예 (제자리에) 서다 ↔ 앉다, (기차가) 서다 ↔ 가다, (칼날이) 서다 ↔ 무디다

③ 반의어의 종류

상보 반의어	중간 개념 없이 상호 배타적인 두 구역으로 나뉘는 반의어. 예 살다 ↔ 죽다, 남자 ↔ 여자
등급 반의어	정도나 등급의 대립 관계를 나타내는 반의어. 예 길다 ↔ 짧다, 크다 ↔ 작다
방향 반의어	방향상의 대립 관계를 나타내는 반의어. 예 위 ↔ 아래, 가다 ↔ 오다

상하 관계, 부분–전체 관계

상하 관계: 한 단어의 의미가 다른 단어의 의미를 포함하거나(상의어) 다른 단어의 의미에 포함되는(하의어) 관계를 말한다. 이들은 다음과 같은 특징을 지닌다.

① 상의어와 하의어의 관계는 상대적이다. 즉, 상의어는 다른 단어의 하의어일 수도 있고, 하의어는 다른 단어의 상의어일 수도 있다.

예 동물 ⊃ [개] ⊃ 진돗개
'동물'의 하의어　'진돗개'의 상의어

② 상의어일수록 의미가 추상적·포괄적이며, 하의어일수록 의미가 개별적·구체적이다. 또 하의어는 상의어의 의미를 포함한다.

부분-전체 관계: 한 단어의 의미가 다른 단어의 의미상 구성 요소가 되는 의미 관계를 말한다. 이때 구성 요소는 전체를 이루는 부분이나 요소를 말한다.

예 몸 - 머리, 팔, 몸통, 다리

동음이의 관계

동음이의(同音異義) 관계는 소리는 같지만 뜻이 다른 단어 간의 관계이다. 이러한 관계에 있는 단어를 동음이의어라고 한다. 사전에는 각각의 단어로 실린다.

(同音: 소리가 같다, 異義: 의미가 다르다)

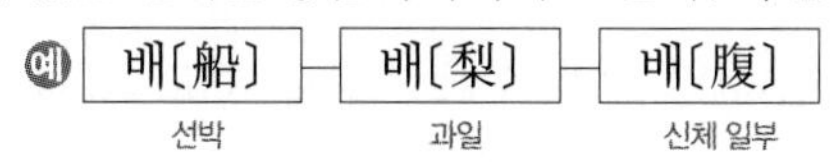

다의 관계

다의(多義) 관계는 하나의 단어가 서로 연관성이 있는 여러 의미를 가지는 관계이다. 이러한 관계에 있는 단어를 다의어라고 한다. 다의어는 가장 기본이 되는 중심적 의미와, 이로부터 분화된 여러 주변적 의미를 가진다. 다의어는 중심적 의미로 연결된 하나의 단어이기 때문에 사전에는 한 단어로 실린다.

(多義: 의미가 많다)

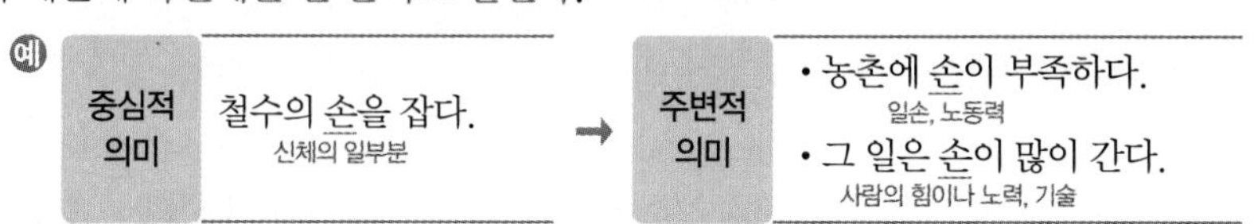

짚고 가요

사전에서 동음이의어와 다의어 구분하기

시험에는 '사전에 실린 단어의 정보'를 주고, 동음이의어나 다의어에 대해 묻는 문항들이 종종 나와. 그러니까 사전을 보고 동음이의어·다의어를 구분하는 방법을 같이 알아보자.

손01 「명사」	손02 「명사」
① 사람의 팔목 끝에 달린 부분.	① 다른 곳에서 찾아온 사람.
② 일손.	② 여관·음식점 따위의 영업 장소에 찾아온 사람.
③ 어떤 사람의 영향력이나 권한이 미치는 범위.	③ 지나가다가 잠시 들른 사람.

먼저 동음이의어는 사전에 각각의 단어로 실린다고 했지? 단어 뒤에 '01', '02'라고 어깨번호가 달려 있다면 동음이의어라고 생각해도 돼. 서로 다른 단어들인데 발음이 같으니까, 헷갈리지 말라고 번호를 단 것이지. 그러니까 각각 실린 '손01, 손02'는 동음이의어라고 볼 수 있겠지?

반면 다의어는 사전에 하나의 단어로 실린다고 했어. 손01은 의미 ①~③이 '손01'이라는 하나의 단어 아래 실려 있지? 즉 '손01'은 연관된 여러 의미를 지닌 하나의 단어이기 때문에 다의어야. 마찬가지로 '손02'도 다의어이지. 참고로 의미 ①은 중심적 의미이고, 나머지는 주변적 의미에 해당해.

개념 콕 **3** 〈보기〉에 대한 설명으로 맞으면 ○, 틀리면 × 하시오.

보기
- '동물'의 (㉠): 물고기, 붕어, 금붕어
- '금붕어'의 (㉡): 붕어, 물고기, 동물

(1) ㉠에 들어갈 말은 '하의어'이다. ( )

(2) ㉡에 들어갈 말은 '상의어'이다. ( )

(3) 하의어는 여러 개의 상의어를 가질 수 있으나, 상의어는 여러 개의 하의어를 가질 수 없다. ( )

개념 콕 **4** 다음 중 밑줄 친 단어와 다의 관계를 이루지 않는 것은?

공을 발로 차다.

① 내 친구는 발이 넓다.
② 총알이 한 발 남았다.
③ 한 발 뒤로 물러나라.
④ 의자의 발이 네 개다.
⑤ 영희는 발이 빠른 편이다.

콕 1 (1) 말씀 (2) 집 (3) 단단하다 (4) 끊었어 (5) 여러니까 2 성별, 연령 3 (1) ○ (2) ○ (3) × 4 ②

사뿐히 즈려밟는

확인 문제

✔ 바로바로 간단 체크

1 다음 빈칸에 알맞은 말을 쓰시오.

(1) (ㅇㅇ ㄱㄱ)는 의미가 같거나 비슷한 단어들의 관계를 말하며, 그 관계에 있는 단어들을 (ㅇㅇㅇ)라 한다. 예 키우다 – 기르다 – 양육하다.

(2) (ㅂㅇ ㄱㄱ)는 단어들이 서로 반대되는 의미를 가지는 경우를 말하며, 이러한 관계에 있는 단어들을 (ㅂㅇㅇ)라고 한다. 예 출석 – 결석

(3) (ㅅㅎ ㄱㄱ)는 두 개의 단어 중 한 단어의 의미가 다른 단어의 의미를 포함하거나 포함된 관계를 말한다. 예 직업 ⊃ 공무원 ⊃ 대통령

(4) (ㅂㅂ–ㅈㅊ ㄱㄱ)란 한 단어의 의미가 다른 단어의 의미상 구성 요소가 되는 의미 관계를 말한다. 예 몸 – 머리, 팔, 다리

2 다음 설명이 맞으면 ○표, 틀리면 ×표를 하시오.

(1) • 호수 위에 배가 떠 있다.
• 배가 아파서 병원에 갔다.
→ '배'는 동음이의 관계이다. ( )

(2) • 다리가 아파서 병원에 갔다.
• 저 다리만 건너면 놀이 공원이다.
→ '다리'는 다의 관계이다. ( )

(3) • 시우는 머리를 긁었다.
• 오늘은 미용실에서 머리를 잘랐다.
→ '머리'는 동음이의 관계이다. ( )

(4) • 가방이 너무 무겁다.
• 약속을 어겨서 마음이 무겁다.
→ '무겁다'는 다의 관계이다. ( )

(5) 동음이의어는 사전에서 별개의 표제어로 등재되고, 다의어는 사전에 하나의 표제어로 등재된다. ( )

유의 관계

01 〈보기〉를 이해한 내용으로 적절하지 않은 것은?

보기
㉠ 연필을 잡다. – 연필을 쥐다.
㉡ 그가 권력을 잡았다. – 그가 권력을 쥐었다.
㉢ 서진이가 도둑을 잡았다. – 서진이가 도둑을 쥐었다.

① ㉠에서 '잡다'를 '쥐다'로 바꾸어도 의미상 큰 변화가 없는 것을 보니, 둘은 유의 관계이다.
② ㉡에서 '잡다'와 '쥐다'는 권리나 권력 따위를 차지한다는 의미가 있다.
③ ㉢에서 '잡았다'를 '쥐었다'로 바꾸면 문장의 의미가 어색해진다.
④ ㉢에서 '잡다'는 "주먹 안에 사물을 넣고 움켜잡는다"의 의미가 있고, '쥐다'는 "손 따위로 움켜쥐고 놓지 않다."의 의미가 있다.
⑤ ㉠~㉢을 보니, 유의 관계의 두 단어는 의미가 완전히 동일하지는 않기 때문에 바꾸어 쓸 때 제약이 있다.

동음이의 관계

02 동음이의어가 사용되지 않은 문장은?

① 간만에 온 손을 맞을 손이 부족하다.
② 고추가 맵다 해도 시집살이가 더 맵다.
③ 가위가 잘 들지 않아 우산을 들고 문구점에 갔다.
④ 어제 점을 봤는데, 내 얼굴에 있는 점을 빼는 게 좋대.
⑤ 소방차에 타고 있는 소방관이, 타고 있는 건물을 바라보았다.

상하 관계와 부분–전체 관계

03 〈보기〉의 단어들을 이해한 내용으로 적절하지 않은 것은?

보기
㉠ 식물 – 꽃 ㉡ 꽃 – 무궁화 ㉢ 무궁화 – 꽃잎

① ㉠에서 '식물'은 상의어이고 '꽃'은 하의어이다.
② ㉡에서 '꽃'은 상의어이고 '무궁화'는 하의어이다.
③ ㉠과 ㉡을 보면 상의어와 하의어의 관계는 상대적이다.
④ ㉠과 ㉡을 보면 상의어일수록 그 의미가 구체적이고, 하의어일수록 그 의미가 추상적이다.
⑤ ㉢은 꽃잎이 무궁화를 구성하는 요소라는 점에서 단어들이 부분–전체 관계를 이룬다.

반의 관계

04 반의 관계에 대한 설명으로 적절하지 않은 것은?

① '벗다'는 문맥에 따라 다양한 반의어가 존재한다.
② '엄마 – 아빠'는 공통적인 의미 요소가 없기 때문에 반의 관계이다.
③ '오다 – 가다'는 방향의 대립 관계를 나타내는 방향 반의어이다.
④ '차갑다 – 뜨겁다'는 정도나 등급의 대립 관계를 나타내는 등급 반의어이다.
⑤ '남자 – 여자'는 개념적 영역에서 중간 개념 없이 상호 배타적인 성격을 보이는 상보 반의어이다.

다의 관계 2016학년도 6월 모의평가Ⓐ

05 〈보기〉의 ㉠, ㉡에 해당하는 예로 적절하지 않은 것은?

보기

단어는 다양한 맥락에서 사용되면서 ㉠중심적 의미가 ㉡주변적 의미로 확장되어 다의 관계를 이루기도 한다. 일례로 자연과 관련된 단어가 자연물이나 자연 현상을 그대로 나타내는 중심적 의미로 쓰이다가 비유적으로 확장되어 주변적 의미로 사용되기도 한다.

(가) 여름이 오기 전에 홍수를 대비한다.
(나) 우리는 정보의 홍수 시대에 살고 있다.

(가)의 '홍수'는 중심적 의미로, (나)의 '홍수'는 주변적 의미로 사용되었다.

① ㉠: 천체 망원경으로 밤하늘의 별을 관찰했다.
㉡: 어제 물리학계의 큰 별이 졌다.
② ㉠: 천둥과 번개를 동반한 비가 내렸다.
㉡: 그는 도망가는 데만큼은 정말 번개야.
③ ㉠: 그는 자신의 뿌리를 찾고자 노력한다.
㉡: 잡초가 다시 자라지 않도록 뿌리를 뽑았다.
④ ㉠: 일출을 기다리는 우리 앞에 붉은 태양이 떠올랐다.
㉡: 그녀는 그가 자기 마음의 태양이라고 말했다.
⑤ ㉠: 들판에는 풀잎마다 이슬이 맺혔다.
㉡: 그녀의 두 눈에 맺힌 이슬이 뜨겁게 흘러 내렸다.

다의 관계와 반의 관계 2013학년도 3월 고2 학력평가Ⓐ

06 〈보기〉의 밑줄 친 부분에 해당하는 예로 적절한 것은?

보기

한 단어가 관련된 여러 가지 의미를 함께 지니고 있는 것을 '다의어'라고 한다. 다의어의 의미는 '중심적 의미'와 '주변적 의미'로 나뉜다. 중심적 의미끼리는 반의 관계가 성립하지만, 중심적 의미와 주변적 의미, 주변적 의미와 주변적 의미 사이에는 반의 관계가 성립하지 않는다.

(학교가) 넓다 ↔ (도로가) 좁다	중심 ↔ 중심
(학교가) 넓다 ↮ (시야가) 좁다	중심 ↮ 주변
(마음이) 넓다 ↮ (시야가) 좁다	주변 ↮ 주변

* ↔: 반의 관계가 성립함. * ↮: 반의 관계가 성립하지 않음.

① 결심이 서다 – 요직에 앉다
② 차렷 자세로 서다 – 잠자리가 장대에 앉다
③ 칼날이 서다 – 책상에 먼지가 앉다
④ 전봇대가 서다 – 의자에 앉다
⑤ 일렬로 서다 – 방석을 깔고 앉다

단어의 의미 관계 2013학년도 9월 고2 학력평가Ⓐ(변형)

07 〈보기〉는 사전을 토대로 '입다'와 관련된 어휘 사이의 의미 관계를 그려 본 것이다. 다음 설명 중 적절하지 않은 것은?

보기

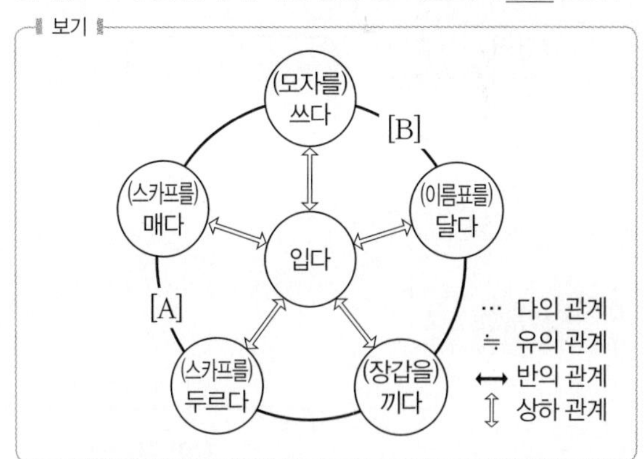

① '끼다'와 어울리는 대상은 장갑이나 반지 등이 있다.
② "이번 태풍으로 농가에서 큰 피해를 입다."의 '입다'는 〈보기〉의 '입다'와 다의 관계이다.
③ [A]에는 "스카프를 매다."와 "스카프를 두르다."가 모두 성립된다는 점에서 '≒'로 표시할 수 있다.
④ '입다'와 상하 관계에 있는 '쓰다'와 '달다'는 서로 반의 관계라는 점에서 [B]에는 '↔'이 표시된다.
⑤ "옷에 이름표를 달다."와 "옷에 이름표를 붙이다."가 통한다는 점에서 '붙이다'를 '입다'와 상하 관계로 볼 수 있다.

단원 정리

품사

형태 / 기능 / 의미

- 불변어
  - ❶ (   )
    - 명사: 사람이나 사물, 장소 등 구체적인 대상의 이름을 나타내는 단어
    - 대명사: 명사를 대신하여 사람이나 사물, 장소 등의 이름을 가리키는 단어
    - 수사: 사물의 수량이나 순서를 나타내는 단어
  - 수식언
    - ❷ (   ): 체언 앞에서 체언을 꾸며 주는 단어
    - 부사: 용언이나 관형사, 다른 부사 및 문장을 꾸며 주는 단어
  - 독립언
    - 감탄사: 화자의 부름, 느낌, 놀람이나 대답을 나타내는 단어
  - 관계언
    - ❸ (   ): 앞말에 붙어서 그 말과 다른 말의 관계를 나타내거나 특별한 의미를 더해 주는 단어
- 가변어
  - ❹ (   )
    - 동사: 사람이나 사물의 어떤 움직임이나 작용을 나타내는 단어
    - 형용사: 사람이나 사물의 성질이나 상태를 나타내는 단어

형태소

- 자립성 유무
  - 자립 형태소: 다른 형태소의 도움 없이 혼자 쓸 수 있는 형태소
  - ❺ (   ): 다른 형태소와 결합해야 쓸 수 있는 형태소
- 실질적 의미 유무
  - ❻ (   ): 구체적인 대상이나 동작, 상태와 같은 실질적인 의미를 지닌 형태소
  - 형식 형태소: 실질적인 의미 없이 형식적인 의미만 지닌 형태소

단어의 형성

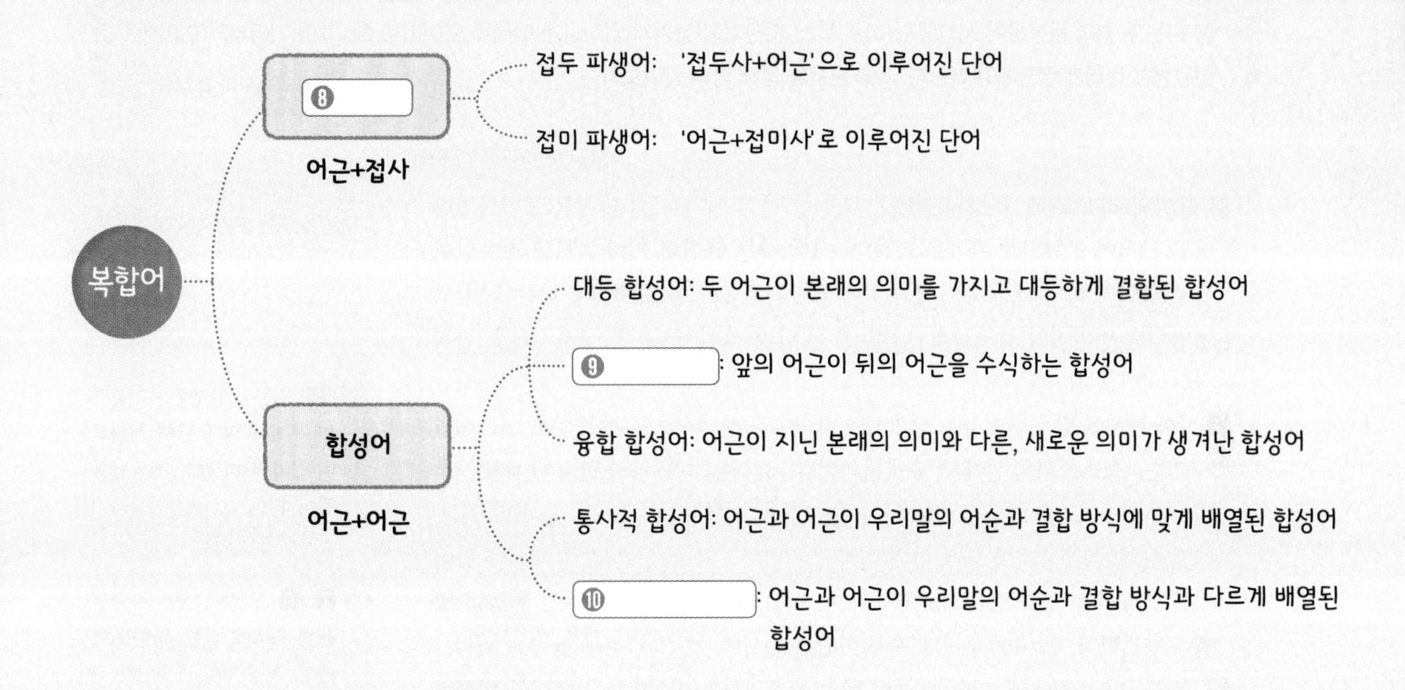

의미 관계

유의 관계	말소리는 다르지만 의미가 서로 비슷한 단어들의 관계
반의 관계	서로 반대되는 의미를 가지는 단어들의 관계
⓫	한 단어의 의미가 다른 단어의 의미를 포함하거나 포함되는 관계
부분-전체 관계	한 단어의 의미가 다른 단어의 의미 구성 요소가 되는 관계
동음이의 관계	소리는 같으나 ⓬ 들 사이에 연관성이 없는 단어 간의 관계
다의 관계	하나의 단어가 서로 연관성이 있는 여러 의미를 가지는 관계

빈칸 답 | ❶ 체언 ❷ 관형사 ❸ 조사 ❹ 용언 ❺ 의존 형태소 ❻ 실질 형태소 ❼ 어근 ❽ 파생어 ❾ 종속 합성어 ❿ 비통사적 합성어 ⓫ 상하 관계 ⓬ 의미

알아 두면 쓸데 있는 100인의 지혜

수능 문법 신유형 풀이의 지혜

기존의 수능 문법 문제는 주로, 짤막한 〈보기〉를 제시한 뒤 이에 관한 내용 이해를 바탕으로 하여 답을 찾게끔 하는 한 문제짜리 단독 유형이 대부분이었어. 그런데 최근, 짧은 〈보기〉가 아닌 꽤 긴 길이의 지문을 제시하며 두 문제를 풀게끔 하는 유형이 등장하기 시작했지. 마치 독서 지문처럼 생겨서 엄청나게 어려워 보이기도 해. 그럼 지금부터 이러한 신유형에 어떻게 접근해야 하는지, 기출 문제를 통해 함께 알아보자.

2018학년도 6월 모의평가

1 단어의 의미 관계 중 상하 관계는 의미상 한 단어가 다른 단어를 포함하거나 다른 단어에 포함되는 관계를 말한다. 이때 다른 단어의 의미를 포함하는 단어를 상의어라 하고 다른 단어의 의미에 포함되는 단어를 하의어라 하는데, 상의어일수록 일반적이고 포괄적인 의미(상의어 특성 ①)를 지니며 하의어일수록 구체적이고 한정적인 의미(하의어 특성 ①)를 지닌다.

2 상하 관계에 있는 단어들은 상의어와 하의어가 상대적으로 정해진다. 이를테면 '구기'는 '스포츠'와의 관계 속에서 하의어가 되지만, '축구'와의 관계 속에서는 상의어가 된다. 그런데 '구기'의 하의어에는 '축구' 외에 '야구', '농구' 등이 더 있다. 이때 상의어인 '구기'에 대해 하의어 '축구', '야구', '농구' 등은 같은 계층에 있어 이들을 상의어 '구기'의 공하의어(공하의어 정의 – 같은 계층에 있는 하의어)라 하며, 이들 공하의어 사이에는 ㉠ 비양립 관계가 성립한다(공하의어 특성 ① – 비양립 관계(㉠)가 성립함.). 곧 어떤 구기가 '축구'이면서 동시에 '야구'나 '농구'일 수는 없다.

3 한편 상하 관계에서는 하의어들이 상의어의 의미를 이어받아 상의어를 의미적으로 함의(하의어 특성 ②)한다. 일례로 어떤 새가 '장끼'이면 그 '장끼'는 상의어 '꿩'의 의미를 이어받으므로 '꿩'을 의미적으로 함의하는 것이다. 그러나 어떤 새가 '꿩'이라 해서 그것이 꼭 '장끼'여야 하는 것은 아니므로, 상의어는 하의어를 의미적으로 함의하지 못한다(상의어 특성 ②). 이를 '[ ]'로 표현하는 의미 자질로 설명하면, 하의어 '장끼'는 상의어 '꿩'의 의미 자질들을 가지면서 [수컷]이라는 의미 자질을 더 가져, 결국 하의어 '장끼'는 상의어 '꿩'보다 의미 자질 개수가 많다. 곧 상의어보다 의미 자질이 많은 하의어는 상의어를 의미적으로 함의하는 것이다(하의어 특성 ③).

4 그런데 앞에서 살폈듯이 '구기'의 공하의어가 여러 개인 것과 달리, '꿩'의 공하의어는 성별로 구분했을 때 '장끼'와 '까투리' 둘뿐이다. '구기'의 공하의어인 '축구', '야구' 등과 마찬가지로 '장끼', '까투리'는 '꿩'의 공하의어로서 비양립 관계에 있다. 그러나 '장끼'와 '까투리'의 경우, '장끼'가 아닌 것은 곧 '까투리'이고 그 역도 성립한다는 점에서 ㉡ 상보적 반의 관계에 있다. 따라서 한 상의어가 같은 계층의 두 단어만을 공하의어로 포함하면, 그 공하의어들은 상보적 반의 관계에 있다고 할 수 있다(공하의어 특성 ② – 단 두 단어만 공하의어이면 상보적 반의 관계(㉡)도 성립함.).

■: 기본적인 문법 개념어
■: 심화된 문법 개념어

100人 **1**: 지문의 앞부분은 기본적인 문법 지식에 관해 서술되어 있어. 이미 알고 있는 내용들이지?

2~**4**: 뒷부분에는 심화된 문법 지식에 관한 서술이 이어져. 처음 보는 개념어가 나와서 당황스러울 수도 있겠지만, 이 개념어들을 미리 공부해 둘 필요는 없어. 우리가 할 일은 기본적인 문법 지식을 바탕으로 하여 이 부분의 내용을 '이해'하는 거야.

'단어의 의미 관계'에 관한 지문이네. 아는 내용도 있고, 모르는 내용도 있지? 읽으면서 처음 보는 개념어들이 나왔다고 해서 너무 어렵게 생각하지 마. 자료를 분석해서 정리한 표를 바탕으로 선지를 하나씩 살펴보면서, 지문에서 말한 상의어, 하의어의 특성과 일치하는지 비교하면 문제를 쉽게 풀 수 있겠지? 물론 기본적인 문법 지식은 갖추고 있어야 지문 전체를 이해할 수 있겠지? ^^; 이제 문제를 한번 풀어 보자.

11 윗글을 바탕으로 다음 자료를 탐구한 것으로 적절하지 않은 것은?

> **악기(樂器)**[악-끼] 명
> [음악] 음악을 연주하는 데 쓰는 기구를 통틀어 이르는 말. 연주법에 따라 일반적으로 현악기, 관악기, 타악기로 나눈다.
>
> **타-악기(打樂器)**[타ː악-끼] 명
> [음악] 두드려서 소리를 내는 악기를 통틀어 이르는 말. 팀파니, 실로폰, 북이나 심벌즈 따위이다.

상의어 / 악기의 공하의어 / 하의어 특성 ② 근거 / 상의어 / 타악기의 의미 자질 / 타악기의 공하의어

지문을 참고하여 자료와 선지에 등장한 단어들의 의미 관계를 정리하면 아래와 같아.

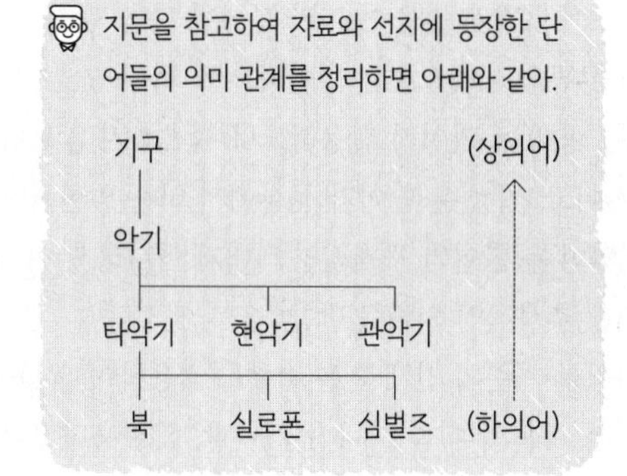

① '타악기'는 '실로폰'의 상의어로서 '실로폰'보다 포괄적인 의미를 갖겠군. (O: 상의어 특성 ①)
② '북'은 '타악기'의 하의어이므로 [두드림]을 의미 자질 중 하나로 갖겠군. (O / 상의어(타악기)의 의미 자질 / O: 하의어 특성 ②)
③ '기구'는 '악기'를 의미적으로 함의하고 '악기'는 '북'을 의미적으로 함의하겠군. (상의어 / 하의어 / 상의어 / 하의어 / X: 하지 못함. (상의어 특성 ②))
④ '타악기'와 '심벌즈'는 모두 '기구'의 하의어이지만, '기구'의 공하의어는 아니겠군. (O / O: 위계가 다름.)
⑤ '현악기'와 '관악기'는 '악기'의 공하의어이므로 모두 '악기'의 상의어 '기구'보다 의미 자질의 개수가 많겠군. (O / O: 하의어 특성 ③)

자료를 분석해서 정리한 내용을 바탕으로 선지를 하나씩 살펴보면서, 지문에서 말한 상의어·하의어의 특성과 일치하는지 비교하면 문제를 쉽게 풀 수 있겠지?

12 ㉠과 ㉡을 모두 만족시키는 단어 쌍만을 <보기>에서 있는 대로 고른 것은?

보기

ⓐ여름에 고향을 출발한 그가 마침내 ⓑ북극에 도달했다는 소식에 나는 다급해졌다. 지구의 양극 중 ⓒ남극에는 내가 먼저 가야 했다. 남극 대륙은 ⓓ계절이 여름이어도 내 고향의 ⓔ겨울만큼 바람이 찼다. 남극 대륙에서 나를 위로해 준 것은 썰매를 끄는 ⓕ개들과 귀여운 몸짓을 하는 ⓖ펭귄들, 그리고 먹이를 찾아 날아다니는 ⓗ갈매기들뿐이었다.

지문을 이해했다면 쉽게 풀 수 있는 문제야. 공하의어는 모두 비양립 관계(㉠)가 성립하니, 상보적 반의 관계(㉡)까지 충족할 수 있게 두 개의 단어로만 이루어진 공하의어를 찾으면 돼. 답은 '극'을 상의어로 둔 북극(ⓑ)-남극(ⓒ)! 북극이면서 동시에 남극일 수 없으니 비양립 관계(㉠)가 성립하고, 북극이 아닌 것은 남극, 남극이 아닌 것은 북극이 되니 상보적 반의 관계(㉡)도 성립하지. 참고로 여름(ⓐ)과 겨울(ⓔ)은 계절(ⓓ)의 공하의어로, 여름이면서 동시에 겨울일 수 없는 비양립 관계(㉠)는 성립하지만, 여름이 아닌 것은 봄, 가을, 겨울이 되어 상보적 반의 관계(㉡)가 성립하지 않아.

이처럼 신유형 문제는 기본적인 문법 지식을 바탕으로 지문에 제시된 심화된 문법 지식을 이해하고, 이를 선지에 적용하면 쉽게 풀 수 있어. 그러니 평소에 우리 책에 실린 내용을 꼼꼼히 익혀서 기본적인 문법 지식을 탄탄하게 쌓아 두자. 100인의 선생님이 도와줄게.

꿈엔들 잊힐리야

수능 다가가기

[01~02] 다음 글을 읽고 물음에 답하시오.

2019학년도 9월 모의평가

단어를 공통된 성질에 따라 분류한 것을 '품사'라 한다. 품사 분류의 기준으로는 일반적으로 '형태, 기능, 의미'가 있다. '형태'는 단어가 활용하느냐 활용하지 않느냐에 관한 것이고 '기능'은 단어가 문장에서 하는 역할과 관련된다. '의미'는 단어의 구체적인 의미가 아니라 단어 부류가 가지는 추상적인 의미를 말한다.

이러한 기준의 전체 혹은 일부를 적용하여 ㉠활용하지 않으며 사물의 이름을 나타내는 말, ㉡활용하고 사물의 동작이나 작용을 나타내는 말, ㉢활용하지 않으며 수량이나 순서를 나타내는 말, ㉣활용하지 않으며 앞말에 붙어 앞말과 다른 말의 문법적 관계를 나타내거나 특수한 의미를 덧붙이는 말, ㉤활용하지 않으며 뒤에 오는 체언을 수식하는 말 등으로 개별 품사를 분류할 수 있다.

[A] 그런데 실제로 단어의 품사를 분류할 때에는 분류가 쉽지 않은 것들도 있다. 동사와 형용사의 구별이 대표적인데 사물의 속성이나 상태를 나타내는 형용사와 사물의 작용의 일종인 상태 변화를 나타내는 일부 동사는 의미상 매우 밀접하여 좀 더 세밀하게 구분하여야 한다. 가령 '햇살이 밝다'에서의 '밝다'는 상태를 나타내는 형용사이고, '날이 밝는다'에서의 '밝다'는 상태의 변화를 나타내는 동사이다. 동사와 형용사를 구별하는 또 다른 기준으로 활용 양상을 내세우기도 한다. 동사와 달리 형용사는 원칙적으로 선어말 어미 '-ㄴ/는-', 관형사형 어미 '-는', 명령형·청유형 종결 어미, 의도나 목적을 나타내는 연결 어미 등과 결합하여 쓰이지 않는다.

다만, '있다'의 경우는 품사를 분류할 때 더욱 주의해야 한다. '존재', '소유'와 같이 상태의 의미를 나타내는 '있다'는 형용사로, '한 장소에 머묾'의 의미인 '있다'는 동사로 분류되는데, 동사 '있다'뿐만 아니라 형용사의 '있다'가 관형사형 어미 '-는'과 결합하기 때문이다. 형용사 '없다'의 경우도 반의어인 형용사 '있다'와 동일한 활용 양상을 보여 준다.

품사의 구분

01 다음 문장에서 ㉠~㉤에 해당하는 예를 찾아 이를 설명한 내용으로 적절하지 않은 것은?

> 옛날 사진을 보니 즐거운 기억 하나가 떠올랐다.

① '옛날, 사진, 기억'은 ㉠에 해당하고 명사이다.
② '보니, 떠올랐다'는 ㉡에 해당하고 동사이다.
③ '하나'는 ㉢에 해당하고 수사이다.
④ '을, 가'는 ㉣에 해당하고 조사이다.
⑤ '즐거운'은 ㉤에 해당하고 관형사이다.

동사와 형용사의 구분

02 [A]를 참고하여 〈보기〉를 이해한 내용으로 적절하지 않은 것은?

보기

ⓐ 영희가 밥을 먹었다. / 꽃이 예뻤다.
영희가 밥을 먹는다. / *꽃이 예쁜다.

ⓑ 영희야, 밥 먹어라. / *영희야, 좀 예뻐라.
영희야, 밥 먹자. / *우리 좀 예쁘자.

ⓒ 밥 먹으려고 식당으로 갔다. / *예쁘려고 미용실에 갔다.
밥 먹으러 식당에 갔다. / *예쁘러 미용실에 갔다.

ⓓ 나에게는 돈이 있다. / 돈이 있는 사람
나에게는 돈이 없다. / 돈이 없는 사람

ⓔ 나무가 크다. / 나무가 쑥쑥 큰다.
머리카락이 길다. / 머리카락이 잘 긴다.

※ '*'는 비문임을 나타냄.

① ⓐ: 동사와는 달리 형용사는 현재를 나타내는 선어말 어미와 결합할 수 없다.
② ⓑ: 동사와는 달리 형용사는 명령형·청유형 어미와 결합할 수 없다.
③ ⓒ: 동사와는 달리 형용사는 의도·목적을 나타내는 연결 어미와 결합할 수 없다.
④ ⓓ: '있다'와 '없다'는 상태의 의미를 나타내지만 동사로 쓰이고 있다.
⑤ ⓔ: '크다'와 '길다'는 형용사, 동사로 모두 쓰이고 있다.

품사의 구분과 단어의 형성 2014학년도 6월 모의평가Ⓐ

03 <보기 1>을 바탕으로 ㉠과 품사가 같은 것을 <보기 2>에서 고른 것은?

보기 1

- 아침에 하는 ㉠달리기는 건강에 매우 좋다.
- 나는 모임에 늦지 않으려고 더 빨리 ㉡달리기 시작했다.

[설명] ㉠과 ㉡은 형태는 같으나 품사가 다르다. ㉠은 '달리-'에 접미사가 붙은 명사로서 관형어의 수식을 받고 있다. 이에 반해, ㉡은 '달리-'에 명사형 어미가 붙은 동사로서 부사어의 꾸밈을 받으며 서술하는 기능을 유지하고 있다.

보기 2

- 그는 멋쩍게 ㉮웃음으로써 답변을 회피했다.
- 그 가수는 현란한 ㉯춤을 추며 노래를 불렀다.
- 오늘따라 학생들의 ㉰걸음이 가벼워 보였다.
- 자기 소개서에 "만화를 잘 ㉱그림."이라고 썼다.

① ㉮, ㉯ ② ㉮, ㉱ ③ ㉯, ㉰
④ ㉯, ㉱ ⑤ ㉰, ㉱

단어의 의미 2017학년도 수능

04 <보기>의 ㉠, ㉡에 해당하는 예로 적절한 것은?

보기

학생: 선생님, 다음 두 문장을 보면 모두 '가깝다'가 쓰였는데 의미가 좀 다른 것 같아요.

(1) 우리 집은 학교에서 가깝다.
(2) 그의 말은 거의 사실에 가깝다.

선생님: (1)의 '가깝다'는 "어느 한 곳에서 다른 곳까지의 거리가 짧음"을 뜻하고, (2)의 '가깝다'는 "성질이나 특성이 기준이 되는 것과 비슷함"을 뜻한단다. 이는 본래 ㉠공간과 관련된 중심적 의미를 지니던 것이 ㉡추상화되어 주변적 의미도 지니게 된 것이라고 할 수 있지.

학생: 아, 그렇군요. 그러면 '가깝다'는 여러 의미를 지닌 단어로군요.

선생님: 그렇지. 그래서 '가깝다'는 다의어란다.

	㉠	㉡
①	물은 낮은 곳으로 흐른다.	환경에 대한 관심도가 낮다.
②	그는 성공할 가능성이 크다.	힘든 만큼 기쁨이 큰 법이다.
③	두 팔을 최대한 넓게 벌렸다.	도로 폭이 넓어서 좋다.
④	내 좁은 소견을 말씀드렸다.	마음이 좁아서는 곤란하다.
⑤	작은 힘이라도 보태고 싶다.	우리 학교는 운동장이 작다.

형태소의 특징 2016학년도 수능

05 다음의 (가)에 들어갈 말로 가장 적절한 것은?

선생님: 지금까지 형태소의 개념 및 유형 그리고 특성에 대해 공부했지요? 그럼, 다음 자료에서 밑줄 친 말들이 가진 공통점이 무엇인지 한번 찾아보세요.

- 하늘은 맑고 바다는 푸르다.
- 그의 말은 듣지 말고 내 말을 들어라.
- 나는 물고기를 잡았지만 놓아주었다.

학 생: 밑줄 친 말들은 모두 (가)

① 단어의 자격을 가지고 반드시 다른 말과 결합하여 쓰이는군요.
② 단어의 자격을 가지고 실질적 의미가 아닌 문법적 의미를 나타내는군요.
③ 반드시 다른 말과 결합하여 쓰이고 음운 환경에 따라 그 형태가 바뀌는군요.
④ 음운 환경에 따라 형태가 바뀌고 실질적 의미가 아닌 문법적 의미를 나타내는군요.
⑤ 실질적 의미가 아닌 문법적 의미를 나타내고 반드시 다른 말과 결합하여 쓰이는군요.

의존 명사와 자립 명사의 구분 2016학년도 9월 모의평가Ⓐ

06 밑줄 친 부분이 <보기>의 ㉠에 해당하지 않는 것은?

국어에서는 의존 명사가 수량을 표현하는 말 뒤에 쓰여 수효나 분량 따위의 단위를 나타내는 경우가 일반적이지만, ㉠자립 명사가 단위를 나타내는 경우도 있다. 예를 들어 '사람'은 자립 명사로 쓰이기도 하지만 수량을 표현하는 말 뒤에 쓰여 사람을 세는 단위를 나타낼 수도 있다.

- **의존 명사:** 그 아이는 올해 아홉 살이다.
- **자립 명사:** 그는 사람을 부리는 재주가 있다.
- **자립 명사가 단위를 나타내는 경우:** 친구 다섯 사람과 함께 도서관에 갔다.

① 이 글에는 여러 군데 잘못이 있다.
② 앉은 자리에서 밥 두 그릇을 다 먹었다.
③ 시장에서 수박 세 덩어리를 사가지고 왔다.
④ 할아버지께서는 밥을 몇 숟가락 겨우 뜨셨다.
⑤ 나는 서너 발자국 뒤로 물러서다가 냅다 도망쳤다.

단어의 구조 파악 2017학년도 9월 모의평가(변형)

07 〈보기〉는 다음 글을 바탕으로 진행된 학습 활동이다. ⓐ~ⓔ에 대한 이해로 적절한 것은?

복잡한 단어나 문장의 구조를 명확히 파악하기 위한 효과적인 방법으로 직접 구성 요소 분석이 있다. 직접 구성 요소란 어떤 말을 직접 이루고 있는 두 부분으로 나누었을 때 나오는 두 요소이다. 위의 '민물고기'에서는 '민물'과 '고기'가 직접 구성 요소가 된다. 이 분석은 '민물'에 대해서도 더 적용할 수 있다. 이렇게 직접 구성 요소를 분석해 보면 한 단어에 합성과 파생 과정이 모두 있는 '민물고기'는 파생어가 아닌 합성어임을 알 수 있다.

보기

학 생: '민물고기'에 있는 접두사 '민-'은 '민물고기'의 직접 구성 요소가 아니라, '민물'을 직접 구성 요소로 분석할 때 나오는 것이군요. 이제 왜 '민물고기'가 파생어가 아니라 합성어인지 알겠어요.

선생님: 직접 구성 요소 분석에 대해 잘 이해했구나. 그럼 아래의 단어들도 분석해 보자.

ⓐ 나들이옷	ⓑ 눈웃음	ⓒ 드높이다
ⓓ 집집이	ⓔ 놀이터	

① ⓐ는 그 직접 구성 요소 중 하나가 합성어인 합성어이다.
② ⓑ는 그 직접 구성 요소 중 하나가 파생어인 합성어이다.
③ ⓒ는 그 직접 구성 요소 중 하나가 합성어인 파생어이다.
④ ⓓ는 그 직접 구성 요소 중 하나가 파생어인 파생어이다.
⑤ ⓔ는 그 직접 구성 요소 중 하나가 합성어인 파생어이다.

[08~09] 다음 글을 읽고 물음에 답하시오.

2018학년도 9월 모의평가

선생님: 오늘은 '인공위성'이라는 말을 만든 것처럼 새 단어를 만드는 원리를 알아볼 텐데, 그중에서도 실생활에서 자주 사용되는 합성 명사가 어떻게 만들어지는지를 먼저 알아보려고 합니다. 합성 명사는 어떻게 만들어질까요?

학생 2: 선생님, 합성 명사는 명사와 명사가 합쳐진 말 아닌가요?

선생님: 네, 그런 경우가 많지요. 예를 들어 '논밭, 불고기'처럼 명사에 명사가 결합하는 경우가 있어요. 그 밖에 용언의 활용형이 명사와 결합한 '건널목, 노림수, 섞어찌개'와 같은 경우도 있고 '새색시'처럼 명사를 꾸며 주는 관형사가 앞에 오는 경우도 있어요.

학생 3: 그런데 선생님, 말씀하신 합성 명사들을 보니 뒤의 말이 모두 명사네요?

선생님: 그래요. 우리말에서 합성어의 품사는 뒤에 오는 말의 품사와 같은 것이 원칙이에요. 앞에서 말한 예들이 다 그래요. 그런데 이러한 일반적인 경우와는 달리 ㉠명사가 아닌 품사들로만 이루어진 합성 명사도 있답니다.

학생 4: 아, 그렇군요. 그런데 선생님, 생각해 보니 요즘 자주 쓰는 말들은 그런 방식과는 다르게 만들어지는 것 같아요.

선생님: 맞아요. 여러분들이 자주 쓰는 '인강'이라는 말은 '인터넷'과 '강의'가 합쳐지면서 줄어든 말인데, 앞말과 뒷말의 첫 음절만 따서 만들어진 것이에요. 또한 컴퓨터를 잘 다루지 못하는 사람이라는 뜻의 '컴시인'은 '컴퓨터'와 '원시인'이 합쳐지면서 줄어든 말인데, 앞말의 첫 음절과 뒷말의 둘째, 셋째 음절을 따서 만들어진 것이에요.

단어 형성법의 이해

08 〈보기〉의 ㄱ~ㅁ 중 윗글에서 설명한 단어 형성 방법의 사례에 해당하는 것만을 있는 대로 고른 것은?

보기

ㄱ. '선생님'을 줄여서 '샘'이라는 말을 만들었다.
ㄴ. '개-'와 '살구'를 결합하여 '개살구'라는 말을 만들었다.
ㄷ. '사범'과' 대학'을 결합하여 '사대'라는 말을 만들었다.
ㄹ. '점잖다'라는 형용사로부터 '점잔'이라는 말을 만들었다.
ㅁ. '비빔'과 '냉면'을 결합하여 '비빔냉면'이라는 말을 만들었다.

① ㄱ, ㄹ ② ㄷ, ㅁ ③ ㄱ, ㄴ, ㄷ
④ ㄴ, ㄷ, ㅁ ⑤ ㄴ, ㄹ, ㅁ

단어 형성법의 이해

09 밑줄 친 단어 중 ㉠의 예로 적절한 것은?

① 자기 잘못은 자기가 책임져야 한다.
② 언니는 가구를 전부 새것으로 바꿨다.
③ 아이가 요사이에 몰라보게 훌쩍 컸다.
④ 오늘날에는 교육에서 창의성이 중시된다.
⑤ 나는 갈림길에서 어디로 가야 할지 몰랐다.

품사의 구분과 사전 활용 2019학년도 수능

10 〈보기〉를 활용하여 국어사전을 만드는 활동을 하였다. 표제어 ⓐ와 예문 ⓑ, ⓒ에 들어갈 말로 적절한 것은?

보기

㉠ 약속 날짜를 너무 밭게 잡았다.
㉡ 서로 밭게 앉아 더위를 참기 어려웠다.
㉢ 시간이 더 필요한데 제출 기한을 너무 바투 잡았다.
㉣ 어머니는 아들에게 바투 다가가 두 손을 움켜쥐었다.

ⓐ
[1] 두 대상이나 물체의 사이가 썩 가깝게.
¶ ⓑ
[2] 시간이나 길이가 아주 짧게.
⋮

밭다 [형]
[1] 시간이나 공간이 다붙어 몹시 가깝다.
¶ ⓒ
[2] 길이가 매우 짧다.
¶ 새로 산 바지가 밭아 발목이 다 보인다.
[3] 음식을 가려 먹는 것이 심하거나 먹는 양이 적다.
¶ 우리 아들은 입이 너무 밭아서 큰일이야.
⋮

	ⓐ	ⓑ	ⓒ
①	밭게 [부]	㉠	㉡
②	밭게 [부]	㉡	㉢
③	밭게 [부]	㉡	㉣
④	바투 [부]	㉢	㉠
⑤	바투 [부]	㉣	㉠

본용언과 보조 용언의 구분 2015학년도 6월 모의평가Ⓐ

11 다음은 띄어쓰기 문제를 해결하는 과정이다. ㉠~㉢의 띄어쓰기가 바르게 된 것은?

문제

다음 문장의 밑줄 친 부분을 맞춤법에 맞게 띄어 써 보자.

- 열심히 삶을 ㉠살아가다.
- 주문한 물건을 ㉡받아가다.
- 딸이 엄마를 ㉢닮아가다.

확인 사항

- 단어와 단어는 띄어 쓴다.
- 단어는 사전에 표제어로 실린다.
- 보조 용언은 띄어 씀을 원칙으로 하되 붙여 씀도 허용한다.
- '-아'를 '-아서'로 바꿔 쓸 수 있으면 '본용언+본용언' 구성이고, 그렇지 않으면 한 단어이거나 '본용언+보조 용언' 구성이다.

문제 해결 과정

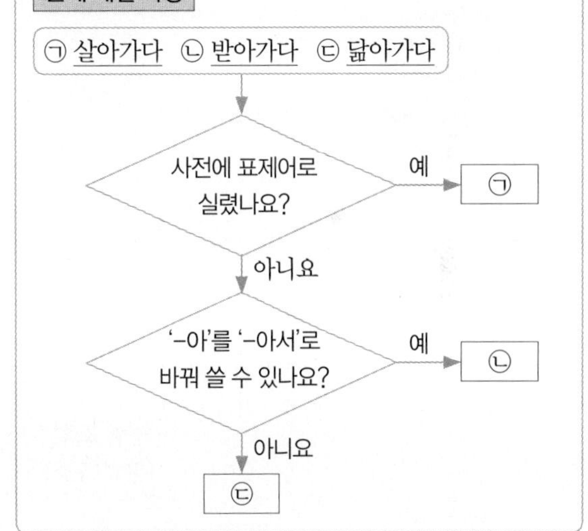

	㉠	㉡	㉢
①	살아가다	받아 가다	닮아 가다 또는 닮아가다
②	살아가다	받아 가다 또는 받아가다	닮아 가다
③	살아가다	받아가다	닮아 가다
④	살아 가다	받아 가다 또는 받아가다	닮아가다
⑤	살아 가다	받아가다	닮아 가다 또는 닮아가다

06 문장 성분

개념의 좌표 찍기

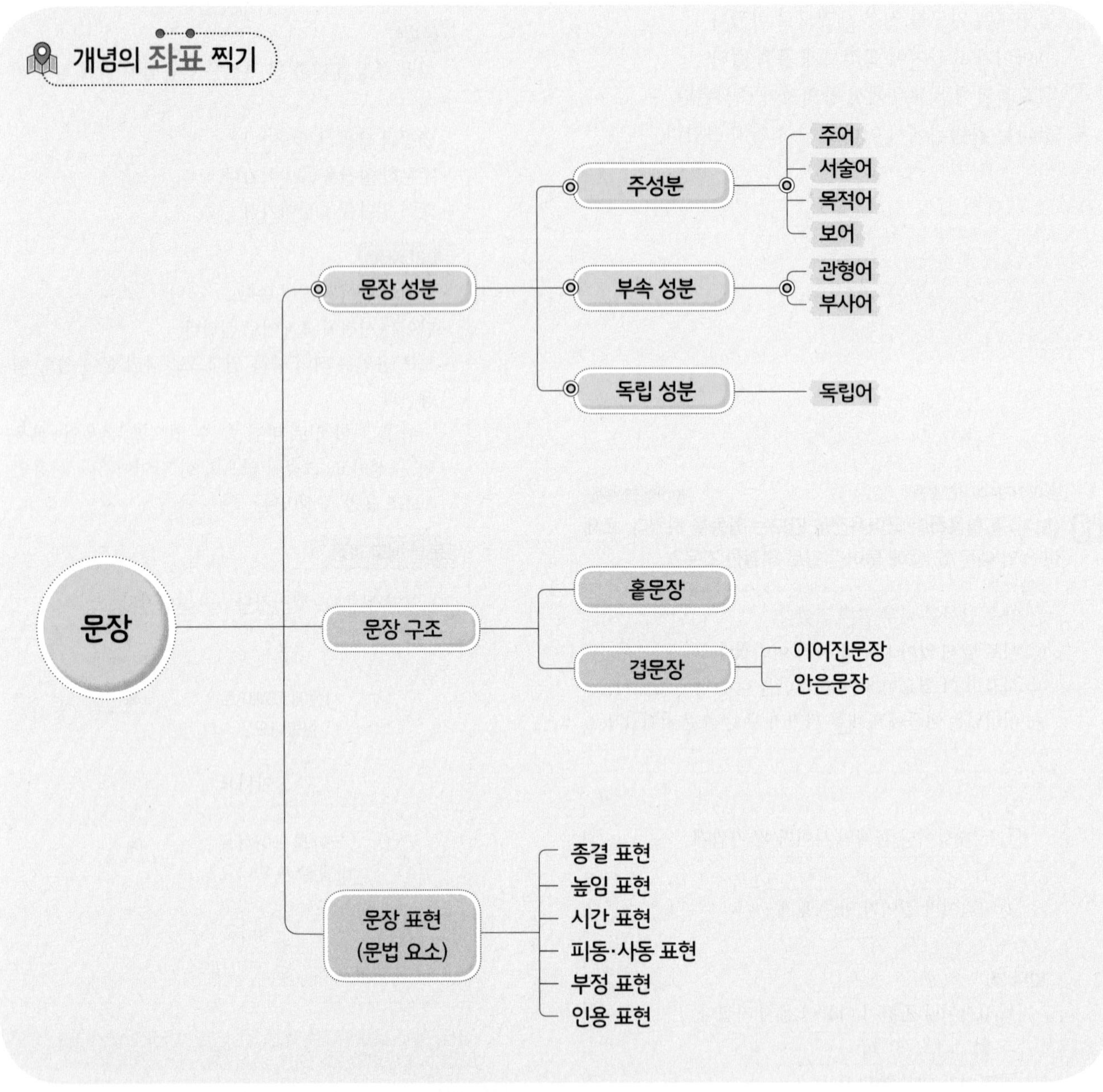

문장에서 목적어를 빠뜨리면 안 되는 이유?

개념을 품은 기출 선택지

- ㉠은 **주어**가 생략된 안긴문장이 있고, ㉣은 **목적어**가 생략된 안긴문장이 있다. (2017. 6. 모의평가)
- '옷을'과 '아들을'은 **서술어**가 필수적으로 요구하는 **문장 성분**이므로 생략할 수 없겠군. (2016. 9. 고2 학력평가)
- 부사격 조사가 결합한 '하늘에서'와 부사 '펑펑'이 **부사어**로 쓰였군. (2017. 수능)

1 문장과 문법 단위

문장은 생각이나 감정을 완결된 내용으로 표현하는 최소의 언어 형식이다. 문장을 구성하는 문법 단위에는 구(句)와 절(節)이 있다.

> **저 코스모스가 아주 아름답다.**
> ㉠ 저 코스모스가 ㉡ 아주 아름답다

위 문장의 ㉠, ㉡은 구로, 각각 주어의 역할과 서술어의 역할을 하고 있다. 이처럼 구는 두 개 이상의 어절(문장을 구성하는 최소의 단위이자 띄어쓰기의 단위)이 모여서 하나의 단어와 동등한 기능을 하는 것을 말한다. 구는 자체 내에서 주어와 서술어 관계를 가지지 못한다.

절 역시 두 개 이상의 어절이 모여서 하나의 의미 단위를 이룬다는 점에서 구와 비슷하다. 그러나 주어와 서술어 관계를 갖고 있다는 점에서 구와 구별되고, 문장 속에 포함되어 쓰인다는 점에서 독립적으로 쓰일 수 있는 문장과 구별된다.

> **나는 봄이 오기를 기다리고 있다.**
> 봄이 오다(주어+서술어)

궁금해요 "불이야!", "정말?"은 문장인가요?

문장은 주어와 서술어를 갖추는 것을 기본 원칙으로 하지만, 때로는 "불이야!", "정말?"과 같은 표현을 문장이라고 하기도 해. 상황이나 문맥을 통해 생략된 주어나 서술어를 추측할 수 있기 때문이지. ^^

짚고 가요

'구 – 절 – 문장' 정리하기

구	• 둘 또는 그 이상의 어절이 어울려서 하나의 단어와 동등한 기능을 함. • 자체 내에서 주어와 서술어 관계를 가지지 못함.
절	• 두 개 이상의 어절이 모여 하나의 의미 단위를 이룸. • 주어와 서술어의 관계를 갖고 있으며, 문장 속에 포함되어 쓰임.
문장	• 생각이나 감정을 완결된 내용으로 표현하는 최소의 언어 형식. • 의미상으로는 완결된 내용을 나타내며, 구성상으로는 주어와 서술어의 관계를 갖추고, 형식상으로는 문장이 끝났음을 나타내는 표지가 있음.

개념 콕 1 다음 문장에서 구를 찾아 밑줄을 그으시오.

(1) 강아지가 매우 짖는다.

(2) 내 친구가 피자를 다 먹었다.

(3) 바구니에 열대 과일이 가득하다.

2 문장 성분

문장 성분은 문장 안에서 일정한 문법적 기능을 하는 각 부분으로, 대체로 어절 단위와 일치한다. 문장 성분은 주성분, 부속 성분, 독립 성분으로 나뉜다.

주성분	문장의 골격을 이루는 부분으로, 반드시 필요한 문장 성분.	주어, 서술어, 목적어, 보어
부속 성분	주로 주성분의 내용을 꾸며 뜻을 더하여 주는 부분으로, 생략이 가능한 문장 성분.	관형어, 부사어
독립 성분	다른 문장 성분과 직접적인 관련을 맺지 않고 독립적으로 쓰이는 문장 성분.	독립어

개념 콕 2 다음 문장에서 절을 찾아 밑줄을 치시오.

(1) 엄마는 말도 없이 시장에 가셨다.

(2) 나는 그가 떠난 소식을 들었다.

(3) 나는 네가 돌아오기를 기다리고 있다.

콕 1 매우 짖는다 (2) 내 친구, 다 먹었다 (3) 열대 과일 2 (1) 말도 없이 (2) 그가 떠난 (3) 네가 돌아오기

개념+ 문장의 기본 구조

① 무엇이 / 누가 + 어찌하다(동사)
　예 강아지가 뛰다. / 바람이 분다.
② 무엇이 / 누가 + 어떠하다(형용사)
　예 동생이 귀엽다. / 숲이 푸르다.
③ 무엇이/누가 + 무엇이다(체언 + 서술격 조사 '이다')
　예 그녀는 학생이다.
　그는 배우이다.

짚고 가요

서술어는 '-다'와 '-이다'의 꼴만 있는 건 아냐!

서술어는 '-다'로 끝나는 꼴만 있다고 착각하지 말자. 서술어는 주어에 대한 풀이 기능만 하면 되기 때문에, 다음과 같이 여러 꼴로 나타나!

- 날은 따뜻한데, 내 마음은 춥고….
- 당신이 행복하기를 바라요.
- 한국 에베레스트 등반대, 드디어 정상을 정복.
- 너는 나의 희망.
- 청춘에게 고함.

개념+ 타동사, 자동사 (23쪽)

동작의 대상인 목적어를 필요로 하는 동사를 타동사라고 한다. 한편, 동사가 나타내는 동작이나 작용이 주어에만 미쳐 목적어를 필요로 하지 않는 동사를 자동사라고 한다. '해가 솟다'의 '솟다', '꽃이 피다'의 '피다' 따위이다.

3 문장+성분의 종류

주성분

주어: 문장에서 동작 또는 상태나 성질의 주체가 되는 문장 성분으로, '무엇이, 누가'에 해당하는 성분이다. 원칙적으로 체언에 주격 조사 '이/가, 께서'가 붙어 성립되나, 조사가 생략되거나 보조사 '은, 는, 도, 만'이 붙어 나타나기도 한다.

체언+주격 조사(이/가, 께서, 에서)	• 도희가 도서관에 가다. • 할머니께서 주무신다.
체언+보조사(은, 는, 도, 만)	• 수민이도 그 책을 읽었다. • 그녀만 아직 안 왔다.
체언(주격 조사 생략)	• 너 공부 좀 해라.

서술어: 문장 안에서 주어의 동작이나 상태, 성질 등을 풀이하는 문장 성분을 말한다. 문장에서 '어찌하다, 어떠하다, 무엇이다'에 해당하는 성분이다.

동사 또는 형용사	• 도희가 도서관에 간다. 동사 • 강물이 매우 맑다. 형용사
체언+서술격 조사 '이다'	수민이는 학생이다.
서술절 69쪽	토끼는 앞발이 짧다.

목적어: 서술어가 표현하는 동작의 대상이 되는 문장 성분을 말한다. 문장에서 '무엇을, 누구를'에 해당하는 성분이다. 타동사+가 서술어로 쓰일 때에는 목적어가 필요하다. 체언에 목적격 조사 '을/를'이 붙는 것이 일반적이나, '을/를'이 생략될 수도 있다. '을/를'이 생략되는 대신에 특정한 의미를 더하는 보조사가 붙기도 한다.

체언+목적격 조사(을/를)	도희가 밥을 먹었다.
체언+보조사(은, 는, 도, 만)	• 나는 너만 좋아해. • 우리 우유도 마시자.
체언+보조사+목적격 조사	나는 너만을 좋아해.
체언(목적격 조사 생략)	나는 과일 좋아해.

목적어와 주어는 체언 역할을 하는 구와 절로도 이루어질 수 있어.
예 • 나는 네가 합격하기를 간절히 바랐다. • 그 일이 사실임이 밝혀졌다.

보어: 보어(補語)는 주어와 서술어만으로는 완전하지 못한 문장에서 그 불완전한 곳을 보충하는 문장 성분으로, 서술어 '되다, 아니다' 앞에 나타난다. 우리말에서 보어는 '되다', '아니다' 앞에서 보격 조사 '이/가'와 결합한 것만 인정하며, 보격 조사가 생략되거나 보조사가 붙기도 한다.

(補: 돕다)
주격 조사 '이/가'와 형태가 같으나, 보격 조사 '이/가'는 서술어 '되다/아니다' 앞에서 쓰인다는 점이 다름.

체언+보격 조사(이/가)	• 물이 얼음이 되다. • 그는 바보가 아니다.
체언(보격 조사 생략)	나는 바보 아니야.
체언+보조사	그 사람은 인간도 아니야.

개념 콕 3 밑줄 친 부분이 보어이면 ○표, 아니면 ×표 하시오.

(1) 그는 의사가 되었다. ( )
(2) 믿을 사람이 하나 없다. ( )
(3) 고래는 물고기가 아니다. ( )

문장 성분을 구별할 때는 격 조사를 보세요.
16쪽

- 나는 ㉠학교에 갔다.
- 나는 ㉡학교를 갔다.

- 물이 ㉢얼음이 되었다.
- 물이 ㉣얼음으로 되었다.

'㉠과 ㉡', '㉢과 ㉣'의 문장 성분은 무엇일까? 그 의미나, 문장에서 하는 기능은 비슷한 거 같은데…. 잠깐, 너무 깊이 생각하지 말자. 문장 성분은 격 조사만 보면 돼. 격 조사는 앞말에 붙어 앞말에 문장 성분으로서의 자격을 부여하는 말이거든. 즉, ㉡은 목적격 조사 '를'이 붙었으니 목적어, ㉢은 '되다' 앞에서 보격 조사 '이'와 결합했으니 보어야. ㉠, ㉣은 다음 쪽에서 배울 부사어라고 해.

서술어의 자릿수

서술어의 자릿수란 서술어가 그 성격에 따라 필요로 하는 문장 성분의 개수를 의미한다. 서술어는 주로 주성분을 필요로 하는데, 부사어를 반드시 필요로 할 때도 있다. 이때 서술어가 반드시 필요로 하는 부사어를 필수적 부사어라고 한다.

('필수 성분'이라고도 함 / 주어, 목적어, 보어)

서술어의 유형과 성격

서술어의 유형	서술어가 필요로 하는 문장 성분	서술어의 예	예문
한 자리 서술어	주어	자동사	해가 솟다.
		형용사	그녀는 예쁘다.
두 자리 서술어	주어+목적어	타동사	영수가 피자를 먹는다.
	주어+보어	되다	물이 얼음이 되다.
		아니다	그는 학생이 아니다.
	주어+필수적 부사어	자동사	나는 집으로 향했다.
		형용사	우정은 보석과 같다.
세 자리 서술어	주어+목적어+필수적 부사어	'주다, 보내다, 삼다' 류의 동사	엄마가 나에게 용돈을 주셨다. 그녀는 심청이를 딸로 삼았다.

궁금해요 **서술어의 자릿수는 어떻게 파악하나요?**

다음 예문을 읽고, 제시된 순서에 따라 서술어가 필요로 하는 문장 성분을 찾아보자. 이 예문의 서술어는 '주셨다(기본형: 주다)'야.

할아버지께서 우리에게 세뱃돈을 주셨다. (서술어)

① 주어를 찾는다. 이때 주어가 생략되어 있는 경우도 있으므로 주의해야 한다. → '할아버지께서'
② 목적어나 보어를 찾는다. → '세뱃돈을(목적어)'
③ 나머지 성분들을 삭제해 보고, 삭제해서 어색한 경우에는 그 성분이 필수적 부사어인지 확인한다.
→ '우리에게'를 삭제하면 문장의 의미를 충분히 나타내지 못함. → '우리에게'는 필수적 부사어

위 과정을 통해, '주셨다(기본형: 주다)'는 주어, 목적어, 필수적 부사어를 요구하는 세 자리 서술어임을 알 수 있어. 서술어의 자릿수를 찾을 때는 이 순서대로 문장 성분을 확인해 봐. ^^

짚고 가요

필수적 부사어는 꼭 필요한 성분

부사어는 부속 성분으로 문장에서 꼭 필요한 성분은 아니지만, '필수적 부사어'는 예외로 꼭 필요한 성분이야. 필수적 부사어가 없으면 문장이 완결된 의미를 전달하지 못하거든. 예를 들어 아래 ㉠~㉢의 밑줄 친 말들이 없으면 문장의 의미가 불완전하지.

㉠ 피망은 고추와 다르다.
㉡ 그는 멋지게 생겼다.
㉢ 선생님께서 소현이에게 선물을 주셨다.

㉠의 '다르다', ㉡의 '생기다', ㉢의 '주다'와 같이, 필수적 부사어를 요구하는 서술어는 다음과 같아. 몇 개 되지 않으니 외워 두면 편할 거야!

서술어	필수적 부사어
같다, 다르다, 닮다, 비슷하다 등	체언+와/과
주다, 받다, 빌리다 등	체언+(에)게
삼다, 변하다 등	체언+(으)로

개념 콕 **4** 다음 밑줄 친 부사어가 필수적 부사어인 것의 기호를 모두 쓰시오.

㉠ 나는 나, 너와는 다르다.
㉡ 나는 너와는 많이 다르다.
㉢ 영현이는 아빠와 닮았다.
㉣ 영현이는 아빠와 꼭 닮았다.

개념 콕 **5** 다음 문장의 서술어가 필수적으로 요구하는 성분에 모두 ○표 하시오.

(1) 소연이는 정말 똑똑하다.
(2) 그녀는 매우 귀엽게 생겼다.
(3) 그는 튼튼한 집을 만들었다.
(4) 나는 엄마께 만원을 받았다.
(5) 포도가 익어 포도주가 되었다.

콕 3 (1) ○ (2) X (3) ○ 4 ㉠, ㉢ 5 (1) 소연이는 (2) 그녀는, 귀엽게 (3) 그는, 집을 (4) 나는, 엄마께, 만원을 (5) 포도가, 포도주가

개념+ 부사어의 종류
– 수식 범위에 따라

① 성분 부사어: 특정한 성분을 수식하는 부사어이다. 이 단원에서 지금까지 살펴본 부사어는 모두 성분 부사어에 해당한다.

② 문장 부사어: 문장 전체를 꾸며 주는 부사어이다. '과연, 설마, 모름지기, 확실히, 만일, 설령, 제발, 부디'와 같이 말하는 사람의 심리적 태도를 나타내는 부사들이 주류를 이루는데, 이들은 특정 말들과 호응 관계를 이루는 경우가 많다.

94쪽

- 만일 네가 이런 식으로 나온다면 더 이상은 참을 수 없어.
- 모름지기 젊은이는 커다란 포부를 가져야 한다.

③ 접속 부사어: 문장 부사어의 일종이다. '그러나, 그리고, 그러므로'와 같이 문장을 이어 주거나, '및'과 같이 단어를 이어 준다.

- 그러나 희망이 아주 사라진 것은 아니다.
- 정치, 경제 및 문화

개념 콕 6 밑줄 친 말의 품사와 문장 성분을 차례로 쓰시오.

(1) 새가 아름답게 노래한다.

(2) 나는 맛있는 빵을 먹었다.

(3) 민주는 매우 예쁘게 생겼다.

(4) 강아지가 자는 나를 깨웠다.

(5) 어머니는 나를 보고 활짝 웃으셨다.

콕 6 (1) 형용사, 부사어 (2) 형용사, 관형어 (3) 형용사, 부사어 (4) 동사, 관형어 (5) 동사, 서술어

부속 성분

관형어: 뒤에 오는 체언을 수식하는 문장 성분이다. 관형사가 그대로 관형어가 되는 것이 기본이다. 체언에 관형격 조사 '의'가 결합되어 관형어로 쓰이는 경우도 흔한데, 이 경우 관형격 조사 '의'가 생략되어 '체언+체언'의 구성으로 나타나기도 한다.
예 시골(의) 풍경

관형사	• 철수가 새 운동화를 샀다.	• 올해 첫 비다.
체언+관형격 조사(의)	• 우리의 소원은 통일이다.	• 가을의 날씨는 쌀쌀하다.
체언(관형격 조사 생략)	• 나는 시골 풍경을 좋아한다.	• 여름 바람이 분다.
용언 어간+관형사형 전성 어미	• 그는 성실한 사람이다.	• 귀여운 고양이가 잔다.

부사어+: 주로 용언을 수식하는 문장 성분이다. 관형어는 체언만 수식하는 반면 부사어는 용언 외에 관형사, 다른 부사, 문장 등을 수식하고, 단어나 문장을 이어 주기도 한다.

부사	• 초콜릿은 매우 달콤하다.	• 그 옷 정말 예쁘다.
체언+부사격 조사(에서, 으로 등)	• 영수는 학교에서 축구를 했다.	• 나는 서울로 간다.
부사+보조사	• 이 음식은 무척이나 맛있다.	• 빨리만 오렴.
용언 어간+부사형 전성 어미	• 눈이 수북하게 쌓여 있다.	• 깨끗하게 치워라.

독립 성분

독립어: 문장 안에서 주성분이나 부속 성분과 직접적인 관계를 맺지 않는 문장 성분이다.

감탄사	와아, 이게 누구야!
체언+호격 조사(아/야)	철수야, 밥 먹고 학교 가자.
제시어	청춘, 이것은 듣기만 해도 마음이 설레는 말이다.
대답하는 말	네, 알겠습니다.

짚고 가요

부사 VS 부사어, 관형사 VS 관형어

문장 성분을 마무리하면서, 이름이 비슷해서 많이들 헷갈려 하는 '부사와 부사어', '관형사와 관형어'를 자세히 살펴보자. 다음은 2017학년도 3월 고2 학력평가에 나온 문장들이야.

• 이것은 ㉠새로운 글이다. (새로운: 형용사 / 관형어)	• 그는 ㉡빠르게 달린다. (빠르게: 형용사 / 부사어)
• 이것은 ㉢새 글이다. (새: 관형사)	• 그는 ㉣빨리 달린다. (빨리: 부사)

위의 ㉠~㉣을, 문장 성분을 기준으로 분류해 보자. 문장 성분은 그 말이 문장 안에서 하는 역할에 의해 정해지는 거야.(이름은 '○어, ○○어'의 형태이지.) ㉠, ㉢은 체언 '글'을 수식하는 '관형어', ㉡, ㉣은 용언 '달린다'를 수식하는 '부사어'야.

이번엔 품사를 기준으로 구분해 보자. 한번 품사는 영원한 품사! 품사는 그 말이 문장 속 어디에서 무슨 역할을 하든 변하지 않아. 즉, 문장 성분이 문장 안에서의 관계에 의해 정해지는 개념이라면, 품사는 그 단어 자체만 놓고 보는 개념인 거지. 그러니 품사를 볼 때에는 문장 안에서의 관계를 보지 말고, 딱 그 단어만 봐. (참, 품사의 이름은 '○사, ○○사'의 형태인 것, 기억하지?) ㉠은 기본형이 '새롭다'로, 사물의 상태를 나타내는 '형용사'야. ㉡은 기본형이 '빠르다'이며 사물의 성질이나 상태를 나타내는 '형용사'이지. 한편 불변어이면서 체언을 수식하는 ㉢은 '관형사', 불변어이면서 용언을 수식하는 ㉣은 '부사'야.

정리해 보자. 부사는 무조건 부사어에, 관형사는 무조건 관형어에 속한다! 그 외의 품사들도 조사나 어미의 도움을 받아, 부사어, 관형어의 역할을 할 수 있다! ^^

확인 문제

정답과 해설 16쪽

✔ 바로바로 간단 체크

1 〈보기〉에 제시된 문장의 성분을 분석하시오.

보기
청춘, 나는 너에게 무한한 감사를 보낸다.

(1) 주성분: ______
(2) 부속 성분: ______
(3) 독립 성분: ______

2 다음 밑줄 친 어절의 문장 성분을 분석하시오.

(1) 초가을의 코스모스가 바람에 흔들린다.
(2) 정희가 먹는 음식이 맛있어 보이는구나.
(3) 성호는 윤하의 모습을 떠올리고 있었다.
(4) 수많은 시련을 이겨 내고 대통령이 되었다.
(5) 일찍 잠자리에 들어야 피로가 풀릴 것이다.

(1): ______ (2): ______ (3): ______
(4): ______ (5): ______

3 〈보기〉의 밑줄 친 서술어의 자릿수를 분석하여 해당하는 기호를 쓰시오.

보기
㉠ 비가 억수같이 내린다.
㉡ 어머니는 할아버지 댁으로 향했다.
㉢ 아버지는 민수를 첫째 사위로 삼았다.
㉣ 나는 오래된 정원의 관리자가 되었다.
㉤ 나는 어제 전주비빔밥을 맛있게 먹었다.
㉥ 민지가 할머니를 큰아버지 댁으로 모셨다.

(1) 한 자리 서술어: ______
(2) 두 자리 서술어: ______
(3) 세 자리 서술어: ______

4 다음 밑줄 친 어절을 관형어와 부사어로 구분하시오.

가. 어린 아이들이 냇가를 빠르게 건넌다.
나. 철새들이 남쪽으로 날아가고 있다.
다. 지리산 종주는 열시에 시작되었다.
라. 세상의 모든 기쁨이 너에게 오리니.

(1) 관형어: ______
(2) 부사어: ______

문장 성분 분석

01 ㄱ~ㄷ의 문장 성분을 적절하게 분석한 것은?

ㄱ. 비행기가 빠르게 난다.
ㄴ. 영수가 새 옷을 입는다.
ㄷ. 진수가 영희에게 예쁜 꽃을 선물했다.

① ㄱ은 주성분만으로 이루어진 문장이군.
② ㄴ의 부속 성분은 독립 성분을 꾸며 주는군.
③ ㄷ은 부속 성분의 개수가 주성분의 개수보다 많군.
④ ㄱ과 ㄴ은 필수 성분이 빠져서 문장이 어색해졌군.
⑤ ㄴ과 ㄷ은 문장에 쓰인 필수 성분의 개수가 다르군.

주어의 특징

02 〈보기〉의 밑줄 친 어절을 바탕으로 주어의 특징을 분석한 내용으로 적절하지 않은 것은?

보기
ㄱ. 바다가 매우 넓다.
ㄴ. 너 어디 가? / 나 도서관에 가.
ㄷ. '있다'가 동사인가? 형용사인가?
ㄹ. 나만이 그 일을 할 수 있습니다.
ㅁ. 할아버지께서 그 일을 하신다.

① 재범: 'ㄱ'에서는 체언 '바다' 뒤에 주격 조사 '가'가 결합되어 주어임을 표시해 주는구나.
② 정훈: 'ㄴ'처럼 주어는 주격 조사가 생략되어 나타나는 경우도 있구나.
③ 민기: 'ㄷ'처럼 문장의 주어 자리에는 반드시 체언이 쓰여야 하는구나.
④ 청석: 'ㄹ'처럼 체언과 주격 조사 사이에 보조사가 놓이는 경우도 있구나.
⑤ 동호: 'ㅁ'처럼 높임의 주격 조사가 쓰여 주어임을 표시할 때에는 서술어에도 높임의 표현을 함께 쓰게 되는구나.

서술어의 자릿수

03 〈보기〉의 문장들을 문법적으로 어색하게 만드는 공통적인 이유로 가장 적절한 것은?

보기
㉠ 그는 아니다. ㉡ 혜지가 닮았다. ㉢ 수호는 읽었다.

① 적절한 조사를 사용하지 않았기 때문에
② 어미를 적절하게 사용하지 못했기 때문에
③ 부속 성분의 생략으로 정보가 부족해졌기 때문에
④ 서술어의 주체에 대한 정보가 생략되었기 때문에
⑤ 필수적으로 있어야 할 문장 성분이 생략되었기 때문에

서술어의 자릿수

04 〈보기〉를 참고하여 서술어의 자릿수를 탐구한 내용으로 적절하지 않은 것은?

보기

서술어의 자릿수: 온전한 문장이 되기 위해 서술어가 반드시 필요로 하는 문장 성분의 개수.

서술어의 자릿수에 따른 문장 유형

- 한 자리 서술어 – 주어 + 서술어
- 두 자리 서술어 ┌ 주어 + 목적어 + 서술어
  ├ 주어 + 보어 + 서술어
  └ 주어 + 필수적 부사어 + 서술어
- 세 자리 서술어 – 주어 + 필수적 부사어 + 목적어 + 서술어

〈예시〉

ㄱ. 눈이 하늘 아래로 떨어진다.
ㄴ. 나와 진수가 고등학교에 입학했다.
ㄷ. 그는 내게 숨겨진 진실을 말해 주었다.

① 은진: 서술어의 자릿수가 충족되지 않으면 올바른 문장을 만들 수가 없겠구나.
② 민서 : ㄱ~ㄷ에서 쓰인 서술어는 문장이 되기 위해 반드시 주어를 필요로 한다는 공통점이 있구나.
③ 하경: ㄱ의 '떨어진다'는 행동의 주체인 '눈'만 필요하므로 한 자리 서술어가 되겠구나.
④ 윤하: ㄴ의 '입학했다'는 행동의 주체인 '나와 진수', 행동이 미치는 대상인 '고등학교에'가 필요한 두 자리 서술어구나.
⑤ 지훈: ㄷ의 '말해 주었다'는 온전한 문장을 이루기 위해 주어 '그는'과 목적어 '진실을'을 반드시 갖추어야 하니까 두 자리 서술어이겠구나.

문장 성분 분석

05 〈보기〉를 분석한 내용으로 적절한 것은?

보기

- 이것은 ㉠새 옷이다.
- 그는 ㉡간절한 ㉢소원을 품었다.
- 수희는 ㉣빨리 ㉤달리게 되었다.

① ㉠: 관형사로 서술어 '옷이다'를 꾸민다.
② ㉡: 부사로 체언 앞에서 체언을 꾸민다.
③ ㉢: 체언에 목적격 조사 '을'이 붙어 서술어를 꾸민다.
④ ㉣: 부사로 용언을 꾸미는 부사어이다.
⑤ ㉤: '되다'의 뜻을 보충하는 보어이다.

관형어의 구조

06 〈보기1〉을 바탕으로 〈보기2〉의 관형어의 구조를 분석한 내용으로 적절하지 않은 것은?

보기 1

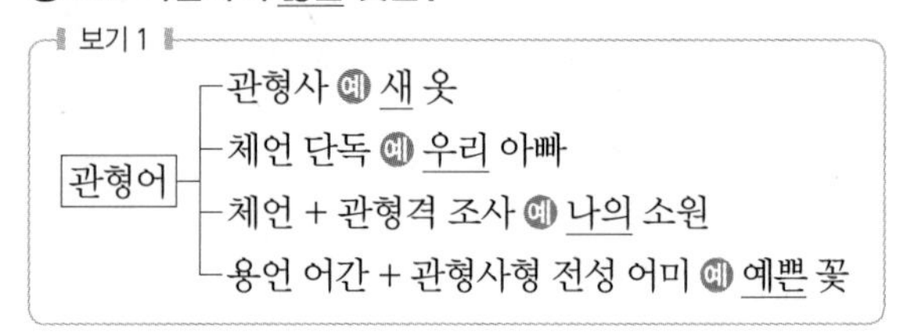

보기 2

ㄱ. 첫 서리가 내린다.
ㄴ. 대한민국의 수도는 서울이다.
ㄷ. 갓 지어 따뜻한 밥을 먹었다.
ㄹ. 소년은 도시 풍경을 사랑했다.
ㅁ. 내가 읽던 책이 어디에 있지?

① ㄱ은 관형사 '첫'이 그대로 관형어로 쓰이는 예로군.
② ㄴ은 체언에 관형격 조사가 결합하여 관형어로 쓰였군.
③ ㄷ은 ㅁ과 동일한 품사의 단어가 관형어로 사용되고 있군.
④ ㄹ은 ㄴ과는 달리 관형어임을 나타내는 표지가 드러나지 않는군.
⑤ ㅁ은 용언 어간에 관형사형 전성 어미가 결합하여 관형어로 기능하는군.

부사어의 특징

07 ㄱ~ㅁ의 밑줄 친 부분의 기능을 분석한 내용으로 적절하지 않은 것은?

ㄱ. 그는 아무 말도 없이 사라졌다.
ㄴ. 현서는 무척 부지런히 지내고 있다.
ㄷ. 과연 그가 돌아올지가 궁금하다.
ㄹ. 이 편지가 재범이에게 전해지길 바란다.
ㅁ. 진민이가 웃었다. 그래서 나도 웃었다.

① ㄱ의 '아무'는 용언 '없이'를 꾸며 주고 있어.
② ㄴ에서 '무척'이 다른 부사어를 꾸며 주고 있어.
③ ㄷ의 '과연'은 문장 전체를 꾸며 주고 있구나.
④ ㄹ에서 '재범이에게'가 생략되면 문장이 완결된 의미를 갖기 어렵겠어.
⑤ ㅁ의 '그래서'는 두 문장의 의미 관계를 알려 주고 있구나.

문장 성분 분석 2016학년도 11월 고1 학력평가

08 **〈보기〉의 [탐구 방법]을 바탕으로 [탐구 대상]을 분석한 것으로 적절하지 않은 것은?**

보기

[탐구 방법]

1. 특정 문장 성분을 생략할 경우 문장이 성립하는가를 확인하고 그 성분이 문장 구성에 필수적인지를 판단한다.
2. 특정 문장 성분이 어떤 역할을 하는지 문장 내 다른 성분과의 관계를 고려해서 판단한다.

[탐구 대상]

ㄱ. 꼼꼼한 소윤이가 가위로 색종이를 잘랐다.
ㄴ. 경민이는 옆집의 효빈이를 동생으로 삼았다.

① ㄱ의 '색종이를'은 필수적인 성분으로, '잘랐다'라는 행위의 대상이 된다.
② ㄱ의 '꼼꼼한'과 ㄴ의 '옆집의'는 필수적이지 않은 성분으로, 문장 내에서 동일한 역할을 한다.
③ ㄱ의 '소윤이가'와 ㄴ의 '경민이는'은 필수적인 성분으로, 문장 안에서 행위의 주체가 된다.
④ ㄱ의 '잘랐다'와 ㄴ의 '삼았다'는 필수적인 성분으로, 문장 안에서 주체의 행위를 표현한다.
⑤ ㄱ의 '가위로'와 ㄴ의 '동생으로'는 필수적이지 않은 성분으로, 문장 내의 특정 단어를 수식한다.

부사어의 구분 2014학년도 3월 고2 학력평가Ⓐ

09 **〈보기〉에서 설명하는 부사어의 종류와 예가 적절하게 짝지어지지 않은 것은?**

보기

부사어에는 성분 부사어와 문장 부사어가 있다. 성분 부사어는 용언, 체언, 관형어, 부사어를 수식하고 문장 부사어는 문장 전체를 수식하거나 문장이나 단어를 이어 준다.

① [용언을 수식하는 부사어] – 장미꽃이 정말 예쁘다.
② [문장을 이어 주는 부사어] – 이상하게 오늘은 운이 좋다.
③ [부사어를 수식하는 부사어] – 그가 매우 높이 뛰어 올랐다.
④ [관형어를 수식하는 부사어] – 내 차가 아주 새 차가 되었다.
⑤ [문장 전체를 수식하는 부사어] – 다행히 나는 학교에 늦지 않았다.

서술어의 자릿수 2017학년도 3월 고3 학력평가

10 **〈보기〉의 ㉠~㉤에 대한 탐구로 적절하지 않은 것은?**

보기

서술어의 자릿수란 서술어가 필수적으로 요구하는 문장 성분의 개수를 의미한다. 그런데 서술어는 문장에서 사용되는 의미에 따라 필수적으로 요구하는 문장 성분이 달라지기도 한다.

	의미	예문
살다	불 따위가 타거나 비치고 있는 상태에 있다.	바람 때문에 불씨가 다시 ㉠살았다.
	본래 가지고 있던 특징 따위가 그대로 있거나 뚜렷이 나타나다.	이 구절로 글이 ㉡살았다.
	어떤 직분이나 신분의 생활을 하다.	그는 조선 시대에 오랫동안 벼슬을 ㉢살았다.
놓다	계속해 오던 일을 그만두고 하지 아니하다.	그는 잠시 일손을 ㉣놓았다.
	잡거나 쥐고 있던 물체를 일정한 곳에 두다.	형은 책을 책상 위에 ㉤놓았다.

① ㉠은 주어만 필수적으로 요구하는 한 자리 서술어이군.
② ㉡은 주어와 부사어를 필수적으로 요구하는 두 자리 서술어이군.
③ ㉢은 주어와 목적어를 필수적으로 요구하는 두 자리 서술어이군.
④ ㉣은 주어와 목적어를 필수적으로 요구하는 두 자리 서술어이군.
⑤ ㉤은 주어, 목적어, 부사어를 필수적으로 요구하는 세 자리 서술어이군.

07 문장 구조

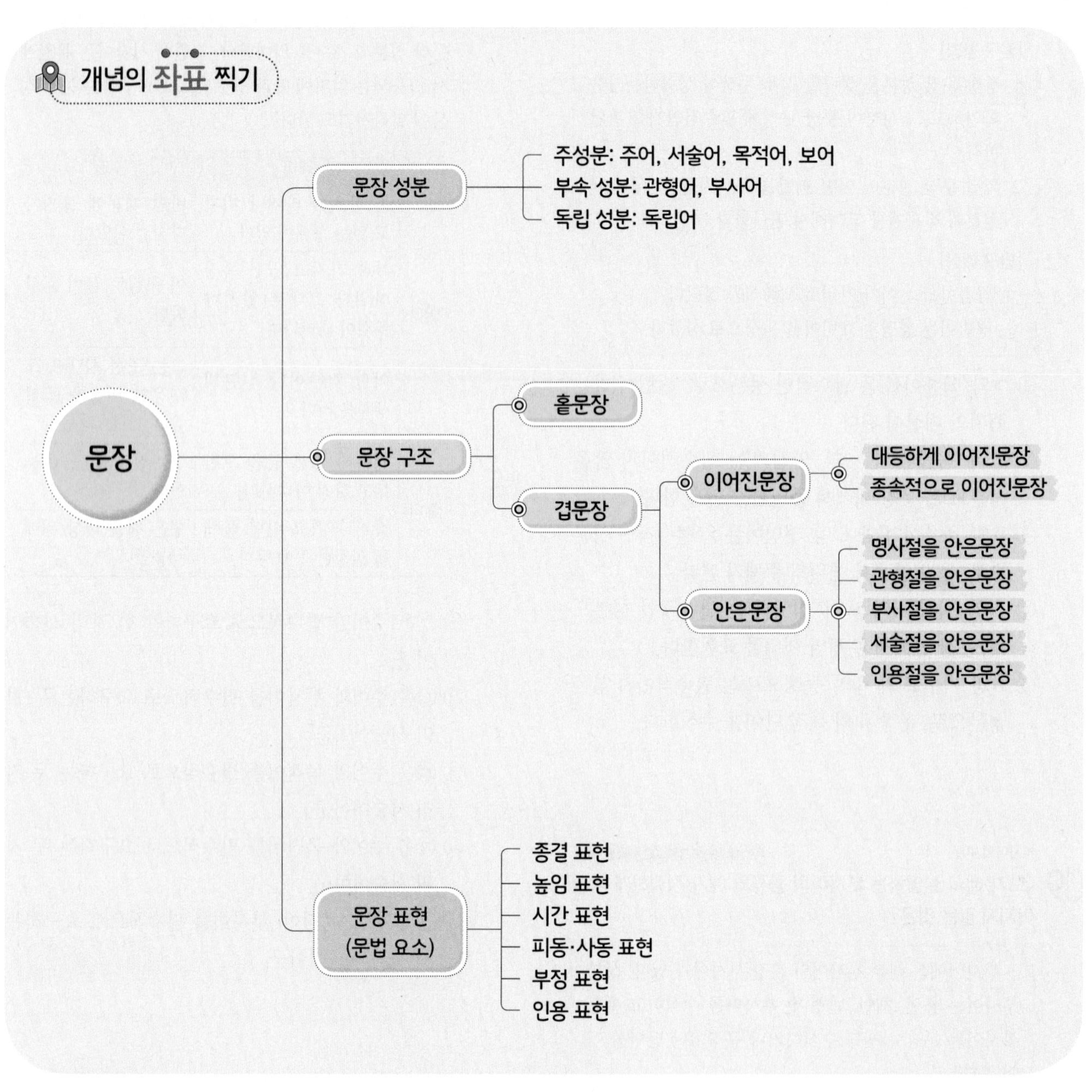

개념의 좌표 찍기
문장
문장 성분
주성분: 주어, 서술어, 목적어, 보어
부속 성분: 관형어, 부사어
독립 성분: 독립어
문장 구조
홑문장
겹문장
이어진문장
대등하게 이어진문장
종속적으로 이어진문장
안은문장
명사절을 안은문장
관형절을 안은문장
부사절을 안은문장
서술절을 안은문장
인용절을 안은문장
문장 표현
(문법 요소)
종결 표현
높임 표현
시간 표현
피동·사동 표현
부정 표현
인용 표현

홑문장
홑문장
홑문장
홑문장
홑문장
홑문장
이어진문장
안은문장

개념을 품은 **기출 선택지**

- ㉠은 ㉡과 ㉢이 대등하게 연결된 **이어진문장**이다. (2016. 4. 고3 학력평가)
- ㉠과 ㉡은 체언을 수식하는 **안긴문장**이 있다. (2018. 6. 모의평가)
- ㉠에는 **서술절**이 안겨 있지만 ㉡에는 **관형절**이 안겨 있다. (2016. 수능Ⓐ)

1 문장의 종류

문장은 주어와 서술어의 관계가 몇 번 나타나는지에 따라 홑문장과 겹문장으로 나눌 수 있다.

홑문장

홑문장은 문장에서 주어와 서술어의 관계가 한 번만 나타나는 문장이다. 관형어나 부사어가 많이 나타나서 문장이 아무리 길어져도 주어와 서술어의 관계가 한 번만 나타나면 그 문장은 홑문장이다.

나는(주어) **잠을**(목적어) **잤다.**(서술어) **그녀는**(주어) **얼굴에**(부사어) **미소를**(목적어) **띠었다.**(서술어)

겹문장

겹문장은 문장에서 주어와 서술어의 관계가 두 번 이상 나타나는 문장이다. 겹문장은 홑문장과 홑문장이 이어지거나(이어진문장), 한 홑문장이 다른 홑문장의 문장 성분이 될 때(안긴문장/안은문장) 만들어진다.

위에 있는 겹문장은 홑문장과 홑문장이 나란히 이어져 있고, 아래에 있는 겹문장에는 '꽃이 피기'(←꽃이 피다)라는 홑문장이 다른 문장 안에 들어가 있다. 이렇게 다른 문장에 들어가서 문장 성분처럼 쓰이는 홑문장을 '절' 또는 '안긴문장'이라고 하며, 안긴문장이 들어 있는 전체 문장을 '안은문장'이라고 한다.

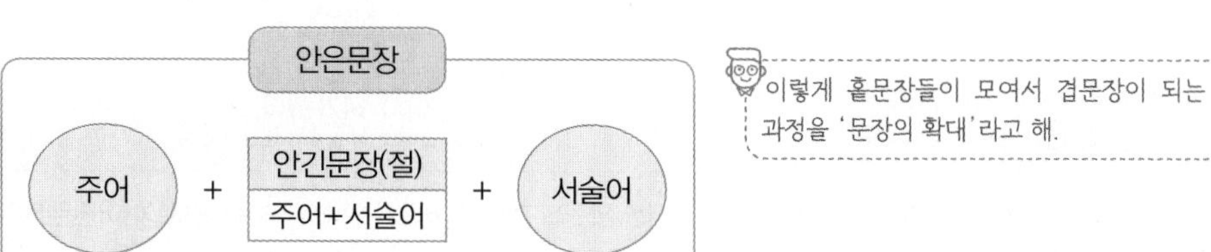

이렇게 홑문장들이 모여서 겹문장이 되는 과정을 '문장의 확대'라고 해.

궁금해요 '홑문장'은 길이가 짧은 문장인가요?

홑문장은 짧은 문장, 겹문장은 긴 문장이라고 생각하기 쉽지만 이건 큰 착각이란다.

> (1) 나는 정말 간만에 오랫동안 잠을 푹 잤다.
> (2) 시원한 바람이 불었다.

위 예문만 해도 (2)에 비해 훨씬 긴 (1)이 홑문장이고, (2)가 겹문장이거든. (1)은 '나는(주어) 잤다(서술어)'처럼 주어와 서술어의 관계가 한 번만 나타나고 있어. 하지만 (2)는 '(바람이-주어가 같아서 생략) 시원한(서술어 '시원하다'의 관형사형)'과 '바람이(주어) 불었다(서술어)'처럼 주어와 서술어의 관계가 두 번 나타나니 겹문장이 되는 거야.
이처럼 홑문장과 겹문장을 구분하는 기준은 문장의 길이가 아니라, 주어와 서술어의 관계가 나타나는 횟수라는 것을 반드시 기억해 두자!

개념 **콕1** 겹문장이 아닌 것은?

① 학교 운동장이 참 크다.
② 예쁜 코스모스가 피었구나.
③ 빨리 밥 먹고 학교에 가거라.
④ 그 문제를 풀기가 쉽지 않다.
⑤ 국어 시간은 즐겁고 재미있다.

콕 1 ①

2 겹문장의 종류

이어진문장

이어진문장은 둘 이상의 홑문장이 연결 어미에 의해 이어진 문장이다. 이어진문장은 두 문장의 의미 관계에 따라 '대등하게 이어진문장'과 '종속적으로 이어진문장'으로 나뉜다.

대등하게 이어진문장

둘 이상의 홑문장이 나란히 연결될 때, 두 문장이 대등한 자격으로 이어진 문장이다.

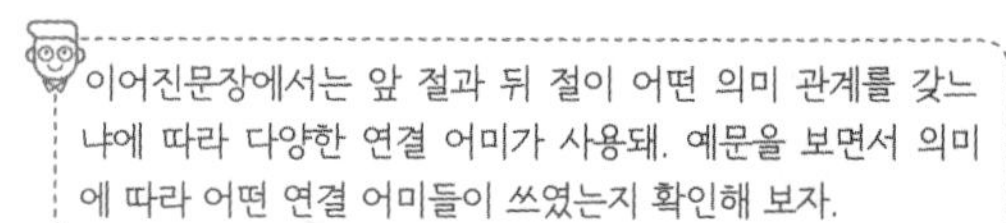

의미	대등적 연결 어미 예	예문
나열	-고, -(으)며	인생은 짧고 예술은 길다. / 예술은 길며 인생은 짧다.
대조	-지만, -(으)나	떡을 좋아하지만, 빵은 싫어한다. / 빵은 싫으나, 떡은 좋다.
선택	-든(지), -거나	이리로 오든지 저리로 가라. / 저리로 가거나 이리로 와라.

종속적으로 이어진문장

둘 이상의 홑문장이 연결되면서 두 문장의 의미가 독립적이지 못하고 앞 절이 뒤 절에 대해 '조건, 원인, 의도, 양보' 등 종속적인 의미 관계를 갖는 문장이다. 이때 종속적 연결 어미가 결합한 앞 절을 종속절이라고 하고, 이 종속절의 주(主)가 되는 뒤 절을 주절이라고 한다.

의미	종속적 연결 어미 예	예문
원인, 이유	-어서/아서, -(으)니, -므로	비가 와서 길이 질다. / 훈련을 열심히 받으니 실력이 늘었다. (오-+-아서) (받-+-으니)
조건	-(으)면, -거든	국민이 없으면 국가도 없다. (없-+-으면) 그가 집에 도착하거든 나에게 연락해라. (도착하-+-거든)
의도	-(으)려고, -도록	여행을 가려고 일찍 일어났다. (가-+-려고) 나무가 잘 자라도록 거름을 주었다. (자라-+-도록)
배경 (상황 제시)	-는데, -(으)ㄴ데	내가 학교를 가는데, 친구를 만났다. (가-+-는데)
양보	-어도/아도, -더라도, -(으)ㄹ지라도	비가 왔어도 춥지 않다. / 비가 오더라도 수학여행은 가야 한다. (오-+-았-+-어도) (오-+-더라도) 비가 올지라도 수학여행은 가야 한다. (오-+-ㄹ지라도)

짚고 가요

대등하게 이어진문장 VS 종속적으로 이어진문장

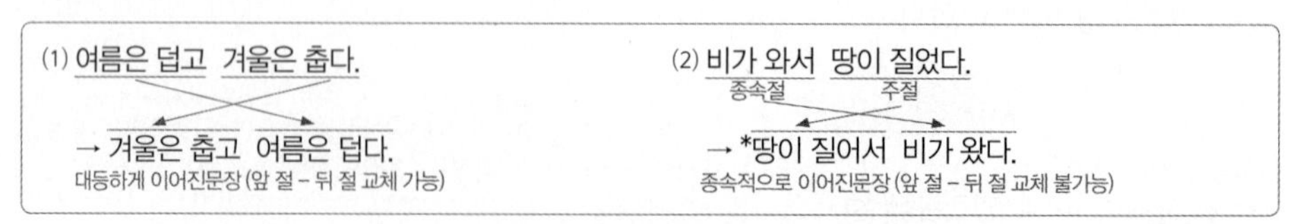

대등하게 이어진문장은 (1)처럼 앞 절과 뒤 절의 순서를 바꿔도 의미가 변하지 않지만, 종속적으로 이어진문장은 절의 순서를 바꾸면 (2)처럼 원래 문장이 나타내던 의미를 잃거나, 또는 비문이 되기도 해.

짚고 가요

대등하게 이어진문장에서의 문장 성분의 생략

(1) 경태는 용감하고 씩씩하다.
➲ 경태는 용감하다. + (경태는) 씩씩하다.
(2) 경태는 배를, 영희는 사과를 먹는다.
➲ 경태는 배를 (먹는다.) + 영희는 사과를 먹는다.

대등하게 이어진문장에서 앞 절과 뒤 절의 주어나 서술어가 공통될 때는 이 공통되는 성분을 생략할 수 있어.

개념 콕 2 홑문장들이 대등하게 이어진 문장은?

① 집에 가는데 비가 그쳤다.
② 비가 오면 야외 공연은 취소다.
③ 교통사고가 나서 길이 혼잡하다.
④ 꿈을 이루려고 공부를 열심히 했다.
⑤ 민수는 책을 읽고 명희는 신문을 읽는다.

개념 콕 3 이어진문장에 대한 설명으로 알맞지 않은 것은?

① 겹문장의 종류 중 하나이다.
② 연결 어미를 통해 여러 홑문장이 이어진다.
③ 이어진 홑문장과 홑문장의 의미 관계에 따라 둘로 나뉜다.
④ 앞 문장과 뒤 문장의 순서를 바꾸어도 의미는 변화하지 않는다.
⑤ '-고, -며, -지만, -나' 등의 어미를 통해 두 문장을 연결할 수 있다.

안은문장과 안긴문장

안긴문장을 포함한 전체 문장을 안은문장, 다른 홑문장 속에 들어가 문장 성분으로 쓰이는 안긴문장을 '절'이라고 한다. 절은 그 역할에 따라 '명사절, 관형절, 부사절, 인용절, 서술절'로 나눌 수 있다.

명사절	• 절 전체가 명사처럼 쓰임. 주어, 목적어, 보어, 부사어 등의 역할을 함. • 명사형 전성 어미 '-(으)ㅁ, -기' 등으로 실현.	예 일이 끝났음을 알았다. ➲ 절의 서술어 '끝나-'+'-았-'+'-음' (문장의 목적어로 쓰임.) 그 일을 하기가 어렵다. ➲ 절의 서술어 '하-'+'-기' (문장의 주어로 쓰임.)
관형절	• 절 전체가 관형어처럼 쓰임. 체언을 수식함. • 관형사형 전성 어미 '-(으)ㄴ, -는, -던, -(으)ㄹ' 등으로 실현.	예 그가 우리가 온 사실을 아니? ➲ 절의 서술어 '오-'+'-ㄴ' (체언을 수식함.) 내가 읽던 책은 재밌다. ➲ 절의 서술어 '읽-'+'-던' (체언을 수식함.)
부사절	• 절 전체가 부사어처럼 쓰임. 용언, 관형사, 부사, 문장 등을 수식함. ⊕ • '-이, -게, -도록, -듯(이)' 등으로 실현.	예 비가 소리도 없이 온다. ➲ 절의 서술어 '없-'+'-이' (문장의 서술어를 수식함.) 나는 땀이 나도록 뛰었다. ➲ 절의 서술어 '나-'+'-도록' (문장의 서술어를 수식함.)
인용절	• 다른 사람의 말을 인용한 것이 절의 형식으로 안김. • 인용격 조사 '고, 라고' 등으로 실현.	예 그가 "집에 갈래."라고 말했다. ➲ '라고'가 쓰여 '그'가 한 말을 직접적으로 인용함. 그가 집에 가겠다고 말했다. ➲ '고'가 쓰여 '그'가 한 말을 간접적으로 인용함.
서술절	• 절 전체가 서술어처럼 쓰임. • 절을 표시해 주는 표지가 따로 없음.	예 포도가 맛이 좋다. ➲ 특별한 표지 없이 서술절 자체가 서술어로 쓰임. (서술어는 한 개, 주어가 두 개처럼 보임.)

궁금해요 안긴문장의 종류는 어떻게 파악하나요?

안긴문장의 종류를 파악하려면, 우선 '용언'을 찾아야 해. 용언이 두 개 이상 있을 때 먼저 나오는 용언이 안긴문장의 서술어거든. 그 다음, 안긴문장의 서술어가 안은문장에서 '명사, 관형어, 부사어'의 기능 중 어떤 기능을 하는지 확인하면 돼. 인용절은 '라고'나 '고'가 붙어 있어서 파악하기가 쉬울 거야.

참, 서술절을 안은문장은 보어가 있는 홑문장과 헷갈릴 수 있으니 조심해야 해! 예를 들어 "유준이가 어른이 되었다."라는 문장은 '주어+보어+서술어'로 구성된 홑문장이야.

짚고 가요

관형절의 생략된 문장 성분

관형절이 만들어지면서 특정 문장 성분이 생략되는 경우가 있어. '관형절에 포함된 명사'가, '관형절이 수식하는 명사'와 같을 때, 중복되는 명사를 포함하는 문장 성분이 관형절에서 생략돼. 말이 어렵지?ㅠㅠ 예문을 보자.

(1) 내가 읽던 책은 재밌다.
➲ 내가 (책을) 읽었다. + 책은 재밌다.

(2) 나는 따뜻한 봄을 기다린다.
➲ (봄이) 따뜻하다. + 나는 봄을 기다린다.

(1)의 관형절 '내가 읽던(←내가 책을 읽었다.)'이 수식하는 명사는 '책'이야. 이 때문에 중복되는 명사 '책'을 포함한 목적어 '책을'이 관형절에서 생략되는 거야. (2)의 경우도 같아. (2)의 관형절 '따뜻한(←봄이 따뜻하다.)'이 수식하는 명사는 '봄'이야. 따라서 중복되는 명사 '봄'을 포함한 주어 '봄이'가 관형절에서 생략되어야 하겠지?
(2)처럼 관형절의 주어가 생략되는 경우는, 전체 문장이 '관형절을 안은문장'인지 '홑문장'인지 헷갈리기 때문에 주의해야 해. 구분이 어려울 때는 하나만 생각하면 돼. "용언은 혼자서도 관형절을 이룰 수 있다!"라는 사실 말이야. (물론, (2)의 '봄이 따뜻하다.'라는 문장이 관형절 '따뜻한'이 되는 것처럼, 홑문장이 관형절이 되면서 주어가 생략되고, 서술어인 용언만 남았기 때문이야. 이건 부사절도 마찬가지란다. "진달래가 곱게 피었다."에서 '곱게'는 '진달래가 곱다.'라는 홑문장이 부사절이 되면서, 주어가 생략된 거야.) 그래서 (2)는 홑문장이 아니라 '따뜻한'이라는 관형절을 안은문장이야.

개념⊕ 부사형 어미 구분의 어려움

(1) 비가 소리도 없이 온다.
→ 비가 소리도 없게 온다.
(2) 나는 ㉠땀이 나도록 뛰었다.
부사절
㉡땀이 나도록 나는 뛰었다.
종속절

사전에서는 '-이'를 부사 파생 접미사로 보고 있지만, (1)의 '없이'가 '없게'로 바뀔 수 있고, 서술어의 성격을 유지하고 있기 때문에 '-이'를 부사형 전성 어미로 볼 수 있다.
또, (2)를 보면 두 문장의 의미 차이는 없지만 ㉠의 부사절이 ㉡처럼 위치 이동을 하게 되면 종속절로 기능하게 된다. 그래서 종속절과 부사절을 구분하기는 쉽지 않다. '-도록'과 같은 어미도 종속적 연결 어미인지, 부사형 전성 어미인지 구분하기 어렵다. 그렇기 때문에 본 단원에서는 부사형 전성 어미를 구분하여 서술하지는 않았다.

개념 콕 **4** 각 문장에 사용된 안긴문장의 종류를 쓰시오.

(1) 은주는 키가 매우 크다.

(2) 동희는 공원을 산책하기를 좋아한다.

(3) 저곳은 귀신이 나온다는 곳이다.

(4) 은주는 말도 없이 학교로 가 버렸다.

(5) 동희는 은주에게 빨리 오라고 외쳤다.

개념 콕 **5** 다음 문장에 대한 설명이 올바르도록 알맞은 표현을 고르시오.

나래는 버스가 떠난 정류장을 바라보았다.

(1) 위 문장은 (홑문장 / 겹문장)이다.

(2) 위 문장에는 (명사절 / 관형절 / 부사절 / 인용절 / 서술절)이 안겨 있다.

콕 2 ⑤ 3 ④ 4 (1) 서술절 (2) 명사절 (3) 관형절 (4) 부사절 (5) 인용절 5 (1) 겹문장 (2) 관형절

사뿐히 즈려밟는

확인 문제

✔ 바로바로 간단 체크

1 〈보기〉에 제시된 문장들을 홑문장과 겹문장으로 구분하시오.

보기
① 산은 높고 하늘은 푸르다.
② 우리 집 셋째가 집에서 숙제를 한다.
③ 윤하가 제주도로 여행을 떠났다.
④ 연수가 만점을 받은 사실이 놀랍다.
⑤ 재하야, 선생님께서 교무실로 오라고 하셨어.

(1) 홑문장: ______________________

(2) 겹문장: ______________________

2 빈칸에 들어갈 알맞은 말을 쓰시오.

안긴문장	실현 방법(표지)
㉠ ______	안긴문장의 서술어에 '-이, -게, -도록' 등이 결합함.
명사절	안긴문장의 서술어에 명사형 전성 어미 '-(으)ㅁ, ㉡ ______'가 결합함.
관형절	안긴문장의 서술어에 관형사형 전성 어미 '-(으)ㄴ, -는, -(으)ㄹ, ㉢ ______'이 결합함.
인용절	안긴문장의 서술어에 인용의 부사격 조사 '㉣ ______, 고'가 결합함.

3 다음 문장에 사용된 안긴문장을 모두 찾아 밑줄을 치고, 안긴문장의 종류를 각각 쓰시오.

(1) 내가 기다리던 친구가 늦게 왔다.

(2) 성실한 희정이는 공부를 다 했다고 말했다.

(3) 그가 가게에서 산 콜라는 값이 싸다.

(4) 혜수가 평소와 달리 커피를 마셨음을 알렸다.

문장 구조의 이해

01 문장의 구조에 대한 설명으로 적절하지 않은 것은?

① 주어와 서술어 관계가 한 번만 나타나는 문장을 홑문장이라 한다.
② 다른 문장을 문장 성분으로 포함하는 문장을 안긴문장이라 한다.
③ 명사절은 주어나 목적어, 보어 등의 역할을 하는 안긴문장이다.
④ 관형절은 안긴문장의 서술어 어간에 관형사형 어미가 붙어 관형어의 역할을 한다.
⑤ 서술절을 안은문장은 다른 겹문장의 구조와 달리 표면적으로 주어가 두 개인 것처럼 보인다는 특징이 있다.

겹문장의 짜임

02 〈보기〉에 제시된 문장과 짜임이 다른 것은?

보기
희연이가 게임 프로그램을 개발한 사실이 알려졌다.

① 눈이 기척도 없이 내렸나 보다.
② 지훈이의 바지가 길이가 많이 짧다.
③ 그가 소리도 없이 우리 앞에 나타났다.
④ 시골집은 너무 덥지만 매우 고즈넉했다.
⑤ 하림이가 바로 집에 가지 않았음을 알고 있다.

이어진문장의 구분

03 종속적 연결 어미를 사용한 이어진문장의 예로 적절한 것은?

① 밥을 먹었고 빵을 먹었다.
② 성지는 용감하며 씩씩하다.
③ 공기는 습하지만 비는 내리지 않는다.
④ 간식을 자주 먹으니 살이 빠지지 않는다.
⑤ 동생은 일찍 잠들었으나 형은 늦게까지 공부했다.

이어진문장의 의미 관계

04 이어진문장에서 두 절의 의미 관계를 알맞게 파악한 것은?

①	떡볶이가 뜨겁고 맵다.	대조
②	배가 고파서 냉장고를 열었다.	조건
③	버스를 타다가 동전을 흘렸다.	의도
④	새를 잡으려고 돌팔매질을 했다.	목적
⑤	물고기를 잡았지만 먹지는 않았다.	나열

종속적으로 이어진문장

05 〈보기〉를 탐구한 내용으로 적절하지 않은 것은?

보기
ㄱ. 버스가 출발했지만 민지는 정류장에 서 있었다.
ㄴ. 건물이 무너져도 이 금고는 부서지지 않습니다.
ㄷ. 속이 불편해서 좋아하는 음식을 먹지 못했다.
ㄹ. 윤하는 백화점에 가면 가방을 사려고 했다.
ㅁ. 다은이를 만나려고 일찍 집을 나섰다.

① ㄱ: 대조의 의미를 갖는 연결 어미가 쓰인 이어진문장이다.
② ㄴ: 어미 '-어도'로 두 문장이 연결되어 있다.
③ ㄷ: 앞 절이 뒷 절의 원인이 되는 의미 관계이다.
④ ㄹ: 어미 '-면'은 앞 절이 뒤 절의 구체적인 배경임을 표시한다.
⑤ ㅁ: 앞 절이 뒤 절의 의도로 작용하고 있다.

안긴문장의 구분

06 〈보기〉의 ㉠에 해당하는 예로 적절한 것은?

보기

주어와 서술어의 관계가 두 번 이상 나타나는가?

↓〈예〉

문장 안에 특정 역할을 하는 문장 성분으로서의 절을 포함하고 있는가?

↓〈예〉

㉠

① 나는 집을 나섰다.
② 산이가 지웅이와 다투었다.
③ 사람들이 그녀를 추모하고 있었다.
④ 어제 만난 사람은 유경이가 아니다.
⑤ 예진이는 빵을 샀고 나는 우유를 샀다.

안긴문장의 이해

07 〈보기〉의 안긴문장과 다른 종류의 문장을 안은 것은?

보기
민주는 영희와 다르게 말을 잘한다.

① 벚꽃이 눈이 부시게 피었다.
② 반짝이는 별이 참 아름답구나.
③ 산 그림자가 소리도 없이 내려왔다.
④ 효승이는 희범이와 비슷하게 수줍음을 잘 탄다.
⑤ 경찬이는 물이 잘 빠지도록 배수구를 정비했다.

안긴문장의 이해

08 서술절이 쓰이지 않은 문장은?

① 재겸이가 키가 작다.
② 기린이 목이 길기도 하다.
③ 경서가 상상력이 풍부하다.
④ 채은이는 강아지가 두렵다.
⑤ 재범이는 노총각이 아니다.

안긴문장 구조 분석

09 〈보기〉의 밑줄 친 안긴문장을 분석한 내용으로 적절하지 않은 것은?

보기
ㄱ. 우리는 차연이가 만점을 받았음에 놀랐다.
ㄴ. 윤서가 마시는 음료수의 맛이 궁금하다.
ㄷ. 서영이는 구렁이가 담을 넘듯 능청거린다.

① ㄱ에서 명사절이 부사어의 역할을 하고 있다.
② ㄱ에서 어미 '-음'은 문장이 명사처럼 기능하게 한다.
③ ㄴ에서 어미 '-는'이 관형절을 만드는 데 사용되었다.
④ ㄷ에서 '-듯'이 안긴문장을 부사어처럼 기능하게 한다.
⑤ ㄱ과 ㄴ은 ㄷ과 달리 안긴문장의 성분이 생략되지 않았다.

홑문장과 겹문장의 구분 2014학년도 6월 고2 학력평가Ⓐ

10 〈보기〉의 밑줄 친 ㉠의 예로 적절하지 않은 것은?

보기

문장에는 주어와 서술어가 한 번만 나타나는 '홑문장'과 두 번 이상 나타나는 ㉠'겹문장'이 있다. 겹문장에는 '안은문장'과 '이어진문장'이 있다. 전자는 홑문장이 다른 문장 속에 하나의 문장 성분이 되는 것이고, 후자는 홑문장과 홑문장이 대등하거나 종속적으로 이어지는 것이다.

① 가을이 오면 곡식이 익는다.
② 함박눈이 소리도 없이 내린다.
③ 우리는 어제 학교로 돌아왔다.
④ 그는 우리가 돌아온 사실을 모른다.
⑤ 사람은 책을 만들고 책은 사람을 만든다.

안긴문장의 표지(어미와 접사의 구분) 2017학년도 3월 고3 학력평가

11 〈보기〉의 ⓐ, ⓑ가 사용된 예를 ㉠~㉤에서 바르게 고른 것은?

보기

선생님: 여러분이 헷갈려 하는 것들 중 ⓐ용언의 어간과 결합하는 명사형 어미 '-(으)ㅁ', '-기'와 ⓑ어근과 결합하여 명사를 만드는 접미사 '-이', '-음', '-기'가 있어요. 전자는 용언의 품사를 바꾸지 않으며, 전자가 결합해 활용된 용언은 서술하는 기능이 유지되고 부사어의 수식을 받을 수 있어요. 한편 후자가 결합하여 만들어진 명사는 관형어의 수식을 받을 수 있어요.

○ 세상은 홀로 ㉠살기가 어렵다.
○ 형은 충분히 ㉡잠으로써 피로를 풀었다.
○ 날씨가 더워 차가운 ㉢얼음이 필요하다.
○ 우리에게 건전한 ㉣놀이 문화가 필요하다.
○ 이곳은 풍경이 매우 ㉤아름답기로 유명하다.

	ⓐ	ⓑ
①	㉠, ㉡	㉢, ㉣, ㉤
②	㉠, ㉤	㉡, ㉢, ㉣
③	㉢, ㉣	㉠, ㉡, ㉤
④	㉠, ㉡, ㉤	㉢, ㉣
⑤	㉡, ㉢, ㉣	㉠, ㉤

안긴문장의 생략된 성분 파악 2017학년도 7월 고3 학력평가

12 〈보기〉의 [A]에 들어갈 말로 적절한 것은?

보기

선생님: 두 개의 홑문장을 하나의 겹문장으로 만들 때, 두 홑문장 중 한 문장에서 특정 성분이 생략되는 경우가 있습니다. 다음은 홑문장 ㉠, ㉡을 하나의 겹문장 ㉢으로 만든 예인데요, ㉢에 대해 설명해 볼까요?

㉠ 철수가 공원에서 산책을 하였다.
+
㉡ 공원은 학교 뒤에 있다.
↓
㉢ 철수가 산책을 한 공원은 학교 뒤에 있다.

학생: [A]

① ㉠이 ㉡에 관형절로 안기면서 ㉠의 목적어가 생략되었습니다.
② ㉠이 ㉡에 관형절로 안기면서 ㉠의 부사어가 생략되었습니다.
③ ㉠이 ㉡에 부사절로 안기면서 ㉠의 부사어가 생략되었습니다.
④ ㉠이 ㉡에 부사절로 안기면서 ㉡의 주어가 생략되었습니다.
⑤ ㉠이 ㉡에 명사절로 안기면서 ㉡의 주어가 생략되었습니다.

종속적으로 이어진문장 2016학년도 6월 고2 학력평가

13 〈보기〉의 ㉠에 해당하는 문장으로 적절한 것은?

보기

'종속적으로 이어진문장'은 두 개 이상의 문장이 연결 어미로 이어져 있다. 이때 앞의 절과 뒤의 절은 인과, ㉠조건, 의도, 양보, 배경 등의 의미 관계를 나타낸다.

① 책을 많이 읽으면 생각이 깊어진다.
② 책을 읽으려고 학교 도서관으로 갔다.
③ 책을 아무리 읽어도 이해가 되지 않는다.
④ 책을 읽고 있는데 친구가 나를 자꾸 불렀다.
⑤ 책을 다양하게 읽어서 그는 지식이 풍부하다.

부사절을 안은문장 2016학년도 6월 고1 학력평가(변형)

14 〈보기〉의 ㉠에 해당하는 예로 적절한 것은?

> 보기
>
> • 재희는 봉사활동에 아무도 모르게 참여한다.
>
> 위 문장에서 '아무도 모르게'는 단어가 아니라 주어인 '아무도'와 서술어인 '모르다'로 이루어진 문장이다. 이 문장은 '재희는 봉사활동에 참여한다.'라는 문장에서 서술어 '참여한다'를 수식하여 '어떻게'라는 의미를 더해 주면서 수식하고 있다. 이런 역할을 하면서 안겨 있는 문장을 ㉠부사절이라 한다.

① 이 일을 하기가 쉽지 않다.
② 빙수는 이가 시리도록 차가웠다.
③ 은기는 꼭 꿈을 이루겠다고 말했다.
④ 승희는 마음이 따뜻한 사람을 좋아한다.
⑤ 민우는 우리가 어제 돌아온 사실을 모른다.

안긴문장의 생략된 성분 파악 2019학년도 9월 모의평가

15 〈보기〉의 자료를 탐구한 결과로 적절한 것은?

> 보기
>
> ○ 탐구 과제
>
> 하나의 문장이 안긴문장으로 다른 문장에 안길 때, 원래 있던 문장 성분이 생략되는 경우가 있다. 아래의 각 문장에서 안긴문장을 파악한 후, 생략된 문장 성분이 있다면 무엇인지 확인해 보자.
>
> ○ 자료
>
> ㉠ 부모님은 자식이 건강하기를 바란다.
> ㉡ 그 친구는 연락도 없이 그곳에 안 왔다.
> ㉢ 동생은 자신의 판단이 옳았음을 깨달았다.
> ㉣ 그는 내가 늘 쉬던 공원에서 산책을 했다.
> ㉤ 그 사람들은 아주 어려운 과제를 금방 끝냈다.

		안긴문장의 종류	생략된 문장 성분
①	㉠	부사절	없음
②	㉡	명사절	없음
③	㉢	명사절	주어
④	㉣	관형절	부사어
⑤	㉤	관형절	목적어

안은문장과 안긴문장 2017학년도 9월 고2 학력평가

16 〈보기〉의 ㄱ~ㅁ에 대해 탐구한 것으로 적절하지 않은 것은?

> 보기
>
> ㄱ. 누나는 마음이 넓다.
> ㄴ. 그 배는 섬으로 갔다.
> ㄷ. 나는 형이 준 책을 읽었다.
> ㄹ. 우리는 그가 학생임을 알았다.
> ㅁ. 바람도 잠잠하고, 하늘도 푸르다.

① ㄱ에서 안은문장의 주어와 안긴문장의 주어는 동일하다.
② ㄴ은 주어와 서술어의 관계가 한 번 나타나므로 홑문장이다.
③ ㄷ에서 안긴문장의 목적어는 안은문장의 목적어와 중복되므로 생략되었다.
④ ㄷ에는 관형어의 기능을 하는 안긴문장이 있고, ㄹ에는 목적어의 기능을 하는 안긴문장이 있다.
⑤ ㅁ은 앞 절과 뒤 절이 '나열'의 의미 관계를 가지는, 대등하게 이어진문장이다.

겹문장의 특성 파악 2018학년도 9월 고2 학력평가

17 다음은 문장의 짜임에 대해 활동한 것이다. ㉠에 들어갈 내용으로 적절한 것은?

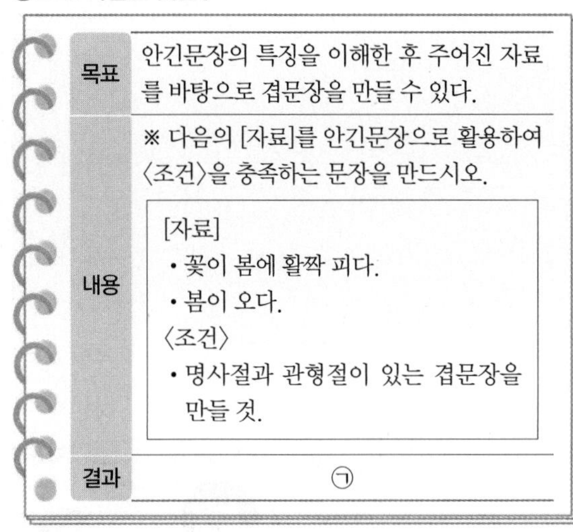

목표	안긴문장의 특징을 이해한 후 주어진 자료를 바탕으로 겹문장을 만들 수 있다.
내용	※ 다음의 [자료]를 안긴문장으로 활용하여 〈조건〉을 충족하는 문장을 만드시오. [자료] • 꽃이 봄에 활짝 피다. • 봄이 오다. 〈조건〉 • 명사절과 관형절이 있는 겹문장을 만들 것.
결과	㉠

① 봄이 오면 꽃이 활짝 핀다.
② 꽃이 활짝 피는 봄이 온다.
③ 나는 봄이 오고 꽃이 활짝 피기를 바란다.
④ 나는 꽃이 활짝 핀 봄이 오기를 기다린다.
⑤ 나는 봄이 와서 꽃이 활짝 피기를 소망한다.

2 문장

08 문법 요소 ① – 종결, 높임, 시간

개념의 좌표 찍기

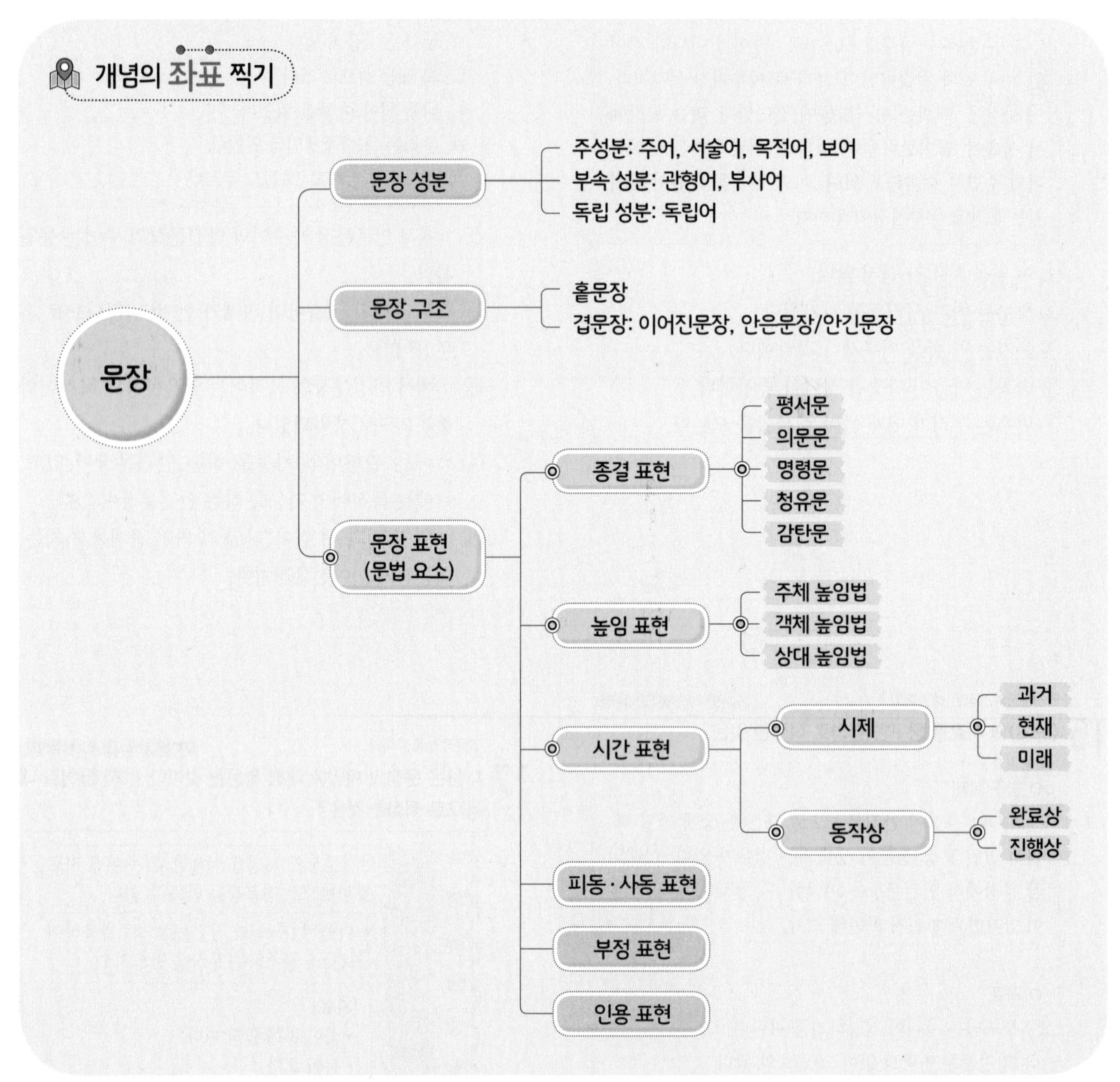

잘못된 높임 표현

시제를 나타내는 선어말 어미의 다양한 쓰임

개념을 품은 **기출 선택지**

- **청유형 종결 어미**를 사용하여 '엄마'가 '아들'에게 함께 심호흡할 것을 제안하고 있다. (2016. 11. 고2 학력평가)
- ㉢은 **주체**인 '할아버지'를 **높이는 데**에 '께서'와 '-시-'를 사용하고 있다. (2016. 7. 고3 학력평가)
- ㉤은 '모시다'라는 **특수 어휘**를 사용하여 '할머니'를 **높인 표현**이다. (2014. 10. 고3 학력평가)
- ㉡을 보니, 선어말 어미 '-았-'이 **과거 시제**를 나타내지 않는 경우도 있군. (2017. 9. 모의평가)

1 종결 표현

종결(終結) 표현이란 문장을 끝맺는 표현으로 종결 어미를 통해 실현된다. 종결 어미는 문장의 종류를 결정하며, 화자는 자신의 생각이나 의도를 드러내기에 적절한 종결 어미를 선택하여 사용한다.

(終: 끝내다, 結: 맺다)

문장 유형

문장 유형은 종결 어미에 따라 평서문, 의문문, 명령문, 청유문, 감탄문으로 나뉜다.

문장 유형	종결 어미 예	특징
평서문	'-다', '-습니다' 등	화자가 청자에게 특별히 요구하는 바 없이 사실이나 생각을 단순하게 전달하는 문장. 예 나는 집에 간다. / 저는 기분이 좋습니다.
의문문	'-(으)니', '-느냐', '-(으)ㄹ까', '-(으)ㅂ니까' 등	화자가 청자에게 질문을 하여 그 대답을 요구하는 문장. ① 판정 의문문: 상대방에게 긍정이나 부정의 대답을 요구하는 의문문. 예 너 아침에 밥 먹었냐? / 너희 집에 놀러가도 되니? ② 설명 의문문: 의문사(누구, 언제, 어디, 무엇, 왜, 어떻게)를 사용하여 구체적인 설명을 요구하는 의문문. 예 수희는 누구랑 친할까? / 그 분식집은 언제 열지? ③ 수사 의문문: 대답을 요구하지 않고 의미(서술, 명령, 감탄)를 강조하는 의문문. 예 내가 이걸 못 하겠니?(서술) / 어서 오지 않겠느냐?(명령) / 우와, 정말 아름답지 않니?(감탄)
명령문	'-(아)라/(어)라', '-(으)십시오', '-게' 등	화자가 청자에게 무엇을 시키거나 어떤 행동을 하라고 요구하는 문장. 예 내 손을 잡아라. / 어서 들어오게.
청유문	'-자', '-(으)ㅂ시다' 등	화자가 청자에게 같이 행동할 것을 요구하는 문장. 예 시간이 없으니 빨리 가자. / 서두릅시다.
감탄문	'-구나', '-군', '-(아)라/(어)라' 등	화자가 청자를 별로 의식하지 않거나 혼잣말로 자신의 느낌을 표현하는 문장. 예 풍경이 멋지구나! / 어머, 가엾어라!

짚고 가요

문장 유형과 화자의 의도가 일치하지 않는 '간접 발화'

(문 앞을 막고 있는 친구에게) 나 나갈 거야.

위 문장이 어떤 뜻인 것 같니? 비키라는 뜻이겠지?^^ 문장 유형은 평서문이지만, 문장에는 명령의 의미가 담겨 있어. 이처럼 문장의 유형과 발화 의도가 일치하지 않는 문장을 '간접 발화'라고 하는데, 자세한 건 '4. 담화' 단원에서 배울 거야.

궁금해요 "민희야, 창문 좀 닫자."는 청유문인데 청자의 행동만을 요구하는 것 아닌가요?

맞아. 청유문이 청자의 행동만을 요청하는 경우도 있어. 주로 명령의 의미를 완곡하게 나타내기 위해 쓰인단다.

개념 **콕 1** 다음 문장의 종류를 구분하여 쓰시오.

(1) 떡볶이 먹으러 가자.
(2) 백두산은 정말 높구나!
(3) 물은 100도에서 끓는다.
(4) 같이 놀러가지 않을래?
(5) 들어와서 놀아라.

개념 **콕 2** (1)~(3)의 의미를 고려하여 각 의문문의 종류를 쓰시오.

(1) 어디에서 왔니?
(2) 나도 같이 가도 되냐?
(3) 그 일이 성공하면 얼마나 좋을까?

콕 1 (1) 청유문 (2) 감탄문 (3) 평서문 (4) 의문문 (5) 명령문 2 (1) 설명 의문문 (2) 판정 의문문 (3) 수사 의문문

❷ 높임 표현

높임 표현이란 화자가 어떤 대상이나 상대의 높고 낮은 정도에 따라 언어적으로 구별하여 표현하는 방식이다. 높임법은 높임 표현을 통해 실현되며, 높임의 대상에 따라 주체 높임법, 객체 높임법, 상대 높임법으로 나뉜다.

주체 높임법

주체 높임법은 서술의 주체(주어)를 높이는 방법이다. 주체 높임법은 서술의 주체를 직접적으로 높이느냐 간접적으로 높이느냐에 따라 '직접 높임'과 '간접 높임'으로 나뉜다.

실현 방법

① **높임의 주격 조사:** '께서'

② **선어말 어미:** '-(으)시-'

③ **특수 어휘 사용:** '계시다', '주무시다', '잡수시다', '편찮다', '댁', '진지', '연세', '성함', '말씀' 등

아버지께서 종일 마당에 나가 계신다.

주격 조사 '께서'와 특수 어휘 '계시다' 사용 → 주체인 '아버지'를 높임.

'계시다', '주무시다' 등 특수 어휘에 포함된 '시'는 선어말 어미가 붙어서 활용되고 있는 것이 아니라 어간의 일부분이야. 어미는 용언이 활용할 때 쓰이는 개념이라는 거 잊지 않았지?

직접 높임과 간접 높임

직접 높임	주체를 직접 높이는 표현. 예 할머니께서는 댁에 계신다. ➲ 주체인 '할머니'를 높임.
간접 높임 ⊕	주체와 관련 있는 대상(신체, 말, 소유물, 가족 등)을 높임으로써 주체를 간접적으로 높이는 표현. 예 할아버지께서는 귀가 밝으시다. ➲ 주체인 할아버지의 신체(귀)를 높임.

객체 높임법

객체 높임법은 서술어의 대상이 되는 객체(문장의 목적어나 부사어)를 높이는 방법이다.

실현 방법

① **높임의 부사격 조사:** '께'

② **특수 어휘 사용:** '드리다', '모시다', '뵙다(뵈다)', '여쭙다(여쭈다)'⊕ 등

나는 어머니께 과일을 드렸다.

부사격 조사 '께'와 특수 어휘 '드리다' 사용 → 객체인 '어머니'를 높임.

개념⊕ 객체 높임 선어말 어미

주체를 높이기 위해 어간에 '-시-'라는 선어말 어미를 결합하는 것처럼, 중세 국어에는 객체를 높이기 위한 선어말 어미 '-숩/줍/숩-'이 있었다. 객체 높임 선어말 어미 '-숩/줍/숩-'은 점차 소멸하여 현대 국어에서 쓰이지 않게 되었지만 일부 어휘에 그 흔적이 남아 있다. 예를 들어 객체 높임의 특수 어휘 '여쭈다', '뵈다'가 '여쭙다', '뵙다'로 쓰이기도 하는데, 이때 어간에 덧붙은 'ㅂ'이 바로 '-숩/줍/숩-'의 흔적이다.

짚고 가요

잘못된 간접 높임의 사용

① 커피 나오셨습니다.(X)
많이 들어 본 말이지? 그렇지만 이 문장은 간접 높임을 잘못 사용한 문장이야. '커피'는 주체(손님)의 신체도, 말도, 소유물도 아니므로 높임의 대상이 아니거든. 그래서 '커피 나왔습니다.'처럼 쓰는 게 적절해.

② 사장님의 말씀이 계시겠습니다.(X)
간접 높임을 할 때는 특수 어휘를 쓰지 않아. 이런 경우는 선어말 어미 '-(으)시-'를 사용해서, '사장님의 말씀이 있으시겠습니다.'라고 하면 돼.

개념 콕 3 주체 높임법이 쓰인 문장에는 '주', 객체 높임법이 쓰인 문장에는 '객'을 쓰시오.

(1) 따님이 고우시네요.
(2) 희수가 할머니를 모시고 왔다.
(3) 선생님을 뵙고 안부를 여쭈었다.
(4) 교장 선생님께서 좋은 말씀을 해 주셨다.
(5) 나는 삼촌께 전화를 드렸다.

상대 높임법

상대 높임법은 대화의 상대, 즉 청자를 높이거나 낮추는 표현이다.

실현 방법

문장의 종결 표현을 통해 실현되므로 종결 어미와 관련된다.

상대 높임의 등급(체계)

상대 높임의 등급은 크게 격식체와 비격식체로 나뉘며, 전체적으로는 여섯 가지 등급으로 분류된다. 격식체는 심리적인 거리감을 나타내지만 비교적 격식을 차린 표현이고, 반면 비격식체는 친밀하고 정감 있게 느껴지지만 비교적 격식을 덜 차린 표현이다. 다음은 동사 '하다'를 기준으로 종결 표현의 변화 양상을 보인 것이다.

상대 '높임'법이라고 해서 낮추는 것은 상대 높임법이 아니라고 생각하면 안 돼. '낮춤'도 상대 높임법에 해당해. 또 아래 표는 외우려고 하지 말고, 각 상대 높임법의 등급에서 어떤 종결 어미들이 쓰였는지 확인해 봐.

		평서형	의문형	명령형	청유형	감탄형
격식체	하십시오체(아주높임)	합니다	합니까?	하십시오	(하시지요)	–
	하오체(예사 높임)	하오	하오?	하오	합시다	하는구려
	하게체(예사 낮춤)	하네	하나?	하게	하세	하는구먼
	해라체(아주낮춤)	한다	하니?	해라	하자	하는구나
비격식체	해요체(두루높임)	해요, 하지요	해요?, 하지요?	해요, 하지요	해요, 하지요	해요, 하지요
	해체(두루낮춤)	해, 하지	해?, 하지?	해, 하지	해, 하지	해, 하지

궁금해요 '해요체'에서 쓰이는 '요'는 어미인가요?

어말 어미 '-오'와 헷갈릴 수 있는데, '해요체'에 붙은 '요'는 높임의 의미를 더해 주는 보조사야. 따라서 활용할 수도 없고, 보조사 '요'가 빠져도 문장이 성립해. 즉, '해요체'에서 보조사 '요'가 빠지면 '해체'로 쓰일 수 있어.

예 거기 가요?(해요체) → 거기 가요니?(×) / 거기 가?(○)(해체)

3 시간 표현

시간을 언어적으로 표현한 것을 시간 표현이라 하는데, 국어의 시간 표현에는 시제와 동작상이 있다.

시제

시제는 연속적인 현상인 시간을 구분하여 나타내기 위한 언어적 표현이다. 말하는 이가 말하는 시점을 '발화시'라고 하고 사건이 일어나는 시점을 '사건시'라고 할 때, 시제는 발화시와 사건시의 선후 관계에 따라 과거, 현재, 미래로 나뉜다.

짚고 가요

다른 등급의 상대 높임법을 함께 쓸 수 있다?

상대 높임법의 등급은 여섯 가지로 나뉘어 있지만, 다른 등급의 상대 높임 표현을 함께 사용하는 것도 얼마든지 가능해.

이쪽으로 오십시오(하십시오체). 발 조심하세요(해요체).

위 예문을 보면 쉽게 알 수 있겠지? 경우에 따라 적절하게 섞어 쓸 수 있단다.

개념+ 높임 표현 한눈에 보기

주체 높임법	주어를 높임.
객체 높임법	목적어나 부사어를 높임.
상대 높임법	상대(청자)를 높이거나 낮춤.

개념 **콕 4** 다음 밑줄 친 부분이 높이고 있는 대상을 각각 쓰시오.

어머니, 어제 저는 아버지를 (1) 모시고 병원으로 (2) 갔어요.

(1) ________ (2) ________

개념 **콕 5** 다음 문장에서 사용된 높임법을 모두 쓰시오.

(1) 담임 선생님께서는 교무실로 가셨어요.
(2) 제가 준비한 선물을 드릴게요.
(3) 연세가 많으신 삼촌을 뵈러 갑니다.
(4) 책이 비싸서 못 샀어요.
(5) 사장님께서 부르시니 같이 가세.

콕 3 (1) 주 (2) 객 (3) 객 (4) 주 (5) 객 4 (1) 아버지 (2) 어머니 5 (1) 주체 높임법, 상대 높임법 (2) 객체 높임법, 상대 높임법 (3) 주체 높임법, 객체 높임법, 상대 높임법 (4) 상대 높임법 (5) 주체 높임법, 상대 높임법

개념+ **시제 선어말 어미의 다양한 쓰임**

① '-았-/-었-'

- 저는 엄마를 닮았어요. (상황의 지속)
- 화분을 깨뜨리다니, 넌 이제 엄마께 혼났다. (미래에 대한 확신)

완료된 상황이 현재까지 지속됨을 나타내거나 미래에 실현될 것을 확신할 때 쓰이기도 한다.

② -겠-

- 나는 이 일을 해 내고야 말겠다. (의지)
- 내일 낮쯤이면 답변이 오겠다. (추측)
- 편지를 읽으면 그의 생각을 알 수 있겠지? (가능성)
- 진행해도 되겠습니까? (완곡한 태도)

'-겠-'은 추측, 의지, 가능성, 완곡한 태도 등의 의미를 나타낼 때 쓰이기도 한다. (완곡한: 말하는 투가, 듣는 사람의 감정이 상하지 않도록 모나지 않고 부드럽다.) '-겠-'이 이러한 의미로 쓰일 때에는 시제 또한 다양하게 나타난다.

- 어제 지리산에는 비가 많이 왔겠구나. (과거 시제)
- 지금 지리산에는 비가 많이 오겠구나. (현재 시제)
- 내일 지리산에는 비가 많이 오겠구나. (미래 시제)

개념+ **동작상과 중의적 표현**

동작상은 진행상과 완료상 두 가지 의미로 해석되는 경우도 있다.

그가 양말을 신고 있다.
① 완료상: '그가 양말을 신은 상태'가 지속됨. → 그는 양말을 신은 상태이다.
② 진행상: '그가 양말을 신는 동작'이 진행됨. → 그는 양말을 신는 중이다.

개념 콕 **6** 밑줄 친 부분의 동작상을 '완료상'과 '진행상'으로 구분하시오.

(1) 학교에 뛰어가고 있다.
(2) 벌써 다 먹어 버렸다.
(3) 공부를 다 하고서 놀았다.

콕 6 (1) 진행상 (2) 완료상 (3) 완료상

시제의 종류

① **과거 시제**: 사건시가 발화시보다 앞서는 시제.

예 • 꽃이 들판에 피었다.
• 이것은 이미 읽은 책이다.

② **현재 시제**: 사건시와 발화시가 일치하는 시제.

예 • 잠을 자는 아기
• 그는 의사인 아버지를 자랑스러워했다.

③ **미래 시제**: 사건시가 발화시보다 나중인 시제.

예 • 내일은 택배가 오겠다.
• 여기는 살 만한 곳이야.

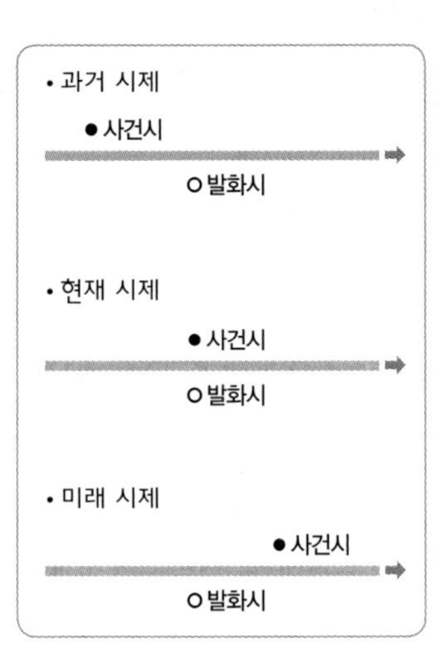

시제의 실현 방법

	과거 시제	현재 시제	미래 시제
선어말 어미 +	-았/었-, -았었/었었- -더-(회상)	동사: -는/ㄴ- 형용사: 없음.(기본형)	-겠-, -(으)리-
관형사형 전성 어미	동사: -(으)ㄴ, -던 형용사, 서술격 조사: -던	동사: -는 형용사, 서술격 조사: -(으)ㄴ	-(으)ㄹ
시간 부사어	'어제', '옛날' 등	'오늘', '지금' 등	'내일', '나중에' 등

동사 어간 뒤에 관형사형 어미 '-던'이 쓰이면 과거의 일이 미완료되었다는 의미임.

궁금해요 **'먹었다'와 '먹었었다'는 의미가 어떻게 다른가요?**

'-았었/었었-'과 같이 과거 시제 선어말 어미를 겹쳐서 쓰면, 현재와 강하게 단절되었다는 의미를 더할 수 있어. 예를 들어 "한반도에는 공룡이 살았었다."와 같이 말이야. 현재와 단절된 느낌이 강해지지? "한반도에는 공룡이 살았다."와 비교해 봐.^^

동작상

동작상+은 시간의 흐름 속에서 동작이 일어나는 모습을 표현하는 것으로, '완료상'과 '진행상' 등이 있다.

동작상의 종류

① **완료상**: 시간의 흐름 속에서 그 동작이 이미 완결되었거나 해당 사건이 끝난 결과가 지속되고 있음을 표현함.

예 • 지영이가 의자에 앉아 있다. • 안경을 잃어 버렸다. • 밥을 다 먹고서 놀아라.
(안경을 잃은 결과가 지속됨을 나타냄.)

② **진행상**: 시간의 흐름 속에서 그 동작이 진행되고 있음을 표현함.

예 • 지영이가 의자에 앉고 있다. • 빨래가 다 말라 간다. • 노래를 부르면서 춤을 춘다.

동작상의 실현 방법

	완료상	진행상
보조 용언	-아/어 있다, -아/어 버리다 등	-고 있다, -아/어 가다 등
연결 어미	-고서	-(으)면서

사뿐히 즈려밟는

확인 문제

정답과 해설 19쪽

바로바로 간단 체크

1 다음 문장에 나타난 높임법의 종류와 높임의 대상을 〈보기〉와 같이 쓰시오.

보기
고객님, 성함이 어떻게 되세요?
주체 높임법, 상대 높임법 / 고객, 고객의 이름(간접 높임)

(1) 할아버지, 주무시고 계시면 할머니를 모셔 올게요.

(2) 선생님의 아드님께서 오셨군요.

(3) 박 서방, 밥을 좀 더 먹게.

(4) 모친께서 고모께 안부를 전해 달라고 하셨어요.

(5) 이사님, 솜씨가 탁월하십니다.

2 다음 문장에서 높임 표현이 잘못된 부분을 찾아 바르게 고치시오.

(1) 숙모께서는 눈이 크네요.

(2) 철수야, 선생님이 오시래.

(3) 제가 아시는 분께 주려고요.

(4) 말씀하신 물건은 없으십니다.

(5) 은행이 끝나시기 전에 방문해 주세요.

3 다음 문장에 나타난 시제와 동작상을 각각 쓰시오.

(1) 온종일 눈이 내리고 있다.

(2) 어제 아이들이 운동장에서 뛰어 놀았다.

(3) 내년에 고등학생이 되면 열심히 공부하고 있겠지?

(4) 진영이는 의자에 앉아 있었다.

문장의 종류

01 〈보기〉의 문장에 대한 설명으로 적절하지 않은 것은?

보기
㉠ 날씨가 무척 덥습니다.
㉡ 제게 작은 희망을 주세요.
㉢ 지하철은 어디까지 왔어요?
㉣ 밖에 비가 많이 오더구나.
㉤ 주말에 같이 연극을 보러 가세.

① ㉠: 청자에게 사실을 전달하는 문장이다.
② ㉡: 청자에게 특정 행동을 요청하는 문장이다.
③ ㉢: 청자에게 정보를 요청하는 문장이다.
④ ㉣: 화자의 느낌을 표현하는 문장이다.
⑤ ㉤: 청자만 특정 행동을 하기를 요청하는 문장이다.

의문문의 종류

02 〈보기〉의 의문문을 종류에 따라 알맞게 구분한 것은?

보기
ⓐ 오늘 날씨가 어떠니?
ⓑ 이 문제를 풀 수 있겠어?
ⓒ 당연한 일 아니겠어?

	설명 의문문	판정 의문문	수사 의문문
①	ⓐ	ⓑ	ⓒ
②	ⓐ	ⓒ	ⓑ
③	ⓑ	ⓐ	ⓒ
④	ⓑ	ⓒ	ⓐ
⑤	ⓒ	ⓑ	ⓐ

간접 발화

03 문장의 유형과 화자의 의도가 일치하는 것은?

① 그 자리에서 기다려 줄래?
② 제가 선생님께 거짓말을 하겠습니까?
③ 시간이 되었으니 우리도 출발할까요?
④ 지금쯤이면 포도 맛이 얼마나 좋겠니?
⑤ 탁자에 있던 가방을 챙긴 사람이 너니?

주체 높임

04 **주체 높임 표현이 쓰이지 않은 문장은?**

① 사장님께서 임명장을 주셨다.
② 아주머니께 새 책을 빌려 드렸어.
③ 아버지께서는 신문을 읽고 계신다.
④ 선생님은 무엇이든 잘 가르쳐 주신다.
⑤ 어머니께서 여름 과일인 수박을 잡수신다.

간접 높임

05 **간접 높임의 예로 볼 수 없는 것은?**

① 할머니는 아직도 시골에 머무신다.
② 선생님의 말씀이 있으시겠습니다.
③ 할아버지는 아직도 눈이 밝으시다.
④ 교장 선생님은 지팡이가 있으시다.
⑤ 교수님의 아드님이 다음 달에 결혼하신다.

객체 높임

06 **〈보기〉의 예문을 탐색한 내용으로 적절하지 않은 것은?**

보기

객체 높임은 서술어의 행위가 미치는 대상에 위치한 인물을 높이는 것으로, 문장 속 부사어나 목적어의 자리에 오는 인물이 객체가 된다. 객체 높임을 위해서는 높임의 부사격 조사 '께', 높임의 의도를 담은 특수 어휘, 높임의 의미를 지닌 접미사 '-님' 등을 쓸 수 있다.

예 ㉠ 선생님께서 은사님께 편지를 드렸다.
㉡ 어머니께서 큰아버지께 진지를 대접하셨다.
㉢ 아버지께서 고모부를 모시고 집으로 오셨다.

① 채리: ㉠의 '께'는 객체인 '은사님'을 높이는 표현이야.
② 수빈: ㉡에서는 주체인 '어머니'와 객체인 '큰아버지'를 높이기 위한 높임 표현이 사용되었어.
③ 현빈: ㉠은 ㉡과 달리 높임의 접미사를 사용하고 있다는 것을 확인할 수 있어.
④ 재욱: ㉢에서는 ㉠과 ㉡에서 사용된 높임의 조사가 쓰이지 않고 있어.
⑤ 창희: ㉠~㉢에는 모두 특수 어휘를 사용한 객체 높임이 나타나.

높임 표현

07 **〈보기〉의 대화에 나타난 높임 표현에 대한 설명으로 적절하지 않은 것은?**

보기

학생1: 교수님, 저희 왔습니다.
교수: 어, 자네들 왔나? 여기 앉게.
학생2: 식사는 잘 잡수시고 계신가요?
교수: 잘 먹고 있으니 걱정 말게. 그나저나 공부는 잘 하고 있는가?
학생1: 네, 열심히 공부하고 있어요. 곧 과제를 제출하도록 하겠습니다.

① '학생1, 교수'는 종결 어미로 상대 높임을 실현하고 있다.
② '학생1'은 서로 다른 등급의 상대 높임 표현을 사용하고 있다.
③ '학생2'는 주체 높임 표현과 상대 높임 표현을 함께 사용하고 있다.
④ '학생2'는 교수를 간접적으로 높이기 위해 특수 어휘를 사용하고 있다.
⑤ '교수'는 하게체를 사용하여 '학생1, 학생2'에게 격식을 차리고 있다.

높임 표현

08 **다음 문장의 높임 표현을 분석한 내용으로 가장 적절한 것은?**

보기

"삼촌, 숙모께서 할머니께 선물을 드리러 큰집에 가셨어요."

	주체 높임	객체 높임	상대 높임
대상	㉠	할머니	㉢
높임 방식	께서, -시-	㉡	-요

	㉠	㉡	㉢
①	삼촌	께, 선물	숙모
②	삼촌	선물, 드리다	할머니
③	숙모	께, 드리다	삼촌
④	숙모	드리다, 큰집	삼촌
⑤	숙모	께, 드리다	숙모

시간 표현

09 시간 표현을 나타내는 표지인 〈보기 1〉을 바탕으로 〈보기 2〉를 분석한 내용으로 적절하지 않은 것은?

보기 1

(1) 관형사형 전성 어미의 사용

	과거	현재	미래
동사	-(으)ㄴ, -던	-는	-(으)ㄹ
형용사	-던	-(으)ㄴ	-(으)ㄹ

(2) 시간 부사어의 사용

어제(과거), 지금(현재), 내일(미래) 등

보기 2

ㄱ. 날 좋아하던 윤이가 이사를 갔다는 소식을 들었다.
ㄴ. 내일 수빈이가 정아를 만나러 갈 것이다.
ㄷ. 지금 벽화를 그리고 있는 마음 착한 아이들을 보라.

① ㄱ: 관형사형 전성 어미 '-던'을 통해 '윤이가 날 좋아하던 행동'이 과거에 일어났음을 알려 주네.
② ㄱ: '좋아하던'을 '좋아한'으로 바꾸게 되면, 관형절의 시제가 현재로 바뀌어 '윤이가 현재까지도 나를 좋아하고 있음'이 드러나겠군.
③ ㄴ: 부사어 '내일'과 관형사형 전성 어미 '-ㄹ'이 만나러 가는 행동'이 미래에 일어날 것임을 드러내고 있어.
④ ㄷ: 부사어 '지금'이 '아이들이 벽화를 그리는 행동'이 현재 일어나고 있음을 나타내고 있어.
⑤ ㄷ: 관형사형 전성 어미 '-ㄴ'이 아이들이 현재 '착한' 상태임을 알려 주고 있구나.

과거 시제 선어말 어미

10 〈보기〉의 밑줄 친 ⓐ, ⓑ의 예로 가장 적절한 것은?

보기

과거 시제 선어말 어미 '-았/었-'은 과거의 의미 외에도 다음과 같은 의미를 드러낼 수 있다.
(1) 과거에서 현재까지 동작이 완료된 상태로 이어져 왔음을 나타내는 ⓐ완결 상태의 지속
(2) 미래에 어떤 상황이 벌어질 것임을 확신함을 나타내는 ⓑ미래 실현에 대한 확신

	ⓐ	ⓑ
①	그는 울고만 있었다.	구슬픈 노랫소리가 들렸다.
②	오늘 잠은 다 잤네.	커다란 해일이 몰려왔다.
③	어제 늦게 잠들었다.	아기가 아장아장 걸었다.
④	엄마를 많이 닮았구나.	이제 승리하는 일만 남았다.
⑤	일찍 집으로 돌아갔다.	성적표가 나오면 나는 죽었다.

동작상

11 〈보기〉의 문장의 밑줄 친 부분을 진행상과 완료상으로 적절하게 구분한 것은?

보기

㉠ 고기가 익어 가는 중이다.
㉡ 비가 세차게 내리고 있다.
㉢ 동생이 새 옷을 입어 버렸다.

	진행상	완료상
①	㉠	㉡, ㉢
②	㉢	㉠, ㉡
③	㉠, ㉡	㉢
④	㉠, ㉢	㉡
⑤	㉡, ㉢	㉠

미래 시제 선어말 어미

12 문장에 사용된 '-겠-'의 시제가 다른 하나는?

① 내일 그 일을 하겠습니다.
② 곧 내 친구 진아가 돌아오겠다.
③ 서두르지 않으면 수업에 늦겠는데.
④ 지금쯤 뉴욕에도 비가 많이 내리겠지.
⑤ 이 정도 속도면 한 시간 뒤에 작업이 끝나겠어.

미래 시제 선어말 어미 2013학년도 7월 고3 학력평가

13 〈보기〉의 밑줄 친 부분의 사례에 해당하는 것은?

보기

선어말 어미 '-겠-'은 일반적으로 미래 시제를 나타내기 위하여 사용되며, 미래의 일에 대한 추측이나 가능성, 말하는 이의 의지 등을 나타내기도 한다. 그러나 특정 담화 상황에서는 말하는 이의 완곡한 태도를 나타내기 위해 사용되기도 한다.

① 제가 잠시 들어가도 되겠습니까?
② 동생은 영화를 보러 가겠다고 한다.
③ 지금 떠나면 저녁에야 도착하겠구나.
④ 다음 달 정도면 날씨가 시원해지겠지?
⑤ 이 정도의 고통은 내 힘으로 이겨내겠다.

간접 발화 2016학년도 9월 고2 학력평가

14 밑줄 친 부분이 〈보기〉의 ㉠에 해당하는 예로 적절하지 않은 것은?

보기

일반적으로 의문문은 화자가 청자에게 질문에 대한 대답을 요청할 때, 청유문은 화자가 청자에게 함께 행동할 것을 요청할 때 쓰인다. 그런데 담화 상황에 따라 의문문과 청유문 모두 ㉠화자가 청자에게 행동을 요청할 때 쓰이기도 한다.

① A : 얘들아, 영화 좀 보자.
B : 알았어. 떠들어서 미안해.
② A : 환기가 필요하구나. 창문 좀 열자.
B : 네. 알겠습니다.
③ A : 잠깐, 내가 안경을 어디다 뒀더라?
B : 너 혼자 거기서 뭐하니? 빨리 나와.
④ A : 방 청소를 해야 하는데, 좀 비켜 줄래?
B : 네, 엄마. 바로 나갈게요.
⑤ A : 기사님! 저 신호등 앞에서 세워 주시겠어요?
B : 네, 저기에 세우겠습니다.

높임 표현 2017학년도 4월 고3 학력평가

15 〈보기 1〉을 바탕으로 〈보기 2〉에서 사용된 높임의 양상을 바르게 분석하여 제시한 것은?

보기 1

주체 높임에는 서술의 주체를 직접 높이는 직접 높임과, 높여야 할 대상의 신체 부분, 개인적 소유물 등을 높임으로써 해당 인물을 높이는 간접 높임이 있다.

보기 2

아버지는 허리가 아프셔서 한영이가 아버지 대신 할아버지를 뵙고 왔습니다.

	주체 높임		객체 높임	상대 높임
	직접 높임	간접 높임		
①	×	○	○	높임
②	×	○	×	낮춤
③	○	×	○	높임
④	×	○	×	낮춤
⑤	○	×	○	낮춤

높임 표현 2017학년도 3월 고1 학력평가

16 ⓐ~ⓔ 중 〈보기〉의 ㉠에 해당하지 않는 것은?

보기

높임 표현에는 말하는 이가 듣는 이에 대하여 높이거나 낮추어 말하는 상대 높임, 서술의 주체를 높이는 주체 높임, 목적어나 부사어가 나타내는 대상, 즉 서술의 객체를 높이는 ㉠객체 높임이 있다.

선생님: 지은아, 방학은 잘 보냈니?
지은: 네. 제 용돈으로 할머니께 ⓐ드릴 선물을 사서 할머니 댁에 다녀왔어요.
선생님: 기특하다. 할머니를 ⓑ뵙고 왔구나. 가서 무엇을 했니?
지은: 아버지께서 할머니를 ⓒ모시고 병원에 가신 사이에 저는 ⓓ큰아버지께 인사를 드리고 왔어요.
선생님: 저런, 할머니께서 ⓔ편찮으셨나 보다.

① ⓐ ② ⓑ ③ ⓒ
④ ⓓ ⑤ ⓔ

시간 표현 2014학년도 10월 고3 학력평가Ⓐ

17 〈보기〉는 과거 시제를 표현하는 방법에 대해 조사한 것이다. ㄱ~ㅁ에 해당하는 예로 적절하지 않은 것은?

보기

ㄱ. 과거 시제란 사건시가 발화시보다 앞서 있는 시제로, 주로 과거 시제 선어말 어미 '-았/었-'을 통해 실현된다.
ㄴ. '-았었/었었-'은 발화시보다 전에 발생하여 현재와는 단절된 사건을 표현하는 데 쓰일 수 있다.
ㄷ. '-더-'는 과거 어느 때의 일이나 경험을 회상할 때에 사용하기도 한다.
ㄹ. 동사 어간에 붙는 관형사형 어미 '-(으)ㄴ'은 과거 시제를 표현하는 데 사용하기도 한다.
ㅁ. 관형사형 어미 '-던'은 과거 시제를 표현하는 데 사용하기도 한다.

① ㄱ : 너는 이제 집에 돌아오면 혼났다.
② ㄴ : 나는 예전에 그 집에 살았었다.
③ ㄷ : 지난여름에는 정말 덥더라.
④ ㄹ : 방학 동안 읽은 책이 제법 여러 권이다.
⑤ ㅁ : 여름에 푸르던 산이 붉게 물들었다.

시간 표현 2018학년도 9월 모의평가

18 **밑줄 친 말에 주목하여 〈보기〉의 ㉠~㉤에 대해 탐구한 결과로 적절하지 않은 것은?**

보기

㉠ 거기에는 눈이 왔겠다. / 지금 거기에는 눈이 오겠지.
㉡ 그가 집에 갔다. / 막차를 놓쳤으니 나는 집에 다 갔다.
㉢ 내가 떠날 때 비가 올 것이다. / 내가 떠날 때 비가 왔다.
㉣ 그는 지금 학교에 간다. / 그는 내년에 진학한다고 한다.
㉤ 오늘 보니 그는 키가 작다. / 작년에 그는 키가 작았다.

① ㉠을 보니, 선어말 어미 '-겠-'이 미래의 사건을 추측하는 데에 쓰이고 있군.
② ㉡을 보니, 선어말 어미 '-았-'이 과거 시제를 나타내지 않는 경우도 있군.
③ ㉢을 보니, 관형사형 어미 '-ㄹ'이 붙을 때 미래의 사건을 나타내지 않는 경우도 있군.
④ ㉣을 보니, 현재 시제 선어말 어미 '-ㄴ-'이 미래의 사건을 나타낼 때도 쓰이고 있군.
⑤ ㉤을 보니, 형용사에서 현재 시제를 나타낼 때 시제 선어말 어미가 나타나지 않고 있군.

높임 표현 2014학년도 10월 고3 학력평가

19 **'높임 표현'과 관련하여 〈보기〉의 ㉠~㉤에 대해 탐구한 내용으로 적절하지 않은 것은?**

보기

어머니: 진우야, 엄마 좀 도와줄래? (손에 든 짐을 보여 주며) 할머니 ㉠댁에 가져갈 건데 너무 무겁구나.
진 우: ㉡잠시만요. (한 손에 짐을 들고, 다른 팔로 어머니의 팔짱을 끼면서) 사모님, 같이 ㉢가실까요?
어머니: (웃으며) 얘도 참. 어서 가자. ㉣할머니께서 기다리실 거야.
진 우: 할머니 댁까지 ㉤모시게 되어 영광입니다.

① ㉠은 '할머니'와 관련된 대상을 높여 '할머니'를 높인 표현이다.
② ㉡에서는 보조사 '요'를 붙여 대화 상대방을 높인 표현이다.
③ ㉢은 주체 높임 선어말 어미 '-시-'를 사용하여 '어머니'를 높인 표현이다.
④ ㉣은 주격 조사 '께서'를 사용하여 '할머니'를 높인 표현이다.
⑤ ㉤은 '모시다'라는 특수 어휘를 사용하여 '할머니'를 높인 표현이다.

시간 표현 2013학년도 10월 고3 학력평가

20 **〈보기〉의 ㉠~㉤에 대한 설명으로 옳지 않은 것은?**

보기

시간을 표현하는 방법에는 시제와 동작상이 있다. 시제는 화자가 말하는 시점인 발화시와 동작이나 사건이 일어나는 시점인 사건시의 관계에 따라 과거 시제, 현재 시제, 미래 시제로 나뉜다. 동작상은 발화시를 기준으로 동작이 일어나고 있는 모습을 표현한 것인데, 동작이 진행되고 있음을 표현하는 진행상과 동작이 이미 완결되었음을 표현하는 완료상이 있다.

어머니: 방 정리를 ㉠하고 있구나.
아들: 네. 필요 없는 물건은 다 ㉡내놓았어요.
어머니: 잘 했구나. 그런데 얼마 전에 ㉢산 책은 어디 있니?
아들: 아, 그 책은 이미 다 읽어서 동생에게 ㉣줘 버렸어요.
어머니: 그래 잘 했다. 아참, 오늘 네 친구가 오기로 했지.
아들: 네. 조금 있다 저하고 같이 ㉤공부할 친구가 오기로 했어요.
어머니: 그래. 깨끗한 방에서 친구랑 재미있게 놀면 되겠구나.

① ㉠: '-고 있구나'는 동작이 진행되고 있음을 나타내고 있다.
② ㉡: '-았-'은 사건시가 발화시에 앞선다는 것을 나타내고 있다.
③ ㉢: '-ㄴ'은 발화시가 사건시에 앞선다는 것을 나타내고 있다.
④ ㉣: '-어 버렸어요'는 동작이 이미 완결되었음을 나타내고 있다.
⑤ ㉤: '-ㄹ'은 발화시가 사건시에 앞선다는 것을 나타내고 있다.

09 문법 요소 ② – 피동, 사동, 부정, 인용

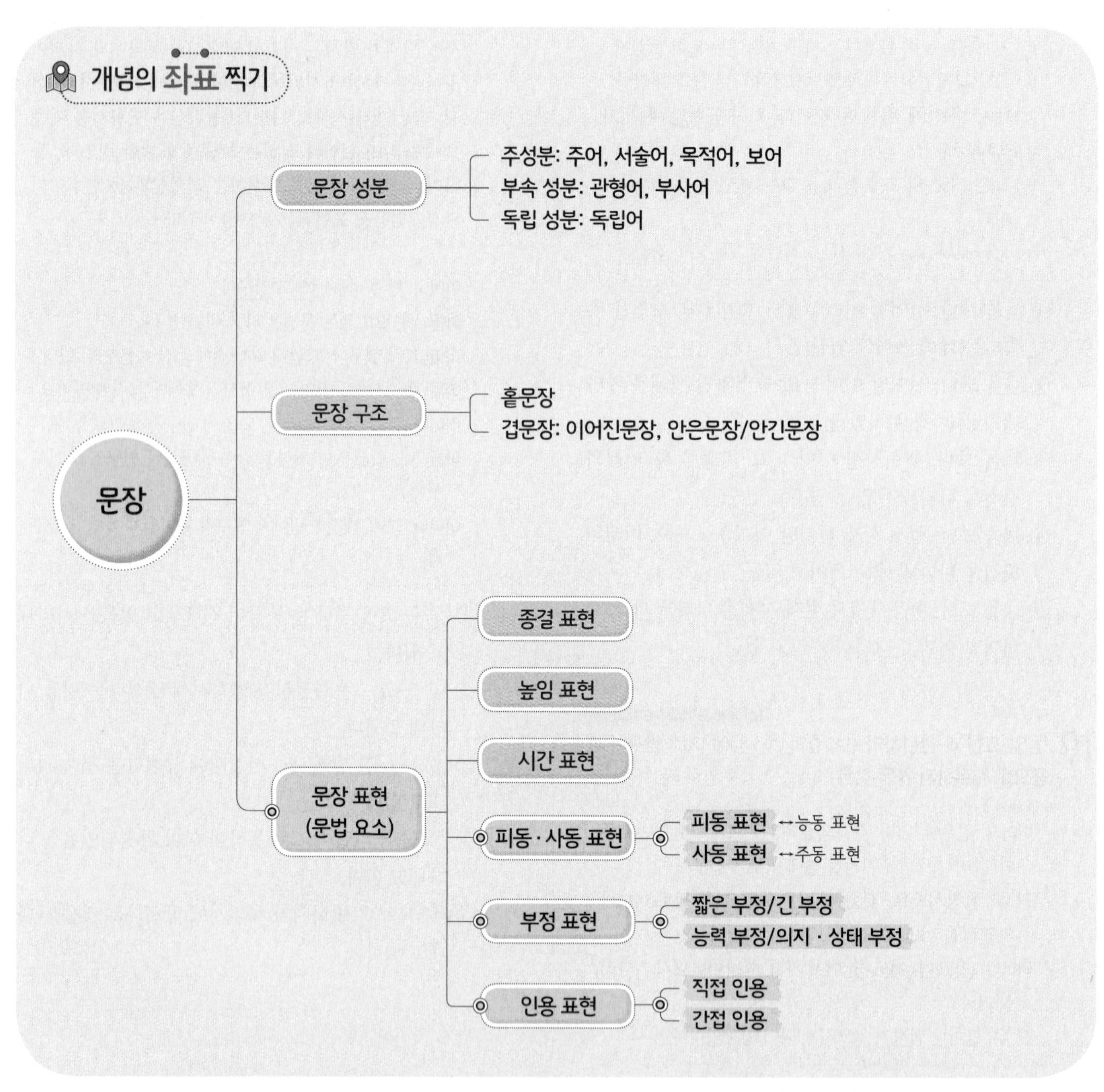

사동 표현

피동 표현

개념을 품은 기출 선택지

- '밀겨지지 않았다'는 이중 **피동 표현**을 사용하였다. (2015. 11. 고2 학력평가)
- 예를 들어, '보다'는 **사동사**와 **피동사**가 모두 '보이다'로 그 형태가 같다. (2015. 6. 모의평가Ⓐ)
- ㉣: **부정 부사 '못'**을 사용하여 B에게 일어난 상황이 불가피했음을 나타낸다. (2016. 6. 모의평가)
- ㉠은 영희 어머니의 발화를 그대로 옮긴 **직접 인용**이고, ㉡은 영희 어머니의 발화를 풀어 쓴 **간접 인용**이다. (2017. 9. 모의평가)

1 피동 표현

피동 표현이란 주어가 다른 주체에 의해 동작을 당하는 것을 나타내는 표현으로, 주어가 동작을 자기의 힘으로 하는 것을 나타내는 능동 표현과 상대적인 개념이다.

능동	주어가 자신의 의지나 제힘으로 동작을 하는 것. 예 고양이가 쥐를 쫓는다.
피동	주어가 다른 주체에 의해 동작을 당하는 것. 예 쥐가 고양이에게 쫓긴다. (쫓- + -기- + -ㄴ- + -다)

피동 표현의 형성

파생적 피동 (단형 피동, 짧은 피동)	① 용언의 어간 + 피동 접미사(-이-, -히-, -리-, -기-) ② 체언 + 피동 접미사(-되다) 예 잡- + -히- → 잡히다 / 체포 + -되다 → 체포되다
통사적 피동 (장형 피동, 긴 피동)	용언의 어간 + '-어지다', '-게 되다' 예 이루- + -어지다 → 이루어지다 드러나- + -게 되다 → 드러나게 되다

능동문이 피동문으로 바뀔 때

① 능동문의 목적어는 피동문의 주어가 된다.

② 능동문의 주어는 피동문의 부사어가 된다. ('에, 에게'(부사격 조사) 또는 '에 의해'가 붙음.)

③ 능동사는 피동사로 변한다. (또는 능동사에 '-어지다'가 결합된다.)

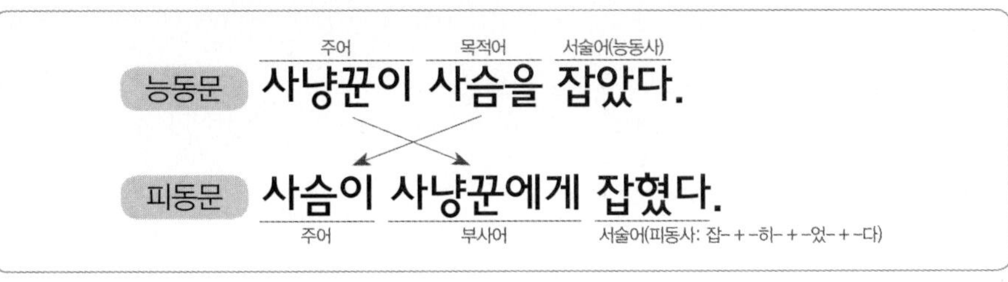

짚고 가요

능동문과 피동문의 대응

능동과 피동은 상대적인 개념이라, 일반적으로는 서로 대응돼. 하지만 예외도 있지.

(1) 날씨가 풀렸다. (2) (하늘이) 날씨를 풀었다.(X)

➲ 피동문 (1)을 능동문 (2)로 바꾸면 문장이 어색해져. '풀다'라는 행동의 주체를 설정하기 어렵기 때문이야.

(3) 희주가 칭찬을 들었다. (4) 칭찬이 희주에게 들렸다.(X)

➲ 능동문 (3)을 피동문 (4)로 바꿔도 이상하지? '칭찬'과 같은 무정물이 행동의 주체가 되면 어색하게 느껴지거든.

능동문과 피동문이 항상 대응하지는 않는다는 점, 기억해 둬!

개념+ 능동사, 피동사

능동사	주어가 제힘으로 행하는 동작을 나타내는 동사.
피동사	능동사에 피동 접미사 '-이-, -히-, -리-, -기-'가 결합되어 파생된 동사.

※ 피동사가 파생되지 않는 동사들도 있다.(주다, 받다, 배우다 등)

예 보다(능동사) ↔ 보이다(피동사)
주다(능동사): 피동사 없음.

궁금해요 '당하다'는 파생적 피동인가요, 통사적 피동인가요?

둘 다 아니야. '당하다', '맞다' 등 어휘의 의미 자체가 피동인 동사를 사용한 경우는 '어휘적 피동'으로 따로 분류하고 있어.

개념 콕 1 각 문장이 능동문인지 피동문인지 구분해서 쓰시오.

(1) 시골 마을이 눈에 덮였다.

(2) 사냥꾼이 노루를 잡았다.

(3) 문이 바람에 닫혔다.

콕 1 (1) 피동문 (2) 능동문 (3) 피동문

2 사동 표현

사동 표현이란 주어가 다른 대상에게 동작을 시키는 것을 나타내는 표현으로, 주어가 동작을 직접 하는 것을 나타내는 주동 표현과 상대적인 개념이다.

주동	주어가 동작을 직접 하는 것. 예 아이가 옷을 입었다.
사동	주어가 동작을 다른 대상이 하도록 하는 것. 예 아빠가 아이에게 옷을 입혔다. (입- + -히- + -었- + -다)

사동 표현의 형성

사동 표현은 파생적 사동과 통사적 사동에 의해 만들어진다. 파생적 사동은 상황에 따라 직접 사동으로 해석되기도 하고 간접 사동으로 해석되기도 한다. 반면 통사적 사동은 간접 사동으로만 해석된다.

➡ 이 때문에 중의성을 지니기도 함.(97쪽)

① 직접 사동: 주어의 직접적인 행위 ② 간접 사동: 주어의 간접적인 행위
예 훈이는 동생에게 치킨을 먹였다. → (①로 해석) 훈이가 직접 먹여 줌.
→ (②로 해석) 훈이가 동생에게 먹도록 시킴.

구분	내용
파생적 사동 (단형 사동, 짧은 사동)	① 용언의 어간 + 사동 접미사 (−이−, −히−, −리−, −기−, −우−, −구−, −추−) ② 체언 + 사동 접미사(−시키다)
	예 높− + −이− → 높이다 / 오염 + −시키다 → 오염시키다
통사적 사동 (장형 사동, 긴 사동)	어간 + '−게 하다'
	예 먹− + −게 하다 → 먹게 하다

주동문이 사동문으로 바뀔 때

① 주동문에는 없었던 주어가 새로 생기게 된다.

② 주동문의 주어는 부사어나 목적어로 바뀐다.

③ 서술어인 주동사는 사동사로 바뀌거나, '−게 하다'가 결합된다.

➡ 서술어의 자릿수도 변함.

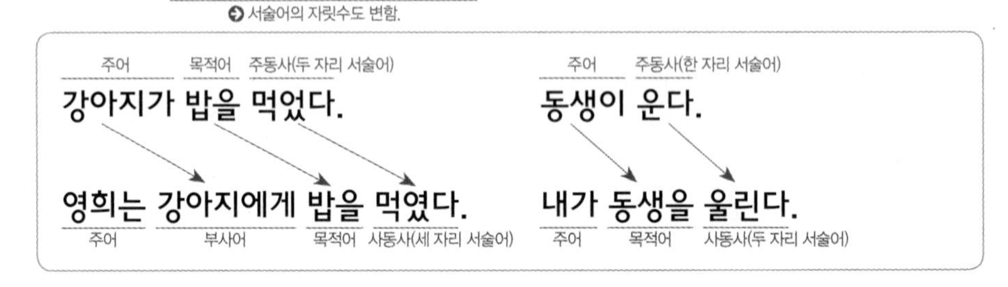

짚고 가요

피동문과 사동문의 구별

피동 접미사와 사동 접미사 중 일부는 형태가 같기 때문에, 피동사와 사동사의 형태까지 같은 경우가 있어. 이런 경우 문맥을 확인해서 피동문인지, 사동문인지 확인하는 게 좋아. 또는 동사의 접미사를 빼고 '−게 하다'를 결합해 봐. 이때 문장이 어색해지면 피동문이야.

- 그녀가 그의 품에 안기다.
→ 그녀가 그의 품에 안게 하다.
➡ 문장이 어색하므로 피동사 '안기다'가 쓰인 피동문

- 그녀가 그에게 꽃을 안기다.
→ 그녀가 그에게 꽃을 안게 하다.
➡ 문장이 어색하지 않으므로 사동사 '안기다'가 쓰인 사동문

개념+ 주동사, 사동사

주동사	문장의 주체가 스스로 행하는 동작을 나타내는 동사.
사동사	문장의 주체가 자기 스스로 행하지 않고 남에게 그 행동이나 동작을 하게 함을 나타내는 동사. 주동사에 사동 접미사 '-이-, -히-, -리-, -기-, -우-, -구-, -추-'가 결합되어 파생된다.

예 녹다(주동사) ↔ 녹이다(사동사)
예 늦다(주동사) ↔ 늦추다(사동사)

궁금해요 '시키다'는 파생적 사동인가요, 통사적 사동인가요?

둘 다 아니야. '시키다', '명령하다', '지시하다' 등 어휘의 의미 자체가 사동인 동사는 '어휘적 사동'으로 따로 분류돼.
참고로 동사 '시키다'와 접미사 '-시키다'는 다른 단어이니 구분해 둬. 접미사 '-시키다'는 '파생적 사동'에 해당해.

개념+ 동음이의어인 주동사와 사동사

[주동사] 먹이다: 가축 따위를 기르다.
예 시골에서 소를 먹인다.
[사동사] 먹이다: 먹- + -이- + -다
예 강아지에게 밥을 먹인다.

[주동사] 놀리다: 짓궂게 굴거나 흉을 보거나 웃음거리로 만들다.
예 아이들이 친구를 놀리다.
[사동사] 놀리다: 놀- + -리- + -다
예 그렇게 몸을 놀리면 편하니?

개념 콕 2 각 문장이 주동문인지 사동문인지 구분해서 쓰시오.

(1) 그들이 좁은 길을 넓혔다.

(2) 어머니는 아이들이 밥을 먹게 했다.

(3) 명준이가 그 임무를 맡았다.

짚고 가요

이중 피동

피동 표현을 두 번 겹쳐 쓰는 것을 '이중 피동'이라고 해. 이 경우는 피동 표현이 중복되는 것이기 때문에 적절한 표현이 아니야. 보통 피동 접미사를 두 번 쓰거나, 아니면 피동 접미사와 '-어지다, -게 되다'를 같이 쓰는 실수를 하지.

구분	잘못된 표현		올바른 표현
이중 피동	• 잊혀진 계절이 돌아왔다. (잊- + -히- + -어진) • 유명 작가에 의해 쓰여진 책이다. (쓰- + -이- + -어진) • 노래가 널리 불리게 되다. (부르- + -이- + -게 되다)	→	• 잊힌 계절이 돌아왔다. • 유명 작가에 의해 쓰인 책이다. • 노래가 널리 불리다. 노래를 널리 부르게 되었다.

그런데 '알려지다', '밝혀지다', '떨어지게 되다'는 이중 피동이 아니니까 주의하자!
알려지다 → 알리-(사동사) + -어지다 / 밝혀지다 → 밝히-(사동사) + -어지다 / 떨어지게 되다 → 떨어지- + -게 되다

불필요한 피동 표현, 사동 표현

피동 표현이나 사동 표현을 쓰지 않아도 되는데 굳이 피동이나 사동으로 표현하는 것은 지양해야 해. 특히 피동 표현은, 자기의 생각, 예상, 판단 등을 나타낼 때 책임을 피하려는 심리 때문에 불필요하게 사용하는 경우가 많아. 하지만 주어가 능동적으로 하는 행위에는 피동 표현을 사용하지 않는 것이 적절해. 또, 주체가 스스로 행위를 하는 경우에는 사동 표현을 쓰는 것이 적절하지 않기 때문에 '-시키다'가 아니라 '-하다'를 붙여서 표현해야 해.

구분	잘못된 표현		올바른 표현
불필요한 피동 표현	• 그렇게 생각됩니다. • 날이 맑을 것으로 예상됩니다.	→	• 그렇게 생각합니다. • 날이 맑을 것으로 예상합니다.
불필요한 사동 표현	• 내 친구를 소개시켜 줄게. • 창문을 열고 환기시켰다.		• 내 친구를 소개해 줄게. • 창문을 열고 환기했다.

3 부정 표현

부정 표현이란 문장의 내용 전체나 일부분을 부정하는 표현으로, 부정 부사 '못', '안(아니)'과 부정 보조 용언 '아니하다(않다)', '못하다'를 사용하여 나타낸다.

부정 표현의 종류

부정 표현은 형태에 따라서는 부정 부사를 사용하는 짧은 부정문과, 부정 보조 용언을 사용하는 긴 부정문으로 나눌 수 있다. 또한, 내용에 따라서는 '못, 못하다'로 실현되는 능력 부정과 '안, 아니하다'로 실현되는 의지 부정·상태 부정으로 나눌 수 있다.

(능력 부정: 외부의 원인, 주체의 능력 부족으로 일이 일어나지 못함. / 의지 부정: 주체의 의지로 하지 않음. / 상태 부정: 단순한 사실이나 상태의 부정.)

의미 \ 형태	짧은 부정문	긴 부정 (평서문, 의문문, 감탄문)	긴 부정 (명령문, 청유문)
능력 부정	'못' + 용언	'-지 못하다'	없음.
의지 부정	'안(아니)' + 용언	'-지 아니하다(않다)'	'-지 마라', '말자'
상태 부정	'안(아니)' + 용언	'-지 아니하다(않다)'	없음.

예 나는 숙제를 못 했다. / 나는 숙제를 하지 못했다. ➲ 외부 원인에 의한 부정
나는 숙제를 안 했다. / 나는 숙제를 하지 않았다. ➲ 주체의 의지에 의한 부정
위험한 데는 가지 마라. / 우리 놀이공원 가지 말자. ➲ 명령문과 청유문에서의 부정
비가 안 왔다. / 비가 오지 않았다. ➲ 주로 형용사에서 상태 부정

궁금해요 이중 사동도 쓰지 말아야 할 표현인가요?

이중 피동이 쓰인 문장은 문법적으로 옳지 않다고 할 수 있지만, 이중 사동은 맥락에 따라 써야 하는 상황이 있어서 항상 옳지 않다고 하기 어려워. 예를 볼까?

> 의사 선생님이 엄마에게 아기 팔을 올리게 했다.

이 문장은 사동주가 둘이기 때문에 이중 사동 표현이 나타났어. 사동사 '올리다'의 사동주는 '엄마'이고 '-게 하다'라는 사동 표현의 사동주는 '의사 선생님'이기 때문이지.
또 사동 접미사 '-이-', '-우-'는 겹쳐 쓰는 것을 허용한단다.

> • 세우다(서- + -이- + -우- + -다)
> • 재우다(자- + -이- + -우- + -다)

개념+ 형용사와 능력 부정

형용사는 주체의 의지가 작용할 수 없기 때문에 원칙적으로 능력 부정문으로 사용할 수 없다.

> (1) 강물이 못 깨끗하다.(×)
> (2) 강물이 깨끗하지 못하다.(○)

다만, (2)의 경우처럼 말하는 이의 기대에 못 미치는 상태를 아쉬워할 때는 예외적으로 긴 부정문이자 '못' 부정문의 형태로 사용한다.

개념 콕 3 긴 부정문을 짧은 부정문으로 바꾸어 쓰시오.

(1) 영수가 땅콩을 먹지 않았다.
→

(2) 동훈이가 지안이를 만나지 못했다.
→

콕 2 (1) 사동문 (2) 사동문 (3) 주동문
3 (1) 영수가 땅콩을 안 먹었다. (2) 동훈이가 지안이를 못 만났다.

짚고 가요

부정 표현의 중의성
(97쪽)

부정 표현은 부정 표현이 미치는 범위가 분명치 않아서 중의성을 지니게 되기도 해. 이때 보조사 '은/는, 만, 도' 등을 사용하면 부정 표현의 중의성을 해소할 수 있어.

'민호가 택시를 안 탔다.'의 중의적 의미		중의성 해소
• 택시를 탄 것은 민호가 아니다. (다른 사람이 탔다.)		민호는 택시를 안 탔다.
• 민호가 탄 것은 택시가 아니다. (다른 것을 탔다.)	→	민호가 택시는 안 탔다.
• 민호가 택시를 탄 것이 아니다. (세우기만 했다.)		민호가 택시를 타지는 않았다.

4 인용 표현

인용 표현은 다른 사람의 말이나 글을 자신의 말이나 글에 끌어서 쓰는 표현이다. 인용 표현이 쓰인 문장을 인용문이라고 하며, 인용문에는 인용의 부사격 조사 '라고'나 '고'가 쓰인다.

직접 인용과 간접 인용

직접 인용	""(큰따옴표), 조사 '라고'	말하는 이가 다른 사람의 말이나 글을 그대로 옮겨 전하는 방식. 예 하원이는 내게 "지금 상황이 꿈만 같아."라고 말했다. (하원이의 말을 그대로 옮김.) 재환이는 "네가 우승할 것 같은데?"라고 말했다. (재환이의 말을 그대로 옮김.)
간접 인용	조사 '고'	말하는 이가 다른 사람의 말이나 글을 자신의 표현으로 바꾸어 전하는 방식. 예 하원이는 내게 지금 상황이 꿈만 같다고 말했다. 재환이는 내가 우승할 것 같다고 말했다.

직접 인용이 간접 인용으로 바뀔 때

① 인용절의 종결 어미가 바뀐다.
② 조사 '라고'가 조사 '고'로 바뀐다.
③ 시제나 대명사는 인용하는 시점과 인용하는 사람에게 맞추어 바뀐다.
④ 인용하는 사람 스스로에 대한 높임 표현은 쓰지 않는다.

어제 후배가 내게 "내일 저의 사무실에 계세요."라고 했어.

시제 변경 / 대명사 변경 (1인칭→3인칭) / 종결 어미, 높임 표현, 조사 변경

어제 후배가 내게 오늘 자기의 사무실에 있으라고 했어.

개념 콕 4 다음 문장을 직접 인용 표현으로 바꾸어 쓰시오.

> 지호가 어제, 오늘까지 과제를 걷자고 말했다.

개념 콕 5 다음은 직접 인용을 간접 인용으로 바꾸어 쓴 것이다. 문법적으로 적절하지 않은 부분을 찾아 바르게 고치시오.

> 그제 민정이가 내게 "제가 성의껏 준비했으니 모레 많이 드세요."라고 하더라.
> → 그제 민정이가 내게 제가 성의껏 준비했으니 모레 많이 드시라고 하더라.

콕 4 지호가 어제, "내일까지 과제를 걷자."라고 말했다.
5 적절하지 않은 부분: 제, 모레, 드시라고 / 그제 민정이가 내게 자기가 성의껏 준비했으니 오늘 많이 먹으라고 하더라.

사뿐히 즈려밟는

확인 문제

정답과 해설 21쪽

✔ 바로바로 간단 체크

1 다음 문장이 능동문인지 피동문인지 쓰고, 〈보기〉를 참고하여 능동문은 피동문으로, 피동문은 능동문으로 바꾸시오.

보기
새로운 사실이 밝혀졌다. 피동문
→ (주어가) 새로운 사실을 밝혔다.

(1) 그림이 벽에 걸렸다.
→ ______________________

(2) 배가 파도에 의해 뒤집어졌다.
→ ______________________

(3) 생태계가 사람들에게 파괴되었다.
→ ______________________

(4) 박 감독이 이 영화를 만들었다.
→ ______________________

2 다음 문장이 주동문인지 사동문인지 쓰고, 〈보기〉를 참고하여 주동문은 사동문으로, 사동문은 주동문으로 바꾸시오.

보기
동생이 숨는다. 주동문
→ (주어가) 동생을 숨겼다. / (주어가) 동생을 숨게 했다.

(1) 나는 동생에게 옷을 입게 했다.
→ ______________________

(2) 동생이 잠자리를 잡았다.
→ ______________________

(3) 물이 유리잔에 가득 찼다.
→ ______________________

(4) 선생님은 학생이 밥을 먹게 했다.
→ ______________________

3 다음 문장의 직접 인용 표현을 간접 인용 표현으로 바꾸시오.

(1) 송희가 "빨리 뛰지 마."라고 말했다.
→ ______________________

(2) 어제 엄마는 "내일 공원에서 김밥을 먹자."라고 하셨다.
→ ______________________

(3) 민규는 "내가 선생님을 모시고 올게."라고 했다.
→ ______________________

피동 표현

01 밑줄 친 부분에서 피동 표현을 만들 때 사용된 방법이 다른 것은?

> 피동문은 피동 접미사 '-이-, -히-, -리-, -기-'에 의해 만들어지는 단형 피동문과 보조 용언 '-어지다', '-게 되다'에 의해 만들어지는 장형 피동문으로 구분된다.

① 하늘이 검은 구름에 덮였다.
② 그들은 국경 밖으로 쫓겨 났다.
③ 이 산은 멀리서 봐야 멋져 보인다.
④ 그가 연주하는 피아노 소리가 들렸다.
⑤ 발명가는 사람들에게 존경받게 되었다.

피동문의 의미 특성

02 〈보기 1〉을 활용하여 〈보기 2〉의 피동문의 특징을 분석한 내용으로 적절하지 않은 것은?

보기 1
※ 피동문의 의미상 특징
1. 행동은 객체(목적어나 부사어)가 하고, 주체는 그 행동에 자신의 의지와 관련 없이 휘말리는 것을 표현한다.
2. 자신의 행동에 의해 발생한 사건임을 숨기고 싶을 때 피동 표현을 사용할 수 있다.
3. 행동을 당하는 대상을 강조함으로써 어떤 의도를 전달하고자 할 때 사용한다.

보기 2
ㄱ. 사슴이 늑대에게 물렸다.
ㄴ. (화분을 깨뜨린 아들이) "엄마, 화분이 깨졌어요."
ㄷ. (탁자를 가리키며 종업원에게) "탁자가 안 닦였네요."

① ㄱ의 무는 행동은 문장의 주체인 사슴이 아니라 객체인 늑대가 하고 있구나.
② ㄱ의 사슴은 늑대에게 물리는 행동을 자신의 의지와 상관없이 당한 것이로군.
③ ㄴ의 아들은 자신의 행동에 의해 화분이 깨졌음을 숨기기 위해 피동 표현을 사용했구나.
④ ㄴ의 경우와 유사한 예로 '빨래가 바람에 날려 떨어졌어요.'를 들 수 있겠어.
⑤ ㄷ의 경우 '닦는' 행동의 대상인 '탁자'를 강조하기 위해서 피동 표현을 사용한 것이구나.

2 문장

피동 표현

03 피동 표현을 적절하게 사용한 문장은?

① 어려운 문제가 풀려졌다.
② 의자가 자리에서 들려졌다.
③ 공장에서 제작되어진 자동차다.
④ 드디어 유적의 비밀이 밝혀졌다.
⑤ 찢겨진 종이는 어디에 버려야 하나요?

사동 표현

04 사동문으로 볼 수 없는 것은?

① 의사가 환자를 눕혔다.
② 누나는 내게 책을 읽혔다.
③ 철수가 음식을 많이 남겼다.
④ 그 사람에게 마음이 끌렸다.
⑤ 사기꾼이 마을 사람들을 속였다.

직접 사동과 간접 사동

05 〈보기 1〉을 바탕으로 〈보기 2〉를 탐구한 내용으로 적절하지 않은 것은?

보기 1

사동문에서 주체가 사동의 대상의 행위에 함께 참여하는 것을 직접 사동이라고 하고, 그렇지 않은 경우를 간접 사동이라고 한다. 파생적 사동은 맥락에 따라 직접 사동과 간접 사동의 두 가지 의미로 해석될 수 있으며, 통사적 사동은 간접 사동의 의미만 표현한다. 이 때문에 파생적 사동을 통사적 사동으로 바꾸면 그 중의성을 해소할 수 있다.

보기 2

㉠ 엄마가 아이에게 흰 양말을 신겼다.
㉡ 엄마가 아이에게 흰 양말을 신게 했다.

① ㉠, ㉡은 주체가 다른 대상에게 특정 동작을 하도록 하고 있으므로 사동문이다.
② ㉠은 맥락에 따라 직접 사동으로 해석되기도 하고 간접 사동으로 해석되기도 한다.
③ ㉠의 중의성을 해소하려면 서술어의 어간 '신기-'에 '-게 하다'를 결합해야 한다.
④ ㉡은 '엄마가 아이가 직접 양말을 신도록 시켰다.'라는 의미이다.
⑤ ㉡은 통사적 사동으로 사동 표현에 의한 중의성이 나타나지 않는 문장이다.

피동 표현과 사동 표현

06 〈보기〉를 탐구한 내용으로 적절하지 않은 것은?

보기

주동문이 사동문으로, 능동문이 피동문으로 바뀔 때 생기는 문장 구조의 변화를 살펴봄으로써 두 문장 표현의 차이를 이해할 수 있다.

※ 주동문이 사동문으로 바뀔 때의 문장 구조 변화

주동문			길이 (주어)	넓다 (서술어)
			↓	↓
사동문	인부들이 (주어)		길을 (목적어)	넓힌다 (서술어)

주동문		지호가 (주어)	별을 (목적어)	보았다. (서술어)
		↓	↓	↓
사동문	엄마가 (주어)	지호에게 (부사어)	별을 (목적어)	보게 했다. (서술어)

※ 능동문이 피동문으로 바뀔 때의 문장 구조 변화

능동문	엄마가 (주어)	아이를 (목적어)	업었다 (서술어)
	⤩		↓
피동문	아이가 (주어)	엄마에게 (부사어)	업혔다 (서술어)

① 능동문에서 피동문이 형성될 때와 주동문에서 사동문이 형성될 때는 모두 서술어가 지닌 어근의 의미는 변하지 않는군.
② 능동문에서 피동문이 형성될 때와 주동문에서 사동문이 형성될 때는 형태가 같은 접미사가 쓰이기도 하니 주의해야 되겠군.
③ 능동문에서 피동문이 형성될 때와 달리 주동문에서 사동문이 형성될 때는 이전 문장의 주어가 부사어가 되는 경우도 있군.
④ 능동문에서 피동문이 형성될 때와 달리 주동문에서 사동문이 형성될 때는 이전의 문장에선 찾을 수 없었던 새로운 주어가 설정되는군.
⑤ 주동문에서 사동문이 형성될 때와 달리 능동문에서 피동문이 형성될 때는 이전 문장의 주체가 객체가 되고, 이전 문장의 객체는 주체가 되는군.

'안' 부정문의 구분

07 부정문의 성격이 다른 하나는?

① 지금은 눈이 오지 않는다.
② 나는 슬픈 영화는 보지 않는다.
③ 수완이가 시험을 치르지 않았다.
④ 우리는 그를 후보로 추천하지 않았다.
⑤ 윤서는 엄마의 질문에 대답하지 않았다.

부정 표현

08 〈보기〉의 ⓐ~ⓑ에 들어갈 내용으로 가장 적절한 것은?

보기
지웅: 어제 동아리 모임에 네가 안 보이더라? 성현 선배가 너 찾았는데, 무슨 일 있었어?
규희: 요즘 시험 준비를 열심히 했더니 몸살이 났지 뭐야. 정말 가고 싶었는데 (ⓐ) 가서 아쉬워.
지웅: 맞다, 선배들이 "힘들면 오(ⓑ)."라고 하셨었지.

① ⓐ 못, ⓑ –지 말자 ② ⓐ 못, ⓑ –지 마라
③ ⓐ 못, ⓑ –지 않자 ④ ⓐ 안, ⓑ –지 않자
⑤ ⓐ 안, ⓑ –지 못하자

부정 표현

09 〈보기〉를 탐구한 내용으로 적절하지 않은 것은?

보기
• 윤하는 어제 점심을 (㉠못 먹었다 / ㉡안 먹었다).
• 윤하는 어제 점심을 (㉢먹지 못했다 / ㉣먹지 않았다).
• 윤하야, 점심을 (㉤먹지 말아라 / 먹지 말자).
• 윤하가 어제 점심을 ㉥먹었지 않아?

① ㉠은 윤하가 점심을 거른 이유가 외부 원인 때문이라는 의미를 나타낸다.
② ㉡은 윤하가 점심을 먹고 싶지 않아서 이를 행동으로 옮겼다는 의미이다.
③ ㉢과 ㉣은 연결 어미와 보조 용언을 사용하는 긴 부정문의 형태를 띠고 있다.
④ ㉤은 다른 부정 표현과 달리 먹는 행동을 금지하려는 화자의 의도가 나타난다.
⑤ ㉥은 긴 부정문의 형태를 사용해 자신의 의지로 행동을 금지하는 의도를 드러내었다.

부정 표현

10 〈보기〉의 ㉠~㉥에 대한 설명으로 가장 적절한 것은?

소라: 너 내일 콘서트 ㉠안 가니?
태일: 안 가는 게 아니라 ㉡못 가는 거야.
소라: 왜? 꼭 갈 거라고 ㉢하지 않았어?
태일: 너무 바빠서 표를 ㉣못 구했어. 표 양도도 찾아봤는데 ㉤구하지 못했고. 속상하니까 이 얘기는 더 이상 ㉥하지 말자.

① ㉠, ㉡: 부정 보조 용언을 사용한 부정 표현이다.
② ㉠, ㉢: 상태 부정을 나타내는 부정 표현이다.
③ ㉡, ㉣: 의지 부정을 나타내는 부정 표현이다.
④ ㉣, ㉤: 의미 차이는 없으나 형태가 다른 부정 표현이다.
⑤ ㉤, ㉥: 주로 명령문에서 쓰이는 부정 표현이 쓰였다.

인용 표현

11 〈보기〉를 이해한 내용으로 적절하지 않은 것은?

보기
ㄱ. 태연이가 내게 "훈이랑 영화 보러 가라."라고 말했다.
ㄴ. 태연이가 내게 훈이와 영화 보러 가라고 말했다.

① ㄱ은 태연이가 한 말을 그대로 인용하고 있다.
② ㄴ은 태연이의 말을 자신의 말로 바꾸어 인용하고 있다.
③ ㄱ에서는 인용절 표지 '라고'가 쓰이고 있다.
④ ㄴ에서는 '라고'에서 직접 인용임을 알 수 있다.
⑤ ㄱ과 ㄴ 모두 청자에게 다른 사람의 말을 전달하는 기능을 하고 있다.

인용 표현

12 〈보기〉의 바꾼 문장[A]에 대한 설명으로 적절한 것은?

보기
어제 민호는 어머니께 "저도 내일 늦으니 주무시고 계세요."라고 말했다.

↓ 간접 인용으로 바꾸기

[학생의 답] 어제 민호는 어머니께 자기도 오늘 늦으니 자고 계시라고 말했다. …… [A]

① '오늘'은 '내일'로 바꾸는 것이 적절하겠군.
② '자고'는 '주무시고'로 바꾸는 것이 적절하겠군.
③ '계시라고'는 '있으라고'로 바꾸는 것이 적절하겠군.
④ '라고'를 보아 인용의 부사격 조사를 잘못 사용하였군.
⑤ 민호가 한 말이라는 사실을 강조하기 위해 큰따옴표를 추가하는 것이 적절하겠군.

피동 표현 2018학년도 3월 고2 학력평가

13 〈보기〉의 ㉠과 ㉡에 해당하는 예로 적절한 것은?

보기

피동문은 서술어가 형성되는 방법에 따라서, '파생적 피동문'과 '통사적 피동문'으로 나뉜다. 파생적 피동문은 능동사 어간을 어근으로 하여 파생 접미사 '-이-, -히-, -리-, -기-'가 붙어 만들어진 피동사를 서술어로 하는 문장이다. 한편 통사적 피동문은 서술어로 쓰이는 타동사의 어간에 '-아/어지다' 등이 결합되어 만들어진다.

그런데 동사의 성격에 따라서는 ㉠피동사로 파생되지 않는 동사도 있다. 또 ㉡능동문의 서술어로 쓰인 동사의 피동사가 존재함에도 불구하고 파생적 피동문으로 바꿀 수 없는 문장도 있다.

	㉠	㉡
①	주다	고양이가 쥐를 잡았다.
②	먹다	사람들이 열심히 풀을 뽑았다.
③	돕다	동생이 부모님께 칭찬을 들었다.
④	만나다	학생들이 벽화를 멋지게 그렸다.
⑤	나누다	누나가 일부러 문을 세게 닫았다.

사동 표현 2013학년도 9월 고1 학력평가

14 〈보기〉를 바탕으로 '사동'에 대해 학습하였다. ㉠~㉤에 해당하는 예로 적절하지 않은 것은?

보기

사동문은 용언에 사동 접미사 '-이-', '-히-', '-리-', '-기-', '-우-', '-구-', '-추-' 등을 붙인 사동사를 사용하여 만들 수 있는데, ㉠'남으로 하여금 어떤 동작을 하도록 한다'의 의미를 지닌다. 이 때 ㉡용언에 사동 접미사가 두 개 붙는 경우도 있다. 또한 ㉢용언에 '-게 하다'를 붙여 사동문을 만들 수도 있다. 사동문은 ㉣의미가 중의적으로 나타나기도 한다. 한편, ㉤사동사의 형태를 띠지만 사동의 의미에서 다소 멀어진 경우도 있다.

① ㉠: 선생님께서 윤호에게 책을 읽히셨다.
② ㉡: 어머니께서 아기를 재우고 계신다.
③ ㉢: 영희가 태호에게 사과를 깎게 했다.
④ ㉣: 할머니께서 손자에게 색동옷을 스스로 입게 하셨다.
⑤ ㉤: 삼촌께서 올해는 농장에서 돼지를 먹인다고 하셨다.

피동 표현과 사동 표현 2015학년도 6월 모의평가Ⓐ

15 〈보기〉의 ㉠, ㉡에 해당하는 것은?

보기

우리말의 용언 중에는 피동사와 사동사의 형태가 동일한 것이 있다. 예를 들어, '보다'는 사동사와 피동사가 모두 '보이다'로 그 형태가 같다. 이때 ㉠사동사로 쓰인 경우와 ㉡피동사로 쓰인 경우는 다음과 같이 문장에서의 쓰임을 통해 구별된다.

- 동생이 새 시계를 내게 보였다. (사동사로 쓰인 경우)
- 구름 사이로 희미하게 해가 보였다. (피동사로 쓰인 경우)

① ㉠: 운동화 끈이 풀렸다.
　㉡: 아빠의 칭찬에 피로가 금세 풀렸다.
② ㉠: 우는 아이가 엄마 등에 업혔다.
　㉡: 누나가 이모에게 아기를 업혔다.
③ ㉠: 나는 젖은 옷을 햇볕에 말렸다.
　㉡: 동생은 집에 가겠다는 친구를 말렸다.
④ ㉠: 새들이 따뜻한 곳에서 몸을 녹였다.
　㉡: 햇살이 고드름을 천천히 녹였다.
⑤ ㉠: 형이 친구에게 꽃다발을 안겼다.
　㉡: 아기 곰이 어미 품에 포근히 안겼다.

피동 표현과 사동 표현 2016학년도 11월 고2 학력평가

16 〈보기〉를 바탕으로 피동문과 사동문에 대해 이해한 내용으로 적절하지 않은 것은?

보기

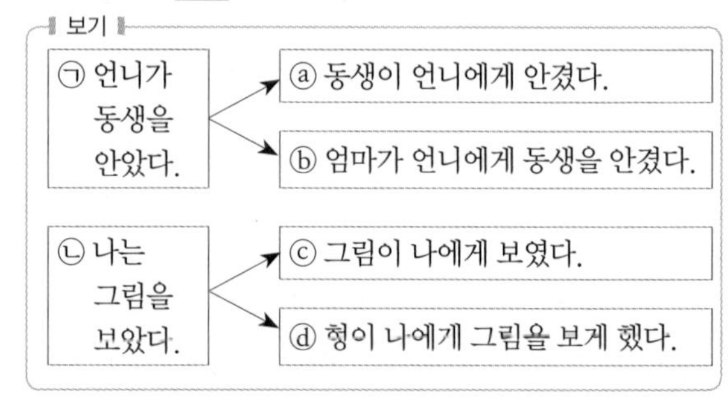

① ㉠과 ⓐ를 보니 능동문의 주어는 피동문에서 부사어가 되는군.
② ㉡과 ⓒ를 보니 능동문의 목적어는 피동문에서도 목적어가 되는군.
③ ㉡과 ⓓ를 보니 주동문이 사동문으로 바뀌면 새로운 주어가 나타나는군.
④ ⓐ와 ⓑ를 보니 피동사와 사동사의 형태가 같을 수 있군.
⑤ ⓑ와 ⓓ를 보니 사동사나 '-게 하다'를 활용하여 사동문을 만들 수 있군.

부정 표현 2014학년도 4월 고3 학력평가Ⓐ

17 다음은 학교 홈페이지의 '질의-응답 게시판'의 일부이다. 이를 바탕으로 〈보기〉의 과제를 수행했을 때, 적절하지 않은 것은?

국어 학습 Q&A

질문

학생 오늘 문법 시간에 부정문에 대해 배웠는데, '아니(안), 못'이 쓰이면 짧은 부정문이고, '아니다, 아니하다(않다), 못하다'가 쓰이면 긴 부정문이라는 내용은 이해가 돼요. 그런데 의지 부정과 능력 부정, 상태 부정은 구분이 잘 안 돼요.

↳ **선생님** 의지 부정은 '안, 아니하다' 등을 사용하여 행동 주체의 의지가 작용할 수 있는 행위를 부정하는 것이며, 능력 부정은 '못, 못하다' 등을 사용하여 행동 주체의 능력이나 그 외의 다른 외부의 원인 때문에 그 행위가 일어나지 못하는 것을 뜻합니다. 그리고 상태 혹은 단순 부정이란 '정화는 키가 작지 않다.'와 같이 의지 부정이나 능력 부정이 아니라 단순히 사실을 부정하는 것입니다.

↳ **선생님** 그리고 긴 부정문인 경우, 명령문에서는 '마 / 마라'를 사용하고 청유문에서는 '말자'를 사용합니다.

보기

문법 과제 '가다, 던지다, 먹다, 어둡다, 예쁘다'를 활용하여 다양한 부정문을 만들어 봅시다.

① '가다'를 사용하여 긴 부정문의 명령문을 만들면 "위험한 곳에는 가지 마라."가 됩니다.

② '던지다'를 사용하여 능력 부정의 긴 부정문을 만들면 "민지는 공을 던지지 못했다."가 됩니다.

③ '먹다'를 사용하여 능력 부정의 짧은 부정문을 만들면 "나는 밥을 못 먹었다."가 됩니다.

④ '어둡다'를 사용하여 상태 부정의 긴 부정문을 만들면 "하늘이 어둡지 않다."가 됩니다.

⑤ '예쁘다'를 사용하여 의지 부정의 짧은 부정문을 만들면 "꽃이 안 예쁘다."가 됩니다.

인용 표현 2017학년도 9월 모의평가

18 〈보기〉의 ⓐ~ⓓ에 들어갈 말을 올바르게 짝지은 것은?

보기

㉠ 영희 어머니께서는 "네 동생은 착해."라고 말씀하셨다.

㉡ 영희 어머니께서는 내 동생이 착하다고 말씀하셨다.

㉠은 영희 어머니의 발화를 그대로 옮긴 직접 인용이고, ㉡은 영희 어머니의 발화를 풀어 쓴 간접 인용이다. 그런데 직접 인용을 간접 인용으로 바꿀 때나 간접 인용을 직접 인용으로 바꿀 때는 인용절 속의 어미, 인용 조사, 대명사, 지시 표현, 높임 표현 등에 변화가 생길 수 있다.

직접 인용	아들이 어제 저에게 "내일 사무실에 계십시오."라고 말했습니다.
↓	
간접 인용	아들이 어제 저에게 (ⓐ) 사무실에 (ⓑ) 말했습니다.

직접 인용	언니는 어제 "나의 휴대 전화에 메시지를 꼭 남겨라."라고 나에게 말했다.
↓	
간접 인용	언니는 어제 (ⓒ) 휴대 전화에 메시지를 꼭 (ⓓ) 나에게 말했다.

	ⓐ	ⓑ	ⓒ	ⓓ
①	오늘	있으라고	자기의	남기라고
②	어제	계시라고	자기의	남겨라고
③	오늘	있으라고	나의	남겨라고
④	오늘	계시라고	자기의	남겨라고
⑤	어제	계시라고	나의	남기라고

2 문장

10 올바른 문장 표현

개념의 좌표 찍기

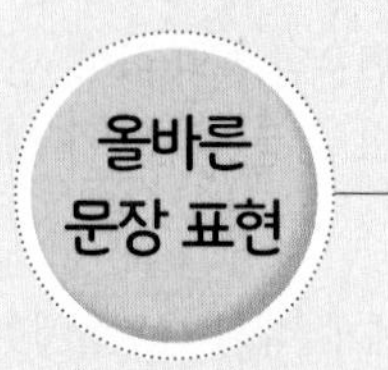

올바른 문장 표현
- 문장 성분의 호응 지키기
- 필요한 문장 성분 갖추기
- 불필요한 문장 성분 없애기
- 문법 요소를 바르게 사용하기
- 정확한 표현 사용하기
- 중의적인 표현 사용하지 않기

100人: 이 단원은 문법 영역뿐 아니라 작문 영역의 '고쳐쓰기' 문항에서도 자주 나오는 내용이니까 꼼꼼하게 공부해 두자. 특히 '왜 이 문장이 올바르지 않은 문장인지'를 중점으로 공부하면 좋아. 지금부터 올바른 문장을 쓰기 위해 고려해야 할 점들을 알려 줄게.

개념을 품은 기출 선택지

- ㉡: '내가 주장하는 바는'과 **호응**하는 서술어가 있어야 한다. (2015. 9. 모의평가)
- ㉢: 문장의 의미가 **중의적**으로 해석된다. (2014. 3. 고3 학력평가Ⓑ)
- ㉠은 '손이 크다'의 **의미가** 신체의 손이 큰지 씀씀이가 큰지 **모호하기 때문에** 명확하게 해석하기 어렵군. (2016. 6. 모의평가)

1 문장 성분의 호응 지키기

호응이란 앞에 어떤 말이 오면 거기에 응하는 말이 따라오는 것을 의미한다. 올바른 문장은 문장을 구성하는 여러 문장 성분들이 서로 자연스럽게 어울린다.

주어와 서술어의 호응	예 무엇보다 중요한 것은 목표가 분명해야 한다. → 무엇보다 중요한 것은 목표가 분명해야 한다는 점이다.
목적어와 서술어의 호응	예 우리는 빵과 우유를 마셨다. → 우리는 빵을 먹고 우유를 마셨다.
부사어와 서술어의 호응	예 그는 여간 행복했다. → 그는 여간 행복하지 않았다.
조사와 서술어의 호응	예 그 일은 담당자에게 상의하십시오. → 그 일은 담당자와 상의하십시오.

짚고 가요

부사어와 서술어 호응의 예

우리말에는 특정 서술어와만 어울리는 부사어들이 있어. 그리고 이 호응은 이미 정해져 있기 때문에, 알아 두는 것이 좋아.

부사어	서술어
비단	~아니다.
그다지	~않다, 못하다.
왜냐하면	~때문이다.
여간	~지 않다, ~이 아니다.
별로	~않다, 없다.
모름지기	~해야 한다.
결코	~아니다, 없다, 못하다.
절대(로)	~않다, 없다, 안 되다.
반드시	~한다, ~해야 한다.
비록	~일지라도
전혀	~지 않다, 아니다.
마치	~같다.
아마	~ㄹ 것이다.
차마	~수 없다, ~지 않다.
하물며	~랴.

2 필요한 문장 성분 갖추기

문장 성분은 문맥을 통해 그 의미를 정확하게 알 수 있는 범위 내에서만 생략할 수 있다.
예 나는 민호와 영화를 보고, (민호와) 밥도 먹었다.

주어의 생략	예 내가 학교에 도착했을 때, 이미 끝났다. → 내가 학교에 도착했을 때, 졸업식이 이미 끝났다.
목적어의 생략	예 우리는 선생님을 존경했고, 그분 또한 사랑했다. → 우리는 선생님을 존경했고, 그분 또한 우리를 사랑했다.
부사어 생략	예 어머니는 종종 내 하얀 얼굴이 닮았다고 말하셨다. → 어머니는 종종 내 하얀 얼굴이 외할머니와 닮았다고 말하셨다.
서술어의 생략	예 눈과 바람이 분다. → 눈이 내리고 바람이 분다.

3 불필요한 문장 성분 없애기

한 문장 안에서 같은 단어가 반복되거나, 같은 의미의 말이 중복되지 않도록 해야 한다.
➲ 특히 고유어와 한자어를 겹쳐 쓸 때 주의해야 함.

단어의 반복	예 속담의 특징은 비유적인 표현을 사용해 교훈을 전달하는 점이 특징이다. → 속담의 특징은 비유적인 표현을 사용해 교훈을 전달하는 것이다. 속담은 비유적인 표현을 사용해 교훈을 전달하는 점이 특징이다.
의미의 중복	예 미리 예습을 하는 것이 좋다. → 예습을 하는 것이 좋다. 미리 공부하는 것이 좋다.

개념+ 의미가 중복되는 표현

과반수가 넘다.
돌이켜 회상하다.
공기를 자주 환기하다.
감정을 밖으로 표출하다.
우선 건강 먼저 챙겨라.
따뜻한 온정이 느껴진다.
미리 예상한 일이다.
그 말들은 서로 상충된다.
뇌리 속에 선명하다.
결실을 맺다.
새로 나온 신곡
지나친 과욕
방학 기간 동안

4 문법 요소를 바르게 사용하기

불필요한 피동·사동 표현 쓰지 않기

능동문이나 주동문으로 표현해도 될 것을 피동문이나 사동문으로 표현하지 않도록 하며, 특히 피동 표현을 이중으로 사용한 이중 피동을 쓰지 않도록 유의해야 한다.

어색한 피동 표현	예 • 오늘 다루어질 안건을 발표하겠다. → 오늘 다룰 안건을 발표하겠다.	• 그 집은 할아버지에 의해 지어졌다. → 그 집은 할아버지께서 지으셨다.
어색한 사동 표현	예 • 길을 헤매이다. → 길을 헤매다.	• 환경을 개선시켜야 한다. → 환경을 개선해야 한다.
이중 피동 표현	예 • 그 책은 조선 시대에 쓰여졌다. → 그 책은 조선 시대에 쓰였다. (써졌다).	• 좋은 분위기가 형성되어지고 있다. → 좋은 분위기가 형성되고 있다.

잘못된 높임 표현 쓰지 않기

높임 표현을 쓸 때는 높여야 할 대상을 제대로 높이고 있는지, 잘못된 대상을 높인 것은 아닌지 유의해야 한다. 특히 간접 높임에서는 높임의 특수 어휘를 사용하면 안 된다.
예 계시다, 모시다 등

잘못된 대상을 높인 경우	예 • 궁금한 점은 제게 여쭤 보세요. → 궁금한 점은 제게 물어 보세요. ➲ 객체 높임 특수 어휘 '여쭈다'를 사용하여 자기 자신을 높이고 있음. • 선생님께서 너 오시래. → 선생님께서 너 오라고 하셔. ➲ 높임 대상에 해당하지 않는 '너'를 높이고 있음.
잘못된 간접 높임을 한 경우	예 • 이 신발은 손님께 크시네요. → 이 신발은 손님께 크네요. ➲ 간접 높임 대상에 해당하지 않는 '신발'을 높이고 있음. • 교장 선생님의 말씀이 계시겠습니다. → 교장 선생님의 말씀이 있겠습니다. ➲ 간접 높임에서 높임의 특수 어휘를 사용함.
높임 대상을 높이지 않은 경우	예 • 제가 사장님께 줄 선물이 있습니다. → 제가 사장님께 드릴 선물이 있습니다. ➲ 높임 대상인 '사장님'(객체)을 높이지 않고 있음.

개념 콕 1 다음 문장의 밑줄 친 부분을 바르게 고치시오.

(1) 나는 춤과 노래를 불렀다.

(2) 청년은 모름지기 진취적이다.

(3) 인간은 자연을 지배하기도 하고, 복종하기도 한다.

(4) 과반수 이상이 찬성했다.

(5) 열려진 창문으로 바람이 분다.

(6) 네 친구 좀 소개시켜 줘.

(7) 여기 잔돈 있으세요.

(8) 아버지, 무슨 걱정이 계세요?

콕 1 (1) 춤을 추고 (2) 진취적이어야 한다. (3) 자연에 복종하기도 한다. (4) 과반수가 (5) 열린 창문 (6) 소개해 (7) 있어요 (8) 있으세요

5 정확한 표현 사용하기

비슷한 단어나 조사, 어미를 혼동하여 쓰지 않도록 주의해야 한다.

다르다 VS 틀리다	예 난 너랑 틀리게 생각해. → 난 너랑 다르게 생각해. (틀리게: 그르다. / 다르게: 같지 않다.)
맞히다 VS 맞추다	예 너 3번 답 맞췄어? → 너 3번 답 맞혔어? (문제의 답을 틀리지 않게 하다.) 같이 일정을 맞혀 보자. → 같이 일정을 맞추어 보자. (둘 이상의 일정한 대상들을 나란히 놓고 비교하여 살피다.)
든지 VS 던지	예 • 밥을 먹던지 말던지. → 밥을 먹든지 말든지. (선택) • 그 맛이 어찌나 좋든지. → 그 맛이 어찌나 좋던지. (회상)
로서 VS 로써	예 • 학생으로써 부끄럽지도 않니? → 학생으로서 부끄럽지도 않니? (자격, 지위, 신분) • 열심히 공부함으로서 성적을 올리다. → 열심히 공부함으로써 성적을 올리다. (수단, 방법)
에 VS 에게	예 • 규리는 학교에게 기부를 했다. → 규리는 학교에 기부를 했다. (무정 체언에 사용) • 나는 고양이에 물을 줬다. → 나는 고양이에게 물을 줬다. (유정 체언에 사용)

6 중의적인 표현 사용하지 않기

문장의 중의성이란 한 문장이 둘 이상의 뜻으로 해석되는 것을 의미한다. 문장의 중의성을 해소하는 방법으로는 쉼표의 사용, 어순의 교체, 의미를 분명히 하는 단어의 추가, 보조사의 사용 등이 있다.

수식 범위에 따른 중의성

꾸미는 말이 무엇을 꾸미는지 분명하지 않은 경우이다.

예 • 나는 아름다운 영희의 동생을 보았다.
[의미 ❶] 나는 아름다운 영희의, 동생을 보았다.
[의미 ❷] 나는 아름다운, 영희의 동생을 보았다.
나는 영희의 아름다운 동생을 보았다.

• 영희는 웃으면서 다가오는 철수에게 말했다.
[의미 ❶] 영희는 웃으면서, 다가오는 철수에게 말했다.
[의미 ❷] 웃으면서 다가오는 철수에게 영희는 말했다.

'와/과'의 범위에 따른 중의성

'와/과'가 연결하는 대상이 모호한 경우이다.

예 • 나는 영수와 영희를 만났다.
[의미 ❶] 영수와 나는 영희를 만났다. / 나는 영수와 함께 영희를 만났다.
[의미 ❷] 나는, 영수와 영희를 만났다.

• 나는 개와 고양이 두 마리를 키운다.
[의미 ❶] 나는 개 한 마리와 고양이 한 마리를 키운다.
[의미 ❷] 나는 개 한 마리와 고양이 두 마리를 키운다.
[의미 ❸] 나는 개와 고양이를 각각 두 마리씩 키운다.

짚고 가요

수식의 범위를 명확히 하는 방법
• 쉼표를 찍음으로써 수식의 범위를 분명히 밝힌다.
예 나는 아름다운 영희의, 동생을 보았다.
• 꾸미는 말을 꾸밈을 받는 말 바로 앞으로 옮긴다.(거리를 가깝게 한다.)
예 나는 영희의 아름다운 동생을 보았다.

개념 콕 2 다음 중 문법적으로 틀린 문장은?

① 공원에 가는 중이야.
② 나랑 정답 맞춰 보자.
③ 그 제품과 이 제품은 달라요.
④ 지원을 하든 말든 마음대로 해.
⑤ 난 반장으로서 반에게 책임이 있어.

비교 대상에 따른 중의성

조사 '보다/만큼'이 비교하는 대상이 명확하지 않은 경우이다.

예 그녀는 나보다 영화를 더 좋아한다.
[의미 ❶] 그녀는 나와 영화 중에서 영화를 더 좋아한다.
그녀는 나를 좋아하기보다는 영화를 더 좋아한다.
[의미❷] 그녀는 내가 영화를 좋아하는 것보다 영화를 더 좋아한다.

주어에 따른 중의성

주격 조사가 서술어의 앞뒤에 거듭되어 그 주체가 모호한 경우이다.

예 내가 보고 싶은 친구가 많다.
[의미 ❶] 나는 보고 싶은 친구가 많다.
[의미 ❷] 나를 보고 싶은 친구가 많다.

부정 표현의 범위에 따른 중의성

부정 표현이 미치는 범위가 분명하지 않아서 중의성이 생긴다.

예
- 친구들이 다 오지 않았다.
  [의미 ❶] 친구들이 아무도 오지 않았다.
  [의미 ❷] 친구들이 다는 오지 않았다.
- 내가 철수를 안 때렸다.
  [의미 ❶] 나는 철수를 안 때렸다.
  [의미 ❷] 내가 때린 사람은 철수가 아니다.
  [의미 ❸] 내가 철수를 때리지는 않았다.

시제·사동 표현에 따른 중의성

시제 표현의 동작상은 완료상, 진행상으로 해석될 수 있고, 사동 표현의 파생적 사동은 직접 사동, 간접 사동으로 해석될 수 있어서 중의성이 생긴다.
78쪽 86쪽

예
- 민경이가 빨간 구두를 신고 있다. 동작상
  [의미 ❶] 민경이가 빨간 구두를 신는 중이다. 진행상
  [의미 ❷] 민경이가 빨간 구두를 신은 상태로 있다. 완료상
- 태훈이가 동생에게 밥을 먹였다. 파생적 사동
  [의미 ❶] 태훈이가 직접 동생에게 밥을 먹였다. 직접 사동
  [의미 ❷] 태훈이가 동생이 스스로 밥을 먹게 하였다. 간접 사동

개념+ 그 밖의 중의적인 표현

- 단어 자체가 지닌 의미에 따른 중의성

(1) 말이 많다.
➔ 동음이의어(① 言, ② 馬)

(2) 다리가 부러지다.
➔ 다의어(① 사람의 다리 ② 사물의 다리)

(3) 철수는 손이 크다.
➔ 관용어(① 손(신체 부위)이 크다. ② 씀씀이가 크다.)

- 관형격 조사 '의'에 따른 중의성

어머니의 그림
[의미 ①] 어머니를 그린 그림
[의미 ②] 어머니가 소유한 그림
[의미 ③] 어머니가 그린 그림

짚고 가요

번역투

드라마에서 이런 말 들어 봤을 거야. "우리, 시간을 좀 갖자." 헤어지기 전 연인들이나 할 법한 말과 문법 공부가 무슨 상관이냐고? 사실 이 말은 번역투로, 우리말답지 않은 표현이야. 이처럼 영어나 일본어의 영향을 받은 번역투가 우리말에서 종종 쓰이는데, 이런 번역투는 쓰지 않도록 주의해야 해.

- 그는 세 아이를 갖고 있다.
  → 그에게는 아이가 셋 있다.
- 내게 있어서 소중한 추억
  → 내게 소중한 추억
- 나는 너에 대한 애정이 많다.
  → 나는 너에게 애정이 많다.
- 학교는 산 근처에 위치하고 있다.
  → 산 근처에 학교가 있다.
- 폭우로 인하여 농작물이 떠내려갔다.
  → 폭우 때문에 농작물이 떠내려갔다.

2 문장

개념 콕 3 다음 문장이 어떤 요소에 따른 중의성을 지니는지 쓰시오.

(1) 나는 장미와 백합 두 송이를 샀다.

(2) 그녀는 모자를 쓰고 있다.

(3) 상현이 걸어온 길은 험난하다.

(4) 나는 엄마보다 드라마를 더 좋아한다.

(5) 따뜻한 너의 손을 잡으니 마음이 편안해졌다.

콕 2 ⑤ 3 (1) '와/과'의 범위에 따른 중의성 (2) 시제 표현에 따른 중의성 (3) 단어 자체가 지닌 의미(다의어)에 따른 중의성 (4) 비교 대상에 따른 중의성 (5) 수식 범위에 따른 중의성

사뿐히 즈려밟는

확인 문제

✔ 바로바로 간단 체크

1 다음 문장에서 문법적으로 틀린 부분을 찾아 밑줄을 치고, 올바른 문장 표현으로 고치시오.

(1) 실내 공기를 자주 환기해야 한다.

(2) 나는 별로 만두를 먹고 싶다.

(3) 강아지처럼 고양이에도 꼬리가 있다.

(4) 이 이야기의 교훈은 늘 성실하게 임해라.

(5) 이 커피는 많이 달콤하신 메뉴세요.

(6) 시민들의 기부에서 따뜻한 온정이 느껴진다.

(7) 그 일은 마치 기적이다.

(8) 내일은 비와 구름이 끼겠습니다.

(9) 남에게 고통을 주거나 마음을 상하게 하지 마라.

(10) 많은 작품들이 모여졌다.

2 중의성이 해소된 문장에는 ○표, 중의성이 해소되지 않은 문장에는 ×표 하시오.

(1) 동생이 보고 싶은 사람이 많다.
→ 동생은 보고 싶은 사람이 많다. ( )

(2) 민주는 나보다 운동을 더 좋아한다.
→ 민주는 운동을, 나보다 더 좋아한다. ( )

(3) 아빠가 아이에게 밥을 먹였다.
→ 아빠가 밥을 아이에게 먹였다. ( )

(4) 정준이는 웃으면서 떠나는 영준이에게 인사했다.
→ 정준이는 웃으면서, 떠나는 영준이에게 인사했다. ( )

(5) 재민이가 밥을 안 먹었다.
→ 재민이는 밥만 안 먹었다. ( )

(6) 지원이는 모자를 쓰고 있다.
→ 지원이는 모자를 썼다. ( )

중의적 표현

01 〈보기〉의 밑줄 친 부분에 해당하는 예로 적절한 것은?

보기

"나는 멋진 오빠의 친구를 보았다."는 수식하는 말의 수식 범위가 불분명하여 두 가지 이상의 의미로 해석되는 문장이다. 즉, '오빠'가 멋진 것인지, '오빠의 친구'가 멋진 것인지 분명하지 않아 중의적으로 해석된다.

① 사랑스러운 짝꿍의 강아지가 있다.
② 내 친구는 나보다 수학을 좋아한다.
③ 아버지께서 오래된 신발을 신고 계신다.
④ 나와 그는 올해 겨울에 결혼할 예정이다.
⑤ 솔미는 나에게 망고와 바나나 두 개를 주었다.

문장 성분의 호응

02 〈보기〉의 설명을 바탕으로 잘못된 문장을 수정한 예로 적절하지 않은 것은?

보기

문장의 호응에는 주어와 서술어의 호응, 부사어와 서술어의 호응, 시간을 나타내는 말과 서술어의 호응 등이 있다. 이러한 문장 성분 사이의 호응은 올바른 문장을 이루기 위한 조건이 되므로, 문장의 호응 관계를 고려하여 정확한 문장을 써야 한다.

① 이는 비단 나만의 일이다.
→ 이는 비단 나만의 일일 뿐이다.
② 정부는 곧 경기가 회복될 것이라는 전망입니다.
→ 정부는 곧 경기가 회복될 것이라고 전망합니다.
③ 내가 하고 싶은 말은 수학여행은 경주로 가자.
→ 내가 하고 싶은 말은 수학여행은 경주로 가자는 것이다.
④ 강아지 키우는 것이 여간 어려운 일이다.
→ 강아지 키우는 것은 여간 어려운 일이 아니다.
⑤ 정미는 어젯밤에 무슨 일이 있는지 말하려 하지 않았다.
→ 정미는 어젯밤에 무슨 일이 있었는지 말하려 하지 않았다.

올바른 문장 표현

03 〈보기 1〉은 문장을 수정할 때 살펴야 할 내용들이고 〈보기 2〉는 잘못된 부분을 수정한 문장이다. 〈보기 1〉의 원칙들 중 〈보기 2〉를 수정하는 데 적용되지 않은 것은?

보기 1

㉠ 의미가 중복되는 표현은 중복되는 부분을 삭제한다.
㉡ 조사나 어미가 잘못 사용된 것은 어법에 맞게 수정한다.
㉢ 문장 성분이 생략되어 어색해진 문장은 문장 성분을 보충한다.
㉣ 수식의 대상이 중의적으로 해석되는 문장은 수식의 범위를 명료하게 한다.
㉤ 관형격 조사 '의' 때문에 중의적으로 해석되는 문장의 표현을 명료하게 한다.

보기 2

[원래 문장] 용감한 왕의 신하는 적을 승리하자 우선 병사들에게 먼저 감사와 노고를 칭찬했다.
[수정한 문장] 왕의 용감한 신하는 적에게 승리하자 병사들에게 먼저 감사를 표하고 노고를 칭찬했다.

① ㉠ ② ㉡ ③ ㉢
④ ㉣ ⑤ ㉤

중의적 표현

04 다음 중 〈보기〉의 ⓐ에 해당하는 예로 적절한 것은?

보기

문장이 둘 이상의 의미로 해석될 때 이를 중의적 표현이라고 한다. 문장의 중의성은 다양한 이유로 만들어지는데, '손이 있다.'와 같은 경우 ⓐ단어 자체가 지닌 의미 때문에 중의성을 지니게 된다.

① 내가 집에 안 갔다.
② 친구들이 다 오지 않았다.
③ 말 때문에 다툼이 벌어졌다.
④ 누나의 그림은 항상 아름답다.
⑤ 따사로운 너의 미소 덕분이다.

올바른 문장 표현

05 〈보기〉의 ㉠~㉤을, 제시된 수정 방안을 고려하여 수정한 것으로 적절하지 않은 것은?

보기

㉠ 과반수가 넘어야 해당 법안이 통과됩니다.
→ 동일한 의미를 갖는 단어 중 하나를 수정한다.
㉡ 새로 산 자동차의 바퀴가 꽤나 튼튼하다.
→ 수식 범위를 명료하게 하기 위해 쉼표를 삽입한다.
㉢ 영현이는 부모님께서 사 주신 외투를 입고 있다.
→ 진행상과 완료상으로 모두 해석될 수 있는 서술어를 수정한다.
㉣ 우리는 자연을 지배하기도 하고, 구속받기도 한다.
→ 서술어가 필요로 하는 문장 성분을 삽입한다.
㉤ 더 큰 문제는 수능 난도가 계속 올라가고 있다.
→ 주어와 서술어가 호응되도록 서술어를 수정한다.

① ㉠: 절반이 넘어야 해당 법안이 통과됩니다.
② ㉡: 새로 산 자동차의, 바퀴가 꽤나 튼튼하다.
③ ㉢: 영현이는 부모님께서 사 주신 외투를 입고 있었다.
④ ㉣: 우리는 자연을 지배하기도 하고, 자연에 구속받기도 한다.
⑤ ㉤: 더 큰 문제는 수능 난도가 계속 올라가고 있다는 것이다.

올바른 문장 표현 2016학년도 7월 고3 학력평가

06 다음은 잘못된 문장 표현을 고쳐 쓴 것이다. 적절하지 않은 것은?

○ 단어의 사용이 잘못된 경우
예 나이가 많고 작음은 큰 의미가 없다.
→ 나이가 크고 작음은 큰 의미가 없다. .... ①
○ 조사의 쓰임이 잘못된 경우
예 우리는 아버지에 생신을 축하하려고 모였다.
→ 우리는 아버지의 생신을 축하하려고 모였다. ... ②
○ 어미의 사용이 잘못된 경우
예 집에 가던지 학교에 가던지 해라.
→ 집에 가든지 학교에 가든지 해라. .... ③
○ 문장 성분 간의 호응이 잘못된 경우
예 그것은 결코 우연한 일이었다.
→ 그것은 결코 우연한 일이 아니었다. .... ④
○ 문장 성분이 과도하게 생략된 경우
예 그녀는 노래와 춤을 추고 있다.
→ 그녀는 노래를 부르며 춤을 추고 있다. .... ⑤

올바른 문장 표현 2016학년도 3월 고3 학력평가

07 〈보기〉는 문법적으로 바르지 않은 문장 유형 중 일부이다. 〈보기〉의 어느 경우에도 해당하지 않는 것은?

보기
- ㅇ높임 표현이 적절하게 사용되지 않은 경우
- ㅇ연결 어미가 의미에 맞게 사용되지 않은 경우
- ㅇ피동 표현이 중복되어 과도한 피동이 된 경우
- ㅇ목적어에 대응하는 서술어가 잘못 생략된 경우

① 고등학생이라면 모름지기 그 정도는 다 할 줄 안다.
② 예상치 못했던 결과가 나온다면 실망할 필요가 없다.
③ 그 복지 시설은 지금 민간에 위탁 운영되어지고 있다.
④ 특별한 일이 없을 때는 텔레비전이나 라디오를 듣는다.
⑤ 이것은 어머니가 외할머니한테 생신 선물로 드린 것이다.

올바른 문장 표현 2014학년도 4월 고3 학력평가Ⓑ(변형)

08 B를 고려하여 A를 고친 문장으로 적절하지 않은 것은?

A: 틀린 문장		B: 고쳐야 하는 이유		고친 문장
그는 슈퍼맨이라 불리어지는 사람이다.	➜	피동 표현이 잘못 됨.	➜	㉠
손님, 저쪽 방으로 들어가실게요.	➜	화자의 약속, 의지를 나타낼 때 사용하는 '-ㄹ게요'를 부적절하게 사용함.	➜	㉡
그는 설레임 때문에 잠을 잘 수 없었다.	➜	'설레다'의 명사형이 잘못됨.	➜	㉢
주호는 나보다 책을 더 좋아한다.	➜	비교하는 대상이 불분명함.	➜	㉣
지금 보고 계신 제품은 올해 신상품이세요.	➜	높임 표현이 잘못 됨.	➜	㉤

① ㉠ : 그는 슈퍼맨이라 불리는 사람이다.
② ㉡ : 손님, 저쪽 방으로 들어가세요.
③ ㉢ : 그는 설렘 때문에 잠을 잘 수 없었다.
④ ㉣ : 주호는 책을 나보다 더 좋아한다.
⑤ ㉤ : 지금 보고 계신 제품은 올해 신상품이에요.

올바른 문장 표현 2014학년도 3월 고3 학력평가Ⓑ

09 ㉠~㉤의 문장을 고쳐 쓴 이유로 적절하지 않은 것은?

	잘못된 문장	고쳐 쓴 문장
㉠	이는 미리 예상했던 일이다.	이는 예상했던 일이다.
㉡	나는 어제 친구와 의논했다.	나는 어제 친구와 그 일을 의논했다.
㉢	나는 눈이 시리도록 파란 하늘을 보았다.	나는 파란 하늘을 눈이 시리도록 보았다.
㉣	이 책은 쉽게 읽혀진다.	이 책은 쉽게 읽힌다.
㉤	선생님께서는 귀여운 따님이 계십니다.	선생님께서는 귀여운 따님이 있으십니다.

① ㉠: 비슷한 의미의 단어가 중복되어 사용되었다.
② ㉡: 주어와 서술어의 호응이 적절하지 않다.
③ ㉢: 문장의 의미가 중의적으로 해석된다.
④ ㉣: 이중피동이 사용되었다.
⑤ ㉤: 높임법의 표현이 잘못 사용되었다.

올바른 문장 표현 2016학년도 9월 모의평가

10 〈자료〉와 같이 문장을 수정할 때 고려한 사항을 〈보기〉의 ㉠~㉣에서 고른 것은?

보기

㉠ 주어와 서술어의 호응
- 너희가 기억할 것은 좋은 지도자는 실패하더라도 좌절하지 않는다. → 너희가 기억할 것은 좋은 지도자는 실패하더라도 좌절하지 않는다는 점이다.

㉡ 부사어와 연결 어미의 호응
- 그는 아무리 돈이 많아서 그것을 쓸 줄 모른다.
  → 그는 아무리 돈이 많아도 그것을 쓸 줄 모른다.

㉢ 목적어의 누락
- 상대방의 함정에 빠진 그들은 머리를 모아 궁리하기 시작했다. → 상대방의 함정에 빠진 그들은 머리를 모아 탈출 방법을 궁리하기 시작했다.

㉣ 피동의 중복
- 그것은 오래전에 불려지던 노래이다.
  → 그것은 오래전에 불리던 노래이다.

자료
- 그 프로그램을 쓰면 비록 초보자일수록 누구나 쉽게 표와 그래프 등을 그려서 작성할 수 있다.
  → 그 프로그램을 쓰면 비록 초보자일지라도 누구나 쉽게 표와 그래프 등을 그려서 문서를 작성할 수 있다.

① ㉠, ㉡ ② ㉠, ㉢ ③ ㉡, ㉢
④ ㉡, ㉣ ⑤ ㉢, ㉣

단원 정리

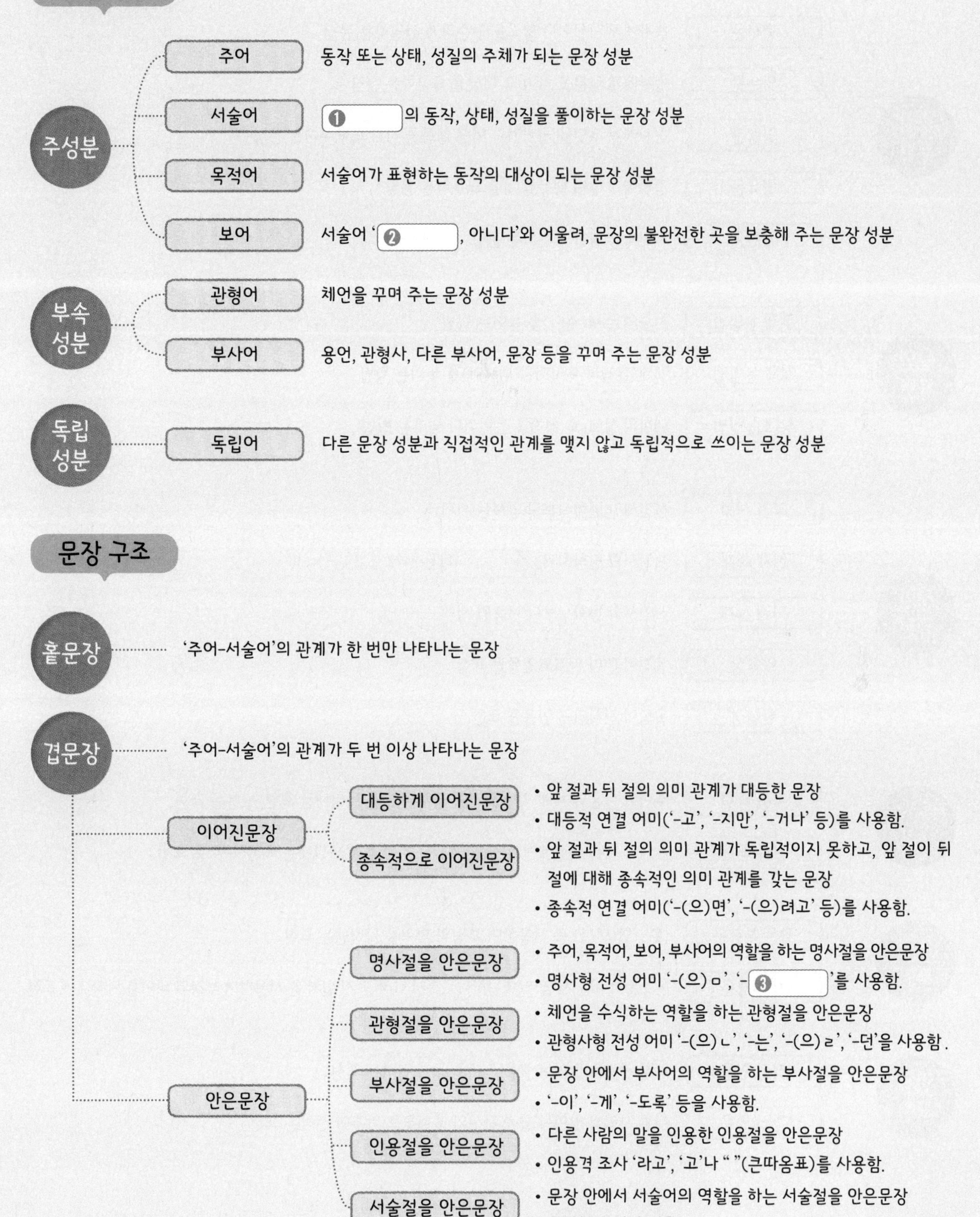

문장 성분
주성분
주어
동작 또는 상태, 성질의 주체가 되는 문장 성분
서술어
❶ 의 동작, 상태, 성질을 풀이하는 문장 성분
목적어
서술어가 표현하는 동작의 대상이 되는 문장 성분
보어
서술어 '❷ , 아니다'와 어울려, 문장의 불완전한 곳을 보충해 주는 문장 성분
부속 성분
관형어
체언을 꾸며 주는 문장 성분
부사어
용언, 관형사, 다른 부사어, 문장 등을 꾸며 주는 문장 성분
독립 성분
독립어
다른 문장 성분과 직접적인 관계를 맺지 않고 독립적으로 쓰이는 문장 성분
문장 구조
홑문장
'주어-서술어'의 관계가 한 번만 나타나는 문장
겹문장
'주어-서술어'의 관계가 두 번 이상 나타나는 문장
이어진문장
대등하게 이어진문장
• 앞 절과 뒤 절의 의미 관계가 대등한 문장
• 대등적 연결 어미('-고', '-지만', '-거나' 등)를 사용함.
종속적으로 이어진문장
• 앞 절과 뒤 절의 의미 관계가 독립적이지 못하고, 앞 절이 뒤 절에 대해 종속적인 의미 관계를 갖는 문장
• 종속적 연결 어미('-(으)면', '-(으)려고' 등)를 사용함.
안은문장
명사절을 안은문장
• 주어, 목적어, 보어, 부사어의 역할을 하는 명사절을 안은문장
• 명사형 전성 어미 '-(으)ㅁ', '-❸ '를 사용함.
관형절을 안은문장
• 체언을 수식하는 역할을 하는 관형절을 안은문장
• 관형사형 전성 어미 '-(으)ㄴ', '-는', '-(으)ㄹ', '-던'을 사용함.
부사절을 안은문장
• 문장 안에서 부사어의 역할을 하는 부사절을 안은문장
• '-이', '-게', '-도록' 등을 사용함.
인용절을 안은문장
• 다른 사람의 말을 인용한 인용절을 안은문장
• 인용격 조사 '라고', '고'나 " "(큰따옴표)를 사용함.
서술절을 안은문장
• 문장 안에서 서술어의 역할을 하는 서술절을 안은문장
• 특별한 표지가 없음.

단원 정리

문장 표현(문법 요소)

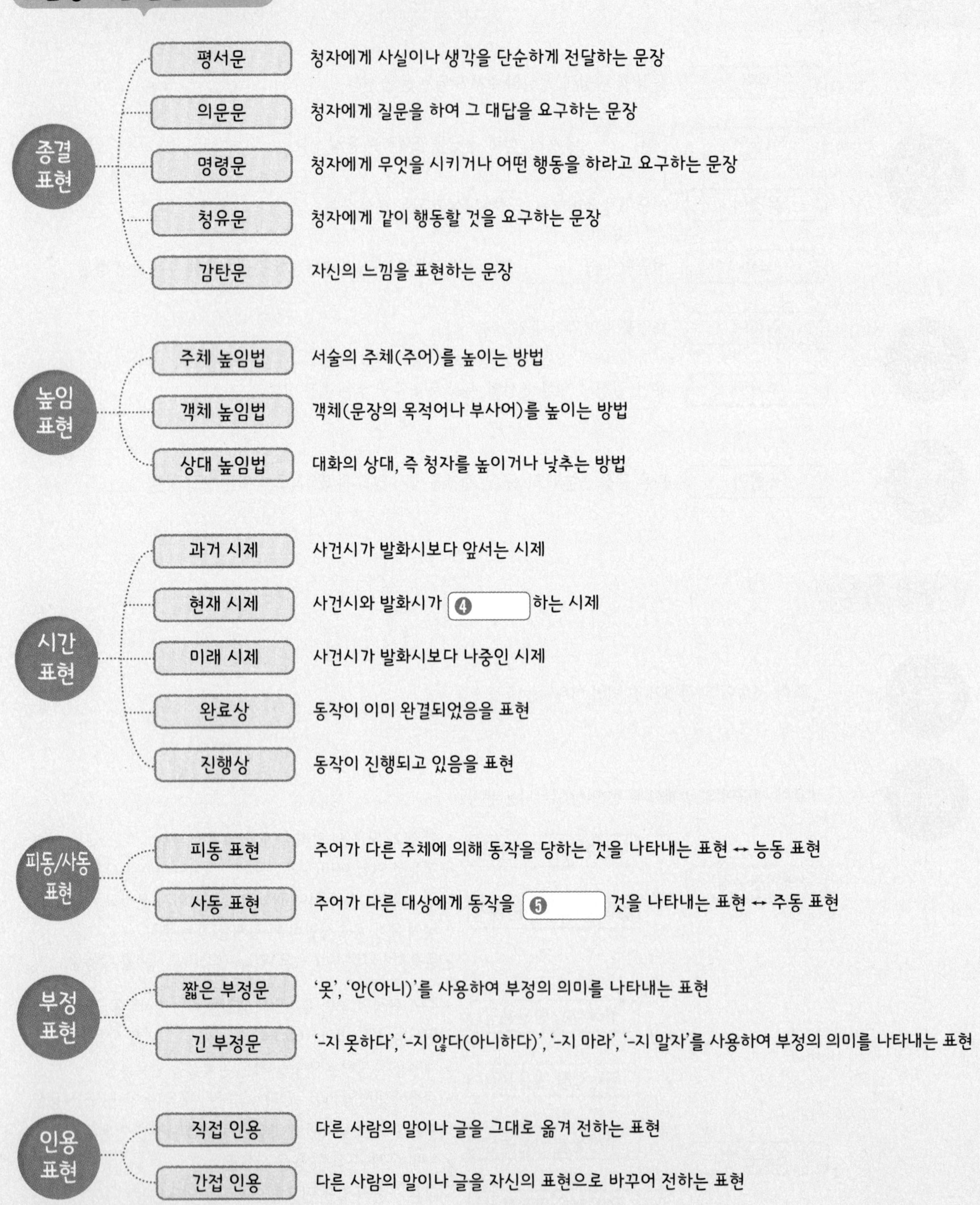

빈칸 답 | ❶ 주어 ❷ 되다 ❸ 기 ❹ 일치 ❺ 시키는

수능 다가가기

문장 성분과 문장 구조 2019학년도 수능

01 〈보기〉의 ⓐ~ⓒ를 이해한 내용으로 적절하지 않은 것은?

보기
ⓐ 그는 위기를 좋은 기회로 삼았다.
ⓑ 바다가 눈이 부시게 파랗다.
ⓒ 동주는 반짝이는 별을 응시했다.

① ⓐ의 '삼았다'는 주어 이외에도 두 개의 문장 성분을 필수적으로 요구하는군.
② ⓑ의 '바다가'와 '눈이'는 각각 다른 서술어의 주어이군.
③ ⓒ의 '별을'은 안긴문장의 목적어이면서 안은문장의 목적어이군.
④ ⓐ의 '좋은'과 ⓒ의 '반짝이는'은 안긴문장의 서술어이군.
⑤ ⓑ의 '눈이 부시게'와 ⓒ의 '반짝이는'은 수식의 기능을 하는군.

부사어 2018학년도 수능

02 다음은 부사어에 대해 탐구한 것이다. 탐구 내용으로 적절하지 않은 것은?

①	• 하늘이 눈이 부시게 푸른 날이다.
	⇨ 절인 '눈이 부시게'가 부사어로 쓰였군.
②	• 함박눈이 하늘에서 펑펑 내리고 있다.
	⇨ 부사격 조사가 결합한 '하늘에서'와 부사 '펑펑'이 부사어로 쓰였군.
③	• 그는 너무 헌 차를 한 대 샀다.
	⇨ 부사어 '너무'가 서술어 '샀다'를 수식하는군.
④	㉠ 영이는 엄마와 닮았다. *영이는 닮았다. ㉡ 영이는 취미로 책을 읽는다. 영이는 책을 읽는다.
	⇨ ㉠의 '엄마와', ㉡의 '취미로'는 둘 다 부사어인데, ㉠의 '엄마와'는 ㉡의 '취미로'와 달리 필수 성분이군.
⑤	㉠ 모든 것이 재로 되었다. *모든 것이 되었다. ㉡ 모든 것이 재가 되었다. *모든 것이 되었다.
	⇨ ㉠의 '재로'는 부사어이고 ㉡의 '재가'는 보어로서, 문장 성분은 서로 다르지만 서술어가 반드시 필요로 하는 성분이라는 점에서는 같군.

※ '*'는 비문임을 나타냄.

올바른 문장 표현 2016학년도 수능

03 다음 중 문법적으로 가장 정확한 문장은?

① 그는 자기가 창안한 사회 이론을 더욱 발전해 사회 문제의 해결에 기여하고자 하였다.
② 참관인 자격으로 회의에 참석한 두 사람은 눈짓을 주고받은 후 조용히 회의장을 빠져나갔다.
③ 유럽은 18세기 후반부터 약 100년 동안 생산 기술의 발달과 그에 따라 사회 조직의 큰 변화를 겪었다.
④ 이 책의 저자가 독자에게 말하려는 요점은 모름지기 사람은 남을 위하여 자기를 희생할 줄도 알아야 한다.
⑤ 그의 작품들은 엇비슷해서 학생들이 작품 이름의 혼동이나 각 작품의 이야기 줄거리를 잘 기억하지 못했다.

문장 성분과 문장 구조 2015학년도 수능Ⓐ

04 다음 ㉠, ㉡의 문장 성분과 문장 구조에 대한 설명이 옳은 것은?

㉠ 친구들은 내가 노래 부르기를 원한다.
㉡ 우리는 이 지역 토양이 벼농사에 적합함을 몰랐다.

① ㉠에는 부사어가 있지만 ㉡에는 부사어가 없다.
② ㉠에는 명사절이 안겨 있지만 ㉡에는 부사절이 안겨 있다.
③ ㉠에는 서술절이 안겨 있지만 ㉡에는 관형절이 안겨 있다.
④ ㉠의 안긴문장 속에는 관형어가 있지만 ㉡의 안긴문장 속에는 관형어가 없다.
⑤ ㉠의 안긴문장 속에는 목적어가 있지만 ㉡의 안긴문장 속에는 목적어가 없다.

시간 표현과 문장의 중의성 2016학년도 수능Ⓐ

05 〈보기〉의 ⓐ~ⓒ에 해당하는 예로 적절하지 않은 것은?

보기

보조 용언 구성 '-고 있-'은 크게 두 가지 의미를 지닌다.

(가) 민수는 지금 떡국을 먹고 있다.
(나) 선생님은 너를 믿고 있다.
(다) 지혜는 모자를 쓰고 있다.

(가)에서처럼 ⓐ'어떤 동작이 진행되고 있음'을 나타내기도 하고, (나)에서처럼 ⓑ'어떤 상태가 지속되고 있음'을 나타내기도 한다. (가)의 '-고 있-'은 '-는 중이-'로 교체하여도 ⓐ의 의미가 유지되지만, (나)의 '-고 있-'은 교체하면 부자연스러운 문장이 되거나 ⓑ의 의미가 유지되지 않는다. 한편 (가), (나)에서는 특정한 문맥이 주어지지 않아도 그 의미를 확정할 수 있는 데 반해, (다)에서는 문맥이 충분히 주어지지 않으면 '-고 있-'이 ⓒ두 가지 의미 모두로 해석될 수 있다.

① ⓐ A : 아빠 들어오실 때 형은 뭐 하고 있었니?
B : 형은 양치질을 하고 있었어요.

② ⓑ A : 오빠가 너한테 화가 많이 났나 봐.
B : 오빠는 지금 날 오해하고 있는 것 같아.

③ ⓑ A : 내일이 고모님 생신이라고 하네.
B : 아, 나 그거 이미 알고 있어.

④ ⓒ A : 너 안경 잃어버렸다며? 괜찮아?
B : 눈이 아주 나쁘진 않아서 안경 벗고 있어도 괜찮아.

⑤ ⓒ A : 저 중에 신입 사원이 누구야?
B : 저기에 있잖아. 넥타이를 매고 있네.

서술어의 자릿수와 올바른 문장 표현 2015학년도 수능

06 〈보기〉의 내용을 근거로 하여 잘못된 문장을 수정한 예로 적절하지 않은 것은?

보기

서술어의 자릿수는 문법적으로 정확하지 못한 문장을 수정하는 데 고려해야 할 중요한 기준이다. 서술어의 자릿수란 서술어가 반드시 갖추어야 하는 문장 성분의 수를 의미하는데, 다음과 같은 예를 들 수 있다.

○ **한 자리 서술어**: 꽃이 피었다.
○ **두 자리 서술어**: 고양이가 쥐를 잡았다.
○ **세 자리 서술어**: 동생은 나에게 책을 주었다.

서술어가 요구하는 문장 성분이 빠져있으면 문법적으로 정확하지 못한 문장이 되므로 그 성분을 보충하여야 한다.

① 그들은 양식이 다 떨어지자 식량 공급을 요청했다.
→ 그들은 양식이 다 떨어지자 정부에 식량 공급을 요청했다.

② 문제는 우리가 예의를 지키지 못하는 경우가 많다.
→ 문제는 우리가 예의를 지키지 못하는 경우가 많다는 사실이다.

③ 나는 오늘 점심을 먹으면서 내 친구를 소개하였다.
→ 나는 오늘 점심을 먹으면서 내 친구를 누나에게 소개하였다.

④ 우리는 전화위복의 계기로 삼아 지금보다 강해질 것이다.
→ 우리는 그 일을 전화위복의 계기로 삼아 지금보다 강해질 것이다.

⑤ 형은 이곳에 온 지 얼마 되지 않아 어두울 수밖에 없다.
→ 형은 이곳에 온 지 얼마 되지 않아 동네 지리에 어두울 수밖에 없다.

문장 분석과 사동 표현 2014학년도 6월 모의평가Ⓐ

07 〈보기〉를 참고하여, 학습 자료를 분석한 결과로 옳은 것은?

보기

일반적으로 사동문은 주어가 다른 대상을 동작하게 하거나 특정한 상태에 이르도록 하는 문장을 가리킨다. 사동문은 어근에 접미사가 결합한 사동사나 어간에 '-게 하다'가 결합한 구성에 의해 만들어진다.

학습 자료

	A: 주동문	B: 사동사에 의한 사동문	C: '-게 하다'에 의한 사동문
㉠	동생이 숨는다.	누나가 동생을 숨긴다.	누나가 동생을 숨게 한다.
㉡	동생이 밥을 먹는다.	누나가 동생에게 밥을 먹인다.	누나가 동생에게 밥을 먹게 한다.
㉢	실내 온도가 낮다.	누나가 실내 온도를 낮춘다.	누나가 실내 온도를 낮게 한다.
㉣	동생이 공을 찬다.	해당 사례 없음.	누나가 동생에게 공을 차게 한다.

① ㉠, ㉡을 보니, A의 주어는 C에서 동일한 문장 성분으로 나타나는군.
② ㉠, ㉢을 보니, A가 B로 바뀌면 서술어의 자릿수가 늘어나는군.
③ ㉡, ㉢을 보니, A가 B로 바뀌면 겹문장이 되는군.
④ ㉡, ㉣을 보니, A의 서술어가 타동사이면 대응하는 사동사가 없군.
⑤ ㉢, ㉣을 보니, A의 서술어가 형용사이면 사동문을 만들지 못하는군.

이어진문장과 동작상 2016학년도 9월 모의평가Ⓐ

08 밑줄 친 부분이 〈보기〉의 ㉠에 해당하지 않는 것은?

보기

동사의 어간에 연결 어미 '-(으)며'가 결합할 때, ㉠앞 문장과 뒤 문장의 주어가 서로 같고, '-(으)며'를 연결 어미 '-(으)면서'로 바꾸어 쓸 수 있는 경우에 '-(으)며'는 앞뒤 문장의 동작이 동시에 일어남을 나타낸다.

예 철수가 음악을 듣는다. + 철수가 커피를 마신다.
→ 철수가 음악을 들으며(들으면서) 커피를 마신다.

① 우리는 함께 걸으며 희망에 대해 이야기했다.
② 모두들 음정에 주의하며 노래를 제대로 부르자.
③ 아는 사람 하나가 미소를 지으며 내게 다가왔다.
④ 마라톤 선수가 가쁜 숨을 몰아쉬며 결승선을 통과했다.
⑤ 출근할 때, 일부는 버스를 이용하며 일부는 지하철을 이용한다.

높임 표현 2014학년도 수능

09 〈보기〉의 ㉠, ㉡이 모두 사용된 문장은?

보기

우리말에서는 일반적으로 선어말 어미나 종결 어미, 조사 등을 통해 높임을 표현하지만, **어휘를 통해 높임을 표현하는 경우**도 있다. 높임 표현에 쓰이는 어휘들은 다음과 같이 분류할 수 있다.

- 주체를 높이는 용언 (예 계시다) ··· ㉠
- 객체를 높이는 용언 (예 드리다)
- 높여야 할 인물을 직접 높이는 명사 (예 선생님)
- 높여야 할 인물과 관련된 것을 높이는 명사 (예 진지) ··· ㉡

① 나는 아직 그분의 성함을 기억하고 있다.
② 누나는 여쭐 것이 있다며 할머니 댁에 갔다.
③ 연세가 많으신 할머니께서는 홍시를 잘 잡수신다.
④ 우리는 부모님을 모시고 바닷가로 여행을 떠났다.
⑤ 어머니께서는 몹시 피곤하셨는지 거실에서 주무신다.

알아 두면 쓸데 있는 100인의 지혜

'사전 활용하기' 유형 풀이의 지혜

최근 수능 문법에서 자주 출제되고 있는 사전을 활용한 문항에 관해 알아보자. 사전에는 우리가 쓰는 말들이 표제어● 로 등재●되어 있는데, 그 각각의 표제어마다 품사, 활용 형태, 문형 정보, 뜻풀이, 용례● 등 많은 정보들이 제시되어 있어. '사전 활용하기' 문항을 풀려면, 이런 정보들을 적절하게 해석할 수 있어야 해.

● **표제어**: 사전에 실린 단어 ● **등재**: 기록하여 올림. ● **용례**: 단어가 문장에서 사용되는 예시

'사전 활용하기' 문항에서 주로 묻는 내용은 다음과 같아.

① 동음이의어와 다의어 ② 활용 형태 ③ 품사의 특징 ④ 서술어의 자릿수 ⑤ 용례(예문)의 적절성

다 앞에서 공부한 내용들이지? 분명 아는 내용인데 '사전 활용하기' 문항이 어렵게 느껴졌다면 그건 바로 사전 읽는 법을 잘 모르기 때문이야.여기에서는 단어 '이르다'를 예로 사전 읽는 법을 알려 줄게.

사전에서 '이르다'를 찾아보면 아래처럼 세 개의 '이르다'가 표제어로 등재된 것을 알 수 있어. '이르다[1]', '이르다[2]', '이르다[3]'이라고 각각의 '이르다'에 어깨번호가 작게 붙어 있지. 그 어깨번호가 무얼 뜻하는지도 알아야 하고 그 각각의 표제어마다 제시된 정보가 무엇을 뜻하는지도 정확하게 이해하는 게 중요해. 하나하나 찬찬히 짚어 보자.

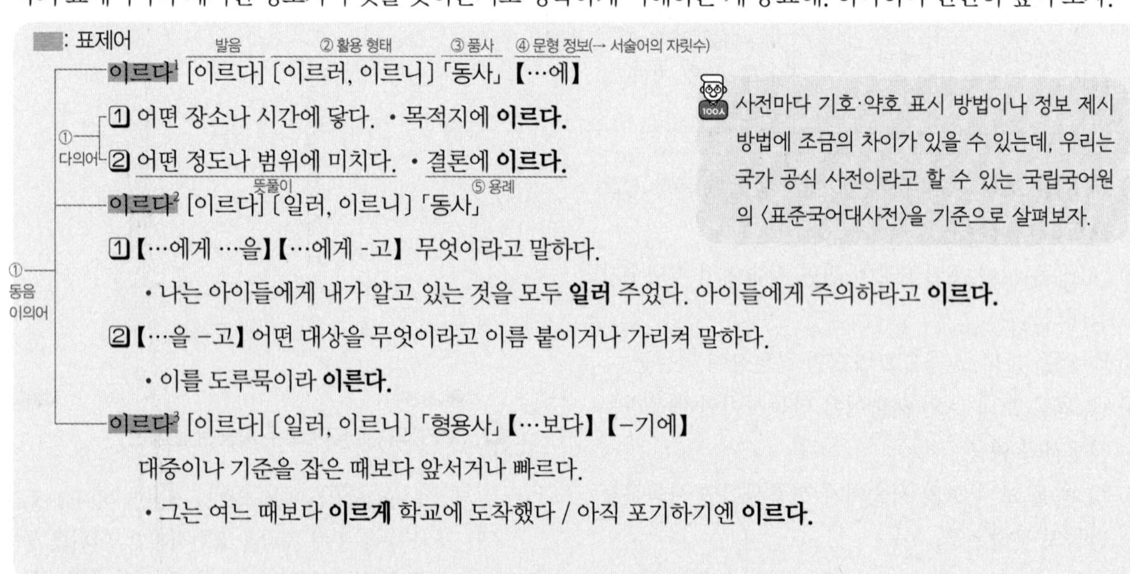

■: 표제어 / 발음 / ② 활용 형태 / ③ 품사 / ④ 문형 정보(→ 서술어의 자릿수)

이르다[1] [이르다] 〔이르러, 이르니〕 「동사」 【…에】

① 어떤 장소나 시간에 닿다. • 목적지에 **이르다.**

② 어떤 정도나 범위에 미치다. • 결론에 **이르다.**

(① 다의어 / 뜻풀이 / ⑤ 용례)

이르다[2] [이르다] 〔일러, 이르니〕 「동사」

① 【…에게 …을】【…에게 -고】 무엇이라고 말하다.

• 나는 아이들에게 내가 알고 있는 것을 모두 **일러** 주었다. 아이들에게 주의하라고 **이르다.**

② 【…을 -고】 어떤 대상을 무엇이라고 이름 붙이거나 가리켜 말하다.

• 이를 도루묵이라 **이른다.**

이르다[3] [이르다] 〔일러, 이르니〕 「형용사」 【…보다】 【-기에】

대중이나 기준을 잡은 때보다 앞서거나 빠르다.

• 그는 여느 때보다 **이르게** 학교에 도착했다 / 아직 포기하기엔 **이르다.**

(① 동음이의어)

사전마다 기호·약호 표시 방법이나 정보 제시 방법에 조금의 차이가 있을 수 있는데, 우리는 국가 공식 사전이라고 할 수 있는 국립국어원의 〈표준국어대사전〉을 기준으로 살펴보자.

① 동음이의어와 다의어: 표제어와 뜻풀이에 달린 숫자 확인!

앞(47쪽)에서 배운 것 기억나니? 표제어 뒤에 숫자가 달려 있으면 그 단어들은 동음이의어이고, 한 단어 아래 여러 의미가 있으면 그 단어는 다의어지. 즉 이르다[1], 이르다[2], 이르다[3]은 서로 동음이의어이고, 이르다[1], 이르다[2]는 각각 다의어야.

② 활용 형태 '〔 〕': 어간, 어미 판단 → 규칙 용언인지 불규칙 용언인지 확인!

'〔 〕'은 활용 형태를 나타내. 당연히 가변어인 동사, 형용사에만 붙겠지? 그 다음에는 어간, 어미를 찾아 규칙 용언인지, 불규칙 용언인지 확인해 봐. 예를 들어 이르다[1]은 〔이르러, 이르니〕를 볼 때 어간은 '이르-'로 변하지 않고, '이르- + -어'가 '이르러'로 활용되고 있으니 '러' 불규칙 용언(26쪽)이야. 이르다[2], 이르다[3]은 〔일러, 이르니〕를 보아 '르' 불규칙 용언(26쪽)이라는 걸 알 수 있지.

③ **품사의 특징**: 품사는 '「동사」', '「형용사」'라고 분명하게 밝히고 있으니 쉽게 확인 가능! 그러나 품사의 특징은 따로 제시해 주지 않으니까 미리 공부해 둘 것!

예전에는 '[동]', '[형]'이라고 품사의 첫 글자만 표시했었는데, 지금은 알기 쉽게 온전한 이름으로 제시하고 있지.(아직 시험에서는 '[동]', '[형]'처럼 첫 글자만 제시될 수 있으니 유의) 사전에서는 9품사와 더불어 접사, 의존 명사, 보조 동사, 보조 형용사, 어미의 표시도 하고 있어(예 개- 「접사」, 만큼 「의존 명사」, 가다 「보조 동사」). 그리고 문형 정보를 제시하였기 때문에 자동사, 타동사는 따로 표시하지 않아.

④ **서술어의 자릿수 '【 】'**: 주어를 포함한 서술어의 자릿수 확인!

'【 】'는 표제어가 서술어인 경우 반드시 들어가야 하는 문장 성분을 나타내는데, 이 정보를 '문형 정보'라고 해. 간혹 【 】 안에 ( )로 표시된 문형 정보도 있는데, ( ) 안의 문장 성분은 생략할 수도 있다는 의미야. 문형 정보에는 서술어의 필수적 성분이 드러나니 당연히 서술어의 자릿수도 알 수 있겠지? 이때 문형 정보에 주어는 표시되지 않으니까 주의해. 예를 들면 이르다'은 【…에】라는 부사어가 꼭 필요한 단어이고, 표시되지 않은 주어까지 고려하면 두 자리 서술어인 거지.

⑤ **용례(예문)의 적절성 '•'**: 단어가 의미에 맞게 사용된 예문인지 확인!

'•'는 용례를 나타내는 표시야. '¶'라는 기호로 나타내기도 하지. 단어의 용례로 적절한 예문인지를 주로 물어보니까, 단어가 사전의 뜻풀이와 동일한 의미로 쓰인 예문인지를 확인하면 돼.

이외에도 반의어나 유의어가 제시되기도 하는데, 다의어인데 '반의어', '유의어'가 제시된 경우에는 어떤 의미와 반의 관계, 유의 관계를 형성하는지를 잘 따져 보아야 해. 그럼 기출 문항으로 연습해 보자. 한번 풀어 봐.^^

14 다음은 '사전 활용하기' 학습 활동을 위한 자료이다. 이에 대한 이해로 적절하지 않은 것은?

2016학년도 수능

같이[가치]

1 부 ('부사'라는 뜻)

① 둘 이상의 사람이나 사물이 함께.

¶ 친구와 **같이** 사업을 하다.

② 어떤 상황이나 행동 따위와 다름이 없이.

¶ ('예문'임을 나타내는 기호) 예상한 바와 **같이** 주가가 크게 떨어졌다.

2 조 ('조사'라는 뜻)

① '앞말이 보이는 전형적인 어떤 특징처럼'의 뜻을 나타내는 격 조사. ¶ **얼음장같이** 차가운 방바닥

② 앞말이 나타내는 그때를 강조하는 격 조사.

¶ **새벽같이** 떠나다.

같이-하다[가치--] 【(…과) …을】 (문형 정보)

① 경험이나 생활 따위를 얼마 동안 더불어 하다.

= 함께하다①. ('동의어'라는 뜻)

¶ 친구와 침식을 **같이하다**./평생을 **같이한** 부부

② 서로 어떤 뜻이나 행동 따위를 동일하게 가지다.

= 함께하다②.

¶ 그와 의견을 **같이하다**./견해를 **같이하다**.

① '같이'의 품사 정보와 뜻풀이를 보니, '같이'는 부사로도 쓰이고 부사격 조사로도 쓰이는 말이로군.
② '같이'의 뜻풀이와 용례를 보니, '같이**2**①'의 용례로 '매일같이 지하철을 타다'를 추가할 수 있겠군.
③ '같이'와 '같이하다'의 표제어 및 뜻풀이를 보니, '같이하다'는 '같이'에 '하다'가 결합한 복합어로군.
④ '같이하다'의 문형 정보 및 용례를 보니, '같이하다'는 두 자리 서술어로도 쓰일 수 있고, 세 자리 서술어로도 쓰일 수 있군.
⑤ '같이하다'의 뜻풀이와 용례를 보니, '평생을 같이한 부부'의 '같이한'은 '함께한'으로 교체하여 쓸 수 있겠군.

정답은 ②번! '같이**2**①'은 '앞말이 보이는 전형적인 어떤 특징처럼'인데, '매일같이 지하철을 타다'의 '매일같이'는 '매일이라는 때'마다 지하철을 탄다는 의미로, '매일'이라는 때를 강조해 주는 부사격 조사야. 즉 '같이**2**②'의 용례에 해당해.

11 음운과 음운 체계

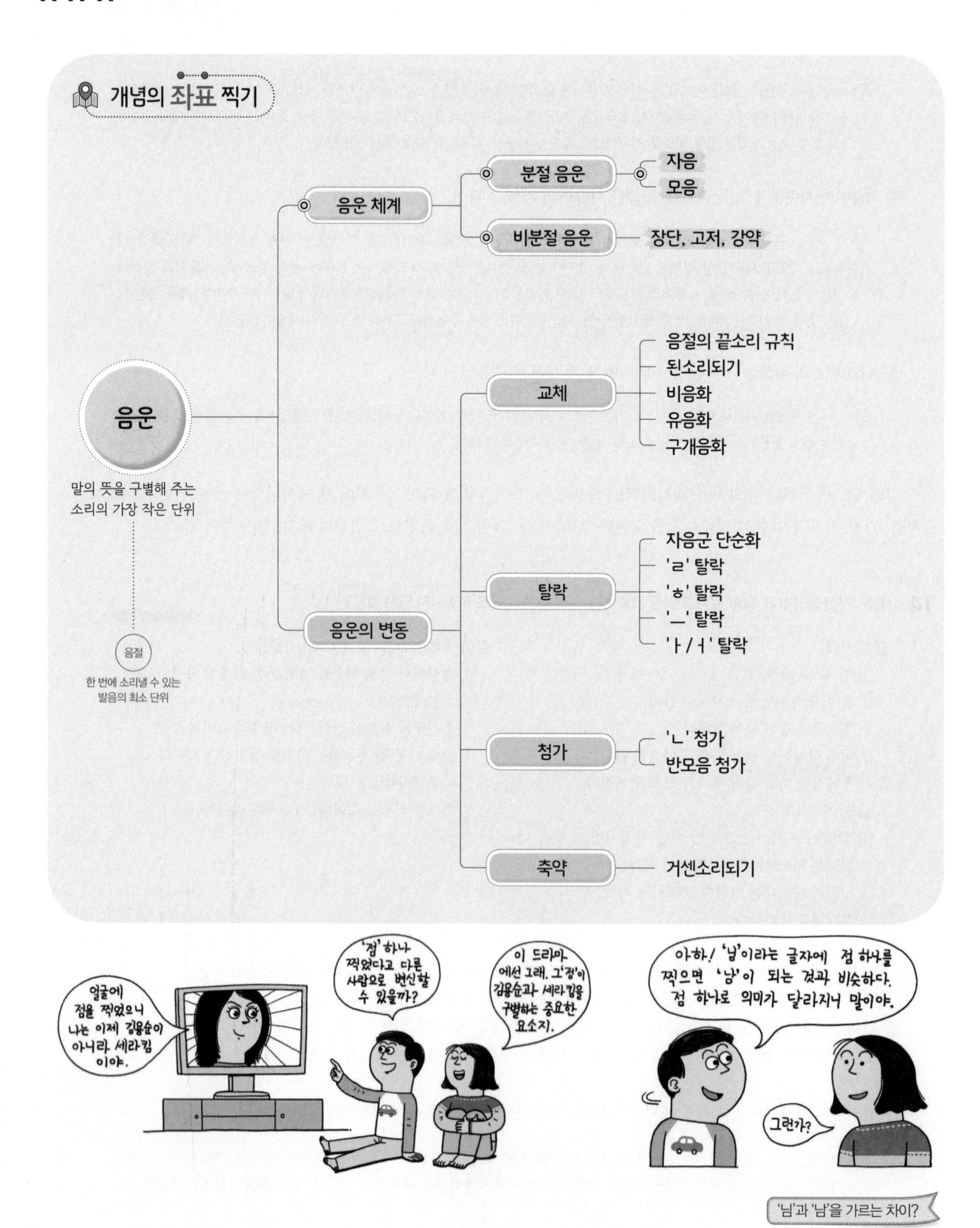

'님'과 '남'을 가르는 차이?

개념을 품은 **기출 선택지**

- 이처럼 **최소 대립쌍**을 이용해 음운들을 추출하면 **음운 체계**를 수립할 수 있어요. (2019. 수능)
- 중성에 올 수 있는 **음운**은 **모음**이다. (2015. 6. 모의평가)
- 이는 종성에서 발음될 수 있는 **자음**의 종류가 제한됨을 알려 준다. (2017. 수능)
- 음운이 모여서 이루어지는 소리의 결합체를 **음절**이라고 한다. (2015. 6. 모의평가Ⓐ)

1 음운의 개념

'음운(音韻)'은 말의 뜻을 구별해 주는 소리의 가장 작은 단위이다. 음운은 사람들이 같은 소리라고 인식하는 추상적인 말소리로, '감'과 '곰'을 다른 뜻의 말이 되게 하는 'ㅏ'와 'ㅗ', '물'과 '불'을 다른 뜻의 말이 되게 하는 'ㅁ'과 'ㅂ' 따위를 이른다.

물 불　　물 말　　물 문

'물'과 '불'은 'ㅁ'과 'ㅂ' 때문에, '물'과 '말'은 'ㅜ'와 'ㅏ' 때문에, '물'과 '문'은 'ㄹ'과 'ㄴ' 때문에 말의 뜻이 달라지고 있으므로 'ㅁ', 'ㅂ', 'ㅜ', 'ㅏ', 'ㄹ', 'ㄴ' 각각은 음운임.

2 분절 음운과 비분절 음운

음운은 소리마디를 분절할 수 있느냐, 즉 뚜렷하게 나눌 수 있느냐 여부에 따라 분절 음운(음소)과 비분절 음운(운소)으로 나눌 수 있다. 분절 음운은 소리마디를 뚜렷하게 나눌 수 있는 '자음'과 '모음'을 가리킨다. 비분절 음운은 자음이나 모음처럼 뚜렷하게 나눌 수 있는 소릿값을 가지지는 않지만 음절이나 문장에 얹혀서 실현되는 요소를 말하는데, 소리의 길이, 높낮이, 강약 등이 있다. 현대 국어에서는 소리의 길이(장단)가 말의 뜻을 구별하게 하는 기능을 한다.

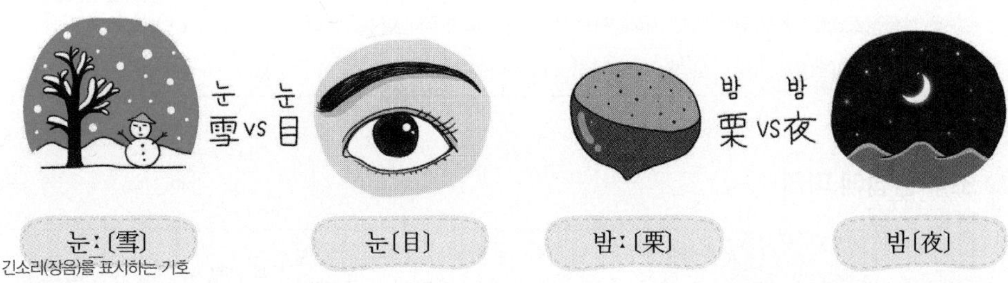

눈:〔雪〕　　눈〔目〕　　밤:〔栗〕　　밤〔夜〕

긴소리(장음)를 표시하는 기호

한국어에서 긴 소리는 일반적으로 단어의 첫음절에 나타남. '눈:(雪)'은 길게 발음하지만, '함박눈'의 '눈'을 길게 발음하지 않는 것은 '눈'이 단어의 첫음절에 있지 않기 때문임.

짚고 가요

최소 대립쌍(최소 대립어)

동일한 환경에서 어떤 한 가지 음만이 달라 그 뜻이 달라졌을 때, 그 짝을 가리켜 최소 대립쌍이라고 해. 무슨 말이냐고? 다음을 보자.

'밤', '방', '발'은 첫소리가 'ㅂ', 가운뎃소리가 'ㅏ'로 같고 끝소리만 각각 'ㅁ', 'ㅇ', 'ㄹ'로 달라. 그리고 이 차이 때문에 뜻이 구별되지. 이때 '밤', '방', '발'이 바로 최소 대립쌍이야.

궁금해요 '음성'과 '음운'의 차이가 무엇인가요?

'음성'은 발음 기관을 통해서 나는 소리를 의미해. 음성은 사람에 따라 다르고, 같은 사람의 음성도 때에 따라 달라. 음성에서 공통적인 요소만을 뽑아 머릿속에서 같은 소리로 인식하는 말소리가 바로 음운이야. 예를 들면 사람들이 저마다의 음성으로 [물]이라고 소리 내도, 우리는 이를 '물'이라는 음운으로 인식하는 거지. 이렇듯 음성은 구체적이고 물리적인 말소리, 음운은 추상적이고 관념적인 말소리야.

짚고 가요

변이음(變異音)
변할 변 / 다를 이 / 소리 음

변이음은 하나의 분절 음운이 발음 환경에 따라 서로 다른 음성으로 실현되는 것을 말해. 다음을 보자.

고기[kogi]

'고'의 'ㄱ'은 성대가 울리지 않는 무성음[k]으로 소리 남. '기'의 'ㄱ'은 모음 사이에 있기 때문에 울리는 유성음[g]으로 소리 남.

이처럼 'ㄱ'은 [k]로도, [g]로도 소리 나지만, 한국어를 쓰는 우리는 이 두 소리를 구별하여 의미 차이를 만드는 데 사용할 수 없어. 이렇게 하나의 음운에 속하지만 서로 다른 음성들을 변이음이라고 불러.
우리나라 사람들이 처음 영어를 익힐 때 [r]과 [l]을 구분하기 어려워하는 것은 우리말에서는 저 두 발음이 모두 [ㄹ]의 변이음으로 실현되기 때문이야.

개념 **콕 1** '말'과 최소 대립쌍을 이룰 수 없는 단어는?

① 물　② 발　③ 별
④ 쌀　⑤ 팔

콕 1 ③

3 국어의 음운 체계

국어의 음운에는 다음과 같이 자음 19개, 모음 21개가 있다.

자음	ㄱ, ㄲ, ㄴ, ㄷ, ㄸ, ㄹ, ㅁ, ㅂ, ㅃ, ㅅ, ㅆ, ㅇ, ㅈ, ㅉ, ㅊ, ㅋ, ㅌ, ㅍ, ㅎ
모음	ㅏ, ㅓ, ㅗ, ㅜ, ㅡ, ㅣ, ㅐ, ㅔ, ㅚ, ㅟ (단모음 10개) ㅑ, ㅕ, ㅛ, ㅠ, ㅒ, ㅖ, ㅘ, ㅙ, ㅝ, ㅞ, ㅢ (이중모음 11개)

그런데 음운 체계라는 것은 위와 같이 단순하게 음운들을 모아 놓은 것을 말하는 것이 아니다. 예를 들면 국어의 자음 체계는 19개의 자음들이 음성적 특징에 따라 어떤 관계를 맺는지 보이는 것을 의미한다. 그러기 위해서는 자음들 사이의 관계를 살필 분류 기준이 필요하다.

국어의 자음 체계

발음을 할 때 목청을 통과한 공기의 흐름이 목 안이나 입안에서 발음 기관⊕의 방해를 받고 나는 소리를 자음이라고 한다. 자음은 조음 위치와 조음 방식을 기준으로 분류되는데, 자음을 발음할 때 공기의 흐름이 방해를 받는 위치를 조음 위치라고 하고, 공기의 흐름이 방해를 받는 방식을 조음 방법이라고 한다.

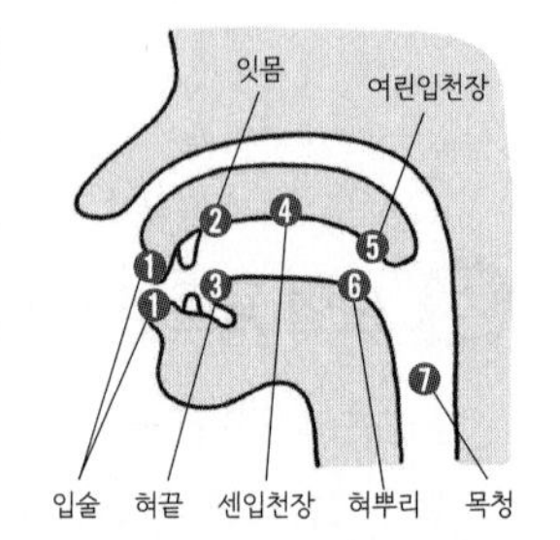

⊙ 자음의 조음 위치

개념⊕ 발음 기관
말소리를 만드는 데 관여하는 일체의 기관을 발음 기관 또는 조음 기관이라고 한다. 성대(목청), 목젖, 이, 잇몸, 혀 등이 있다.

조음 위치에 따라
(조음 위치: 공기의 흐름이 방해를 받는 위치)

입술소리(순음)	두 입술 사이에서 나는 소리.	ㅂ, ㅃ, ㅍ, ㅁ
잇몸소리(치조음)	혀끝이 윗잇몸에 닿아서 나는 소리.	ㄷ, ㄸ, ㅌ, ㅅ, ㅆ, ㄴ, ㄹ
센입천장소리(경구개음)	혓바닥과 센입천장 사이에서 나는 소리.	ㅈ, ㅉ, ㅊ
여린입천장소리(연구개음)	혀뿌리와 여린입천장 사이에서 나는 소리.	ㄱ, ㄲ, ㅋ, ㅇ
목청소리(후음)	목청 사이에서 나는 소리.	ㅎ

(혀뿌리: 혀의 뒷부분)

조음 방법에 따라
(조음 방법: 소리를 내는 방법)

파열음	폐에서부터 나오는 공기의 흐름을 입술이나 혀를 이용하여 완전히 막았다가 순간적으로 터뜨리며 내는 소리.	ㅂ, ㅃ, ㅍ, ㄷ, ㄸ, ㅌ, ㄱ, ㄲ, ㅋ
마찰음	입안이나 목청 등의, 공기가 지나가는 통로를 좁힘으로써 마찰을 일으켜 내는 소리.	ㅅ, ㅆ, ㅎ
파찰음 (파열음과 마찰음의 두 가지 성질이 모두 있는 소리임.)	파열음처럼 입술이나 혀를 이용하여 공기의 흐름을 완전히 막았다가 내보내지만, 순간적으로 터뜨리는 파열음과는 달리 흘려보내면서 발음하는 소리.	ㅈ, ㅉ, ㅊ
비음	입안의 통로를 막고 코로 공기를 내보내면서 내는 소리.	ㅁ, ㄴ, ㅇ
유음	혀를 잇몸에 가볍게 대었다가 떼거나 잇몸에 댄 채 공기를 양옆으로 흘려보내면서 내는 소리.	ㄹ

(비음, 유음: 성대가 울리는 '울림소리')

개념 콕 2 다음 빈칸에 들어갈 알맞은 말을 쓰시오.

(1) 자음은 공기의 흐름이 발음 기관의 (　　　)를 받으며 나는 소리이다.
(2) 비음과 유음은 (　　　)에 속하는 자음이다.

개념 콕 3 단어 '유리컵'에 쓰인 자음들을 모두 쓰고, 이를 조음 위치에 따라 분류하시오.

(1) 자음들: ________
(2) 조음 위치에 따른 분류: ________

소리의 울림과 세기에 따라

자음은 발음할 때 성대(목청)가 울리느냐의 여부에 따라 울림소리와 안울림소리로 나눌 수 있다. 울림소리에는 'ㄴ, ㅁ, ㅇ, ㄹ'이 있다. 이들 네 개 이외의 자음은 모두 안울림소리이다.

안울림소리는 소리의 세기로도 분류할 수 있다. 안울림소리를 소리의 세기가 큰 것부터 나열하면 '거센소리(ㅋ, ㅌ, ㅍ, ㅊ) > 된소리(ㄲ, ㄸ, ㅃ, ㅆ, ㅉ) > 예사소리(ㄱ, ㄷ, ㅂ, ㅅ, ㅈ)' 이다.

① 목청의 울림 여부에 따라

울림소리	발음할 때 목청이 떨려 울리면서 나는 소리.	ㄴ, ㅁ, ㅇ, ㄹ
안울림소리	발음할 때 목청이 울리지 않고 나는 소리.	'ㄴ, ㅁ, ㅇ, ㄹ'을 제외한 모든 자음

② 소리의 세기에 따라

예사소리(평음)	숨 쉴 때와 같은 예사의 숨결로 내는, 약한 기를 가진 소리.	ㄱ, ㄷ, ㅂ, ㅅ, ㅈ
된소리(경음) (경: 굳을)	목청을 거의 닫고, 된 숨결로 내는 소리.	ㄲ, ㄸ, ㅃ, ㅆ, ㅉ
거센소리(격음/유기음) (격: 과격할 격, 유: 있을 유, 기: 숨 기)	목청을 마찰하는 거센 숨결로 내는, 강한 기를 가진 소리.	ㅋ, ㅌ, ㅍ, ㅊ

울림소리는 '노란 양말'로, 예사소리는 '군밤 다 사자'로 외우면 좋아.

현대 국어의 자음 체계

조음 방법 \ 조음 위치			입술소리(순음)	잇몸소리(치조음)	센입천장소리(경구개음)	여린입천장소리(연구개음)	목청소리(후음)
장애음	파열음	예사소리	ㅂ	ㄷ		ㄱ	
		된소리	ㅃ	ㄸ		ㄲ	
		거센소리	ㅍ	ㅌ		ㅋ	
	파찰음	예사소리			ㅈ		
		된소리			ㅉ		
		거센소리			ㅊ		
	마찰음	예사소리		ㅅ			ㅎ
		된소리		ㅆ			
공명음	비음		ㅁ	ㄴ		ㅇ	
	유음			ㄹ			

파열음, 마찰음, 파찰음은 공기의 흐름을 방해하는 정도가 커서 '장애음'이라 하고, 비음과 유음은 공기의 흐름을 방해하는 정도가 약하며 구강이나 비강 안에서의 울림이 커서 '공명음'이라고 해.

개념+ 비음과 유음의 음악적 효과

비음과 유음은 발음할 때 성대가 울리는 울림소리에 해당한다. 울림소리는 부드럽고 밝고 경쾌한 느낌을 주기 때문에 이러한 음악적 효과를 얻기 위해 문학 작품에서 자주 사용된다. 〈청산별곡〉의 후렴구인 "얄리얄리 얄라셩 얄라리 얄라"를 예로 들 수 있다.

개념 콕 **4** 다음 빈칸에 들어갈 알맞은 말을 쓰시오.

> 파찰음은 (　　　)과 (　　　)의 성질이 모두 있는 소리이며, 해당하는 음운은 (　　　)으로 모두 세 개이다.

개념 콕 **5** 다음 중 조음 위치가 다른 자음은?

① ㄱ　② ㄴ　③ ㄷ
④ ㄹ　⑤ ㅅ

개념 콕 **6** 다음 중 조음 방법이 같은 것끼리 묶이지 않은 것은?

① ㅂ, ㄷ, ㄱ　② ㅍ, ㅌ, ㅋ
③ ㅁ, ㄴ, ㅇ　④ ㄹ, ㅇ

콕 2 (1) 방해 (2) 울림소리
3 (1) ㄹ, ㅋ, ㅂ (2) ㄹ - 잇몸소리, ㅋ - 여린입천장소리, ㅂ - 입술소리
4 파열음, 마찰음, 'ㅈ, ㅊ, ㅉ' 5 ① 6 ④

궁금해요 'ㅚ, ㅟ'는 단모음인데도 이중 모음처럼 발음이 돼요.

요즘에는 'ㅚ', 'ㅟ'를 이중 모음으로 발음하는 경향이 있어. 표준 발음법 제2장 제4항의 [붙임]에서도 "'ㅚ, ㅟ'는 이중 모음으로 발음할 수 있다."라고 밝히고 있지. 'ㅚ, ㅟ'는 단모음이지만 현실의 발음을 고려해서 이중 모음으로 발음하는 것도 허용한 거야. 그래도 'ㅚ, ㅟ'는 단모음이라는 사실을 잊으면 안 돼!

짚고 가요

이중 모음 'ㅢ'

이중 모음 'ㅢ'는 단모음 'ㅡ'와 반모음 'ı̆[j]'가 결합한 이중 모음이야. 하지만 'ㅢ'는 이중 모음으로 온전히 발음되는 경우가 많지 않아서, 'ㅢ'의 음운론적 지위에 대한 논의가 분분하단다. 이중 모음 'ㅢ'의 발음은 표준 발음법에 나와 있으니 한번 확인해 봐.

157쪽 – 표준 발음법 제2장 제5항의 '다만 3', '다만 4'

개념 콕 7 다음 설명이 맞으면 ○표, 틀리면 ×표를 하시오.

(1) 모음은 반드시 다른 자음과 함께 소리 나야 한다. (　　)

(2) 이중 모음은 단모음과 반모음으로 구성된다. (　　)

개념 콕 8 다음 중 발음할 때 입이 가장 많이 벌어지는 모음은?

① ㅟ　② ㅓ　③ ㅐ　④ ㅡ　⑤ ㅚ

국어의 모음 체계

발음할 때 공기의 흐름이 방해를 거의 받지 않고 나는 소리를 모음이라고 한다. 자음이 홀로 쓰일 수 없고 꼭 모음과 짝을 이뤄야만 소리 날 수 있다는 특징을 지닌 데에 반해, 모음은 홀로 소리 날 수 있다. 모음은 발음하는 동안 입의 모양이나 혀의 위치가 바뀌느냐 그렇지 않느냐에 따라 단모음과 이중 모음으로 나뉜다.

단모음: 발음하는 도중에 입의 모양이나 혀의 위치가 바뀌지 않는 모음이다. 단모음은 혀의 앞뒤 위치, 입술 모양, 혀의 높이에 따라 분류된다.

혀의 높이 \ 입술 모양 \ 혀의 앞뒤 위치	전설 모음		후설 모음	
	평순 모음	원순 모음	평순 모음	원순 모음
고모음	ㅣ	ㅟ	ㅡ	ㅜ
중모음	ㅔ	ㅚ	ㅓ	ㅗ
저모음	ㅐ		ㅏ	

㉠ **혀의 앞뒤 위치에 따라**: 혀의 최고점이 앞에 있을 때 발음되는 모음을 전설 모음, 혀의 최고점이 뒤에 있을 때 발음되는 모음을 후설 모음이라고 한다.

㉡ **입술 모양에 따라**: 발음할 때 입술을 평평하게 하여 소리를 내는 모음을 평순 모음, 입술을 둥글게 오므려 소리를 내는 모음을 원순 모음이라고 한다.

㉢ **혀의 높이에 따라**: 혀의 높이가 가장 높은 모음을 고모음, 혀의 높이가 가장 낮은 모음을 저모음이라고 한다. 혀의 높이가 높을수록(고모음일수록) 입이 작게 벌어지고 혀의 높이가 낮을수록(저모음일수록) 입이 크게 벌어진다.

이중 모음: 발음하는 도중에 입의 모양이나 혀의 위치가 바뀌는 모음으로 단모음과 반모음이 결합하여 만들어진다. 이중 모음은 그 구성 요소 중 하나인 반모음의 종류에 따라 분류할 수 있다. 단모음이 반모음 'ı̆[j]'와 결합한 이중 모음을 ı̆[j]계 이중 모음, 단모음이 반모음 'ㅗ̆/ㅜ̆[w]'와 결합한 이중 모음을 ㅗ̆/ㅜ̆[w]계 이중 모음이라고 한다.

ı̆[j]계 이중 모음(반모음 'ı̆[j]' + 단모음)	ㅑ, ㅒ, ㅕ, ㅖ, ㅛ, ㅠ
ㅗ̆/ㅜ̆[w]계 이중 모음(반모음 'ㅗ̆/ㅜ̆[w]' + 단모음)	ㅘ, ㅙ, ㅝ, ㅞ

궁금해요 반모음이 뭐예요?

'ㅣ'와 'ㅏ'를 이어서 빠르게 발음해 보면, 마치 'ㅑ'처럼 느껴질 거야. 이때 빠르게 발음한 'ㅣ'를 반모음 'ı̆[j]'라고 해. 즉, 'ı̆+ㅏ→ㅑ'가 되는 거지. 반모음은 다음의 두 종류가 있어.

ı̆[j]	혀가 'ㅣ' 자리에서 다음 자리로 옮겨 갈 때 발음되는 반모음
ㅗ̆/ㅜ̆[w]	혀가 'ㅗ/ㅜ' 자리에서 다른 자리로 옮겨 갈 때 발음되는 반모음

말하자면 반모음은 자음과 모음의 중간적 존재야. 발음할 때 공기의 흐름이 방해를 받지 않는다는 점에서 모음과 비슷하고, 홀로 발음될 수 없다는 점에서는 자음과 비슷하지. 이런 성격 때문에 '반(半)자음'이라고 부르기도 하지만, 단모음과 결합하여 이중 모음을 이룬다는 점에 무게를 두어 '반(半)모음'이라 부르는 것이 일반적이야. 반모음은 온전한 모음이 아니므로 반달표(˘)를 붙여 'ı̆'와 같이 써.

4 음절

음절(音節)은 한 번에 소리낼 수 있는 발음의 최소 단위라고 볼 수 있다.

벌써 밤이다[벌써바미다]

➲ '벌써 밤이다'를 [벌써바미다]로 발음할 때, 발음의 단위인 '벌', '써', '바', '미', '다'가 각각 음절이 됨.

국어의 음절은 음운이 결합하여 이루는 것으로, '(자음) + 모음 + (자음)'의 순서로 결합해. 이때 음절 첫머리의 자음을 초성이라고 하고, 음절 가운데의 모음을 중성, 음절 끝의 자음을 종성이라고 한단다.

음절의 구조

국어의 음절은 초성(첫소리), 중성(가운뎃소리), 종성(끝소리)으로 이루어져 있다.

이때 중성은 하나의 음절을 이루는 데 꼭 필요한, 필수 요소이다. 다음의 표를 보면 중성이 없이는 음절이 구성될 수 없음을 알 수 있다.

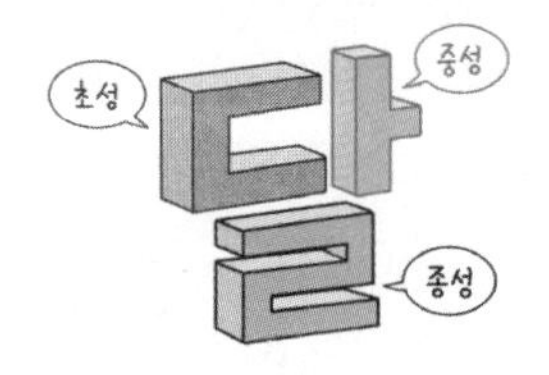

음절의 구조		예시
모음 단독	중성 모음	아, 오, 야
모음 + 자음	중성 모음 + 종성 자음	안, 운, 양
자음 + 모음	초성 자음 + 중성 모음	가, 수, 봐
자음 + 모음 + 자음	초성 자음 + 중성 모음 + 종성 자음	강, 산, 돌

궁금해요 'ㅇ'는 모음 'ㅏ'가 초성에 있는 자음 'ㅇ'과 함께 음절을 이루고 있는 것 아닌가요?

음운은 말의 뜻을 구별해 주는 가장 작은 소리의 단위라고 했지? 'ㅏ'와 '아' 사이에 의미 차이가 있다고 볼 수 있을까? 의미의 차이도, 발음의 차이도 없어. 모음만 단독으로 쓰면 어색하니까 앞에 'ㅇ'을 붙여서 쓰기로 한 것뿐이야. 왠지 음운으로 봐야 할 것 같은 초성의 'ㅇ'에게 속지 말 것! 음운의 개수를 셀 때도 초성의 'ㅇ'은 포함하지 않아야 해. 단, 종성의 'ㅇ'은 초성의 'ㅇ'과 달리 소릿값이 있는 음운이라는 것을 기억해 둬.

음절 구조의 제약

음절의 초성, 중성, 종성에 올 수 있는 음의 수나 종류에는 다음과 같은 제약이 있다.

초성 제약	최대 1개의 자음이 올 수 있으며, 자음 'ㅇ'은 허용되지 않는다.
중성 제약	1개의 단모음이나 이중 모음이 올 수 있다.
종성 제약	최대 1개의 자음이 올 수 있으며, 이때 종성에 올 수 있는 자음은 'ㄱ, ㄴ, ㄷ, ㄹ, ㅁ, ㅂ, ㅇ'만 허용한다.

이중 초성 제약과 중성 제약은 뒤에서 배울 음운의 변동과 연결되는 내용이므로 기억하도록 하자.

이들 제약은 매우 강력해서 예외를 허용하지 않아. 심지어는 외국어를 받아들일 때에도 이들 제약을 어기지 않는 방향으로 발음이 변화를 겪기도 하지. 영어 화자가 한 음절로 발음하는 'mask'를, '마스크'라고 세 음절로 발음하는 것을 예로 들 수 있어.

짚고 가요

'닭'의 음운 개수는 몇 개?

'닭'은 겹받침 'ㄹ'이 탈락하여 [닥]으로 발음되기 때문에, 이 경우 음운 개수는 3개야. 반면 주격 조사 '이'가 붙은 '닭이'의 발음은 [달기]로, 겹받침의 'ㄹ'은 탈락되지 않고 겹받침의 'ㄱ'은 연음되고 있어. 따라서 '닭이[달기]'에서의 '닭'은 4개의 음운으로 이루어졌다고 본단다.

개념 콕 9 음절의 구성 방식이 다른 하나는?

① 감 ② 밖 ③ 상
④ 약 ⑤ 햇

개념 콕 10 현대 국어의 음절 제약에 어긋난 것을 고르시오.

① 낙락장송 되야 이셔
② 내 그런 뜨들 몰라 ᄒᆞ댕다
③ 어론 님 오신 날 밤이여든 구뷔구뷔 펴리라

개념 콕 11 음운의 개수가 같은 것끼리 묶인 것은?

① 나눔, 악기
② 생각, 무지개
③ 으악, 지우개

콕 7 (1) × (2) ○ 8 ③ 9 ④ 10 ② 11 ②

3 음운

사뿐히 즈려밟는

확인 문제

바로바로 간단 체크

1 괄호 안에 들어갈 알맞은 말을 쓰시오.

(1) 말의 뜻을 구별해 주는 가장 작은 소리의 단위를 (ㅇ ㅇ)(이)라고 한다.

(2) 공기의 흐름이 발음 기관의 방해를 받아 만들어지는 음운을 (ㅈ ㅇ)(이)라고 한다.

(3) (ㅇ ㅈ) 은 발음의 최소 단위이며, (ㅁ ㅇ)은 음절을 이루는 필수 요소이다.

2 다음 설명이 맞으면 ○표, 틀리면 ×표를 하시오.

(1) 비분절 음운은 분절 음운에 얹혀서 실현된다. (　　)

(2) 최소 대립쌍이란 동일한 위치에 있는 하나의 음운 때문에 뜻이 달라지는 단어의 쌍을 말한다. (　　)

(3) 이중 모음은 단모음과 단모음이 결합한 모음을 말한다. (　　)

3 빈칸에 알맞은 말을 넣어 국어의 자음 체계표를 완성하시오.

조음 방법 \ 조음 위치		입술소리 (순음)	잇몸소리 (치조음)	센입천장소리 (㉠____)	여린입천장소리 (연구개음)	목청소리 (후음)
㉡____	예사소리	ㅂ	ㄷ		ㄱ	
	㉢____	ㅃ	ㄸ		ㄲ	
	거센소리	ㅍ	ㅌ		ㅋ	
파찰음	예사소리			㉣____		
	㉢____			ㅉ		
	거센소리			ㅊ		
마찰음	예사소리		ㅅ			ㅎ
	㉢____		ㅆ			
비음		ㅁ	ㄴ		ㅇ	
㉤____			ㄹ			

4 다음 표를 참고하여 모음에 대한 설명이 맞으면 ○표, 틀리면 ×표를 하시오.

혀의 높이 \ 입술 모양 \ 혀의 앞뒤 위치	전설 모음		후설 모음	
	평순 모음	원순 모음	평순 모음	원순 모음
고모음	ㅣ	ㅟ	ㅡ	ㅜ
중모음	ㅔ	ㅚ	ㅓ	ㅗ
저모음	ㅐ		ㅏ	

〈현대 국어의 단모음 체계〉

(1) 'ㅔ'와 'ㅐ'는 발음할 때 입술 모양이나 혀의 앞뒤 위치는 같지만 혀의 높이가 서로 다른 모음이다. (　　)

(2) 단모음은 혀의 앞뒤 위치와 혀의 높이만으로 분류할 수 있다. (　　)

(3) 전설 모음, 고모음, 원순 모음을 모두 만족하는 모음은 'ㅜ'이다. (　　)

5 다음 단어를 음운 단위로 분석하시오.

(1) 강아지　　(2) 운수

(3) 약국　　(4) 값싸다

6 음운 체계를 다음과 같이 정리할 때 빈칸에 들어갈 알맞은 말을 쓰시오.

음운	
㉠______ 음운(음소)	비분절 음운(운소)
자음, ㉡______	㉢______, 고저, 강약

7 다음 음절에 대한 설명이 맞으면 ○표, 틀리면 ×표를 하시오.

(1) 국어의 음절은 초성, 중성, 종성으로 이루어져 있다. (　　)

(2) 모든 음절에는 중성이 있어야 한다. (　　)

(3) 초성에는 최대 2개의 자음이 올 수 있다. (　　)

음운의 개념

01 음운에 대한 설명으로 적절하지 않은 것은?

① 모든 음운은 문자와 일대일로 대응한다.
② 쉽게 분리되는 음운으로 자음과 모음이 있다.
③ 음운은 분절 음운과 비분절 음운으로 나눌 수 있다.
④ 음운은 말의 뜻을 구별해 주는 소리의 최소 단위이다.
⑤ 소리의 길이는 말의 뜻을 구별할 수 있는 음운에 속한다.

음운의 개념

02 〈보기〉의 대화에서 추론할 수 있는 내용으로 가장 적절한 것은?

보기

외국인: '바보'에서 '바'의 'ㅂ'과 '보'의 'ㅂ'은 다른 소리인데 왜 같은 글자로 적는 거니?
한국인: '바'의 'ㅂ'과 '보'의 'ㅂ'은 같은 소리야.
외국인: 아니야, '바'의 'ㅂ'은 [p]고 '보'의 'ㅂ'은 [b]니까 다른 소리잖아.

① '한국인'은 [b]와 [p]를 발음할 수 없다.
② '외국인'은 'ㅂ'을 하나의 음운으로 인식하고 있다.
③ 우리말에서 [b]와 [p]는 다른 음운으로 인식된다.
④ 음운은 말의 뜻을 구별해 주기 때문에 하나의 음성만을 가진다.
⑤ 언어에 따라 음성적으로 다른 소리가 하나의 음운으로 인식될 수 있다.

비분절 음운

03 ㉠~㉣ 중 길게 발음해야 하는 것을 고른 것은?

- ㉠눈이 내려 서진이의 ㉡눈에 들어갔다.
- 우진이가 ㉢밤에 일어나 군㉣밤을 먹었다.

자음 체계

04 우리말 자음 체계에 대한 설명으로 적절하지 않은 것은?

① 자음은 목청의 울림 여부에 따라 분류할 수 있다.
② 'ㅎ'은 목청에서 장애를 받는 소리로, 마찰을 일으키는 방법으로 소리를 만든다.
③ 'ㄲ, ㄸ, ㅃ'은 동일한 조음 위치에서 소리가 나며, 파열음이라는 공통점이 있다.
④ 자음은 소리의 세기로 분류했을 때 예사소리, 된소리, 거센소리로 나눌 수 있다.
⑤ 'ㄴ, ㄹ, ㅁ, ㅇ'은 울림소리라는 공통점을 지니며 조음 방법에 따라서는 비음과 유음으로 나눌 수 있다.

자음의 특성

05 〈보기〉의 사례로 활용하기에 적절하지 않은 것은?

보기

우리말의 자음은 소리의 세기에 따라 '예사소리-된소리-거센소리'로 구분된다. 이때 된소리는 예사소리보다 더 강하고 단단한 느낌을 주고, 거센소리는 된소리보다 더 크고 거친 느낌을 준다.

① 총소리가 빵빵 났다. / 폭탄이 팡팡하고 터졌다.
② 부모님의 말씀을 좇았다. / 나연이가 동생을 쫓았다.
③ 얼굴이 발갛게 상기됐다. / 단풍잎이 빨갛게 물들었다.
④ 보글보글 찌개 끓는 소리. / 거품이 뽀글뽀글 일어났다.
⑤ 껌껌해서 아무것도 안 보여. / 밤하늘이 컴컴해서 별이 더 빛난다.

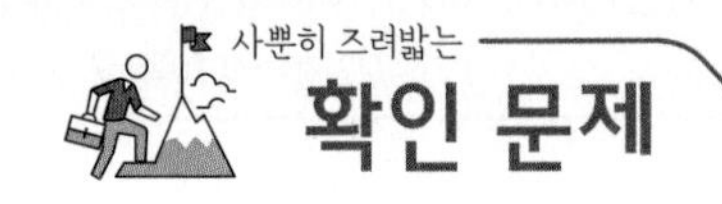

모음 체계

06 모음에 대한 설명으로 적절하지 않은 것은?

① 발음 기관의 방해를 받지 않고 나는 소리이다.
② 'ㅟ'와 'ㅚ'는 발음할 때 입술 모양과 혀의 최고점의 위치가 같다.
③ 'ㅙ', 'ㅟ'는 발음할 때 입술의 모양이나 혀의 위치가 변한다.
④ 단모음은 입술 모양과 혀의 앞뒤 위치, 혀의 높이를 기준으로 분류할 수 있다.
⑤ '내가'의 '내'와 '네가'의 '네'를 발음할 때는 혀의 최고점의 위치를 고려해야 정확하게 의미를 전달할 수 있다.

모음 체계

07 반모음에 대한 설명으로 적절하지 않은 것은?

① 단모음과 결합하여 이중 모음을 이룰 수 있다.
② 홀로 소리가 날 수 없다는 점에서 자음과 비슷하다.
③ 'ㅘ', 'ㅝ'는 반모음 'ㅣ̆[j]'가 단모음과 결합한 이중 모음이다.
④ 발음할 때 공기의 흐름이 방해를 거의 받지 않는다는 점에서 모음과 비슷하다.
⑤ 'ㅑ', 'ㅕ', 'ㅛ'는 반모음 'ㅣ̆[j]'로 시작하며, 각각 단모음 'ㅏ', 'ㅓ', 'ㅗ'와 결합해서 만들어진다.

음운 체계

08 〈보기〉에 쓰인 음운에 대한 설명으로 적절한 것은?

보기
눈부신 해와 철썩대는 바다야

① 〈보기〉에 쓰인 비음으로는 'ㄴ, ㅇ'이 있다.
② 〈보기〉에 쓰인 거센소리로는 'ㅊ, ㅎ'이 있다.
③ 〈보기〉에 쓰인 입술소리로는 'ㄴ, ㅂ'이 있다.
④ 〈보기〉에 쓰인 원순 모음은 모두 후설 모음이다.
⑤ 〈보기〉에 쓰인 이중 모음들은 모두 같은 종류의 반모음과 결합하였다.

음운 체계

09 〈보기〉에서 설명하고 있는 자음과 모음으로 이루어진 음절을 포함하고 있는 단어는?

보기

자음
- 여린입천장에서 나는 소리
- 폐에서 나오는 공기의 흐름을 완전히 막았다가 터뜨리며 내는 소리
- 숨 쉴 때와 같은 예사의 숨결로 내는, 약한 기를 가진 소리

모음
- 발음 도중에 입술이나 혀가 고정되어 움직이지 않는 소리
- 혀의 위치가 앞부분에서 나는 소리
- 발음할 때 혀의 높이가 가장 낮은 소리

① 우리 ② 함께 ③ 날개 ④ 활짝 ⑤ 펴자

음절의 특성

10 〈보기〉의 선생님의 질문에 대한 학생의 답변으로 적절하지 않은 것은?

보기
선생님: 음절은 한 번에 발음될 수 있는 최소의 소리 단위예요. 음절이 성립하기 위해선 반드시 모음이 있어야 합니다. 음절은 자음이 모음과 어떻게 결합하느냐에 따라 그 구조가 네 가지로 나뉜답니다. 또 음절의 첫소리에는 음운 'ㅇ'이 올 수 없고, 두 개 이상의 자음이 올 수 없다는 제약이 있어요. 그럼 이제 다음의 ㉮를 참고해서, 음절에 대해 이해한 내용을 말해 볼까요?
㉮ 어제 볶음밥은 안 먹었어. → [어제 보끔바븐 안 머거써]

① **아름**: ㉮를 보니 문장에 쓰인 모음의 개수는 음절의 개수와 일치하네요.
② **진영**: ㉮를 보니 음절은 말의 의미보다는 발음과 더 관련이 깊은 개념 같아요.
③ **성우**: ㉮를 보니 음절의 구조는 [어], [제], [븐], [안]이 각각 속하는 총 네 가지의 유형으로 나눌 수 있겠어요.
④ **윤지**: ㉮에 쓰인 '볶음밥'을 보니, 음절의 끝소리에는 두 개 이상의 자음이 올 수 있네요.
⑤ **민규**: ㉮에 쓰인 '먹었어'를 보니 음절의 첫소리에 쓰인 'ㅇ'은 발음되지 않고 그 자리에서 앞말의 끝소리가 발음되었어요.

음운의 개념 2014학년도 9월 고1 학력평가(변형)

11 〈보기〉의 음운 카드를 활용하여 학습한 내용으로 적절하지 않은 것은?

보기
- 음운: 말의 뜻을 구별해 주는 소리의 가장 작은 단위

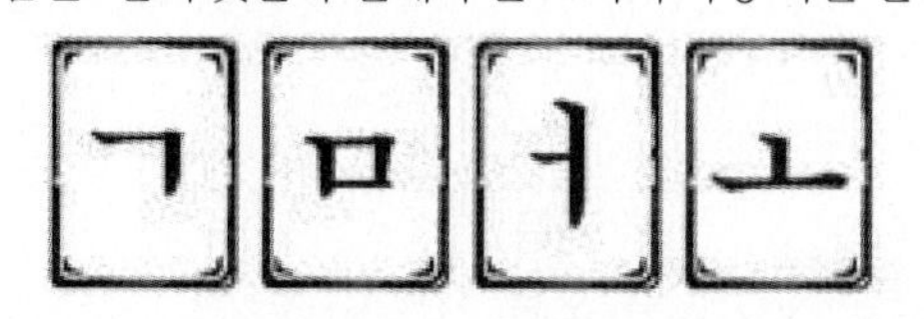

① 'ㅁ', 'ㅓ', 'ㄱ'을 차례로 사용하면 '먹'이라는 단어를 만들 수 있군.
② '먹'의 가운뎃소리인 'ㅓ' 대신 'ㅗ'를 사용하면 새로운 단어가 되는군.
③ '목 : 곰'에서 보면 첫소리가 끝소리에, 끝소리가 첫소리에도 쓰일 수 있군.
④ '먹 : 목'을 보면 가운뎃소리는 첫소리의 오른쪽에만 써야 하는 것을 알 수 있군.
⑤ '목/먹/곰/검'처럼 음운의 결합에 따라 의미가 다른 여러 단어를 만들 수 있군.

음운 체계 2012학년도 5월 예비시행Ⓐ

12 다음은 '음운'에 대한 학습 활동지 중 일부이다. ⓐ에 들어갈 내용으로 적절한 것은?

(ㄱ) '발'의 초성, 중성, 종성을 다른 음운으로 바꾸어 여러 단어를 만들어 보자.
- 초성을 바꾼 경우 (달, 살)
- 중성을 바꾼 경우 (볼, 불)
- 종성을 바꾼 경우 (밥, 방)

(ㄴ) 다음 단어를 길게 발음할 때와 짧게 발음할 때의 차이를 이용해 문장을 만들어 보자.

눈	
길게 발음할 때	짧게 발음할 때
눈이 펑펑 내린다.	아이 눈이 초롱초롱하다.

⬇

(ㄱ)과 (ㄴ)을 함께 고려할 때 [ⓐ]는 사실을 알 수 있다.

① 음운은 문자로 표기할 수 있다.
② 음운은 단어의 뜻을 구별해 준다.
③ 음운은 일정한 조건에서 변화한다.
④ 음운은 어떤 위치든 나타날 수 있다.
⑤ 음운은 감정의 차이를 표현할 수 있다.

자음 체계 2017학년도 9월 고1 학력평가

13 다음은 자음 습득에 관한 탐구 자료이다. 이에 대한 이해로 적절하지 않은 것은?

보기

'엄마'와 '아빠' 중에 어느 단어가 상대적으로 낮은 연령에서 발음하기가 쉬울까? 자음은 발음을 할 때 공기의 흐름이 방해를 받기 때문에 제약이 많아 연령에 따라 습득되는 자음들이 다르다. 연령에 따른 자음의 발달 단계를 살펴보면 우선 두 입술 사이에서 나는 소리가 가장 먼저 발달한다. 그 중에서도 코로 공기를 내보내는 비음이자 울림소리인 'ㅁ'이 2세 때 습득된다. 그 후 3세 때에는 파열음이자 안울림소리인 'ㅃ'을 습득하게 된다. 따라서 'ㅁ'을 'ㅃ'보다 먼저 습득하게 되므로 아동들은 부모의 호칭 중 음성학적으로 '아빠'보다 '엄마'를 보다 쉽게 발음할 수 있는 것이다.

① 'ㅁ'은 'ㅃ'보다 강하게 파열되며 나는 소리구나.
② 'ㅁ'은 'ㅃ'과 달리 목청을 울리면서 소리를 내게 되는구나.
③ 'ㅁ'은 'ㅃ'과 달리 코로 공기를 내보내면서 소리를 내게 되는구나.
④ 'ㅁ'과 'ㅃ'은 모두 두 입술 사이에서 나는 소리구나.
⑤ 'ㅁ'과 'ㅃ'은 모두 공기의 흐름이 방해를 받는 소리구나.

모음 체계 2017학년도 9월 고1 학력평가

14 다음 표를 참고할 때, 〈보기〉의 놀이에서 승리할 수 있는 카드는?

혀의 앞뒤 위치	전설 모음		후설 모음	
입술 모양 / 혀의 높이	평순	원순	평순	원순
고모음	ㅣ	ㅟ	ㅡ	ㅜ
중모음	ㅔ	ㅚ	ㅓ	ㅗ
저모음	ㅐ		ㅏ	

보기

◎ 한글 모음 놀이의 승리 조건
– 아래의 조건을 모두 만족하는 모음 카드를 제시할 것
- 입천장의 중간점을 기준으로 혀의 가장 높은 부분을 앞쪽에 둔 상태로 발음하는 모음
- 입술을 평평하게 해서 발음하는 모음
- 입을 조금 벌리고 혀가 입천장에 닿을 만큼 가장 높은 상태로 발음하는 모음

① ㅔ ② ㅜ ③ ㅣ ④ ㅟ ⑤ ㅏ

12 음운의 변동 ① – 교체

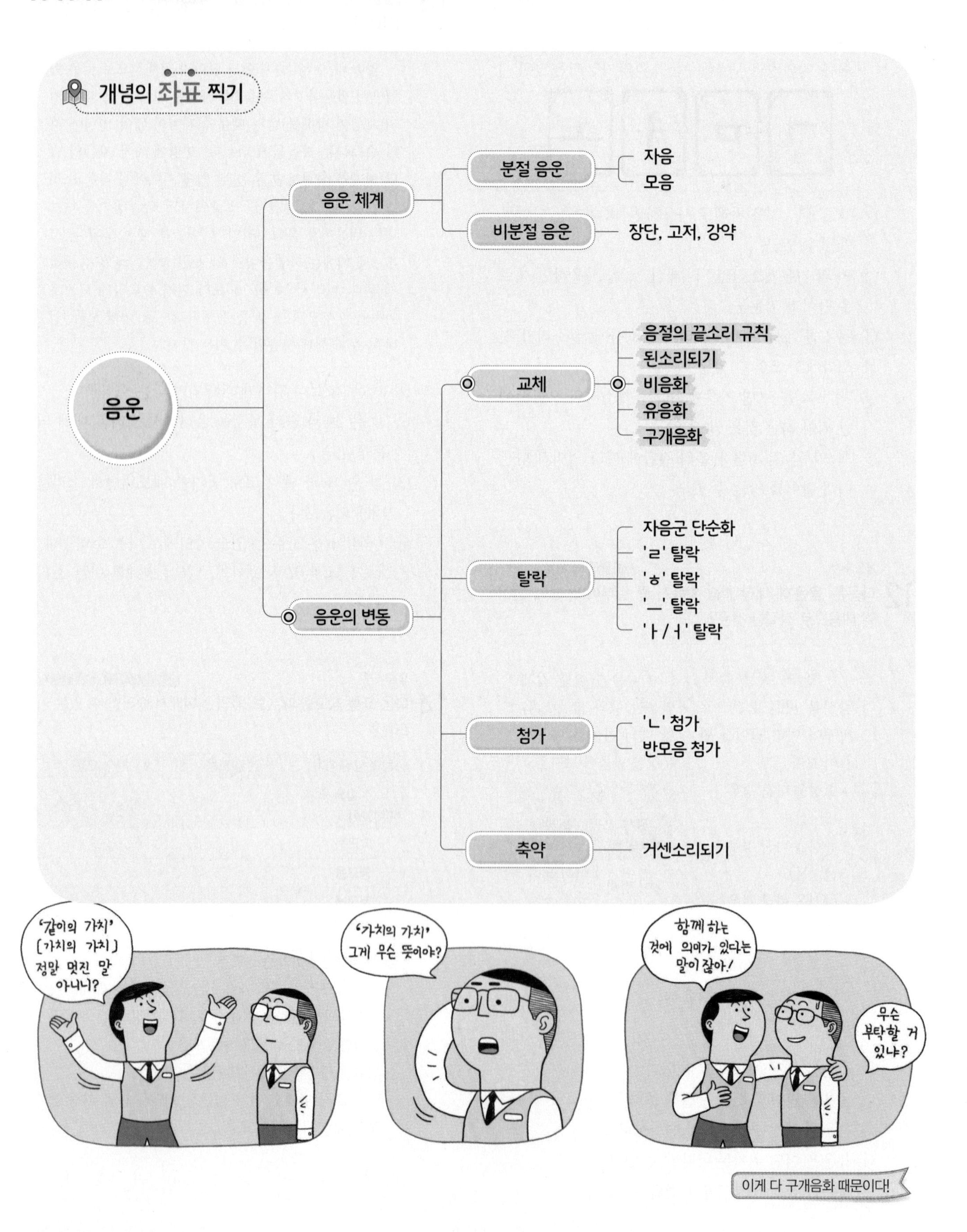

개념의 좌표 찍기
음운
음운 체계
분절 음운
자음
모음
비분절 음운
장단, 고저, 강약
음운의 변동
교체
음절의 끝소리 규칙
된소리되기
비음화
유음화
구개음화
탈락
자음군 단순화
'ㄹ' 탈락
'ㅎ' 탈락
'ㅡ' 탈락
'ㅏ/ㅓ' 탈락
첨가
'ㄴ' 첨가
반모음 첨가
축약
거센소리되기
'같이의 가치' [가치의 가치] 정말 멋진 말 아니니?
'가치의 가치' 그게 무슨 뜻이야?
함께 하는 것에 의미가 있다는 말이 잖아!
무슨 부탁할 거 있냐?
이게 다 구개음화 때문이다!

개념을 품은 **기출 선택지**

- ㄱ은 음절의 끝에서 **한 음운이 다른 음운으로 바뀌는 현상**으로, ㄱ의 예로 '**꽃 → [꼳]**'을 추가할 수 있다. (2015. 7. 고3 학력평가Ⓐ)
- ㉣을 보니, 'ㅌ' 뒤에 실질 형태소가 올 때는 **구개음화**가 일어나지 않는군. (2018. 9. 고2 학력평가)
- ㉣은 **동화**입니다. 왜냐하면 'ㅂ'이 'ㄴ'의 영향을 받아 'ㄴ'과 콧소리라는 점이 같은 'ㅁ'으로 바뀌기 때문입니다. (2016. 6. 모의평가)

1 음운의 변동

음운이 놓이는 환경에 따라 다르게 발음되는 현상을 음운의 변동이라고 한다. 다음 ㉠~㉢의 첫음절의 종성 'ㅎ'은 그것이 놓인 음성 환경에 따라 각기 다른 소릿값으로 실현되고 있다. 음운 변동은 보통 형태소와 형태소가 결합하면서 그 경계에 놓이는 두 개의 음운 사이의 관계에 따라 나타나는 경우가 많다.

㉠ 낳는 ⇨ [낟는 → 난는]
㉡ 낳아 ⇨ [나아]
㉢ 낳다 ⇨ [나타]
㉣ 담요 ⇨ [담뇨]

국어의 음운 변동은 일반적으로 교체, 탈락, 축약, 첨가의 네 가지로 분류할 수 있다. 교체는 위의 ㉠과 같이 어떤 음운이 다른 음운으로 바뀌는 것이고, 탈락은 ㉡과 같이 원래 있던 음운이 없어지는 것이다. 축약은 ㉢과 같이 두 음운이 합쳐져 하나의 음운으로 줄어드는 것이며, 첨가는 ㉣과 같이 없던 음운이 새로 더해지는 것이다.

음운 변동 현상은 흔히 다음 표의 '변동 양상'과 같이 형식화하여 표현하기도 하니 함께 알아 두자.

변동 유형	변동 양상	음운의 개수 변화
교체	$X\underline{a}Y \rightarrow X\underline{b}Y$	없음.
탈락	$X\underline{a}Y \rightarrow X\_Y$	−1
축약	$X\underline{ab}Y \rightarrow X\underline{c}Y$	−1
첨가	$X\_Y \rightarrow X\underline{a}Y$	+1

음운 변동은 발음하면서 자연스레 일어나는 현상이기 때문에 공부하면서 직접 발음을 해 보는 것이 좋아. 또 음운 변동과 밀접한 관련이 있는 '표준 발음법'과 함께 문제가 나오기도 하니까, 확인 문제의 '바로바로 간단 체크'를 풀면서 표준 발음법과 음운 변동을 함께 익혀 두자.

개념 콕 1 각 설명에 해당하는 음운 변동의 종류가 무엇인지 쓰시오.

(1) 원래 있던 음이 없어지는 것	
(2) 없던 음운이 더해지는 것	
(3) 어떤 음운이 다른 음운으로 바뀌는 것	
(4) 두 음운이 합쳐져 하나의 음운으로 줄어드는 것	

개념 콕 2 다음 문장과 발음을 비교하여 음운 변동이 일어난 단어를 모두 쓰시오.

달나라에 가는 꿈을 꾸었다.
[달라라에 가는 꾸믈 꾸얻따]

콕 1 (1) 탈락 (2) 첨가 (3) 교체 (4) 축약
2 '달나라[달라라]', '꾸었다[꾸얻따]'

2 음운의 교체

한 음운이 다른 음운으로 바뀌는 교체 현상에는 음절의 끝소리 규칙, 된소리되기(경음화), 비음화, 유음화, 구개음화가 있다.

음절의 끝소리 규칙

113쪽의 '종성 제약'에서 살펴보았듯이, 우리말은 음절 말에서 'ㄱ, ㄴ, ㄷ, ㄹ, ㅁ, ㅂ, ㅇ'(가느다란 물방울'로 암기!)의 일곱 자음만 발음될 수 있다. 따라서 음절 끝에 이 일곱 개 이외의 자음이 오더라도 'ㄱ, ㄴ, ㄷ, ㄹ, ㅁ, ㅂ, ㅇ' 중 하나로 바뀌어 발음된다. 이를 음절의 끝소리 규칙이라고 한다.

ㄲ, ㅋ	→	[ㄱ]
ㅌ, ㅅ, ㅆ, ㅈ, ㅊ, ㅎ	→	[ㄷ]
ㅍ	→	[ㅂ]

왼쪽의 받침들이 오른쪽과 같이 발음된다.

앞[압]　끝[끋]　꽃[꼳]　밖[박]

표기할 때에는 받침에 'ㅍ, ㅌ, ㅊ, ㄲ'을 썼지만 발음할 때는 'ㅍ'이 'ㅂ'으로, 'ㅌ, ㅊ'은 'ㄷ'으로, 'ㄲ'은 'ㄱ'으로 발음됨.

음절의 끝소리 규칙은 뒤에 오는 말에 따라 다음과 같이 적용된다.

(1) 뒤에 자음으로 시작하는 말이 올 때 — 음절의 끝소리 규칙 ○

옷도 → [옫도] → [옫또]

음절의 끝소리 규칙 적용　된소리되기

(2) 뒤에 모음으로 시작하는 실질 형태소(어간, 어근(38쪽))가 올 때 — 음절의 끝소리 규칙 ○

옷 안 → [옫안] → [오단]

음절의 끝소리 규칙 적용　연음 현상

(3) 뒤에 모음으로 시작하는 형식 형태소(조사, 어미, 접사(37쪽))가 올 때 — 음절의 끝소리 규칙 ×

옷이 → [오시]

연음 현상

개념 콕 3 〈보기〉에 해당하는 예로 볼 수 없는 것은?

> 보기
> 받침 'ㄲ, ㅋ', 'ㅅ, ㅆ, ㅈ, ㅊ, ㅌ', 'ㅍ'은 어말 또는 자음 앞에서 각각 대표음 [ㄱ, ㄷ, ㅂ]으로 발음한다.

① 닦다[닥따]
② 샀어[사써]
③ 짖다[짇따]
④ 앞서[압써]
⑤ 쫓기다[쫀끼다]

개념 콕 4 다음 중 발음이 잘못된 것은?

① 엿[엳]
② 끝에[끄테]
③ 겪다[격따]
④ 살갗[살갇]
⑤ 빛처럼[빈처럼]

짚고 가요

연음 현상

앞의 발음이 뒤의 발음으로 자연스럽게 이어지는 현상을 '연음'이라고 해. '밥이[바비]'처럼 말이야. 연음 현상도 발음하면서 아주 자연스럽게 일어나지만, 음운이 달라지는 것이 아니므로 음운 변동 현상으로 볼 수 없어. 헷갈리면 안 돼!
(밥이(ㅂ, ㅏ, ㅂ, ㅣ) → [바비](ㅂ, ㅏ, ㅂ, ㅣ))

음절의 끝소리 규칙일까? 아닐까?

113쪽에서 '닭'의 음운의 개수를 이야기하면서, 'ㄳ', 'ㄵ', 'ㄶ', 'ㄺ'과 같은 겹받침을 이루는 음운은 두 개라고 했지? 따라서 '닭[닥]'은 한 음운이 다른 음운으로 바뀌는 교체 현상이 아니라, 종성의 'ㄹ'이 없어진 탈락 현상에 해당해. 즉, 음절의 끝소리 규칙에 해당하지 않아.
한편 자음 체계에서 살펴보았듯이, 'ㄲ, ㄸ, ㅃ, ㅆ, ㅉ'와 같은 된소리는 '당연히' 한 개의 음운이야. 따라서 종성에 쓰인 된소리를 발음할 때에는 음절의 끝소리 규칙이 적용돼. '밖[박], 났(다)[낟(따)]'를 예로 들 수 있지. 참, 'ㄸ, ㅃ, ㅉ'는 종성에 쓰이지 않기 때문에 'ㄲ, ㅆ'의 예만 든 것이니 참고하렴.

된소리되기(경음화)

된소리되기는 특정한 환경에서 **예사소리가 된소리로 바뀌어** 발음되는 현상을 말한다. 된소리되기는 다음의 (1)~(4)와 같이 다양한 환경에서 일어난다. (1)~(4)의 왼쪽의 것 뒤에 오른쪽의 예사소리들이 연결될 때, 이 예사소리들은 된소리로 발음한다.

(1) 받침 'ㄱ(ㄲ, ㅋ, ㄳ, ㄺ)', 'ㄷ(ㅅ, ㅆ, ㅈ, ㅊ, ㅌ)', 'ㅂ(ㅍ, ㄼ, ㄿ, ㅄ)' + ㄱ, ㄷ, ㅂ, ㅅ, ㅈ

약국[약꾹]　　닫지[닫찌]

(2) 어간 받침 'ㄴ(ㄵ)', 'ㅁ(ㄻ)' + 어미의 첫소리 ㄱ, ㄷ, ㅅ, ㅈ

안고[안꼬]　　감다[감따]

➲ 용언의 어간과 어미가 만날 때만 해당되며, '바람도[바람도]'처럼 체언과 조사가 만났을 때는 된소리되기가 일어나지 않음에 유의한다.

(3) 한자어에서 받침 'ㄹ' + ㄷ, ㅅ, ㅈ

갈등[갈뜽]　　발사[발싸]　　굴절[굴쩔]

(4) • 관형사형 어미 '-(으)ㄹ'
• '-(으)ㄹ'로 시작되는 어미
+ ㄱ, ㄷ, ㅂ, ㅅ, ㅈ

할 도리[할또리]　　올 사람[올싸람]
할지라도[할찌라도]　　할수록[할쑤록]

짚고 가요

위에 제시된 음운 환경이 아닌데, 된소리로 발음된다고요? – 사잇소리 현상에 의한 된소리되기

위에 제시된 음운 환경에 해당하지 않는데도 된소리로 발음되는 경우가 있어. 일부 합성어(합성어는 '어근+어근'이 결합해 형성된 말인 것, 기억하지?)를 이루는 뒤 어근의 첫소리가 'ㄱ, ㄷ, ㅂ, ㅅ, ㅈ'일 때, 이것이 된소리로 발음되기도 하거든. '봄비[봄삐]'를 예로 들 수 있지. '봄비'는 앞말의 받침이 'ㅁ'이니, 위에 제시된 (1)의 경우에 해당하지 않잖아.
표준 발음법 제28항에서는 "표기상으로 사이시옷이 없더라도 관형격 기능을 지니는 사이시옷이 있어야 할(휴지가 성립되는) 합성어의 경우에는, 뒤 단어의 첫소리 'ㄱ, ㄷ, ㅂ, ㅅ, ㅈ'을 된소리로 발음한다."라고 하였어. 다음의 예가 있단다.

산바람[산빠람]　발바닥[발빠닥]
봄비[봄삐]　초승달[초승딸]

➲ 합성어에서 앞말이 울림소리 [ㄴ, ㄹ, ㅁ, ㅇ]이면서 뒷말의 첫소리가 된소리로 발음된다면, 사잇소리 현상과 관련이 있음.

개념+ 경음화

'된소리'를 한자로 하면 '경음(단단할 硬, 소리 音)'이다. '경음화'의 '화(化)'는 '되다, 모양이 바뀌다'는 의미로, '경음화'는 즉 '된소리가 아닌 것이 된소리가 되는 현상'을 의미하는 것이다.
문법에서는 '○○화(化)'와 같은 표현이 자주 쓰이므로 익숙해지도록 하자.

개념 **콕 5** 〈보기〉의 노래 가사 중 된소리되기가 일어나는 부분을 모두 쓰시오.

• 보기 •
모든 말을
다 꺼내어 줄 순 없지만
사랑한다는 말이에요.

어떻게 나에게
그대란 행운이 온 걸까.
– 아이유, 〈밤편지〉 중에서

개념 **콕 6** 제시된 단어의 발음이 맞으면 ○표, 틀리면 ×표를 하시오.

(1) 굶다[굼따]　(　)
(2) 옷고름[옫고름]　(　)
(3) 말살[말쌀]　(　)
(4) 감기다[감끼다]　(　)
(5) 할 적에[할쩌게]　(　)

개념 **콕 7** 〈보기〉의 발음이 잘못된 이유가 무엇인지 쓰시오.

• 보기 •
범죄 신고[신ː꼬] 전화

콕 3 ② 4 ④ 5 줄 순[줄쑨], 없지만[업찌만] 6 (1) ○ (2) × (3) ○ (4) × (5) ○ 7 어간 받침이 'ㄴ'이고 뒤에 'ㄱ, ㄷ, ㅅ, ㅈ'으로 시작하는 어미가 올 때 된소리되기가 일어나는데, 여기서 '신고'는 동사가 아니라 명사이므로('신'이 어간이 아니므로) 된소리로 발음하지 않는다.

짚고 가요

동화(同化)

동화 현상은 한자 그대로, 한쪽의 음운이 다른 쪽 음운의 성질을 닮는 현상을 말해. '비음화, 유음화, 구개음화'는 모두 자음이 앞이나 뒤에 오는 음운의 성질을 닮아 변동하므로 동화에 속한단다.
동화는 일어나는 방향에 따라 다음의 둘로 나눌 수 있어.

순행 동화	앞 음운의 영향으로 뒤 음운이 동화되는 현상 예 칼날[칼랄]
역행 동화	뒤 음운의 영향으로 앞 음운이 동화되는 현상 예 신라[실라]

개념+ **유음화의 예외**

표준 발음법 제20항의 '다만'에서는 'ㄴ' 뒤에 오는 'ㄹ'이라도, 'ㄴ'으로 발음해야 하는 단어들을 제시하고 있다.

예 결단력[결딴녁]
공권력[공꿘녁]

➲ 위 단어들은 한자어이면서, '결단+력', '공권+력'처럼 그 단어를 둘로 쉽게 나눌 수 있는 특징이 있으나, 'ㄴ'이 [ㄹ]로 발음되는 '신라'의 경우 그 단어를 '신+라'처럼 둘로 나누면 본래의 뜻을 잃게 됨.

개념 콕 8 **다음 단어를 발음할 때 일어나는 음운 변동 현상 ㉠, ㉡을 쓰시오.**

꽃망울
↓ (㉠:)
[꼳망울]
↓ (㉡:)
[꼰망울]

개념 콕 9 **다음 규정에 따라 발음한 것으로 적절하지 않은 것은?**

● 보기 ●
받침 'ㄱ(ㄲ, ㅋ, ㄳ, ㄺ), ㄷ(ㅅ, ㅆ, ㅈ, ㅊ, ㅌ, ㅎ), ㅂ(ㅍ, ㄼ, ㄿ, ㅄ)'은 'ㄴ, ㅁ' 앞에서 [ㅇ, ㄴ, ㅁ]으로 발음한다.

① 쌓는[싼는]
② 앞문[암문]
③ 독무대[동무대]
④ 키읔만[키응만]
⑤ 옷맵시[옴맵씨]

비음화

비음이 아닌 자음(앞 음절의 종성)이 비음을 만나 비음(뒤 음절의 초성) 'ㅇ, ㄴ, ㅁ'으로 바뀌는 현상이다.

● ㄱ, ㄷ, ㅂ 받침 뒤에 ㄴ, ㅁ 이 오면 → 비음 ㅇ, ㄴ, ㅁ 으로 바뀜.

국민[궁민]　　얻는[언는]　　밥물[밤물]

➲ 파열음(ㄱ, ㄷ, ㅂ)이 뒤에 위치한 비음(ㄴ, ㅁ)을 닮아 비음(ㅇ, ㄴ, ㅁ)이 되는 동화 현상이 일어남. 'ㄱ'은 [ㅇ]으로, 'ㄷ'은 [ㄴ]으로, 'ㅂ'은 [ㅁ]으로 발음됨.

120쪽 '음절의 끝소리 규칙'에서 살펴보았듯이, 종성이 "'ㄱ, ㄷ, ㅂ' 이외의 장애음(ㄲ, ㅋ / ㅌ, ㅅ, ㅆ, ㅈ, ㅊ, ㅎ / ㅍ)"이고 그 뒤에 비음이 오면 음절의 끝소리 규칙에 의해 종성이 'ㄱ, ㄷ, ㅂ'으로 바뀌어. 'ㄱ, ㄷ, ㅂ'은 뒤에 오는 비음의 영향을 받게 되어 비음화가 일어나지. 결국 모든 장애음은 비음 앞에서 비음으로 바뀌는 것이야.

● 한편, 'ㄹ'의 비음화 현상도 있다. 다음과 같이, 'ㄹ'이 'ㄹ'을 제외한 다른 자음 뒤에서 비음 'ㄴ'으로 바뀌는 현상이다.

㉠ 심리[심니]　　㉡ 백로[백노 → 뱅노]

㉢ 몇 리[멷리 → 멷니 → 면니]

➲ • ㉠: 종성 'ㅁ' 뒤의 'ㄹ'이 비음 'ㄴ'이 됨.
• ㉡: 종성 'ㄱ' 뒤의 'ㄹ'이 비음 'ㄴ'으로 바뀐 후(①), 이 'ㄴ'의 영향을 받은 앞말의 종성 'ㄱ'이 'ㅇ'으로 바뀜(②).
• ㉢: 종성 'ㅊ'이 음절의 끝소리 규칙으로 'ㄷ'으로 바뀌고(①), 이 'ㄷ' 뒤의 'ㄹ'이 비음 'ㄴ'으로 바뀐 후(②), 이 'ㄴ'의 영향을 받은 앞말의 종성 'ㄷ'이 'ㄴ'으로 바뀜(③).

유음화+

'ㄴ'이 'ㄹ'의 영향을 받아 유음 'ㄹ'로 바뀌는 현상이다.

신라[실라]　　칼날[칼랄]

➲ 'ㄹ'과 'ㄴ'이 인접하면 'ㄴ'이 'ㄹ'에 동화되어 'ㄹ'로 바뀜. '신라'와 같이 'ㄴ'이 'ㄹ'에 앞서는 경우(역행 동화)도 있고, '칼날'과 같이 'ㄴ'이 'ㄹ' 뒤에 오는 경우(순행 동화)도 있음.

짚고 가요

조음 방법의 동화-비음화, 유음화

비음화와 유음화는 한 음운이 다른 음운의 '조음 방법'을 닮아가는 동화 현상이라는 공통점이 있어.

	조음 위치	조음 방법
ㄱ, ㄷ, ㅂ	여린입천장소리, 잇몸소리, 입술소리	파열음
비음화 ↓	↓	↓
[ㅇ, ㄴ, ㅁ]	여린입천장소리, 잇몸소리, 입술소리	비음

	조음 위치	조음 방법
ㄴ	잇몸소리	비음
유음화 ↓	↓	↓
[ㄹ]	잇몸소리	유음

예를 들어 비음화가 일어나면 파열음 'ㄱ, ㄷ, ㅂ'이 비음 [ㅇ, ㄴ, ㅁ]으로 되면서 조음 방법이 변하지. 하지만 각각의 조음 위치는 달라지지 않았어. 유음화도 마찬가지야. 조음 위치는 '잇몸소리'로 변함이 없지만, 조음 방법은 비음 'ㄴ'이 유음 [ㄹ]로 바뀌면서 똑같아지거든. 선택지에서는 '동화'라는 말이 직접 등장하는 경우보단, "조음 위치는 변하지 않으나 조음 방법이 같아졌다."와 같은 방식으로 동화 현상이 언급되는 경우가 많아. 그러니 이러한 표현에 익숙해지도록 하자.

구개음화

구개음화는 끝소리가 'ㄷ, ㅌ'인 형태소가 모음 'ㅣ'나 '반모음 ㅣ(야, 여, 요, 유)'로 시작하는 형식 형태소를 만났을 때, 구개음이 아니었던 'ㄷ, ㅌ'이 구개음인 [ㅈ, ㅊ]으로 발음되는 현상이다. 구개음화는 잇몸소리인 'ㄷ, ㅌ'이 모음 'ㅣ'의 조음 위치에 가까워져 센입천장소리 'ㅈ, ㅊ'으로 바뀐 것이기 때문에 자음의 조음 위치가 모음의 조음 위치에 동화된 것으로 볼 수 있다.

굳이[구지]　　같이[가치]

➲ 'ㄷ'으로 끝나는 실질 형태소와 'ㅌ'으로 끝나는 실질 형태소 뒤에 형식 형태소 '이'가 붙어 'ㄷ, ㅌ'이 [ㅈ], [ㅊ]으로 발음됨.

구개음화는 실질 형태소와 형식 형태소의 경계에서 일어나. 그래서 '잔디'처럼 하나의 형태소로 이루어진 단어는 구개음화 현상이 일어나지 않지.

그런데 끝소리 'ㄷ, ㅌ' 뒤에 모음 'ㅣ'나 '반모음 ㅣ'가 오더라도 그것이 실질 형태소면 구개음화가 일어나지 않는다. 다음을 보자.

- **저 논이랑 ㉠밭이랑[바치랑] 다 내 거야.**
- **농부가 ㉡밭이랑[반니랑]을 갈았다.**

똑같은 '밭이랑'인데 ㉠은 구개음화가 일어나고, ㉡은 일어나지 않는 이유는 뭘까?

그것은 ㉠의 '이랑'은 조사로 형식 형태소인데 반해, ㉡의 '이랑'은 합성어인 '밭이랑(밭+이랑)'을 구성하는 어근으로 실질 형태소이기 때문이다. 그래서 ㉡은 다음과 같은 과정을 거쳐 최종적으로 [반니랑]으로 발음되는 것이다.

밭이랑 → [받이랑] → [받니랑] → [반니랑]

(음절의 끝소리 규칙 / 'ㄴ'첨가 / 비음화)

'ㄴ' 첨가는 다음 단원에서 배울 거야.

개념+ 전설 모음화

교체 현상에는 전설 모음화도 있는데, 후설 모음 'ㅏ, ㅓ, ㅗ, ㅜ'가 뒤에 오는 전설 모음 'ㅣ'의 영향을 받아 각각 [ㅐ, ㅔ, ㅚ, ㅟ]로 바뀌는 현상이다. 그래서 "'ㅣ' 모음 역행 동화"라고도 한다. 전설 모음화는 모음 동화 현상으로 볼 수 있는데, 일부 단어를 제외하고는 표준 발음으로 인정하지 않는다.

(예) 냄비, -내기, 동댕이치다

아기[애기]　　고기[괴기]

궁금해요 '닫히다'는 왜 [다치다]로 발음해야 하나요?

결론부터 말하면 이것도 구개음화 현상이야. 먼저 '닫'의 끝소리 'ㄷ'과 '히'의 첫소리 'ㅎ'이 [ㅌ]으로 축약되고, 축약된 'ㅌ' 뒤에 'ㅣ'가 결합하기 때문에 구개음화가 적용되어 [ㅊ]이 된단다. 표준 발음법 제17항 [붙임]에서도 "'ㄷ' 뒤에 접미사 '히'가 결합되어 '티'를 이루는 것은 [치]로 발음한다."라며 이를 구개음화로 규정하고 있어.

굳히다[구치다]　묻히다[무치다]

거센소리되기(🔗 133쪽)

개념 콕 10 〈보기〉에서 유음화가 일어나는 단어를 모두 찾아 ○표 하시오.

보기

난로	밥상
설날	광한루

개념 콕 11 〈보기〉를 통해 알 수 있는 음운 변동에 대해 탐구한 내용이 맞으면 ○표, 틀리면 ×표 하시오.

보기

땀받이[땀바지]
벼훑이[벼훌치]
홑이불[혼니불]

(1) 구개음화는 구개음(ㅈ, ㅊ)이었던 음운이 구개음이 아닌 음운(ㄷ, ㅌ)으로 바뀌는 것이구나. (　　)

(2) 'ㄷ, ㅌ'과 'ㅣ'가 만나는 환경이면 구개음화가 항상 일어나는구나. (　　)

콕 8 ㉠: 음절의 끝소리 규칙 ㉡: 비음화 9 ⑤ 10 난로, 설날, 광한루 11 (1) × (2) ×

사뿐히 즈려밟는

확인 문제

✔ 바로바로 간단 체크

1 다음 단어의 발음과 발음할 때 일어나는 교체 현상을 〈보기〉와 같이 모두 쓰시오.(단, 장음은 고려하지 않는다.)

보기
- **꽃**: [꼳] / 음절의 끝소리 규칙
- **낯설다**: [낟설다 → 낟썰다] / 음절의 끝소리 규칙, 된소리되기

(1) 갈 곳:
(2) 앞날:
(3) 국수:
(4) 신지 마:
(5) 물받이:
(6) 실내:
(7) 깎는:
(8) 찰나:
(9) 약간:
(10) 곳곳이:
(11) 십만:
(12) 낱낱이:
(13) 앞섶:
(14) 꽃눈:
(15) 한라산:
(16) 쫓다:
(17) 발냄새:
(18) 갔다:
(19) 가을걷이:
(20) 걷니:

2 다음은 앞에서 배운 음운 변동과 관련된 우리말 규정이다. 빈칸에 들어갈 알맞은 발음을 쓰시오. (단, 장음은 고려하지 않음.)

(1) 된소리되기 표준 발음법 제6장 경음화

제23항 받침 'ㄱ(ㄲ, ㅋ, ㄳ, ㄺ), ㄷ(ㅅ, ㅆ, ㅈ, ㅊ, ㅌ), ㅂ(ㅍ, ㄼ, ㄿ, ㅄ)' 뒤에 연결되는 'ㄱ, ㄷ, ㅂ, ㅅ, ㅈ'은 된소리로 발음한다.

국밥[①] 낯설다[②] 옆집[③]

제24항 어간 받침 'ㄴ(ㄵ), ㅁ(ㄻ)' 뒤에 결합되는 어미의 첫소리 'ㄱ, ㄷ, ㅅ, ㅈ'은 된소리로 발음한다.

신고[신ː꼬] 더듬지[④] 얹다[⑤]

제26항 한자어에서, 'ㄹ' 받침 뒤에 연결되는 'ㄷ, ㅅ, ㅈ'은 된소리로 발음한다.

갈증[갈쯩] 절도[⑥] 발전[⑦]

제27항 관형사형 '-(으)ㄹ' 뒤에 연결되는 'ㄱ, ㄷ, ㅂ, ㅅ, ㅈ'은 된소리로 발음한다.

갈 곳[⑧] 만날 사람[만날싸람]

(2) 비음화, 유음화 표준 발음법 제5장 음의 동화

제18항 받침 'ㄱ(ㄲ, ㅋ, ㄳ, ㄺ), ㄷ(ㅅ, ㅆ, ㅈ, ㅊ, ㅌ, ㅎ), ㅂ(ㅍ, ㄼ, ㄿ, ㅄ)'은 'ㄴ, ㅁ' 앞에서 [ㅇ, ㄴ, ㅁ]으로 발음한다.

먹는[멍는] 놓는[①] 앞마당[②]

제19항 받침 'ㅁ, ㅇ' 뒤에 연결되는 'ㄹ'은 [ㄴ]으로 발음한다.

담력[담ː녁] 항로[항ː노] 강릉[③]

제20항 'ㄴ'은 'ㄹ'의 앞이나 뒤에서 [ㄹ]로 발음한다.

난로[날ː로] 천리[④] 물난리[⑤]

(3) 구개음화 표준 발음법 제5장 음의 동화

제17항 받침 'ㄷ, ㅌ(ㄾ)'이 조사나 접미사의 모음 'ㅣ'와 결합되는 경우에는, [ㅈ, ㅊ]으로 바꾸어서 뒤 음절 첫소리로 옮겨 발음한다.
[붙임] 'ㄷ' 뒤에 접미사 '히'가 결합되어 '티'를 이루는 것은 [치]로 발음한다.

굳이[구지] 곧이듣다[①] 묻히다[②]

음절의 끝소리 규칙

01 〈보기〉를 바탕으로 할 때 밑줄 친 발음이 적절하지 않은 것은?

보기

음절 끝에서 발음되는 자음은 'ㄱ, ㄴ, ㄷ, ㄹ, ㅁ, ㅂ, ㅇ'의 일곱 개뿐이며, 음절 끝에 이 외의 다른 자음이 오면 이 일곱 자음 중 하나로 바뀌어 소리 난다. 그런데 이때, 끝소리가 자음인 단어 뒤에 모음으로 시작하는 실질 형태소가 오면 이 규칙이 실현되지만, 모음으로 시작하는 형식 형태소가 오면 이 규칙이 실현되지 않는다. 이는 단어의 끝소리가 두 개의 자음으로 이루어진 겹받침일 때도 그대로 적용된다.

① 꽃 안[꼬단]에 솜털이 가득하다.
② 햇빛이[핻비시] 참 밝고 눈부시다.
③ 잎 위에[이뷔에] 이슬이 맺혀 있었다.
④ 부엌에서[부어케서] 타는 냄새가 난다.
⑤ 닭이[달기] 먼저일까, 달걀이 먼저일까?

유음화

02 밑줄 친 단어에서 일어나는 음운 변동의 종류가 나머지 넷과 다른 것은?

① 설날에 떡국을 두 그릇이나 먹었다.
② 물난리가 나서 많은 수재민이 생겼다.
③ 발 없는 말이 천 리 가는 법이니, 항상 말을 조심해야 한다.
④ 생산량과 수요량의 변화에 따라 물건의 가격이 결정된다.
⑤ 신라가 삼국을 통일한 것은 국어의 역사에서 중요한 의미가 있다.

비음화

03 다음 밑줄 친 단어 중 비음화가 일어나는 단어가 아닌 것은?

① 그는 밥을 맛있게 먹는다.
② 그 선수는 앞날이 정말 기대된다.
③ 그는 동생의 장난에 잘 속는 편이다.
④ 겁이 없고 용감한 기운을 담력이라고 한다.
⑤ 이번 미술 대회에서 금상을 받은 사람은 진영이다.

된소리되기

04 〈보기〉의 밑줄 친 단어 중 된소리되기가 일어나는 단어를 모두 고른 것은?

보기

- 청식이는 ㉠고무신도 잘 ㉡신더라.
- 보라는 아기가 졸리다는 것을 ㉢안다. 그래서 아기를 ㉣안고 토닥였다.
- 경진이는 경찬이가 준 ㉤감자를 먹으며 눈을 ㉥감고 행복한 상상을 했다.

① ㉠, ㉡, ㉤ ② ㉠, ㉣, ㉤ ③ ㉡, ㉣, ㉤
④ ㉡, ㉣, ㉥ ⑤ ㉢, ㉣, ㉥

된소리되기

05 다음은 된소리되기가 실현되는 환경을 정리한 것이다. ㉠, ㉡에 해당하는 예를 각각 적절하게 연결한 것은?

- 받침 'ㄱ, ㄷ, ㅂ' 뒤에 연결되는 자음 'ㄱ, ㄷ, ㅂ, ㅅ, ㅈ'을 된소리로 발음하는 경우
- 어간 받침 'ㄴ(ㄵ), ㅁ(ㄻ)' 뒤에 결합되는 어미의 첫소리 'ㄱ, ㄷ, ㅅ, ㅈ'을 된소리로 발음하는 경우 ······ ㉠
- 한자어에서 'ㄹ' 받침 뒤에 결합되는 자음 'ㄷ, ㅅ, ㅈ'을 된소리로 발음하는 경우 ······ ㉡

	㉠	㉡
①	신다	굴곡(屈曲)
②	앉다	불법(不法)
③	굶다	약국(藥局)
④	담다	발전(發展)
⑤	깎다	월세(月貰)

구개음화

06 발음할 때, 〈보기〉의 단어에 공통적으로 일어난 음운 변동 현상이 일어나지 않는 하나는?

보기

해돋이 미닫이 피붙이

① 모든 사실이 낱낱이 밝혀졌어.
② 이 밭이랑 저 밭을 언제 다 갈지?
③ 구름이 걷히자 해가 보이기 시작했다.
④ 맏이인 나는 동생을 챙기는 습관이 있다.
⑤ 돛이 올라가자 선장은 갑판에 발을 디뎠다.

된소리되기

07 된소리되기가 일어나게 된 음운 환경이 다른 하나는?

① 엽서[엽써] ② 작곡[작꼭]
③ 답장[답짱] ④ 마음속[마음쏙]
⑤ 숱지다[순찌다]

음운의 교체

08 교체 현상에 대한 설명으로 적절하지 않은 것은?

① '협력'과 '밥만'에서는 비음화가 일어나 '[혐녁]', '[밤만]'으로 발음된다.
② '칼날[칼랄]'과 '난로[날로]'에서는 동화 현상이 일어나며 동화의 방향이 동일하다.
③ '각자[각짜]'는 한 음운이 다른 음운으로 교체된 것이며 이 두 음운은 소리의 세기가 다르다.
④ '고기[괴기]', '아기[애기]'는 ' ㅣ ' 모음 역행 동화가 일어난 것이며 그 발음은 표준 발음으로 인정되지 않는다.
⑤ '해돋이[해도지]', '같이[가치]'에서 일어나는 구개음화는 자음과 모음이 만나 일어나는 동화로 두 음운의 조음 위치가 비슷해지는 현상이다.

음운의 교체

09 〈보기〉의 표를 참고하여 ㉠~㉢에서 일어난 음운 변동에 대해 탐구한 내용으로 적절한 것은?

보기

조음 위치 / 조음 방법	입술소리	잇몸소리	센입천장소리	여린입천장소리
파열음	ㅂ, ㅍ	ㄷ, ㅌ		ㄱ, ㅋ
파찰음			ㅈ, ㅊ	
비음	ㅁ	ㄴ		ㅇ
유음		ㄹ		

㉠ 앞문[암문] ㉡ 한라[할라] ㉢ 미닫이[미다지]

① ㉠: 유음화의 예로 조음 방법이 바뀌었다.
② ㉡: 비음화의 예로 조음 방법이 바뀌었다.
③ ㉠, ㉡: 자음 동화의 예로 조음 방법만 바뀌었다.
④ ㉡, ㉢: 자음 동화의 예로 조음 위치만 바뀌었다.
⑤ ㉢: 구개음화의 예로 조음 위치만 바뀌었다.

음운의 교체

10 〈보기〉에 대한 설명으로 적절하지 않은 것은?

보기

꽃나무 → [꼳나무] → [꼰나무]

① 음운 변동 현상 중 교체에 해당하는 변화가 일어났다.
② 음운 변동 결과를 고려할 때 음운의 개수에 변화가 있다.
③ 음운이 주변의 다른 음운과 같거나 비슷해지는 현상이 나타난다.
④ '꽃나무'가 [꼳나무]로 바뀐 것은 음절 끝 'ㅊ'이 종성에서 발음될 수 없기 때문이다.
⑤ [꼳나무]에서 [꼰나무]로 변할 때 'ㄷ'이 'ㄴ'으로 바뀐 이유는 발음을 더 편하게 하기 위해서이다.

음운의 교체

11 〈보기〉의 ㉠~㉥을 동일한 음운 현상이 나타나는 것끼리 바르게 묶은 것은?

보기

㉠ 뻗대다 ㉡ 곡물 ㉢ 신라
㉣ 맏며느리 ㉤ 껴안다 ㉥ 권력

① ㉠, ㉤ / ㉡, ㉣ / ㉢, ㉥
② ㉠, ㉡ / ㉣, ㉤ / ㉢, ㉥
③ ㉠, ㉡ / ㉢, ㉣ / ㉤, ㉥
④ ㉠, ㉤ / ㉡, ㉢ / ㉣, ㉥
⑤ ㉠, ㉢ / ㉡, ㉣ / ㉤, ㉥

음운의 교체

12 단어의 발음과 일어나는 음운 변동 현상을 바르게 파악한 것은?

① 칼날[칼랄]: 비음화
② 곧이[고디]: 구개음화
③ 꽃에[꼬체]: 음절의 끝소리 규칙
④ 발전[발쩐]: 된소리되기
⑤ 독립[동닙]: 유음화

음절의 끝소리 규칙　2017학년도 10월 고3 학력평가

13 〈보기〉를 참조하여 단어의 발음을 설명한 내용으로 적절하지 않은 것은?

보기

연음은 앞 음절의 종성에 있던 자음이 모음으로 시작하는 뒤 음절의 초성으로 옮겨 가 발음되는 현상이다. 뒤에 모음으로 시작하는 형식 형태소가 오면 곧바로 연음이 일어나지만, 'ㅏ, ㅓ, ㅗ, ㅜ, ㅟ'들로 시작되는 실질 형태소가 올 때에는 '홑옷[호돋]'처럼 음절의 끝소리 규칙이 먼저 적용된 후 연음이 일어난다.

① '받은소리'는 용언의 활용형인 '받은'과 명사 '소리'가 결합된 단어이므로 [바든소리]로 발음한다.
② '낱'에 조사 '으로'가 붙으면 [나트로]라고 발음하지만, 어근 '알'이 붙으면 [나달]로 발음한다.
③ '앞어금니'는 어근 '앞'과 '어금니'가 결합된 단어이므로 [아버금니]로 발음한다.
④ '겉웃음'은 '웃-'이 어근이고, '-음'이 접사이므로 [거두슴]으로 발음한다.
⑤ '밭' 뒤에 조사 '을'이 붙으면 연음되어 [바틀]로 발음한다.

음운의 교체　2017학년도 6월 모의평가(변형)

14 〈보기〉의 ㉠~㉣에 대한 설명으로 적절하지 않은 것은?

보기

㉠ 끝 + 에 → [끄테]
㉡ 앞 + 문 → [암문]
㉢ 꽃 + 말 → [꼰말]
㉣ 잡 + 고 → [잡꼬]

① ㉠: '갓 + 이 → [가시]'에서처럼 음운 변동이 일어나지 않는다.
② ㉡: '닫 + 는 → [단는]'에서처럼 자음이 교체된 음운 변동이 있다.
③ ㉢: '입 + 니 → [임니]'에서처럼 인접하는 자음과 조음 방법이 같아진 음운 변동이 있다.
④ ㉡, ㉢: '팥 + 죽 → [팓쭉]'에서처럼 음절 끝에 올 수 있는 자음이 제한되어 있기 때문에 일어난 음운 변동이 있다.
⑤ ㉢, ㉣: '꺾 + 지 → [꺽찌]'에서처럼 음운 변동이 두 번 일어난다.

음운의 교체와 동화　2013학년도 11월 고2 학력평가(변형)

15 다음은 음운 변동에 대한 설명이다. 〈보기〉를 참고하여 학습 활동의 ⓐ와 ⓑ에 들어갈 단어만을 고른 것은?

보기

음운 변동이란, 환경에 따라 원래의 음운 모습 그대로 발음되지 않고 바뀌어 발음되는 것을 의미한다. 자음 'ㄱ, ㄷ'이 'ㄴ'이나 'ㅁ'의 영향을 받아 각각 'ㅇ, ㄴ'으로 발음되는 등의 '자음 동화', 'ㄷ, ㅌ'이 'ㅣ'의 영향을 받아 각각 'ㅈ, ㅊ'으로 발음되는 '구개음화', 음절 끝에 위치한 'ㅊ, ㅋ'이 각각 'ㄷ'으로 발음되는 등의 음절의 끝소리 규칙과 같은 것이 모두 음운 변동의 사례에 해당한다.

• 학습 활동
제시된 단어를 발음해 보고 질문에 답해 보자.

굳이, 꽃, 부엌, 곡물, 속는다, 맏며느리

질문1 인접한 다른 음운의 영향을 받아서 발음이 변했나요?
① 예 (　　)　② 아니오 (ⓐ)
질문2 어떤 음운의 영향을 받아서 변했나요?
① 자음의 영향을 받은 경우 (ⓑ)
② 모음의 영향을 받은 경우 (　　)

	ⓐ	ⓑ
①	굳이, 부엌	꽃, 곡물
②	속는다, 맏며느리	굳이, 곡물
③	꽃, 부엌	굳이, 속는다, 맏며느리
④	굳이, 꽃	부엌, 속는다, 맏며느리
⑤	꽃, 부엌	곡물, 속는다, 맏며느리

음운의 동화　2016학년도 3월 고1 학력평가(변형)

16 〈보기〉를 참고할 때 동화의 양상이 ㉠과 같은 것은?

보기

• 순행 동화: 뒤의 음운이 앞의 음운의 영향을 받아 그와 비슷하거나 같게 소리 나는 현상.
예 ㉠칼날[칼랄], 강릉[강능]
• 역행 동화: 앞의 음운이 뒤의 음운의 영향을 받아 그와 비슷하거나 같게 소리 나는 현상.
예 편리[펼리], 까막눈[까망눈]

① 입는　② 작년　③ 달님
④ 밥물　⑤ 관리

13 음운의 변동 ② – 탈락, 첨가, 축약

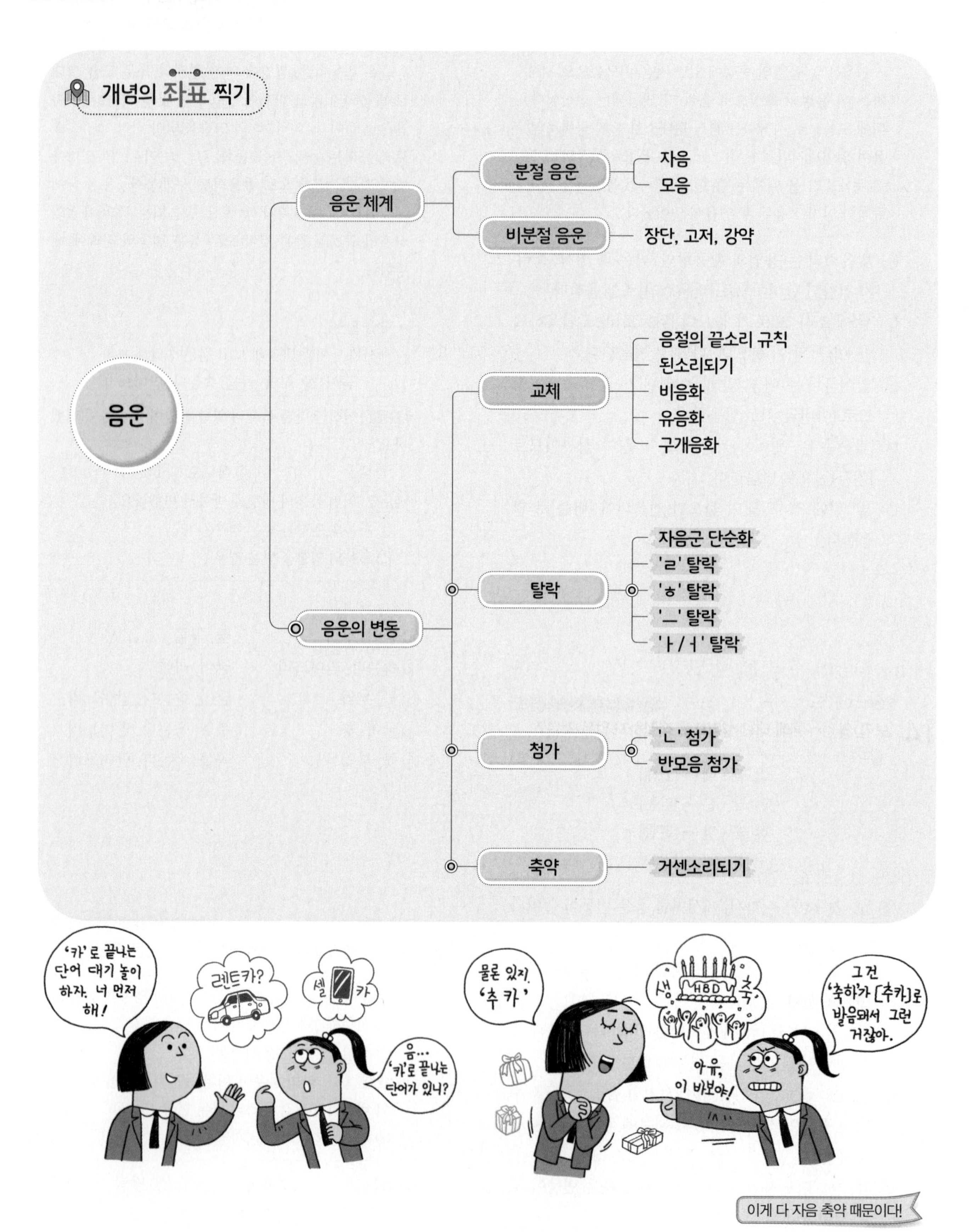

개념을 품은 기출 선택지

- '흙하고[흐카고]'는 **탈락** 및 **축약**이 일어나 음운의 개수가 두 개 줄었군. (2018. 6. 모의평가)
- ㉠~㉢에 공통적으로 일어난 음운 변동은 **첨가**이다. (2018. 수능)
- 'ㅎ'과 다른 음운이 결합하여 한 음운으로 **축약**되는 현상이 일어난다. (2016. 수능)

1 음운의 탈락

두 개의 자음이 이어지거나 두 개의 모음이 이어질 때 둘 중 하나가 탈락되는 현상이다.

자음군 단순화

종성 제약 때문에 음절 끝에서는 하나의 자음만 발음된다. 그래서 음절 끝에 자음이 두 개 연결된 자음군이 오면 두 자음 가운데 하나의 자음이 탈락하여 나머지 하나만 발음되는 현상이 일어나는데, 이를 자음군 단순화라고 한다. 이때 음절 끝 자음군을 이루는 두 자음 중 뒤 자음이 탈락하기도 하고, 앞 자음이 탈락하기도 한다.

넋[넉]　　닮고[담고 → 담꼬]

➲ '넋'의 종성 'ㄳ'에서는 뒤에 있는 'ㅅ'이 탈락하였고, '닮고'의 종성 'ㄻ'에서는 앞에 있는 'ㄹ'이 탈락함.

참, 음절 끝 자음군 다음에 모음으로 시작하는 형식 형태소가 오면 자음군 단순화가 일어나지 않고, '닮아[달마]'처럼 연음 현상이 일어나.

㉠ 뒤 음운이 탈락하는 경우(앞 자음으로 발음)

ㄳ, ㄵ, ㄶ, ㄼ, ㄽ, ㄾ, ㅀ, ㅄ		뒤 자음이 탈락하여 [ㄱ, ㄴ, ㄹ, ㅂ]으로 발음.	예 몫[목], 얹다[언따], 많네[만네], 넓다[널따], 외곬[외골], 값도[갑또], 훑다[훌따], 끓는[끌른], 없다[업ː따]
예외	밟-[밥]	자음 앞에서 → 앞 자음이 탈락하여 [밥]으로 발음.	예 밟고[밥ː꼬], 밟다[밥ː따], 밟지[밥ː찌]
	넓-[넙]	넓적하다[넙쩌카다], 넓죽하다[넙쭈카다], 넓둥글다[넙뚱글다]의 세 가지 경우에는 예외적으로 앞 자음이 탈락하여 [넙]으로 발음.	

└ 세 경우 외에 '넓다, 넓고, 넓게' 등은 [널]로 발음함.

㉡ 앞 음운이 탈락하는 경우(뒤 자음으로 발음)

ㄺ, ㄻ, ㄿ		어말, 자음 앞 → 앞 자음이 탈락하여 [ㄱ, ㅁ, ㅂ]으로 발음.	예 닭[닥], 맑다[막따], 읽다[익따] 닮다[담ː따], 읊지[읍찌]
예외	용언 어간 'ㄺ'	어미 'ㄱ' 앞 → [ㄹ]로 발음.	예 맑게[말께], 읽고[일꼬]

자음군에서 뒤 음운이 탈락하는지, 앞 음운이 탈락하는지 하나하나 외우려 하지 않아도 돼. 대부분 발음해 보면 알 수 있거든. 물론 본인의 발음이 표준 발음이 아니거나, 헷갈리는 발음이라면 공부해 두어야 해. '예외'도 신경 좀 써 주자.

개념+ 표준 발음법 제25항

표준 발음법 제25항에서는 "어간 받침 'ㄼ, ㄾ' 뒤에 결합되는 어미 첫소리 'ㄱ, ㄷ, ㅅ, ㅈ'은 된소리로 발음한다."라고 규정하였다.

예 넓게[널께]　핥다[할따]
훑소[훌쏘]　떫지[떨ː찌]

개념 콕 1 빈칸에 들어갈 알맞은 말을 골라 ○표 하시오.

(1) 음운의 탈락이 일어나면 음운의 개수가 한 개 (늘어난다 / 줄어든다).

(2) 자음군 단순화는 음운의 (탈락 / 교체) 현상이고 음절의 끝소리 규칙은 음운의 (탈락 / 교체) 현상이다.

개념 콕 2 '자음군 단순화'가 일어난 단어 중 음운이 탈락하는 양상이 다른 하나는?

① 삯　② 앉다
③ 없던　④ 닮는
⑤ 여덟

콕 1 (1) 줄어든다 (2) 탈락, 교체 2 ④

개념+ 한글 맞춤법 제18항

한글 맞춤법 제18항 1에서는 어간의 끝 'ㄹ'이 줄어질 적에는 준 대로 적는다고 명시하고 있다.

> **제18항** 다음과 같은 용언들은 어미가 바뀔 경우, 그 어간이나 어미가 원칙에 벗어나면 벗어나는 대로 적는다.

1. 어간의 끝 'ㄹ'이 줄어질 적

> 예 갈다: 가니/간/갑니다/가시다/가오
> 놀다: 노니/논/놉니다/노시다/노오
> 불다: 부니/분/붑니다/부시다/부오
>
> ➔ ㄹ로 끝나는 용언의 어간이 'ㄴ, ㅂ, ㅅ, -오'로 시작하는 어미를 만날 때, 어간의 'ㄹ'이 탈락함.

음절의 끝소리 규칙 VS 자음군 단순화

음절의 끝소리 규칙과 자음군 단순화의 공통점! 두 음운 변동 현상 모두, 종성 제약(음절 끝에서는 하나의 자음만이 발음됨.) 때문에 일어난다는 것이지. 이러한 종성 제약은 기출 지문이나 선택지에서 다음과 같이 다양한 표현으로 등장해.

- '깊다 → [깁따]'에서처럼 **음절 끝에서 발음되는 자음이 7개로 제한**되는 현상이 일어난다. (2016 수능)
- **종성에서 발음될 수 있는 자음의 종류가 제한**됨을 알려 준다. (2017 수능)
- 값+도[갑또]에서처럼 **음절 끝에 둘 이상의 자음이 오지 못하기 때문에** 일어난 음운 변동이 있다. (2017. 06. 모의평가)

위와 같이 종성 제약과 관련한 선택지가 나오면 '음절의 끝소리 규칙'이나 '자음군 단순화'에 관해 물을 가능성이 높아. 그럼 음절의 끝소리 규칙과 자음군 단순화의 차이점은? 음절의 끝소리 규칙은 교체 현상, 자음군 단순화는 탈락 현상이야. 그래서 그 현상이 일어난 후의 음운의 개수에 차이가 있지. '밖[박]'은 음절의 끝소리 규칙에 따라 종성 'ㄲ'이 'ㄱ'으로 교체됐고, 이에 음운의 개수에는 변화가 없어. 그런데 자음군 단순화가 일어난 '값[갑]'은 종성의 자음군 'ㅄ'에서 뒤 자음 'ㅅ'이 탈락하여, 음운의 개수가 하나 줄어들었지.
이 둘의 공통점과 차이점은 많이들 헷갈리는 내용이니까 꼭 정리해 두자!

'ㄹ' 탈락+

'ㄹ'로 끝나는 용언의 어간이 'ㄴ, ㅅ' 등으로 시작하는 어미를 만날 때 'ㄹ'이 탈락하는 현상이다. 이때 용언의 활용에서 'ㄹ' 탈락이 발생한 것은 표기에도 반영한다.+

> 울(다)- + -는 → [우는]
> 울(다)- + -세 → [우세]

이와 같은 'ㄹ'의 탈락은 어간의 받침이 'ㄹ'로 끝나는 모든 용언의 활용에서 발생하기 때문에 용언 어간의 형태가 바뀌더라도 규칙 활용으로 봐. 26쪽에서 용언의 규칙 활용과 불규칙 활용에 대해 배웠던 거 생각나지? 기억이 잘 나지 않는다면 이번 기회에 확실히 복습해 두자. 앞으로 배울 모음 탈락 역시, 조건에 해당하는 모든 용언의 활용에서 발생하기 때문에 규칙 활용이야.

단어가 만들어지는 합성이나 파생의 과정에서 'ㄹ' 탈락이 일어나기도 한다. 이 경우 'ㄹ' 탈락이 일어난 발음을 표준어로 삼으며 표기에도 반영한다. 합성이나 파생의 과정에서 일어나는 'ㄹ' 탈락은 용언의 활용에서와 달리 항상 발생하는 음운 변동이 아니다.

한글 맞춤법 제28항(🔗 165쪽)

예 돌집('돌+집'), 물질('물+질')은 '바느질'과 같이 'ㄹ로 끝난 말+ㅈ으로 시작하는 말'로 구성된 단어이나 'ㄹ' 탈락이 발생하지 않음.

> 말 + 소 → 마소　　　바늘 + 질 → 바느질

'ㅎ' 탈락

'ㅎ'으로 끝나는 용언의 어간이나 어근이 모음으로 시작하는 어미나 접미사를 만나면 'ㅎ'이 탈락하는 현상이다.

> 낳은(어미)[나은]　　　쌓이다(접미사)[싸이다]
> 잃(다)- + -어(어미) → 잃어[이러]

'ㅎ'은 음절의 초성에 올 때가 아니라면 대부분 탈락되거나 축약돼. 음운의 축약은 뒤에서 공부할 거야.

개념 콕 3 다음에 쓰인 단어를 음운 변동과 연관 지어 이해한 내용으로 알맞지 않은 것은?

> 좋은 소나무

① '좋은'과 '소나무' 모두 '탈락'과 관련이 있어.
② '좋은'을 소리 내어 읽으면 [조흔]으로 발음이 돼.
③ '좋-'이라는 어간이 모음으로 시작하는 어미를 만나서 'ㅎ'이 탈락되는구나.
④ '소나무'는 단어가 만들어지는 과정에서 'ㄹ'이 사라졌어.
⑤ '소나무'와 비슷한 예로 '따님'을 들 수 있겠네.

'ㅡ' 탈락

지금까지 살펴본 탈락 현상들이 자음 탈락 현상이라면, 'ㅡ' 탈락과 'ㅏ/ㅓ' 탈락은 모음 탈락 현상이다. 모음 탈락은 단모음과 단모음이 인접하여 발음되는 것이 자연스럽지 않기 때문에 일어난다. 'ㅡ' 탈락은 용언 어간 말의 'ㅡ' 모음이 'ㅏ/ㅓ'로 시작하는 어미를 만났을 때 탈락하는 현상이다.

자음으로 시작하는 어미
크(다)- + -고 → 크고 (탈락 ×)

모음으로 시작하는 어미
크(다)- + -어 → 커 ('ㅡ' 탈락)

'ㅏ/ㅓ' 탈락

'ㅏ/ㅓ'로 끝나는 용언 어간이 'ㅏ/ㅓ'로 시작하는 어미와 만났을 때 그중 하나의 'ㅏ/ㅓ'가 탈락하는 현상이다. '동음(同音)' 탈락이라고도 한다.

가(다)- + -아 → 가
건너(다)- + -어서 → 건너서

2 음운의 첨가

두 형태소가 결합될 때 그 사이에 없던 음운이 새로 덧붙어 발음되는 현상을 말한다.

'ㄴ' 첨가

'ㄴ'이 새롭게 첨가되어 발음되는 것을 말한다. 'ㄴ' 첨가는 자음으로 끝나는 형태소가 'ㅣ' 또는 'ǀ̆'로 시작(야, 여, 요, 유)하는 형태소와 결합할 때 그 사이에 'ㄴ'이 첨가되는 현상이다.

솜이불[솜니불]
식용유[식용뉴 →(연음) 시공뉴]
물약[물냑 →(유음화) 물략]

- '솜+이불'은 'ㅁ'으로 끝나는 '솜'과 'ㅣ'로 시작하는 '이불'이 결합할 때 그 사이에 'ㄴ'이 첨가됨.
- '식용+유'는 'ㅇ'으로 끝나는 '식용'이 'ㅠ'와 결합할 때 'ㄴ'이 첨가되어 [식용뉴]가 되고, 여기에 연음 현상이 일어나 [시공뉴]로 발음됨.
- '물+약'은 'ㄹ'로 끝나는 '물'과 'ㅑ'가 결합할 때 그 사이에 'ㄴ'이 첨가되어 [물냑]이 되고, 여기에 유음화가 일어나 [물략]으로 소리남.

'물약[물략]'에서 "없던 'ㄹ'이 생겼으니 'ㄹ' 첨가에 해당하겠군!"이라고 단순하게 이해하면 안 돼. 첨가된 것은 'ㄹ'이 아니라 'ㄴ'이고, 이 'ㄴ'이 유음화되어 'ㄹ'로 교체되었을 뿐이야.

개념 콕4 밑줄 친 단어에서 탈락한 음운이 다른 하나는?

① 이건 너무 써서 못 먹겠다.
② 김치를 맛있게 담가 줄게.
③ 일찍 가서 자리를 맡아야 해.
④ 상대편 선수의 키가 매우 컸다.
⑤ 문을 꼭 잠가 주세요.

개념 콕5 다음 표준 발음법 규정의 빈칸에 알맞은 말을 넣으시오.

제29항 받침
합성어 및 파생어에서, 앞 단어나 접두사의 끝이 자음이고 뒤 단어나 접미사의 첫음절이 '이, 야, 여, 요, 유'인 경우에는, '(　　)' 음을 첨가하여 (　　　　)로 발음한다.

콕 3 ② 4 ③ 5 ㄴ / 니, 냐, 녀, 뇨, 뉴

3 음운

반모음 첨가

모음으로 끝나는 형태소 뒤에 단모음으로 시작하는 형태소가 올 때 반모음 'ㅣ̆[j]', 'ㅗ̆/ㅜ̆[w]'가 첨가되는 현상을 말한다. 이때 반모음 'ㅣ̆'를 첨가하지 않는 것이 원칙이나 일부 단어에서는 반모음 'ㅣ'를 첨가하는 것을 표준 발음으로 허용한다. 한편, 반모음 'ㅗ̆/ㅜ̆'의 첨가는 표준 발음으로 인정하지 않는다.

ㅣ̆[j] 첨가

되- + -어 → [되 + ㅣ̆ + 어 → 되여]

피- + -어 → [피 + ㅣ̆ + 어 → 피여]

ㅗ̆/ㅜ̆[w] 첨가

좋- + -아도 → [조 + ㅗ̆ + 아도 → 조와도] → 표준 발음이 아님!

개념+ 표준 발음으로 인정되는 반모음 첨가

표준 발음법 제22항에서는 '되어[되어/되여], 피어[피어/피여], 이오[이오/이요], 아니오[아니오/아니요]'에 한해서 반모음이 첨가된 발음도 허용하고 있다.

궁금해요 사잇소리 현상에서 'ㄴ'이 첨가됐는지 'ㄴㄴ'이 첨가됐는지 어떻게 구분하나요?

시험에서는 사잇소리 현상이 일어난 예를 주고, 이것이 'ㄴ'이 첨가된 것인지, 'ㄴㄴ'이 첨가된 것인지 구분할 수 있는지를 묻곤 해. 이를 파악하려면 단어의 형성 과정과 최종 발음을 비교해 보면 돼.

- 뒤+날 → 뒷날[뒨:날]
- 뒤+일 → 뒷일[뒨:닐]

'뒷날'은 '뒤+날'로 형성되었고 최종적으로는 [뒨:날]로 소리 나고 있지? '뒤+날'과 [뒨:날]을 비교해 보면 첫 음절의 종성에 'ㄴ' 소리가 덧나고 있음을 알 수 있어. 그래서 '뒷날'은 'ㄴ'이 덧난 경우에 해당해. '뒷일'도 똑같이 판단하면 돼. '뒤+일'이라는 단어의 형성 과정과 발음인 [뒨:닐]을 비교해 보자. 뒷말의 초성인 'ㅣ' 앞에 'ㄴㄴ' 소리가 덧나고 있으니, 'ㄴㄴ'이 덧난 경우라고 판단할 수 있어.

개념+ 사잇소리 현상

'사잇소리 현상'이란 두 개의 형태소 또는 단어가 결합하여 합성 명사, 즉 명사로 된 합성어를 이룰 때 뒷말의 첫소리를 된소리로 발음하거나(다음 표의 ①), 뒷말의 첫소리 앞에서 'ㄴ' 소리 또는 'ㄴㄴ' 소리가 덧나는(다음 표의 ②, ③) 현상을 말한다. 이때, 'ㄴ' 소리 또는 'ㄴㄴ' 소리가 덧나는 현상은 결과적으로 'ㄴ'이 덧붙는다는 점에서 앞쪽에서 살펴본 "'ㄴ' 첨가"와 같으나, 앞에서 본 "'ㄴ' 첨가"와는 음운 현상이 일어나는 환경이 다르므로 따로 설명하려 한다.

사잇소리 현상	예시
① 뒷말의 첫소리를 된소리로 발음함.	초+불 → 촛불[초뿔/촏뿔] 밤+길 → 밤길[밤낄]
② 뒷말의 첫소리 'ㄴ, ㅁ' 앞에서 'ㄴ' 소리가 덧남.	이+몸 → 잇몸[읻몸 → 인몸] 코+날 → 콧날[콛날 → 콘날]
③ 뒷말의 첫소리 모음 앞에서 'ㄴㄴ' 소리가 덧남.	예사+일 → 예삿일[예삳닐 → 예산닐] 깨+잎 → 깻잎[깯닙 → 깬닙]

사잇소리 현상으로서의 'ㄴ' 첨가 (②, ③)

사잇소리 현상은 앞서 배운 'ㄴ' 첨가와 달리, 사잇소리가 나타날 음운 환경을 충족시켜도 나타나지 않을 수 있다. 다음을 보자.

- 오리+발 → [오리발]
- 머리+말 → [머리말]

'오리발[오리발]'은 합성 명사로 앞말이 모음으로 끝나고 뒷말이 ㅂ으로 시작하므로 위 표의 '사잇소리 현상①'의 '촛불[초뿔/촏뿔]'과 음운 환경이 유사하지만 사잇소리 현상이 일어나지 않았다. '머리말[머리말]'도 합성 명사이면서 앞말이 모음으로 끝나고, 뒷말이 ㅁ으로 시작해 '사잇소리 현상②'의 '잇몸[인몸]'과 음운 환경이 유사하지만 사잇소리 현상이 일어나지 않았다.

더불어 동일한 어근과 어근이 결합하는 경우일지라도, 사잇소리 현상이 일어나느냐 일어나지 않느냐에 따라 단어의 의미가 구별되기도 한다. 예컨대 다음과 같이 '나무+집'이 결합할 때, 사잇소리 현상이 일어나지 않으면 '나무로 된 집'을, 사잇소리 현상이 일어나면 '나무를 파는 집'을 의미한다.

- 나무+집 → [나무집]: 나무로 된 집
- 나무+집 → [나무찝/나묻찝]: 나무를 파는 집

개념 콕 6 **사잇소리 현상을 표기에 반영한 것으로 알맞지 않은 것은?**

① 내+물 → 냇물
② 수+자 → 숫자
③ 해+님 → 햇님
④ 김치+국 → 김칫국
⑤ 잔치+상 → 잔칫상

3 음운의 축약

두 음운이 합쳐져서 하나의 음운으로 줄어드는 것을 말한다.

거센소리되기(유기음화)

'ㄱ, ㄷ, ㅂ, ㅈ'이 앞이나 뒤에서 'ㅎ'을 만나 'ㅋ, ㅌ, ㅍ, ㅊ'(유기음)으로 발음되는 현상을 말한다.

> **국화[구콰]　　잡히다[자피다]**
> **많다[만타]　　좋고[조코]**
>
> • '국화'와 '잡히다'는 종성의 'ㄱ, ㅂ'이 뒤에 오는 'ㅎ'과 합쳐져서 각각 'ㅋ, ㅍ'으로 바뀜.
> • '많다'와 '좋고'는 종성의 'ㅎ'이 'ㄷ, ㄱ'과 합쳐져서 'ㅌ, ㅋ'이 됨.

개념+ 유기음

'유기음(있을 有, 숨 氣, 소리 音)'은 'ㅋ, ㅌ, ㅍ, ㅊ' 등과 같이 발음할 때 강하게 숨을 내쉬는 소리로, 우리말로는 거센소리이다. 'ㅎ'도 유기성을 지니긴 하였으나 'ㅋ, ㅌ, ㅍ, ㅊ'에 비해서는 약한 편이다. 'ㅎ'은 음성적으로 예사소리와 거센소리의 중간적 성질을 지닌 소리라고 할 수 있다.

짚고 가요

어간 받침 'ㅎ'의 발음

어간 받침에 쓰인 'ㅎ'은 자기 소리를 내는 경우가 드물어. 예를 들어 볼까? 앞의 'ㅎ' 탈락에서 살펴보았듯이 모음으로 시작하는 형식 형태소를 만났을 경우에는 'ㅎ'이 탈락해 버렸지? 겹받침에 쓰인 'ㅎ'은 'ㄴ'으로 시작하는 말과 만났을 때도 탈락해 버렸어.
또 받침 'ㅎ'은 거센소리되기에 따라 'ㄱ, ㄷ, ㅈ'으로 시작하는 말과 만났을 때는 축약되어 [ㅋ, ㅌ, ㅊ]으로 발음돼. 이건 'ㅎ'이 겹받침으로 쓰일 때도 마찬가지지란다.

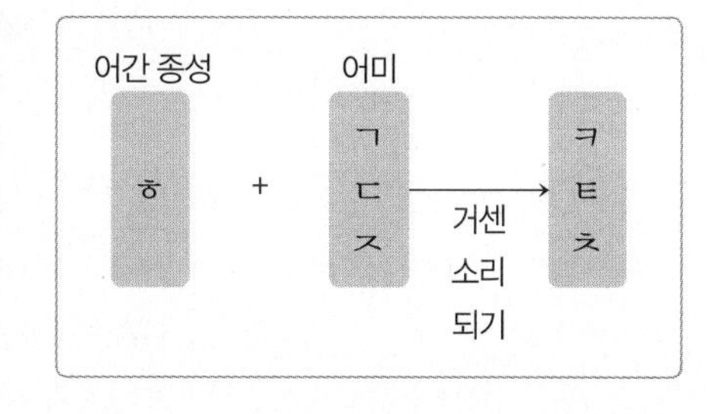

그렇다면 문제, '않다'는 [안타]로 발음해야 할까, [안따]로 발음해야 할까? 정답은 [안타]야. 어간 '않-'의 종성 자음군에 있는 'ㅎ' 뒤에 'ㄱ, ㄷ, ㅈ'이 왔기 때문에 거센소리되기를 적용해서 [안타]로 읽어야 해. 'ㅎ' 탈락과 헷갈릴 수 있는데, 종성에 'ㅎ'이 올 때 'ㄱ, ㄷ, ㅈ'으로 시작하는 어미가 붙는다면 거센소리되기를 적용한다고 정리해 둬.

개념+ 표준 발음법 제6항 붙임

표준 발음법 제6항 붙임 조항에서는 "용언의 단음절 어간에 어미 '-아/-어'가 결합되어 한 음절로 축약되는 경우에도 긴소리로 발음한다."라고 하였다.

> 예 보-+-아 → 봐[봐:]
> 두-+-어 → 둬[둬:]

이때 '오아 → 와, 지어 → 져, 찌어 → 쪄, 치어 → 쳐' 등은 긴소리로 발음하지 않는다는 예외를 두었다.

개념+ 두 단모음이 하나의 이중 모음이 되는 경우

모음으로 끝난 어간과 모음으로 시작하는 어미가 만나게 되어 두 단모음이 나란히 놓인 경우, 이 두 단모음은 하나의 이중 모음이 된다. 이때, 관점에 따라 이 현상을 '반모음화'라고 하기도 하고, '음절 축약'이라고 하기도 한다.
'반모음화'는 이 현상을 용언 어간이 반모음으로 교체되었다고 보는 입장이다. 즉, 다음 '와서'의 경우에 ㉠과 같이 'ㅗ'가 'ㅗ̆/ㅜ̆'가 되어 교체된 후, 뒤에 오는 'ㅏ'와 만나 'ㅘ'가 되었다고 보는 것이다.
한편 '음절 축약'은 이 현상을 두 단모음이 하나의 이중 모음이 되어 음절의 개수가 줄어들었다고 보는 입장이다. 즉 ㉡과 같이 단모음 'ㅗ'와 그 뒤에 오는 단모음 'ㅏ'가 합쳐져서 이중 모음 'ㅘ'로 축약되었고, 이에 음절의 개수도 줄었다고 보는 것이다.

> **• 오- + -아서 → 와서**
> ㉠ ㅗ̆ + ㅏ → ㅘ ('반모음화'로 보는 입장)
> ㉡ ㅗ + ㅏ → ㅘ ('음절 축약'으로 보는 입장)

개념 **콕 7** 다음 단어에 적용되는 음운 변동을 모두 고르시오.

> 뜻하다

① 음절의 끝소리 규칙
② 거센소리되기
③ 모음 첨가
④ 모음 축약
⑤ 'ㅅ' 탈락

콕 6 ③ 7 ①, ②

사뿐히 즈려밟는

확인 문제

✔ 바로바로 간단 체크

1 다음은 음운의 변동을 정리한 것이다. 빈칸에 들어갈 알맞은 말을 쓰시오.

변동 유형	변동 양상	음운의 개수 변화
교체	XaY → XbY	없음.
탈락	XaY → X_Y	㉠________
㉡________	XabY → XcY	−1
첨가	X_Y → XaY	㉢________

2 다음 단어의 발음과 발음할 때 일어나는 음운 변동 현상을 〈보기〉와 같이 모두 쓰시오.(단, 장음은 고려하지 않는다.)

보기
• **닮고**: [담고 → 담꼬] / 자음군 단순화, 된소리되기

(1) 낙화:

(2) 만형:

(3) 젖히다:

(4) 꽃 한 송이:

(5) 식용유:

(6) 삯일:

(7) 입학식:

(8) 몫몫이:

(9) 넋두리:

(10) 알약:

(11) 치르(다)− + −어:

(12) 곱하기:

(13) 타(다)− + −았− + −다:

(14) 쌓아서:

(15) 먹지 않다:

3 다음은 앞에서 배운 음운 변동과 관련된 우리말 규정이다. 빈칸에 들어갈 알맞은 발음을 쓰시오. (단, 장음은 고려하지 않음.)

(1) **자음군 단순화** 표준 발음법 제4장 받침의 발음

제10항 겹받침 'ㄳ', 'ㄵ', 'ㄼ, ㄽ, ㄾ', 'ㅄ'은 어말 또는 자음 앞에서 각각 [ㄱ, ㄴ, ㄹ, ㅂ]으로 발음한다.

넋과[넉꽈] 넋[①] 앉다[②]
여덟[여덜] 핥다[할따] 값[③]

제11항 겹받침 'ㄺ, ㄻ, ㄿ'은 어말 또는 자음 앞에서 각각 [ㄱ, ㅁ, ㅂ]으로 발음한다.

닭[④] 흙과[흑꽈] 삶[⑤]
젊다[점ː따] 읊고[읍꼬] 읊다[⑥]

(2) **'ㅎ' 탈락** 표준 발음법 제4장 받침의 발음

제12항 받침 'ㅎ'의 발음은 다음과 같다.
3. [붙임] 'ㄶ, ㅀ' 뒤에 'ㄴ'이 결합되는 경우에는, 'ㅎ'을 발음하지 않는다.

않는[안는] 뚫네[① → 뚤레]

4. 'ㅎ(ㄶ, ㅀ)' 뒤에 모음으로 시작된 어미나 접미사가 결합되는 경우에는, 'ㅎ'을 발음하지 않는다.

많아[마ː나] 낳은[②] 싫어도[③]

(3) **'ㄴ' 첨가** 표준 발음법 제7장 음의 첨가

제29항 합성어 및 파생어에서, 앞 단어나 접두사의 끝이 자음이고 뒤 단어나 접미사의 첫음절이 '이, 야, 여, 요, 유'인 경우에는, 'ㄴ' 음을 첨가하여 [니, 냐, 녀, 뇨, 뉴]로 발음한다.

막−일[망닐] 홑−이불[①] 한−여름[②]

(4) **거센소리되기** 표준 발음법 제4장 받침의 발음

제12항 받침 'ㅎ'의 발음은 다음과 같다.
1. 'ㅎ(ㄶ, ㅀ)' 뒤에 'ㄱ, ㄷ, ㅈ'이 결합되는 경우에는, 뒤 음절 첫소리와 합쳐서 [ㅋ, ㅌ, ㅊ]으로 발음한다.

좋던[조ː턴] 놓고[①] 않던[②]

음운의 탈락

01 〈보기〉에 제시된 음운 변동의 예가 잘못 연결된 것은?

보기

두 음운이 만나서 한 음운이 아예 사라져 소리 나지 않는 현상을 음운의 탈락이라고 한다. 음운의 탈락에는 ㉠자음 탈락과 ㉡모음 탈락이 있다.

① ㉠: 달이 둥그니
② ㉠: 문장을 끊어서 읽어 봐.
③ ㉠: 그것은 네 몫이 아니야.
④ ㉡: 편지 자주 써.
⑤ ㉡: 빨리 가서 준비하렴.

음운의 축약

02 다음 〈보기〉에서 축약이 일어난 것을 모두 고른 것은?

보기

㉠ 훑- + -다 → 훑다[훌따]
㉡ 닳- + -지 → 닳지[달치]
㉢ 서- +-어 → 서[서]
㉣ 옷 한 벌 → [오탄벌]
㉤ 피- + -어 → 피어[피어/피여]

① ㉠, ㉡　② ㉡, ㉢
③ ㉡, ㉣　④ ㉡, ㉢, ㉤
⑤ ㉠, ㉡, ㉤

음운의 축약, 탈락

03 ㉠, ㉡에 대한 설명으로 적절한 것은?

보기

㉠ 먹히다
㉡ 가(다)- + -았- + -다 → 갔다

① ㉠은 [머키다], ㉡은 [가따]로 발음된다.
② ㉠은 축약, ㉡은 교체·탈락 현상이 일어난다.
③ ㉠에는 음절 끝에서 발음될 수 있는 자음의 종류가 제한되었기 때문에 일어나는 음운 변동이 있다.
④ ㉡은 음절 끝에서 발음될 수 있는 자음의 개수가 제한되었기 때문에 일어나는 음운 변동이 있다.
⑤ ㉠, ㉡은 음운 변동이 일어난 다음 음운의 개수에 변화가 없다.

음운의 첨가

04 음운의 첨가에 대한 설명으로 적절하지 않은 것은?

① 음운의 개수가 늘어나는 음운 변동이다.
② '서울역[서울력]'은 'ㄹ' 첨가가 일어난 예이다.
③ 자음이 첨가되기도 하고 반모음이 첨가되기도 한다.
④ '깨+잎 → 깻잎[깬닙]'은 사잇소리가 첨가된 예이다.
⑤ '되어'를 [되여]로 발음하는 것은 반모음 첨가가 일어난 예로, 이는 표준 발음이다.

음운의 첨가

05 〈보기〉의 '표준 발음법'을 참고할 때, 발음이 적절하지 않은 것은?

보기

제30항 사이시옷이 붙은 단어는 다음과 같이 발음한다.
1. 'ㄱ, ㄷ, ㅂ, ㅅ, ㅈ'으로 시작되는 단어 앞에 사이시옷이 올 때는 이들 자음만을 된소리로 발음하는 것을 원칙으로 하되, 사이시옷을 [ㄷ]으로 발음하는 것도 허용한다.
2. 사이시옷 뒤에 'ㄴ, ㅁ'이 결합되는 경우에는 [ㄴ]으로 발음한다.
3. 사이시옷 뒤에 '이' 음이 결합되는 경우에는 [ㄴㄴ]으로 발음한다.

① 귓밥[귀빱]　② 나룻배[나룯빼]
③ 아랫마을[아랜마을]　④ 뒷머리[뒴머리]
⑤ 훗일[훈닐]

음운의 탈락, 축약

06 〈보기〉에서 음운의 개수가 줄어든 것을 모두 고른 것은?

보기

㉠ 없다 → [업따]　㉡ 많-+-니 → [만니]
㉢ 볶다 → [복따]　㉣ 노랗다 → [노라타]
㉤ 눈요기 → [눈뇨기]

① ㉠, ㉡　② ㉡, ㉢, ㉤　③ ㉡, ㉣, ㉤
④ ㉢, ㉣, ㉤　⑤ ㉠, ㉡, ㉣

확인 문제

음운의 변동

07 〈보기〉의 ㉠~㉤의 밑줄 친 부분과 동일한 음운 변동이 일어난 예가 알맞게 연결된 것은?

보기
㉠ 부모님께 꽃다발을 선물로 드렸다.
㉡ 끓는 물로 소독을 해야 한다.
㉢ 하루 종일 꽃만 바라보고 있었다.
㉣ 그는 길거리에서 독특한 그림을 팔고 있었다.
㉤ 어린이들은 색연필로 그림일기를 그렸다.

① ㉠: 덮밥, 부엌칼
② ㉡: 닳는, 넓더라
③ ㉢: 앞마당, 놓는
④ ㉣: 맏형, 같이
⑤ ㉤: 맨입, 담요

음운의 변동

08 〈보기 1〉을 참고하여 〈보기 2〉의 단어에서 나타나는 음운 변동을 이해한 것 중에서 적절하지 않은 것은?

보기 1
- **음절의 끝소리 규칙**: 'ㄱ, ㄴ, ㄷ, ㄹ, ㅁ, ㅂ, ㅇ' 이외의 자음이 음절 끝에 오면 이 일곱 자음 중의 하나로 바뀌어 발음되는 현상
- **비음화**: 비음이 아닌 자음이 비음의 영향을 받아 비음으로 바뀌는 현상
- **자음군 단순화**: 음절 말(어말 또는 자음 앞)에 겹자음이 올 때, 하나의 자음이 탈락하여 발음되는 현상
- **거센소리되기**: 'ㄱ, ㄷ, ㅂ, ㅈ'이 'ㅎ'과 만나 거센소리인 'ㅋ, ㅌ, ㅍ, ㅊ'이 되는 현상
- **'ㄴ' 첨가**: 복합어에서 선행 요소가 자음으로 끝나고 후행 요소가 모음 'ㅣ'나 반모음 'ǐ'로 시작할 때 'ㄴ'이 새로 생기는 현상

보기 2
많고, 덮는다, 숱하다, 밭이랑, 직행열차

① 많고[만코]: 자음군 단순화와 거센소리되기가 일어난 뒤 연음되었다.
② 덮는다[덤는다]: 음절의 끝소리 규칙이 적용된 뒤 비음화가 일어났다.
③ 숱하다[수타다]: 음절의 끝소리 규칙이 적용된 뒤 거센소리되기가 일어났다.
④ 밭이랑[반니랑]: 총 세 번의 음운 변동이 일어났다.
⑤ 직행열차[지캥녈차]: 거센소리되기와 'ㄴ' 첨가 현상이 일어났다.

음운의 변동

09 〈보기〉의 ㉠~㉢에 해당하는 음운 변동에 대한 설명으로 적절하지 않은 것은?

보기
솔잎 → [솔입] → [솔닙] → [솔립]
㉠ ㉡ ㉢

① '안팎', '맨끝'에서는 ㉠에 해당하는 음운 변동이 일어난다.
② '눈요기', '논일'에서는 ㉡에 해당하는 음운 변동이 일어난다.
③ '신라', '편리'에서는 ㉢에 해당하는 음운 변동이 일어난다.
④ '밭일', '붙이다'에서는 ㉠, ㉡에 해당하는 음운 변동이 일어난다.
⑤ '설익다', '물엿'에서는 ㉡, ㉢에 해당하는 음운 변동이 일어난다.

음운의 변동

10 다음은 음운 변동을 정리한 것이다. ㉠~㉣에 들어갈 예로 적절한 것은?

변동의 유형		변동의 예
교체	XaY → XbY	㉠
탈락	XaY → XY	㉡
첨가	X_Y → XaY	㉢
축약	XabY → XcY	㉣

	㉠	㉡	㉢	㉣
①	옷	넋	덮개	박하사탕
②	권력	써	맨입	축하
③	입다	써	식용유	바치다
④	불놀이	좋아	급류	옳아
⑤	많이	서서	엽서	끊어

음운의 변동

11 다음 중 적절하지 않은 발음끼리 묶은 것은?

보기
㉠벚꽃이[버꼬치] 지고 나면 곧 ㉡한여름[한녀름]이 온다. 이번 여름은 작년보다 덜 더웠으면 ㉢좋겠다고[존켔다고] 생각했다. 나는 ㉣맑은[말근] 하늘을 바라보다 창문을 ㉤닫고[닫꼬] 학교에 갈 준비를 했다.

① ㉠, ㉡
② ㉠, ㉢
③ ㉡, ㉢
④ ㉡, ㉣
⑤ ㉣, ㉤

음운의 축약 2013학년도 9월 고2 학력평가

12 〈보기〉의 ㉠에 해당하는 예로 적절한 것은?

보기

음운 변동은 어떤 음운이 놓이는 환경에 따라 다른 음운으로 바뀌는 현상을 말한다. 음운 변동은 그 결과에 따라 한 음운이 다른 음운으로 바뀌는 교체, 원래 있던 음이 없어지는 탈락, 없던 음운이 추가되는 첨가, ㉠두 개의 음운이 합쳐져서 하나로 되는 축약의 4가지 유형으로 분류된다.

① 먹히다 ② 밭머리 ③ 솜이불
④ 좋으면 ⑤ 한여름

음운의 탈락 2013학년도 11월 고1 학력평가

13 〈보기〉를 바탕으로 음운의 탈락에 대해 이해한다고 할 때, 적절하지 않은 것은?

보기

ⓐ '돌다'의 활용
: '돌-'+'-고' → 돌고, '돌-'+'-니' → 도니 ……
ⓑ '낳다'의 활용
: '낳-'+'-고' → 낳고, '낳-'+'-아' → 낳아 ……
ⓒ '쓰다'의 활용
: '쓰-'+'-고' → 쓰고, '쓰-'+'-어' → 써 ……
ⓓ '가다'의 활용
: '가-'+'-고' → 가고, '가-'+'-아' → 가 ……

① ⓐ에서는 어간의 끝소리 'ㄹ'이 'ㄴ'으로 시작하는 어미 앞에서 탈락되는군.
② ⓑ에서는 '낳아'를 [나아]로 발음하므로 음운의 탈락이 표기에 반영되는군.
③ ⓒ에서는 어간의 모음 'ㅡ'가 모음으로 시작하는 어미 앞에서 탈락되는군.
④ ⓓ에서는 어간의 모음과 동일 음운이 연결될 경우 한 음운이 탈락되는군.
⑤ ⓐ~ⓓ를 보니, 음운의 탈락에는 자음의 탈락과 모음의 탈락이 있음을 알 수 있군.

음운의 변동 2013학년도 7월 고3 학력평가

14 〈보기 1〉의 밑줄 친 부분에 해당하는 예를 〈보기 2〉에서 모두 고른 것은?

보기 1

<u>두 음운이 결합할 때 어느 한 음운이 없어지는 현상</u>을 음운의 탈락이라 한다. 끝소리 'ㅎ'이 모음으로 시작하는 어미나 접미사와 결합하여 탈락하는 경우나 음절의 끝에 두 개의 자음이 올 때 이 중에서 한 자음이 탈락하는 경우가 이에 해당한다.

보기 2

내일은 소풍 가는 날, 비 오지 ㉠<u>않기</u>를 바라며 잠자리에 들었다. 잔디밭을 ㉡<u>밟고</u> 친구들과 ㉢<u>같이</u> 즐겁게 놀며 ㉣<u>멋진</u> 경치를 볼 생각에 기분이 ㉤<u>좋아서</u> 잠도 오지 않았다.

① ㉠, ㉡ ② ㉠, ㉢ ③ ㉡, ㉤
④ ㉢, ㉣ ⑤ ㉣, ㉤

음운의 변동 2017학년도 7월 고3 학력평가

15 〈보기〉의 ㉠에 해당하는 예로 적절한 것은?

보기

음운 변동의 유형으로는 교체, 탈락, 축약, 첨가가 있다. 한 단어가 발음될 때, 이러한 음운 변동 유형들 중 ㉠<u>한 가지 유형만 나타나는 경우</u>가 있고, 두 가지 이상의 유형이 나타나는 경우가 있다. 가령 '꽃밭[꼳빧]'은 교체 한 가지만 나타나지만, '꽃잎[꼰닙]'은 교체와 첨가 두 가지가 나타난다.

① 막일[망닐]
② 깎다[깍따]
③ 색연필[생년필]
④ 값하다[가파다]
⑤ 설익다[설릭따]

음운의 변동 2015학년도 3월 고3 학력평가

16 〈보기〉의 활동 과제를 수행한 결과로 적절한 것은?

보기

[활동 과제]

음운 변동의 유형에는 '교체', '탈락', '첨가', '축약'이 있다.

ⓐ: 교체 – 한 음운이 다른 음운으로 바뀌는 현상

ⓑ: 탈락 – 한 음운이 없어지는 현상

ⓒ: 첨가 – 없던 음운이 새로 생기는 현상

ⓓ: 축약 – 두 음운이 합쳐져 다른 음운으로 바뀌는 현상

다음 사례가 ⓐ~ⓓ 중, 어떤 음운 변동에 해당하는지 생각해 보자.

	옷하고[오타고]	홑이불[혼니불]
①	ⓐ, ⓒ	ⓐ, ⓑ
②	ⓐ, ⓓ	ⓐ, ⓒ
③	ⓐ, ⓓ	ⓑ, ⓒ
④	ⓑ, ⓒ	ⓑ, ⓓ
⑤	ⓑ, ⓒ	ⓒ, ⓓ

음운의 변동 2018학년도 4월 고3 학력평가(변형)

17 〈보기〉의 ㉠~㉣에 대한 설명으로 적절한 것은?

보기

㉠ 낱낱이 → [난 : 나치]

㉡ 넋두리 → [넉뚜리]

㉢ 입학식 → [이팍씩]

㉣ 첫여름 → [천녀름]

① ㉠과 ㉣에서는 공통적으로 음운이 첨가되는 현상이 나타난다.

② ㉡과 ㉢에서 공통적으로 나타나는 음운의 변동은 탈락이다.

③ ㉠에서 발음된 'ㅊ'과 ㉢에서 발음된 'ㅍ'은 공통적으로 음운이 축약된 것이다.

④ ㉠에서 'ㅌ'이 'ㄴ'으로, ㉣에서 'ㅅ'이 'ㄴ'으로 발음될 때 일어나는 음운 교체의 횟수는 같다.

⑤ ㉡에서 'ㄳ'이 'ㄱ'으로, ㉢에서 'ㅅ'이 'ㅆ'으로 발음될 때 일어나는 음운 변동의 횟수는 다르다.

음운의 변동 2014학년도 9월 모의평가

18 〈보기〉의 ㉠~㉣에 대한 설명으로 적절한 것은?

보기

음운의 변동은 크게 네 가지로 나눌 수 있다. 어떤 음운이 다른 음운으로 바뀌는 ㉠교체, 어떤 음운이 없어지는 ㉡탈락, 새로운 음운이 생기는 ㉢첨가, 두 음운이 하나의 음운으로 합쳐지는 ㉣축약이 그것이다.

① '가랑잎[가랑닙]'에서는 ㉢과 ㉡의 음운 변동이 일어난다.

② '값지다[갑찌다]'에서는 ㉠과 ㉢의 음운 변동이 일어난다.

③ '숱하다[수타다]'에서는 ㉣과 ㉡의 음운 변동이 일어난다.

④ '급행열차[그팽녈차]'에서는 ㉣과 ㉢의 음운 변동이 일어난다.

⑤ '서른여덟[서른녀덜]'에서는 ㉠과 ㉣의 음운 변동이 일어난다.

음운의 변동 2018학년도 6월 모의평가

19 〈보기〉를 바탕으로 음운 변동 사례에 대해 이해한 내용으로 적절한 것은?

보기

교체, 탈락, 축약, 첨가의 음운 변동이 일어나는 경우 음운 개수의 변화가 나타나기도 한다.

먼저 '집일[짐닐]'은 첨가 및 교체가 일어나 음운의 개수가 늘었다. 그런데 '닭만[당만]'은 탈락 및 교체가 일어나 음운의 개수가 줄었고, '뜻하다[뜨타다]'는 교체 및 축약이 일어나 음운의 개수가 줄었다. 한편 '맡는[만는]'은 교체가 두 번 일어나 음운의 개수가 변하지 않았다.

① '흙하고[흐카고]'는 탈락 및 축약이 일어나 음운의 개수가 두 개 줄었군.

② '저녁연기[저녕년기]'는 첨가 및 교체가 일어나 음운의 개수가 두 개 늘었군.

③ '부엌문[부엉문]'과 '볶는[봉는]'은 교체가 한 번 일어나 음운의 개수가 변하지 않았군.

④ '얹지[언찌]'와 '묽고[물꼬]'는 교체 및 축약이 일어나 음운의 개수가 각각 한 개 줄었군.

⑤ '넓네[널레]'와 '밝는[방는]'은 탈락 및 교체가 일어나 음운의 개수가 각각 두 개 줄었군.

단원 정리

음운의 체계

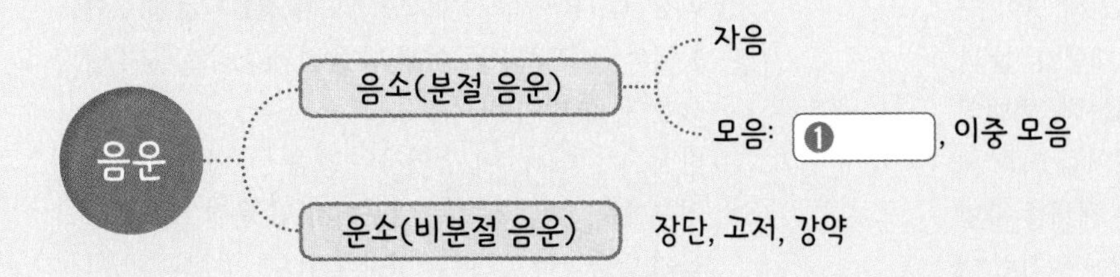

음운의 변동

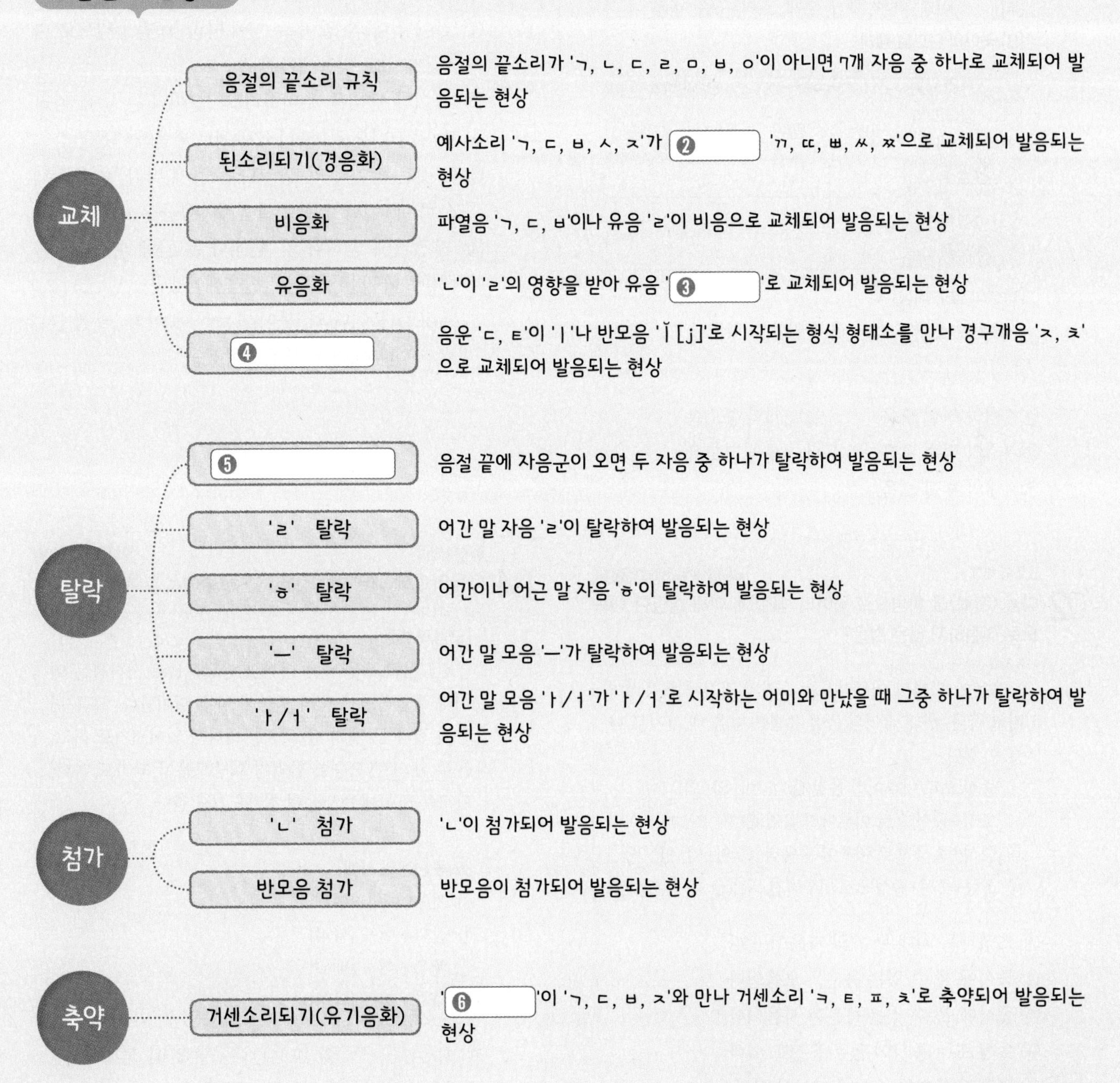

빈칸 답 | ❶ 단모음 ❷ 된소리 ❸ ㄹ ❹ 구개음화 ❺ 자음군 단순화 ❻ ㅎ

수능 다가가기

음운의 체계 2019학년도 수능

01 〈보기〉의 ㉠에 들어갈 말로 적절하지 않은 것은?

보기

선생님: 최소 대립쌍이란 하나의 소리로 인해 뜻이 구별되는 단어의 짝을 말해요. 가령 최소 대립쌍 '살'과 '쌀'은 'ㅅ'과 'ㅆ'으로 인해 뜻이 달라지는데, 이때의 'ㅅ', 'ㅆ'은 음운의 자격을 얻게 되죠. 이처럼 최소 대립쌍을 이용해 음운들을 추출하면 음운 체계를 수립할 수 있어요. 이제 고유어들을 모은 [A]에서 최소 대립쌍들을 찾아 음운들을 추출하고, 그 음운들을 [B]에서 확인해 봅시다.

[A] 쉬리, 마루, 구실, 모래, 소리, 구슬, 머루

[B] 국어의 단모음 체계

혀의 앞뒤 / 입술 모양 / 혀의 높낮이	전설 모음		후설 모음	
	평순	원순	평순	원순
고모음	ㅣ	ㅟ	ㅡ	ㅜ
중모음	ㅔ	ㅚ	ㅓ	ㅗ
저모음	ㅐ		ㅏ	

[학생의 탐구 내용]

추출된 음운 중 [㉠]을 확인할 수 있군.

① 2개의 전설 모음 ② 2개의 중모음
③ 3개의 평순 모음 ④ 3개의 고모음
⑤ 4개의 후설 모음

음운의 체계 2015학년도 6월 모의평가

02 다음 〈자료〉를 바탕으로 국어의 '음절'에 대해 설명한 내용으로 적절하지 않은 것은?

자료

음운이 모여서 이루어지는 소리의 결합체를 음절이라고 한다. 현대 국어의 음절 유형은 다음 네 가지로 나눌 수 있다.
㉠ '중성'으로 이루어진 음절(예 아, 야, 와, 의)
㉡ '초성+중성'으로 이루어진 음절(예 끼, 노, 며, 소)
㉢ '중성+종성'으로 이루어진 음절 (예 알, 억, 영, 완)
㉣ '초성+중성+종성'으로 이루어진 음절(예 각, 녹, 딸, 형)

① 초성에는 최대 두 개의 자음이 온다.
② 중성에 올 수 있는 음운은 모음이다.
③ 종성에 올 수 있는 음운은 자음이다.
④ 초성 또는 종성이 없는 음절도 있다.
⑤ 모든 음절에는 중성이 있어야 한다.

음운의 교체 2016학년도 9월 모의평가

03 〈보기〉의 표준 발음법을 바르게 적용한 것은?

보기

㉠ 받침 'ㄷ, ㅌ'이 조사의 모음 'ㅣ'와 결합되는 경우에는, [ㅈ, ㅊ]으로 바꾸어서 뒤 음절 첫소리로 옮겨 발음한다. 예 밭이[바치]
㉡ 받침 'ㄷ, ㅌ(ㄾ)'이 접미사의 모음 'ㅣ'와 결합되는 경우에는, [ㅈ, ㅊ]으로 바꾸어서 뒤 음절 첫소리로 옮겨 발음한다. 예 미닫이[미다지]
㉢ 받침 'ㄷ' 뒤에 접미사 '히'가 결합되어 '티'를 이루는 것은 [치]로 발음한다. 예 묻히다[무치다]

① '같이 걷다'의 '같이'는 ㉠에 따라 'ㅌ'을 [ㅊ]으로 바꿔 [가치]로 발음해야겠군.
② '솥이나 냄비를 준비하다'의 '솥이나'는 ㉡에 따라 'ㅌ'을 [ㅊ]으로 바꿔 [소치나]로 발음해야겠군.
③ '그것은 팥이다'의 '팥이다'는 ㉡에 따라 'ㅌ'을 [ㅊ]으로 바꿔 [파치다]로 발음해야겠군.
④ '자전거에 받히다'의 '받히다'는 ㉢에 따라 '티'를 [치]로 바꿔 [바치다]로 발음해야겠군.
⑤ '우표를 붙이다'의 '붙이다'는 ㉢에 따라 '티'를 [치]로 바꿔[부치다]로 발음해야겠군.

음운의 변동 2015학년도 수능

04 다음의 ⓐ에 해당하는 것을 ㉠~㉣ 중에서 고른 것은?

보기

[모음의 변동]

단모음으로 끝나는 어간과 단모음으로 시작하는 어미가 결합하면 모음의 변동이 자주 일어난다. 모음 변동의 결과 두 개의 단모음 중 하나가 없어지기도 하고, ⓐ두 개의 단모음이 합쳐져 이중모음이 되기도 하며, 단모음 사이에 반모음이 첨가되기도 한다.

[모음 변동의 사례]

㉠ 기 + 어→ [기여]
㉡ 살피 + 어→ [살펴]
㉢ 배우 + 어→ [배워]
㉣ 나서 + 어→ [나서]

① ㉠, ㉡ ② ㉠, ㉢ ③ ㉡, ㉢
④ ㉡, ㉣ ⑤ ㉢, ㉣

음운의 변동 2019학년도 6월 모의평가

05 (가)의 ㉠, ㉡에 들어갈 표준 발음을 (나)를 참고하여 바르게 짝지은 것은?

보기

○ 탐구 과제

겹받침을 가진 용언을 발음할 때 어떤 음운 변동이 나타나야 표준 발음에 맞는지 혼동되는 경우가 있다. 자음군 단순화, 된소리되기, 비음화, 유음화, 거센소리되기 등의 음운 변동으로 비표준 발음과 표준 발음을 설명해 보자.

○ 탐구 자료

	비표준 발음	표준 발음
㉠ 긁는	[글른]	[긍는]
㉡ 짧네	[짬네]	[짤레]
㉢ 끊기고	[끈기고]	[끈키고]
㉣ 뚫지	[뚤찌]	[뚤치]

○ 탐구 내용

㉠의 비표준 발음과 ㉡의 표준 발음에는 자음군 단순화 후 (ⓐ)가 나타난다. 이에 비해, ㉠의 표준 발음과 ㉡의 비표준 발음에는 자음군 단순화 후 (ⓑ)가 나타난다. ㉢과 ㉣의 표준 발음은 (ⓒ)만 일어난 발음이다.

	ⓐ	ⓑ	ⓒ
①	유음화	비음화	거센소리되기
②	유음화	비음화	된소리되기
③	비음화	유음화	거센소리되기
④	비음화	유음화	된소리되기
⑤	비음화	된소리되기	거센소리되기

음운의 변동 2018학년도 수능

06 〈보기〉의 음운 변동을 분석한 것으로 적절하지 않은 것은?

보기

㉠ 흙일 → [흥닐] ㉡ 닳는 → [달른]
㉢ 발야구 → [발랴구]

① ㉠~㉢은 각각 2회 이상의 음운 변동이 일어났다.
② ㉠~㉢에 공통적으로 일어난 음운 변동은 첨가이다.
③ 음운 변동의 결과 음운의 개수에 변화가 없는 것은 ㉠이다.
④ ㉡과 ㉢에서 일어난 음운 변동의 횟수는 같다.
⑤ ㉢에서 첨가된 음운은 ㉠에서 첨가된 음운과 같다.

음운의 변동 2016학년도 수능

07 다음 ㉠~㉤에서 일어나는 음운 변동에 대한 설명으로 적절한 것은?

㉠ 옳지 → [올치], 좁히다 → [조피다]
㉡ 끊어 → [끄너], 쌓이다 → [싸이다]
㉢ 숯도 → [숟또], 옷고름 → [옫꼬름]
㉣ 닦는 → [당는], 부엌문 → [부엉문]
㉤ 읽지 → [익찌], 훑거나 → [훌꺼나]

① ㉠, ㉡: 'ㅎ'과 다른 음운이 결합하여 한 음운으로 축약되는 현상이 일어난다.
② ㉠, ㉢, ㉤: 앞 음절의 종성에 따라 뒤 음절의 초성이 된소리로 되는 현상이 일어난다.
③ ㉢, ㉣: '깊다 → [깁따]'에서처럼 음절 끝에서 발음되는 자음이 7개로 제한되는 현상이 일어난다.
④ ㉣: '겉모양 → [건모양]'에서처럼 앞 음절의 종성이 뒤 음절의 초성과 조음 위치가 같아지는 현상이 일어난다.
⑤ ㉣, ㉤: '앉고 → [안꼬]'에서처럼 받침 자음의 일부가 탈락하는 현상이 일어난다.

음운의 변동 2017학년도 수능

08 〈보기〉의 (가), (나)를 중심으로 음운 변동을 이해한 내용으로 적절한 것은?

보기

국어의 음운 변동은 교체, 탈락, 첨가, 축약으로 구분된다. 이 중에는 음절의 종성과 관련된 음운 변동이 있다.

(가) 음절의 종성에 마찰음, 파찰음이 오거나 파열음 중 거센소리나 된소리가 올 경우, 모두 파열음의 예사소리로 교체된다. 이는 종성에서 발음될 수 있는 자음의 종류가 제한됨을 알려 준다.

(나) 또한 음절의 종성에 자음군이 올 경우, 한 자음이 탈락한다. 이는 종성에서 하나의 자음만이 발음될 수 있음을 알려 준다.

① '꽂힌[꼬친]'에는 (가)에 해당하는 음운 변동이 있다.
② '몫이[목씨]'에는 (나)에 해당하는 음운 변동이 있다.
③ '비옷[비옫]'에는 (나)에 해당하는 음운 변동이 있다.
④ '않고[안코]'에는 (가), (나) 모두에 해당하는 음운 변동이 있다.
⑤ '읊고[읍꼬]'에는 (가), (나) 모두에 해당하는 음운 변동이 있다.

음운의 변동 2014학년도 수능

09 다음 ㉠~㉢의 음운 변동에 대한 설명으로 적절한 것은?

> ㉠ 빛 → [빋], 앞 → [압], 안팎 → [안팍]
> ㉡ 약밥 → [약빱], 잡다 → [잡따]
> ㉢ 놓지 → [노치], 맏형 → [마텽]

① ㉠과 ㉡은 음절 종성에 놓인 자음이 바뀌는 변동이다.
② ㉠은 거센소리를 예사소리로, ㉢은 거센소리를 된소리로 바꾸는 변동이다.
③ ㉠과 ㉢의 변동이 모두 일어난 예로 '따뜻하다→[따뜨타다]'를 들 수 있다.
④ ㉡과 ㉢의 변동은 뒤의 자음이 앞의 자음에 동화된 것이다.
⑤ ㉡은 음운의 첨가에, ㉢은 음운의 축약에 속한다.

음운의 교체 2014학년도 6월 모의평가

10 다음의 ㉠~㉤에 들어갈 내용으로 적절한 것은?

> ※ 다음 단어들을 발음해 보고 단계별 활동을 수행해 보자.
>
> 부엌, 간, 옷, 빛, 달, 섬, 앞, 창
>
> (1) 음절 끝의 자음이 바뀌는 것과 그렇지 않은 것을 구분해 보자. (㉠)
> (2) 음절 끝의 자음이 안 바뀌는 경우는 어떤 경우인지 알아보자. (㉡)
> (3) 음절 끝의 자음이 바뀌는 경우에는 어떤 자음으로 변하는지 정리해 보자. (㉢)
> (4) (3)과 동일한 음운 변동이 일어난 예들을 더 찾아보자. (㉣)
> (5) 이상의 활동을 바탕으로 음절 끝에서 발음되는 자음의 목록을 정리해 보자. (㉤)

① ㉠: 음절 끝의 자음이 바뀌지 않는 경우는 '부엌, 간, 달, 섬, 창'이다.
② ㉡: 음절 끝의 자음이 예사소리일 때에는 바뀌지 않는다.
③ ㉢: 음운 변동이 일어나면 'ㄱ, ㄹ, ㅂ' 중 하나로 바뀐다.
④ ㉣: '밖'과 '밑'을 음운 변동의 예로 추가할 수 있다.
⑤ ㉤: 음절 끝에서는 'ㄱ, ㄴ, ㄹ, ㅁ, ㅂ, ㅅ, ㅇ'만 발음된다.

음운의 변동 2016학년도 9월 모의평가

11 〈보기〉의 ㉠~㉤의 밑줄 친 부분과 동일한 음운 변동이 일어난 예가 모두 바르게 제시된 것은?

> 보기
>
> 국어에는 거센소리되기, 자음군 단순화, 된소리되기, 비음화, 유음화 등의 음운 변동이 있다.
>
> ㉠ 내가 좋아하는 음식은 밥하고[바파고] 떡이다.
> ㉡ 옷에 흙까지[흑까지] 묻히고 시내를 쏘다녔다.
> ㉢ 우리는 손을 잡고[잡꼬] 마냥 즐거워하였다.
> ㉣ 그는 고전 음악을 즐겨 듣는다[든는다].
> ㉤ 칼날[칼랄]에 다치지 않도록 조심하여야 한다.

① ㉠의 예: 먹히다, 목걸이
② ㉡의 예: 값싸다, 닭똥
③ ㉢의 예: 굳세다, 솜이불
④ ㉣의 예: 겁내다, 맨입
⑤ ㉤의 예: 잡히다, 설날

음운의 변동 2015학년도 9월 모의평가

12 〈보기〉의 ㉠에 들어갈 내용으로 알맞은 것은?

> 보기
>
> 학 생: '식물'이 [싱물]로 발음되는데, 두 자음이 만나서 발음될 때 조음 위치나 방식 중 무엇이 바뀐 것인가요?
> 선생님: 아래의 자음 분류표를 보면서 그 답을 찾아봅시다.

조음 위치 / 조음 방식	양순음	치조음	연구개음
파열음	ㅂ	ㄷ	ㄱ
비음	ㅁ	ㄴ	ㅇ

> 이 표는 국어 자음을 조음 위치와 조음 방식에 따라 분류한 자음 체계의 일부입니다. '식'의 'ㄱ'이 '물'의 'ㅁ' 앞에서 [ㅇ]으로 발음되지요. 이와 비슷한 예들로는 '입는[임는]', '뜯는[뜬는]'이 있는데, 이 과정에서 무엇이 달라졌나요?
> 학 생: 세 경우 모두 두 자음이 만나서 발음될 때, ___㉠___ 이/가 변했네요.

① 앞 자음의 조음 방식
② 뒤 자음의 조음 방식
③ 두 자음의 조음 방식
④ 앞 자음의 조음 위치
⑤ 뒤 자음의 조음 위치

음운론 및 문법 단원을 공부하는 마음가짐

음운론? 갑자기 무슨 말인가 싶지? 음운론은 음운을 연구 대상으로 삼아 음운의 체계와 음운들이 만나서 생기는 현상을 밝히는 학문이야. 쉽게 말해 우리가 '3. 음운' 단원에서 배운 내용은 음운론과 관계가 있는 거야.

참고로 '1. 단어'에서 배운 내용은 형태론과 관련이 있어. 형태론은 단어를 연구하여 단어의 형성 방법과 단어의 종류에 대해 밝히는 학문이야. '2. 문장'에서 배운 내용은 문장을 연구 대상으로 삼아 문장의 종류, 구성 방법 등을 연구하는 통사론과 관계가 있지. 그래도 잘 모르겠다면, '국밥'을 예로 들어 설명해 줄게!

형태론적 접근　　통사론적 접근　　음운론적 접근

이 중에서도 음운론은 추상적이고 관념적인 '음운'을 공부해야 하니 더 어렵고 막연하게 느껴지기도 해. 하지만 음운은 결국 우리가 사용하는 말소리이니, 우리 언어생활에서 쉽게 그 원리를 발견할 수 있어.

실제로 우리는 아주 자연스럽게 국밥을 [국빱]이라고 발음하잖아. 우리는 어렸을 때부터 쭉~ 한국어로 말하면서 자연스럽게 국어의 음운 체계와 음운 변동의 규칙을 익혀 온 거야. 그러니 음운론을 공부할 때는 직접 발음을 하는 방법이 가장 효과적인 거지. 위에서 예로든 '국밥'의 단어 형성 과정이라던가, 문장 안에 들어갈 알맞은 격 조사 찾기 모두 축적된 경험으로 자연스레 알고 있잖아.

이 이야기의 결론은?^^ 문법을 너무 어렵게 생각하지 말고, 문법 공부를 할 때 자신감을 가지라는 거야. 문법은 우리가 자연스럽게 터득했던 언어 규칙들을 논리적으로 정리한 과목이니 말이야.

심지어 뒤에서 배울 '5. 국어 규범' 단원에서는 규범이 우리의 언어생활을 좇아 변화하게 되는 경우도 살펴보게 될 거야. 음운 변동과 밀접한 관련이 있는 표준 발음법을 예시로 들어 볼까? 다음 단어들을 발음해 봐.

효과: (1)**[효:과]** (2)**[효:꽈]**　　**관건:** (3)**[관건]** (4)**[관껀]**

이미 알고 있는 친구들도 있겠지만, '효과'는 (1), (2) 모두 표준 발음이고, '관건'도 (3), (4) 모두 표준 발음이야. 사실 '효과'나 '관건'은 된소리로 발음될 이유가 전혀 없지만, 사람들이 계속 된소리로 발음하니까 된소리 발음도 표준 발음으로 인정하게 된 거야. '자장면'의 복수 표준어를 '짜장면'으로 인정하게 된 것처럼 말이야.

이처럼 너희들의 언어생활이 곧 문법이라는 학문의 탐구 대상이 되고, 또한 국어 규범이 참조하는 대상이 된다는 사실을 기억해 두고 문법 공부에 자신감을 갖자고!

14 담화

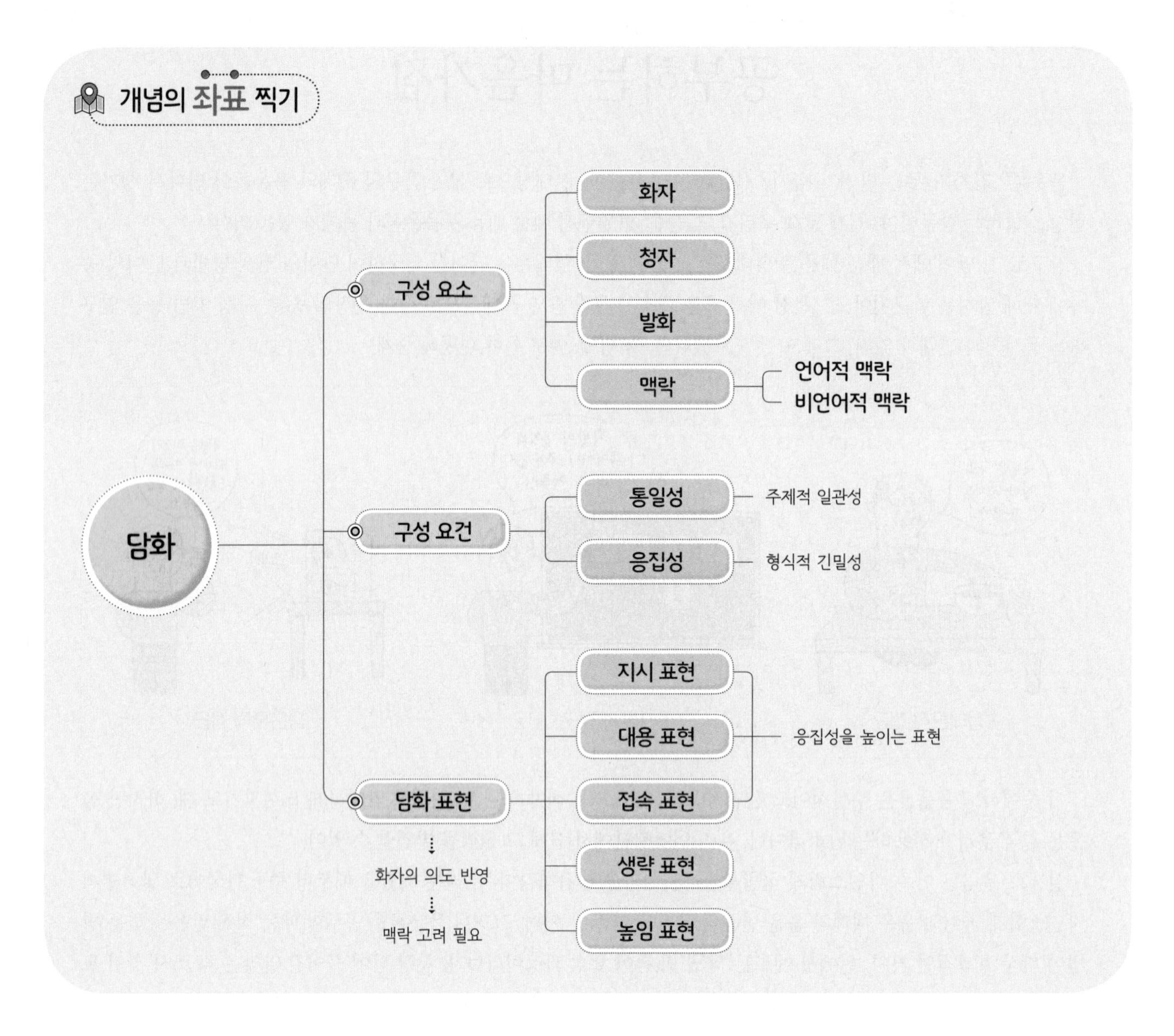

'참 춥다'의 뜻은? – 맥락을 파악해야 하는 이유

개념을 품은 기출 발문·선택지

- '영수'는 '선희'와 '철호'의 **발화**를 ⓑ(**상황 맥락**)를 중심으로 이해하였다. (2015. 6. 고2 학력평가)
- ㉠(**이것**)은 대화 상황에서 눈에 보이는 대상, 곧 학생이 들고 있는 책을 **가리킨다**. (2014. 수능)
- **담화 상황**을 고려할 때, 〈보기〉의 ㉠~㉤에 대한 이해로 적절하지 않은 것은? (2016. 6. 모의평가)

1 담화

구체적인 맥락에서 실현된 최소의 언어 행위를 발화라 하고, 이러한 발화가 연속되어 이루어진 유기적인 연결체를 담화라고 한다. 이때 화자가 어떤 목적을 가지고 자신의 생각을 청자에게 전달할 때 온전한 담화가 되며, 담화가 하나의 완결된 의미를 드러내려면 담화를 이루는 발화들이 하나의 주제, 또는 내용으로 연결되어 있어야 한다.

➲ 발화가 연속되어도 목적 또는 구체적인 청자가 없거나, 하나의 주제나 내용으로 연결되어 있지 않으면 담화로 보기 어려움.
예 (강아지를 보고 혼잣말로) 어머, 귀엽다!: 구체적인 청자를 대상으로 하고 있지 않으므로 담화가 아님.

담화의 구성 요소

담화는 화자, 청자, 발화, 맥락으로 구성된다. 담화의 의미는 일차적으로 발화에 나타난 언어적 표현들에 의해 형성된다. 그러나 언어적 표현만으로는 그 의미가 명확하지 않은 경우가 있어, 맥락을 함께 고려해서 발화를 이해하고 표현하는 것이 중요하다.

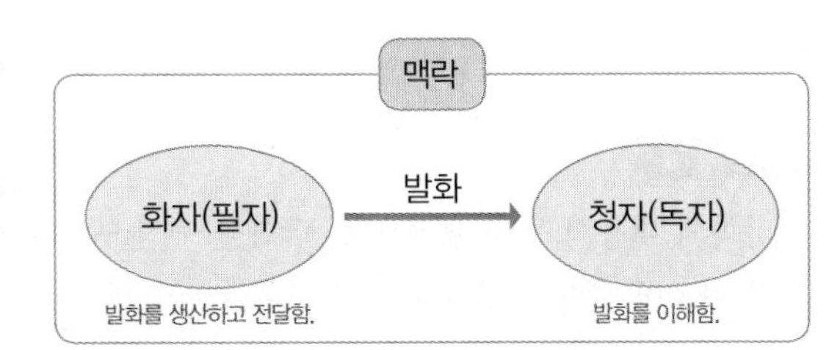

담화의 맥락

맥락이란 의사소통이 이루어지는 배경이나 환경을 말하며, 언어적 맥락과 비언어적 맥락으로 구분할 수 있다.
(구체적인 시간·공간, 담화에 영향을 미치는 사회·문화적 관습 등)

- **언어적 맥락(문맥)**: 담화 내에서 어떤 발화의 앞뒤에 놓인 언어의 한 부분을 통해 파악할 수 있는 맥락이다.

- **비언어적 맥락**
  ① **상황 맥락**: 화자와 청자의 관계, 화자와 청자가 처한 시간적·공간적 상황, 담화의 주제나 목적 등 ➲ 담화를 생산하고 수용할 때 직접적으로 개입하는 맥락
  ② **사회·문화적 맥락**: 담화 참여자들이 공유하는 역사적·사회적 상황, 공동체의 가치관이나 신념 등 ➲ 담화를 생산하고 수용할 때 간접적으로 개입하는 맥락

> 지수: (약속에 늦는 유리를 훈이와 함께 기다리며) 지금 몇 시야? 먼저 식당에 갈까?
> ➲ 상황 맥락: '몇 시인지'를 묻는 의미임.
> 훈이: 8시야. 그래. 들어가 있자. 어? (지수의 휴대 전화를 보며) 유리 전화다.
> ➲ 언어적 맥락: 앞의 대화에서, 생략된 장소가 '식당'임을 알 수 있음.
> 유리: (휴대 전화 너머로) 여보세요. 지수니? 미안해.
> 지수: (화난 목소리로) 지금 몇 시야? ➲ 상황 맥락: '약속 시간이 지났는데 왜 오지 않니?'라는 의미임. (똑같은 "지금 몇 시야?"라는 말은 맥락에 따라 다르게 이해될 수 있음.)
> 유리: (미안한 목소리로) 내가 깜박했는데 오늘 우리집에 제사가 있어서 엄마 아빠 도와드리느라 시간이 이렇게 된 줄 몰랐어. ➲ 사회·문화적 맥락: 한국인인 지수와 훈이는 '유리가 제사를 지내야 한다'는 것을 알 수 있지만 외국인은 이해할 수 없을 것임.

짚고 가요

하나의 발화가 담화가 되는 경우

담화는 발화가 모여 이루어진 언어 형식이야. 그런데 하나의 발화만으로도 담화가 성립되는 경우가 있어. 다음을 볼까?

> 불이야!

위 예시는 하나의 발화이지만, 불이 났다는 구체적인 상황을 맥락으로 하고, 위험을 알리려는 목적이 뚜렷하면서, 주변 사람들을 청자로 삼고 있기 때문에 담화로 볼 수 있어.

4 담화

개념 **콕1** 다음 중 맥락을 적절하게 고려하지 않은 대화는?

① 엄마: (늦게 들어온 아들에게) 참 잘했다.
아들: 죄송해요, 엄마.
② 행인1: 시청이 어디 있는지 아세요?
행인2: (지나쳐 가며) 네.
③ 학생: (한국대학교에 진학한 선배에게) 한국대학교에 가려면 어떻게 해야 하나요?
선배: 공부를 열심히 하면 돼요. 공부 방법이 궁금하면 알려 줄게요.

콕1 ②

직접 발화와 간접 발화

담화를 구성하는 발화는 화자의 의도가 표현되는 방식이 직접적이냐 간접적이냐에 따라, 직접 발화와 간접 발화로 나눌 수 있다.

직접 발화	화자의 의도가 직접적으로 표현된 발화로, 문장 유형과 발화 의도가 일치함. 예 창문 좀 닫아라. ➲ 문장 유형: 명령문 / 의도: 명령
간접 발화	화자의 의도가 간접적으로 표현된 발화로, 문장 유형과 발화 의도가 일치하지 않음. 예 창문 좀 닫아 줄래? ➲ 문장 유형: 의문문 / 의도: 명령 (창문 근처에 앉은 친구를 보며) 너무 춥다. ➲ 문장 유형: 평서문 / 의도: 명령

➲ 직접 발화는 표현된 내용에서 그 의미를 바로 알 수 있지만, 간접 발화는 다양한 맥락을 고려해야 그 발화의 의미를 올바르게 파악할 수 있다. 간접 발화는 완곡어법과 밀접한 관련이 있는데, 특히 '명령, 지시'와 같은 의도를 담은 발화의 경우 청자에게 부담을 줄 수 있기 때문에 명령문이 아닌 다른 문장 유형으로 표현되는 일이 많다.
└ 듣는 사람의 감정이 상하지 않도록 부드럽게 돌려서 말하는 표현법.

2 담화의 구성 요건

여러 발화를 단순히 모아 놓은 것이 곧 담화가 되는 것은 아니다. 담화를 이루는 발화들은 내용적 측면의 통일성과 형식적 측면의 응집성을 갖추고, 이를 통해 하나의 완결된 의미를 드러내야 한다.

통일성

담화의 내용적 구성 요건으로, 담화를 구성하는 발화들이 하나의 주제를 중심으로 일관성을 가져야 한다는 것이다.

(1) 나는 고양이를 좋아해. 그래서 고양이 영상을 자주 봐. 너도 고양이를 좋아하니?
➲ 각각의 발화가 '고양이'라는 주제로 긴밀하게 연결되어 있음.

(2) 나는 고양이를 좋아해. 어제는 비가 왔어. 책 표지가 예쁘다. 너 옷 새로 샀니?
➲ 각각의 발화가 하나의 주제로 묶이지 않아 통일성이 없음. → 온전한 담화로 보기 어려움.

응집성

담화의 형식적 구성 요건으로, 담화를 구성하는 발화들이 자연스럽게 연결되어야 한다는 것이다. 응집성은 지시 표현, 대용 표현, 접속 표현 등을 통해 실현된다.

오늘은 김치찌개를 만드는 방법을 소개하여 드리겠습니다. (먼저) 잘 익은 김치를 골라야 해요. (그래야) 맛있는 김치찌개를 만들 수 있거든요. (첫째로) 프라이팬에 기름을 두르고 김치를 볶아 주세요. (여기까지) 다 되셨나요?
➲ 괄호 안의 표현들이 생략되면 담화가 어색하게 느껴짐.

지시 표현, 내용 표현, 접속 표현은 다음 쪽에서 자세하게 공부하자.

3 담화의 표현

담화의 표현에는 지시 표현, 대용 표현, 접속 표현, 생략 표현, 높임 표현 등이 있으며 화자는 자신의 의도(선언, 명령, 약속, 요청 등)를 드러내기 위해 다양한 표현을 사용한다. 담화 표현에는 화자의 관점이나 화자가 느끼는 상대와의 심리적 거리 등이 반영되기도 한다. 그러므로 효과적인 담화 표현을 위해서는 화자와 청자에 대한 이해는 물론, 구체적인 맥락에 대한 이해가 필요하다.

개념 콕 2 담화의 응집성을 고려하여 ㉠~㉢ 자리에 쓰일 수 있는 알맞은 지시 표현이나 대용 표현을 〈보기〉에서 골라 쓰시오.

몸과 마음이 한편이 된 상태의 걷기가 가장 이상적인 걷기이다. ㉠몸과 마음이 한편이 된 상태의 걷기는 몸을 끊임없이 움직여야 하기 때문에 생각에만 몰두할 수 있고 세상의 방해나 저항을 받지 않을 수 있다. (㉡) 건강한 삶을 위해서는 생활 속에서 이상적인 걷기를 반드시 실천해야 한다. ㉢건강한 삶을 위해 생활 속에서 이상적인 걷기를 실천하기 위한 방법은 무엇일까?

보기
ⓐ 이와 같은 ⓑ 하지만
ⓒ 그러므로 ⓓ 이를
ⓔ 그런 일은

지시 표현

사물이나 사람, 사건을 가리키는 표현이다. '이, 그, 저', '여기, 거기, 저기', '이렇게, 그렇게, 저렇게', '이렇다, 그렇다, 저렇다' 등의 예가 있다.

> 민희: (동호의 신발을 가리키며) 그거 예쁘다. 새로 산 신발이야?
> ('동호가 신은 신발'을 가리키는 지시 표현)
> 동호: 응, 이거 누나가 사 줬어. (지갑을 꺼내며) 아, 이거도 사 줬는데 볼래?
> ('동호가 신은 신발'을 가리키는 지시 표현 / '동호가 든 지갑'을 가리키는 지시 표현)
> ➲ 똑같이 '이거'라는 표현을 사용해도 '이거'가 가리키는 대상은 맥락에 따라 달라질 수 있음.

대용 표현

담화에서 앞에 나온 어휘나 발화 전체를 다시 가리키는 표현이다. '이, 이것, 그, 그것' 등의 예가 있다.
(같은 말을 반복하는 것을 피할 수 있어 경제적임.)

> 민희: 다시는 너랑 한 약속을 어기지 않을게.
> 동호: 그 말 책임질 수 있어?
> ("다시는 너랑 한 약속을 어기지 않을게."라는 민희의 발화를 다시 가리키는 대용 표현)

접속 표현

발화와 발화를 연결해 주는 표현이다. 접속 표현에는 문장과 문장을 이어 주는 '그리고, 그래서, 그러나, 또는' 등의 접속 부사와, 시간이나 순서를 나타내는 '먼저, 첫째, 둘째' 등의 어휘가 있다.

> 먼저 밥을 먹자. 그리고 같이 가기로 약속했던 전시회에 가자.
> (먼저: 순서를 나타내는 접속 표현 / 그리고: 앞 문장을 이어 받아 연결하는 접속 표현)

생략 표현

맥락에 따라 일정 성분이 생략되는 표현이다. 화자와 청자가 같은 맥락을 공유하고 있을 경우 실제 담화에서 일정 성분을 생략하는 것이 가능하다. 이때 생략된 성분은 앞뒤 맥락을 고려하여 복원할 수 있다.
(특히 우리말에서는 주어가 자주 생략되는 경향이 있음.)

> (1) 영희: 너 어디 있었니?
> 민규: (나) 화장실에 다녀왔어.
>
> (2) 선생님: 누가 여기 청소했니?
> 영희: 민규가(청소했어)요.
>
> ➲ (1)과 (2)처럼 문장을 구성하는 데 반드시 필요한 주어, 서술어도 화자와 청자가 같은 맥락을 공유하면 생략할 수 있음.

높임 표현

화자와 청자의 상하 관계나 친소 관계에 따라 높이거나 낮추는 표현이다. 높임 표현은 사적 담화인지 공적 담화인지에 따라서도 달라질 수 있다.
(상하 관계: 나이나 지위의 높고 낮음 / 친소 관계: 친밀도 / 공적 담화: 예 발표, 회의 등)

> (1) (친한 선배에게) 형, 밥 먹었어?
> (친하지 않은 선배에게) 선배, 식사하셨어요?
> ➲ 상하 관계가 있어도 친소 관계에 따라 높임 표현이 달라질 수 있음.
>
> (2) (친구들과 대화를 하는 상황) 어제 그 영화 봤어?
> (친구들과 회의를 하는 상황) 지금부터 회의를 시작하겠습니다.
> ➲ 동일한 상하 관계와 친소 관계이더라도 공적 담화에서는 높임 표현을 사용하는 것이 적절함.

궁금해요 '이', '그', '저'의 의미 차이는 무엇인가요?

화자에게 가까운 것을 가리킬 때는 '이', '이것', '이리'와 같이 '이'가 있는 표현을 쓰고, 청자에게 가까운 것을 가리킬 때는 '그', '그것', '그리'와 같이 '그'가 있는 표현을 쓴다. 화자와 청자 모두에게 가깝지 않을 때에는 '저', '저것', '저리'와 같이 '저'가 포함된 표현을 쓰지.

짚고 가요

화자의 심리적 태도를 반영하는 '어미'

대부분의 담화 표현에는 화자의 심리적 태도가 반영된다고 볼 수 있는데, 이처럼 어미에도 화자의 심리적 태도가 드러나 있어.
특히 단정, 확인, 감탄, 추측과 같이 화자의 생각이나 느낌과 관련된 발화에서는 심리적 태도가 어미를 통해 드러나는 경우가 많아.

예 동생은 지금 자고 있어.
➲ '단정'을 드러내는 표현
동생은 지금 자고 있겠어.
➲ '추측'을 드러내는 표현

개념 **콕 3** 다음 밑줄 친 문장에서 생략된 표현을 복원하여 쓰고, 어떠한 문장 성분이 생략되었는지를 쓰시오.

> 수영: 어제 누구 만났니?
> 명수: 재석이.

(1) 생략된 표현 복원하기: ______

(2) 생략된 문장 성분: ______

콕 2 ㉠ ⓐ ⓑ ⓒ ⓓ
3 (1) 나는 어제 재석이를 만났어. (2) 주어, 서술어, 부사어

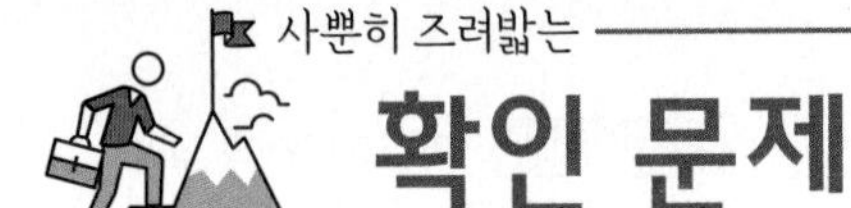

확인 문제

✔ 바로바로 간단 체크

1 괄호 안에 들어갈 알맞은 말을 쓰시오.

(1) (ㄷㅎ)란 발화가 연속되어 이루어지는 말의 단위이다.

(2) 담화의 구성 요소에는 (ㅎㅈ), 청자, 발화, (ㅁㄹ)이 있다.

(3) (ㅇㅇㅈ) 맥락이란 발화의 앞뒤에 있는 언어의 한 부분을 통해 파악할 수 있는 맥락이다.

(4) 발화는 화자의 의도가 표현되는 방식이 직접적이냐 간접적이냐에 따라 (ㅈㅈ ㅂㅎ)와 (ㄱㅈ ㅂㅎ)로 나눌 수 있다.

2 다음 설명이 맞으면 ○표, 틀리면 ×표를 하시오.

(1) 동일한 발화라도 맥락에 따라 그 의미가 달라질 수 있다. (　　)

(2) 높임 표현은 화자와 청자의 나이나 지위, 친한 정도 등에 영향을 받는다. (　　)

(3) 발화의 의도는 종결 어미에 의해 실현된 문장 유형과 언제나 일치한다. (　　)

3 다음은 담화의 구성 요건을 표로 정리한 것이다. 빈칸에 들어갈 알맞은 말을 쓰시오.

㉠______	응집성
• 내용적 구성 요건 • 담화의 내용들이 하나의 ㉡______를 중심으로 일관성을 가져야 함.	• ㉢______ 구성 요건 • 담화를 구성하는 발화들이 자연스럽게 연결되어야 함.

담화의 개념과 특성

01 담화에 대한 설명으로 적절하지 않은 것은?

① 약속, 호소, 선언, 명령, 요청 등 다양한 기능을 수행할 수 있다.
② 담화의 내용은 하나의 주제를 중심으로 긴밀하게 연결되어야 한다.
③ 간접 발화는 화자의 의도를 돌려서 말하는 완곡어법과 관련이 있다.
④ 담화의 표현은 담화의 맥락을 고려하여 이해해야만 그 의미가 명확해진다.
⑤ 실제 담화에서 일정한 성분을 생략하는 것이 가능하려면 화자와 청자가 서로 다른 맥락을 가지고 있어야 한다.

담화 상황 이해

02 〈보기〉의 ㉠~㉥에 대한 설명으로 적절한 것은?

보기

(1) (마당에 빨래가 널려 있음)
민혁: ㉠엄마, 비 와요.
엄마: (마당으로 나오며) ㉡같이 할까?
민수: ㉢엄마, 저도 도와드릴게요.

(2) (등교, 출근을 하려는 상황)
민혁: ㉣엄마, 비 와요.
아빠: ㉤여보, 우산이 어디 있지?
엄마: ㉥신발장에.

① 엄마는 ㉠의 상황 맥락을 잘못 이해하였다.
② 민수는 ㉡을 '빨래를 같이 널자'는 뜻으로 이해하였다.
③ ㉠과 ㉣은 발화의 의미가 동일하다.
④ ㉢과 ㉤은 동일한 대상을 지칭하고 있다.
⑤ ㉥은 주어와 서술어를 생략하여 의사소통에 방해가 되는 발화이다.

접속 표현

03 〈보기〉의 ㉠과 ㉡에 다음 빈칸에 들어갈 접속 표현으로 알맞은 것은?

보기

한 남한 사람이 우연히 북한 이탈 주민을 알게 되었는데, 이분의 딱한 사정을 듣고 이분을 도와야겠다고 어렵게 마음먹게 되었다. ___㉠___ 그 뜻을 전달했더니 북한 이탈 주민이 대뜸 강한 어조로 하는 말이 "일없습네다."였다. 그 남한 사람은 북한 이탈 주민들이 굉장히 무례하다고 생각하게 되었다고 한다. ___㉡___ 북한에서 "일없습네다."라는 말은 매우 공손한 거절 표현이다. 북한 이탈 주민은 본인이 할 수 있는 한 최대한 공손하게 말한 것이다.

	㉠	㉡		㉠	㉡
①	왜냐하면	그래서	②	반면에	그렇지만
③	그래서	하지만	④	그래서	왜냐하면
⑤	그리하여	그러므로			

담화 상황 이해

04 〈보기〉의 담화 상황에 대해 분석한 내용으로 적절하지 않은 것은?

보기

경찬: 할아버지께서 오늘 오신다는데, ㉠미리 마중 좀 나갈 수 있니?

경애: 알았어, 오빠. (남편인 하림을 보며) ㉡우리가 마중을 나가도록 할게. 그런데 할아버지께서 이번 명절에도 ㉢당신께서 손수 운전을 하신다며?

경찬: 그래, ㉣여기까지 무사히 오셔야 할 텐데. 매부, ㉤우리가 할아버지를 뵌 지 오래되었지?

하림: 2년 전에 ㉥이곳에서 할아버지를 뵌 것이 마지막이니까 꽤나 오래되었지요. ㉦할아버지를 뵈면 얼마나 반가울까요?

경애: 할아버지께서 ㉧당신을 무척 아껴 주셨는데……. 나도 빨리 할아버지를 뵙고 싶어.

① ㉠과 달리 ㉦은 대답을 요구하지 않는 의문문이다.
② ㉡과 ㉤은 가리키고 있는 인물들이 서로 다르다.
③ ㉢과 달리 ㉣은 지시하는 대상이 고정되어 있는 표현이다.
④ ㉢과 달리 ㉧은 발화 현장에 있는 인물을 가리키고 있다.
⑤ ㉣과 ㉥은 발화자가 자신의 위치를 중심으로 사용한 표현이다.

직접 발화와 간접 발화

05 화자가 의도를 표현하는 방식이 나머지 넷과 다른 하나는?

① (새벽까지 휴대폰 게임을 하는 딸에게)
아빠: 내일 학교가 쉬는 날인가 보구나.
딸: 이제 자려고요.

② (닫힌 창문 근처에 앉은 학생에게)
학생 1: 교실이 너무 덥지 않니?
학생 2: 창문 열어 줄까?

③ (학교 수업이 끝나고 집에 가는 친구에게)
학생 1: 축구하고 가자.
학생 2: 미안, 여자친구 만나기로 했어.

④ (TV를 큰 소리로 켜 둔 동생에게)
누나: 좀 시끄럽다.
동생: 미안해, 소리 줄일게.

⑤ (집에 늦게 들어온 아들에게)
엄마: 지금이 몇 시니?
아들: 다음부터는 일찍 들어올게요.

담화 상황 이해

06 〈보기〉의 ㉠~㉥에 대한 설명으로 적절하지 않은 것은?

보기

은진: 선배, 이번 세미나에서 함께 읽어 볼 책으로 ㉠이 책 어때요?

희연: ㉡그건 내가 예전에 읽어 봤는데, 너무 쉽더라고. 이건 어때?

은진: 칼 세이건의 ㉢《코스모스》요? ㉣재미있겠어요.

강우: 역시 ㉤너희가 책 보는 눈이 있네.

희연: ㉥그럼 《코스모스》로 정하는 게 좋겠다.

① ㉠이 희연보다는 은진과 가까이 있다는 사실은 ㉡을 통해 알 수 있다.
② ㉠과 ㉢은 각각 다른 대상이다.
③ ㉣에서 화자의 심리적 태도가 드러난다.
④ ㉤은 청자를 포함한 표현으로, 상황에 따라 화자까지 포함할 수 있다.
⑤ ㉥은 문장의 종류와 발화 의도가 일치하지 않는 발화이다.

발화에 담긴 심리적 태도 2014학년도 7월 고3 학력평가

07 <보기>의 ㉠~㉤에 나타난 심리적 태도로 적절하지 않은 것은?

보기

• 어미를 사용하여 추정, 감탄, 단정, 확인, 의지, 전달 등의 화자의 심리적 태도를 드러낼 수 있다.

영희: 너 오늘 산에 간다고 했잖아. 오늘 간 거 ㉠맞지?
철수: 아니, 못 갔어. 내일은 꼭 가고 ㉡말겠어.
영희: 그럼 너희 형은?
철수: 아마 ㉢갔을걸. 아까 엄마 말씀이 ㉣갔다더라고.
영희: 우와. 너희 형은 정말로 ㉤대단하구나.

① ㉠: 확인 ② ㉡: 의지 ③ ㉢: 추정
④ ㉣: 단정 ⑤ ㉤: 감탄

담화의 표현 2015학년도 11월 고2 학력평가

08 <보기>의 ㉠~㉤에 대한 설명으로 적절하지 않은 것은?

보기

아버지: (아이 방으로 들어오며) 은주야, ㉠이거 받아.
은주: (선물을 보며) 어? 그게 뭐예요?
아버지: 응. 스웨터야. 어제 고모를 만났는데, 곧 있으면 네 생일이라고 주시더라. 마음에 드니? ㉡저 옷이랑 같이 입으면 잘 어울릴 것 같은데.
은주: 와! ㉢그러면 정말 예쁘겠네요. 내일 당장 입어야겠어요.
아버지: 그래. 고모한테 고맙다고 전화 한 통 드려.
은주: 네, 저도 ㉣그렇게 하려고 했어요.
아버지: ㉤그런데 내일 아빠랑 영화나 보러 갈까?

① ㉠은 지시하는 대상이 청자인 은주에 비해 화자인 아버지에게 가까이 있음을 나타낸다.
② ㉡은 지시하는 대상을 청자인 은주도 볼 수 있음을 전제로 한다.
③ ㉢은 아버지가 앞에서 한 말과 관련된 세부 사항이 뒤에 추가될 것임을 나타낸다.
④ ㉣은 고모한테 고맙다고 전화 한 통 드리라는 말을 대신 표현하여 담화의 중복을 피한다.
⑤ ㉤은 아버지가 지금까지 은주와 나눈 대화의 화제를 다른 데로 돌리는 기능을 한다.

간접 발화 2016학년도 4월 고3 학력평가

09 <보기 1>을 바탕으로 <보기 2>의 ㉠~㉤을 이해한 것으로 적절하지 않은 것은?

보기 1

선생님: 담화에서 화자가 자신의 의도를 직접 드러내고자 하는 상황이라면 종결 표현과 화자의 의도를 일치시켜 명시적으로 표현합니다. 반면 명령이나 요청 등과 같이 청자에게 부담을 주거나 예의에 어긋날 수 있는 상황이라면 화자의 의도와는 다른 종결 표현을 사용하거나, '저기', '만', '좀'과 같은 언어 표현을 사용하여 완곡하게 표현합니다.

보기 2

어머니: (지연을 토닥이며) ㉠저기, 지연아 이제 좀 일어나라.
지연: (힘없이 일어나며) ㉡엄마, 선생님께 학교에 조금 늦을 거 같다고 전화해 주시겠어요?
어머니: (걱정스러운 표정으로) 어디 아프니?
지연: 네, 그런 것 같아요. 열도 좀 나고요.
어머니: ㉢그럼 선생님께 전화 드리고 엄마랑 병원에 가자.
지연: 네, 그렇게 해야 할 것 같아요.
소연: (거실에서 큰 소리로) 지연아, 학교 늦겠다. ㉣빨리 가라.
어머니: 소연아! ㉤동생이 아프다니까 조금만 작은 소리로 말해 주면 참 좋겠다.

① ㉠: 명령의 의도를 '저기', '좀' 등의 언어 표현을 사용하여 표현함으로써 청자에게 부담을 주려 하지 않고 있군.
② ㉡: 요청의 의도를 의문형 종결 표현을 사용하여 완곡하게 표현하고 있군.
③ ㉢: 화자의 의도와 종결 표현을 일치시켜 청유의 의도를 직접 드러내고 있군.
④ ㉣: 화자의 명령에 대한 청자의 부담을 덜어주기 위해 화자의 의도와 종결 표현을 일치시키지 않고 있군.
⑤ ㉤: 명령의 의도를 평서형 종결 표현과 '만'과 같은 언어 표현을 사용하여 부드럽게 표현하고 있군.

단원 정리

담화의 개념과 구성 요소

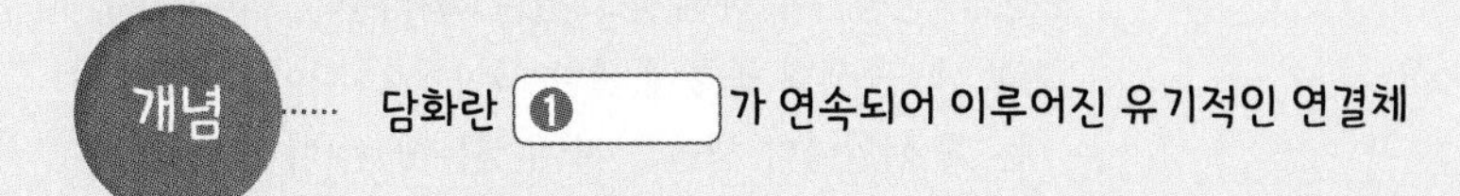

개념 …… 담화란 ❶ [　　] 가 연속되어 이루어진 유기적인 연결체

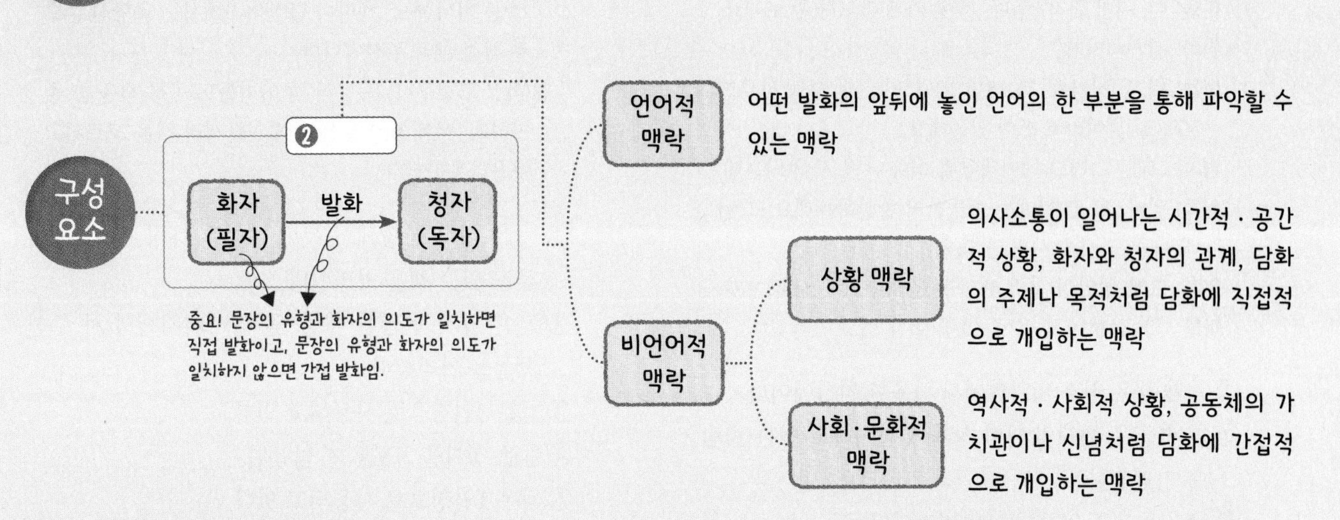

담화의 구성 요건

통일성	+	❸ [　　]		
• 담화의 내용적 구성 요건 • 담화의 내용이 하나의 주제를 중심으로 일관되게 조직된 특성	+	• 담화의 형식적 구성 요건 • 담화를 구성하는 발화들이 담화 표현을 통해 자연스럽게 연결된 특성	➡	담화가 완결된 구조를 갖춤.

담화의 표현

지시 표현 …… 사물, 사건, 사람을 가리키는 표현

❹ [　　] …… 앞에서 나온 어휘나 발화 전체를 다시 가리키는 표현

접속 표현 …… 발화와 발화를 연결해 주는 표현

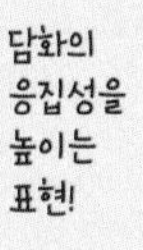

생략 표현 …… 상황 맥락에 따라 일정 성분이 생략되는 표현

❺ [　　] …… 화자와 청자의 상하 관계나 친소 관계에 따라 높이거나 낮추는 표현

빈칸 답 | ❶ 발화 ❷ 맥락 ❸ 응집성 ❹ 대용 표현 ❺ 높임 표현

수능 다가가기

담화 맥락 이해 | 2016학년도 수능Ⓑ

01 〈보기〉의 ㉠~⓪에 대한 설명으로 적절하지 않은 것은?

보기

(엄마와 아들이 둘이서 걸어가며)

아들: 엄마, 올해 마지막 날 엄마와 쇼핑 나와서 참 좋아요.

엄마: ㉠엄마도 영수랑 같이 나오니까 참 좋다.

아들: 어, 저거 뭐지? 엄마, 저 옷 가게 광고판 좀 보세요.

엄마: 뭐? ㉡저거?

아들: 네, ㉢저거요. '2015년 12월 30일, ㉣오늘 하루만 50% 할인'이라고 쓰여 있는데요.

엄마: 그래? 그러면 ㉤어제였네. ㉥누나 옷 사야 되는데.

아들: 엄마, 그 옆 가게는 오늘까지 할인하는데요. 그런데 제 옷도 사 주시면 안 돼요?

엄마: 그래. 알았어, ㉦우리 아들. ⓞ영수도 옷 사 줘야지.

아들 : 와, 잘됐다. 다음 주 여행 갈 때 입고 가야겠다.

① ㉠과 ㉥은 청자의 관점에서 사용한 지칭어이다.
② ㉠과 ㉦은 현재의 담화 상황에 참여하고 있는 사람을 가리킨다.
③ ㉡과 ㉢은 동일한 대상을 가리킨다.
④ ㉣과 ㉤은 동일한 날을 가리킨다.
⑤ ㉥과 ⓞ은 화자와 청자를 제외한 제삼자를 가리킨다.

지칭어와 호칭어의 이해 | 2018학년도 9월 모의평가

02 〈보기〉의 담화 상황에서 ⓐ~ⓔ가 가리키는 대상이 같은 것끼리 바르게 짝지은 것은?

보기

(수빈, 나경, 세은이 대화를 하고 있다.)

수빈: 나경아, 머리핀 못 보던 거네. 예쁘다.

나경: 고마워. ⓐ우리 엄마가 얼마 전 새로 생긴 선물 가게에서 사 주셨어.

세은: 너희 어머니 참 자상하시네. 나도 그런 머리핀 하나 사고 싶은데 ⓑ우리 셋이 지금 사러 갈까?

수빈: 미안해. 나도 같이 가고 싶은데 ⓒ우리 집에 일이 있어 못 갈 것 같아.

세은: 그래? 그럼 할 수 없네. ⓓ우리끼리 가지, 뭐.

나경: 그래, 수빈아. 다음엔 꼭 ⓔ우리 다 같이 가자.

① ⓐ - ⓑ　② ⓐ - ⓓ　③ ⓑ - ⓔ
④ ⓒ - ⓓ　⑤ ⓒ - ⓔ

담화 맥락 이해 | 2014학년도 수능

03 〈보기〉의 ㉠~㉤에 대한 설명으로 적절하지 않은 것은?

보기

선생님: 안녕? 어, 손에 들고 있는 그거 뭐니?

학생: 네, 중생대 공룡에 관한 책이에요. 할아버지께서는 제 생일마다 책들을 사 주셨는데, ㉠이것도 ㉡그것 중 하나예요. 해마다 할아버지께서는 ㉢당신 손으로 직접 골라 주신답니다.

선생님: 그렇구나. ㉣우리 집 아이들도 공룡 책을 참 좋아하지. 우리 아이들은 ㉤저희들끼리 책을 고르려고 아옹다옹한단다.

① ㉠은 대화 상황에서 눈에 보이는 대상, 곧 학생이 들고 있는 책을 가리킨다.
② ㉡은 앞서 언급한 대상, 곧 할아버지께서 사 주신 책들을 가리킨다.
③ ㉢은 3인칭으로 사용되고 있다.
④ ㉣은 청자를 포함하지 않는다.
⑤ ㉤은 1인칭으로 사용되고 있다.

간접 발화 | 2016학년도 9월 모의평가

04 밑줄 친 부분이 〈보기〉의 ㉠에 해당하는 예로 적절하지 않은 것은?

보기

일반적으로 의문문은 화자가 청자에게 질문에 대한 대답을 요청하는 문장인데, 화자가 청자에게 행동을 요청할 때 쓰이기도 한다. 청유문은 화자가 청자에게 함께 행동할 것을 요청하는 문장이다. 그러므로 이 문장 유형들은 ㉠화자가 청자에게 요청을 할 때 쓰이는 것이라는 점에서 공통적이다.

① A: 괜찮다면, 우리 여기서 잠깐 기다릴래요?
B: 좋아요. 10분만 더 기다려요.
② A: 다친 곳은 어떤가? 한번 보세.
B: 보시다시피 많이 좋아졌습니다.
③ A: 저기요. 먼저 좀 내립시다.
B: 아, 예. 저도 여기서 내려요.
④ A: 저 혹시, 모자를 벗어 주실 수 있을까요?
B: 제가 방해가 되었군요. 미안합니다.
⑤ A: 어디 보자. 내가 다 챙겼나?
B: 거기서 혼자 뭐 해요. 빨리 나와요.

지칭어와 호칭어의 이해 2015학년도 6월 모의평가

05 (가)에 들어갈 내용으로 적절하지 않은 것은?

탐구 목표	실제 담화를 분석하여, 화자와 청자가 누구인지에 따라 동일한 인물이 다르게 표현될 수 있음을 이해한다.
탐구 자료	**[은미의 고모가 은미 집을 찾아온 상황]** **할머니:** 어서 와라. ㉠김 서방도 잘 지내지? **고모:** 네, 엄마. ㉡그이도 잘 지내요. 언니, 그동안 잘 지내셨어요? **엄마:** 네, ㉢아가씨. 배고프실 텐데 과일 좀 드세요. **고모:** 고마워요, 언니. 은미야, 공부하느라 힘들지? **은미:** 아니에요, ㉣고모. 고모부는 같이 안 오셨어요? **고모:** 응, ㉤고모부는 다른 약속이 있어서 못 왔어.
탐구 결과	(가)

① ㉠과 ㉡을 보면, 화자와 청자가 맞바뀌어 동일한 인물이 다르게 표현되고 있다.
② ㉠과 ㉢을 보면, 청자는 같지만 화자가 달라 동일한 인물이 다르게 표현되고 있다.
③ ㉠과 ㉤을 보면, 화자도 다르고 청자도 달라 동일한 인물이 다르게 표현되고 있다.
④ ㉡과 ㉤을 보면, 화자는 같지만 청자가 달라 동일한 인물이 다르게 표현되고 있다.
⑤ ㉢과 ㉣을 보면, 화자가 달라 동일한 청자가 다르게 표현되고 있다.

직접 발화와 간접 발화 2014학년도 9월 모의평가

06 〈보기 1〉의 ㉠, ㉡에 해당하는 가장 적절한 예를 〈보기 2〉에서 고른 것은?

보기 1

대답을 요구하는 의문문에는 긍정이나 부정의 대답을 요구하는 것과 ㉠구체적인 설명을 요구하는 것이 있다. 대답을 요구하지 않는 의문문은 구체적인 담화 상황에 따라 화자의 의도를 나타내는데, 서술을 나타내는 경우, 감탄을 나타내는 경우, ㉡명령을 나타내는 경우 등이 있다.

보기 2

• 학교에서 수업을 하는 상황
선생님: ㉮독서 모둠 활동은 언제, 어디에서 하면 좋겠니?
학생: 3시부터 도서실에서 하면 좋겠어요.

• 늦잠 자는 아들을 깨우는 상황
어머니: 학교 늦겠어! ㉯그만 자고 얼른 일어나지 못하겠니?
아들: 엄마, 제발요. 조금만 더 잘래요.

• 두 학생이 함께 하교하는 상황
학생 A: ㉰나랑 같이 문구점에 갈 수 있니?
학생 B: 나도 연필 살 게 있었는데, 참 잘됐다.

• 동생이 억울한 일을 겪은 상황
언니: ㉱어쩜 이럴 수 있니?
동생: 아, 정말 억울해서 못 견디겠어.

	㉠	㉡
①	㉮	㉯
②	㉮	㉰
③	㉯	㉱
④	㉰	㉯
⑤	㉰	㉱

4 담화

15 표준어와 표준 발음법

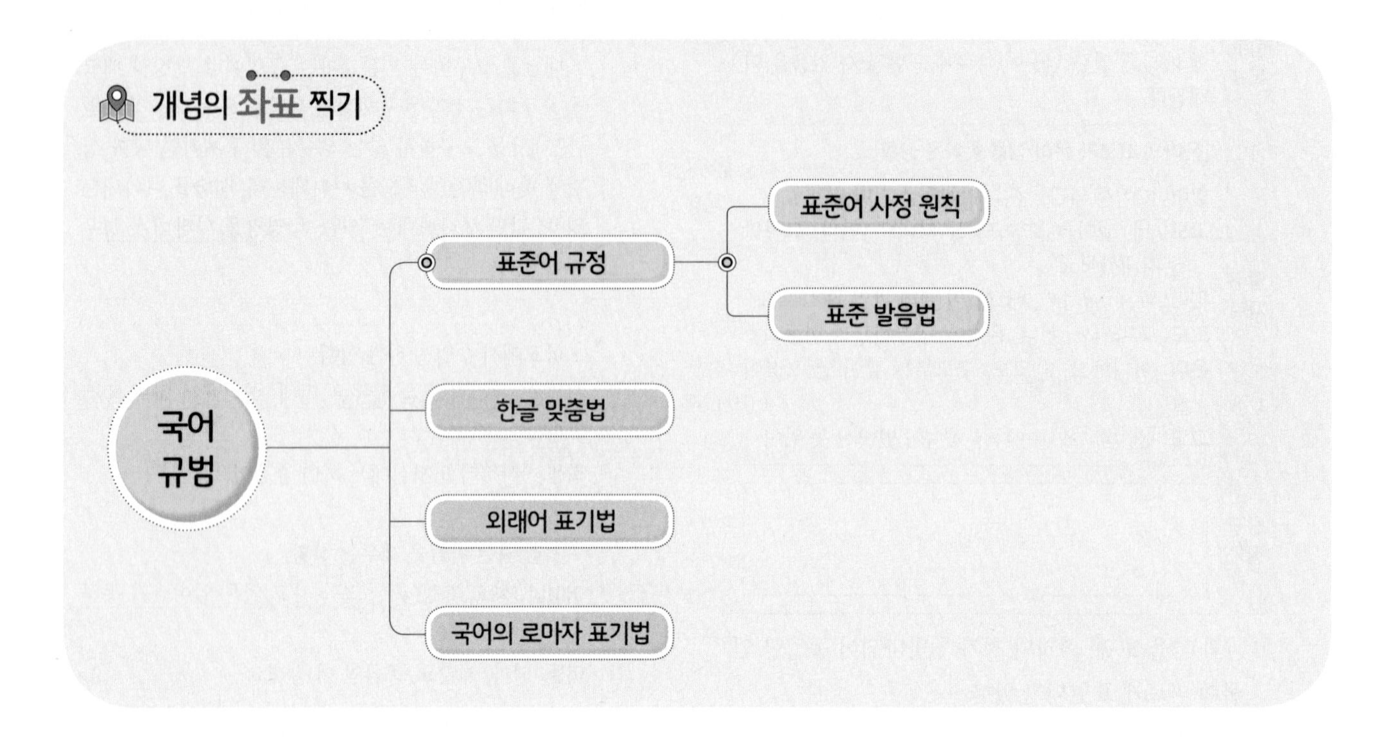

100인 샘의 국어 규범 특강 1

국어 규범은 국어를 서로 다르게 사용함으로써 혼란이 일어나는 것을 방지하기 위해 정해 놓은 약속이야. '표준어 규정, 한글 맞춤법, 외래어 표기법, 국어의 로마자 표기법'의 네 가지가 있어. 각 규범의 내용은 오른쪽의 표와 같고, 여러 가지 세부 조항으로 이루어져 있지.

표준어 규정	표준 발음 등 표준어에 대해 규정한 것
한글 맞춤법	우리말을 한글로 표기하는 방법에 대해 규정한 것
외래어 표기법	외래어를 한글로 표기하는 방법에 대해 규정한 것
국어의 로마자 표기법	우리말을 로마자로 표기하는 방법에 대해 규정한 것

잠깐, 설마 이 규정들을 모두 외워야 한다고 생각하는 것은 아니지? 규정집은 언어생활을 하면서 헷갈리는 것이 있을 때 찾아보라고 있는 거야. 그러니 외울 필요가 전혀 없고, 수능 시험에서도 이를 요구하지 않아. 대체로 〈보기〉에서 규정을 제시해 준다는 말씀! 각 규정은 다음과 같은 방법으로 공부하면 돼.

자, 표준어 규정부터 차례대로 살펴보자!

표준어 규정 — 표준어의 발음법은 음운 지식과 연관되므로, 음운과 음운 체계, 음운 변동 현상을 잘 익히고 나서 각 규정을 이해하는 것이 중요해.

한글 맞춤법 — 구체적인 세부 규칙을 실제 사례에 적용하는 유형이 많이 출제돼. 따라서 한글 맞춤법 총칙을 바탕으로 세부 조항들을 이해하고 있어야 해.

외래어 표기법, 국어의 로마자 표기법 — 출제 빈도가 낮은 부분이야. 하지만 교육과정에 포함되어 있으니, 우리 책에 제시된 부분만큼은 이해하고 넘어가자.

개념을 품은 기출 발문·선택지

- 〈보기〉에 따라 겹받침의 **표준 발음**에 대하여 단계별로 학습하였다. 각 예에 적용된 내용과 그 발음이 모두 바른 것은? (2016. 수능Ⓑ)
- '(신을) 신겠네요'와 '(땅을) 밟지도'에서의 **된소리되기**는 모두 **ⓒ에 따른** 것이다. (2016. 6. 모의평가Ⓑ)
- '삶에 대한 의지'에서 '삶에'의 **표준 발음**이 [살메]인 것은 **ⓛ에 따른** 것입니다. (2015. 9. 모의평가Ⓑ)

1 표준어 규정

표준어 규정의 내용

제1부 표준어 사정* 원칙	제1장	총칙 – [제1항] 표준어는 교양 있는 사람들이 두루 쓰는 현대 서울말로 정함을 원칙으로 한다. [제2항] 외래어는 따로 사정한다.
	제2장	발음 변화에 따른 표준어 규정 : 제1절_자음, 제2절_모음, 제3절_준말, 제4절_단수 표준어, 제5절_복수 표준어
	제3장	어휘 선택의 변화에 따른 표준어 규정 : 제1절_고어, 제2절_한자어, 제3절_방언, 제4절_단수 표준어, 제5절_복수 표준어
제2부 표준 발음법	제1장 총칙 / 제2장 자음과 모음 / 제3장 음의 길이 / 제4장 받침의 발음 / 제5장 음의 동화 / 제6장 된소리되기 / 제7장 음의 첨가	

* 사정: 조사하거나 심사하여 결정하다.

모두 살펴보기에는 너무 많으니까, '표준어 사정 원칙'과 '표준 발음법'의 각 장에서 시험에 잘 나오는 것들 위주로 알아보자. 위 표에서 노란색 표시한 부분을 주로 볼 거야.

개념+ '표준어'와 '방언'

표준어	교양 있는 사람들(계층성)이 두루 쓰는(보편성) 현대(시대성) 서울말(지역성).
방언	한 언어 체계 내에서 지역적·사회적 요인 등으로 달라진 말.

짚고 가요

표준어는 방언보다 우월한 말이다?

서울말이 표준어가 된 것은 우리나라의 수도인 서울이 다방면에서 중심지 역할을 했기 때문이야. 서울 지역의 말이 다른 지역의 말보다 우월해서가 아니야.

2 표준어 사정 원칙

표준어 규정의 기본 원칙

표준어는 '발음의 변화'와 '어휘의 변화'에 따라 새로이 정해진다. 시간의 흐름에 따라 언어의 발음, 형태, 의미가 달라지기 때문에 이러한 언어 현실을 반영하는 것이다. 이때 표준어 사정의 기준이 되는 것은 '널리 쓰임'(언중들에게 많이 사용되는가)과 '어원(원형)'(어원에 대한 언중의 인식이 있는가)이다.

다음 제5항은 이 두 원칙 중, 이미 멀어져 버린 '어원'보다 '널리 쓰임'을 택하고 있다.

제2장 발음 변화에 따른 표준어 규정 ①

제1절 자음

제5항 어원에서 멀어진 형태로 굳어져서 널리 쓰이는 것은, 그것을 표준어로 삼는다.

예 강낭콩(○) – 강남콩(×), 사글세(○) – 삭월세(×)
원래 표준어는 '강남콩'이었지만 많은 사람들이 '강낭콩'을 썼기 때문에 이를 표준어로 삼은 것임.

다만, 어원적으로 원형에 더 가까운 형태가 아직 쓰이고 있는 경우에는, 그것을 표준어로 삼는다.

예 갈비(○) – 가리(×)
'갈비'와 '가리'가 둘 다 많이 쓰일 경우 원형에 가까운 '갈비'를 표준어로 삼음.

개념 **콕 1** 표준어 규정에 대한 설명으로 맞으면 ○표, 틀리면 ×표를 하시오.

(1) 다른 지역의 말들보다는 서울 지역의 말이 우월하기 때문에 서울말을 표준어로 규정하였다. ( )

(2) 어원에서 멀어진 형태로 굳어져서 널리 사용되더라도, 혼란을 피하기 위해 어원에 더 가까운 형태를 표준어로 규정한다. ( )

콕 1 (1) × (2) ×

5 국어 규범

궁금해요 **'다만', '붙임'은 무슨 뜻인가요?**

국어 규범은 각 항에서 원칙을 제시하고 있어. 하지만 모든 우리말에 그 원칙이 딱 들어맞지는 않아. 그래서 예외를 허용하고, 원칙을 보완하기 위해 상세한 조항을 더 만든 것이야. 그래서 시험에 더 잘 나오니, 앞으로 국어 규범 단원에서는 '다만'과 '붙임'을 꼼꼼히 보렴.

모음 조화에 관한 규정

모음 조화는 현대에 들어서 잘 지켜지지 않는다. 이에 표준어도 모음 조화를 무조건 지키는 것보다는, 실제 사용 빈도를 기준으로 정한다.

(모음 조화: 양성 모음은 양성 모음끼리, 음성 모음은 음성 모음끼리 어울려 쓰이는 것)

제2장 발음 변화에 따른 표준어 규정 ②

제2절 모음

제8항 양성 모음이 음성 모음으로 바뀌어 굳어진 다음 단어는 음성 모음 형태를 표준어로 삼는다.

예 깡충깡충(○) - 깡총깡총(×), 오뚝이(○) - 오똑이(×)

모음 조화가 지켜진 것은 '깡총깡총'이지만, 모음 조화에 어긋나는 '깡충깡충'이 널리 쓰이므로 표준어로 삼음.

다만, 어원 의식이 강하게 작용하는 다음 단어에서는 양성 모음 형태를 그대로 표준어로 삼는다.

예 삼촌(三寸)(○) - 삼춘(×), 부조(扶助)(○) - 부주(×), 사돈(査頓)(○) - 사둔(×)

'촌'의 어원이, 촌수의 의미를 담고 있음이 뚜렷하게 드러남.

'ㅣ' 역행 동화에 관한 규정

'ㅣ' 역행 동화(전설 모음화)는 표준 발음으로 인정되지 않는다. 하지만 예외인 경우가 있어 이를 제시해 준 것이다.

123쪽

개념+ **'ㅣ' 역행 동화가 일어나는 이유**

'ㅣ' 역행 동화 현상은 뒤에 'ㅣ'가 왔을 때, 앞의 후설 모음이 'ㅣ'의 영향을 받아 전설 모음으로 변하는 현상이다. 이와 같은 현상이 일어나는 이유는 발음의 편의성 때문이다.

예 에미(어미), 애비(아비), 잭인다(죽인다), 애기(아기), 괴기(고기), 챙피하다(창피하다)

제2장 발음 변화에 따른 표준어 규정 ③

제2절 모음

제9항 'ㅣ' 역행 동화 현상에 의한 발음은 원칙적으로 표준 발음으로 인정하지 아니하되, 다만 다음 단어들은 그러한 동화가 적용된 형태를 표준어로 삼는다.

예 -내기(서울내기, 풋내기), 냄비, 동댕이치다 → 언중들이 많이 사용하여 예외적으로 표준어로 삼는 것들을 제시함.

[붙임1] 다음 단어는 'ㅣ' 역행 동화가 일어나지 아니한 형태를 표준어로 삼는다.

예 아지랑이(○), 아지랭이(×)

[붙임2] 기술자에게는 '-장이', 그 외에는 '-쟁이'가 붙는 형태를 표준어로 삼는다.

→ '-장이'와 '-쟁이'의 쓰임을 구별해 줌.

예 미장이, 땜장이 / 멋쟁이, 거짓말쟁이

'웃-'과 '윗-'에 관한 규정

'웃-'과 '윗-'을 헷갈려 하는 경우가 많아 표준어 규정에서 이를 '윗-'으로 통일한 것이다. '다만'에서는 예외인 경우를 밝히고 있다.

제2장 발음 변화에 따른 표준어 규정 ④

제2절 모음

제12항 '웃-' 및 '윗-'은 명사 '위'에 맞추어 '윗-'으로 통일한다. 예 윗도리, 윗입술

다만 1. 된소리나 거센소리 앞에서는 '위-'로 한다. 예 위쪽, 위층, 위채, 위통

뒤에 된소리나 거센소리가 나면 '윗', '위' 모두 [위]로 발음되므로 'ㅅ'을 뺌.

다만 2. '아래, 위'의 대립이 없는 단어는 '웃-'으로 발음되는 형태를 표준어로 삼는다.

예 웃돈, 웃어른, 웃옷 ─ 맨 겉에 입는 옷. 아래가 아니라 위에 입는 옷인 상의는 '윗옷'으로 표기함.

개념 콕 **2** 제시된 단어 중 표준어인 것에 ○표를 하시오.

(1) 멋쟁이 , 멋장이

(2) 미장이 , 미쟁이

(3) 윗도리 , 웃도리

(4) 윗층 , 위층

(5) 웃풍 , 우풍

3 표준 발음법

표준 발음법의 기본 원칙

제1장 총칙

제1항 표준 발음법은 표준어의 실제 발음을 따르되, 국어의 전통성과 합리성을 고려하여 정함을 원칙으로 한다.

전통성을 고려한다는 것은 이전부터 내려오던 발음상의 관습을 감안한다는 의미이고, 합리성을 고려한다는 것은 실제 발음이라 하더라도 그것이 국어의 발음 규칙에 맞는지를 따져 표준 발음을 정한다는 것이다.⊕

음운 변동과 표준 발음법

음운 변동	관련 조항	
이중 모음의 발음	제2장 자음과 모음	제5항 'ㅑ, ㅒ, ㅕ, ㅖ, ㅘ, ㅙ, ㅛ, ㅝ, ㅞ, ㅠ, ㅢ'는 이중 모음으로 발음한다. ➲ 이중 모음은 이중 모음으로 발음한다는 당연한 조항으로, 예외가 되는 '다만'을 유심히 볼 것 다만 1. 용언의 활용형에 나타나는 '져, 쪄, 쳐'는 [저, 쩌, 처]로 발음한다. 예 다치어 → 다쳐[다처] 다만 2. '예, 례' 이외의 'ㅖ'는 [ㅔ]로도 발음한다. 예 시계[시계/시게] 다만 3. 자음을 첫소리로 가지고 있는 음절의 'ㅢ'는 [ㅣ]로 발음한다. 예 띄어쓰기[띠어쓰기], 무늬[무니] 다만 4. 단어의 첫음절 이외의 '의'는 [ㅣ]로, 조사 '의'는 [ㅔ]로 발음함도 허용한다. 예 협의[혀븨/혀비], 우리의(조사)[우리의/우리에]
음절의 끝소리 규칙 🔗120쪽		제8항 받침소리로는 'ㄱ, ㄴ, ㄷ, ㄹ, ㅁ, ㅂ, ㅇ'의 7개 자음만 발음한다. 제9항 받침 'ㄲ, ㅋ'[ㄱ], 'ㅅ, ㅆ, ㅈ, ㅊ, ㅌ'[ㄷ], 'ㅍ'[ㅂ]은 어말 또는 자음 앞에서 각각 대표음 [ㄱ, ㄷ, ㅂ]으로 발음한다.
자음군 단순화 🔗129쪽	제4장 받침의 발음	제10항 겹받침 'ㄳ'[ㄱ], 'ㄵ'[ㄴ], 'ㄼ, ㄽ, ㄾ'[ㄹ], 'ㅄ'[ㅂ]은 어말 또는 자음 앞에서 각각 [ㄱ, ㄴ, ㄹ, ㅂ]으로 발음한다. 예 넋[넉], 앉다[안따], 여덟[여덜], 없다[업ː따] 다만, '밟-'은 자음 앞에서 [밥]으로 발음하고, '넓-'은 다음과 같은 경우에 [넙]으로 발음한다. (밟다[밥ː따]) 예 넓둥글다[넙뚱글다], 넓적하다[넙쩌카다], 넓죽하다[넙쭈카다] 제11항 겹받침 'ㄺ'[ㄱ], 'ㄻ'[ㅁ], 'ㄿ'[ㅂ]은 어말 또는 자음 앞에서 각각 [ㄱ, ㅁ, ㅂ]으로 발음한다. 예 흙과[흑꽈], 젊다[점ː따], 읊고[읍꼬] 다만, 용언의 어간 말음 'ㄺ'은 'ㄱ' 앞에서 [ㄹ]로 발음한다. 예 맑게[말께], 묽고[물꼬] → '흙과[흑꽈]'(체언+조사)와 구분됨.
연음 현상 🔗120쪽		제15항 받침 뒤에 모음 'ㅏ, ㅓ, ㅗ, ㅜ, ㅟ'들로 시작되는 실질 형태소가 연결되는 경우에는, 대표음으로 바꾸어서 뒤 음절 첫소리로 옮겨 발음한다. 예 '밭에'(형식 형태소)는 [바테]로 받침 'ㅌ'이 연음되나, '밭 아래'(실질 형태소)는 [받아래](음절의 끝소리 규칙) → [바다래](연음)로 발음된다. [붙임] 겹받침의 경우에는, 그중 하나만을 옮겨 발음한다. 예 넋 없다[너겁따], 값있는[가빈는]

개념⊕ '실제 발음'과 '합리성'의 문제

예를 들어 '맛있다'는 실제로는 [마싣따]로 더 자주 발음되지만, 음운 현상을 고려한 합리성을 지닌 발음은 음절의 끝소리 규칙에 의해 받침 'ㅅ'을 [ㄷ]으로 발음하는 [마딛따]이다. 이러한 경우에는 전통성과 합리성을 고려하여 [마딛따]를 원칙적으로 표준 발음으로 정하되, [마싣따]도 표준 발음으로 허용한다.

궁금해요 '표준 발음법'을 읽어 보니까 앞에서 배운 음운의 변동과 겹치는 내용인 것 같아요.

맞아. 표준 발음법은 '3. 음운' 단원과 아주 밀접하게 관계되어 있어. 단지 앞에서 공부했던 음운 변동을 조항으로 정리해 놓은 것뿐이지. 만약 기억이 나지 않는다면 '3. 음운' 단원부터 다시 공부하도록 해. 이 내용을 이해하지 못한다면 '표준 발음법'의 조항들을 제대로 이해하기 어렵거든.

개념 콕 3 표준 발음법 제2장 제5항을 참고하여, 밑줄 친 말의 표준 발음을 모두 찾아 ○표를 하시오.

(1) 주의를 기울여 주세요.
[주의 , 주으 , 주이]

(2) 이 의자에 앉아.
[의자 , 으자 , 이자]

(3) 넓적한 그릇
[널쩌칸 , 넙쩌칸]

개념 콕 4 표준 발음법 제4장 제10항, 제11항, 제15항을 참고하여 다음 말의 발음을 쓰시오. (단, 장음은 표기하지 않는다.)

(1) 밟고[ ]

(2) 맑고[ ], 맑다[ ]

(3) 닭 앞에[ ]

콕 2 (1) 멋쟁이 (2) 미장이 (3) 윗도리 (4) 위층 (5) 웃풍 3 (1) 주의, 주이 (2) 의자 (3) 넙쩌칸 4 (1) 밥꼬 (2) 말꼬, 막따 (3) 다가페

5 국어 규범

개념+ 유음화의 종류

순행적 유음화	유음 'ㄹ'이 뒤에 오는 'ㄴ'에 영향을 주는 현상. 예 칼날[칼랄], 물난리[물랄리]
역행적 유음화	유음 'ㄹ'이 앞에 오는 'ㄴ'에 영향을 주는 현상. 예 난로[날로], 신라[실라]

개념

콕 5 표준 발음법 제5장 제17항~제20항을 참고하여 다음 말의 발음을 쓰시오.

(1) 긁는

(2) 먹는

(3) 굳히다

(4) 대통령

(5) 물난리

개념

콕 6 표준 발음법 제6장 제23항~제28항을 참고하여 다음 말의 발음을 쓰시오.

(1) 꽃다발

(2) 값지다

(3) 앉고

(4) 산새

(5) 눈동자

개념

콕 7 표준 발음법 제7장 제29항을 참고하여 다음 단어의 발음을 쓰시오. (단, 장음은 표기하지 않는다.)

(1) 담요

(2) 한여름

(3) 삯일

(4) 꽃잎

(5) 색연필

콕 5 (1) [긍는] (2) [멍는] (3) [구치다] (4) [대통녕] (5) [물랄리] 6 (1) [꼳따발] (2) [갑찌다] (3) [안꼬] (4) [산쌔] (5) [눈똥자] 7 (1) [담뇨] (2) [한녀름] (3) [상닐] (4) [꼰닙] (5) [생년필]

음운 변동		관련 조항
받침 'ㅎ'의 발음 'ㅎ'은 받침에서 자기 소리를 내는 경우가 없음. → 이에 제12항은 받침 'ㅎ'이 발음되는 여러 경우를 모아 제시함.	제4장 받침의 발음	제12항 받침 'ㅎ'의 발음은 다음과 같다. 1. 'ㅎ(ㄶ, ㅀ)' 뒤에 'ㄱ, ㄷ, ㅈ'이 결합되는 경우에는, 뒤 음절 첫소리와 합쳐서 [ㅋ, ㅌ, ㅊ]으로 발음한다. ➲ 거센소리되기(🔗 133쪽) 예 놓고[노코], 좋던[조:턴], 쌓지[싸치], 많고[만코], 닳지[달치] 2. 'ㅎ(ㄶ, ㅀ)' 뒤에 'ㅅ'이 결합되는 경우에는, 'ㅅ'을 [ㅆ]으로 발음한다. 예 닿소[다쏘], 많소[만:쏘], 싫소[실쏘] 3. 'ㅎ' 뒤에 'ㄴ'이 결합되는 경우에는, [ㄴ]으로 발음한다. 예 놓는 → [녿는](음절의 끝소리 규칙) → [논는](비음화) 4. 'ㅎ(ㄶ, ㅀ)' 뒤에 모음으로 시작된 어미나 접미사가 결합되는 경우에는(받침 'ㅎ' 뒤에 모음이 이어지는 경우), 'ㅎ'을 발음하지 않는다. ➲ ㅎ 탈락(🔗 130쪽) 예 낳은[나은], 많아[마:나], 싫어도[시러도]
구개음화 🔗 123쪽	제5장 음의 동화	제17항 받침 'ㄷ, ㅌ(ㄾ)'이 조사나 접미사의 모음 'ㅣ'와 결합되는 경우에는, [ㅈ, ㅊ]으로 바꾸어서 뒤 음절 첫소리로 옮겨 발음한다. 예 미닫이[미다지], 밭이[바치] [붙임] 'ㄷ' 뒤에 접미사 '히'가 결합되어 '티'를 이루는 것은 [치]로 발음한다. 예 굳히다 → [구티다] → [구치다]
비음화 🔗 122쪽		제18항 받침 'ㄱ(ㄲ, ㅋ, ㄳ, ㄺ), ㄷ(ㅅ, ㅆ, ㅈ, ㅊ, ㅌ, ㅎ), ㅂ(ㅍ, ㄼ, ㄿ, ㅄ)'은 'ㄴ, ㅁ' 앞에서 [ㅇ, ㄴ, ㅁ]으로 발음한다. 예 국물[궁물], 닫는[단는], 밥물[밤물]
'ㄹ'의 비음화 🔗 122쪽		제19항 받침 'ㅁ, ㅇ' 뒤에 연결되는 'ㄹ'은 [ㄴ]으로 발음한다. 예 담력[담:녁], 강릉[강능] [붙임] 받침 'ㄱ, ㅂ' 뒤에 연결되는 'ㄹ'도 [ㄴ]으로 발음한다. 예 막론[막논 → 망논], 협력[협녁 → 혐녁]
유음화+ 🔗 122쪽		제20항 'ㄴ'은 'ㄹ'의 앞이나 뒤에서 [ㄹ]로 발음한다. 예 신라[실라], 칼날[칼랄]
된소리되기 🔗 121쪽	제6장 된소리되기	제23항 받침 'ㄱ(ㄲ, ㅋ, ㄳ, ㄺ), ㄷ(ㅅ, ㅆ, ㅈ, ㅊ, ㅌ), ㅂ(ㅍ, ㄼ, ㄿ, ㅄ)' 뒤에 연결되는 'ㄱ, ㄷ, ㅂ, ㅅ, ㅈ'은 된소리로 발음한다. 예 작다[작:따], 닫지[닫찌] 제24항 어간 받침 'ㄴ(ㄵ), ㅁ(ㄻ)' 뒤에 결합되는 어미의 첫소리 'ㄱ, ㄷ, ㅅ, ㅈ'은 된소리로 발음한다. 예 안다[안:따], 신고[신:꼬] 제28항 표기상으로는 사이시옷이 없더라도, 관형격 기능을 지니는 사이시옷이 있어야 할(휴지가 성립되는) 합성어의 경우에는, 뒤 단어의 첫소리 'ㄱ, ㄷ, ㅂ, ㅅ, ㅈ'을 된소리로 발음한다. 예 문-고리[문꼬리], 발-바닥[발빠닥], 손-재주[손째주]
ㄴ 첨가 🔗 131쪽	제7장 음의 첨가	제29항 합성어 및 파생어에서(조건①), 앞 단어나 접두사의 끝이 자음이고(조건②) 뒤 단어나 접미사의 첫 음절이 '이, 야, 여, 요, 유'인(조건③) 경우에는, 'ㄴ' 음을 첨가하여 [니, 냐, 녀, 뇨, 뉴]로 발음한다. 예 솜이불[솜니불], 막일[망닐] 솜이불: '솜'+'이불'의 합성어(조건①) / 앞 단어 '솜'의 받침이 'ㅁ'(조건②) / 뒤 단어 '이불'의 첫 음절이 'ㅣ'(조건③) 막일: [막닐]('ㄴ' 첨가) - [망닐](비음화) / '막'+'일'의 합성어(조건①) / 앞 단어 '막'의 받침이 'ㄱ'(조건②) / 뒤 단어 '일'의 첫 음절이 'ㅣ'(조건③)

사뿐히 즈려밟는

확인 문제

정답과 해설 44쪽

✔ 바로바로 간단 체크

1 다음 설명이 맞으면 ○표, 틀리면 ×표를 하시오.

(1) 표준어는 교양 있는 사람들이 두루 쓰는 현대 서울말로 정함을 원칙으로 한다. (　　)

(2) 현대에 들어 모음 조화는 잘 지켜지지 않지만 어원 의식이 강하게 작용하는, '삼촌', '부조', '사돈' 등의 단어는 양성 모음 형태를 표준어로 인정한다. (　　)

(3) 위-아래의 대립이 있는 단어는 '웃-'을 붙이는 것이 원칙이다. (　　)

(4) '띄어쓰기'는 [띄어쓰기]로 발음하는 것이 올바른 방법이다. (　　)

(5) 받침소리로는 'ㄱ, ㄴ, ㄷ, ㄹ, ㅁ, ㅂ, ㅇ'의 7개 자음만 발음한다. (　　)

(6) 용언의 어간 말음 'ㄺ'은 'ㄱ' 앞에서 [ㄱ]으로 발음한다. (　　)

'이중 모음의 발음' 관련 조항

01 〈보기〉의 규정을 참고하여 'ㅢ' 모음에 대해 설명한 것으로 적절하지 않은 것은?

보기

표준 발음법 제5항

'ㅑ, ㅒ, ㅕ, ㅖ, ㅘ, ㅙ, ㅛ, ㅝ, ㅞ, ㅠ, ㅢ'는 이중 모음으로 발음한다.

다만 3. 자음을 첫소리로 가지고 있는 음절의 'ㅢ'는 [ㅣ]로 발음한다.

다만 4. 단어의 첫음절 이외의 '의'는 [ㅣ]로, 조사 '의'는 [ㅔ]로 발음함도 허용한다.

① 'ㅢ' 모음은 발음할 때 기본적으로 입술 모양과 혀의 위치가 달라진다.

② '희망'은 다만 3. 규정에 따라 [히망]으로만 발음해야 한다.

③ '강의의'는 [강의의] 또는 [강이에]로도 발음할 수 있다.

④ '주의'는 [주의]로 발음하는 것이 원칙이나, [주이]로도 발음할 수 있다.

⑤ '의지의 한국인'은 다만 4. 규정에 의해 [의지에 한구긴]으로만 발음해야 한다.

'자음군 단순화' 관련 조항

02 다음은 겹받침과 관련된 표준 발음법 규정이다. 이 규정을 참고할 때 적절하지 않은 것은?

보기

제10항 겹받침 'ㄳ', 'ㄵ', 'ㄼ, ㄽ, ㄾ', 'ㅄ'은 어말 또는 자음 앞에서 각각 [ㄱ, ㄴ, ㄹ, ㅂ]으로 발음한다.
다만, '밟-'은 자음 앞에서 [밥]으로 발음한다.

제11항 겹받침 'ㄺ, ㄻ, ㄿ'은 어말 또는 자음 앞에서 각각 [ㄱ, ㅁ, ㅂ]으로 발음한다.
다만, 용언의 어간 말음 'ㄺ'은 'ㄱ' 앞에서 [ㄹ]로 발음한다.

① '넋'의 'ㄳ'과 '닭'의 'ㄺ'은 모두 [ㄱ]으로 발음한다.

② '값'의 'ㅄ'과 '읊고'의 'ㄿ'은 모두 [ㅂ]으로 발음한다.

③ '삶'의 'ㄻ'과 '젊다'의 'ㄻ'은 모두 [ㅁ]으로 발음한다.

④ '밟다'의 'ㄼ'과 '없다'의 'ㅄ'은 모두 [ㅂ]으로 발음한다.

⑤ '읽거나'의 'ㄺ'과 '늙지'의 'ㄺ'은 모두 [ㄱ]으로 발음한다.

'연음 현상' 관련 조항

03 다음의 표준 발음법 조항과 관련하여 발표 수업을 준비하려고 한다. 이 조항을 설명하기 위해 활용할 수 있는 예를 〈보기〉에서 모두 고른 것은?

보기

제15항 받침 뒤에 모음으로 시작되는 실질 형태소가 연결되는 경우에는, 대표음으로 바꾸어서 뒤 음절 첫소리로 옮겨 발음한다.

[붙임] 겹받침의 경우에는, 그 중 하나만을 옮겨 발음한다.

보기

ㄱ. 겉옷[거돋]　　ㄴ. 값있는[가빈는]
ㄷ. 눈사람[눈싸람]　　ㄹ. 멋있다[머딛따]
ㅁ. 좁히다[조피다]

① ㄱ, ㄴ, ㄷ　　② ㄱ, ㄴ, ㄹ
③ ㄴ, ㄷ, ㅁ　　④ ㄴ, ㄹ, ㅁ
⑤ ㄷ, ㄹ, ㅁ

'된소리되기' 관련 조항

04 〈보기〉의 표준 발음법을 보고 탐구한 내용으로 적절한 것은?

보기

제23항 받침 'ㄱ(ㄲ, ㅋ, ㄳ, ㄺ), ㄷ(ㅅ, ㅆ, ㅈ, ㅊ, ㅌ), ㅂ(ㅍ, ㄼ, ㄿ, ㅄ)' 뒤에 연결되는 'ㄱ, ㄷ, ㅂ, ㅅ, ㅈ'은 된소리로 발음한다.

제24항 어간 받침 'ㄴ(ㄵ), ㅁ(ㄻ)' 뒤에 결합되는 어미의 첫소리 'ㄱ, ㄷ, ㅅ, ㅈ'은 된소리로 발음한다.

제26항 한자어에서 'ㄹ' 받침 뒤에 연결되는 'ㄷ, ㅅ, ㅈ'은 된소리로 발음한다.

제28항 표기상으로는 사이시옷이 없더라도, 관형격 기능을 지니는 사이시옷이 있어야 할(휴지가 성립되는) 합성어의 경우에는, 뒤 단어의 첫소리 'ㄱ, ㄷ, ㅂ, ㅅ, ㅈ'을 된소리로 발음한다.

① 바둑이가 새끼를 낳고 미역국을 먹었다.
: 제23항을 적용해서 '낳고'는 [낟고]로 '미역국'은 [미여꾹]으로 발음해야겠군.

② 제주도에는 돌도 많지만 요즘은 사람도 많다.
: 제24항을 적용해서 원칙적으로는 '사람도'를 [사람또]로 발음해야 하지만 예외적으로 [사람도]도 허용하는군.

③ 엄마는 점심을 굶기로 의사에게 약속했다.
: 제24항을 적용해서 '굶기'는 [굼끼]로 발음해야겠군.

④ 산들바람이 불어 물살이 세졌다.
: 제28항을 적용해서 '산들바람'은 [산들빠람]으로, '물살'은 [물쌀]로 발음해야 하는군.

⑤ 우리는 이른 아침에 국밥을 먹고 논밭으로 갔다.
: 제28항을 적용해서 '국밥'은 [국빱]으로, '논밭'은 [논빧]으로 발음해야 하는군.

'비음화' 관련 조항 2014학년도 3월 고1 학력평가

05 〈보기〉의 ㉠에 추가할 수 있는 단어로 적절한 것은?

보기

표준 발음법 제18항 받침 'ㄱ(ㄲ, ㅋ, ㄳ, ㄺ), ㄷ(ㅅ, ㅆ, ㅈ, ㅊ, ㅌ, ㅎ), ㅂ(ㅍ, ㄼ, ㄿ, ㅄ)'은 'ㄴ, ㅁ' 앞에서 [ㅇ, ㄴ, ㅁ]으로 발음한다.
예 국민[궁민], 앞마당[암마당] ……………… ㉠

① 국물 ② 먹이 ③ 밤낮
④ 손재주 ⑤ 가을걷이

'연음 현상'과 '음운의 변동' 관련 조항 2016학년도 11월 고1 학력평가

06 다음은 표준 발음에 대한 수업 장면의 일부이다. 각 예에 적용된 내용과 그 발음이 모두 바른 것은?

학생: 선생님, 저번 시간에 ⓐ홑받침이나 쌍받침이 모음으로 시작된 조사나 어미, 접미사와 결합되는 경우에는, 제 음가대로 뒤 음절 첫소리로 옮겨 발음한다고 하셨으니까 '막일'은 [마길]로 발음해야 하나요?

선생님: 그렇지 않아요. ⓑ합성어 및 파생어에서, 앞 단어나 접두사의 끝이 자음이고 뒤 단어나 접미사의 첫 음절이 '이, 야, 여, 요, 유'인 경우에는, [ㄴ] 소리를 첨가하여 [니, 냐, 녀, 뇨, 뉴]로 발음해야 하기 때문에 '막일'은 [망닐]로 발음해야 해요.

학생: 그러면 '막일'에서 '일'이 [닐]로 발음되는 건 이해가 되는데, '막'은 왜 [망]으로 발음이 되는 거죠?

선생님: 그것은 ⓒ받침소리 [ㄱ, ㄷ, ㅂ]은 [ㄴ, ㅁ] 소리 앞에서 [ㅇ, ㄴ, ㅁ]으로 발음되는 현상 때문입니다. 그래서 [막닐]이 아니라 [망닐]로 발음해야 됩니다.

학생: 아, 그렇군요. 말씀해 주신 것 말고도 제가 더 알아 둬야 할 것이 있나요?

선생님: ⓓ[ㄴ] 소리가 첨가된 후, 이 [ㄴ] 소리가 받침소리 [ㄹ] 뒤에서 [ㄹ]로 발음되는 현상도 있습니다. '물약'을 [물략]으로 발음하는 것이 이에 해당해요.

	예	적용 내용	발음
①	눈+요기	ⓐ	[눈뇨기]
②	내복+약	ⓑ, ⓒ	[내:봉냑]
③	색+연필	ⓑ, ⓒ	[색년필]
④	들+일	ⓑ, ⓓ	[들:닐]
⑤	칼+날	ⓑ, ⓓ	[칼랄]

2016학년도 11월 고2 학력평가

'연음 현상'과 '음운의 변동' 관련 조항

07 **〈보기 1〉은 표준 발음법 규정의 일부이다. 이를 바탕으로 〈보기 2〉를 탐구한 내용으로 적절하지 않은 것은?**

보기 1

제9항 받침 'ㄲ, ㅋ', 'ㅅ, ㅆ, ㅈ, ㅊ, ㅌ', 'ㅍ'은 어말 또는 자음 앞에서 각각 대표음 [ㄱ, ㄷ, ㅂ]으로 발음한다.

제13항 홑받침이나 쌍받침이 모음으로 시작된 조사나 어미, 접미사와 결합되는 경우에는, 제 음가대로 뒤 음절 첫소리로 옮겨 발음한다.

제18항 받침 'ㄱ(ㄲ, ㅋ, ㄳ, ㄺ), ㄷ(ㅅ, ㅆ, ㅈ, ㅊ, ㅌ, ㅎ), ㅂ(ㅍ, ㄼ, ㄿ, ㅄ)'은 'ㄴ, ㅁ' 앞에서 [ㅇ, ㄴ, ㅁ]으로 발음한다.

제20항 'ㄴ'은 'ㄹ'의 앞이나 뒤에서 [ㄹ]로 발음한다.

제23항 받침 'ㄱ(ㄲ, ㅋ, ㄳ, ㄺ), ㄷ(ㅅ, ㅆ, ㅈ, ㅊ, ㅌ), ㅂ(ㅍ, ㄼ, ㄿ, ㅄ)' 뒤에 연결되는 'ㄱ, ㄷ, ㅂ, ㅅ, ㅈ'은 된소리로 발음한다.

보기 2

㉠ 들녘이 ㉡ 들녘도 ㉢ 들녘만

① ㉠에서 '들녘'의 'ㅋ'은 제13항이 적용되어 [ㄱ]으로 발음되겠군.

② ㉡에서 '들녘'의 'ㅋ'은 제9항이 적용되어 [ㄱ]으로 발음되겠군.

③ ㉡에서 '도'의 'ㄷ'은 제23항이 적용되어 [ㄸ]으로 발음되겠군.

④ ㉢에서 '들녘'의 'ㅋ'은 제18항이 적용되어 [ㅇ]으로 발음되겠군.

⑤ ㉠~㉢에서 '들녘'의 'ㄴ'은 제20항이 적용되어 [ㄹ]로 발음되겠군.

2016학년도 6월 모의평가Ⓑ

'된소리되기' 관련 조항

08 **〈보기〉에 따라 표준 발음을 이해한 내용으로 적절한 것은?**

보기

〈표준 발음법의 '된소리되기' 중 일부〉

㉠ 어간 받침 'ㄴ(ㄵ), ㅁ(ㄻ)' 뒤에 결합되는 어미의 첫소리 'ㄱ, ㄷ, ㅅ, ㅈ'은 된소리로 발음한다.

㉡ 어간 받침 'ㄼ, ㄾ' 뒤에 결합되는 어미의 첫소리 'ㄱ, ㄷ, ㅅ, ㅈ'은 된소리로 발음한다.

㉢ 관형사형 '-(으)ㄹ' 뒤에 연결되는 'ㄱ, ㄷ, ㅂ, ㅅ, ㅈ'은 된소리로 발음한다. '-(으)ㄹ'로 시작되는 어미의 경우도 이에 준한다.

① '(가슴에) 품을 적에'와 '(며느리로) 삼고'에서의 된소리되기는 모두 ㉠에 따른 것이다.

② '(방이) 넓거든'과 '(두께가) 얇을지라도'에서의 된소리되기는 모두 ㉡에 따른 것이다.

③ '(신을) 신겠네요'와 '(땅을) 밟지도'에서의 된소리되기는 모두 ㉢에 따른 것이다.

④ '(남들이) 비웃을지언정'과 '(먼지를) 훑던'에서의 된소리되기는 각각 ㉠, ㉡에 따른 것이다.

⑤ '(물건을) 얹지만'과 '(자리에) 앉을수록'에서의 된소리되기는 각각 ㉠, ㉢에 따른 것이다.

겹받침 'ㄻ'의 표준 발음법

2015학년도 9월 모의평가Ⓑ

09 **〈보기〉의 [가]에 들어갈 말로 적절하지 않은 것은?**

보기

선생님: 오늘은 겹받침 'ㄻ'의 표준 발음법에 대해 알아보도록 합시다. 우선 'ㄻ'과 관련한 발음 원칙을 정리한 내용을 잘 보세요.

㉠ 겹받침 'ㄻ'은 어말 또는 자음 앞에서 각각 [ㅁ]으로 발음한다.

㉡ 겹받침 'ㄻ'은 모음으로 시작된 조사나 어미, 접미사와 결합되는 경우 뒤의 'ㅁ'만을 뒤 음절 첫소리로 옮겨 발음한다.

㉢ 어간의 겹받침 'ㄻ' 뒤에 결합되는 어미의 첫소리 'ㄱ, ㄷ, ㅅ, ㅈ'은 된소리로 발음한다.

선생님: 자, 그러면 겹받침 'ㄻ'을 갖는 말의 표준 발음이 ㉠~㉢ 중 어느 발음 원칙과 관련되는지 말해 봅시다. 모음의 장단(長短)은 고려하지 않아도 됩니다.

학생: [가]

① '삶과 자연'에서 '삶과'의 표준 발음이 [삼과]인 것은 ㉠에 따른 것입니다.

② '국수를 삶고'에서 '삶고'의 표준 발음이 [삼꼬]인 것은 ㉠, ㉢에 따른 것입니다.

③ '바람직한 삶'에서 '삶'의 표준 발음이 [삼]인 것은 ㉠에 따른 것입니다.

④ '삶에 대한 의지'에서 '삶에'의 표준 발음이 [살메]인 것은 ㉡에 따른 것입니다.

⑤ '나의 삶만'에서 '삶만'의 표준 발음이 [삼만]인 것은 ㉡에 따른 것입니다.

16 한글 맞춤법

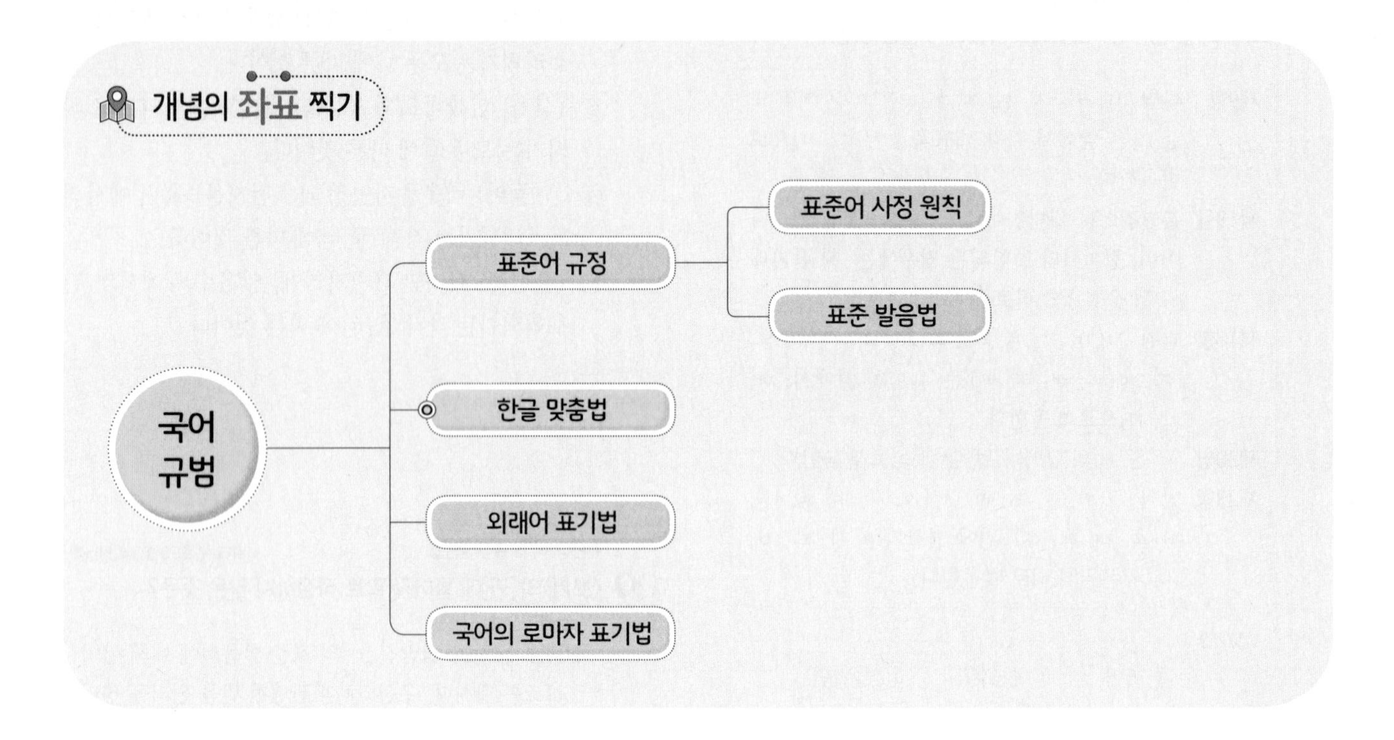

100인 샘의 국어 규범 특강 ❷

'한글 맞춤법'은 한글 표기에서 지켜야 할 기준을 정해 놓은 어법이야. 다음의 목차로 이루어져 있지.

제1장 총칙	한글 맞춤법의 기본 원칙	제4장 형태에 관한 것	• 제1절 체언과 조사 • 제2절 어간과 어미 • 제3절 접미사가 붙어서 된 말 • 제4절 합성어 및 접두사가 붙은 말 • 제5절 준말
제2장 자모	자모의 순서와 이름		
제3장 소리에 관한 것	• 제1절 된소리 • 제2절 구개음화 • 제3절 'ㄷ' 소리 받침 • 제4절 모음 • 제5절 두음 법칙 • 제6절 겹쳐 나는 소리	제5장 띄어쓰기	• 제1절 조사 • 제2절 의존 명사, 단위를 나타내는 명사 및 열거하는 말 등 • 제3절 보조 용언 • 제4절 고유 명사 및 전문 용어
		제6장 그 밖의 것	부사, 어미, 구분해야 하는 어휘
		부록	문장 부호

모든 규정을 암기하려 하지 말고, 용례를 통해 세부 항목을 이해해야 한다고 했지? 하지만 자주 출제되는 몇몇 규정을 암기해 두면 〈보기〉로 주어지는 세부 항목을 좀 더 쉽게 이해할 수 있을 거야. ^^

우리 책에서는 주요 기출 규정만을 정리해 두었으니 내용이 눈에 익을 때까지 여러 번 반복해서 읽어 봐. 참, '붙임'이나 '다만'이 붙은 내용은 특히 주의해서 보자!

개념을 품은 기출 선택지

- 두 모음 사이에 예사소리가 오면 예외 없이 된소리가 되므로 '가끔'은 **표기에 된소리를 밝혀 적는다.** (2018. 3. 고3 학력평가)
- '마개'를 '막애'로 **표기하지 않는 것은** ㉡의 **규정을 적용**한 것이군. (2016. 4. 고3 학력평가)
- '일찍이 없던 일'의 '일찍이'는 ㉢의 '더욱이'를 **표기할 때 적용된 규정**을 따른 것이군. (2015. 9. 모의평가Ⓑ)

1 한글 맞춤법

한글 맞춤법의 기본 원칙

제1항 한글 맞춤법은 표준어를 소리대로 적되, 어법에 맞도록 함을 원칙으로 한다.

소리대로 표기하는 표음주의 원칙과 어법에 맞게 표기하는 표의주의 원칙을 모두 제시한 항목이다. 표음주의와 표의주의는 각기 나름의 장단점이 있어, 한글 맞춤법은 상황을 고려하여 두 원칙을 융통성 있게 적용하고 있다.

① **소리대로 적기(표음주의):** 발음대로 표기하는 것이다.

예 날개[날개], 하늘[하늘], 던지다[던지다]

② **어법에 맞도록 적기(표의주의):** 각 형태소의 본 모양을 밝혀 적는 것이다.

예 꽃이[꼬치], 꽃나무[꼰나무], 꽃다발[꼳따발]

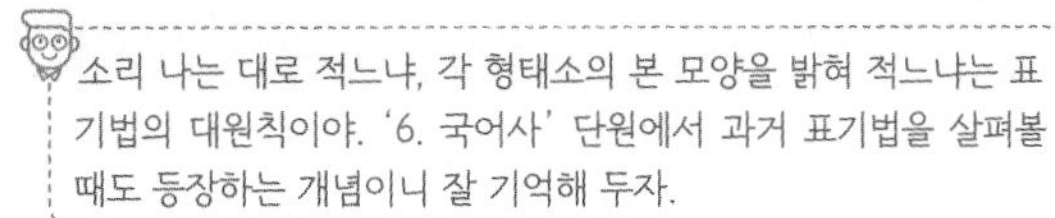

소리에 관한 규정

된소리

제5항 한 단어 안에서 뚜렷한 까닭 없이 나는 된소리는 다음 음절의 첫소리를 된소리로 적는다.

(뚜렷한 까닭 없이 나는 된소리: 된소리되기가 일어나는 음운 환경이 아님에도 된소리가 나는 것은 된소리를 표기에 반영함.)

㉠ **두 모음 사이에서 나는 된소리**

[소쩍쌔] → 소쩍새　　[어깨] → 어깨

(모음 사이에서 된소리로 나면 → 된소리로 표기)

그 밖의 예 오빠, 으뜸, 아끼다, 기쁘다, 깨끗하다

㉡ **'ㄴ, ㄹ, ㅁ, ㅇ' 받침 뒤에서 나는 된소리**

[산뜨타다] → 산뜻하다　　[담뿍] → 담뿍

(받침 'ㄴ' 뒤에서 된소리로 나면 → 된소리로 표기)

그 밖의 예 잔뜩, 살짝, 훨씬, 움찔, 몽땅, 엉뚱하다

다만, ('ㄱ, ㅂ' 받침 뒤에서 나는 된소리는, 같은 음절이나 비슷한 음절이 겹쳐 나는 경우가 아니면 된소리로 적지 아니한다.)

(예 똑똑(-하다), 쓱싹, 씁쓸(-하다))

( ): ㄱ, ㅂ 뒤에서는 예외 없이 된소리로 발음되기 때문에, 표기에 반영하지 않음.

●: 같거나 비슷하지 않음.　■: [쑤], [뚜]로 소리 나도 '수', '두'로 적음.

[국쑤] → 국수　　[깍뚜기] → 깍두기

그 밖의 예 딱지, 색시, 갑자기, 몹시

짚고 가요

표음주의와 표의주의의 장단점

표의주의는 독서의 능률이 향상된다는 장점이 있어. '꼬치 피얻따'라고 소리대로 적는 것보다, 각 형태소의 본 모양을 밝혀 '꽃이 피었다'라고 적는 것이 의미가 더 잘 파악되지? 그렇지만 이렇게 적으려면 형태소의 기본형이 뭔지, 어디까지가 형태소인지를 알아야 하므로 상대적으로 불편하다는 단점이 있지. 반대로 표음주의는 쓸 때에는 편하지만, 읽을 때에는 의미 파악이 쉽지 않아.

그래서 한글 맞춤법에서는 비교적 형태소의 기본형이나 경계가 명확한 경우는 표의주의를 채택하고, 그렇지 않은 경우는 표음주의를 채택해서 두 원칙의 장단점을 서로 보완해 주고 있어.

개념 **콕 1** 다음은 맞춤법에 어긋난 단어이다. 바르게 고쳐 쓰시오.

(1) 법썩

(2) 해쓱하다

(3) 갑짜기

콕 1 (1) 법석 (2) 해쓱하다 (3) 갑자기

5 국어 규범

짚고 가요

'렬'과 '률'의 표기

단어의 첫머리 이외의 경우에는 본음대로 적으면 돼.

예 합격률, 항렬, 확률, 명중률

다만, 모음이나 'ㄴ' 받침 뒤에 결합되는 '렬, 률'은 '열, 율'로 적어.

예 실패율, 출산율, 비율, 선율, 분열

짚고 가요

종결 어미 '-오'와 보조사 '요' 구분

종결 어미 '-오'는 단어의 일부를 이루므로 생략할 수 없지만, 존대의 뜻을 나타내는 보조사 '요'는 독립성이 있는 단어이므로 생략할 수 있어.

- 이것은 밥이오. 종결 어미
  → 이것은 밥이. (생략 불가)
- 밥을 먹어요. 보조사
  → 밥을 먹어. (생략 가능)

참고로, '아니오'는 형용사 '아니다'의 어간에 종결 어미 '-오'가 붙은 활용형이고, 대답할 때 쓰는 '아니요'(↔'네')는 그 자체가 하나의 감탄사야.

- 나는 바보가 아니오. (종결 어미)
- 아니요, 안 먹었어요. (감탄사)

개념 **콕 2 둘 중 맞는 표기에 O표 하시오.**

(1) 용궁 , 룡궁
(2) 백분율 , 백분률
(3) 신녀성 , 신여성

개념 **콕 3 괄호 안에 들어갈 알맞은 말을 다음에서 골라 쓰시오.**

-오 -요 요

(1) 봄은 어김없이 오는군(   ).
(2) 나는 지금까지도 그대를 그리워하(   ).
(3) 이것은 꽃이(   ), 저것은 나비이다.

두음 법칙

제10항~제12항 한자음 'Ⓐ'가 단어 첫머리에 올 적에는, 두음 법칙에 따라 'Ⓑ'로 적는다.

	Ⓐ	Ⓑ	예
제10항	녀, 뇨, 뉴, 니	여, 요, 유, 이	여자, 연세, 요소, 유대, 익명
제11항	랴, 려, 례, 료, 류, 리	야, 여, 예, 요, 유, 이	양심, 역사, 예의, 용궁, 유행, 이발
제12항	라, 래, 로, 뢰, 루, 르	나, 내, 노, 뇌, 누, 느	낙원, 내일, 노인, 누각, 능묘

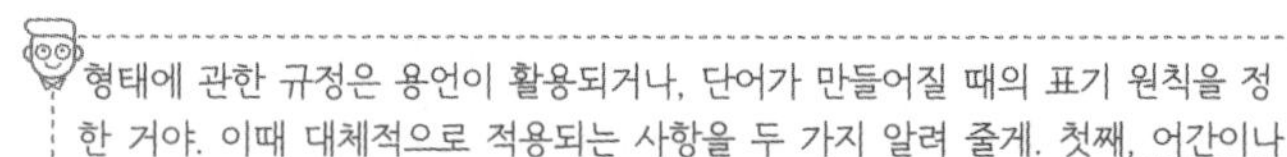

형태에 관한 규정은 용언이 활용되거나, 단어가 만들어질 때의 표기 원칙을 정한 거야. 이때 대체적으로 적용되는 사항을 두 가지 알려 줄게. 첫째, 어간이나 어근의 본뜻과 멀어지면 그 원형을 밝혀 적지 않는다. 둘째, 생산성이 낮은(자주 쓰이지 않는) 접사가 붙어 만들어진 단어 또한 어간이나 어근의 원형을 밝혀 적지 않는다. 두 가지를 기억하면서 다음 규정을 살펴보자.

형태에 관한 규정

어간과 어미

제15항 용언의 어간과 어미는 구별하여 적는다. 예 먹다, 먹고, 먹어, 먹으니

24쪽 이유: 각 형태를 밝혀 적어야 의미 파악이 쉽기 때문에

[붙임1] 두 개의 용언이 어울려 한 개의 용언이 될 적에, 앞말의 본뜻이 유지되고 있는 것은 그 원형을 밝히어 적고(표의주의를 따름.), 그 본뜻에서 멀어진 것은 밝히어 적지 아니한다(표음주의를 따름.).

- **앞말의 본뜻이 유지되고 있는 것:** 예 넘어지다(넘다+지다), 늘어나다(늘다+나다), 돌아가다(돌다+가다)
- **본뜻에서 멀어진 것:** 예 드러나다, 사라지다, 쓰러지다
  '들다+나다' → 앞말 '들다'의 의미가 유지되지 않음.

[붙임2] 종결형에서 사용되는 어미 '-오'는 '요'로 소리 나는 경우가 있더라도 그 원형을 밝혀 '오'로 적는다.

예 이것은 책이오. 이리로 오시오. 이것은 책이 아니오.

[붙임3] 연결형에서 사용되는 '이요'는 '이요'로 적는다. 예 이것은 책이요, 저것은 붓이요, …

접미사가 붙어서 된 말

제19항 어간에 '-이'나 '-음/-ㅁ'(생산성이 높은 접미사)이 붙어서 명사로 된 것과 '-이'나 '-히'가 붙어서 부사로 된 것은 그 어간의 원형을 밝히어 적는다.

명사 파생 접미사 '-이', '-음/-ㅁ'과 부사 파생 접미사 '-이', '-히'는 비교적 생산성이 높으며, 이때 어간의 뜻도 그대로 유지되므로 어간의 원형을 밝혀 그 뜻을 분명히 함.

예 길이, 깊이, 걸음, 앎, 삶, 같이, 굳이, 밝히, 익히

다만, 어간에 '-이'나 '-음'이 붙어서 명사로 바뀐 것이라도 그 어간의 뜻과 멀어진 것은 원형을 밝히어 적지 아니한다(표음주의를 따름.).

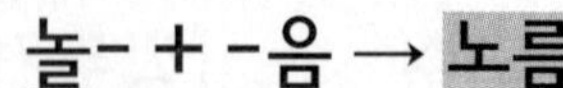

놀- + -음 → **노름**

'놀다'의 어근 / 본뜻은 '놀음(놀이)'이지만 '도박'을 뜻하게 되어 본뜻에서 멀어졌으므로, 어간의 원형을 밝히어 적지 않음.

그 밖의 예 굽도리, 다리, 목거리(목병), 코끼리

[붙임] 어간에 '-이'나 '-음' 이외의 모음으로 시작된 접미사가 붙어서 다른 품사로 바뀐 것은 그 어간의 원형을 밝히어 적지 아니한다.
생산성이 비교적 낮음.

㉠ **명사로 바뀐 것:** 예 귀머거리(귀먹-+-어리), 너머(넘-+-어), 마개(막-+-애), 마중(맞-+-웅), 무덤(묻-+-엄)
㉡ **부사로 바뀐 것:** 예 불긋불긋(붉-+-웃+붉-+-웃), 비로소(비롯-+오), 자주(잦-+우), 차마(참-+-아)
㉢ **조사로 바뀌어 뜻이 달라진 것:** 예 나마(남-+-아, 예 늦게나마), 부터(붙-+-어, 예 오늘부터), 조차(좇-+-아, 예 너조차)

제20항 명사 뒤에 '-이'가 붙어서 된 말은 그 명사의 원형을 밝히어 적는다.
생산성이 높은 접미사

○ '-이' 이외의 모음으로 시작된 접미사(생산성이 낮은 접미사)가 붙어서 된 말은 그 명사의 원형을 밝혀 적지 않음. 예 꼬락서니(꼴+-악서니), 바가지(박+-아지), 이파리(잎+-아리)

㉠ **부사로 된 것:** 예 곳곳이, 낱낱이, 집집이, 샅샅이
㉡ **명사로 된 것:** 예 바둑이, 삼발이, 육손이, 절름발이

제21항 명사나 혹은 용언의 어간 뒤에 자음으로 시작된 접미사가 붙어서 된 말은 그 명사나 어간의 원형을 밝히어 적는다.

○ 자음으로 시작되는 접미사가 붙으면 앞 어간의 받침과 만나 음운의 변동이 일어나는 경우가 많기 때문에, 소리 나는 대로 적으면 의미를 파악하기 어려울 수 있음. 따라서 그 뜻을 분명히 하기 위해 어근이나 어간의 원형을 밝혀 적기로 규정함.

예 값지다(값+-지다), 빛깔(빛+-깔), 덮개(덮+-개), 깊숙하다(깊숙+-하다)

제23항 '-하다'나 '-거리다'가 붙는 어근에 '-이'가 붙어서 명사가 된 것은 그 원형을 밝혀 적는다.
즉, 동사나 형용사가 파생될 수 있는 어근을 말함.

예 꿀꿀이(꿀꿀거리다(○)), 배불뚝이(불뚝하다(○)), 살살이(살살거리다(○)), 오뚝이(오뚝하다(○)) 등

[붙임] '-하다'나 '-거리다'가 붙을 수 없는 어근에 '-이'나 또는 다른 모음으로 시작되는 접미사가 붙어서 명사가 된 것은 그 원형을 밝히어 적지 아니한다.

개굴-+-이 → 개구리	기럭-+-이 → 기러기
개굴하다(×) 개굴거리다(×) / 원형을 밝히지 않음.	기럭하다(×) 기럭거리다(×) / 원형을 밝히지 않음.

그 밖의 예 귀뚜라미(귀뚤-+-아미), 딱따구리(딱딱-+-우리), 매미(맴-+-이)

제25항 '-하다'가 붙는 어근에 '-히'나 '-이'가 붙어서 부사가 되거나, 부사에 '-이'가 붙어서 뜻을 더하는 경우에는 그 어근이나 부사의 원형을 밝히어 적는다.

㉠ **'-하다'가 붙는 어근에 '-히'나 '-이'가 붙는 경우:** 예 급히(급하다(○)), 꾸준히(꾸준하다(○)), 딱히(딱하다(○)), 깨끗이(깨끗하다(○))
[붙임] '-하다'가 붙지 않는 경우에는 소리대로 적는다.: 예 갑자기(갑작하다(×)), 슬며시(슬몃하다(×)), 반드시(꼭)(반듯하다(×)) → '비뚤지 아니하고 바르다'는 의미의 '반듯하다'와는 관계없음.
㉡ **부사에 '-이'가 붙어서 역시 부사가 되는 경우:** 예 곰곰이(부사), 더욱이(부사), 일찍이(부사)

합성어 및 접두사가 붙은 말

제27항 둘 이상의 단어가 어울리거나 접두사가 붙어서 이루어진 말은 각각 그 원형을 밝히어 적는다. (합성어)	예 꺾꽂이, 꽃잎, 물난리(합성어), 시꺼멓다, 엇나가다(접두사가 붙은 말)
제28항 끝소리가 'ㄹ'인 말과 딴 말이 어울릴 적에 'ㄹ' 소리가 나지 아니하는 것은 아니 나는 대로 적는다.	예 다달이(달-달-이), 따님(딸-님), 마소(말-소), 바느질(바늘-질), 여닫이(열-닫이), 화살(활-살), 부삽(불-삽)
제29항 끝소리가 'ㄹ'인 말과 딴 말이 어울릴 적에 'ㄹ' 소리가 'ㄷ' 소리로 나는 것은 'ㄷ'으로 적는다.	예 사흗날(사흘~), 삼짇날(삼짇~), 숟가락(숟~) ('날'과 같이, 끝소리가 'ㄹ'인 말 뒤에 오는 말을 의미하는 기호)

개념+ 제27항의 붙임 조항

다음 경우는 주의한다.
① 어원은 분명하나 소리만 특이하게 변한 것은 변한 대로 적는다.
예 한아버지 → 할아버지
② 어원이 분명하지 아니한 것은 원형을 밝혀 적지 아니한다.
예 며칠(○), 몇일(×)
'몇+일'의 결합이면 [며딜]로 발음해야 하는데, [며칠]로 발음하는 것을 보아 '몇+일'이 결합하여 만들어진 단어라고 보기 어렵고, 그 어원이 불분명함.
③ '이'가 합성어나 이에 준하는 말에서 [니] 또는 [리]로 소리날 때에는 '니'로 적는다.
예 사랑니(○), 사랑이(×)
덧니(○), 덧이(×)

개념 **콕4** 한글 맞춤법 제19항~제25항을 참고하여 원형을 밝혀 적은 것은 '표의', 그렇지 않은 것은 '표음'이라고 쓰시오.

(1) 무덤 (　　　)
(2) 땀받이 (　　　)
(3) 코끼리 (　　　)
(4) 도저히 (　　　)
(5) 슬며시 (　　　)
(6) 더욱이 (　　　)
(7) 귀머거리 (　　　)
(8) 딱따구리 (　　　)

개념 **콕5** 한글 맞춤법 제27항~제29항을 참고하여 다음 형태소들이 결합하여 만들어진 단어를 쓰시오.

(1) 눈+살
(2) 울-+짖다
(3) 설+달
(4) 술+가락

콕 2 (1) 용궁 (2) 백분율 (3) 신여성 3 (1) 요 (2) -오 (3) -요 4 (1) 표음 (2) 표의 (3) 표음 (4) 표의 (5) 표음 (6) 표의 (7) 표음 (8) 표음 5 (1) 눈살 (2) 우짖다 (3) 섣달 (4) 숟가락

개념+ 사이시옷을 받쳐 적는 조건

① 합성어일 것: 사이시옷은 합성어에서 나타나는 현상이므로 단일어나 파생어에서는 나타나지 않는다.
예 해+-님: 해님(○), 햇님(×)
해+빛: 햇빛(○), 해빛(×)
② 합성어이면서 ㉠, ㉡, ㉢ 중 하나의 음운론적 현상이 나타날 것.
③ 합성어를 이루는 구성 요소 중 적어도 하나는 순우리말이어야 하고, 외래어가 없을 것.
예 오렌지+빛: 오렌지빛(○), 오렌짓빛(×)

개념 콕 6 한글 맞춤법 제30항을 참고하여 다음 단어가 사이시옷의 표기 원칙 조건 ㉠~㉢ 중 어느 조건에 해당하는지 쓰시오.

	조건	표기
(1) 해+살	( )	햇살
(2) 예+일	( )	옛일
(3) 뒤+말	( )	뒷말
(4) 아래+니	( )	아랫니
(5) 등교+길	( )	등굣길
(6) 나무+잎	( )	나뭇잎
(7) 예사+일	( )	예삿일

개념 콕 7 한글 맞춤법 제38항~제40항을 참고하여 다음 단어의 준말을 쓰시오.

(1) 보이어
(2) 쓰이어
(3) 거북하지
(4) 요약하건대
(5) 그렇지 않다
(6) 깨끗하지 않다

사이시옷의 표기

제30항 사이시옷은 다음과 같은 경우에 받치어 적는다.

① **사이시옷의 표기 원칙**: 합성어 중 '순우리말+순우리말' 혹은 '순우리말+한자어', '한자어+순우리말'로 된 말 중 앞말이 모음으로 끝난 경우에 다음 조건에 따라 사이시옷을 받치어 적는다. 앞말이 자음으로 끝난 경우, 다음의 조건 ㉠~㉢에 해당하더라도 사이시옷을 받치어 적지 않음. 예 '눈+사람' → 눈사람[눈싸람]

㉠ 뒷말의 첫소리가 된소리로 날 때

나무+가지[나무까지] → 나뭇가지　귀+병[귀뼝] → 귓병

㉡ 뒷말의 첫소리 'ㄴ, ㅁ' 앞에서 [ㄴ] 소리가 덧날 때

내+물[낸물] → 냇물　제사+날[제산날] → 제삿날

㉢ 뒷말의 첫소리 모음 앞에서 [ㄴㄴ] 소리가 덧날 때

깨+잎[깬닙] → 깻잎　후+일[훈닐] → 훗일

② **사이시옷 표기의 예외**: '한자어+한자어'로 이루어진 말에는 본래 사이시옷을 쓰지 않지만, 다음 6개 단어는 예외로 인정한다.
예 곳간(庫間), 셋방(貰房), 숫자(數字), 찻간(車間), 툇간(退間), 횟수(回數)

준말

제35항 모음 'ㅗ, ㅜ'로 끝난 어간에 '-아/-어, -았-/-었-'이 어울려 'ㅘ/ㅝ, ㅘㅆ/ㅝㅆ'으로 될 적에는 준 대로 적는다.

[붙임 1] '놓아'가 '놔'로 줄 적에는 준 대로 적는다.
[붙임 2] 'ㅚ' 뒤에 '-어, -었-'이 어울려 'ㅙ, ㅙㅆ'으로 될 적에도 준 대로 적는다.
예 되어→돼, 되었다→됐다 / 뵈어→봬, 뵈었다→뵀다

제38항 'ㅏ, ㅗ, ㅜ, ㅡ' 뒤에 '-이어'가 어울려 줄어질 적에는 준 대로 적는다.
예 싸이어→쌔어, 싸여 / 보이어→뵈어, 보여 / 누이어→뉘어, 누여 / 쓰이어→씌어, 쓰여

제39항 어미 '-지' 뒤에 '않-'이 어울려 '-잖-'이 될 적과 '-하지' 뒤에 '않-'이 어울려 '-찮-'이 될 적에는 준 대로 적는다.

예 그렇지 않은 → 그렇잖은, 만만하지 않다 → 만만찮다

제40항 어간의 끝음절 '하'의 'ㅏ'가 줄고 'ㅎ'이 다음 음절의 첫소리와 어울려 거센소리로 될 적에는 거센소리로 적는다. 어근의 끝소리가 울림소리(모음, ㄴ, ㄹ, ㅁ, ㅇ)인 경우

예 간편하게 → 간편케, 다정하다 → 다정타, 연구하도록 → 연구토록

[붙임 2] 어간의 끝음절 '하'가 아주 줄 적에는 준 대로 적는다. 어근의 끝소리가 안울림소리인 경우
예 거북하지 → 거북지, 생각하건대 → 생각건대, 익숙하지 않다 → 익숙지 않다

띄어쓰기

제2항	문장의 각 단어는 띄어 씀을 원칙으로 한다.
제41항	조사는 그 앞말에 붙여 쓴다. 예 꽃이, 꽃에서부터, 꽃이나마
제42항	의존 명사는 띄어 쓴다. 예 먹을 만큼, 아는 것, 뜻한 바
제43항	단위를 나타내는 명사는 띄어 쓴다. 예 차 한 대, 금 서 돈, 옷 한 벌
제45항	두 말을 이어 주거나 열거할 적에 쓰이는 말들은 띄어 쓴다. 예 열 내지 스물, 청군 대 백군
제47항	보조 용언은 띄어 씀을 원칙으로 하되, 경우에 따라 붙여 씀도 허용한다. 예 불이 꺼져 간다/꺼져간다, 비가 올 듯하다/올듯하다

그 밖의 것

부사 파생 접미사 '-이', '-히' 구별하기

제51항 부사의 끝음절이 분명히 '이'로만 나는 것은 '-이'로 적고, '히'로만 나거나 '이'나 '히'로 나는 것은 '-히'로 적는다.

㉠ 어근에 '-하다'가 붙으면, 모두 '-히'로 적는다.

예 극히, 급히, 딱히, 족히, 엄격히, 정확히, 솔직히, 간편히, 무단히, 각별히, 소홀히, 쓸쓸히, 공평히, 능히, 상당히, 조용히 등

㉡ '-하다'가 붙더라도 어근의 받침이 'ㅅ'이면, '-이'로 적는다.

예 깨끗이, 나붓이, 느긋이, 따뜻이, 반듯이, 버젓이, 산뜻이 등

'-(으)ㄹ'로 시작하는 어미의 표기

제53항 다음과 같은 어미('-(으)ㄹ'이 붙는 어미)는 예사소리로 적는다.

예 -(으)ㄹ거나, -(으)ㄹ걸, -(으)ㄹ수록, -(으)ㄹ게, -(으)ㄹ지, -(으)ㄹ지언정, -올시다

다만, 의문을 나타내는 다음 어미들은 된소리로 적는다.

예 -(으)ㄹ까, -(으)ㄹ꼬, -(스)ㅂ니까, -(으)리까, -(으)ㄹ쏘냐

'-든'과 '-던'의 구별

제56항 '-더라, -던'과 '-든지'는 다음과 같이 적는다.

㉠ 지난 일을 나타내는 어미는 '-더라, -던'으로 적는다.

예 지난 겨울은(회상, 과거) 몹시 춥더라.(◯) / 지난 겨울은 몹시 춥드라.(×)

㉡ '물건이나 일의 내용을 가리지 않음.'을 나타내는 조사와 어미는 '(-)든지'로 적는다.

예 가든지 오든지(선택) 마음대로 해라.(◯) / 가던지 오던지 마음대로 해라.(×)

짚고 가요

제57항 혼동하기 쉬운 단어의 예

- 거치다: 오가는 중에 어디를 지나거나 들르다.
- 걷히다: '걷다'의 피동사. 물건 따위가 거두어지다.

- 늘이다: 본디보다 더 길어지게 하다.
- 늘리다: 물체의 넓이, 부피 따위를 본디보다 커지게 하다.

- 닫치다: 열린 것을 꼭꼭, 또는 세게 닫다.
- 닫히다: '닫다'의 피동사. 열린 것이 도로 제자리로 가 막히다.

- 받히다: '받다'의 피동사. 머리나 뿔 따위에 세차게 부딪히다.
- 바치다: 신이나 웃어른에게 정중하게 드리다.
- 부치다: ① (힘이) 모자라거나 미치지 못하다. ② 편지나 물건 따위를 상대에게로 보내다. ③ 논밭을 이용하여 농사를 짓다. ④ 프라이팬 따위에 기름을 바르고 음식을 익혀서 만들다. ⑤ 부채 따위를 흔들어서 바람을 일으키다.
- 붙이다: '붙다'의 사동사. 맞닿아 떨어지지 않게 하다.

개념+ 띄어쓰기 조항의 예외

[제43항의 예외] 순서를 나타내는 경우나 숫자와 어울리어 쓰이는 경우에는 붙여 쓸 수 있다.

예
- 오 월 이십 일(원칙) / 오월 이십일(허용) — 연월일, 시각의 경우도 순서를 나타낸다고 보아 붙여 씀을 허용함.
- 제삼 장(원칙) / 제삼장(허용) — 순서를 나타내는 경우
- 2 음절(원칙) / 2음절(허용) — 단위를 나타내는 명사가 숫자 뒤에 붙을 때

[제47항의 예외] 보조 용언의 붙여 쓰기가 허용되지 않는 경우

① 앞말(본용언)에 조사가 붙음.
예 책을 읽어도 보고 본용언: 읽다

② 앞말(본용언)이 합성 용언인 경우
예 집이 떠내려가 버렸다.

③ 의존 명사 뒤에 조사가 붙는 경우
예 잘난 체를 한다.

개념 콕 8 밑줄 친 부분의 띄어쓰기를 바르게 고치시오.

(1) 이것은 과자 입니다.
(2) 과자를 몇개 먹었니?
(3) 그는 작가겸 의사이다.
(4) 물에 떠내려 가 버렸다.

개념 콕 9 한글 맞춤법 규정에 어긋난 부분에 밑줄을 긋고, 바르게 고쳐 쓰시오.

(1) 이따가 연락할께.
(2) 먹던지 말던지 해라.
(3) 화장실을 깨끗히 사용하자.

콕 6 (1) ㉠ (2) ㉢ (3) ㉡ (4) ㉡ (5) ㉠ (6) ㉢ (7) ㉢ 7 (1) 뵈어, 보여 (2) 씌어, 쓰여 (3) 거북지 (4) 요약건대 (5) 그렇잖다 (6) 깨끗지 않다 8 (1) 과자입니다 (2) 몇 개 (3) 작가 겸 의사 (4) 떠내려가 버렸다 9 (1) 연락할게 (2) 먹든지 말든지 (3) 깨끗이

5 국어 규범

사뿐히 즈려밟는

확인 문제

바로바로 간단 체크

1 다음 설명이 맞으면 ○표, 틀리면 ×표를 하시오.

(1) 한글 맞춤법은 표준어를 소리대로 적되, 어법에 맞도록 함을 원칙으로 한다. ( )

(2) 한 단어 안에서 뚜렷한 까닭 없이 나는 된소리는 다음 음절의 첫소리를 된소리로 적지 않는다. ( )

(3) 용언의 어간과 어미는 구별하여 적는다. ( )

(4) 조사는 단어이므로 그 앞말에 붙여 쓰지 않는다. ( )

(5) 의존 명사는 붙여 쓴다. ( )

(6) 보조 용언은 붙여 씀을 원칙으로 한다. ( )

2 다음 문장에서 표기가 적절하지 않은 부분을 모두 찾아 바르게 고치시오.

(1) 흔적도 없이 깨끗히 살아지다.

(2) 그 시험은 합격율 100%야. 너도 그럴껄?

(3) 아래집에 사는 그의 속셈이 들어났다.

(4) 아니오, 나중에 뵈요.

3 다음 중 문맥에 맞는 단어를 고르시오.

(1) 외상값이 잘 (거친다, 걷힌다).

(2) 수출량을 더 많이 (늘린다, 늘인다).

(3) 문이 저절로 (닫쳤다, 닫혔다).

(4) 나라를 위해 목숨을 (바쳤다, 받쳤다).

(5) 책상을 벽에 (부쳤다, 붙였다).

한글 맞춤법

01 한글 맞춤법에 맞게 쓰인 문장을 〈보기〉에서 모두 골라 묶은 것은?

보기

㉠ 가파르고 거칠은 산길을 올라갈수 있다.
㉡ 가든지 말든지 당신 마음대로 해도 돼요.
㉢ 그들의 이해관계는 얼키고설켜서 매우 복잡하다.
㉣ 수제비와 떡볶기 중에서 무엇을 먹을 지 망설였다.
㉤ 도무지 말이 없던 소년이 웬일로 불쑥 입을 열었다.

① ㉠, ㉡ ② ㉠, ㉢ ③ ㉡, ㉣
④ ㉡, ㉤ ⑤ ㉣, ㉤

두음 법칙

02 〈보기〉의 사례로 적절한 단어로만 묶인 것은?

보기

〈한글 맞춤법〉

제11항 한자음 '랴, 려, 례, 료, 류, 리'가 단어의 첫머리에 올 적에는, 두음 법칙에 따라 '야, 여, 예, 요, 유, 이'로 적는다.

① 양심(良心), 예의(禮義)
② 혼례(婚禮), 이발(理髮)
③ 역사(歷史), 하류(下流)
④ 협력(協力), 예의(禮義)
⑤ 용궁(龍宮), 진리(眞理)

띄어쓰기

03 다음 문장 중 띄어쓰기가 적절한 것은?

① 나도 너 만큼 할 수 있다.
② 이 일은 나도 할 수 있다.
③ 나의 소원은 하나 뿐이다.
④ 신기한 과일을 먹어도보았다.
⑤ 큰 것은 큰 것 대로 모아 두어라.

한글 맞춤법

04 〈보기 1〉을 참고할 때 표기가 바르게 된 것을 〈보기 2〉에서 모두 골라 묶은 것은?

보기 1

〈한글 맞춤법〉

제11항 한자음 '랴, 려, 례, 료, 류, 리'가 단어의 첫머리에 올 적에는, 두음 법칙에 따라 '야, 여, 예, 요, 유, 이'로 적는다.
다만, 모음이나 'ㄴ' 받침 뒤에 이어지는 '렬, 률'은 '열, 율'로 적는다.

제21항 명사나 혹은 용언의 어간 뒤에 자음으로 시작된 접미사가 붙어서 된 말은 그 명사나 어간의 원형을 밝히어 적는다.

제23항 '-하다'나 '-거리다'가 붙는 어근에 '-이'가 붙어서 명사가 된 것은 그 원형을 밝히어 적는다.

보기 2

㉠ 덮개 ㉡ 오뚜기 ㉢ 선율(旋律)
㉣ 늑다리 ㉤ 쌍용(雙龍) ㉥ 꿀꿀이

① ㉠, ㉡, ㉢ ② ㉠, ㉢, ㉥ ③ ㉡, ㉢, ㉣
④ ㉡, ㉢, ㉥ ⑤ ㉢, ㉤, ㉥

형태에 관한 규정 2015학년도 6월 고1 학력평가

05 다음은 인터넷 게시판의 질문과 답변이다. [가]와 [나]에 들어갈 내용을 바르게 짝지은 것은?

[질문]
그 일을 해낸 고등학생은 (일찌기, 일찍이) 없었다.
위 문장에서 '일찌기'와 '일찍이' 중 어느 것이 옳은 표기인가요?

[답변]
한글 맞춤법 제25항을 살펴보면 ㉠'-하다'가 붙을 수 있는 어근에 '-히'나 '-이'가 붙어서 부사가 되는 경우나, ㉡부사에 '-이'가 붙어서 뜻을 더하는 경우에는 그 어근이나 부사의 원형을 밝히어 적는다고 되어 있습니다. 이와 달리 ㉢어근과 접사의 결합체로 분석되지 않는 경우는 소리 나는 대로 적습니다. 따라서 질문하신 단어는 ([가])에 해당하므로 ([나])로 적어야 합니다.

	[가]	[나]		[가]	[나]
①	㉠	일찍이	②	㉡	일찌기
③	㉡	일찍이	④	㉢	일찌기
⑤	㉢	일찍이			

한글 맞춤법의 기본 원칙 2015학년도 9월 고1 학력평가

06 다음 대화를 바탕으로 〈보기〉의 밑줄 친 단어에 대해 설명한 것으로 적절하지 않은 것은?

학생: 선생님, 한글 맞춤법 제1항에 표준어를 소리대로 적는다고 되어 있는데, 이건 표준어를 발음 형태대로 적는다는 뜻이에요?
선생님: 맞아, 그러면 표기할 때 편하지. 그런데 뜻이 얼른 파악되지 않는 경우도 있어. 그래서 어법에 맞도록 한다는 또 하나의 원칙이 붙어 있어.
학생: 어법에 맞도록 한다는 건 무슨 의미예요?
선생님: 어근의 형태를 파악하기 쉽도록 각 형태소의 본 모양을 밝히어 적는다는 말이야.

보기

가-1. 지리산은 전라, 충청, 경상도 어름에 있다.
가-2. 썰매를 타고 얼음을 지쳤다.
나-1. 자세를 반듯이 해라.
나-2. 오늘 반드시 다 마치도록 해라.

① 가-1은 소리대로 적어 표기하기에 편리하다.
② 가-2는 의미 파악이 쉽도록 어법에 맞게 적은 것이다.
③ 가-1, 가-2는 발음만으로는 의미를 구분할 수 없다.
④ 나-1처럼 형태소의 본 모양을 적으면 뜻이 쉽게 파악된다.
⑤ 나-2는 어근의 본뜻이 파악되도록 어법에 맞게 적은 것이다.

형태에 관한 규정 2016학년도 9월 고1 학력평가

07 〈보기〉의 한글 맞춤법 규정을 ⓐ~ⓔ와 바르게 연결한 것은?

보기

ㄱ. **제14항** 체언은 조사와 구별하여 적는다.
ㄴ. **제33항** 체언과 조사가 어울려 줄어지는 경우에는 준 대로 적는다.

- 너는 ⓐ무얼 좋아하니?
- ⓑ이건 값이 너무 비싸다.
- ⓒ너희 사진은 어디에 있니?
- 나는 항상 ⓓ여기에 있을게.
- ⓔ그게 바로 문제의 핵심이다.

① ⓐ-ㄱ ② ⓑ-ㄱ ③ ⓒ-ㄴ
④ ⓓ-ㄴ ⑤ ⓔ-ㄴ

5 국어 규범

형태에 관한 규정 2013학년도 6월 고2 학력평가Ⓑ

08 〈보기〉의 밑줄 친 부분에 해당하는 예로 적절한 것은?

보기

선생님: 우리말에서 용언을 활용할 때 어미 '-아/-어'는 어떻게 결정되는 것일까요? 예를 들어 '몰다'는 '몰아'로, '물다'는 '물어'로 바뀌는 것을 알 수 있습니다. 이는 어간의 끝 음절 모음이 'ㅏ, ㅗ'일 때에는 어미를 '-아'로 적고, 그 밖의 모음일 때에는 '-어'로 적는 것이 원칙이기 때문입니다. 그런데 한글 맞춤법 규정은 이 원칙에서 벗어난 형태를 옳은 것으로 인정하는 경우도 있습니다.

① 하다 ② 되다 ③ 보다
④ 겪다 ⑤ 베다

소리에 관한 규정 2015학년도 11월 고2 학력평가

09 〈보기〉를 바탕으로 한글 맞춤법에 대해 탐구한 내용으로 적절하지 않은 것은?

보기

제5항 한 단어 안에서 뚜렷한 까닭 없이 나는 된소리는 다음 음절의 첫소리를 된소리로 적는다.
1. 두 모음 사이에 나는 된소리 ······ ⓐ
2. 'ㄴ, ㄹ, ㅁ, ㅇ' 받침 뒤에서 나는 된소리 ······ ⓑ
다만, 'ㄱ, ㅂ' 받침 뒤에서 나는 된소리는, 같은 음절이나 비슷한 음절이 겹쳐 나는 경우가 아니면 된소리로 적지 아니한다. ······ ⓒ

① [으뜸]으로 소리 나는 말은 ⓐ에 따라 '으뜸'으로 표기해야겠군.
② [거꾸로]로 소리 나는 말은 ⓐ에 따라 '거꾸로'로 표기해야겠군.
③ [살짝]으로 소리 나는 말은 ⓑ에 따라 '살짝'으로 표기해야겠군.
④ [씩씩]으로 소리 나는 말은 ⓑ에 따라 '씩씩'으로 표기해야겠군.
⑤ [낙찌]로 소리 나는 말은 ⓒ에 따라 '낙지'로 표기해야겠군.

형태에 관한 규정 2016학년도 10월 고3 학력평가

10 〈보기〉를 바탕으로 ㄱ~ㅁ을 이해한 내용으로 적절하지 않은 것은?

보기

한글 맞춤법 제15항 용언의 어간과 어미는 구별하여 적는다.
[붙임 2] 종결형에서 사용되는 어미 '-오'는 '요'로 소리 나는 경우가 있더라도 그 원형을 밝혀 '오'로 적는다.
예 이것은 책이오.
이것은 책이 아니오.
[붙임 3] 연결형에서 사용되는 '이요'는 '이요'로 적는다.
예 이것은 책이요, 저것은 붓이요, 또 저것은 먹이다.

선생님의 설명: 제15항 [붙임 2]에서 설명하는 어미 '-오'는 하오체 종결 어미입니다. 이 어미 '-오'는 [오]로 발음하는 것이 원칙이지만 [요]로 발음할 수도 있습니다. 그리고 이 '-오'가 '이다', '아니다'의 어간 뒤에 붙어 '-이오'로 활용할 때, '차(車)'처럼 모음으로 끝나는 체언과 결합하는 경우 '차이오→차요'와 같이 '-이오'가 '-요'로 줄어 쓰이기도 합니다. 이때 '-이오'가 줄어든 형태인 '-요'는 청자에게 존대의 뜻을 나타내는 보조사 '요'와 그 형태나 발음이 동일하기 때문에 언어생활에서 주의가 필요합니다.
이제 다음 제시된 자료를 분석해 봅시다. 단, ㄹ과 ㅁ은 모두 말하는 도중에 상대 높임의 등급을 바꾸지 않는다고 가정합니다.

ㄱ. 이것은 들판이요, 저것은 하늘이오.
ㄴ. 선배: 고향이 어디니? / 후배: 서울요.
ㄷ. (고향을 묻는 물음에 대한 답) 부산이오.
ㄹ. 무얼 좋아하시오? 소설이오? 아니면 영화요?
ㅁ. 무얼 좋아하세요? 소설요? 아니면 영화요?

① ㄱ의 밑줄 친 '이오'는 [이요]로 발음할 수 있다.
② ㄴ의 밑줄 친 '요'를 '이요'로 바꾸어 적을 수 있다.
③ ㄷ의 밑줄 친 '부산이오'는 하오체 문장에 해당한다.
④ ㄹ의 밑줄 친 '요'는 모음으로 끝나는 체언 뒤에서 '-이오'가 줄어든 형태에 해당한다.
⑤ ㅁ의 밑줄 친 '요'는 둘 다 청자에게 존대의 뜻을 나타내는 보조사에 해당한다.

형태에 관한 규정 2016학년도 4월 고3 학력평가

11 〈보기〉의 한글 맞춤법 규정을 적용한 것으로 옳지 않은 것은?

보기

제19항 어간에 '-이'나 '-음/-ㅁ'이 붙어서 명사로 된 것과 '-이'나 '-히'가 붙어서 부사로 된 것은 그 어간의 원형을 밝히어 적는다. …… ㉠

[붙임] 어간에 '-이'나 '-음' 이외의 모음으로 시작된 접미사가 붙어서 다른 품사로 바뀐 것은 그 어간의 원형을 밝히어 적지 아니한다. …… ㉡

제20항 명사 뒤에 '-이'가 붙어서 된 말은 그 명사의 원형을 밝히어 적는다. …… ㉢

[붙임] '-이' 이외의 모음으로 시작된 접미사가 붙어서 된 말은 그 명사의 원형을 밝히어 적지 아니한다. …… ㉣

제21항 명사나 혹은 용언의 어간 뒤에 자음으로 시작된 접미사가 붙어서 된 말은 그 명사나 어간의 원형을 밝히어 적는다. …… ㉤

① '다듬이'로 표기하는 것은 ㉠의 규정을 적용한 것이군.
② '마개'를 '막애'로 표기하지 않는 것은 ㉡의 규정을 적용한 것이군.
③ '삼발이'를 '삼바리'로 표기하지 않는 것은 ㉢의 규정을 적용한 것이군.
④ '귀머거리'로 표기하는 것은 ㉣의 규정을 적용한 것이군.
⑤ '덮개'로 표기하는 것은 ㉤의 규정을 적용한 것이군.

형태에 관한 규정 2013학년도 9월 모의평가

12 〈보기〉는 준말과 관련한 한글 맞춤법의 일부와 그 예시이다. ㉠~㉢에 들어갈 알맞은 말은?

보기

• 'ㅏ, ㅕ, ㅗ, ㅜ, ㅡ'로 끝난 어간에 '-이-'가 와서 각각 'ㅐ, ㅖ, ㅚ, ㅟ, ㅢ'로 줄 적에는 준 대로 적는다.

	본말	준말
기본형	파이다	[㉠]
용례	깊게 파인 구덩이	깊게 [㉡] 구덩이

• 'ㅐ, ㅔ' 뒤에 '-어, -었-'이 어울려 줄 적에는 준 대로 적는다.

	본말	준말
용례	구덩이가 깊게 [㉢]	구덩이가 깊게 팼다

① ㉠: 패다 ㉡: 팬 ㉢: 패었다
② ㉠: 패다 ㉡: 팬 ㉢: 패였다
③ ㉠: 패다 ㉡: 패인 ㉢: 패였다
④ ㉠: 패이다 ㉡: 팬 ㉢: 패었다
⑤ ㉠: 패이다 ㉡: 패인 ㉢: 패였다

형태에 관한 규정 2015학년도 7월 고3 학력평가Ⓑ

13 다음은 〈보기〉의 한글 맞춤법 규정을 참고하여 두 친구가 나눈 대화의 일부이다. ㉠~㉤ 중 적절하지 않은 것은?

보기

제27항 둘 이상의 단어가 어울리거나 접두사가 붙어서 이루어진 말은 각각 그 원형을 밝히어 적는다.
예 꽃잎, 헛웃음

제28항 끝소리가 'ㄹ'인 말과 딴 말이 어울릴 적에 'ㄹ' 소리가 나지 아니하는 것은 아니 나는 대로 적는다. 예 따님(딸-님), 화살(활-살)

제29항 끝소리가 'ㄹ'인 말과 딴 말이 어울릴 적에 'ㄹ' 소리가 'ㄷ' 소리로 나는 것은 'ㄷ'으로 적는다.
예 숟가락(술~), 사흗날(사흘~)

우진: 수업 시간에 선생님께서 '꽃잎'은 [꼰닙]이라고 발음을 하지만 합성어는 원형을 밝혀 적기에 '꽃잎'이라고 적어야 한다고 하셨는데, 어떤 예가 또 있을까?
정인: ㉠'칼날'을 [칼랄]이라고 발음하지만 '칼날'로 표기하는 것도 이에 해당하겠지. 그런데 '소나무'는 합성어인데 왜 '솔나무'라고 적지 않을까?
우진: ㉡'솔'의 끝소리가 'ㄹ'이고 '나무'와 어울릴 때 'ㄹ'이 탈락하여 소리가 나지 않기 때문이지. 'ㄹ'이 탈락하는 다른 예가 뭐가 있을까?
정인: 다른 예로는 '마소, 아드님'이 있어.
우진: 그래, 그런데 '마소'와 '아드님'은 단어 형성법이 다르네.
정인: ㉢'마소'는 '말'과 '소'가 합성어를 이루는 과정에서 'ㄹ'이 탈락한 것이고, ㉣'아드님'은 파생어로 명사 '아들'과 접미사 '-님'이 결합하면서 'ㄹ'이 탈락한 것이지.
우진: 그런데, '숟가락'은 '술'과 '가락'이 합성된 말인데 왜 '숟가락'이라고 적을까?
정인: ㉤본래 끝소리가 'ㄹ'인 말과 딴 말이 어울릴 적에 'ㄹ' 소리가 'ㄷ' 소리로 나는 것은 'ㄷ'으로 적도록 한 것이지. '여닫이'도 이에 해당해.

① ㉠ ② ㉡ ③ ㉢
④ ㉣ ⑤ ㉤

17 외래어 표기법, 국어의 로마자 표기법

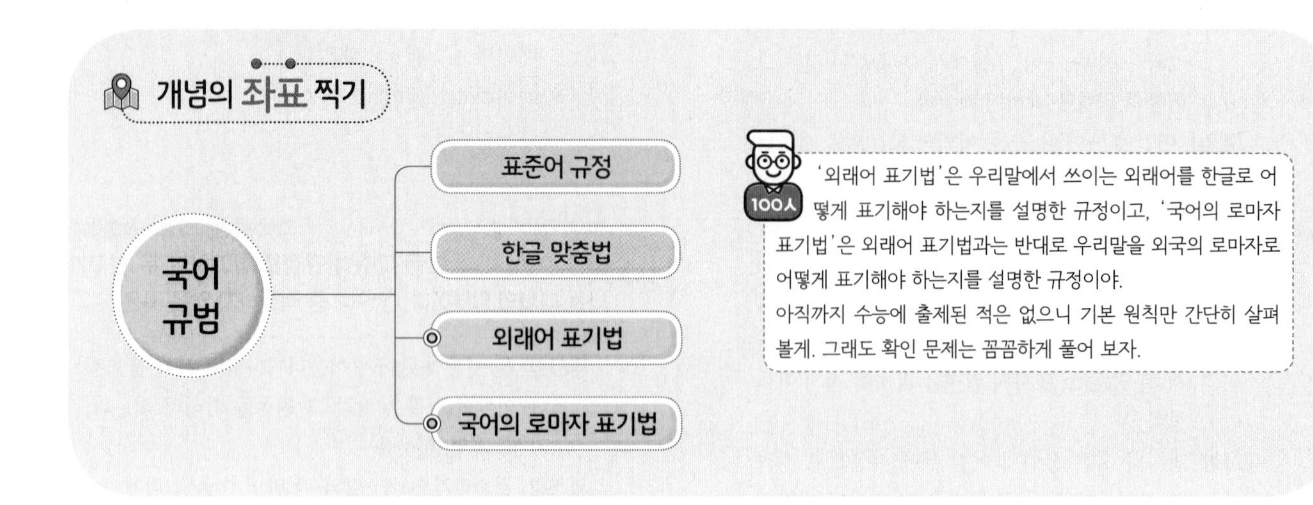

개념을 품은 기출 선택지

- ㉠에서 일어나는 음운 변동은 '땀받이[땀바지]'에서도 일어나고, **로마자 표기**에 반영되었다. (2019. 9. 모의평가)
- ㉡에서 '집'의 'ㅈ'과 ㉢에서 '장'의 'ㅈ'을 같은 **로마자로 표기**한 것을 보니, ㉡'앞집'의 **로마자 표기**는 된소리되기를 반영하여 적었어요. (2015. 6. 모의평가Ⓑ)

개념+ 외래어와 외국어

'외래어'란 원래 '고유어'와 상대적인 용어이지만, 규정에서 말하는 외래어는 외국에서 들어온 말을 뜻한다. 따라서 '외래어 표기법'은 우리말이 아닌 외국말을 한글로 표기하는 방법을 정한 것이다.

1 외래어 표기법

제1장 표기의 기본 원칙

제1항 외래어는 국어의 현용 24 자모만으로 적는다.

- 국어에는 없는 외국어 소리를 적기 위해 별도의 기호나 문자를 만들지 않고, 한글 자음과 모음만으로 표기한다는 원칙이다.

제2항 외래어의 1 음운은 원칙적으로 1 기호로 적는다.

- 예를 들어 [f]를 'ㅎ' 또는 'ㅍ'으로 적을 수 있게 하여 'fighting'과 'film'을 '화이팅', '필름'으로 적게 하면 혼란을 줄 수 있으므로 [f]는 'ㅍ'으로만 표기한다.
  예 fighting → 파이팅(◯), 화이팅(×)

제3항 받침에는 'ㄱ, ㄴ, ㄹ, ㅁ, ㅂ, ㅅ, ㅇ'만을 쓴다.

- 'racket'의 끝소리는 어말이나 자음 앞에서 [라켇]처럼 [ㄷ]으로 소리 나지만, 모음으로 시작하는 조사 앞에서는 [라케시], [라케슬], [라케스로]처럼 [ㅅ]으로 소리 난다. 따라서 '라켇'이 아닌 '라켓'으로 적는다.

제4항 파열음 표기에는 된소리를 쓰지 않는 것을 원칙으로 한다.

- 외래어의 유성 파열음은([b], [d], [g]) 예사소리로 표기한다([b]→ㅂ, [d]→ㄷ, [g]→ㄱ). 외래어의 무성 파열음은([p], [t], [k]) 거센소리로 표기한다([p]→ㅍ, [t]→ㅌ, [k]→ㅋ). 예 bus → 버스(◯), 뻐스(×) / Paris → 파리(◯), 빠리(×)
- 서구 외래어는 마찰음(ㅅ)과 파찰음(ㅈ)에도 된소리를 쓰지 않는다. 예 service → 서비스(◯), 써비스(×) / Jazz → 재즈(◯), 째즈(×)

짚고 가요

외래어 표기법의 영어 표기 세칙

① 무성 파열음([p], [t], [k])이 짧은 모음 다음에 오면 받침 'ㅂ, ㅅ, ㄱ'으로 적는다.
예 robot[róubət] → 로봇(로보트 ×)

② 무성 파열음([p], [t], [k])이 장모음이나 이중 모음 다음에 오면 '으'를 붙여 적는다.
예 flute[fluːt] → 플루트(플룻 ×)

제5항 이미 굳어진 외래어는 관용을 존중하되, 그 범위와 용례는 따로 정한다.

- '라디오'와 '카메라'를 원음에 따라 적으면 '레이디오'와 '캐머러'와 같이 되어 언어 현실과 크게 동떨어지게 되므로, 이미 굳어진 외래어는 관용을 존중해 표기한다.
  예 camera[kæmərə] → 카메라(◯), 캐머러(×) / radio[reɪdiəʊ] → 라디오(◯), 레이디오(×)

2 국어의 로마자 표기법

제1장 표기의 기본 원칙

제1항 국어의 로마자 표기는 국어의 표준 발음법에 따라 적는 것을 원칙으로 한다.

- 예를 들어 왕십리는 [왕심니]로 발음되므로, 'Wangsimni'로 적는다.

제2항 로마자 이외의 부호는 되도록 사용하지 않는다.

- 컴퓨터가 일반화되면서 로마자 이외의 부호를 사용하기 어려운 현실을 반영한 조항이다.

제2장 표기 일람

ㅏ	ㅓ	ㅗ	ㅜ	ㅡ	ㅣ	ㅐ	ㅔ	ㅚ	ㅟ
a	eo	o	u	eu	i	ae	e	oe	wi

ㅑ	ㅕ	ㅛ	ㅠ	ㅒ	ㅖ	ㅘ	ㅙ	ㅝ	ㅞ	ㅢ
ya	yeo	yo	yu	yae	ye	wa	wae	wo	we	ui

ㄱ	ㄲ	ㅋ	ㄷ	ㄸ	ㅌ	ㅂ	ㅃ	ㅍ
g, k	kk	k	d, t	tt	t	b, p	pp	p

ㅈ	ㅉ	ㅊ	ㅅ	ㅆ	ㅎ	ㄴ	ㅁ	ㅇ	ㄹ
j	jj	ch	s	ss	h	n	m	ng	r, l

제3장 표기상의 유의점

제1항 음운 변화가 일어날 때에는 변화의 결과에 따라 적는다.

① **자음 동화(비음화, 유음화)가 일어나는 경우:** 예 백마[뱅마] → Baengma
② **'ㄴ, ㄹ'이 덧나는 경우:** 예 학여울[항녀울] → Hangnyeoul, 알약[알략] → allyak
③ **구개음화가 되는 경우:** 예 해돋이[해도지] → haedoji, 같이[가치] → gachi
④ **거센소리되기가 일어나는 경우:** 예 잡혀[자펴] → japyeo
➲ 다만, 체언에서 'ㄱ, ㄷ, ㅂ' 뒤에 'ㅎ'이 따를 때에는 'ㅎ'을 밝혀 적는다.: 예 묵호 → Mukho, 집현전 → Jiphyeonjeon
[붙임] 된소리되기는 표기에 반영하지 않는다.

제2항 발음상 혼동의 우려가 있을 때에는 음절 사이에 붙임표(-)를 쓸 수 있다.

예 해운대 → Hae-undae, 중앙 → Jung-ang

제3항 고유 명사는 첫 글자를 대문자로 적는다.

예 부산 → Busan, 세종 → Sejong

짚고 가요

국어의 모음, 자음과 로마자의 대응

① 단모음: 'ㅓ, ㅡ, ㅐ, ㅚ, ㅟ' 등의 모음은 하나의 로마자로는 대응시킬 수 없어서 두 개의 로마자를 합쳐서 대응하게 만들었다.
② 이중 모음: 'ㅢ'는 [ㅣ]로 소리 나더라도 항상 'ui'로 적는다.
③ 파열음: 파열음 중에서 'ㄱ, ㄷ, ㅂ'은 모음 앞에서는 'g, d, b'로, 자음 앞이나 어말에서는 'k, t, p'로 적는다.
예 구미 → Gumi
옥천 → Okcheon
④ 유음: 'ㄹ'은 모음 앞에서는 'r'로, 자음 앞이나 어말에서는 'l'로 적는다. 단, 'ㄹㄹ'은 'll'로 적는다.
예 구리 → Guri / 임실 → Imsil
대관령[대괄령]
→ Daegwallyeong

개념+ **이름과 행정 구역을 로마자로 표기하는 방법**

① 인명은 성과 이름의 순서로 띄어 쓴다. 예 민용하 → Min Yongha
② '도, 시, 군, 구, 읍, 면, 리, 동'의 행정 구역 단위와 '가(街)'는 각각 'do, si, gun, gu, eup, myeon, ri, dong, ga'로 적고 그 앞에 붙임표를 넣는다. 예 제주도 → Jeju-do, 종로2가 → Jongno 2-ga

사뿐히 즈려밟는

확인 문제

✔ 바로바로 간단 체크

1 다음 설명이 맞으면 ○표, 틀리면 ×표를 하시오.

(1) 외래어의 한 음운은 한 개의 기호로 표기하는 것이 원칙이다. (   )

(2) 외래어 표기법은 외국에서 들어와 국어에 없는 소리를 한글로 적는 법을 정한 것이다. (   )

(3) 외래어 표기에서 무성 파열음은 된소리로 통일하여 표기한다. (   )

(4) 로마자 표기는 우리나라 사람이 읽는 것을 전제하여 만들어진 것이다. (   )

(5) 국어의 자음은 모음 앞에서 쓰일 때와 자음 앞이나 어말에서 쓰일 때의 로마자 표기에 변화가 없다. (   )

(6) 외래어는 국어의 현용 24 자모만으로 적는다. (   )

2 다음 단어들의 표준 발음을 참고하여 올바른 로마자 표기를 써 넣으시오.

단어	표준 발음	로마자 표기
가락	[가락]	(1)
울산	[울싼]	(2)
벚꽃	[벋꼳]	(3)

3 다음 국어의 모음에 해당하는 로마자 표기를 연결하시오.

① ㅡ • • ㉠ ui

② ㅒ • • ㉡ yae

③ ㅚ • • ㉢ eo

④ ㅢ • • ㉣ eu

⑤ ㅓ • • ㉤ oe

외래어 표기법

01 다음 중 외래어 표기법을 잘못 적용한 것은?

① 'gas[gæs]'는 '까스'가 아닌 '가스'로 적는다.
② 'cake[keik]'는 '케잌'이 아닌 '케이크'로 적는다.
③ 'flute[flu：t]'는 '플루트'가 아닌 '플룻'으로 적는다.
④ 'frypan[fráipèn]'은 '후라이팬'이 아닌 '프라이팬'으로 적는다.
⑤ 'good morning[gudmɔ́：riŋ]'은 '굳모닝'이 아닌 '굿모닝'으로 적는다.

외래어 표기법 2014학년도 3월 고2 학력평가Ⓑ

02 다음은 학생들이 궁금해하는 질문과 이와 관련된 외래어 표기법이다. 질문에 답하기 위해 참조해야 할 규정을 바르게 짝지은 것은?

> [질문]
> • 프랑스의 수도를 적을 때 '파리'로 적어야 할까, '빠리'로 적어야 할까? ……… ㉠
> • 'racket'의 발음 [t]를 받침으로 표기할 때, 'ㄷ', 'ㅅ', 'ㅌ' 중 무엇으로 적어야 할까? ……… ㉡
> • [f]를 표기하기 위한 새로운 기호를 만들어야 하지 않을까? ……… ㉢
>
> 〈외래어 표기법〉
> 제1장 표기의 기본 원칙
> **제1항** 외래어는 국어의 현용 24 자모만으로 적는다.
> **제2항** 외래어의 1 음운은 원칙적으로 1 기호로 적는다.
> **제3항** 받침에는 'ㄱ, ㄴ, ㄹ, ㅁ, ㅂ, ㅅ, ㅇ'만을 쓴다.
> **제4항** 파열음 표기에는 된소리를 쓰지 않는 것을 원칙으로 한다.
> **제5항** 이미 굳어진 외래어는 관용을 존중하되, 그 범위와 용례는 따로 정한다.

	㉠	㉡	㉢
①	제1항	제3항	제2항
②	제1항	제4항	제5항
③	제4항	제3항	제1항
④	제4항	제5항	제2항
⑤	제5항	제4항	제3항

국어의 로마자 표기법 2013학년도 11월 고2 학력평가Ⓑ

03 다음은 표준 발음법과 국어의 로마자 표기법의 일부이다. 이를 이해한 학생의 반응으로 적절한 것은?

【 표준 발음법 】

제4장 제8항 받침소리로는 'ㄱ, ㄴ, ㄷ, ㄹ, ㅁ, ㅂ, ㅇ' 7개 자음만 발음한다.

제5장 제19항 받침 'ㅁ, ㅇ' 뒤에 연결되는 'ㄹ'은 [ㄴ]으로 발음한다.

제20항 'ㄴ'은 'ㄹ'의 앞이나 뒤에서 [ㄹ]로 발음한다.

【 국어의 로마자 표기법 】

제1장 제1항 국어의 로마자 표기는 국어의 표준 발음법에 따라 적는 것을 원칙으로 한다.

제2장 제1항 모음은 다음 각호와 같이 적는다.

1. 단모음

ㅏ	ㅓ	ㅗ	ㅡ
a	eo	o	eu

제2장 제2항 자음은 다음 각호와 같이 적는다.

1. 파열음

ㄱ	ㄲ	ㄷ	ㅌ	ㅂ
g, k	kk	d, t	t	b, p

2. 파찰음 **3. 마찰음** **4. 비음** **5. 유음**

ㅈ	ㅊ	ㅅ	ㅎ	ㄴ	ㅁ	ㅇ	ㄹ
j	ch	s	h	n	m	ng	r, l

[붙임 1] 'ㄱ, ㄷ, ㅂ'은 모음 앞에서는 'g, d, b'로, 자음 앞이나 어말에서는 'k, t, p'로 적는다.

[붙임 2] 'ㄹ'은 모음 앞에서 'r'로, 자음 앞이나 어말에서는 'l'로 적는다. 단 'ㄹㄹ'은 'll'로 적는다.

제3장 제3항 고유 명사는 첫 글자를 대문자로 적는다.

① '종로'는 'Jongro'로 표기해야겠군.
② '탐라'는 'Tamna'로 표기해야겠군.
③ '벚꽃'은 'beotkkoj'으로 표기해야겠군.
④ '강릉'은 'Kangneung'으로 표기해야겠군.
⑤ '한라산'은 'Halrasan'으로 표기해야겠군.

국어의 로마자 표기법 2013학년도 4월 고3 학력평가Ⓑ

04 다음은 표준 발음법과 국어의 로마자 표기법의 일부이다. 로마자로 표기하는 방법에 대해 설명한 내용으로 적절한 것은?

【 표준 발음법 】

제2장 제5항 'ㅑ ㅒ ㅕ ㅖ ㅘ ㅙ ㅛ ㅝ ㅞ ㅠ ㅢ'는 이중 모음으로 발음한다.

다만2. '예, 례' 이외의 'ㅖ'는 [ㅔ]로도 발음한다.

다만3. 자음을 첫소리로 가지고 있는 음절의 'ㅢ'는 [ㅣ]로 발음한다.

다만4. 단어의 첫 음절 이외의 '의'는 [ㅣ]로, 조사 '의'는 [ㅔ]로 발음함도 허용한다.

【 국어의 로마자 표기법 】

제1장 제1항 국어의 로마자 표기는 국어의 표준 발음법에 따라 적는 것을 원칙으로 한다.

제2장 제1항 모음은 다음 각 호와 같이 적는다.

1. 단모음 **2. 이중 모음**

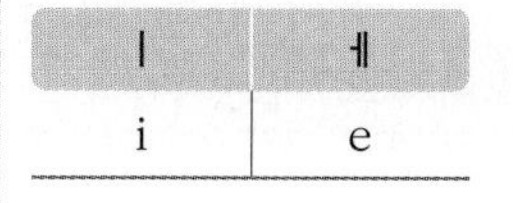

ㅣ	ㅔ
i	e

ㅖ	ㅢ
ye	ui

[붙임 1] 'ㅢ'는 'ㅣ'로 소리 나더라도 ui로 적는다.

① '숭례문'에서 '례'의 'ㅖ'는 [ㅖ]로 발음해야 하므로 'e'로 표기해야 한다.
② '도예촌'에서 '예'의 'ㅖ'는 [ㅔ]로도 발음할 수 있으므로 'e'로 표기할 수 있다.
③ '퇴계원'에서 '계'는 '예, 례' 이외의 'ㅖ'이어서, [ㅖ]로 발음해야 하므로 'e'로 표기해야 한다.
④ '충의사'에서 '의'는 단어의 첫 음절 이외의 '의'이어서, [ㅣ]로 발음되나 'ui'로 표기해야 한다.
⑤ '광희문'에서 '희'는 자음을 첫소리로 가지고 있는 음절이어서, [ㅣ]로 발음되므로 'i'로 표기해야 한다.

5 국어 규범

단원 정리

국어 규범

국어 규범

- **표준어 규정**
  - **표준어 사정 원칙**: 총칙: 표준어는 ❶ [ ] 있는 사람들이 두루 쓰는 ❷ [ ] ❸ [ ]로 정함을 원칙으로 한다.
  - **표준 발음법**: 총칙: 표준어의 ❹ [ ]을 따르되, 국어의 ❺ [ ]과 ❻ [ ]을 고려하여 정함을 원칙으로 한다.
- **한글 맞춤법**: 총칙: 한글 맞춤법은 표준어를 ❼ [ ]대로 적되, ❽ [ ]에 맞도록 함을 원칙으로 한다.
- **외래어 표기법**: ❾ [ ]를 ❿ [ ]로 표기하는 방법을 통일하기 위하여 마련한 규정
- **국어의 로마자 표기법**: ⓫ [ ]을 ⓬ [ ]로 적는 방법을 통일하기 위하여 마련한 규정

빈칸 답 | ❶ 교양 ❷ 현대 ❸ 서울말 ❹ 실제 발음 ❺ 전통성 ❻ 합리성 ❼ 소리 ❽ 어법 ❾ 외래어 ❿ 한글 ⓫ 우리말 ⓬ 로마자

수능 다가가기

정답과 해설 48쪽

한글 맞춤법 2014학년도 수능Ⓑ

01 〈보기〉의 ㉠, ㉡의 예로 적절한 것은?

보기

'〈한글 맞춤법〉 제4장(형태에 관한 것)'의 파생어와 합성어에 대한 표기 규정은 다음과 같이 네 가지로 정리해 볼 수 있다.

- 파생어이면서 어근의 원형을 밝히어 적는 경우
- 파생어이면서 어근의 원형을 밝히어 적지 않는 경우 ……… ㉠
- 합성어이면서 어근의 원형을 밝히어 적는 경우 ……… ㉡
- 합성어이면서 어근의 원형을 밝히어 적지 않는 경우

	㉠	㉡
①	길이, 마중	무덤, 지붕
②	무덤, 지붕	뒤뜰, 쌀알
③	뒤뜰, 쌀알	무덤, 지붕
④	길이, 무덤	뒤뜰, 쌀알
⑤	마중, 지붕	길이, 쌀알

한글 맞춤법 2015학년도 수능Ⓑ

02 밑줄 친 부분이 한글 맞춤법에 맞게 쓰인 것은?

① 엇저녁에는 고향 친구들과 만나서 식사를 했다.
② 그가 발의한 안건은 다음 회의에 부치기로 했다.
③ 적잖은 사람들이 그 의견에 찬성의 뜻을 보였다.
④ 동생은 누나가 직접 만든 깍뚜기를 먹어보았다.
⑤ 저기 넙적하게 생긴 바위가 우리들의 놀이터였다.

한글 맞춤법 2016학년도 수능Ⓑ

03 〈보기〉는 한글 맞춤법 제1항이 파생어와 합성어에 적용된 예를 찾아본 것이다. ㉠~㉤에 들어갈 예로 적절한 것은?

보기

제1항 한글 맞춤법은 표준어를 ⓐ소리대로 적되, ⓑ어법에 맞도록 함을 원칙으로 한다.

	파생어	합성어
ⓐ만 충족한 경우	㉠	㉡
ⓑ만 충족한 경우	㉢	㉣
ⓐ, ⓑ 모두 충족한 경우	㉤	줄자(줄+자), 눈물(눈+물)

① ㉠: 이파리(잎+아리), 얼음(얼+음)
② ㉡: 마소(말+소), 낮잠(낮+잠)
③ ㉢: 웃음(웃+음), 바가지(박+아지)
④ ㉣: 옷소매(옷+소매), 밥알(밥+알)
⑤ ㉤: 꿈(꾸+ㅁ), 사랑니(사랑+이)

한글 맞춤법 2015학년도 6월 모의평가Ⓑ

04 ㉠~㉢에 대한 설명으로 적절하지 않은 것은?

보기

〈한글 맞춤법〉에 따르면 표준어를 소리 나는 대로 적는 경우도 있지만, 어법에 맞게 적는 경우도 있다. 그런데 간혹 이 사실을 모르고 소리 나는 대로 적어서 틀릴 때가 있다.

올바른 표기	잘못된 표기	발음	
들어서다	드러서다	[드러서다]	……… ㉠
그렇지	그러치	[그러치]	……… ㉡
해돋이	해도지	[해도지]	……… ㉢

① ㉠은 연음 현상 때문에 잘못 적는 경우이다.
② ㉠과 같은 예로 '높이다'를 '높히다'로 잘못 적는 경우를 들 수 있다.
③ ㉡은 거센소리되기 때문에 잘못 적는 경우이다.
④ ㉡과 같은 예로 '얽혀'를 '얼켜'로 잘못 적는 경우를 들 수 있다.
⑤ ㉢과 같은 예로 '금붙이'를 '금부치'로 잘못 적는 경우를 들 수 있다.

국어의 로마자 표기법 　2015학년도 6월 모의평가Ⓑ

05 (가)에 들어갈 내용으로 적절하지 않은 것은?

보기

선생님: 로마자 표기법은 국제화 시대에 그 중요성이 더 커지고 있습니다. 로마자 표기법을 구체적으로 배우기 전에, 다음 자료로 탐구한 내용을 발표해 봅시다.

표기	표준 발음	올바른 로마자 표기	
가락	[가락]	garak	㉠
앞집	[압찝]	apjip	㉡
장롱	[장ː농]	jangnong	㉢

학생: (가)

① ㉠에서 '가'의 'ㄱ'은 'g'로, '락'의 'ㄱ'은 'k'로 표기한 것을 보니, '가락'의 두 'ㄱ'은 같은 자음이지만 다른 로마자로 적었어요.

② ㉡에서 '앞'의 'ㅍ'과 '집'의 'ㅂ'을 모두 'p'로 표기한 것을 보니, '앞집'의 'ㅍ'과 'ㅂ'은 다른 자음이지만 동일한 로마자로 적었어요.

③ ㉢에서 장음을 표시하는 기호인 'ː'가 로마자 표기에 없는 것을 보니, 장단의 구별은 로마자 표기에 반영하지 않았어요.

④ ㉠에서 '락'의 'ㄹ'은 'r'로, ㉢에서 '롱'의 'ㄹ'은 'n'으로 표기한 것을 보니, ㉢ '장롱'의 로마자 표기는 자음 동화를 반영하여 적었어요.

⑤ ㉡에서 '집'의 'ㅈ'과 ㉢에서 '장'의 'ㅈ'을 같은 로마자로 표기한 것을 보니, ㉡ '앞집'의 로마자 표기는 된소리되기를 반영하여 적었어요.

표준 발음법 　2014학년도 수능Ⓑ

06 (가)의 ㉠, ㉡에 들어갈 표준 발음을 (나)를 참고하여 바르게 짝지은 것은?

(가) 학생의 탐구 내용

지난 시간의 새말 만들기 활동에서 '꽃잎 표면에 이랑처럼 주름이 진 부분'을 가리키는 말로 '꽃이랑', '꽃의 가운데에 오목하게 들어간 부분'을 나타내는 말로 '꽃오목'을 만들었어. 이번 시간에 배운 표준 발음법에 따라 이 단어들의 올바른 발음을 생각해 보니, '꽃이랑'은 (㉠), '꽃오목'은 (㉡)으로 발음해야 해.

(나) 표준 발음법 조항

제15항 받침 뒤에 모음 'ㅏ, ㅓ, ㅗ, ㅜ, ㅟ'들로 시작되는 실질 형태소가 연결되는 경우에는, 대표음으로 바꾸어서 뒤 음절 첫소리로 옮겨 발음한다.
예 겉-옷[거돋], 헛-웃음[허두슴]

제29항 합성어 및 파생어에서, 앞 단어나 접두사의 끝이 자음이고 뒤 단어나 접미사의 첫 음절이 '이, 야, 여, 요, 유'인 경우에는, 'ㄴ' 소리를 첨가하여 [니, 냐, 녀, 뇨, 뉴]로 발음한다.
예 담-요[담ː뇨], 홑-이불[혼니불]

	㉠	㉡
①	[꼰니랑]	[꼬도목]
②	[꼰니랑]	[꼬초목]
③	[꼰니랑]	[꼰노목]
④	[꼬디랑]	[꼬초목]
⑤	[꼬디랑]	[꼬도목]

한글 맞춤법 2016학년도 9월 모의평가Ⓑ

07 〈자료〉의 발음 표시 부분을 맞춤법에 맞게 표기할 때에 적용되는 원칙을 〈보기〉에서 찾아 바르게 짝지은 것은?

자료

㉠ 이것은 유명한 책이 [아니요].
㉡ 영화 구경 [가지요].
㉢ 이것은 [설탕이요], 저것은 소금이다.

보기

○ 용언의 어간과 어미는 구별하여 적는다.
- 종결형에서 사용되는 어미 '-오'는 '요'로 소리 나는 경우가 있더라도 그 원형을 밝혀 '오'로 적는다. …… ⓐ
  이리로 오시오. (○) 이리로 오시요. (×)
- 연결형에서 사용되는 '이요'는 '이요'로 적는다. …… ⓑ
  이것은 책이요, 저것은 붓이다. (○)
  이것은 책이오, 저것은 붓이다. (×)

○ 어미 뒤에 덧붙는 조사 '요'는 '요'로 적는다. …… ⓒ
  읽어 읽어요 먹을게 먹을게요

① ㉠ - ⓐ ② ㉠ - ⓑ ③ ㉡ - ⓑ
④ ㉢ - ⓐ ⑤ ㉢ - ⓒ

표준 발음법 2015학년도 수능Ⓑ

08 〈보기〉의 표준 발음 자료를 탐구한 내용으로 적절하지 않은 것은?

보기

표준 발음법 제8항 받침소리로는 'ㄱ, ㄴ, ㄷ, ㄹ, ㅁ, ㅂ, ㅇ'의 7개 자음만 발음한다.

해설 이 조항은 ⓐ받침 발음의 원칙을 규정한 것이다. 어말이나 자음 앞에서 모든 받침은 제시된 7개의 자음 중 하나로만 발음할 수 있을 뿐이다. 이 원칙을 지키기 위해 두 가지 음운 변동이 적용된다. 하나는 ㉠자음이 탈락되는 것이고 다른 하나는 ㉡자음이 다른 자음으로 교체되는 것이다.

표준 발음 자료 읽다[익따], 옮는[옴:는], 닦지[닥찌], 읊기[읍끼], 밟는[밤:는]

① '읽다[익따]'는 ⓐ를 지키기 위해 ㉠이 적용되었다.
② '옮는[옴:는]'은 ⓐ를 지키기 위해 ㉠이 적용되었다.
③ '닦지[닥찌]'는 ⓐ를 지키기 위해 ㉡이 적용되었다.
④ '읊기[읍끼]'는 ⓐ를 지키기 위해 ㉠, ㉡이 모두 적용되었다.
⑤ '밟는[밤:는]'은 ⓐ를 지키기 위해 ㉠, ㉡이 모두 적용되었다.

표준 발음법 2016학년도 수능Ⓑ

09 〈보기〉에 따라 겹받침의 표준 발음에 대하여 단계별로 학습하였다. 각 예에 적용된 내용과 그 발음이 모두 바른 것은?

보기

○ 겹받침이 모음으로 시작된 조사나 어미, 접미사와 결합되는 경우에는 뒤엣것만을 뒤 음절 첫소리로 옮겨 발음한다. 이 경우, 'ㅅ'은 [ㅆ]으로 발음한다. …… ⓐ

○ 겹받침 'ㄳ, ㄺ', 'ㄼ', 'ㅄ'은 어말 또는 자음 앞에서 각각 [ㄱ, ㄹ, ㅂ]으로 발음한다. …… ⓑ
이후에는 다음과 같이 발음한다.
- [ㄱ, ㅂ]은 'ㄴ, ㅁ' 앞에서 각각 [ㅇ, ㅁ]으로 발음한다. …… ⓒ
- [ㄱ, ㅂ] 뒤에 연결되는 'ㄱ, ㄷ, ㅂ, ㅅ, ㅈ'은 각각 [ㄲ, ㄸ, ㅃ, ㅆ, ㅉ]으로 발음한다. …… ⓓ
- [ㄱ, ㅂ]은 'ㅎ'과 결합되는 경우, 두 음을 합쳐서 각각 [ㅋ, ㅍ]으로 발음한다. …… ⓔ

	예	적용 내용	발음
①	여덟+이	ⓐ	[여더리]
②	몫+을	ⓐ	[목슬]
③	흙+만	ⓑ, ⓒ	[흑만]
④	값+까지	ⓑ, ⓓ	[갑까지]
⑤	닭+하고	ⓑ, ⓔ	[다카고]

한글 맞춤법 2015학년도 9월 모의평가Ⓑ(변형)

10 〈보기〉에 제시된 한글 맞춤법 규정을 알맞게 적용한 것은?

보기

[제19항] ○ 어간에 '-이'가 붙어서 명사로 된 것과 '-이'가 붙어서 부사로 된 것은 그 어간의 원형을 밝히어 적는다. …… ㉠

[제25항] ○ '-하다'가 붙는 어근에 '-히'나 '-이'가 붙어서 부사가 되는 경우에는 그 어근의 원형을 밝히어 적는다. …… ㉡
○ 부사에 '-이'가 붙어서 역시 부사가 되는 경우에는 그 부사의 원형을 밝히어 적는다. …… ㉢

① '급히 떠나다'의 '급히'는 ㉠의 규정을 따른 것이군.
② '방긋이 웃다'의 '방긋이'는 ㉠의 규정을 따른 것이군.
③ '많이 먹다'의 '많이'는 ㉡의 규정을 따른 것이군.
④ '깊이 파다'의 '깊이'는 ㉡의 규정을 따른 것이군.
⑤ '일찍이 없던 일'의 '일찍이'는 ㉢의 규정을 따른 것이군.

5 국어 규범

알아 두면 쓸데 있는 100인의 지혜

공시적(共時的) 접근과 통시적(通時的) 접근

'공시적 접근'이나 '통시적 접근'이라는 말을 들어 본 적 있니? 생소할 수도 있는 이 말은 문법, 특히 국어의 변천 단원을 공부하기 전에 알아 두면 좋아. 지금부터 '공시적 접근'과 '통시적 접근'에 대해서 알려 줄게.

고대 국어	중세 국어	근대 국어	현대 국어 (↓ 공시적)

← 통시적 →

'공시적 접근'은 '동시대만 고려한 접근'을 의미한다고 생각하면 돼. 우리가 바로 앞에서 공부한 표준 발음법에서 다루고 있는 '음운 변동'이 바로 공시적으로 일어나고 있는 현상이야. 현대 국어에서 일어나는 음운 현상이니까 말이야. 그러니까 현대 국어 문법에 대해 배우고 있는 우리는 '공시적 접근'을 하고 있는 거지.

반면 '통시적 접근'은 '역사의 흐름을 고려하는 접근'을 뜻해. 현 문법 교육 과정은 공시적 접근과 함께 통시적 접근도 매우 중요하게 다루고 있어. 2015 개정《언어와 매체》교육 과정에 실린 다음 성취 기준을 보자.

> 시대 변화에 따른 국어 자료의 차이에 대해 살피고 각각의 자료에 나타나는 언어적 특성을 이해한다.

왼쪽은 2015 개정《언어와 매체》교육 과정의 성취 기준이야. '시대 변화에 따른'이라는 표현에서 '통시적 접근'을 중요시하는 관점이 드러나지? 참고로 통시적인 변화를 표시하는 기호는 '>'이야. 예를 들어 '잔듸>잔디'라고 한다면, 예전에는 '잔듸'였던 단어가 시대 변화에 따라 '잔디'로 변했다는 걸 의미해.

그럼 왜 '통시적 접근'이 중요하게 다뤄지는 걸까? 그건 바로 공시적 접근만으로는 이해하기 어려운, 현대 국어의 언어 현상들이 있기 때문이야. 예를 들어 볼게. 신호등의 보행 신호는 무슨 색이니? 초록색? 파란색? 푸른색? 근데 이상하지? 영어로는 'green'이라고 표현하는 한 가지 색을, 우리는 왜 '파란색, 푸른색(blue)'이라고도 부르는 걸까? 현대 국어의 범주 안에서는 이 현상의 원인을 명쾌하게 밝히기 어려워.

이렇게 어떤 언어 현상을 공시적 접근만으로는 설명하기 어려울 때, 통시적으로 접근하면 금세 그 답을 찾을 수 있단다. 위 현상과 관련된, 15세기 한국어의 색채어를 살펴보자.

	15세기 한국어의 색채어	
	초록색에 가까운 색	파란색에 가까운 색
밝음	프ᄅᆞ다 ←	프라ᄒᆞ다/파라ᄒᆞ다
어두움	프르다 (↑)	프르ᄒᆞ다/프러ᄒᆞ다

'ㆍ'(아래아)는 중세 국어 시기에 활발히 쓰였던 모음이야. 그러다 근대 국어 시기로 접어들면서 점차 소멸되었지. 이때 단어 '프ᄅᆞ다'가 같이 사라지면서, 색채어 체계에 혼란이 왔어. 즉, 위 표에서 형광색으로 표시한 자리가 비게 되면서, 프르다(현대어: 푸르다)와 프라ᄒᆞ다/파라ᄒᆞ다(현대어: 파랗다)가 그 자리에 대신 쓰였어. 이것이 현대 국어에까지 영향을 미쳐서, 오늘날 우리가 '초록색(green)'을 표현할 때 '초록색, 파란색, 푸른색'을 모두 쓰게 된 거야.

어때, 공시적 접근만으로는 이해하기 어려운 현상이 통시적 접근으로 쉽게 해결되지? 실제로, 수능 문제를 출제하는 주체인 한국교육과정평가원은 이러한 통시적 접근을 필요로 하는 문항들을 꽤 많이 내고 있어. 다음의 기출 지문과 문항의 일부를 한번 살펴보자. '국어의 변천'은 뒤에서 자세하게 공부할 거니까, 지문과 문항이 어렵게 느껴지더라도 너무 걱정하지 마. ^^

[12~13] 다음 글을 읽고 물음에 답하시오.

2019학년도 수능

국어사적 사실이 현대 국어의 일관되지 않은 현상을 이해하는 데 도움이 되는 경우가 많다. 예를 들어 'ㄹ'로 끝나는 명사 '발', '솔', '이틀'이 ㉠ '발가락', ㉡ '소나무', ㉢ '이튿날'과 같은 합성어들에서는 받침 'ㄹ'의 모습이 일관되지 않는데, 이를 이해하기 위해서는 이들 단어의 옛 모습을 알아야 한다.

'소나무'에서는 '발가락'에서와는 달리 받침 'ㄹ'이 탈락하였고, '이튿날'에서는 받침이 'ㄹ'이 아닌 'ㄷ'이다. 모두 'ㄹ' 받침의 명사가 결합한 합성어인데 왜 이러한 차이를 보이는 것일까? 현대 국어에는 받침 'ㄹ'이 'ㄷ'으로 바뀌거나, 명사와 명사가 결합할 때 'ㄹ'이 탈락하는 규칙이 없기 때문에 이러한 차이는 현대 국어의 규칙만으로는 설명할 수 없다.

100人 공시적 접근만으로는 현대 국어에서 이해되지 않는 현상이 있다는 얘기군. 통시적 접근이 필요하겠어.

뒤에는 중세 국어, 근대 국어에 대한 설명이 나왔지만 생략했어.(관심 있는 친구들은 한번 찾아서 풀어 봐.) 선생님이 형광펜을 쳐 둔 부분을 보면 이 지문이 '통시적 접근'을 요구하고 있다는 걸 알 수 있지? 실제로 13번 문항의 발문과 〈보기〉는 다음과 같이 나왔어.

13 [A]를 바탕으로 〈보기〉의 '자료'를 탐구한 내용으로 적절하지 않은 것은?

보기

탐구 주제

• '숟가락'은 '젓가락'과 달리 왜 첫 글자의 받침이 'ㄷ'일까?

자료

중세 국어의 예

• 술 자ᄫᆞ며 져 놓ᄂᆞ니(숟가락 잡으며 젓가락 놓으니)
• 숤 귿(숟가락의 끝), 졋 가락 귿(젓가락 끝), 수져(수저)
• 물(무리), 뭀 사ᄅᆞᆷ(뭇사람, 여러 사람)

근대 국어의 예	현대 국어의 예
• 숫가락 장ᄉᆞ(숟가락 장사) • 뭇사ᄅᆞᆷ(뭇사람)	• *술로 밥을 뜨다 • 숟가락으로 밥을 뜨다 • 밥 한 술

※ '*'는 문법에 맞지 않음을 나타냄.

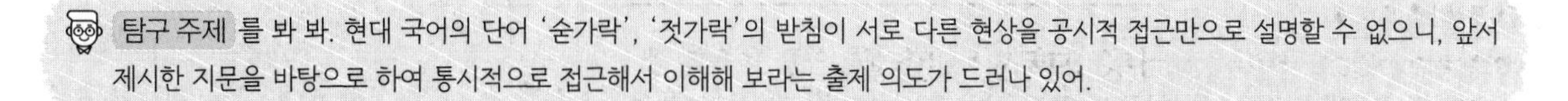
탐구 주제 를 봐 봐. 현대 국어의 단어 '숟가락', '젓가락'의 받침이 서로 다른 현상을 공시적 접근만으로 설명할 수 없으니, 앞서 제시한 지문을 바탕으로 하여 통시적으로 접근해서 이해해 보라는 출제 의도가 드러나 있어.

그렇다면 이제 우리가 할 일은 무엇일까? '공시적 접근'과 '통시적 접근'의 의미를 이해하는 데서 나아가, '통시적 접근'을 키워드로 잡고, '19. 국어의 변천(188쪽)' 단원을 열심히 공부해야 해! 위 문제와 같이 현대 국어로는 설명할 수 없는 현상들을 과거의 국어 자료를 통해 탐구하고 이해하는 것도 통시적 접근이고, '중세 국어~근대 국어~현대 국어'로 넘어간 시기에 우리말이 변화한 양상을 탐구하는 것도 통시적 접근이야. 이러한 접근을 통해, 현대 국어를 좀 더 잘 이해할 수 있는 거지. 그럼 우리, '19. 국어의 변천' 단원에서 다시 만나!

18 훈민정음의 창제 원리

개념의 좌표 찍기

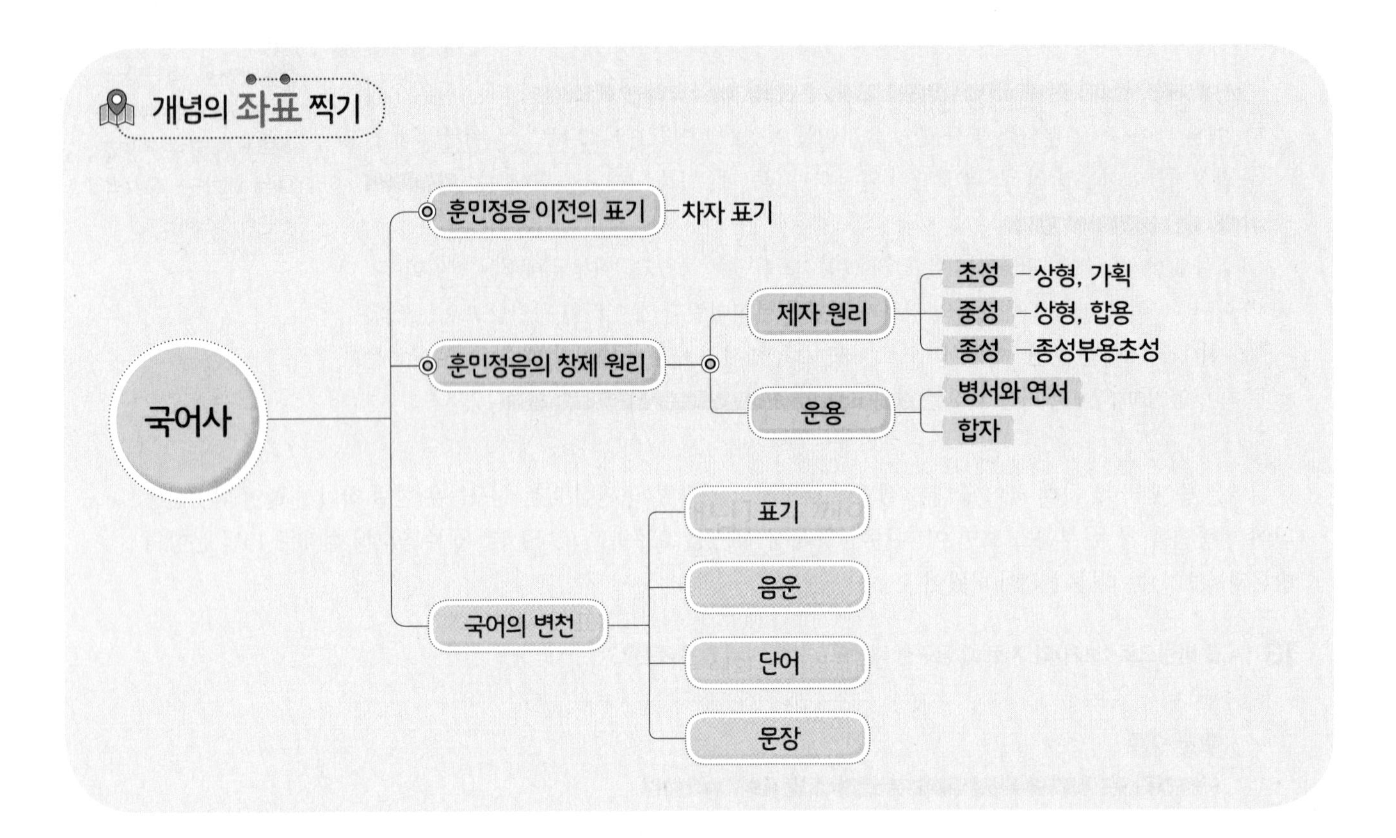

100인 샘의 국어사 특강 1

'훈민정음(訓民正音)'은 우리가 쓰는 '한글'의 원래 명칭이야. 한자 그대로 풀이하면 '가르칠 훈, 백성 민, 바를 정, 소리 음'으로, 말 그대로 '백성을 가르치는 바른 소리'라는 뜻이지. 훈민정음은 1443년(세종 25)에 세종이 만들었는데, 이렇게 창제 시기와 창제자가 정확하게 알려진 문자는 세계적으로 드물어.

《훈민정음》은 '훈민정음'이라는 문자의 제자 원리와 운용 원리를 설명한 책의 명칭이기도 한데, 이 책에는 훈민정음이 만들어진 독립적이고도 과학적인 원리가 담겨 있어. 대표적인 것이 발음 기관과 천지인(天地人)을 본뜬 '상형의 원리'지. 이 단원에서 우리는 이러한 훈민정음의 창제 원리를 공부할 거야.

> 참, 우리의 목표는 글자 하나하나를 외우는 것이 아니라 그 원리를 '이해'하는 것이니까, 처음 보는 글자가 나오더라도 너무 당황하지 마.

한편 한문으로 쓴 《훈민정음》을 한글로 풀어 쓴 것을 따로 일컬어 '언해본'이라고 해. 이 책 202쪽에 세종 대왕이 직접 쓴, 이 언해본의 서문이 실려 있으니까 국어사 단원을 모두 마치고 꼭 읽어 보도록 해.(그 유명한 "나라의 말이 중국과 달라"라는 문구가 바로 언해본에 나온단다.) 세종 대왕의 자주 정신, 실용 정신, 애민 정신을 느낄 수 있을 거야. 국어사 단원에서 배운 옛 국어의 특징을 당대의 글에서 직접 확인해 볼 수 있으니 꼼꼼하게 살펴보도록 해.

아니, 그런데 이렇게 멋진 문자인 훈민정음이 만들어지기 전에는 사람들이 어떻게 문자 생활을 했을지 궁금하지 않니? ^^ 이에 관해 먼저 살펴본 후, 훈민정음의 제자 원리를 공부해 보자!

개념을 품은 **기출 선택지**

- ⓐ, ⓑ, ⓒ는 **대상의 모양을 본뜬 것**이라는 공통점이 있군. (2017. 11. 고1 학력평가)
- 'ㅋ'은 기본자 'ㄱ'에 **가획**을 한 것이군. (2015. 11. 고1 학력평가)
- 기본자 외의 8개 중성자는 기본자를 **합하여** 만들었다. (2015. 수능Ⓑ)
- 종성은 따로 글자를 만들지 않고 **초성의 글자를 다시 사용**하였습니다. (2014. 9. 고2 학력평가)

1 훈민정음 이전의 표기

차자 표기

훈민정음 창제 이전에는 우리 고유의 글자가 없었기 때문에 한자로 차자(借字) 표기, 즉 한자의 음과 뜻을 빌려 와 우리말을 표기하였다. 한자의 소리를 빌리는 것을 음차(音借), 뜻을 빌리는 것을 훈차(訓借)라고 한다.

빌리다

차자 표기는 처음에 인명, 지명 등의 고유 명사를 표기하는 데만 제한적으로 쓰이다가 이후 차차 발달하여 향찰(鄕札)과 같이 우리말 문장 전체를 표기하는 단계로까지 나아가게 되었다.

- **고유 명사 표기**: 인명, 지명 등의 고유 명사를 한자를 빌려 표기하였다.
- **향찰(鄕札)**: 한자의 뜻과 음을 빌려 국어 문장 전체를 적은 표기법으로, 실질 형태소는 한자의 뜻을, 형식 형태소는 한자의 소리를 빌려 표기하였다. 향찰은 가장 발달한 차자 표기법이지만 주로 향가에서만 사용되었고, 구결이나 이두보다 수명이 특히 짧았다. 다음은 향가 〈서동요〉에 쓰인 향찰 표기와 현대어 풀이로, 아래 표와 같이 음차와 훈차를 구분해 볼 수 있다.

예 체언, 용언의 어간

예 조사, 어미

善化公主主隱 / 他密只嫁良置古 薯童房乙 / 夜矣卯乙抱遣去如	선화공주님은 / 남 몰래 결혼하고 맛둥서방을 / 밤에 몰래 안고 가다

착할 선	될 화	공평할 공	님 주	님 주	숨을 은
善	化	公	主	主	隱
선	화	공	주	님	은 조사
음차	음차	음차	음차	훈차	음차

보다시피, 한자를 사용한 표기는 일반 백성에게는 어려웠을 거야. 그래서 세종은 훈민정음을 만들게 되었지.

2 훈민정음의 창제 원리

훈민정음 창제의 가장 기본적인 원리는 상형(象形)으로, 사물의 모양을 본떠 글자를 만든 것이다. 초성을 나타내는 글자와 중성을 나타내는 글자가 상형의 원리로 만들어졌는데, 상형의 구체적인 내용은 다르다. 이를 알아 두고, 초성 글자, 중성 글자, 그리고 종성 글자 순으로 《훈민정음》의 내용을 살펴보자.

초성 글자

초성의 자음(17자)은 상형의 원리에 따라 만들어진 기본자, 가획의 원리에 따라 만들어진 가획자, 형태를 달리하는 이체자로 나뉜다.

이중 'ㆁ, ㆆ, ㅿ'은 현재 사용하지 않아, 현대 국어의 자음은 14개임.

- **기본자**: 자음의 기본자 'ㄱ, ㄴ, ㅁ, ㅅ, ㅇ'은 상형의 원리를 바탕으로 하여, 초성이 발음될 때의 발음 기관 모양을 본떠 만들어졌다.

개념+ 고유 명사를 차자 표기한 예

永同郡 本吉同郡 景德王改名 今因之
□: 지명
'영동군'은 본래 '길동군'이다.
-《삼국사기》 권 제34

'永同'과 '吉同'은 동일한 지명을 두 가지로 표기한 것이다. 설명하자면, '永同'의 '永'을 뜻으로 읽고 '同'을 소리로 읽으면 '길동'이 되므로 '永同'과 '吉同'은 하나의 지명을 다르게 표기한 것이라 하겠다.

개념+ 향가

신라 시대에 유행한 우리말 노래로, 주로 배경 설화와 함께 전해진다. 승려나 화랑 사이에서 주로 향유되었다.

개념+ 구결(口訣), 이두(吏讀)

향찰 외의 차자 표기법에는 구결과 이두가 있다.

구결	유교나 불교의 경전을 읽을 때 원문의 사이사이에 우리말 토(조사나 어미)를 달아 읽도록 한 방식.
이두	행정 문서나 계약서, 묘비문 등을 한문투로 쓰면서 한문의 어순을 우리말에 맞게 배열하고, 한자로 우리말의 조사나 어미도 표기함.

개념 **콕 1** 다음 괄호에서 알맞은 말을 골라 ○표 하시오.

(1) 고대 국어 시기에는 (한자 / 한글)로 우리말을 표기하였다.
(2) 향찰은 한자의 뜻과 음을 빌려 (문장의 일부 / 문장 전체)를 적은 표기법이다.

콕 1 (1) 한자 (2) 문장 전체

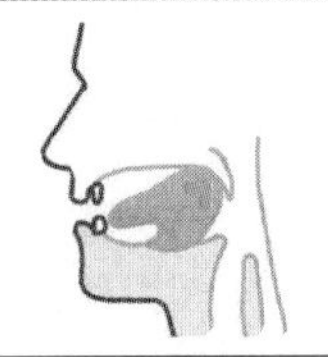	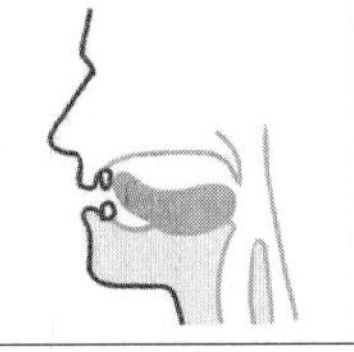	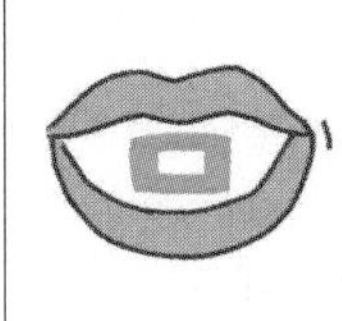	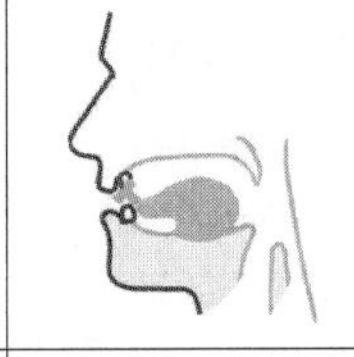	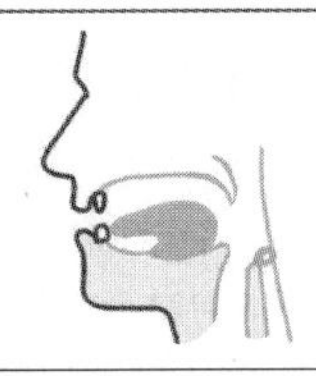
ㄱ: 혀뿌리가 목구멍을 막는 모양	ㄴ: 혀가 윗잇몸에 닿는 모양	ㅁ: 입술의 모양	ㅅ: 이의 모양	ㅇ: 목구멍의 모양

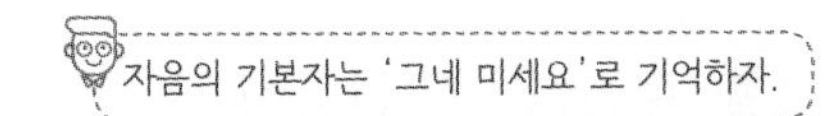

가획자: 상형의 원리로 기본자를 만든 후에는 기본자에 가획(加劃/加畫)의 원리를 적용하여, 즉 획을 더하여 나머지 글자를 만들었다. 획을 더함에는 중요한 의미가 담겨 있는데, 가획할수록 소리가 점점 강해진다는 것이다. 왼쪽의 표를 보자.

이체자: 'ㆁ(옛이응), ㄹ, ㅿ(반치음)'을 이체자라 한다. 이들은 각각 'ㅇ, ㄷ, ㅅ'에 획을 더한 모양이기는 하나 가획에 따라 소리가 강해진다는 의미를 담고 있지 않다. 그래서 다른 글자와는 '다르게 만들었다'하여 이체자(異體字)라 한 것이다.

짚고 가요

초성 글자 체계 한눈에 보기

초성 글자 체계	기본자	1차 가획자	2차 가획자	이체자
어금닛소리(아음)	ㄱ	ㅋ		ㆁ
혓소리(설음)	ㄴ	ㄷ	ㅌ	ㄹ
입술소리(순음)	ㅁ	ㅂ	ㅍ	
잇소리(치음)	ㅅ	ㅈ	ㅊ	ㅿ
목청소리(후음)	ㅇ	ㆆ	ㅎ	

ㆁ(옛이응)은 가획자가 아니라 이체자임을 기억하자.

중성 글자

중성의 모음(11자)은 상형의 원리에 따라 만들어진 기본자, 합용의 원리에 따라 만들어진 초출자와 재출자로 나뉜다.

기본자: 모음의 기본자인 'ㆍ(아래아), ㅡ, ㅣ'는 상형의 원리를 바탕으로 하여 하늘, 땅, 사람의 형상을 본떠서 만들어졌다. 'ㆍ'는 하늘의 둥근 형상을, 'ㅡ'는 땅의 평평한 형상을, 'ㅣ'는 사람이 서 있는 형상을 본떠 만든 것이다.

'하늘, 땅, 사람'은 성리학에서 우주의 기본 요소로 여기는 '삼재(三才)'라고 하기도 하고, 한자의 음을 따 '천지인(天地人)'이라고 하기도 해.

초출자, 재출자: 상형의 원리로 'ㆍ, ㅡ, ㅣ'를 만든 후에는 합용(合用)(같이 쓰거나 합하여 씀)의 원리를 적용하여, 즉 이 글자들을 서로 합하여 초출자를 만들었다. 초출자 다음으로는 재출자를 만들었는데, 이는 초출자에 'ㆍ'를 더한 것이다.

기본자(상형의 원리)		초출자	재출자
ㆍ	하늘을 본뜸.	ㅣ + ㆍ → ㅏ	ㆍ + ㅏ → ㅑ
ㅡ	땅을 본뜸.	ㅡ + ㆍ → ㅗ, ㅜ	ㆍ + ㅗ → ㅛ ㆍ + ㅜ → ㅠ
ㅣ	사람을 본뜸.	ㆍ + ㅣ → ㅓ	ㆍ + ㅓ → ㅕ

짚고 가요

한글의 과학성, 가획의 원리

상형뿐 아니라 가획에서도 한글의 과학성을 찾아볼 수 있어. 글자의 모양을 봐. 조음 위치가 어디인지 바로 알 수 있지? 아래 표의 각 열을 이루는 기본자와 가획자가, 조음 위치를 공유하고 있으니 말이야. 또한 가획할수록 소리가 강해진다는 것이 글자를 만드는 과정에 담겨 있기도 하지!

ㄱ	ㄴ	ㅁ	ㅅ	ㅇ	소리의 세기
ㅋ	ㄷ	ㅂ	ㅈ	ㆆ	↓
	ㅌ	ㅍ	ㅊ	ㅎ	↓

개념 콕 2 다음 발음 기관의 모양을 본떠 만든 기본자를 쓰시오.

(1) 이(치아) 모양 ( )

(2) 혀뿌리가 목구멍을 막는 모양 ( )

(3) 목구멍 모양 ( )

(4) 입술 모양 ( )

(5) 혀가 윗잇몸에 닿는 모양 ( )

개념 콕 3 다음 자음에 가획하여 만든 가획자를 쓰시오.

(1) ㄱ ( )

(2) ㆆ ( )

(3) ㅂ ( )

개념 콕 4 다음 설명이 맞으면 ○표, 틀리면 ×표를 하시오.

(1) 한글 모음의 기본자는 땅의 형상을 본떠 만든 'ㆍ', 하늘의 형상을 본떠 만든 'ㅣ', 사람의 형상을 본떠 만든 'ㅡ'이다. ( )

(2) 중성의 초출자와 재출자는 상형의 원리에 따라 만들어진 글자이다. ( )

종성 글자

《훈민정음》 해례본의 종성 부분에는 다음 두 내용이 나온다.

- **종성부용초성(終聲復用初聲)**: 종성은 초성을 다시 사용한다는 의미로, 받침을 표기하기 위한 글자를 새롭게 만들지 않고 기존의 자음을 사용한다는 것이다. 이로써 사용하는 자음의 수가 늘어나지 않아 글자를 외워야 하는 부담을 줄일 수 있었다.
  (復用: 다시 쓰다)

- **팔종성가족용(八終聲可足用)**: 종성 표기에는 여덟 개의 자음으로 충분하다는 의미로, '모든 초성이 종성에 쓰일 수 있다'는 종성부용초성이 원칙이기는 하지만 'ㄱ, ㄴ, ㄷ, ㄹ, ㅁ, ㅂ, ㅅ, ㆁ'의 여덟 글자만 종성에 쓰도록 한다는 것이다. 이것은 당시에 종성에서 발음되던 자음의 종류가 여덟 가지였다는 점과 직접적인 관련이 있다.

3 훈민정음의 운용

병서와 연서

- **병서(竝書)**: 초성 두 글자 또는 세 글자를 나란히 합해 쓰는 것을 말한다. 'ㄲ, ㄸ, ㅃ, ㅆ, ㅉ, ㆅ'과 같이 같은 글자를 나란히 쓴 것을 각자(各自) 병서, 'ㅳ, ㅺ, ㅳ, ㅄ, ㅺ, ㅼ, ㅵ, ㅶ'과 같이 서로 다른 글자를 나란히 쓴 것을 합용(合用) 병서라고 한다.
  (竝: 나란하다)

- **연서(連書)**: 입술소리인 'ㅁ, ㅂ, ㅍ, ㅃ' 아래에 'ㅇ'을 이어서 'ㅱ, ㅸ, ㆄ, ㅹ'과 같은 글자를 만드는 방법을 말한다. 이들 가운데 국어를 표기하는 데에는 'ㅸ(순경음 비읍)'만 쓰였다.
  ('ㅇ' 위의 글자 앞에 '순경음'을 붙여서 부름. 예 ㅱ: 순경음 미음)

ᄢᅮᆷ > 꿈　ᄠᅳᆮ > 뜻　더ᄫᅱ > 더워　치ᄫᅳ니 > 치우니
(합용 병서)　(연서)

개념+ 동국정운식 한자음 표기

한글 창제 당시에 현실 한자의 발음을 중국의 발음과 최대한 가깝게 표기하기 위해 사용한 표기법이다. 한자의 발음은 중국 원음과 가깝게 적었으며(예 便뼌), 초성·중성·종성을 반드시 갖추어 적었다. 만약 종성이 없는 경우에는 음가가 없는 'ㅇ'을 받침으로 썼다.(예 世솅) 또 'ㄹ'을 종성으로 가진 한자의 중국 발음은 'ㄷ'이었기 때문에 'ㄹ' 받침에 'ㆆ'을 더해 'ㅭ'으로 그 발음을 표시했다.(예 日싏) 하지만 우리나라 음으로 한자어를 읽는 데 큰 불편함이 없었기 때문에 얼마 쓰이지 못하고 사라지게 된다.
(편, 세, 일)

합자

《훈민정음》에서는 '초성, 중성, 종성의 세 소리가 합쳐져 글자를 이룬다.'라고 밝히고 있다. 이러한 방식을 '합자(合字)'라고 한다. 이는 한글이 음절 문자라는 특성과 관련이 있다.
(合字: 글자를 합하다)

개념+ 한글의 음절 문자적 특성

한글은, 음소가 기본 단위가 되는 음소 문자(예 음소인 'ㄱ', 'ㅏ', 'ㆁ'을 모아 써야 '강'이라는 형태소가 됨.)이면서 동시에 음절 문자적인 속성도 지닌다. 한글이 음절 문자이기 때문에 얻는 큰 장점은 독서의 효율성이다. 글자를 음절로 모아쓰지 않고, '빨리'를 'ㅃㅏㄹㄹㅣ'와 같이 풀어쓰면 읽는 시간이 상당히 늘어나게 된다.
(109쪽)

짚고 가요

시대에 따른 종성의 발음과 표기의 변화

훈민정음 창제 당시에는 종성에서 발음되는 자음이 'ㄱ, ㄴ, ㄷ, ㄹ, ㅁ, ㅂ, ㅅ, ㆁ'의 여덟 개였어. 이를 보통 '팔종성법'이라고 불러. 이때는 엄격하게 받침의 'ㅅ'과 'ㄷ'을 구분해 발음하고 표기했지.(예 '몯': '불능'의 의미, '못': 물이 괸 땅) 그런데 점차 시간이 흐르면서 종성의 'ㅅ'을 'ㄷ'과 비슷하게 소리 내는 경향이 생기기 시작했어. 예를 들자면, '몯'과 '못'을 모두 [몯]으로 소리 내게 되면서 소리로 둘을 구별하기 어려워진 거야. 당시는 소리 나는 대로 적는 것이 원칙이었으니, [몯]이라고 하면 '몯'으로 적을지, '못'으로 적을지 무척 헷갈렸겠지. 이러한 혼란 속에 종성의 'ㅅ'과 'ㄷ'은 한동안 함께 섞여 쓰이다가, 마침내 17세기 말인 근대 국어 시기에 이르러 [ㄷ] 소리도 모두 'ㅅ'으로 적게 되었지. 그래서 종성 표기는 모두 일곱 개!

그런데 1933년을 기점으로 표기에 큰 변화가 일어났어. 조선어학회에서 정한 한글 맞춤법에서, 표기를 할 때에 원형을 모두 밝혀 적는 것을 원칙으로 정한 거지. 예를 들자면 '낟, 낮, 낯'을 모두 '낫'으로 적지 않고, 이를 각각 다르게 표기하여 구분하게 된 거야. 이로써 문자로 하는 의사소통에서 훨씬 빠르고 정확한 의미 전달이 가능해지게 되었지. 이상의 내용을 표로 정리하면 다음과 같아.

시기	구분	내용
중세 국어	[발음]	ㄱ,ㄴ,ㄷ,ㄹ,ㅁ,ㅂ,ㅅ,ㆁ
	[표기]	ㄱ,ㄴ,ㄷ,ㄹ,ㅁ,ㅂ,ㅅ,ㆁ
근대 국어	[발음]	ㄱ,ㄴ,ㄷ,ㄹ,ㅁ,ㅂ,ㅇ
	[표기]	ㄱ,ㄴ,ㄹ,ㅁ,ㅂ,ㅅ,ㅇ
현대 국어	[발음]	ㄱ,ㄴ,ㄷ,ㄹ,ㅁ,ㅂ,ㅇ
	[표기]	모든 자음의 표기가 가능함.

콕 2 (1) ㅅ (2) ㄱ (3) ㅇ (4) ㅁ (5) ㄴ 3 (1) ㅋ (2) ㅎ (3) ㅍ 4 (1) × (2) ×

6 국어사

사뿐히 즈려밟는

확인 문제

✔ 바로바로 간단 체크

1 괄호 안에 들어갈 알맞은 말을 쓰시오.

(1) 훈민정음 초성의 기본자는 (ㅅㅎ)의 원리에 따라 만들어졌다.

(2) 훈민정음의 중성은 '(ㅎㄴ), 땅, 사람'의 형상을 본떠 만들어진 세 글자를 기본자로 삼았으며, 이를 바탕으로 하여 합용의 원리를 통해 초출자와 (ㅈㅊㅈ)를 만들었다.

(3) 훈민정음의 종성을 표기하기 위한 글자는 따로 만들어지지 않았으며, 이렇게 종성에 초성을 다시 사용한다는 원칙을 '(ㅈㅅㅂㅇㅊㅅ)'이라 한다.

2 다음 설명이 맞으면 ○표, 틀리면 ×표를 하시오.

(1) 'ㅈ'의 가획자는 'ㅊ'이다. ( )

(2) 모음자 'ㅡ'는 사람이 누워 있는 모양을 형상화하였다. ( )

(3) 'ㅸ'은 연서에 따라 만들어진 글자이다. ( )

3 빈칸에 들어갈 알맞은 말을 쓰시오

	기본자	가획자		㉠___자
		1차 가획자	2차 가획자	
아음 (어금닛소리)	ㄱ	ㅋ		ㆁ
설음 (혓소리)	㉡____	ㄷ	ㅌ	㉢____
순음 (입술소리)	ㅁ	ㅂ	ㅍ	
치음 (잇소리)	ㅅ	㉣____	ㅊ	ㅿ
후음 (목청소리)	ㅇ	㉤____	ㅎ	

향찰

01 향찰에 대한 설명으로 적절하지 않은 것은?

① 우리말의 조사나 어미까지 한자로 표기하였다.
② 한자를 빌려 우리말 문장을 표기하고자 하였다.
③ 향가를 기록하기 위해 사용했던 표기 방식이다.
④ 음차와 훈차를 사용하여 우리말을 적은 표기 방식이다.
⑤ 형식 형태소를 표기할 때에는 대개 한자의 뜻을 빌려 썼다.

훈민정음의 창제 원리

02 훈민정음의 창제 원리에 대한 설명으로 적절하지 않은 것은?

① 받침은 따로 새 글자를 만들지 않았다.
② 종성에는 초성의 글자 중 여덟 글자만 쓰였다.
③ 초성의 기본자는 한자의 모양을 본따 만들었다.
④ 초성과 중성에는 상형의 원리에 따라 만들어진 글자가 있다.
⑤ 이체자는 가획의 원리를 따르지 않고 형태가 다르게 만들어졌다.

종성의 제자 원리

03 〈보기〉의 ㉠에 들어갈 알맞은 말은?

보기

[탐구 과제] 종성의 제자 원리

학생 1: 지난 시간에 한글의 초성, 중성의 제자 원리에 관해 알아보았지? 오늘 공부하기로 했던 종성은 어떤 원리를 따라 만들어졌는지 조사해 왔니?
학생 2: 응. 내가 참고한 《훈민정음》 언해에는 "나중소리(끝소리)는 다시 첫소리를 쓰느니라."라고 나와 있었어.
학생 1: 그렇다면 (㉠)

① 글자를 음절 단위로 표기하기 어려웠겠네.
② 글자를 새로 만들지 않아도 되니 경제적이었겠네.
③ 중성 글자에서 글자를 빌려 와 종성에 표기했겠네.
④ 사용하는 글자의 수가 늘어나서 글자를 외우기 어려웠겠네.
⑤ 종성을 표기하기 위한 글자 수를 초성이나 중성보다 적게 만들었겠네.

중성의 제자 원리

04 중성의 제자 원리에 대한 설명으로 적절하지 않은 것은?

① 기본자 3자를 바탕으로 초출자를 만들었다.
② 초출자에 기본자 'ㆍ'를 더해 재출자를 만들었다.
③ 초출자와 재출자는 이체자에 해당하는 글자이다.
④ 상형의 원리를 따르지 않고 만들어진 글자도 있다.
⑤ 기본자는 성리학의 기본 요소인 삼재를 본떠 만들었다.

초성·중성의 제자 원리

05 〈보기〉의 ㉠~㉢에 들어갈 말로 적절한 것은?

보기

훈민정음에서 확인할 수 있는 자음과 모음의 제자 원리는 다음과 같다. 자음은 발음 기관의 모양을 (㉠)하여 기본자를 만들고 소리가 세어짐에 따라 기본자에 (㉡)하여 글자를 만들었다. 모음은 우주의 기본 요소를 (㉠)하여 기본자를 만들고 이 기본자들을 (㉢)하여 글자를 만들었다.

	㉠	㉡	㉢
①	상형	가획	이체
②	이체	가획	상형
③	합용	이체	가획
④	상형	가획	합용
⑤	이체	제자	합용

자음의 제자 원리 2015학년도 11월 고1 학력평가(변형)

06 〈보기〉를 바탕으로 '훈민정음 자음의 제자 원리'에 대해 탐구한 것으로 적절하지 않은 것은?

보기

자음은 발음 기관을 상형하여 기본자를 만들고, 기본자에 획을 더하여 기본자보다 소리가 더 세게 나는 가획자를 만들었다. 그런데 'ㆁ, ㄹ, ㅿ'은 각각 'ㄱ, ㄴ, ㅅ'과 소리 나는 위치는 같지만, 가획의 원리에 따라 만든 글자가 아니기 때문에 '이체자'라고 한다. 이를 표로 정리하면 다음과 같다.

구분	어금닛소리	혓소리	입술소리	잇소리	목청소리
기본자	ㄱ	ㄴ	ㅁ	ㅅ	ㅇ
가획자	ㅋ	ㄷ, ㅌ	ㅂ, ㅍ	ㅈ, ㅊ	ㆆ, ㅎ
이체자	ㆁ	ㄹ		ㅿ	

① 'ㅋ'은 기본자 'ㄱ'에 가획을 한 것이군.
② 이체자 'ㅿ'은 가획의 원리가 적용되었군.
③ 'ㄴ, ㄹ'은 같은 위치에서 소리 나는 글자군.
④ 'ㅎ'은 가획자이므로 'ㅇ'보다 소리가 더 세게 나겠군.
⑤ 자음의 기본자는 모두 모양을 본뜨는 방식을 사용하여 만들었군.

훈민정음의 창제 원리 2013학년도 3월 고3 학력평가(변형)

07 다음은 '훈민정음'에 대한 발표를 위해 학생들이 수집한 자료이다. 자료의 활용 방안으로 적절하지 않은 것은?

[초성자]

조음 위치에 따른 분류	기본자	가획자	이체자
어금닛소리	ㄱ	ㅋ	ㆁ
혓소리	ㄴ	ㄷ, ㅌ	ㄹ
입술소리	ㅁ	ㅂ, ㅍ	
잇소리	ㅅ	ㅈ, ㅊ	ㅿ
목구멍소리	ㅇ	ㆆ, ㅎ	

[중성자]

기본자	초출자	재출자
ㆍ, ㅡ, ㅣ	ㅗ, ㅏ, ㅜ, ㅓ	ㅛ, ㅑ, ㅠ, ㅕ

[종성자]

종성에는 초성 글자를 다시 쓴다.

① 같은 위치에서 소리 나는 기본자와 가획자는 형태상의 유사성이 있음을 설명한다.
② 가획자는 소리가 약해지면 획을 더하는 방식으로 만들었다는 점을 설명한다.
③ 이체자는 가획의 원리를 따르지 않는다는 점을 설명한다.
④ 모음의 초출자와 재출자는 기본자의 결합으로 만들어졌다는 점을 설명한다.
⑤ 받침에 쓰는 자음을 추가로 만들지 않음으로써 문자 운용의 효율성을 높일 수 있었음을 설명한다.

19 국어의 변천

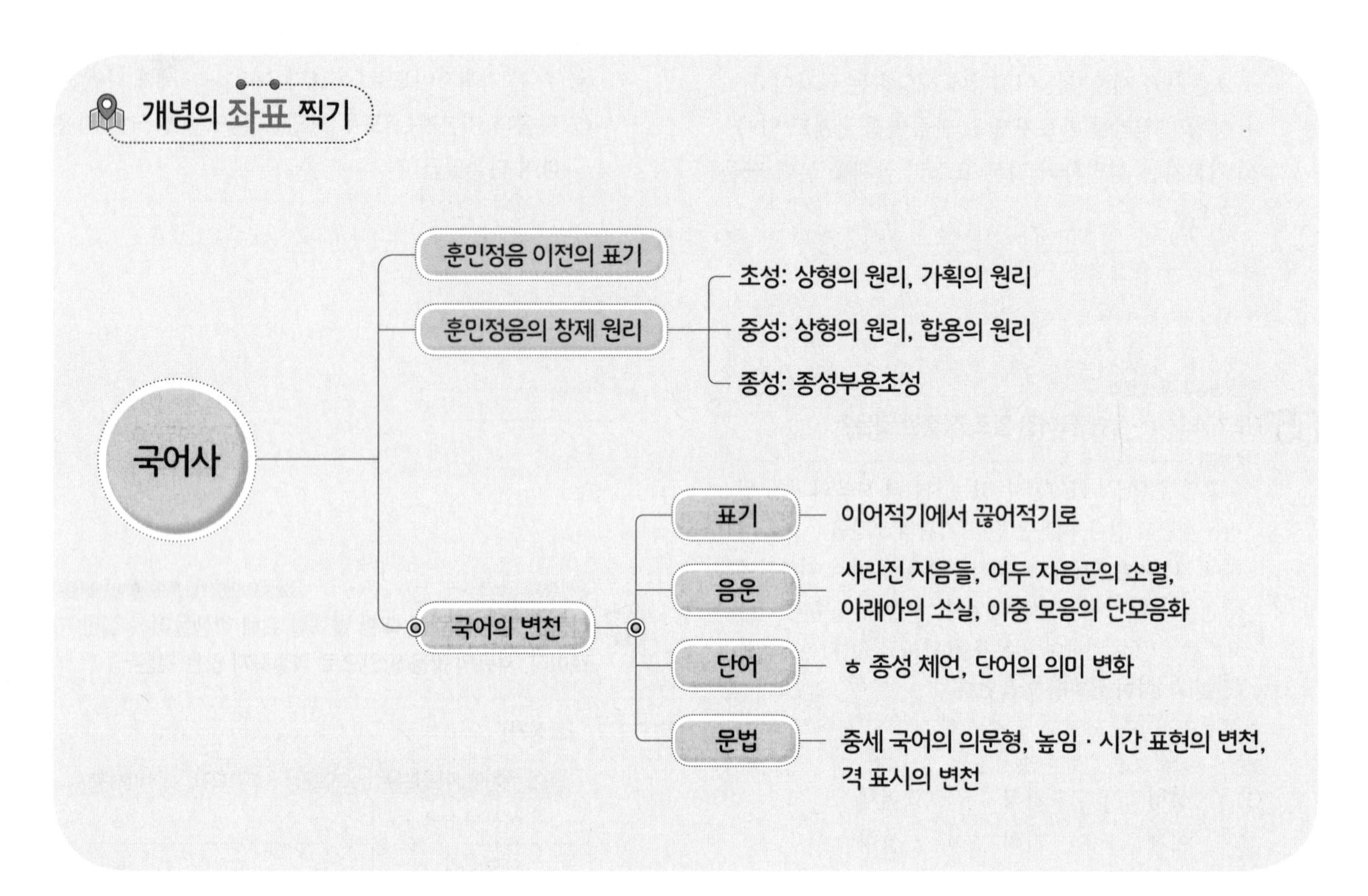

100인 샘의 국어사 특강 ❷

이 단원에서는 국어가 역사적으로 어떤 변천을 겪어 왔는지를 공부할 거야. 국어의 역사는 다음과 같이 구분할 수 있어.

		훈민정음 창제		
고대 국어	전기 중세 국어	후기 중세 국어	근대 국어	현대 국어
10세기 이전	10~14세기	15~16세기	17~19세기	20세기 이후
삼국 시대	고려 / 조선		임진왜란 (16세기 말)	

위 표에서 보듯, 훈민정음 창제를 기준으로 하여 시대를 크게 둘로 나눌 수 있어. '18 훈민정음의 창제 원리'에서 배운 '차자 표기'를 하던 시기는 위 표에서 '고대 국어'와 '전기 중세 국어'에 해당해. 그리고 훈민정음이 창제된 후 훈민정음을 본격적으로 쓰던 시기는 '후기 중세 국어'에 해당하지. 이 단원에서 배울 내용은 '후기 중세 국어~근대 국어'에 해당하는 내용이야.

참, 이러한 구분은 한국사의 시대 구분과 반드시 일치하지는 않고, 대체로 이렇게 나눌 뿐이란 것을 알아 둬.

이 단원을 공부할 때 역시 시대별 국어의 특징을 달달 암기하는 것을 권하지 않아. 다만 개념을 읽어 보며 국어의 변천을 자연스럽게 이해하길 바라. 180쪽의 '공시적 접근과 통시적 접근'에서 미리 살펴보았듯, 문제에서는 〈보기〉로 과거의 국어 자료가 주어지거든. 개념어를 중심으로 하여 국어의 변천을 이해할 수만 있다면, 〈보기〉로 주어진 옛 국어와 현대 국어의 자료를 살펴보며, 공시적 접근만으로는 이해되지 않던 현대 국어의 현상들을 밝혀낼 수 있을 거야.

자, 이제 '표기-음운-단어-문법'의 순서로 국어가 어떻게 변화해 왔는지를 알아보자.

🎯 개념을 품은 **기출 선택지**

- ⓜ과 현대 국어의 '쉽지'를 비교해 보니 '-디'에서는 **구개음화가 확인되지 않는군.** (2016. 수능Ⓑ)
- '거룸'과 '노퓌'의 **모음 조화** 양상을 보니, 중세 국어 '높-'에는 '-움'이 아니고 '-옴'이 결합하겠군. (2019. 6. 모의평가)
- **객체를 높이는 선어말 어미 '-숩-'**이 쓰였다. (2017. 9. 모의평가)

1 표기

이어적기에서 끊어적기로

중세 국어에서 근대 국어를 거쳐 현대 국어로 오면서 한글의 표기법은 계속 달라졌다. 처음 훈민정음이 창제되었을 때에는 이어적기가 원칙이었다. 이어적기란 예를 들어, '말씀+이'라는 말을 쓸 때, 앞의 받침을 뒤의 초성으로 옮겨 '말쓰미'와 같이 소리 나는 그대로 적는 것을 말한다. 오늘날 현대 국어에서는 '말씀이'와 같이, 단어의 원래 형태를 밝혀 적는 끊어적기의 방식을 택하고 있다. ➲ 1933년 '한글맞춤법통일안'에서 끊어적기를 택하면서 공식적으로 끊어적기를 사용하게 됨.

한편 중세 국어와 현대 국어 사이의 근대 국어 시기는 이어적기에서 끊어적기로 가는 과도기라 할 수 있다. 두 표기법이 마구 혼용되었으며, 일종의 과도기적 표기법이라 할 수 있는 특별한 현상도 나타난다. 19세기 말에 발행된 《독립신문》의 창간사를 보면 '쁜눈'이라는 표현을 찾을 수 있는데, 이는 '쓰-+-는'을 표기할 때 'ㄴ'을 한 번 더 추가하여 '쁜눈'이라고 적은 것이다. 이와 같은 방식을 거듭적기라고 한다.

표기법의 변천 한눈에 보기

중세 국어		근대 국어
• 이어적기가 주로 사용됨. 예 ᄉᆞ롬+이 → 사ᄅᆞ미	➡	• 끊어적기가 나타났고, 이어적기와 혼용됨. 예 끊어적기: 말씀+이 → 말씀이 • 거듭적기가 나타남. 예 말씀+이 → 말씀미
• 음절의 종성에 'ㄱ, ㄴ, ㄷ, ㄹ, ㅁ, ㅂ, ㅅ, ㆁ'만이 사용됨(팔종성가족용법).		• 음절의 종성에 'ㄱ, ㄴ, ㄹ, ㅁ, ㅂ, ㅅ, ㆁ'만 사용됨(칠종성법).

앞에서 훈민정음의 창제 원리를 배우면서, 종성에는 실제로 소리가 나는 'ㄱ, ㄴ, ㄷ, ㄹ, ㅁ, ㅂ, ㅅ, ㆁ'의 여덟 개 자음만 표기하는 '팔종성가족용법'의 원칙이 있었다고 했지? 다시 한 번 복습하면서, 근대 국어의 표기 원칙과 비교해 봐.

개념 콕1 다음 예시에 '이어적기', '거듭적기', '끊어적기'를 적용하여 표기하시오.

(1) 사롬 + 이
이어적기: (　　　　)
거듭적기: (　　　　)
끊어적기: (　　　　)

(2) 집 + 의
이어적기: (　　　　)
거듭적기: (　　　　)
끊어적기: (　　　　)

띄어쓰기를 하지 않던 시절

현대 국어에서는 단어를 기준으로 띄어쓰기를 하고 있지만, 중세 국어에서는 띄어쓰기를 전혀 하지 않았다. 띄어쓰기는 《독립신문》(1896)에서 본격적으로 사용되었다.

콕 1 (1) 사ᄅᆞ미, 사롬미, 사롬이 (2) 지븨, 집븨, 집의

개념+ 'ㅇ(이응)'과 'ㆁ(옛이응)'의 용법 세 가지

이응과 옛이응은 다음과 같이 쓰였다.

① 이응은 초성에 아무런 자음이 없음을 나타내었다.
예 아비, 애비

② 초성에 쓰인 옛이응은 음가가 있음을 나타내었다.
예 'ᄒᆞᄂᆞ이다'처럼 공손법 선어말 어미의 '-이-'의 'ㆁ'이라든가, '리어'의 'ㆁ'은 초성에서 [ŋ]의 음가로 쓰였다.

③ 종성의 옛이응은 오늘날 글꼴이 변하여 이응이 되었다.
예 지ᇰ반 > 징반 > 쟁반

2 음운

지금은 사라진 자음들

중세 국어에는 있었지만 현재는 사라진 자음에는 'ㅸ(순경음 비읍), ㅿ(반치음), ㆁ(옛이응), ㆆ(여린히읗)'이 있다.

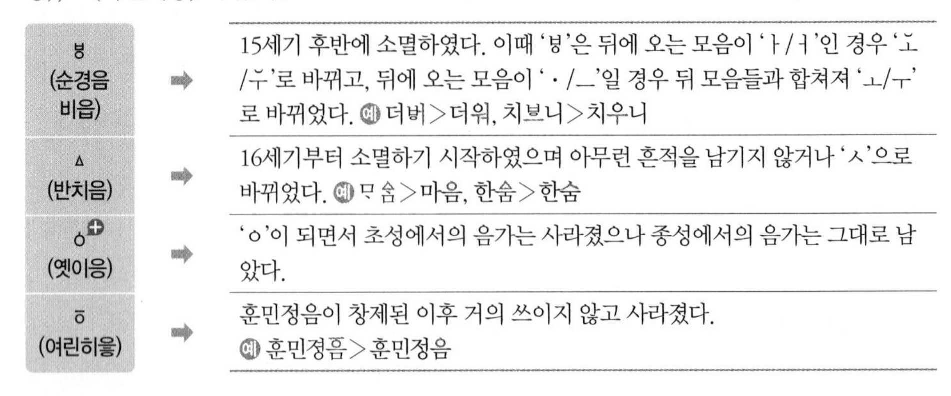

ㅸ (순경음 비읍)	➡	15세기 후반에 소멸하였다. 이때 'ㅸ'은 뒤에 오는 모음이 'ㅏ/ㅓ'인 경우 'ㅗ̆/ㅜ̆'로 바뀌고, 뒤에 오는 모음이 'ㆍ/ㅡ'일 경우 뒤 모음들과 합쳐져 'ㅗ/ㅜ'로 바뀌었다. 예 더ᄫᅥ > 더워, 치ᄫᅳ니 > 치우니
ㅿ (반치음)	➡	16세기부터 소멸하기 시작하였으며 아무런 흔적을 남기지 않거나 'ㅅ'으로 바뀌었다. 예 ᄆᆞᅀᆞᆷ > 마음, 한ᅀᅮᆷ > 한숨
ㆁ+ (옛이응)	➡	'ㅇ'이 되면서 초성에서의 음가는 사라졌으나 종성에서의 음가는 그대로 남았다.
ㆆ (여린히읗)	➡	훈민정음이 창제된 이후 거의 쓰이지 않고 사라졌다. 예 훈민졍ᅙᅳᆷ > 훈민정음

짚고 가요

ㅸ, ㅿ의 소멸과 ㅂ, ㅅ 불규칙 용언

26쪽에서 배운 'ㅂ' 불규칙 활용과 'ㅅ' 불규칙 활용 기억나니? 용언이 활용할 때 뒤에 오는 어미가 자음인지, 모음인지에 따라 어간이 변했잖아. '굽다-구워, 굽니', '짓다-지어, 짓니'처럼 말이야. 이 불규칙 용언들과 'ㅸ, ㅿ'의 소멸은 아주 밀접하게 관련이 되어 있어.

먼저 '굽다'는 중세 국어 시기 자음 앞에서의 어간은 '굽-', 모음 앞에서의 어간은 '구ᇦ-'이었어. 그런데 'ㅸ'이 소멸하면서, 자음 앞에서의 어간은 그대로 '굽-'으로 남았지만 모음 앞에서의 어간 '구ᇦ-'은 'ㅸ'이 반모음 'ㅗ̆/ㅜ̆'로 바뀌어 버렸지. 그래서 '구ᇦ- + -어 → 구ᄫᅥ'와 같은 경우 '구워'로 쓰게 된 거야.

'짓다'의 경우도 이와 똑같아. '짓다'는 중세 국어 시기에 자음 앞에서의 어간은 '짓-', 모음 앞에서의 어간은 '지ᇫ-'이었어. 그런데 'ㅿ'이 소멸해 버렸기 때문에, '지ᇫ- + -어 → 지ᅀᅥ'와 같은 경우는 '지어'로 쓰게 된 거지. 어때? 이제 현대 국어의 불규칙 용언이 왜 그렇게 활용되는지 알 것 같지 않니? ^^

짚고 가요

어두 자음군의 흔적

'좁쌀'은 '조 + ᄡᆞᆯ'의 과정을 거쳐 만들어진 단어야. 그런데 왜 '조쌀'이 아니라 '좁쌀'이 된 걸까? 그 이유는 어두 자음군과 관련되어 있어. 중세 국어에서 '쌀'은 'ᄡᆞᆯ'로 쓰였거든. 즉 '좁쌀'에서 갑자기 나타난 것처럼 보이는 'ㅂ'은 'ᄡᆞᆯ'에 쓰인 어두 자음군이 남긴 흔적이라고 볼 수 있어.

어두 자음군의 소멸

어두 자음군이란 단어의 첫머리에 둘 이상의 자음이 발음되는 무리를 말한다. 중세 국어에서는 다음과 같이 초성(어두)에 합용의 방식으로 만든 자음군을 썼었다.

현대 국어에서는 어두에 자음군을 허락하지 않아 어두 자음군이 된소리로 바뀌게 되면서 소멸되었다.

참, 현대 국어의 된소리는 어두 자음군이 아니야. 된소리는 하나의 음운, 즉 한 개의 자음이 하나의 소리로 발음되는 것이기 때문에 자음의 '무리'는 아니거든.

개념 콕 2 다음 빈칸에 들어갈 알맞은 말을 쓰시오.

(1) 'ㅸ'은 (   )(이)라고 부르며 지금은 쓰이지 않는 자음이다.

(2) 옛이응은 '(   )'(으)로 통합되었고 반치음은 소멸하거나 '(   )'(으)로 바뀌었다.

(3) 어두 자음군은 (   )(으)로 바뀌었다.

중세 국어의 단모음 체계

다음의 왼쪽은 중세 국어의 단모음 체계이고, 오른쪽은 현대 국어의 단모음 체계이다. 현대 국어로 오면서 겪은 ①, ②의 변화에 관해 다음 쪽에서 자세히 알아보자.

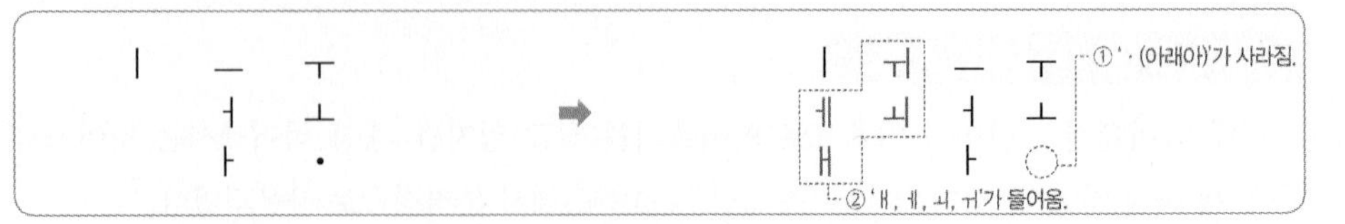

'·(아래아)'의 소실

아래아는 '아'의 아래에서 발음되는 소리라 하여 '아래아'라는 이름이 붙었다. '오'와 '아'의 중간 발음 정도라고 생각하면 된다. '오'와 '아' 사이에 있는 불안정한 소리였던 아래아는 다음과 같이 두 번의 소멸 과정을 겪었다.

> ᄆᆞᅀᆞᆷ > ᄆᆞ음 > 마음
> 16세기 경 둘째 음절의 '·'가 'ㅡ'로 변화함. 18세기 경 첫째 음절의 '·'가 'ㅏ'로 변화함.

짚고 가요

아래아의 소실이 불러일으킨, 모음 조화의 파괴

중세 국어의 모음 체계를 다시 한 번 보자. 양성 모음이 세 개, 음성 모음이 세 개로 짝이 딱 맞지? 'ㅏ, ㅓ'나 'ㅗ, ㅜ'는 아래아와 결합한 모양새까지 짝이 맞고 말이야. 이처럼 중세 국어의 모음 체계는 '모음 조화'를 지키기 쉽게 만들어져 있었어. 그래서 '·(아래아)'가 사라지기 전에는 모음 조화가 비교적 잘 지켜졌지. 모음 조화가 뭔지 잘 모르겠다고? 모음 조화란 성질이 비슷한 모음, 즉 양성 모음은 양성 모음끼리, 음성 모음은 음성 모음끼리 어울리는 현상을 말해. 다음 예를 보면 이해하기 쉬울 거야.

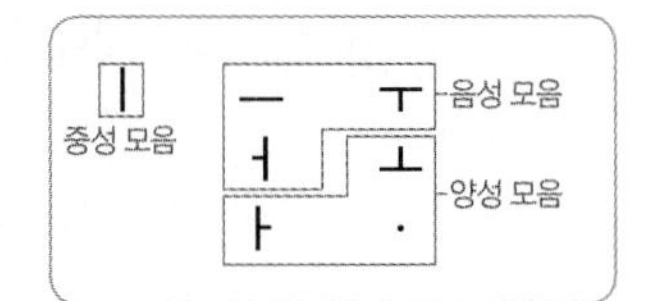

> 팔락팔락-펄럭펄럭 파랗다-퍼렇다 돌아(O)-돌어(X) 먹어(O)-먹아(X)

그런데 아래아가 사라지면서, 양성 모음과 음성 모음의 짝이 맞지 않게 되었어. 음성 모음은 세 개인데, 양성 모음은 두 개잖아. 이는 잘 지켜지던 모음 조화가 파괴되는 결과를 낳았고, 아래아의 소실은 아직까지 영향을 미치고 있어. 지금도 우리는 글로는 '잘 살아'라고 쓰더라도, 막상 발음을 할 때에는 [잘사러]로 발음하기도 하잖아. 이처럼 우리의 언어는 끊임없이 변화한단다.

> 시험에서는 중세 국어에서 '체언+조사', '어간+어미'가 결합할 때 모음 조화에 따라 어떤 조사·어미가 맞는지를 묻곤 해. '·(아래아)'의 소실 전인 중세 국어 시기에는 모음 조화가 비교적 잘 지켜져서, 앞말의 끝 음절에 쓰인 모음이 양성 모음이냐 음성 모음이냐에 따라 뒤에 붙는 조사와 어미가 달라졌거든. 예를 들면 '밥'+'ᄋᆞᆯ/을'의 경우에 'ᄋᆞᆯ/을' 중 어떤 조사가 모음 조화에 맞는지를 묻는 식이지. 이 내용은 '❹ 문법' 항목에서 다시 언급할 테니 기억해 둬.

이중 모음의 단모음화

중세 국어 시대에는 'ㅔ, ㅐ, ㅚ, ㅟ'를 이중 모음으로 발음하였다. 예를 들어, 중세 국어 시대에는 '참외'의 '외'를 [외]가 아니라, [오+반모음 ǐ]로 발음한 것이다.

그런데 현대 국어에서는 'ㅔ, ㅐ, ㅚ, ㅟ'를 단모음으로 발음하기 때문에 단모음 체계에 이들이 들어간 것이다.

ㅔ	[어+반모음 ǐ]
ㅐ	[아+반모음 ǐ]
ㅚ	[오+반모음 ǐ]
ㅟ	[우+반모음 ǐ]

▲ 중세 국어에서 이중 모음의 발음

성조

중세 국어에서 단어의 뜻을 구분해 주던 소리의 높낮이를 '성조'라고 하고, 성조를 표시하기 위해 글자 왼쪽에 찍은 점을 '방점'이라고 한다. 소리의 높낮이에 따라 평성, 거성, 상성으로 나뉜다. 이후 성조와 방점은 소멸되었다.

평성	낮은 소리	방점 없음.	예 손[客]
거성	높은 소리	방점 한 개.	예 ·손[手]
상성	낮았다가 높아지는 소리	방점 두 개.	예 :말[話]

> 성조의 흔적은 현대 국어에도 남아 있어. '상성'은 발음하면서 소리의 높낮이가 변화하기 때문에, 다른 성조에 비해 길게 발음해야 했어. 성조가 사라지면서 상성은 사라졌지만, 현대 국어 발음의 장음에 그 흔적이 남아 있지.

짚고 가요

음운의 변화가 단어에 미친 영향

왼쪽 '마음'의 과거 형태에서 알 수 있듯, 아래아의 소실과 같은 음운상의 변화는 단어의 형태에도 영향을 미쳐. 예를 더 들어볼까? 어두 자음군의 소멸로, 'ᄢᅮᆯ'은 '꿀'이 되었어. 또한 아래아의 소실로 'ᄃᆞᆯ'은 '달'로 변했고, 'ᄒᆞ다('do'의 의미임.)'는 '하다'로 그 형태가 변했지.

개념+ '·'의 위치에 따른 모음의 성질

양성 모음	음성 모음
·'ㅡ'의 위쪽 ·'ㅣ'의 오른쪽	·'ㅡ'의 아래쪽 ·'ㅣ'의 왼쪽
▼	▼
ㅏ, ㅗ, ㅑ, ㅛ	ㅓ, ㅜ, ㅕ, ㅠ

개념 콕 3 '·'의 소멸 과정에 따라 빈칸에 들어갈 알맞은 단어를 쓰시오.

(1) ᄀᆞᅀᆞᆯ > ( ) > 가을
(2) ᄆᆞᆰ다 > ( )
(3) 아ᄃᆞᆯ > ( )

개념 콕 4 다음 괄호에서 모음 조화에 맞는 조사를 골라 ○표 하시오.

(1) 밤 + (애/에)
(2) 말 + (ᄋᆞᆯ/을)
(3) 구름 + (ᄋᆞᆯ/을)

개념 콕 5 다음 빈칸에 들어갈 알맞은 말을 쓰시오.

(1) 중세 국어에서 'ㅐ'는 ( )이기 때문에 발음할 때 입술의 모양이 바뀐다.
(2) 성조를 표시하기 위해 글자 왼쪽에 찍은 점을 ( )(이)라고 한다.

콕 2 (1) 순경음 비읍 (2) ㆁ(이응), ㅿ(시옷) (3) 된소리 3 (1) ᄀᆞ을 (2) 맑다 (3) 아들 4 (1) 애 (2) ᄋᆞᆯ (3) 을 5 (1) 이중 모음 (2) 방점

6 국어사

짚고 가요

근대 국어 시기, 다양한 국어의 변화 양상이 나타나다.

임진왜란 이후 17세기~19세기의 국어를 근대 국어라고 해. 근대 국어 시기에는 실학과 서민 문학이 발전했으며, 서양 문물이 유입되면서 전 시대와는 달라진 새로운 국어 사용 환경이 만들어졌어. 그래서 다양한 국어의 변화 양상이 나타나게 되었지.

앞서 표기의 변천을 살펴볼 때, 근대 국어 시기는 중세 국어에서 현대 국어로 가는 일종의 과도기였다고 설명했어. 근대 국어에는 중세 국어의 특징들이 변하거나 사라지면서 현대 국어의 모습과 가까워지는 현상들이 잘 나타나지. 대표적인 것이 표기의 혼란이야. 이어적기와 끊어적기가 혼용되고 거듭적기가 출현했으며, 종성의 ㄷ 과 ㅅ 표기의 혼란으로 중세 국어의 8종성 표기가 7종성 표기로 변화한 것, 기억하지?

근대 국어는 표기와 같이 원래 있었던 현상이 변하거나 사라지는 경우도 있는 한편, 중세 국어에는 나타나지 않았던 특징들이 새로 생겨나기도 했어. 이 페이지에서 배우는 현상들이 바로 그런 경우에 해당해.

근대 국어에 일어난 음운 현상의 변화들

지금까지 후기 중세 국어 시기의 음운적 특징을 알아봤다면, 여기에서는 근대 국어 시기에 새롭게 나타난 음운의 변동 현상인 구개음화, 원순 모음화, 두음 법칙을 살펴보자.

구개음화

'3. 음운' 단원에서 배운 '구개음화 현상'이 나타나기 시작한 것이 바로 근대 국어 시기이다. 'ㄷ, ㅌ'이 'ㅣ, ㅣ̆'를 만나면 구개음인 [ㅈ, ㅊ]으로 발음된다는 점은 같으나, 근대 국어의 구개음화는 현대 국어의 구개음화와 차이가 있다. 다음 ㉠, ㉡을 보자.

㉠ 해돋-+-이(접미사) → [해도지]　　㉡ 디하 > 지하(地下)

㉠에서 보듯, 현대 국어의 구개음화는 받침에 'ㄷ, ㅌ'이 있는 말이 'ㅣ, ㅣ̆'로 시작하는 형식 형태소를 만났을 때 일어난다. 즉, 실질 형태소와 형식 형태소의 경계에서 일어나는 것이다.

㉡은 근대 국어 시기에 '디하'라는 말에 일어난 변화인데, ㉠과 달리 한 형태소 내부에서 구개음화가 일어났으며 이것이 표기에도 반영되었다. 현대 국어에서는 발음만 구개음으로 할 뿐 이를 표기에 반영하지 않는다. 즉, 현대 국어에서는 '해돋이'가 [해도지]로 소리 난다고 해서 '해도지'라고 적지 않는 것이다.

그것이 일어나는 환경으로 보나 표기 반영 여부로 보나, 근대 국어 시기에는 구개음화의 영향력이 강했어. 쉽게 말해, 어지간한 말은 구개음화의 조건에 해당하면 한 형태소 내부에서도 구개음화가 되었다는 이야기야. 그런데, 위의 조건임에도 불구하고 구개음화가 되지 않은 말들이 있어. '잔디, 느티나무'를 예로 들 수 있지.

원순 모음화

원순 모음은 입술을 둥글게 오므리며 발음하는 모음으로, 'ㅗ, ㅜ, ㅚ, ㅟ'가 있다. 원순 모음화란 입술소리인 'ㅁ, ㅂ, ㅍ, ㅃ' 아래에서 'ㅡ'가 'ㅜ'로 바뀌는 현상이다.

믈 > 물　　블 > 불　　플 > 풀　　ᄲᅳᆯ > ᄲᅮᆯ

짚고 가요

'푸다'가 '푸어'가 아닌, '퍼'로 활용하는 이유

26쪽에서 "'우' 불규칙"을 배운 것 기억나? 어간의 끝소리 'ㅜ'가 모음 앞에서 탈락하는 것으로, 예시가 '푸다' 하나였지. 한데 똑같이 'ㅜ'를 어간 말음으로 갖는 '주다', '꾸다'가 '줘(주어)', '꿔(꾸어)'로 활용하는 데 반해, '푸다'만 '푸-+-어→퍼'로 불규칙 활용하는 이유는 뭘까? 그 이유는, '푸다' 역시 바로 위의 원순 모음화된 말들의 예처럼 예전 형태가 '프다'였기 때문이야. 즉 '프다'는 본래 용언 어간의 'ㅡ'가 모음 앞에서 탈락하는 현상('ㅡ' 탈락)이 일어났던 단어였던 거지. 이러한 어간 말음 탈락이 '프다>푸다'로 원순 모음화가 일어난 이후에도 그대로 나타나게 되었는데, 이 현상은 보편적인 음운 변동 규칙으로 설명할 수 없어서 '우' 불규칙 용언으로 봐.

두음 법칙

단어의 첫머리에 올 수 있는 음의 종류를 제한하는 것으로, 근대 국어 시기에 많이 나타난 현상이다. 어두에 'ㄹ'이나 'ㄴ+ㅣ', 'ㄴ+ㅣ̆'가 오면 어두의 자음이 교체되거나 탈락한다.

예 녀름 > 여름

개념 콕 6 단어의 변화 과정에서 일어난 음운 변동으로 적절하지 않은 것은?

① 니르고져 > 이르고자: 두음 법칙
② 블 > 불: 원순 모음화
③ 디니 > 지니: 단모음화

3 단어

ㅎ 종성 체언

중세 국어에는 'ㅎ 종성 체언'이란 것이 있었는데, 이는 체언(명사, 수사, 대명사)이 조사와 결합될 때 'ㅎ'이 덧붙는 어휘를 말한다. 단독형으로 쓰일 때에는 'ㅎ'이 없이 쓰이고, 조사와 결합할 때에는 ㅎ이 나타났다.

안ㅎ(內) + 과 → 안콰

① 종성 ㅎ이 ② '과'의 'ㄱ'과 만나 ③ 거센소리가 됨(ㅎ+ㄱ → ㅋ)

ㅎ 종성 체언은 현대 국어에도 영향을 주고 있다. 예를 들어 '안'과 '밖'을 합쳤는데 '안밖'이 아니라 '안팎'이 되는 것은 위의 예에서 보듯 이것이 '안ㅎ+밖'의 결합이기 때문이다. 다음의 단어들에서도 ㅎ 종성 체언의 흔적을 찾을 수 있다.

머리카락(머리ㅎ+가락) **살코기(살ㅎ+고기)**
암평아리(암ㅎ+병아리) **수탉(수ㅎ+닭)**

개념+ ㄱ 종성 체언

중세 국어에는 특정 조사와 결합하면 'ㄱ'이 덧붙는 체언도 있었다. '와'를 제외한 모음으로 시작하는 조사 앞에서 체언의 마지막 모음이 탈락하고 'ㄱ'이 덧붙는 형태로 변화가 일어났다. 예를 들어 '나무'를 뜻하는 '나모'는 보조사 '도'와 결합할 땐 형태에 변화가 없지만(㉠), 주격 조사 'ㅣ'와 결합하면 '나모'의 'ㅗ'가 탈락하고 그 자리에 'ㄱ'이 덧붙는다(㉡). 다음의 ㉢, ㉣을 보면 '구멍'을 뜻하는 '구무'도 ㄱ 종성 체언임을 알 수 있다.

㉠ 나모+도 → 나모도 ㉡ 나모+ㅣ → 남+ㄱ+ㅣ → 남기
㉢ 구무+와 → 구무와 ㉣ 구무+ㅣ → 굼+ㄱ+ㅣ → 굼기

개념+ 단어 변화의 유형

단어 변화의 유형은 다음 세 가지로 나눌 수 있다.

형태 변화	예 믈 → 물
의미 이동	예 어리다(어리석다 → 나이가 어리다)
형태와 의미 모두 변화	예 '즁싱'은 짐승의 옛말로 모든 생명체를 가리키는 단어였는데, '짐승'으로 형태가 변하면서 의미 또한 사람을 제외한 동물만 뜻하게 됨.

단어의 의미 변화

단어 변화의 유형+ 중 단어의 의미 변화의 양상은 의미의 확대, 의미의 축소, 의미의 이동으로 나뉜다.

의미의 확대	의미가 변화하여 지시 범위가 원래의 범위보다 넓어지는 것.	예 '감투'는 모자를 가리키는 말이었으나, 현재는 모자뿐 아니라 벼슬도 의미하게 됨.
의미의 축소	의미가 변화하여 지시 범위가 원래의 범위보다 좁아지는 것.	예 '얼굴'은 몸 전체를 의미하는 말이었으나, 현재는 안면(顔面)만을 의미하게 됨.
의미의 이동	단어의 의미가 다른 의미로 바뀌는 것.	예 '어엿브다 > 어여쁘다'는 불쌍하다는 의미였으나, 현재는 예쁘다는 뜻을 지님.

개념

콕 7 단어에서 일어난 의미 변화의 양상이 다른 하나는?

① '얼굴'은 몸 전체를 의미했으나 현재는 안면(顔面)만을 뜻한다.
② '어리다'는 어리석다는 뜻이었으나 현재는 나이가 적다는 뜻이다.
③ '식식하다 > 씩씩하다'는 '장엄하다'의 뜻이었으나 현재는 '씩씩하다'는 뜻이다.

콕 6 ③ 7 ①

6 국어사

개념+ 중세 국어의 의문형 정리

① 의문문의 종류에 따라

판정 의문문	'ㅏ/ㅓ' 계열 예 공덕(公德)이 하녀 져그녀(공덕이 많으냐 적으냐?)
설명 의문문	'ㅗ' 계열 예 뉘 니르더니잇고(누가 말하셨습니까?)

② 인칭에 따라

2인칭 주어	-ㄴ다, -ㄹ다 예 네 엇지 심야(深夜)의 운다(너는 어찌 깊은 밤에 우는가?)

궁금해요 중세 국어 의문문의 흔적을 경상도 방언에서 찾아볼 수 있다구요?

맞아. 경상도 방언에는 아직까지도 중세 국어 의문문의 흔적이 남아 있어. 경상도에 살고 있는 친구들이라면, '게임하나?'와 '뭐 하노?'가 요구하는 답이 다르다는 것을 금세 알 수 있을 거야. '게임하나?'가 요구하는 답은 '응/아니'이고, '뭐 하노?'가 요구하는 답은 '게임해/밥 먹어/텔레비전 봐'와 같은 구체적인 설명이야. 즉, 경상도 방언은 지금도 판정 의문문에는 'ㅏ/ㅓ' 계열 어미를, 설명 의문문에는 'ㅗ' 계열 어미를 사용하고 있는 거지.

짚고 가요

객체 높임 선어말 어미의 형태가 남아 있는 '-오-'와 '-옵-'

중세에 사용되던 객체 선어말 어미는 현대에는 사라졌지만, 현대 국어에 그와 비슷한 형태인 말들이 있어. 공손 선어말 어미인 '-오-'와 '-옵-'이야. 그런데 그 형태가 비슷하긴 하지만, 이들은 객체 높임이 아니라 상대 높임을 나타내는 말이야. 주로 문어체와 예스러움을 나타내는 표현에서만 쓰이지.

예 지금 가오니 기다려 주십시오.
저를 불러주시옵소서.

4 문법

중세 국어의 의문형

75쪽의 '종결 표현'에서 배웠듯이, 현대 국어에서는 문장의 끝에 '-(으)ㄹ까', '-(으)니' 등의 의문형 어미를 붙여서 의문문을 만든다. 그런데 중세 국어에서는 이보다 의문문이 좀 더 복잡했다. 중세 국어의 의문문은 판정 의문문과 설명 의문문으로 나뉜다. 75쪽 다음 ㉠과 같은 판정 의문문에는 'ㅏ, ㅓ' 계열이 쓰였고, ㉡과 같은 설명 의문문에는 '-고, -뇨'와 같이 'ㅗ' 계열이 쓰였다. 설명 의문문은 ㉢과 같이 체언 뒤에 보조사 '고/구'를 사용하기도 하였다.

> ㉠ 이 ᄯᆞ리 너희 죵가 (이 딸이 너희의 종이냐?)
> ㉡ 이제 엇더ᄒᆞᆫ고 (이제 어떠하냐?)
> 체언 '누(누구)'에 보조사 '고'를 사용하여 설명 의문문을 만듦.
> ㉢ 네 스승이 누고(네 스승이 누구인가?)

한편 중세 국어에서는 인칭에 따라서 의문형이 달라진다. 1, 3인칭의 경우는 위와 같으나, 2인칭인 '너'를 주어로 하는 의문문의 경우, 판정 의문문인지 설명 의문문인지에 상관없이 -'ㄴ다', '-ㄹ다'로 의문형을 나타냈다.

> 네 엇뎨 안다 (네가 어찌 알았느냐?)
> ➲ 2인칭 주어 → 판정 의문문이든 설명 의문문이든 2인칭 주어면 모두 '-ㄴ다, -ㄹ다'를 사용함.

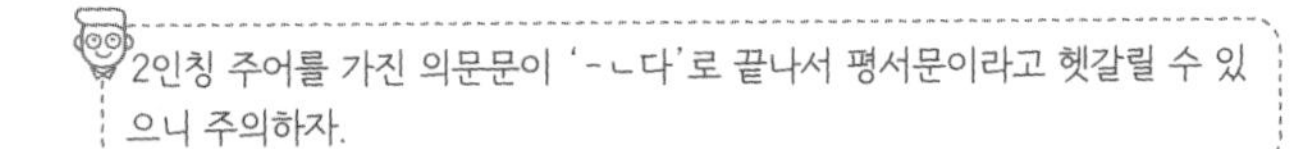
2인칭 주어를 가진 의문문이 '-ㄴ다'로 끝나서 평서문이라고 헷갈릴 수 있으니 주의하자.

높임 표현의 변천

중세 국어의 높임법도 현대 국어와 마찬가지로 주체 높임법, 객체 높임법, 상대 높임법으로 구분할 수 있다.

주체 높임법

현대 국어에서 주체 높임 선어말 어미 '-시-'를 사용하여 주체를 높이듯이, 중세 국어에서도 주체 높임 선어말 어미인 '-시-/-샤-'를 사용해 주체를 높인다. 주체 높임법은 객체 높임법과 상대 높임법에 비해 비교적 변화가 적었다고 할 수 있다.

> 닐굽 거르믈 거르샤 니ᄅᆞ샤ᄃᆡ
> (일곱 걸음을 걸으시며 이르시되)

객체 높임법

현대 국어에서 객체 높임법은 부사격 조사 '께'와 '드리다', '여쭙다'와 같은 특수 어휘에 의해서만 실현되며 객체 높임 선어말 어미가 존재하지 않는다. 하지만 중세 국어에서는 '-ᄉᆞᆸ/ᅀᆞᆸ/ᄌᆞᆸ/ᄉᆞᄫ/ᅀᆞᄫ/ᄌᆞᄫ-' 등의 객체 높임 선어말 어미를 사용해 객체를 높였다.

> 부텨 니ᄅᆞ샤ᄆᆞᆯ 듣ᄌᆞᆸ고(부처의 이르심을 듣고)
> '듣ᄌᆞᆸ고'가 높이는 대상 → '부처의 이르심'

상대 높임법

상대 높임법은 중세 국어에서 현대 국어에 이르는 동안 매우 큰 변화를 보였다. 그래서 현대 국어와 중세 국어의 상대 높임법은 다음과 같은 큰 차이를 보인다.

첫째, 현대 국어의 상대 높임법은 격식체인 '하십시오체, 하오체, 하게체, 해라체'와 비격식체인 '해요체, 해체'로 나뉘었으나, 중세 국어는 'ᄒᆞ쇼셔체, ᄒᆞ야쎠체, ᄒᆞ라체'로 나뉜다.

둘째, 현대 국어의 상대 높임은 종결 어미로만 실현되지만, 중세 국어는 상대 높임 선어말 어미로도 실현된다. 다음 표에서 선어말 어미로 실현되는 높임 표현을 확인해 보자.

구분	평서형	의문형	예
ᄒᆞ쇼셔체 (아주 높임)	-이-	-잇-	ᄒᆞ-+-ᄂᆞ-+-이-+-다 → ᄒᆞᄂᆞ이다(합니다) ᄒᆞ-+-ᄂᆞ-+-니-+-잇-+-가 → ᄒᆞᄂᆞ니잇가(합니까?)
ᄒᆞ야쎠체 (예사 높임)	-ᅌᅵ- -ᅌ-	-시- -ㅅ-	ᄒᆞ-+-ᄂᆞ-+-ᅌᅵ-+-다 → ᄒᆞ닝다(하오) ᄒᆞ-+-ᄂᆞ-+-니-+-ㅅ-+-가 → ᄒᆞᄂᆞ닛가

그러면 중세 국어의 높임법은 어떤 종결 어미로 실현될까? ᄒᆞ쇼셔체는 종결 어미 '-쇼셔'로, ᄒᆞ야쎠체는 종결 어미 '-어쎠'로 실현된다.

> **님금하 ᄋᆞᄅᆞ쇼셔(임금이시여 아십시오.)**
> **그 ᄠᅳ들 닐어쎠(그 뜻을 말하시오.)**

ᄒᆞ쇼셔체와 ᄒᆞ야쎠체가 상대 높임 선어말 어미를 사용할 수도 있고, 상대 높임 선어말 어미 없이 종결 어미만 사용하여 높임을 실현할 수 있는 데에 반해, '아주 낮춤'을 나타내는 'ᄒᆞ라체'는 상대 높임 선어말 어미 없이 종결 어미를 통해서만 실현된다. 다음 문장은 평서문으로, 종결 어미 '-다'로 청자를 낮춘 ᄒᆞ라체를 사용하고 있다.

> **닐굽 ᄒᆡ 너무 오라다(일곱 해는 너무 오래다)**

시험에는 주로 주체 높임법과 객체 높임법이 나와. 특히 두 높임법을 함께 지문으로 구성해 묻는 경우가 많으니 주의해. 또 상대 높임법이 쓰인 문장을 보고 ᄒᆞ쇼셔체, ᄒᆞ야쎠체, ᄒᆞ라체를 구분할 필요까지는 없어. 여기서는 다만 본문을 읽어 내는 것을 목표로 하자. 대신 ᄒᆞ쇼셔체의 평서형 선어말 어미 '-이-'는 꼭 기억해 두기!

시간 표현의 변천

과거 시제

중세 국어는 선어말 어미 '-더-/-다-'로 과거 시제를 나타내거나, 아예 선어말 어미를 사용하지 않았다.
(선어말 어미 '-더-'가 '-오-'와 결합한 형태)

> **내 롱담ᄒᆞ다라(내가 농담하였다.)**
> (내: 1인칭 주어)

위 예문은 과거 시제를 나타내기 위해 선어말 어미 '-더-'가 쓰였다. 현대 국어도 '-더-'를 사용하지만 그 의미가 중세 국어의 '-더-'와 다르다. 중세 국어의 '-더-'가 일반적인 과거의 의미만을 지니는 데 반해, 현대 국어의 '-더-'는 과거 회상의 의미가 강하며, 주어가 1인칭인 경우에는 '-더-'를 잘 쓰지 않는다. 그래서 "나는 농담하더라."와 같은 표현을 쓰면 어색한 느낌을 준다.

개념 콕 8 다음 빈칸에 들어갈 알맞은 말을 쓰시오.

(1) '이 엇던 광명고'는 설명 의문문이기 때문에 (　　　) 계열 어미를 사용하였다.

(2) '네 모ᄅᆞ던다'(너는 모르느냐?)는 판정 의문문이지만 주어가 (　　　)이기 때문에 어미 '-ㄴ다'를 사용하였다.

개념 콕 9 다음이 판정 의문문이면 '판', 설명 의문문이면 '설'을 쓰시오.

(1) 이 무슴 相고 (　　)

(2) 그딋 아바니미 잇ᄂᆞ닛가 (　　)

(3) 어드러셔 오뇨 (　　)

개념 콕 10 다음 문장에서 사용한 높임법을 모두 쓰시오.

(1) 세존ㅅ 안부 묻ᄌᆞᆸ고 (　　　)

(2) 더욱 구드시리이다 (　　　)

(3) 해동 육룡이 ᄂᆞᄅᆞ샤 (　　　)

(4) 내 당중에 이셔 몬져 여래 보ᅀᆞᆸ고 (　　　)

콕 8 (1) 'ㅗ' (2) 2인칭 9 (1) 설 (2) 판 (3) 설 10 (1) 객체 높임법 (2) 주체 높임법, 상대 높임법 (3) 주체 높임법 (4) 객체 높임법

현재 시제

중세 국어는 선어말 어미 '-ᄂᆞ/ㄴ-'으로 현재 시제를 나타내었다. 현대 국어는 '-는/ㄴ-'을 통해 현재 시제를 나타낸다.

> **네 이제 ᄯᅩ 묻ᄂᆞ다(네가 이제 또 묻는다.)**

미래 시제

중세 국어는 선어말 어미 '-리-'로 미래 시제를 나타내었다. 현대 국어는 '-리-'나 '-겠-'을 사용해 미래 시제를 나타내는데, 근대 국어 시기에 나타난 '-겠-'은 현대에도 활발하게 쓰이고 있다.

> **내 이제 分明(분명)히 너ᄃᆞ려 닐오리라** (내가 이제 분명히 너에게 말하겠다.)

격 표시의 변천

중세 국어에서 현대 국어에 이르는 동안, 격 조사의 형태 역시 조금씩 변화를 보여 왔다. 쉽게 발견할 수 있는 것은 'ㆍ'의 소실에 따른 변화이다. 예를 들면 'ᄋᆞᆯ/을'은 현대에 와서는 '을'로 통합되었다. 한편 중세 국어에서는 모음 조화를 비교적 잘 지켰기 때문에 앞말의 끝 음절의 모음이 양성 모음이냐, 음성 모음이냐에 따라 조사의 이형태가 많다는 것도 한 특징이다. 여기에서는 모든 격 조사를 대상으로 하지 않고 특징적인 변화를 보인 몇 가지만 살펴보기로 한다.

37쪽

조사의 이형태를 선택하는 조건을 모두 외울 필요는 없어. 대부분 모음 조화를 따르거나, 지문이나 〈보기〉로 정보를 제시해 줄 거거든. 여기서 해야 할 일은 중세 국어에서 현대 국어와는 다른 조사가 쓰였다는 것을 이해하는 거야.

주격 조사

현대 국어의 주격 조사에는 '이/가'가 있지만, 중세 국어의 주격 조사에는 '이'만 있었다. '이'는 음운 환경에 따라 그 형태가 조금씩 달라졌다. 결합하는 체언의 끝소리가 자음일 때는 '이'를 썼다. 체언의 끝소리가 모음일 때는 'ㅣ'를 썼는데, 체언의 끝소리가 'ㅣ' 모음이나 반모음 'ㅣ̆'로 끝나서 음운이 충돌할 때에는 주격 조사를 표시하지 않았다(∅).

이	앞말(체언)이 자음으로 끝날 때	예 말ᄊᆞ미(말ᄊᆞᆷ + 이)
ㅣ	앞말(체언)이 'ㅣ', 'ㅣ̆' 이외의 모음으로 끝날 때	예 부톄(부텨 + ㅣ)
∅	앞말(체언)이 'ㅣ', 'ㅣ̆'로 끝날 때	예 불휘(불휘 + ∅)

짚고 가요

중세 국어의 '내', '네'는 주격 조사가 붙은 형태!

중세 국어에는 '내'라는 단어가 없어. 예를 들어 '내 이롤 위ᄒᆞ야(내가 이를 위하여)'에서 '내'는 체언 '나'에 주격 조사 'ㅣ'가 붙은 형태야. '너 + ㅣ' → '네'의 경우도 똑같이 이해하면 되겠지?^^

궁금해요 주격 조사 '가'는 언제부터 쓰였나요?

주격 조사 '가'는 근대 국어 시기에 등장했어. 주격 조사 '가'의 등장은 근대 국어 시기의 문법 변화의 가장 큰 특징이라 할 수 있지.

관형격 조사

현대 국어의 관형격 조사에는 '의'가 있지만, 중세 국어에는 'ᄋᆡ/의'와 'ㅅ'의 두 종류가 있었다. 이 둘의 쓰임은 같지만 사용되는 환경은 달랐다. 중세 국어의 관형격 조사는 앞말이 무정 명사이거나 높임의 대상이면 'ㅅ'을, 앞말이 유정 명사인데 높임의 대상은 아니면 'ᄋᆡ/의'를 썼다. 'ᄋᆡ'를 쓰느냐 '의'를 쓰느냐는 앞 음절의 모음이 양성 모음이냐, 음성 모음이냐에 의해 결정되었다. 이는 중세 국어에서는 모음 조화가 비교적 잘 지켜졌기 때문이다.

개념+ 유정 명사와 무정 명사

유정 명사	감정을 나타내는 명사로 사람이나 동물을 가리키는 명사.
무정 명사	감정을 나타내지 않는 명사로, 식물이나 무생물을 가리키는 명사.

ㅅ	앞말이 높임의 대상일 때	예 부텻 몸(부처의 몸)
	앞말이 무정 명사일 때	예 나못 불휘(나무의 뿌리)
ᄋᆡ/의	앞말이 유정 명사인데 높임의 대상이 아닐 때	예 사ᄉᆞᄆᆡ(사ᄉᆞᆷ + ᄋᆡ)

목적격 조사

현대 국어의 목적격 조사에는 '을/를'이 있지만, 중세 국어는 목적격 조사가 무려 네 가지(ᄋᆞᆯ/을, ᄅᆞᆯ/를)가 있었다. 이 역시 중세 국어가 모음 조화를 비교적 잘 지킨 것과 관련이 있다. 다음을 보자.

받침이 있는 체언 뒤인 경우		받침이 없는 체언 뒤인 경우	
앞 음절의 모음이 양성 모음일 때	앞 음절의 모음이 음성 모음일 때	앞 음절의 모음이 양성 모음일 때	앞 음절의 모음이 음성 모음일 때
ᄋᆞᆯ	을	ᄅᆞᆯ	를
예 ᄆᆞᅀᆞᆷ+ᄋᆞᆯ → ᄆᆞᅀᆞᄆᆞᆯ (마음을)	예 믈+을 → 므를 (물을)	예 천하+ᄅᆞᆯ → 천하ᄅᆞᆯ (천하를)	예 부텨+를 → 부텨를 (부처를)

호격 조사

현대 국어의 호격 조사는 '아/야'로, 앞말의 끝소리에 따라 달리 선택되어 쓰인다. 그런데 중세 국어에서는 부르는 이가 높임의 대상인지 아닌지에 따라 다른 호격 조사를 사용했는데, 높임의 대상을 부를 때에는 '하'를, 일반 대상을 부를 때에는 '아/야'를 사용하였다.

하	앞말이 높임 대상일 때	예 ᄃᆞᆯ하 노피곰 도ᄃᆞ샤 (달이시여, 높이높이 돋으셔서)
아/야	앞말이 높임 대상이 아닐 때	예 가노라 삼각산(三角山)아

높임의 대상을 부를 때 사용하는 '하'는 높임 표현과도 연결되니까 눈여겨봐야겠지?

'ᄋᆡ/의' – 관형격 조사로도 쓰이고 부사격 조사로도 쓰였어요

중세 국어의 격 조사 중에서 부사격 조사는 처소격, 도구격 등 그 종류가 너무 많아서 특별히 설명하지는 않았어. 하지만 부사격 조사 중 'ᄋᆡ/의'는 관형격 조사로도 쓰여서 헷갈려 하는 친구들이 많으므로 이것만 보고 가자. 다음 표현들을 봐.

> 백성(百姓)의㉠ ᄆᆞᅀᆞᄆᆞᆯ(백성의 마음을)　　성(城)의㉡ 나ᅀᅡ가(성에 나아가)

㉠, ㉡ 모두 '의'로 형태가 같지만, 현대어 풀이를 보면 알 수 있듯 ㉠은 관형격 조사, ㉡은 처소격으로 쓰인 부사격 조사야. 이처럼 'ᄋᆡ/의'가 관형격 조사로 쓰일 때는 '백성'과 같이 앞말이 유정 명사일 때이고, 'ᄋᆡ/의'가 부사격 조사로 쓰일 때는 위의 성(城)과 같이, '지리, 신체, 방위, 시간' 등 특정 체언에만 연결돼. 그러니 'ᄋᆡ/의'가 관형격 조사인지 부사격 조사인지 구분할 때는 유정 체언 뒤의 'ᄋᆡ/의'는 관형격 조사, 무정 체언 뒤의 'ᄋᆡ/의'는 부사격 조사로 생각하면 돼.

명사형 전성 어미 '-옴/움', '-기'

중세 국어에서는 명사형 전성 어미로 '-옴/움'을 사용하였으며, '-기'도 낮은 빈도로 쓰였는데, 근대 국어에서는 '-오/우'의 소멸로 '-옴/움'이 '-(으)ㅁ'으로 단일화되고 '-기'의 쓰임도 발달해 현대 국어에 이른다. 예 ᄡᅮ메(ᄡᅳ- + -움 + 에), 닙기ᄂᆞᆫ

중세 국어	근대 국어	현대 국어
-옴/움, -기	-(으)ㅁ, -기	-(으)ㅁ, -기

짚고 가요

명사 파생 접미사 '-옴/음'

명사형 전성 어미 '-옴/움'과 비슷하게 생겼지만 '-옴/음'은 명사를 만드는 접사에 해당해. 예를 들어 접사 '-음'은 '열- + -음 → 여름(實)(열매)'에서처럼 어근에 붙어 새로운 단어를 만들지. 만약 '열-'과 명사형 전성 어미 '-움'이 만났다면 '여룸(開)(열음('열다'의 명사형))'의 형태로 쓰일 거야. '명사형 전성 어미'와 '명사 파생 접미사'가 다르다는 것은 39쪽에서 이미 배웠지? 헷갈리면 안 돼.

개념 콕 11 다음 빈칸에 들어갈 알맞은 말을 쓰시오.

(1) 중세 국어에는 현대 국어에서 쓰이는 주격 조사인 (　　　) 이(가) 사용되지 않았다.

(2) '나랏말ᄊᆞ미'에서 관형격 조사 (　　　)이(가) 사용된 이유는 앞말인 '나라'가 무정물이기 때문이다.

(3) 목적격 조사 'ᄋᆞᆯ/을'은 앞말이 자음으로 끝날 경우 사용되었으며, (　　　　)에 따라 'ᄋᆞᆯ/을' 중 하나를 선택하여 사용하였다.

콕 11 (1) 가 (2) ㅅ (3) 모음 조화

확인 문제

✔ 바로바로 간단 체크

1 **다음 설명이 맞으면 ○표, 틀리면 ×표를 하시오.**

(1) 중세 국어에서는 주격 조사 ‘∅’, ‘ㅣ’, ‘이’를 사용하였다. ( )

(2) 중세 국어에서는 조사와 결합할 때 ‘ㅎ’이 덧붙는 체언이 있었으며, 현대 국어의 ‘수탉’에서 그 흔적을 찾아볼 수 있다. ( )

(3) 중세 국어에서는 구개음화가 나타나지 않았다. ( )

(4) 근대 국어에서는 이어적기에서 끊어적기로 바뀌는 과정에서 과도기적 표기가 나타났다. ( )

(5) 중세 국어에서는 현대 국어에서 쓰이지 않는 ‘ㅸ, ㅿ, ㆁ, ㆆ’ 등의 음운이 쓰였다. ( )

(6) 중세 국어에는 초성에서 여러 개의 자음이 발음되는 어두 자음군이 있었으며, 어두 자음군은 거센소리로 바뀌면서 소멸하였다. ( )

(7) 근대 국어에서 나타난 두음 법칙은 현대 국어의 표기에 반영되어 있지 않다. ( )

(8) 양성 모음 ‘ㆍ’는 점차 ‘ㅜ’와 ‘ㅏ’로 바뀌면서 소멸하였다. ( )

2 **다음 중 중세 국어 시기의 높임법에 대한 설명으로 옳은 것을 모두 고르시오.**

> ㉠ 주체 높임은 ‘光佛이 니ᄅᆞ<u>시</u>니이다’에서 보듯, 선어말 어미 ‘-시-’로 나타냈다.
> ㉡ 상대 높임은 ‘光佛이 니ᄅᆞ시니<u>이</u>다’에서 보듯, 선어말 어미 ‘-이-’로 나타냈다.
> ㉢ 현대 국어에서는 중세 국어에서 객체 높임을 실현했던 선어말 어미를 사용하지 않는다.

3 **다음 예시에 해당하는 국어의 통시적 음운 변동을 쓰시오.**

(1) 블>불
(2) 옮기디>옮기지
(3) 니버>입어(입- + -어)

이어적기, 거듭적기, 끊어적기

01 〈보기〉의 ⓐ~ⓔ에서 표기 방식이 같은 것끼리 묶은 것은?

> 보기
> [근대 국어] 그져 줄줄ᄂᆡ려 쓰ᄂᆞᆫ ᄶᅡᄃᆞᆰ에 글ᄌᆞ가 우희 부터ᄂᆞᆫ지 아ᄅᆡ 부터ᄂᆞᆫ지 몰나셔 몃번 ⓐ<u>일거</u> 본후에야 글ᄌᆞ가 어ᄃᆡ 부터ᄂᆞᆫ지 비로소 알고 ⓑ<u>일그니</u> ⓒ<u>국문으로</u> 쓴편지 ᄒᆞᆫ쟝을 보자ᄒᆞ면 한문으로 쓴것보다 더듸 보고 ᄯᅩ 그나마 국문을 자조 아니 ⓓ<u>쓴ᄂᆞᆫ</u> 고로 셔틀어셔 ⓔ<u>잘못봄이라</u>
>
> -《독립신문》 창간사(1896)
>
> [현대어 풀이] 그저 줄줄 내려 쓰는 까닭에 글자가 위에 붙었는지 아래 붙었는지 몰라서 몇 번 <u>읽어</u> 본 후에야 글자가 어디 붙었는지 비로소 알고 <u>읽으니</u> <u>국문으로</u> 쓴 편지 한 장을 보자 하면 한문으로 쓴 것보다 더디게 보고 또 그나마 국문을 자주 아니 <u>쓰는</u> 고로 서툴러서 <u>잘 못 봄이라.</u>

① ⓐ, ⓑ ② ⓐ, ⓒ ③ ⓑ, ⓓ
④ ⓒ, ⓓ ⑤ ⓓ, ⓔ

중세 국어의 표기

02 중세 국어의 표기상 특징으로 적절하지 <u>않은</u> 것은?

① 띄어쓰기를 하지 않았다.
② 소리의 높낮이를 표시하기 위해 방점을 사용하였다.
③ 앞말의 받침을 뒤 음절의 초성으로 옮겨 소리 나는 대로 적었다.
④ 받침을 표기할 때 ‘ㄱ, ㄴ, ㄷ, ㄹ, ㅁ, ㅂ, ㅇ’의 자음만 사용하였다.
⑤ 한자음을 중국 한자의 원음에 가깝게 표현하려는 표기 방법이 있었다.

중세 국어의 의문문

03 〈보기〉에 대한 설명으로 적절하지 <u>않은</u> 것은?

> 보기
> (가) 이ᄯᆞ리 너희 죵가
> (나) 부톄 누고

① (가)는 판정 의문문이다.
② (나)는 설명 의문문이다.
③ (가), (나) 모두 의문사가 쓰였다.
④ (가)에는 문장 종결 표현 ‘-가’가 쓰였다.
⑤ (나)에는 보조사 ‘고’가 쓰였다.

중세 국어의 음운

04 〈보기〉를 바탕으로 중세 국어의 음운에 대해 탐구한 내용으로 적절하지 <u>않은</u> 것은?

보기

ㄱ. ᄆᆞᅀᆞᆷ > ᄆᆞᄋᆞᆷ > ᄆᆞ음 > 마음

ㄴ. 훈민졍ᅙᅳᆷ > 훈민정음

ㄷ. ᄠᅳ들 > 뜻을

ㄹ. 더ᄫᅥ > 더워

① ㄱ으로 보아 'ㅿ'은 'ㆍ' 보다 먼저 소실되었다.
② ㄱ으로 보아 'ㆍ'는 둘째 음절과 첫째 음절에서 각각 다른 모습으로 변화하였다.
③ ㄴ으로 보아 'ㆆ'은 음가가 있는 'ㅇ'으로 바뀌었다.
④ ㄷ으로 보아 어두에서 두 개의 자음이 소리 나기도 했다.
⑤ ㄹ로 보아 'ㅸ'은 반모음으로 변화하였다.

중세 국어, 현대 국어

05 〈보기〉의 밑줄 친 부분을 바탕으로 하여 중세 국어와 현대 국어를 비교한 내용으로 적절한 것은?

보기

(가) 나랏<u>말ᄊᆞ미</u> 듕귁에 달아
(현대어 풀이: 나라의 말이 중국과 달라서)

(나) 그디<u>ㅅ</u> 아바니미 잇ᄂᆞ닛<u>가</u>
(현대어 풀이: 그대의 아버님이 있으신가?)

(다) 그믐밤의보는숫불빗ᄀᆞᆺ<u>더</u>라
(현대어 풀이: 그믐밤에 보는 숯불 빛 같더라.)

(라) 일홈을 後世예 베퍼ᄡᅥ 父母를 현뎌케 <u>홈</u>이 효도ᄋᆡ ᄆᆞᄎᆞᆷ이니라
(현대어 풀이: 이름을 후세에 날려 이로써 부모를 드러나게 함이 효도의 끝이다.)

① (가)는 현대 국어와 달리 단어의 원형을 밝혀 적었군.
② (나)는 현대 국어와 같이 의문사가 없는 의문문에 'ㅗ' 계열 어미를 썼군.
③ (가)와 (나)는 현대 국어에서 사용하고 있는 관형격 조사를 썼군.
④ (다)는 현대 국어에서도 사용하고 있는 과거 선어말 어미를 썼군.
⑤ (라)는 현대 국어에서 사용하지 않는 명사형 전성 어미 '-옴'을 썼군.

중세 국어

06 〈보기〉를 바탕으로 중세 국어에 대해 탐구한 내용으로 적절하지 <u>않은</u> 것은?

보기

(가) 海東(해동) <u>六龍(육룡)이</u> <u>ᄂᆞᄅᆞ샤</u> 일마다 <u>天福(천복)이시니</u>
[현대어 풀이] 해동(우리나라)의 여섯 용이 날으시어서, 그 행동하신 일마다 모두 하늘이 내리신 복이시니

(나) 우리 <u>父母ㅣ</u> <u>太子ᄭᅴ</u> <u>드리ᅀᆞᄫᆞ시니</u>
[현대어 풀이] 우리 부모가 태자께 드리니

① (가)와 (나)는 서로 형태가 다른 주격 조사를 사용하였다.
② (가)와 (나)의 '-시-'는 후행하는 음운이 자음일 때 사용되었다.
③ (가)의 'ᄂᆞᄅᆞ샤'에 사용된 높임법은 '해동 육룡'을 높이기 위한 것이다.
④ (나)의 '-ᅀᆞᆸ-'은 '부모'를 높이기 위해 활용된 선어말 어미이다.
⑤ (나)의 객체 높임 선어말 어미는 현대 국어에서 사용되고 있지 않다.

근대 국어

07 〈보기〉를 바탕으로 근대 국어에 대해 탐구한 내용으로 적절하지 <u>않은</u> 것은?

보기

[근대 국어] 홍ᄉᆡᆨ이 거록ᄒᆞ야 **븕은** 긔운이 **하ᄂᆞᆯ을** ᄯᅱ노더니 이랑이 소ᄅᆡ를 놉히 ᄒᆞ야 나를 부러 져긔 **믈밋ᄎᆞᆯ** 보라 웨거ᄂᆞᆯ 급히 눈을 드러 보니 믈밋 홍운을 헤앗고 큰실오리 **ᄀᆞᆺᄒᆞᆫ** 줄이 **븕기** 더옥 긔이ᄒᆞ며

[현대어 풀이] 홍색(紅色)이 거룩하여 **붉은** 기운이 **하늘을** 뛰놀더니, 이랑이 소리를 높이 하여 나를 불러, "저기 물 밑을 보라." 외치거늘, 급히 눈을 들어 보니, 물 밑 홍운(紅雲)을 헤치고 큰 실오라기 **같은** 줄이 **붉기**가 더욱 기이하며

-《의유당관북유람일기》, 영조 48년(1772)

① '븕은'에는 원순 모음화가 적용되어 있군.
② '하ᄂᆞᆯ을'을 통해 모음 조화가 점차 파괴되고 있음을 알 수 있군.
③ '믈밋ᄎᆞᆯ'에는 이어적기와 끊어적기 사이에 나타난 과도기적 방식이 쓰였군.
④ 'ᄀᆞᆺᄒᆞᆫ'에는 중세 국어와 다르게 받침에 'ㄷ' 대신 'ㅅ'을 표기했군.
⑤ '븕기'에서 명사형 전성 어미 '-기'가 쓰였음을 확인할 수 있군.

중세 국어, 근대 국어

08 〈보기〉의 자료에 나타나는 특징을 탐구한 내용으로 적절하지 않은 것은?

보기

[중세 국어] 烽火ㅣ ㉠석ᄃᆞᄅᆞᆯ ㉡니ᅀᅦ시니
[현대어 풀이] 봉화가 석 달을 이어지니

[중세 국어] 聖子ᄅᆞᆯ ㉢내시니이다
[현대어 풀이] (하늘이) 성자를 내셨습니다.

[근대 국어] 多分 ㉣빅가 ㉤올 거시니
[현대어 풀이] 다분히 배가 올 것이니

① ㉠: 목적격 조사는 모음 조화에 맞게 ‘ᄅᆞᆯ’을 썼군.
② ㉡: 지금은 쓰지 않는 자음이 쓰였군.
③ ㉢: 현대 국어와 마찬가지로 주체 높임법과 상대 높임법이 함께 나타날 수 있었군.
④ ㉣: 중세 국어에는 쓰이지 않던 주격 조사가 생겨났음을 확인할 수 있군.
⑤ ㉤: 주체 높임의 선어말 어미 ‘-시-’가 쓰였군.

중세 국어, 근대 국어

09 〈보기〉를 바탕으로 국어의 변천에 대해 탐구한 내용으로 적절한 것은?

보기

[중세 국어]
구룸 ·ᄢᅵᆫ :뫼히 ᄀᆞ·리지 아·니·호ᄆᆞᆯ 幸·히 너·기노·라
[근대 국어]
구룸 ᄢᅵᆫ 뫼히 ᄀᆞ리지 아니호ᄆᆞᆯ 幸히 너기노라
[현대어 풀이]
구름 낀 산이 가리지 아니함을 다행스레 여긴다.

① 중세 국어의 ‘구룸’이 현대 국어의 ‘구름’에 대응하는 것을 보니 의미의 이동이 일어난 단어가 있다.
② 중세 국어의 ‘뫼히’가 현대 국어의 ‘산이’에 대응하는 것을 보니 ‘뫼’는 조사와 결합할 때 ‘ㅎ’이 덧붙는 단어였다.
③ 중세 국어의 ‘아·니·호ᄆᆞᆯ’이 근대 국어의 ‘아니호ᄆᆞᆯ’에 대응하는 것을 보니 근대 국어에서도 방점 표기가 유지되었다.
④ 중세 국어와 근대 국어의 ‘ᄀᆞ리지’가 현대 국어의 ‘가리지’에 대응하는 것을 보니 중세 국어에서는 구개음화가 일어났다.
⑤ 중세 국어와 근대 국어의 ‘너기노라’가 현대 국어의 ‘여긴다’에 대응하는 것을 보니 중세 국어에서는 어두의 ‘ㄴ’이 탈락하는 현상이 일어났다.

중세 국어, 현대 국어 | 2018학년도 11월 고2 학력평가

10 〈보기〉의 중세 국어 자료에 나타나는 특징을 탐구한 내용으로 적절하지 않은 것은?

보기 1

[중세 국어] 보살(菩薩)이 ㉠어느 나라해 ᄂᆞ리시게 ᄒᆞ려뇨
[현대어 역] 보살이 어느 나라에 내리시도록 하려는가?

[중세 국어] ㉡어늬 구더 병불쇄(兵不碎)ᄒᆞ리잇고
[현대어 역] 어느 것이 굳어 군대가 부수어지지 않겠습니까?

[중세 국어] 져믄 아ᄒᆡ ㉢어느 듣ᄌᆞ보리잇고
[현대어 역] 어린 아이가 어찌 듣겠습니까?

[중세 국어] 미혹(迷惑) ㉣어느 플리
[현대어 역] 미혹한 마음을 어찌 풀겠는가?

[중세 국어] 이 두 말ᄋᆞᆯ ㉤어늘 종(從)ᄒᆞ시려뇨
[현대어 역] 이 두 말을 어느 것을 따르시겠습니까?

보기 2

어느[01] 「관형사」
둘 이상의 것 가운데 대상이 되는 것이 무엇인지 물을 때 쓰는 말.

어느[02] 「대명사」『옛말』
어느 것.

어느[03] 「부사」『옛말』
‘어찌’의 옛말.

① 체언을 수식하는 역할을 하는 것으로 보아 ㉠은 〈보기 2〉의 ‘어느[01]’과 품사가 같다고 할 수 있겠군.
② ㉡은 〈보기 2〉의 ‘어느[02]’에 주어의 자격을 부여하는 조사가 결합한 것이라고 할 수 있겠군.
③ ㉢은 〈보기 2〉의 ‘어느[03]’으로 쓰여 뒤에 오는 용언을 수식한다고 할 수 있겠군.
④ 〈보기 2〉의 ‘어느[01]’과 ‘어느[03]’을 참고해 보니 ㉣과 ‘어느[01]’은 품사가 서로 다르다고 할 수 있겠군.
⑤ ㉤에 사용된 ‘어느’는 둘 이상의 것 가운데 대상이 되는 것이 무엇인지 물을 때 쓰는 말인 〈보기 2〉의 ‘어느[01]’에 해당한다고 볼 수 있겠군.

중세 국어 2017학년도 6월 고2 학력평가

11 **〈보기〉의 설명을 참고할 때, ㉠과 ㉡에 들어갈 단어로 적절한 것은?**

보기

중세 국어 의문문의 종결 어미는 인칭의 종류와 물음말의 유무에 따라 달라진다. 주어가 1, 3인칭일 경우, 물음말이 있는 의문문에는 '-ㄴ고', '-ㄹ고'와 같은 '오'형 어미가 사용되었고, 물음말이 없는 의문문에는 '-ㄴ가', '-ㄹ가'와 같은 '아'형 어미가 사용되었다. 그리고 주어가 2인칭일 경우, 물음말의 유무와 상관없이 '-ㄴ다'가 사용되었다.

- 부톄 世間애 ___㉠___
  (부처가 세간에 나신 것인가?)
- 네 뉘손ᄃᆡ 글 ___㉡___
  (너는 누구에게서 글을 배웠는가?)
- 어느 사ᄅᆞ미 少微星이 잇다 니ᄅᆞ더고
  (어떤 사람이 소미성이 있다고 말하던가?)

	㉠	㉡
①	나샤미신가	ᄇᆡ혼다
②	나샤미신가	ᄇᆡ호ᄂᆞᆫ고
③	나샤미신고	ᄇᆡ혼다
④	나샤미신다	ᄇᆡ호ᄂᆞᆫ고
⑤	나샤미신다	ᄇᆡ호ᄂᆞᆫ가

중세 국어 2017학년도 7월 고3 학력평가(변형)

12 **〈보기〉를 바탕으로 중세 국어의 특징을 탐구한 내용으로 적절하지 않은 것은?**

보기

㉠나랏 말ᄊᆞ미 ㉡中듕國귁에 달아 文문字ᄍᆞᆼ와로 서르 ᄉᆞᄆᆞᆺ디 아니ᄒᆞᆯᄊᆡ 이런 젼ᄎᆞ로 어린 百ᄇᆡᆨ姓셩이 ㉢니르고져 홇 ㉣배 이셔도 ᄆᆞᄎᆞᆷ내 제 ᄠᅳ들 시러 ㉤펴디 몯ᄒᆞᇙ 노미 하니라 -《세종어제훈민정음》

[현대어 풀이] 우리나라의 말이 중국과 달라 문자와 서로 통하지 아니하여서 이런 까닭으로 어리석은 백성이 말하고자 하는 바가 있어도 마침내 제 뜻을 능히 펴지 못하는 사람이 많다.

① ㉠의 'ㅅ'은 현대 국어의 '의'에 해당하는 관형격 조사로 쓰였군.
② ㉡의 '에'는 앞말이 사건의 원인이 됨을 나타내는 조사로 쓰였군.
③ ㉢의 '-고져'는 현대 국어의 '-고자'에 해당하는 연결 어미로 쓰였군.
④ ㉣의 'ㅣ'는 주격 조사로, 모음으로 끝나는 체언에 결합했음을 알 수 있군.
⑤ ㉤과 현대 국어의 '펴지'를 비교해 보니 '디'에서는 구개음화가 확인되지 않는군.

중세 국어 2013학년도 4월 고3 학력평가Ⓑ

13 **〈보기〉를 바탕으로 중세 국어의 음운 'ㅸ', 'ㅿ', 'ㆍ'에 대해 탐구한 내용으로 적절하지 않은 것은?**

보기

ㄱ. ᄆᆞᅀᆞᆯ > ᄆᆞᄋᆞᆯ > 마을　　ᄀᆞᅀᆞᆯ > ᄀᆞᄋᆞᆯ > 가을
ㄴ. (날씨가) 덥(다) + -어; 더ᄫᅥ
ㄷ. (색깔이) 곱(다) + -아; 고ᄫᅡ > 고와
　(고기를) 굽(다) + -어; 구ᄫᅥ > 구워

① ㄱ으로 보아, 중세 국어 'ᄆᆞᅀᆞᆯ'과 'ᄀᆞᅀᆞᆯ'의 'ㅿ'은 음운 변화 양상이 같았음을 알 수 있군.
② ㄱ으로 보아, 'ㆍ'는 현대 국어에서 첫째 음절과 둘째 음절에서 변화된 음운의 모습이 같았음을 알 수 있군.
③ ㄴ으로 보아, '덥다'의 'ㅂ'이 모음으로 시작하는 어미와 결합하여 'ㅸ'으로 바뀌는 것을 알 수 있군.
④ ㄷ으로 보아, 'ㅸ'에 결합되는 어미의 모음에 따라 현대 국어에서의 표기가 달라지는군.
⑤ ㄱ과 ㄷ으로 보아, 'ㅿ'과 'ㅸ'은 현대 국어에 표기되지 않게 되었음을 알 수 있군.

중세 국어 2017학년도 9월 모의평가

14 **〈보기〉의 밑줄 친 부분에서 알 수 있는 중세 국어의 문법적 특징을 설명한 것으로 적절하지 않은 것은?**

보기

(가) 하ᄂᆞᆳ 벼리 눈 ᄀᆞᆮ 디니이다 〈용비어천가〉
　(현대어 풀이: 하늘의 별이 눈과 같이 떨어집니다.)

(나) 王이 부텨를 請ᄒᆞᅀᆞᄫᆞ쇼셔 〈석보상절〉
　(현대어 풀이: 왕이 부처를 청하십시오.)

(다) 어마니ᄆᆞᆯ 아라보리로소니잇가 〈월인석보〉
　(현대어 풀이: 어머님을 알아보겠습니까?)

(라) 내 이ᄅᆞᆯ 위ᄒᆞ야 〈훈민정음언해〉
　(현대어 풀이: 내가 이를 위해서)

(마) 그 믈 미틔 金몰애 잇ᄂᆞ니 〈월인석보〉
　(현대어 풀이: 그 물 밑에 금모래가 있는데)

① (가): 무정 명사에 결합되는 관형격 조사 'ㅅ'이 쓰였다.
② (나): 객체를 높이는 선어말 어미 '-ᅀᆞᆸ-'이 쓰였다.
③ (다): 판정 의문문의 '-아' 계열 의문형 어미가 쓰였다.
④ (라): 모음으로 끝나는 체언 뒤에 주격 조사 'ㅣ'가 쓰였다.
⑤ (마): 높이지 않는 유정 명사에 결합되는 관형격 조사 '의'가 쓰였다.

6 국어사

알아 두면 쓸데 있는 100인의 지혜

《훈민정음》 언해본으로 보는 중세 국어

국어의 변천이 너무 어려워서 눈앞이 캄캄하다고? 걱정하지 마. 국어의 변천 단원에서는 자료를 〈보기〉로 제시해 주고, 이 자료를 현대 국어와 1:1 대응해서 풀면 되는 문제들이 나오거든.(그래서 앞에서 공부하지 않았던 부분이 출제되어도 충분히 풀 수 있어.) 너희가 할 일은 주어진 자료에 나타난 중세 국어나 근대 국어의 특징을 찾아내고, 현대 국어와 비교해서 어떤 변화가 있었는지를 확인하는 거야. 같이 해 볼까? 중세 국어의 특징을 잘 나타내는 **《훈민정음》** 언해본 서문을 한번 살펴볼게. 현대 국어와 다른 특징들을 짚어 줄 테니까, 꼭 현대어 풀이와 비교하면서 확인해 봐. 주목해야 할 특징에는 번호를 달아 놓았으니 참고하면 돼. ^^

원문 / 현대어 풀이	특징
①世·솅宗종御·엉製·졩訓·훈民민正·졍②音흠 **세종 어제 훈민정음**	① 동국정운식 한자음 표기(중국의 원음과 비슷하게 표기, 초·중·종성을 모두 갖추어 표기), 방점 ② 소멸한 자음: ㆆ(여린히읗)
③나·랏 :말ᄊᆞ·미 ④中듕國·귁·에 달·아 **우리나라의 말이 중국과 달라**	③ • 관형격 조사 'ㅅ' • 이어적기(말ᄊᆞ미: 말ᄊᆞᆷ + 이) • 주격 조사 '이'(나랏말ᄊᆞᆷ + 이) • ·(아래아) ④ 비교 부사격 조사 '에'
文문字·ᄍᆞᆼ·와·로 ⑤서르 ⑥ᄉᆞᄆᆞᆺ·디 ⑦아·니ᄒᆞᆯ·ᄊᆡ **한자와는 서로** **통하지 아니하여서**	⑤ 모음 조화(음성 모음 'ㅓ'와 음성 모음 'ㅡ'가 어울림.) ⑥ 소멸한 단어(기본형: ᄉᆞᄆᆞᆽ다 / 뜻 통하다), 팔종성가족용법('ㅈ'을 'ㅅ'으로 표기) ⑦ 이유를 나타내는 연결 어미 '-ㄹᄊᆡ'(아니ᄒᆞ-(어간) + -ㄹᄊᆡ(어미))
·이런 ⑧젼·ᄎᆞ·로 ⑨어·린 百·ᄇᆡᆨ姓·셩·이 **이런 까닭으로 어리석은 백성이**	⑧ 소멸한 단어 ⑨ 의미의 이동이 일어난 단어(기본형: 어리다 / 뜻 어리석다 → 젊다)
⑩니르·고·져 ·홇 ⑪·배 이·셔·도 **이르고자 하는 바가 있어도**	⑩ 두음 법칙이 적용되지 않음. ⑪ 주격 조사 'ㅣ'(바 + ㅣ)
ᄆᆞ·ᄎᆞᆷ:내 제 ⑫·ᄠᅳ·들 시·러 ⑬펴·디 :몯홇 ⑭·노·미 ⑮하·니·라 **마침내 제 뜻을** **펴지 못하는 사람이 많다.**	⑫ 이어적기, 어두 자음군(ᄠᅳᆮ + 을) ⑬ 구개음화가 일어나지 않음. ⑭ • 의미의 축소가 나타난 단어(놈 / 뜻 사람 → '남자'의 비속어) • 주격 조사 '이'(놈 + 이) ⑮ 소멸한 단어(기본형: 하다 / 뜻 많다, 크다)
⑯·내 ·이·ᄅᆞᆯ 爲·윙·ᄒᆞ·야 ⑰:어엿·비 ⑱너·겨 **내가 이것을 가엾게 여겨**	⑯ 주격 조사 'ㅣ'(나 + ㅣ) ⑰ • 의미의 이동이 일어난 단어(기본형:어엿브다 / 뜻 가엾다 → 예쁘다) • 팔종성가족용법('ㅅ'이 종성에서 'ㄷ'으로 발음되는 현대와는 달리, 'ㅅ'으로 발음되기 때문에 'ㅅ'으로 표기) ⑱ 두음 법칙이 적용되지 않음.

·새·로 ·스·믈여·듧字·ᄍᆞᆼ·ᄅᆞᆯ ᄆᆡᇰ·ᄀᆞ노·니 **새로 스물여덟 글자를 만드니**	⑲ 원순 모음화가 일어나지 않음. ⑳ 목적격 조사 'ᄅᆞᆯ', 모음 조화(양성 모음 'ㆍ'와 'ㆍ'가 어울림.)
:사ᄅᆞᆷ:마·다 :ᄒᆡ·ᅇᅧ :수·ᄫᅵ 니·겨 **모든 사람으로 하여금 쉽게 익혀서**	㉑ 소멸한 자음: ㅸ(순경음 비읍) ㉒ 두음 법칙이 적용되지 않음.
·날·로 ·ᄡᅮ·메 便뼌安한·킈 ᄒᆞ·고·져 ᄒᆞᇙ ᄯᆞᄅᆞᆷ·이니·라 **날마다 씀에 편하게** **하고자 할 따름이다.**	㉓ • 어두 자음군 • 이어적기, 명사형 전성 어미 '-움'(ᄡᅳ-(어간) + -움(명사형 전성 어미) + 에(조사)) ㉔ 어두 자음군, 이어적기(ᄯᆞᄅᆞᆷ + 이니라)

어때, 현대어 풀이와 대응해서 보니까 어렵지 않지?^^ 이제 시험에서 처음 보는 중세 국어, 근대 국어 자료가 나와도 무리 없이 풀 수 있을 거야. 《훈민정음》 언해본 서문에 대해 물어봤던 2014학년도 수능 문항을 보여 줄 테니까 국어의 변천 문제가 어떻게 나오는지 감을 잡아 봐.

1 〈보기〉의 (가)를 바탕으로 (나)를 이해한 것으로 적절하지 않은 것은?

보기

(가) 15세기 국어의 음운과 표기의 특징	(나)
㉠ 자음 'ㅿ'과 'ㅸ'이 존재하였다. ㉡ 초성에 오는 'ㅼ'은 'ㅂ'과 'ㄷ'이, 'ㅄ'은 'ㅂ'과 'ㅅ'이 모두 발음되었다. ㉢ 종성에서 'ㄷ'과 'ㅅ'이 다르게 발음되었다. ㉣ 평성, 거성, 상성의 성조를 방점으로 구분하였다. ㉤ 연철 표기(이어적기)를 하였다.	나·랏 :말ᄊᆞ·미 中듕國·귁·에 달·아 文문字·ᄍᆞᆼ·와·로 서르 ᄉᆞᄆᆞᆺ·디 아·니ᄒᆞᆯ·ᄊᆡ ·이런 젼·ᄎᆞ·로 어·린 百·ᄇᆡᆨ姓·셩·이 니르·고·져 ·호ᇙ ·배 이·셔·도 ᄆᆞ·ᄎᆞᆷ:내 제 **·ᄠᅳ·들** 시·러 펴·디 :몯ᄒᆞᇙ ·노·미 하·니·라 ·내 ·이·ᄅᆞᆯ 爲·윙·ᄒᆞ·야 **:어엿·비** 너·겨 ·새·로 ·스·믈 여·듧·字·ᄍᆞᆼᄅᆞᆯ ᄆᆡᇰ·ᄀᆞ노·니 :사ᄅᆞᆷ:마·다 **:ᄒᆡ·ᅇᅧ** **:수·ᄫᅵ** 니·겨 ·날·로 **·ᄡᅮ·메** 便뼌安한·킈 ᄒᆞ·고·져 ᄒᆞᇙ ᄯᆞᄅᆞᆷ·미니·라

① ㉠을 보니, ':수·ᄫᅵ'에는 오늘날에는 없는 자음이 들어 있군.
② ㉡을 보니, '·ᄠᅳ·들'의 'ㅼ'에서는 두 개의 자음이 발음되었군.
③ ㉢을 보니, ':어엿·비'에서 둘째 음절의 종성은 'ㄷ'으로 발음되었군.
④ ㉣을 보니, ':ᄒᆡ·ᅇᅧ'의 첫 음절과 둘째 음절은 성조가 달랐군.
⑤ ㉤을 보니, '·ᄡᅮ·메'에는 연철 표기가 적용되었군.

정답은 ③번! 중세 국어는 소리 나는 대로 적는 경향이 강했는데, ':어엿·비'처럼 'ㅅ'을 표기했다는 건 종성에서 'ㅅ' 소리가 났다는 얘기야. 한편 《훈민정음》 언해본부터는 '팔종성가족용법'이라 하여, 종성을 표기할 때에 종성에서 소리가 나는 'ㄱ, ㄴ, ㄷ, ㄹ, ㅁ, ㅂ, ㅅ, ㅇ'만 표기하는 것을 볼 때, 당시는 현대 국어와 달리 종성의 'ㅅ'과 'ㄷ'을 서로 다르게 발음하였음을 알 수 있어. ^^

6 국어사

단원 정리

훈민정음의 창제 원리

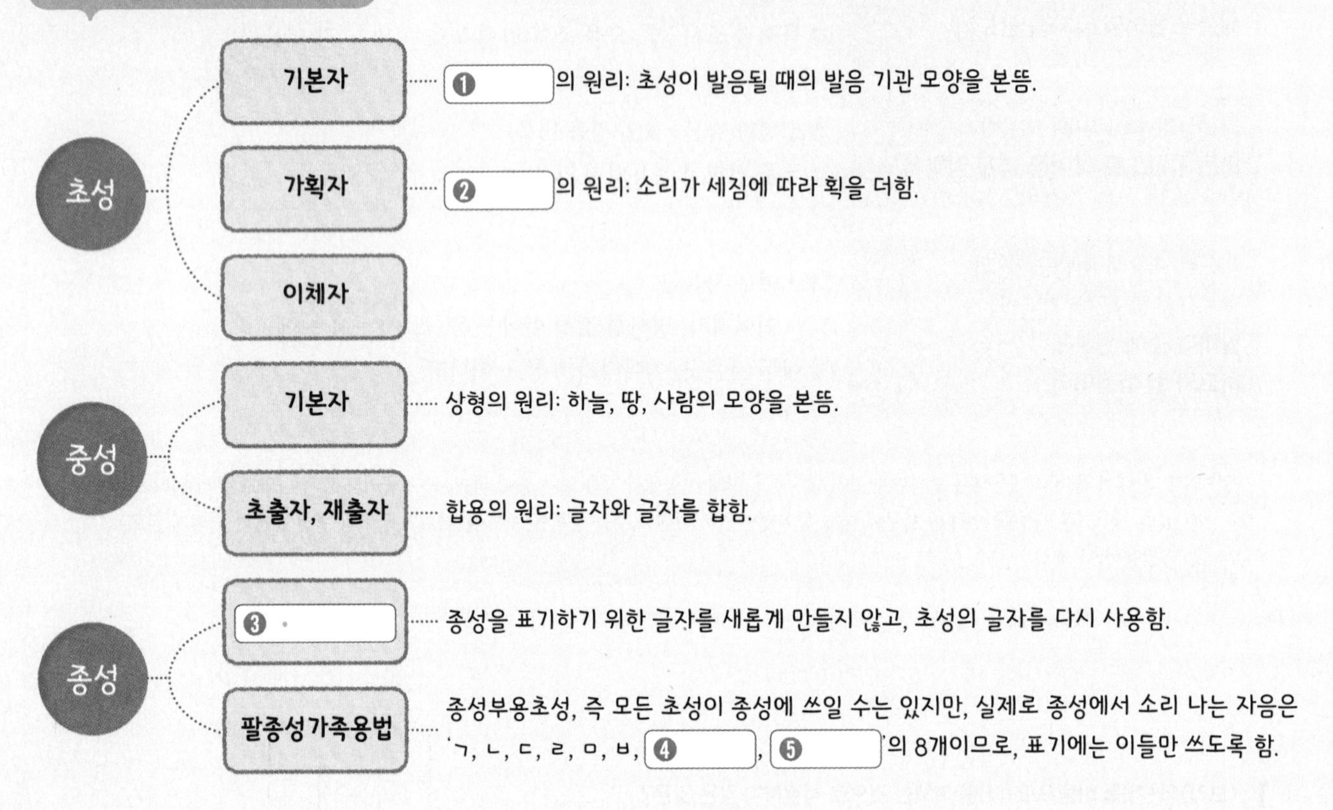

우리글 한글, 얼마나 알고 있나요? 다음 물음에 답해 보세요.

대답하지 못한 질문이 있다면, 인터넷을 검색해서 정답을 찾아보세요.

국어의 변천

	고대 국어	중세 국어	근대 국어	현대 국어
표기	• 차자 표기	• 이어적기(연철) • 팔종성가족용법(ㄱ, ㄴ, ㄷ, ㄹ, ㅁ, ㅂ, ㅅ, ㆁ)	• 거듭적기(중철) • 7종성법(ㄱ, ㄴ, ㄹ, ㅁ, ㅂ, ㅅ, ㅇ)	• 끊어적기(분철) • 모든 자음 종성 표기
음운		• ㅸ, ㅿ, ㆁ, ㆆ / ㆍ → • 어두 자음군 / 성조, 방점 → • 모음 조화 비교적 잘 지킴. → • 이중 모음 'ㅐ, ㅔ, ㅚ, ㅟ' →	• 구개음화(하나의 형태소 내부) → • 원순 모음화 • 두음 법칙	• 소멸 • 된소리 / 소리의 장단으로 변함. • 모음 조화 문란 • 단모음 'ㅐ, ㅔ, ㅚ, ㅟ' • 구개음화(형태소-형태소 경계)
단어		• 'ㅎ' 종성 체언 • 'ㄱ' 종성 체언 • 명사 파생 접미사 '-옴/움' →		• 명사 파생 접미사 '-(으)ㅁ'
문법		• 의문형 어미 - 판정 의문문: 'ㅏ/ㅓ' 계열 - 설명 의문문: 'ㅗ' 계열 - 2인칭 주어: '-ㄴ다, -ㄹ다'		
		• 높임 선어말 어미 - 주체 높임 '-시/샤-' → - 객체 높임 '-ᄉᆞᆸ/ᅀᆞᆸ/ᄌᆞᆸ/ᄉᆞᇦ/ᅀᆞᇦ/ ᄌᆞᇦ-' → - 상대 높임 '-ᅌᅵ-' →		- 주체 높임 '-시-' - 소멸 - 소멸
		• 시제 선어말 어미 - 과거 시제 '-더/다-, Ø' -현재 시제 '-ᄂᆞ/ㄴ-' -미래 시제 '-리-'		- 과거 시제 '-더-, -았/었-' - 현재 시제 '-는/ㄴ-' - 미래 시제 '-리-, -겠-'
		• 격 조사 - 주격 조사 'Ø, 이, ㅣ' → - 관형격 조사 'ᄋᆡ/의, ㅅ' - 목적격 조사 'ᄋᆞᆯ/을/ᄅᆞᆯ/를' - 호격 조사 '아, 하'	주격 조사 '가' 생겨남. →	- 주격 조사 '이, 가' - 관형격 조사 '의' - 목적격 조사 '을/를/ㄹ' - 호격 조사 '아, 야'
		• 명사형 전성 어미 '-옴/움', '-기'의 쓰임은 적음.	• 명사형 전성 어미 '-(으)ㅁ' 사용, '-기'의 쓰임이 증가함.	• 명사형 전성 어미 '-(으)ㅁ, -기'

6 국어사

빈칸 답 | ❶ 상형 ❷ 가획 ❸ 종성부용초성 ❹ ㅿ ❺ ㆁ

수능 다가가기

훈민정음의 제자 원리 2015학년도 수능Ⓑ

01 〈보기 1〉의 학생 의견과 관련된 한글의 제자 원리를 〈보기 2〉에서 찾아 바르게 짝지은 것은?

보기 1

학습 활동: 오늘날 우리가 한글을 사용하면서 생각한 바를 각자 정리하여 발표해 봅시다.

- 학생 1 : 'ㄱ'의 글자 모양이 그 소리를 낼 때 혀뿌리가 목구멍을 막는 모양과 관련된다니 한글은 정말 대단해요.
- 학생 2 : 휴대 전화 자판 중에는 'ㆍ, ㅡ, ㅣ'를 나타내는 3개의 자판만으로 모든 모음자를 입력하는 것도 있어서 참 편리해요.
- 학생 3 : 〈예사소리〉-〈거센소리〉-〈된소리〉의 관계가 〈A〉-〈A에 획추가〉-〈AA〉로 글자 모양에 나타나 있어서 참 체계적인 문자인 것 같아요.
- 학생 4 : 'ㅁ'과 'ㅁ'에 획을 추가해서 만든 자음자들은 '□' 모양을 공통으로 포함하고 있는데, 이때 포함된 '□' 모양은 이들 자음자들의 공통된 소리 특징을 반영한 것이에요.
- 학생 5 : 한글은 음절 단위로 모아쓰기를 하면서도 받침 글자를 따로 만들지 않았어요. 만약 그렇지 않았다면 지금보다 글자 수가 훨씬 많아졌을 거예요.

보기 2

한글의 제자 원리

가. 초성자와 중성자의 기본자는 상형의 원리로 만들었다.
나. 기본자에 가획하여 새로운 초성자를 만들었다.
다. 초성자를 나란히 써서 또 다른 초성자로 사용하였다.
라. 기본자 외의 8개 중성자는 기본자를 합하여 만들었다.

① 학생 1 – 가, 나　② 학생 2 – 다, 라
③ 학생 3 – 나, 다　④ 학생 4 – 나, 라
⑤ 학생 5 – 가, 라

중세 국어 2016학년도 수능Ⓑ

02 〈보기〉를 바탕으로 중세 국어의 특징을 탐구한 내용으로 적절하지 않은 것은?

보기

王(왕)이 니ᄅᆞ샤ᄃᆡ 大師(대사) ㉠ᄒᆞ샨 일 아니면 뉘 혼 거시잇고 ㉡仙人(선인)이 ᄉᆞᆯᄫᅩᄃᆡ 大王(대왕)하 이 ㉢南堀(남굴)ㅅ 仙人(선인)이 ᄒᆞᆫ ᄯᆞᄅᆞᆯ 길어 내니 양ᄌᆡ 端正(단정)ᄒᆞ야 ㉣世間(세간)애 ㉤쉽디 몯ᄒᆞ니 그 ᄯᆞᆯ ᄒᆞ닗 ㉥時節(시절)에 자최마다 ㉦蓮花(연화)ㅣ 나ᄂᆞ니이다

– 《석보상절》

[현대어 풀이]

왕이 이르시되 "대사 하신 일 아니면 누가 한 것입니까?" 선인이 아뢰되 "대왕이시여, 이 남굴의 선인이 한 딸을 길러 내니 모습이 단정하여 세상에 (모습을 드러내기가) 쉽지 못하니 그 딸 움직일 시절에 자취마다 연꽃이 납니다."

① ㉠에서는 주체인 '대사'를 높이기 위한 선어말 어미가 쓰였군.
② ㉡의 '이'와 ㉦의 'ㅣ'는 격 조사의 종류가 달라서 서로 다른 형태로 나타난 것이군.
③ ㉢을 보니 'ㅅ'은 현대 국어의 '의'에 해당하는 관형격 조사로 쓰였군.
④ ㉣과 ㉥을 보니 모음 조화에 따라 형태를 달리하는 부사격 조사가 있었군.
⑤ ㉤과 현대 국어의 '쉽지'를 비교해 보니 '–디'에서는 구개음화가 확인되지 않는군.

[03~04] 다음 글을 읽고 물음에 답하시오.

2019학년도 6월 모의평가

현대 국어에서 '-(으)ㅁ'이나 '-이'가 결합된 단어들 중에 형태는 같으나 품사가 다른 경우가 있다. 예를 들어 명사 '걸음'과 동사의 명사형 '걸음', 명사 '높이'와 부사 '높이'가 그러하다. 이는 용언에 결합하는 명사 파생 접미사 '-(으)ㅁ'과 명사형 전성 어미 '-(으)ㅁ'의 형태가 같고, '높다' 등의 일부 형용사에 결합하는 명사 파생 접미사 '-이'와 부사 파생 접미사 '-이'의 형태가 같기 때문이다.

[A] 이들의 품사를 구별하기 위해서는 각 단어의 다음과 같은 문법적 특징을 고려해야 한다. 명사는 서술격 조사가 결합하는 경우를 제외하고는 서술어로 쓰일 수 없고, 관형어의 수식을 받는다. 반면 ㉠ 동사나 형용사는 명사형이라 하더라도 문장이나 절에서 서술어로 쓰이고, 부사어의 수식을 받는다. 그리고 부사는 격조사와 결합할 수 없고 다른 부사어나 서술어 등을 수식한다.

한편 이들 '-(으)ㅁ'과 '-이'가 중세 국어에서는 그 쓰임에 따라 형태가 다르기 때문에 일반적으로 그 형태만으로 품사를 구별할 수 있다. 현대 국어의 두 가지 '-(으)ㅁ'은 중세 국어의 명사 파생 접미사 '-(ᄋᆞ/으)ㅁ'과 명사형 전성 어미 '-옴/움'에 각각 대응한다. 이러한 구별은 'ᄒᆞᆫ 거름 나ᅀᅩ 거룸(한 걸음 나아가도록 걸음)'에서 확인된다. '걷-'과 달리, 마지막 음절의 모음이 양성 모음인 어근이나 용언 어간에는 모음 조화에 따라 '-(ᄋᆞ)ㅁ'과 '-옴'이 각각 결합한다.

앞서 말한 현대 국어의 두 가지 '-이' 역시 중세 국어의 명사 파생 접미사 '-ᄋᆡ/의'와 부사 파생 접미사 '-이'에 각각 대응한다. 이러한 구별은 '나못 노ᄑᆡ(나무의 높이)'와 '노피 ᄂᆞᄂᆞᆫ 져비(높이 나는 제비)'에서 확인된다. '높-'과 달리, 마지막 음절의 모음이 음성 모음인 어근에는 모음 조화에 따라 명사 파생 접미사 '-의'가 결합한다. 그런데 부사 파생 접미사는 '-이' 하나여서 모음 조화에 상관없이 '-이'가 결합한다.

국어의 변천

03 윗글을 바탕으로 추론한 내용 중 적절하지 않은 것은?

① '됴ᄒᆞᆫ 여름 여루미(좋은 열매 열림이)'에서 '여름'과 '여룸'의 형태를 보니, 이 둘의 품사가 다르겠군.
② '거름'과 '거룸'의 형태를 보니, '거름'은 파생 명사이고 '거룸'은 동사의 명사형이겠군.
③ '거룸'과 '노ᄑᆡ'의 모음 조화 양상을 보니, 중세 국어 '높-'에는 '-움'이 아니고 '-옴'이 결합하겠군.
④ '노ᄑᆡ'와 '노피'의 형태를 보니, '노ᄑᆡ'는 파생 부사이고 '노피'는 파생 명사이겠군.
⑤ 중세 국어의 형용사 '곧다', '굳다'가 부사 파생 접미사 '-이'와 결합할 때, 그 형태가 모음 조화에 따라 달라지지 않겠군.

품사의 구분

04 [A]를 참고할 때, 밑줄 친 부분이 ㉠에 해당하는 예로만 묶인 것은?

① ┌ 많이 앎이 항상 미덕인 것은 아니다.
　 └ 그의 목소리는 격한 슬픔으로 떨렸다.
② ┌ 멸치 볶음은 맛도 좋고 건강에도 좋다.
　 └ 오빠는 몹시 기쁨에도 내색을 안 했다.
③ ┌ 요즘은 상품을 큰 묶음으로 파는 가게가 많다.
　 └ 무용수들이 군무를 춤과 동시에 조명이 켜졌다.
④ ┌ 어려운 이웃을 도움으로써 보람을 찾는 이도 있다.
　 └ 나는 그를 온전히 믿음에도 그 일은 맡기고 싶지 않다.
⑤ ┌ 아이가 울음 섞인 목소리로 빨리 오라고 소리쳤다.
　 └ 수술 뒤 친구가 밝게 웃음을 보니 나도 마음이 놓였다.

6 국어사

[05~06] **다음 글을 읽고 물음에 답하시오.**

2018학년도 수능

국어의 단어들은 ㉠어근과 어근이 결합해 만들어지기도 하고 어근과 파생 접사가 결합해 만들어지기도 한다. 어근과 파생 접사가 결합한 단어는 ㉡파생 접사가 어근의 앞에 결합한 것도 있고, ㉢파생 접사가 어근의 뒤에 결합한 것도 있다. 어근이 용언 어간이나 체언일 때, 그 뒤에 결합한 파생 접사는 어미나 조사와 혼동될 수도 있다. 그러나 파생 접사는 주로 새로운 단어를 만든다는 점에서 차이가 있다. 이에 비해 ㉣어미는 용언 어간과 결합해 용언이 문장 성분이 될 수 있도록 해 주고, ㉤조사는 체언과 결합해 체언이 문장 성분임을 나타내 줄 뿐 새로운 단어를 만들지는 않는다. 이 점에서 어미와 조사는 파생 접사와 분명하게 구별된다.

이러한 일반적인 상황과는 달리, 용언 어간에 어미가 결합한 형태나, 체언에 조사가 결합한 형태가 시간이 지나면서 새로운 단어가 된 경우도 있다. 먼저 용언의 활용형이 역사적으로 굳어져 새로운 단어가 된 예가 있다. 부사 '하지만'은 '하다'의 어간에 어미 '-지만'이 결합했던 것이었는데, 시간이 지나면서 굳어져 새로운 단어가 되었다. 다음으로 체언에 조사가 결합한 형태가 역사적으로 굳어져 새로운 단어가 된 예도 있다. 명사 '아기'에 호격 조사 '아'가 결합했던 형태인 '아가'가 시간이 지나면서 새로운 단어가 되었다.

[A] 또 다른 예로 미지칭의 인칭 대명사에, 의문문을 만드는 보조사 '고/구'가 결합한 형태가 굳어져 새로운 인칭 대명사가 된 경우를 들 수 있다. '이는 엇던 사ᄅᆞᆷ고(이는 어떤 사람인가?)'에서 볼 수 있듯이 중세 국어에서 보조사 '고/구'는 문장에 '엇던', 'ᄆᆞᄉᆞᆷ', '어느' 등과 같은 의문사가 있을 때, 체언 또는 의문사 그 자체에 결합해 의문문을 만들었다. 이와 같은 방식의 의문문 구성은 근대 국어를 거쳐 현대 국어의 일부 방언에까지 지속되고 있다.

단어의 형성 방법

05 다음 문장에서 ㉠~㉤에 해당하는 예를 찾아 이를 설명한 내용으로 적절하지 않은 것은?

> 아기장수가 맨손으로 산 위에 쌓인 바위를 깨뜨리는 모습이 멋졌다.

① '아기장수가'의 '아기장수'는 ㉠에 해당하는 예로, 어근 '아기'와 어근 '장수'가 결합했다.
② '맨손으로'의 '맨손'은 ㉡에 해당하는 예로, 파생 접사 '맨-'이 어근 '손' 앞에 결합했다.
③ '쌓인'의 어간은 ㉢에 해당하는 예로, 파생 접사 '-이-'가 어근 '쌓-' 뒤에 결합했다.
④ '깨뜨리는'은 ㉣에 해당하는 예로, 어미 '-리는'이 용언 어간 '깨뜨-'와 결합했다.
⑤ '모습이'는 ㉤에 해당하는 예로, 조사 '이'가 체언 '모습'과 결합했다.

국어의 변천

06 [A]를 바탕으로 〈보기〉의 [자료]를 탐구한 [탐구 내용]으로 적절하지 않은 것은?

보기

[탐구 목표]
현대 국어의 인칭 대명사 '누구'의 형성에 대해 이해한다.

[자료]
(가) 중세 국어: 15세기 국어
- 누를 니ᄅᆞ더뇨 (누구를 이르던가?)
- 네 스승이 누고 (네 스승이 누구인가?)
- ᄂᆞᄆᆞᆫ 누구 (남은 누구인가?)

(나) 근대 국어
- 이 벗은 누고고 (이 벗은 누구인가?)
- 져 ᄒᆞᆫ 벗은 누구고 (저 한 벗은 누구인가?)

(다) 현대 국어
- 누구를 찾으세요?
- 누구에게 말했어요?

[탐구 내용]

[탐구 결과]
미지칭의 인칭 대명사에 의문문을 만드는 보조사 '고/구'가 결합했던 형태인 '누고', '누구'는 시간이 지나면서 점점 굳어져 새로운 단어가 되었는데, 오늘날에는 '누구'만 남게 되었다.

① (가)에서 미지칭의 인칭 대명사의 형태는 '누', '누고', '누구'이다.
② (나)에서 미지칭의 인칭 대명사의 형태는 '누고', '누구'이다.
③ (다)에서 미지칭의 인칭 대명사의 형태는 '누구'이다.
④ (가)에서 (나)로의 변화를 보니, '누고', '누구'는 체언과 보조사가 결합한 형태였다가 새로운 단어가 되었다.
⑤ (나)에서 (다)로의 변화를 보니, 현대 국어에서는 미지칭의 인칭 대명사로 '누고'는 쓰이지 않고 '누구'만이 쓰이고 있다.

[07~08] 다음은 용언의 활용에 관한 탐구 활동과 자료이다. 〈대화 1〉과 〈대화 2〉는 학생의 탐구 활동이고, 〈자료〉는 학생들이 수집한 학술 자료이다. 물음에 답하시오.

2017학년도 6월 모의평가

〈대화 1〉

A: '(길이) 좁다'와 '(이웃을) 돕다'는 어간의 끝이 'ㅂ'으로 같잖아? 그런데 '좁다'는 '좁고', '좁아'로 활용하고 '돕다'는 '돕고', '도와'로 활용하여, 모음으로 시작하는 어미 앞에서의 활용형이 달라.

B: 그러고 보니 '(신을) 벗다'와 '(노를) 젓다'도 어간의 끝이 'ㅅ'으로 같은데, '벗다'는 '벗어'로 활용하고 '젓다'는 '저어'로 활용해서, 모음으로 시작하는 어미 앞에서의 활용형이 달라.

A: 그렇구나. 어간의 끝이 같은데도 왜 이렇게 다르게 활용하는 걸까? 우리 한번 같이 자료를 찾아보고 답을 알아볼래?

〈자료〉

현대 국어 '좁다'와 '돕다'의 15세기 중엽의 국어에서의 활용형을 보면, '좁다'는 '좁고', '조바'처럼 자음과 모음으로 시작하는 어미 앞 모두에서 어간이 '좁-'으로 나타난다. 그러나 '돕다'는 자음으로 시작하는 어미 앞에서는 '돕고'처럼 어간이 '돕-'으로, 모음으로 시작하는 어미 앞에서는 '도ᄫᅡ'처럼 어간이 '도ᇦ-'으로 나타난다. 다음으로 현대 국어 '벗다'와 '젓다'의 15세기 중엽의 국어에서의 활용형을 보면, '벗다'는 '벗고', '버서'처럼 자음과 모음으로 시작하는 어미 앞 모두에서 어간이 '벗-'으로 나타난다. 그러나 '젓다'는 자음으로 시작하는 어미 앞에서는 '젓고'처럼 어간이 '젓-'으로, 모음으로 시작하는 어미 앞에서는 '저ᅀᅥ'처럼 어간이 '저ᇫ-'으로 나타난다. 당시 국어의 음절 끝에는 'ㄱ, ㄴ, ㄷ, ㄹ, ㅁ, ㅂ, ㅅ, ㆁ'의 8개의 소리가 올 수 있었기에 '돕고'의 'ㅂ'과 '젓고'의 'ㅅ'은 각각 'ㅸ'이 'ㅂ'으로 교체되고 'ㅿ'이 'ㅅ'으로 교체된 것을 표기한 것이다. 그리고 '도ᄫᅡ'와 '저ᅀᅥ'는 'ㅸ'과 'ㅿ'이 뒤 음절의 첫소리로 연음된 것을 표기한 것이다.

그런데 'ㅸ', 'ㅿ'은 15세기와 16세기를 지나면서 소실되었다. 먼저 'ㅸ'은 15세기 중엽을 넘어서면서 '도ᄫᅡ>도와', '더ᄫᅥ>더워'에서와 같이 'ㅏ' 또는 'ㅓ' 앞에서는 반모음 'ㅗ̆/ㅜ̆[w]'로 바뀌었고, '도ᄫᆞ시니>도오시니', '셔ᄫᅳᆯ>셔울'에서와 같이 'ㆍ' 또는 'ㅡ'가 이어진 경우에는 모음과 결합하여 'ㅗ' 또는 'ㅜ'로 바뀌었으나, 음절 끝에서는 이전과 다름없이 'ㅂ'으로 나타났다. 다음으로 'ㅿ'은 16세기 중엽에 '아ᅀᆞ>아ᄋᆞ', '저ᅀᅥ>저어'에서와 같이 사라졌으며, 음절 끝에서는 이전과 다름없이 'ㅅ'으로 나타났다. 이런 변화를 겪은 말 중에 '셔울', '도오시니', '아ᄋᆞ'는 18~19세기를 거쳐 '서울', '도우시니', '아우'로 바뀌어 오늘날에 이르렀다.

〈대화 2〉

A: 자료를 보니 'ㅸ', 'ㅿ'이 사라지면서 '도ᄫᅡ'가 '도와'로, '저ᅀᅥ'가 '저어'로 활용형이 바뀌었네.

B: 그럼 '(고기를) 굽다'가 '구워'로 활용하고, '(밥을) 짓다'가 '지어'로 활용하는 것도 같은 거겠네!

A: 맞아. 그래서 현대 국어에서는 '굽다'하고 '짓다'가 불규칙 활용을 하게 된 거야.

국어의 변천

07 위 탐구 활동과 자료에 대한 이해로 적절하지 않은 것은?

① 현대 국어의 '도와', '저어'와 같은 활용형은 어간의 형태가 달라지는 불규칙 활용에 해당하는군.

② 15세기 국어의 '도ᄫᅡ'가 현대 국어에서 '도와'로 나타나는 것은 'ㅸ'이 어간 끝에서 'ㅂ'으로 바뀐 결과이군.

③ 15세기 국어의 '저ᅀᅥ'가 현대 국어에서 '저어'로 나타나는 것은 'ㅿ'의 소실로 어간의 끝 'ㅿ'이 없어진 결과이군.

④ 15세기 국어의 '돕고'와 현대 국어의 '돕고'는, 자음으로 시작하는 어미 앞에서 어간의 모양이 달라지지 않았군.

⑤ 15세기 국어의 '젓고'와 현대 국어의 '젓고'는, 자음으로 시작하는 어미 앞에서 어간의 모양이 달라지지 않았군.

국어의 변천

08 위 탐구 활동과 자료에 따라, 현대 국어 용언들의 15세기 중엽 이전과 17세기 초엽에서의 활용형을 바르게 추정한 것은?

		15세기 중엽 이전			17세기 초엽		
		-게	-아/-어	-ᄋᆞᆫ/-은	-게	-아/-어	-ᄋᆞᆫ/-은
①	(마음이) 곱다	곱게	고ᄫᅡ	고ᄫᆞᆫ	곱게	고와	고온
②	(선을) 긋다	긋게	그ᅀᅥ	그ᅀᅳᆫ	긋게	그서	그슨
③	(자리에) 눕다	눕게	누ᄫᅥ	누ᄫᅳᆫ	눕게	누워	누운
④	(머리를) 빗다	빗게	비서	비슨	빗게	비서	비슨
⑤	(손을) 잡다	잡게	자ᄫᅡ	자ᄫᆞᆫ	잡게	자바	자ᄇᆞᆫ

6 국어사

20 언어와 매체 언어

과거의 일기쓰기

오늘날의 일기쓰기

1 언어와 인간

언어는 본질적으로 의사소통의 수단일➕ 뿐만 아니라, 인간의 사고와 사회, 그리고 문화와 떼려야 뗄 수 없는 관계를 맺고 있다.

언어와 사고

언어와 사고 중에서 어느 것이 먼저인지 정확히 말하기는 어렵지만, 언어와 사고는 상호 작용하며 긴밀하게 연관되어 있다는 것은 분명하다.

예 어린이는 언어 능력이 발달하면서 지적 능력이나 사고력이 함께 신장되고, 사고력이 높아지면서 언어 능력 수준도 더욱 높아짐.

언어와 사회

언어는 인간이 의사소통을 통해 사회를 구성하고 유지하며 발전하게 하는 수단이다. 또한 인간이 살아가는 사회는 매우 다양하며, 그에 따라 사용하는 언어의 양상도 다르게 나타난다.(언어는 지역, 시대, 나이, 성별, 계층, 직업 등에 따라 다르게 사용될 수 있음.) 따라서 언어를 살펴보면 그 언어를 사용하는 사회의 모습을 이해할 수 있다.

예
- 지역에 따라: '부추'는 지역에 따라 '정구지', '솔' 등 다양한 방언으로 불림.
- 직업에 따라: 의사는 업무의 효율성과 정확성을 높이려고 의학 용어(전문어)를 사용함.

언어와 문화

언어는 그 언어를 사용하는 사람들의 삶과 정신, 즉 문화를 반영한다. 이러한 언어는 그 자체로 문화적 산물이다.(예 관용어, 속담, 높임법 등의 언어문화) 한편 언어는 문화를 창조하고 전승하고 발전시키는 수단이 되기도 한다.

예
- 농경 문화가 발달한 우리나라: 'rice'에 대응하는 말이 풍부함.('모', '벼', '쌀', '밥' 등)
- 눈이 많이 오는 환경에 사는 이누이트: 'snow'에 대응하는 말이 풍부함.('땅 위의 눈', '내리는 눈', '바람에 날리는 눈' 등을 표현하는 단어가 따로 있음.)

개념➕ 언어의 본질

언어는 내용(의미)과 형식(말소리)으로 이루어진 기호로서 다음과 같은 특성을 지닌다.

자의성	언어의 내용(의미)과 형식은 필연적인 것이 아니라 임의적인 것이다. 예 한국어: 꽃, 영어: flower, 중국어: 花[huā]
사회성	언어는 개인이 마음대로 바꾸어 쓸 수 없는 사회적 약속이다.
역사성	언어는 시간의 흐름에 따라 변화한다.
규칙성	언어에는 반드시 지켜야 할 일정한 규칙이 있다. 예 나는 빠른 걷는다.(X) 예 나는 빠르게 걷는다.(O)
창조성	한정된 단어를 가지고 무수히 많은 문장을 만들 수 있다.

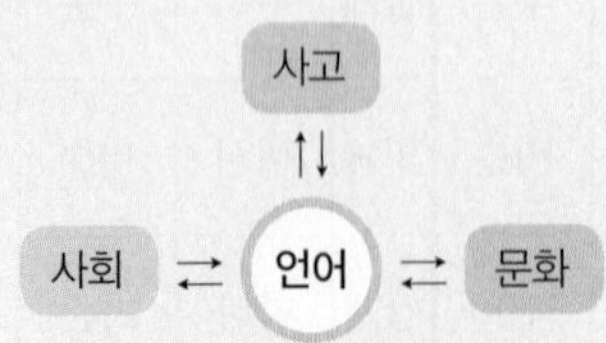

▲ 언어와 사고·사회·문화의 관계

2 국어의 특성

국어는 영어와 같은 다른 언어와 구별되는 국어만의 특성을 지니고 있다. 국어를 바르게 사용하려면 이러한 국어의 특성을 정확히 파악하는 것이 필요하다.

음운의 특성

- 자음은 예사소리, 된소리, 거센소리의 음운 대립이 있다. 111쪽 이는 다른 언어에는 없는, 독특한 음운의 대립이다. 예 /ㄱ, ㄲ, ㅋ/, /ㄷ, ㄸ, ㅌ/, /ㅂ, ㅃ, ㅍ/, /ㅈ, ㅉ, ㅊ/ 등
- 첫소리에 둘 이상의 자음이 오지 못한다.
  예 영어는 'spring'처럼 음절의 첫소리에 여러 자음이 오지만, 국어에서는 이를 3음절인 [스프링]으로 발음함.

어휘의 특성

- 고유어, 한자어, 외래어의 삼중 체계로 나뉜다.
- 의성어, 의태어와 같은 상징어가 풍부하게 발달하였다.
  예 '철썩철썩', '딸랑딸랑', '아장아장', '들썩들썩' 등
- 색채와 관련한 표현들이 발달하였다.
  예 영어 'red'에 대응하는 우리말이 풍부함. → '빨갛다', '빨갛다', '불긋하다', '불그스름하다' 등
- 친족어와 호칭어들이 섬세하게 분화되어 있다.
  예 영어 'aunt'에 대응하는 우리말이 풍부함. → 큰어머니, 작은어머니, 이모, 고모 등

문법의 특성

- 국어는 조사나 어미가 발달하여 이들이 대부분의 문법적 기능을 담당한다.
  ➲ 이는 문장에서 어순이 다른 언어에 비해 비교적 자유로운 편인 것과도 관련이 있다. 국어 문장은 대체로 '주어-목적어-서술어'의 어순으로 나타나긴 하지만, 서술어를 제외한 다른 성분들은 비교적 자유롭게 위치를 바꿀 수 있는데, 이는 조사나 어미가 문장 속에서 문법적 역할을 밝혀준다는 국어의 첨가어적 특성 때문이다.
- 중심이 되는 말을 뒤에 놓는 경향이 있다.
  ➲ 국어의 문장에서는 꾸미는 말이 대개 꾸밈을 받는 말 앞에 온다는 점, 또한 문장에서 서술어가 맨 뒤에 온다는 점과도 관련이 있다.
- 높임 표현이 발달하였다.
  ➲ 높임법이 주체 높임법, 객체 높임법, 상대 높임법으로 나뉘는 한편, 특정한 어휘를 통해 높임 표현이 실현되기도 한다. 이러한 높임법에는 우리나라의 사회·문화적 특성이 반영되어 있다.

3 매체와 매체 언어

매체

① 어느 한쪽과 다른 한쪽을 관련지어 주는 방법이나 수단을 의미한다. 말(음성)과 글(문자)은, 언어의 의미와 형식을 이어 주는 가장 기본적인 매체라 할 수 있다.

② 오늘날에는 이보다 좀 더 좁은 의미로 매체를 일컫는데, 기술의 발달이 만들어 낸 '신문, 책, 텔레비전, 인터넷, 이동 통신 기기' 등을 의미한다. 어떤 매체를 활용하여 생각과 느낌, 정보나 지식을 전달하느냐에 따라 의미를 구성하는 방식이 달라진다.

매체 언어

다양한 매체를 통해 실현되는 언어를 말한다. 기존의 언어가 음성 언어와 문자 언어로 이루어진 것이었다면, 매체 언어는 음성, 문자, 소리, 이미지, 동영상 등이 복합적으로 작용하여 의미를 형성한다는 특징을 지닌다. 이러한 특징을 복합 양식성이라 한다.

개념+ 우리말의 고유어와 한자어

고유어와 외래어의 이분 체계를 가지는 여타 언어와 달리, 우리말은 '고유어, 한자어, 외래어'의 삼분 체계를 가지는 것이 특징이다. 이중 국어 어휘의 대부분을 차지하는 것은 고유어와 한자어로, 이들은 오랜 세월에 걸쳐 우리말 안에서 공존해 오면서 폭넓은 대응 관계를 형성하였다.

구분	내용
고유어	• 흔히 순우리말이라고도 부르는 단어들로서, 예로부터 우리의 것인 단어들. • 우리 민족 특유의 문화나 정서를 표현하며 정서적 감수성을 풍요롭게 함.
한자어	• 중국의 한자를 기반으로 하여 만들어진 단어. • 대개 개념어, 추상어로서 고유어에 비하여 좀 더 정확하고 분화된 의미를 지녀서 고유어를 보완하는 역할을 함.

개념+ 첨가어(添加語)

실질적인 의미를 가진 단어 또는 어간에 문법적인 기능을 가진 요소가 차례로 결합함으로써 문장 속에서의 문법적인 역할이나 관계의 차이를 나타내는 언어를 가리킨다. 교착어(膠着語)라고도 한다.

짚고 가요

복합 양식성과 우리의 의사소통 생활

현대 사회에서 의사소통을 할 때에는 이러한 복합 양식성을 지닌 매체가 가장 많이 활용되기 때문에 이 특성을 이해하는 것이 중요해. 예를 들어 영화 한 편을 볼 때에도 이를 무조건적으로 받아들이는 것이 아니라, 자막과 영상과 음악이 어우러져 자아내는 의미를 잘 해석하고 받아들일 수 있어야겠지. 이것은 매체 자료를 수용할 때뿐 아니라, 우리가 매체 자료를 생산할 때에도 마찬가지야.

짚고 가요

매체의 발달

매체의 발달 과정을 살피면 각 매체 언어의 특성을 더 잘 이해할 수 있어. 다음을 보자.

문자 발명 전

- 음성 언어로만 의사소통함.
- 생산자와 수용자가 대면한 상태에서만 의사소통이 이루어졌고, 시공간적 제약이 있었음.

↓

문자의 발명

음성 언어의 제약을 극복하였으나 문자 언어의 해독 능력이 있는 특수한 계층만이 지식을 독점했음.

↓

인쇄술의 발달

지식의 대중화가 이루어졌으나 전문적 지식의 생산은 권위 있는 저자의 것이었음.

↓

영상 매체의 등장

- 음성과 문자 외에 소리, 영상 등 다양한 양식을 복합적으로 사용하게 되면서 수용자가 지식을 이해하기 더 쉬워짐.
- 텔레비전과 같은 영상 매체는 동시에 다수의 수용자에게 정보를 수용할 수 있게 하는 대중 매체의 특징을 지님.

영상 매체를 거쳐 등장한 '뉴 미디어'는, 여러 가지 면에서 사람들의 의사소통 방식에 영향을 미치고 있어. 오른쪽 본문에서 이를 확인해 보자.

개념+ **매체 자료를 생산할 때 고려할 소통 맥락**

① 생산 목적은 무엇인가?: 정보 전달, 설득, 심미적 정서 표현, 사회적 상호 작용 등.

② 수용자는 어떤 특성을 지녔는가?: 연령, 성별, 배경지식, 관심사, 규모 등.

③ 활용할 매체는 어떤 특성을 지녔는가?

뉴 미디어

최근 강조되고 있는 '뉴 미디어(New media)'는 말 그대로 새로운 매체, 즉 기존의 매체와는 양식이 다른 매체를 말한다. 뉴 미디어가 어떤 특징을 지녔는지 알아보기 위해, 전통적인 대중 매체와 뉴 미디어를 비교해 보기로 한다.

	대중 매체	뉴 미디어
특성	• 신문, 잡지, 라디오, 텔레비전 등이 대표적임. • 여러 정보를 빠른 속도로 많은 사람들에게 보급할 수 있으나 정보를 생산하고 제공하기 위해 많은 자본과 전문적 기술이 필요함. → 일반인들이 생산자로 참여하기 어려우며, 수용자의 반응이나 의견을 전달하는 통로가 제한적임.	• 컴퓨터, 인터넷, 이동 통신 기기 등 정보 통신 기술과 결합한 매체임. • 누구나 쉽게 지식과 정보를 얻고 나눌 수 있으며, 그에 대한 반응도 전달하고 공유할 수 있음. → 매체 자료의 생산과 수용이 쌍방향적으로 이루어짐.
정보의 구성과 유통 방식	• 주로 해당 분야의 전문가가 정보를 제공함. 인터넷에 비해 비교적 정보의 신뢰성이 높음. • 같은 정보라도 이를 전달하는 매체가 지닌 관점과 가치에 따라 주요 내용과 다루는 정보의 비중이 달라질 수 있음.	• 누구나 정보를 생산하고 유통할 수 있음. → 정보의 신뢰성이 떨어질 수 있음. • 대중 매체와 마찬가지로 정보의 빠른 유통과 장기간 보존이 가능하나, 대중 매체보다 기존 내용의 변형이 쉽게 이루어진다는 특징이 있음.

매체 자료의 생산과 수용

뉴 미디어는 이미 우리의 언어생활과 깊이 관련되어 있어. 예를 들어 볼까? 우리는 블로그나 누리 소통망을 통해 손쉽게 매체 자료를 생산하고, 다른 사람이 생산한 매체 자료에 대한 반응을 공유하고 있잖아. 이러한 뉴 미디어나, 대중 매체를 통해 의사소통을 할 때에는 다음과 같은 점을 고려하는 것이 필요해.

생산할 때	• 매체 언어도 언어이므로, 소통 맥락을 고려하여 매체 언어를 생산한다. 나아가 매체 언어를 통해 이루어지는 의사소통은 사회적 차원의 것임을 이해하고, 다른 사람을 배려하고 존중하며 의사소통한다. • 뉴 미디어의 특징에 대한 이해를 바탕으로 하여, 매체 자료를 생산할 때에는 스스로 자신의 언어 사용을 돌아보고, 문제점을 개선하려고 하는 태도를 갖는 것이 필요하다. (뉴 미디어의 특징: 누구나 매체 자료를 생산할 수 있으며, 전통적인 매체보다 정보를 퍼뜨리는 속도가 빠름.)
수용할 때	• 매체 유형별로 정보를 구성하고 유통하는 방식에 대한 이해를 바탕으로 하여 그러한 유형의 매체가 전달하는 정보와 지식을 비판적으로 수용한다. - 대중 매체: 각 매체가 지향하는 가치관을 파악하면 해당 매체가 제공하는 정보를 더 잘 이해할 수 있다. - 뉴 미디어: 제공하는 정보에서 오류, 왜곡을 발견했을 때에는 적극적인 태도로 수정을 요구한다. • 나아가, 매체를 바탕으로 하여 형성되는 대중문화를 비판적으로 이해하는 한편, 이를 부정적으로만 볼 것이 아니라 자신의 삶의 맥락 속에서 즐겁게 의미를 구성하며 스스로의 정체성을 탐색할 수 있어야 한다.

확인 문제

✔ 바로바로 간단 체크

1 괄호 안에 들어갈 알맞은 말을 쓰시오.

(1) 언어는 본질적으로 의사소통의 수단일 뿐만 아니라, 인간의 (ㅅㄱ)와 (ㅅㅎ), 그리고 (ㅁㅎ)와 떼려야 뗄 수 없는 관계를 맺고 있다.

(2) 국어는 (ㅈㅅ)나 (ㅇㅁ)가 발달하여 대부분의 문법적 기능을 담당하는 첨가어로, 이에 따라 문장의 (ㅇㅅ)이 자유롭다는 특성을 보인다.

(3) 의사소통과 정보 전달의 다양한 수단을 (ㅁㅊ)라 하고, 다양한 매체를 통해 실현되는 언어를 (ㅁㅊ ㅇㅇ)라 한다.

(4) 뉴미디어 시대의 매체들은 여러 가지 요소가 복합적으로 사용되어 의미를 구성하는 경향이 강한데 이러한 성질을 (ㅂㅎ ㅇㅅㅅ)이라고 한다.

2 다음 예시에 알맞은 언어의 특성을 〈보기〉에서 골라 쓰시오.

보기
자의성, 역사성, 사회성

(1) '별'을 영어로는 'star[스타]', 프랑스어로는 'etoile[에투알]'이라고 표현한다.

(2) 요즘에는 '온[百], 즈믄[千]'과 같은 말이 쓰이지 않는다.

(3) '종이를 여러 장 묶어 맨 물건'을 '책'이 아닌 다른 말로 바꾸어 부르면 다른 사람들은 그 말을 이해하지 못한다.

3 '뉴 미디어'의 특성으로 알맞은 것에는 ○표, 틀린 것에는 × 표 하시오.

(1) 일반인은 생산자로 참여하기 어렵다. ( )

(2) 전통적인 매체보다 정보를 퍼뜨리는 속도가 매우 빠르다. ( )

(3) 대중 매체보다 기존 내용의 변형이 쉽게 이루어질 수 있다. ( )

[01~02] 다음 글을 읽고 물음에 답하시오.

2003학년도 10월 고1 학력평가(변형)

아프리카에 있는 어떤 종족은 무지개의 빛깔을 세 가지로 표현한다고 한다. ㉠우리의 옛 기록에는 무지개를 백색이나 오색으로 표현하였고, 최근에는 일곱 가지 빛깔로 표현하는데 그들은 그렇지 않다는 것이다. 무지개가 실제로는 어디 일곱 빛깔뿐이었겠는가? 과학적으로 자세히 살펴보면 훨씬 더 많은 빛깔이 그 안에 있는 것이다. ㉡그러나 무지개를 언어로 추상화할 때 문화권에 따라 이렇게 서로 다르게 나타나는 것이다. 그것은 무지개라는 외계 현상에 대하여 그것을 인식하는 문화의 차이에서 비롯되었다. (중략)

우리 민족이 한국어라는 구체적인 언어를 사용한다는 것은 단순히 지구상에 있는 여러 언어 가운데 개별 언어 한 가지를 쓴다는 사실만을 의미하지는 않는다. 우리 민족의 문화와 세계 인식이 한국어에는 녹아 있기 때문이다. 이것이 바로 세계 인식의 차이이며 문화의 차이이다.

이러한 세계 인식은 여러 면에서 나타난다. ㉢'사촌'이라고 할 때, 우리는 '친·외·내종·외종' 등 네 가지로 구분할 수 있다. 영어에서는 'cousin'으로 이를 통틀어 표현할 뿐만 아니라, 일가·재종·삼종까지도 뜻할 수 있다고 한다. 가족 관계에 대한 표현에서 우리말이 저들보다는 좀더 자세한 편이다. 그러한 관계를 'cousin'이라는 하나의 낱말로 나타내기보다는 사촌은 물론 가족 관계를 좀 더 자세히 표현하여 의미를 나눈 것이 우리의 문화이고, 그것을 필요로 하지 않는 것이 저들의 생활이고 문화라 할 수 있다.

그리고 문화에 따른 이러한 차이는 낱말에서만이 아니라 동사 활용에 있어서도 나타난다. 우리말에는 피동형이 발달되지 않았다. ㉣머리를 다듬고 싶을 때, '머리를 깎이러 간다.'는 말은 하지 않고, 또 '머리를 깎였다.'는 표현도 잘 하지 않는다. '머리를 깎으러 간다.'거나 '깎았다'라고 말한다. 얼핏 보면 피동형으로 표현하는 것이 더 합리적인 것 같다. 머리를 분명히 이발사에게 깎이었으니까 말이다. 그러나 한 걸음 더 나아가 생각하면 이발사는 제 마음대로 남의 머리를 깎은 것이 아니다. 주인공인 내가 깎으라고 해서 깎은 것이니 깎은 주체는 '나'다. 이러한 생각이 밑바탕이 되어 우리는 '머리를 깎았다.'라고 한다. 그리고 거기에는 스스로가 깎은 것이 아니라 남을 시켜 깎은 것이라는 의미가 숨어 있는 것이다. (중략)

사뿐히 즈려밟는
확인 문제

> 이와 유사한 예들이 통사 구조에도 나타난다. 영어나 중국어와 우리말은 주술 구조가 다르다. 우리는 주어 다음에 목적어가 오고 문장의 맨 끝에 서술어가 온다. 영어나 중국어에서는 주어 다음에 서술어가 오고 그 다음에 목적어가 온다. 우리말의 경우 '내가 너를 사랑한다.'고 할 때, 나와 네가 먼저 문제가 되고, 그 다음에 관계를 밝힌다. 이에 비해, 영어나 중국어에서는 내가 나오고 그 다음에 나의 생각이 나온 뒤에 목적어인 상대가 나온다. 이러한 통사 구조에 있어 어느 것이 더 좋은가를 따지는 일은 무의미하다. ⓜ그것은 두 언어군 사이에 나타난 세계 인식의 차이이고 문화의 차이이기 때문이다.

언어와 국어의 특성

01 **〈보기〉는 윗글을 바탕으로 한 수행평가 장면이다. 글의 내용을 잘못 이해한 학생은?**

보기

교 사 : 여러분, 이 글의 주제는 무엇일까요?
학생 1 : 네, 언어는 그 민족의 세계 인식과 문화적 특성이 반영되어 있다는 점입니다.
교 사 : 구체적인 사례를 한 번 들어봅시다.
학생 2 : 무지개 색깔을 각 민족마다 달리 인식하는 것이 대표적인 예입니다.
교 사 : 그 원인은 무엇 때문일까요?
학생 3 : 네, 그것은 각 나라의 문화적 수준의 차이 때문이라고 생각합니다.
교 사 : 그렇군요. 우리말에 반영된 언어적 특징 중 글에 드러나지 않은 게 또 있을까요?
학생 4 : 영어와 달리 국어는 주체 높임법, 객체 높임법, 상대 높임법과 같이 다양한 높임 표현이 발달했습니다.
교 사 : 좀더 구체적으로 설명을 해 볼까요?
학생 5 : '아버지가 주무시다.'에서 주격 조사 '-가'를 '-께서'로 고쳐 주체 높임법을 사용하면 훨씬 공손한 문장이 됩니다.

① 학생 1 ② 학생 2 ③ 학생 3 ④ 학생 4 ⑤ 학생 5

언어의 특성

02 **ⓖ~ⓜ에 대한 설명으로 알맞지 않은 것은?**

① ⓖ: 시간의 흐름에 따라 대상에 대한 언어 사용자의 인식이 달라졌기 때문에 대상을 표현하는 방식도 달라졌음을 보여 준다.
② ⓛ: 언어 공동체마다 동일한 대상이라도 다르게 표현하는 언어의 창조성을 보여 준다.
③ ⓒ: 언어를 통해 외국과 구분되는 우리나라만의 고유한 문화 양식을 보여 준다.
④ ⓡ: 주체를 중시하기 때문에 피동 표현을 잘 사용하지 않는 국어의 문법적 특성을 보여 준다.
⑤ ⓜ: 언어는 사고와 문화를 반영하기 때문에 언어를 통해 해당 공동체의 사고와 문화를 이해할 수 있다.

매체의 생산과 수용

03 **다음은 공익 광고 포스터이다. 매체의 생산과 수용이라는 관점에서 이를 분석한 내용으로 적절하지 않은 것은?**

① 광고 수용자의 범위가 범국민적이어서 사회적으로 미치는 기능과 파급력이 크다.
② 매체 생산자는 광고 수용자들의 생각이나 행동을 바꾸려는 목적으로 광고를 제작했을 것이다.
③ 수용자는 광고에 사용된 여러 전략들의 타당성을 평가하며 정보를 받아들이는 태도가 필요하다.
④ 음성적·문자적·공간적 요소가 복합적으로 사용되어 생산자의 의도가 효과적으로 전달되고 있다.
⑤ 수용자에게 공익 광고가 지향하는 가치관에 대한 이해가 있다면, 생산자가 전달하고자 하는 내용을 더욱 효과적으로 파악할 수 있을 것이다.

뉴 미디어의 특성

04 **뉴 미디어의 복합 양식성이 드러난 사례를 모두 〈보기〉에서 모두 고른 것은?**

보기

ㄱ. 대사와 그림, 배경 음악이 함께 어우러진 웹툰
ㄴ. '보이는 라디오' 방송
ㄷ. 여행지 소개말과 함께 블로그에 올라온 부산 여행 동영상
ㄹ. 삽화가 들어간 전자책

① ㄱ, ㄴ ② ㄱ, ㄷ ③ ㄴ, ㄷ
④ ㄱ, ㄴ, ㄷ ⑤ ㄱ, ㄴ, ㄷ, ㄹ

매체의 생산과 수용

05 **〈보기〉를 바탕으로 매체의 생산과 수용에 대해 이해한 내용으로 적절하지 않은 것은?**

보기

지난 며칠간 가장 화제가 된 뉴스는 한 버스 관련 사건이었다. 처음에는 '어린아이만 내린 상태에서 버스가 출발하자 엄마가 문을 열어 달라고 고함을 쳤는데도 버스 기사가 운행을 계속했다.'라는 내용으로 알려졌다. 버스 기사에 대한 공분이 일었다. 이후 버스 내부 폐쇄회로 텔레비전 영상이 공개되면서, 버스 기사에게 별다른 잘못이 없다는 반박이 나왔다. 그러자 인터넷 여론이 순식간에 바뀌어, 애초 사건 관련 글을 올린 사람에 대한 비판이 폭주했다.

이 일은 사건의 진실과 별도로 인터넷 여론이 형성되고 유통되는 과정을 압축적으로 보여 준다. 몇몇 인터넷 커뮤니티에 글이 올라오면 경쟁적으로 이를 퍼 나르고, 이에 따라 여론이 휩쓸리는 현상이 발생한다. 여기에 사실을 확인하는 과정은 없다.

– 《조선일보》 2017년 9월 15일 자 기사

① 도경: 매체 생산자는 사실 관계를 제대로 확인하지 않고 오류가 있는 자료를 생산했군.

② 윤서: 매체 수용자는 생산자가 올린 자료를 다양한 시각에서 비교하는 과정을 거치지 못했군.

③ 인영: 매체 생산자는 매체가 제공하는 정보의 파급력을 간과하고 책임감이 없는 행동을 했군.

④ 현주: 매체 수용자는 쉽게 여론에 휩쓸리지 않도록 주의하며 자료를 비판적으로 판단해야 하겠군.

⑤ 영은: 매체 수용자가 매체 생산자와 버스 기사를 모두 비판한 것은 바람직한 매체 문화로 볼 수 있겠군.

[06~07] **다음 글을 읽고 물음에 답하시오.**

2003학년도 수능(변형)

언어는 그것을 사용하는 언중(言衆)의 역사와 생활을 반영한다. 그러기에 ㉠ 언어를 문화의 색인(索引)이라고까지 말한다. 한 민족은 그 민족 나름의 독특한 역사와 문화를 지니고 있으며, 독특한 사상, 감정 및 사고방식도 아울러 지닌다. 이들은 그대로 언어에 반영되는데, 어휘 부분에서 가장 두드러진다. 국어의 어휘상의 특질 중 몇 가지를 살펴보면 다음과 같다.

첫째, 다량의 한자어들이 들어와 한자어가 전체 어휘에서 차지하는 비중이 매우 높다. 한자는 대략 기원전 3세기경에 이 땅에 전래되어, 신라가 삼국을 통일한 7세기경에는 이미 널리 사용되었던 것으로 보인다. 그리하여 신라 시대에 각각 ㉡ 인명과 지명 등을 한자어로 바꾸기도 하였다. 이러한 한자어는 그 후 고려 시대에 불교, 조선 시대에 유학이 융성함에 따라 더욱 많이 사용되었다.

둘째, 우리말에는 감각어가 매우 발달되어 있다. 우리 민족은 정서적이고 감각적인 편이었다. 이러한 특징이 언어에 반영되어 우리말에 감각적인 어휘가 발달하게 되었다고 볼 수 있다. 예를 들어 ㉢ 노란색을 나타내는 말만 하더라도, 매우 다양하다. 노란색을 나타내는 말이 영어에서는 'yellow' 하나 정도라는 것을 고려할 때, 국어의 감각어가 얼마나 다채롭게 발달되어 있는지 쉽게 알 수 있다.

셋째, 상징어의 발달을 들 수 있다. ㉣ 상징어는 주로 소리, 동작 형태를 모사하는 것으로서, 구체적이고 감각적인 표현 수단의 하나이다. 상징어는 국어에 특히 발달되어 있고, ㉤ 자음이나 모음의 교체를 통한 어감의 차이에 의해 다양하게 분화될 수 있다.

언어와 국어의 특성

06 **윗글에 대한 이해로 적절하지 않은 것은?**

① 언어에는 그 언어를 사용하는 사람들의 사고방식이 반영되어 있다.

② 언어 중에서도 언어 사용자의 사상과 감정이 가장 잘 나타나는 것은 어휘 부분이다.

③ 동일한 색채, 소리, 모양 등을 인식하고 수용하는 감각은 민족마다 서로 다를 수 있다.

④ 우리말에 색채어가 발달한 것은 다른 민족과는 다른, 우리 민족의 독특한 정서와 문화 때문이다.

⑤ 우리말에서 한자어가 차지하는 비중이 매우 높은 것은 그것이 상징어를 만드는 데 적합하기 때문이다.

언어와 국어의 특성

07 **㉠~㉤을 이해한 내용으로 적절하지 않은 것은?**

① ㉠: '김치', '된장', '온돌' 등은 우리 민족의 문화와 깊은 관련이 있는 말들이다.

② ㉡: '큰 밭'을 뜻하는 '한밭'이라는 지명이 '대전(大田)'으로 바뀌어 쓰이고 있다.

③ ㉢: '노란', '누런', '노르스름한', '누리끼리한' 등 노란색과 관련된 다양한 말들이 존재하고 있다.

④ ㉣: '졸졸졸', '딸깍딸깍' 등은 소리를, '삐죽삐죽', '뒤뚱뒤뚱' 등은 형태나 동작을 모사한 말들이다.

⑤ ㉤: '캄캄하다', '컴컴하다', '깜깜하다' 등은 자음과 모음의 차이로 전혀 다른 의미를 갖게 되는 말들이다.

단원 정리

언어의 특성

언어와 사고	언어와 사고는 상호작용하며 긴밀하게 연관되어 있음.
언어와 사회	언어는 인간이 사회를 구성하고 유지하며 발전하게 되는 수단이 되며, 사회의 모습을 반영함.
언어와 문화	언어는 문화를 반영할 뿐만 아니라 그 자체로 문화적 산물이며, 문화를 발전시키고 전승하는 수단이 됨.

국어의 특성

음운적 특성
- 예사소리, 된소리, 거센소리의 음운 대립이 있음.
- 음절의 첫소리에 둘 이상의 ❶ (　　　)이 오지 못함.

어휘적 특성
- 고유어, 한자어, 외래어로 나누어짐.
- 고유어 계열에서는 색채어, 의성어, 의태어가 크게 발달함.

문법적 특성
- 조사와 ❷ (　　　)가 발달한 첨가어임.
- 기본적으로 '주어+목적어+서술어'의 어순임.
- 높임 표현이 다양하게 실현됨.

매체와 매체 언어

매체 언어의 특성
- ❸ (　　　): 의사소통과 정보 전달의 다양한 수단.
- 뉴 미디어: 정보 통신 기술의 발전을 기반으로 등장한 다양한 디지털 형식의 매체

'뉴 미디어'의 특성
- 매체 자료의 생산과 수용이 쌍방향적으로 이루어짐.
- 정보의 ❹ (　　　)이 떨어질 수 있으며, 기존 내용의 변형이 쉽게 이루어진다는 특징이 있음.

매체의 생산과 수용

매체를 생산할 때 고려할 점
소통 맥락 고려하기, 다른 사람을 배려하고 존중하기,
뉴 미디어의 특징에 대한 이해를 바탕으로 자신의 언어 사용을 돌아보기

매체를 수용할 때 고려할 점
매체 유형별 특성에 대한 이해를 바탕으로 하여 매체 자료를 비판적으로 판단하고 선별적으로 수용하기,
대중문화를 비판적으로만 볼 게 아니라 자신의 삶의 맥락 속에서 즐기고 향유하기

빈칸 답 | ❶ 자음 ❷ 어미 ❸ 매체 ❹ 신뢰성

수능 다가가기

정답과 해설 59쪽

[01 ~ 03] 다음 글을 읽고 물음에 답하시오.

2006학년도 9월 모의평가(변형)

가 인간은 세계를 자기 중심적으로 인식한다. 이러한 심리 구조는 언어 표현에도 반영된다. 예컨대 시간이나 공간에 관한 한 쌍의 단어를 열거할 때 화자에게 더 가까운 것을 먼저 들고 더 먼 것을 나중에 든다. '내일오늘'이 아니라 '오늘내일'이라 하고 '저기여기'가 아니라 '여기저기'라 하는 것은 '나'에게 가까운 '오늘'과 '여기'를 먼저 말하기 때문이다. '아빠 엄마'가 아니라 '엄마 아빠'라고 하는 것도 어린아이가 자기 마음에서 더 가까이 느껴지는 엄마를 먼저 표현하기 때문이다.

나 이른바 사은유(死隱喩)의 대부분이 신체 일부의 이름을 빌려 쓰는 현상도 화자의 심리를 반영하는 언어 표현이다. 바늘에서 실을 꿰는 부분을 [바늘귀]라 하는 것은 신체의 일부인 '귀'를 빌려 바늘의 특정 부분을 표현하고자 하는 데서 나왔다. 영어에도 'eye of a needle'이라는 표현이 있다는 사실은, 신체 부분이 화자와 가장 가깝고 친숙한 것이므로 이를 빌려서 사물을 표현하는 현상이 범언어적임을 말해 준다.

다 사물에 대한 인간의 인식과 그 언어 표현에는 상응 관계가 있다. 그리하여 단순한 개념은 그 표현도 단순하고, 복잡한 개념은 그 표현도 복잡하게 나타난다. 예를 들면 '사람'에 '들'을 붙여 복수 개념인 '사람들'을 표현하지, 어떤 복수 개념을 나타내는 말에 일정한 형태소를 첨가하여 단수 개념을 표현하지 않는다. 또한, '하다'에 '안'을 더해 '안 하다'라는 표현을 형성하거나 'do'에 'not'을 더하여 'not do'라는 표현을 만들지만, 그 반대의 표현 현상은 나타나지 않는다.

라 언어 표현은 인간의 심리 구조에서 영향을 받기도 하지만, 인간의 심리 작용에 영향을 미치기도 한다. 하나의 단위를 이루는 구성 요소는 어떤 외부적인 요소가 그 단위를 분리시키거나 중단시키는 것을 거부하려는 경향이 있다. 보통 여러 사람이 대화를 하는 중에 끼어들고 싶을 때, 사람들은 화자가 말하는 중간에 아무데서나 끼어들지 않고, 적어도 한 문장이 끝났을 때를 기다려 자기 말을 한다. 사람들이 말을 할 때에도 문장 중간이 아닌 주어와 술어의 경계에서 휴지(休止)를 갖고, 단어의 중간이 아닌 단어와 단어의 경계에서 "어-, 어-" 하는 말을 삽입하는 경향이 있다. 이것도 한 단위를 분리 혹은 중단시키지 않으려는 심리 작용이 일어난 것이라 볼 수 있다.

마 그러나 언어가 심리 작용에 영향을 미친다고 하여, 언어가 인간의 사고를 완전히 지배한다고 생각해서는 안 된다. 왜냐하면 인간의 사고가 언어에 의해 영향을 받지 않는 사례도 종종 발견되기 때문이다. 우리말에서 청색과 녹색을 '푸르다'라는 단어로 표현한다고 해서 우리가 두 색을 구별하여 인식하지 못한다고 할 수 없다. 그리고 색채어가 그다지 많지 않은 언어를 사용하는 사람들도 색채어가 풍부한 언어를 사용하는 사람들과 색에 대해 같은 감각을 가지고 있다고 한다. 이러한 사실은 인간의 심리 작용이 언어의 구조와 관계없이 어떤 보편성을 띠고 있음을 말해 준다.

- 사은유(死隱喩): 처음에는 독창적인 표현이었지만 많은 사람들에 의해 관습적으로 사용되면서 진부해진 은유적 표현.
- needle: 바늘.
- 휴지(休止): 하던 것을 멈추고 쉼.

언어의 특성

01 윗글이 다루고 있는 핵심 내용으로 가장 적절한 것은?

① 언어가 인간의 심리를 결정하는가?
② 언어와 인간의 심리는 어떤 관계가 있는가?
③ 언어 표현이 사고력 향상과 어떤 관련이 있는가?
④ 인간의 의식이 언어 표현에 어떤 영향을 미치는가?
⑤ 언어 구조가 문화권에 따라 어떻게 달리 나타나는가?

언어의 특성

02 (나)의 논지로 볼 때, [바늘귀]와 같은 예로 볼 수 없는 것은?

① 입방아를 찧다.
② 말허리를 자르다.
③ 상다리가 부러지다.
④ 칼등으로 두부를 다지다.
⑤ 치마가 버선코를 가리다.

국어의 특성

03 **(다)의 논지를 보강할 수 있는 사례로 보기 어려운 것은?**

① 대명사 '너, 저'에 '-희'를 붙여 복수형 대명사 '너희, 저희'라는 단어를 만든다.
② 예사말 '사장, 과장'에 '-님'을 붙여 높임말 '사장님, 과장님'으로 표현한다.
③ 대명사 '우리'에 보조사 '만'을 붙여 한정의 의미를 더한 '우리만'으로 표현한다.
④ 동사 '말하다'의 종결 어미 '-다'를 '-게'로 바꾸어 명령형의 '말하게'로 표현한다.
⑤ 어근 '사랑, 잠'에 접두사 '풋-'을 붙여 '미숙한'의 뜻을 더한 '풋사랑, 풋잠'이라는 단어를 만든다.

[04~05] **다음은 수업 시간의 한 장면이다. 글을 읽고 물음에 답하시오.**

선생님: 오늘은 매체의 특징을 살펴보고 매체를 수용하는 바람직한 자세에 대해 이야기를 나누어 보는 시간입니다. 일상에서 학생들이 흔히 접할 수 있는 신문 기사에 대해서 먼저 이야기해 볼까요?

여러분들은 신문 기사를 객관적인 정보를 전달하는 매체로 알고 있지 않나요? 하지만 미디어 이론에 따르면, 신문이나 방송 등의 미디어는 뉴스 결정권자의 주관(가치관, 세계관, 자신이 속한 집단의 이념과 이익)에 영향을 받는다고 합니다. 이때 뉴스 결정권자란 신문의 종이 지면이나 온라인에 실을 뉴스를 선택하는 사람을 의미합니다.

우리 주변에는 하루에도 수많은 사건들이 일어나고 있습니다. 그리고 많은 기자들이 사건을 추적하고 기사를 작성하고 있겠지요. 하지만 취재된 모든 사건들이 신문 지면에 실리지는 않습니다. 바로 뉴스 결정권자의 취사 선택에 따라 기사화의 여부가 결정되기 때문입니다.

아래 신문 기사를 읽어 보고, 신문 기사를 수용하는 올바른 자세를 발표해 보도록 합시다.

가 우리나라 물류 산업의 흐름을 바꿀 수 있는 ○○ 철도 사업이 올해 3월부터 본격적으로 시작될 예정이다. 정부는 오는 20○○년을 완공 목표로 삼고 그 기초 작업에 박차를 가하기로 했다. 정부는 이번 ○○ 철도 사업이 우리나라의 지속 가능한 성장 동력을 확보하는 길이 될 것이며, 나아가 우리나라가 아시아 물류 산업의 중심지로 도약할 수 있는 출발점이 될 것이라며 ○○ 철도 사업에 대한 기대감을 밝혔다.

- □□ 일보 중에서

나 작년 말 국회에서 많은 논란이 있었던 ○○ 철도 사업이 올해 3월부터 본격적으로 시작될 예정이다. 이번 사업은 정부에서 제시한 기대 효과가 현실과는 동떨어져 있다는 학계 전문가들의 비판적 의견과 ○○ 철도 사업이 시행될 경우 지역의 자연 환경의 파괴가 불가피하다는 환경 단체의 비판에 부딪혀 상당한 진통을 겪었다. 충분한 논의와 합의의 과정이 부족했던 이번 사업이 원활하게 진행될 수 있을지 온 국민들의 이목이 집중되고 있다.

- △△ 일보 중에서

매체의 수용

04 **선생님의 말씀을 고려하여 (가), (나)의 신문 기사를 이해한 반응으로 적절하지 않은 것은?**

① 서진: (가)의 기사 내용은 ○○ 철도 사업을 시행하는 정부의 입장에 중점을 두었군.
② 우진: (나)는 ○○ 철도 사업 시행에 따른 논란과 문제점을 언급하고, 이에 대한 국민적 관심을 부각하고 있군.
③ 시우: (가)와 (나)의 기사 내용이 독자에게 객관적인 정보를 전달하는 것으로 보아 뉴스 결정권자의 주관은 배제되어 있겠군.
④ 시현: (가)는 ○○ 철도 사업에 대한 긍정적 기대를, (나)는 ○○ 철도 사업에 대해 우려되는 점을 중심으로 기사가 작성되었군.
⑤ 연아: (가)와 (나)는 생산자의 관점과 의도가 반영되어 있으므로, 수용자는 비판적으로 기사를 받아들여야 하는군.

매체의 생산

05 **(가)와 (나)의 기사 내용을 웹사이트에 올릴 경우 기사 내용을 보강해서 전달할 수 있는 매체 활용 방안으로 적절하지 않은 것은?**

① (가): ○○ 철도 사업에 대한 정부 관계자의 인터뷰를 추가한다면, 정부 입장을 생생하게 전달할 수 있겠군.

② (가): ○○ 철도가 완공되었을 때의 모습을 합성 사진의 형태로 제시하면 독자들의 기대 심리를 자극할 수 있겠군.

③ (가): ○○ 철도가 가져올 지속 가능한 발전을 강조하고 싶다면 경제적 이익의 추이(推移)를 강조할 수 있는 선 그래프를 제시하면 좋겠군.

④ (나): 정부 측의 의견을 비판하는 전문가의 의견을 하이퍼텍스트를 통해 제시한다면 독자가 사안을 파악하는데 도움이 될 수 있겠군.

⑤ (나): 환경 단체와 정부 측의 대표가 만나 논의하고 합의하는 과정을 동영상으로 제시하여 사안에 대한 양측의 관심도가 높은 것을 강조하면 좋겠군.

매체의 생산과 수용 2017학년도 수능(변형)

06 **<보기>를 참고할 때 ㉠에 들어갈 내용으로 적절한 것은?**

보기

우리는 인터넷, 신문, 잡지 등의 다양한 매체를 이용하면서 수많은 광고에 노출된다. 하지만 매체 이용자는 이러한 광고를 불필요한 정보로 판단해 회피하는 경향이 있다. 이에 대응하여 매체 이용자가 거부감 없이 광고를 수용하도록 하는 새로운 광고 기법이 등장하고 있다.

그중 하나가 바로 '기사처럼 보이는 광고'를 뜻하는 '기사형 광고'이다. 기사형 광고는 기사처럼 보이기 위해 제목에서 특정 제품명을 드러내지 않으며, 전문가 인터뷰나 연구 자료 인용을 통해 유용한 정보를 제공하는 것처럼 꾸며 독자의 관심을 끈다. 그러면서 가격, 출시일 등의 제품 정보를 삽입하여 독자의 소비 심리를 자극한다.

독자가 기사형 광고를 기사로 오인하지 않도록 '특집', '기획' 등의 표지를 사용하거나 글 말미에 '글 ○○○ 기자'와 같은 표현을 사용하지 못하도록 되어 있지만, 매체 이용자 또한 이러한 광고 기법의 문제점을 정확히 인식할 필요가 있다. 따라서 ㉠____________________________.

① 매체 생산자는 매체 자료를 생산할 때 소통 목적에 주의를 기울여야 한다.

② 매체 생산자는 복합 양식성을 활용하여 광고를 더 매력적으로 만들어야 한다.

③ 매체 이용자는 필요한 정보와 광고를 구별할 수 있는 비판적 안목을 길러야 한다.

④ 매체 이용자는 '특집', '기획' 등의 표지가 붙은 기사를 무조건적으로 신뢰해야 한다.

⑤ 매체 이용자는 매체의 특성을 고려하여 매체 생산자와 쌍방향적으로 소통해야 한다.

화법과 작문이 뭐예요?

처음 듣는 과목명이라 생소하지? '화법과 작문'은 우리가 중학교 때 배운 '말하기·듣기·쓰기'가 심화·확장된 과목이야.

- **화법** — '말하기·듣기'가 심화·확장된 과목
- **작문** — '쓰기'가 심화·확장된 과목

수능에는 어떻게 나오나요?

학생의 말하기·듣기와 쓰기 능력을 객관식 시험으로 평가하기는 어려워. 그렇지만 수능 시험장에서 수험생에게 말하기를 직접 시키는 것은 더욱 어려운 일이고, 수십 만 명이나 되는 수험생들에게 긴 글을 쓰게 하여 이를 채점하는 것도 현실적으로 힘들지. 그래서 화법과 작문 영역의 문제는 여러 담화와 글의 유형을 지문으로 삼아 논리적 사고력을 측정하는 객관식 문제가 출제돼.

어떻게 공부해야 하나요?

화법과 작문 영역에서 고득점을 얻는 데에는 화법 이론, 작문 이론에 관한 지식이나, 특별한 말하기·듣기 능력이 꼭 요구되지는 않아. 그보다 더 필요한 건, 제한된 시간 내에 지문을 정확하게 이해하고 이를 선택지와 1:1로 대응해 보면서 적절성을 판단하는 훈련을 하는 거야.

그러려면 교과서에 제시된 기본 개념들을 학습한 뒤 이에 대한 이해를 바탕으로 하여 기출 문제를 풀며 실전에 가까운 훈련을 반복하는 것이 효과적이야.

어떤 내용이 시험에 나오나요?

화법 — 공부 방법: 담화 유형 중심으로 의사소통 전략 익히기!

발표
- 발표 계획과 그에 따른 전략
- 청중의 반응과 평가

대화, 토의, 토론, 연설, 면접
- 말하기 과정별 적절한 의사소통 전략
- 의사소통 참여자의 역할
- 의사소통 방식

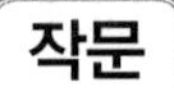

작문 — 공부 방법: 글쓰기 과정 중심으로 각 과정에서 활용하는 전략 익히기!

계획하기
- 쓰기 맥락에 맞게 글쓰기 계획 세우기

내용 선정·내용 조직
- 수집한 자료들을 적절하게 선정하고 조직하기

표현하기
- 〈조건〉에 맞게 표현하기

고쳐 쓰기
- 글쓰기 과정을 점검하며 조정하기

II

화법과 작문

1 / 화법

2 / 작문

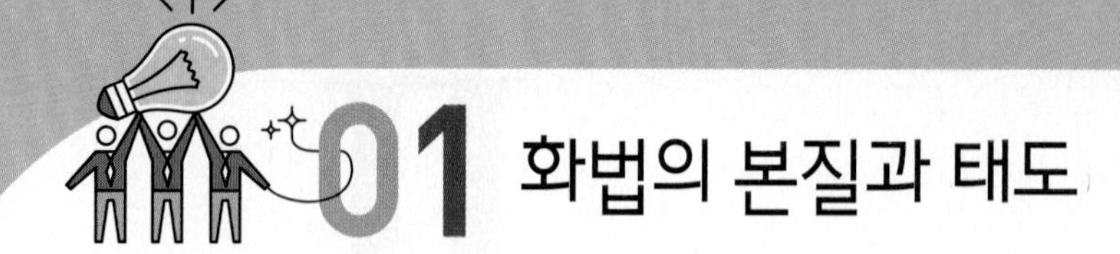

01 화법의 본질과 태도

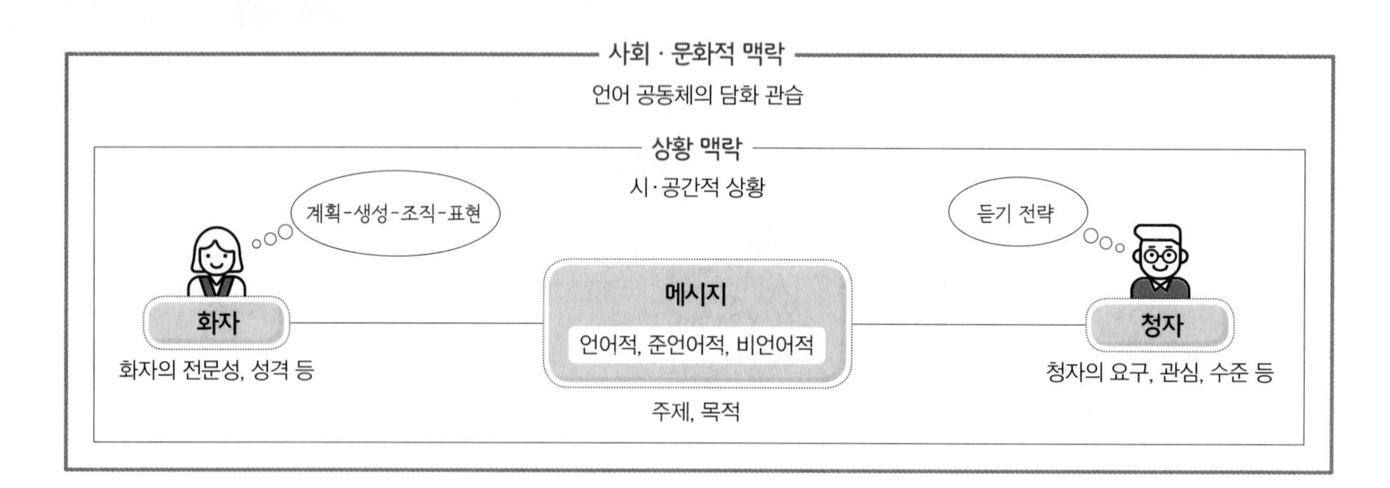

개념을 품은 **기출 선택지**

- 청중의 공감을 이끌어내기 위해 **반언어적 표현**을 사용하고 있다. (2017. 4. 고3 학력평가)
- **비언어적 표현**과 **언어적 표현**을 통해 부정의 의미를 드러내고 있다. (2016. 6. 모의평가Ⓑ)
- 대화 참여자 간의 **문화적 배경** 차이가 화제 선택에 제약을 줄 수 있다. (2014. 수능Ⓐ)

1 화법의 개념과 성격

화법은 화자와 청자가 구두 언어를 통해 상호 작용함으로써 의미를 공유하고 구성하는 과정이다.

구두 언어적 성격⊕	화법은 구두 언어를 통해 이루어지는 의사소통 행위로, 문자 언어를 통한 의사소통과 여러 차이가 있다.
상호 교섭적 성격	화자와 청자는 의미가 고정된 메시지를 주고받는 것이 아니라, 의사소통을 통해 서로 의미를 교섭해 가면서 새로운 의미를 창조해 나간다.
대인 관계적 성격	화자와 청자는 의미를 전달한다는 언어적 목표뿐만 아니라, 대인 관계를 형성·유지·발전시키고자 하는 관계적 목표를 지니고 의사소통한다.
사회·문화적 성격	각 언어 공동체는 나름대로의 의사소통 문화를 형성하는데, 이는 화법의 맥락으로 작용하여 개개의 화법의 내용과 방법을 규정한다. 예 우리나라 전통의 말 문화

우리나라 사람들이 형성한 전통적인 말 문화에서는 논리적인 내용 전달을 중시하는 서양의 말 문화와는 달리, 말을 통한 자기 수양, 대인 관계 형성, 사회 질서의 유지를 강조하여 신중하고 공손한 말하기 태도, 다른 사람의 말을 잘 듣는 태도를 중시한다. 이와 같은 말 문화는 우리나라 사람들 개개의 화법에 영향을 미친다.

2 화법의 요소

화자, 청자	• 같은 말이라도 화자의 전문성, 성격, 도덕성 등에 따라 그 영향력이 달라진다. • 모든 말하기는 청자를 고려하여 이루어져야 한다. 또한 청자는 적절한 듣기 전략을 활용하여 적극적 듣기를 하는 것이 중요하다.
메시지	화자와 청자가 의사소통을 위해 주고받는 정보, 지식, 생각 등을 말한다.
맥락	화법이 이루어지는 배경 상황으로, 말할 내용의 생산과 수용에 전반적인 영향을 미치는 요소이다. 상황 맥락과 사회·문화적 맥락이 있다.

개념⊕ **구두 언어(음성 언어)와 문자 언어**

① 구두 언어(음성 언어)
- 말하는 순간 바로 사라지므로, 시·공간의 제약을 많이 받음.
- 화자와 청자가 대면하여 이야기하는 쌍방향적 성격이 강함.
- 언어적 표현 외에도 억양, 시선, 표정 등을 통해 의미를 주고받음.
- 청자의 반응에 따라 말하는 내용이나 전달 방법을 그때그때 바꿀 수 있음.

② 문자 언어
- 기록이 남으므로 오래도록 보존이 가능하고, 먼 곳으로 이동할 수 있음.
- 상대방이 없는 상태에서 사용 가능하며 일방향적 성격이 강함.
- 독자에게 전달되기 전까지는 내용이나 표현을 미리 고쳐 쓸 수 있음.

3 화법의 맥락

화법에서의 맥락은 말하기·듣기 전반에 영향을 미치는 것으로, 화법 활동에서는 맥락을 고려하는 것이 중요하다. 상황 맥락과 사회·문화적 맥락이 있다.

상황 맥락	의사소통에 직접 영향을 미치는 맥락이다. 화자, 청자, 주제와 목적, 시간적 배경, 공간적 배경이 있다.
사회·문화적 맥락+	의사소통에 간접적이고 거시적인 영향을 미치는 맥락이다. 예 역사적·사회적 상황, 이념, 공동체의 가치관·신념, 담화 관습 등

4 말하기의 원리

말하기는 단순한 표현 행위가 아니라 다음과 같은 일련의 사고 과정을 거쳐 이루어지는 의사소통 행위이다. 각 단계에서는 적절한 전략을 사용하는 것이 필요하다.

계획하기	말하기의 목적과 주제를 결정하고, 말하기의 상황 맥락을 파악하여 효과적인 말하기가 이루어지도록 준비하는 단계.
↓	
내용 생성하기	관련 자료를 수집·정리하여 말할 내용을 생성하는 단계.
↓	
내용 조직하기	효과적인 내용 전달을 위해 적절한 조직 방법으로 내용을 조직하는 단계.
↓	
표현하기	효과적인 표현 전략을 고려하며 말하는 단계.

화법은 상호 교섭적인 성격을 지녀서, 화자와 청자가 고정된 것이 아니라 둘의 역할이 교대되며 이루어지지. 즉, 듣기도 말하기만큼이나 중요하다는 말씀! 듣기의 방법과 전략은 228쪽에서 공부할 거야.

5 화법의 표현 전략

언어적 표현+	말소리를 사용하여 표현하는 것을 뜻한다.
준언어적 표현	언어적 요소에 덧붙여 의미를 전달하는 것을 뜻한다. 예 음조, 강세, 말의 빠르기, 목소리의 크기, 억양 등
비언어적 표현	언어적·준언어적 표현 이외의 방법으로 의미를 표현하는 것을 뜻한다. 예 시선, 얼굴 표정, 동작, 자세, 신체 접촉 등

짚고 가요

준언어적·비언어적 표현의 중요성

화법은 그 구두 언어적 성격 때문에 언어적 표현뿐만 아니라 준언어적·비언어적 표현이 의사소통 과정에 큰 영향을 미쳐. 똑같은 "싫어."라는 말도 찡그리며 고함을 지르듯 큰소리로 말할 때와 미소 지으며 가볍고 명랑한 목소리로 말할 때 듣는 사람이 받아들이는 의미와 느낌이 서로 다를 수 있어. 이러한 준언어적·비언어적 표현은 시험에서는 괄호 안의 지시문으로 제시가 돼. 따라서 선택지에서 준언어적·비언어적 표현에 관한 언급이 나오면, 지문에서 괄호로 제시된 부분들을 눈여겨보렴.

개념+ 사회·문화적 맥락을 고려하는 태도

상대방과의 사회·문화적 차이를 차별이 아닌 차이로 인식하고, 상대방을 배려하고 존중하는 태도를 지녀야 한다. 예 나와 다른 세대의 표현을 이해하고 존중하기

짚고 가요

화법에서는 '계획하기' 단계와 '표현하기' 단계가 중요해요.

화법의 말하기에서는 계획하기와 표현하기 단계를 눈여겨보자.(참고로, 내용 생성과 내용 조직은 작문에서 더 자세히 살펴볼 거야.) 계획하기 단계에서는 특히, 청자를 잘 파악하는 것이 중요해. 청자의 나이, 성별, 지적 수준, 관심사, 태도 등을 자세히 분석해야 이어지는 단계에서 청자에게 적합한 내용을 구성하고 표현할 수 있거든. 표현하기 단계에서는 언어적 표현뿐만 아니라 비언어적·준언어적 표현을 적절하게 사용하는 것이 매우 중요해. 화법은 화자와 청자가 대면하여 이루어진다는 구두 언어적 특성이 있기 때문이지. 참, 표현할 때에 매체 자료도 적절하게 활용한다면 금상첨화겠지?

개념+ 언어적 표현을 할 때 고려할 점

- 내용과 상황에 적합한 단어를 선택하기.
- 어법에 맞게 말하기.
- 청자의 이해를 돕는 내용 연결 표현을 사용하기.
- 공식적인 자리에서는 표준어를 사용하기.

6 화법의 기능

- **개인적 차원의 기능**: 화법 활동을 통해 자아를 인식하고 성장시킬 수 있다.
  - 예 진정성 있는 대화를 통해 자신의 장래 희망을 새로이 발견하게 된 경우

- **사회적 차원의 기능**
  - ① **사회적 담론 형성**: 화법 활동을 통해 공동체가 처한 과제에 관해 여론을 형성할 수 있다.
    예 토의를 하여 난민 수용 문제에 대한 구성원들의 공통적인 의견을 만들어 감.
  - ② **의사소통 문화를 형성**: 화법 활동을 통해 의사소통 문화를 형성하여 언어 환경에 영향을 미칠 수 있다. 예 십대들이 통신 언어를 사용해 자신들의 의사소통 문화를 형성함.

이처럼 우리는 화법을 통해 다른 사람들과 관계를 맺어. 이렇게 맺은 관계를 지속하기 위해 꼭 지켜야 할 중요한 태도가 있어. 진심을 담아 말하고, 말한 바를 실천하고('언행일치'), 공손한 표현을 사용하는 것이지!

7 화법과 대인 관계의 형성 및 발전

타인과의 의사소통은 '나'의 자아 개념이 형성되는 데에 영향을 미치고, 이렇게 형성된 자아 개념을 바탕으로 하여 '나'는 다시 타인과 의사소통을 한다. 이 과정이 순환하면서 자아 개념은 보다 확고해지며, 이렇게 확립된 자아 개념은 타인과의 의사소통에 영향을 미친다.

(자아 개념: 다른 사람이 '나'를 어떻게 생각하는지에 대한 '나'의 생각)

- **자아 개념과 대인 관계**

자아 개념이 높은 사람	긍정적, 적극적, 수용적, 우호적, 개방적 의사소통 성향
자아 개념이 낮은 사람	부정적, 회피적, 방어적, 공격적, 폐쇄적 의사소통 성향

- **자아 노출과 대인 관계**
  (자아 노출: 상대방에게 자신에 대해 이야기하는 것)

관계 형성 초기	주로 사회적 자아를 노출 → 학교, 사는 곳 등 외적인 요소
관계가 발전할수록	점차 개인적 자아를 노출 → 성격, 취향, 가치관 등 내적인 요소

8 언어 공동체의 담화 관습

- **담화 관습**
  - 언어 공동체가 의사소통 문화를 이루어 가는 과정에서 언어와 관련된 독특한 관습이 형성되어 의사소통 과정에 작용하게 되는데, 이를 담화 관습⊕이라고 한다.
  - 화법 활동을 할 때에는 사회적 의사소통 행위에 필요한 언어 공동체의 담화 관습을 이해할 필요가 있다.

- **담화 관습과 바람직한 화법의 태도**

담화 관습은 고정적인 것이 아니라 사회적 변화에 따라 변화한다는 것을 이해하고, 기존의 담화 관습을 존중하되 이를 비판적으로 성찰할 수 있어야 한다.

개념⊕ 담화 관습의 실제
- 나이와 계층, 성별, 문화에 따라 화법에 차이를 보이므로 언어생활을 할 때에 이를 고려해야 한다.
- 우리나라 말은 전통적으로 높임법이 발달하였으므로, 말을 할 때 이를 고려해야 한다.
- 대화를 할 때에는 상대방을 배려하는 내용을 담아 공손한 표현을 사용해야 한다.

개념 콕 1 다음 설명이 맞으면 ○표, 틀리면 ×표를 하시오.

(1) 자아 개념은 자신이 스스로 정하는 개념으로 부모님, 친구 등 타인과는 관련이 없다. ( )

(2) 처음 만나서 어색한 관계인 사람에게는 자신의 감정을 직접적으로 모두 털어 놓는 것이 일반적이다. ( )

(3) 결혼식이나 장례식 등의 경조사에 참석할 때에는 소속된 집단의 담화 관습을 고려하여 예를 갖추어 인사해야 한다. ( )

콕 1 (1) × (2) × (3) ○

사뿐히 즈려밟는

확인 문제

정답과 해설 61쪽

✔ 바로바로 간단 체크

1 괄호 안에 들어갈 알맞은 말을 쓰시오.

(1) 화법은 화자와 청자가 (ㄱㄷ ㅇㅇ)를 통해 (ㅇㅅㅅㅌ)함으로써 (ㅇㅁ)를 공유하고 구성하는 과정이다.

(2) 화법 활동을 할 때 고려할 (ㅅㅎ ㅁㄹ)의 요소에는 '화자, 청자, 주제와 목적, 시공간적 배경'이 있다.

(3) 화법에서 주제, 목적, 청자를 분석하는 사고 과정은 (ㄱㅎㅎㄱ) 단계에서 이루어진다.

(4) 우리는 타인의 말이나 행동을 통해 (ㅈㅇ ㄱㄴ)을 형성하며, 이렇게 형성된 (ㅈㅇ ㄱㄴ)은 우리의 의사소통 방식에 또 다시 영향을 미친다.

(5) 화법 활동을 할 때에는 사회적 의사소통 행위에 필요한, 언어 공동체의 (ㄷㅎ ㄱㅅ)을 이해할 필요가 있다.

2 구두 언어의 특성에는 '구', 문자 언어의 특성에는 '문'을 쓰시오.

(1) 말하는 순간에 바로 사라지므로 시·공간의 제약을 상대적으로 많이 받는다. ( )

(2) 상대방이 없는 상태에서도 사용 가능하기 때문에 일방향적 성격이 강하다고 볼 수 있다. ( )

(3) 언어적 표현 외에도 억양, 어조, 몸짓, 표정 등의 준언어적·비언어적 표현이 많이 사용된다. ( )

3 다음 설명이 맞으면 ○표, 틀리면 ×표를 하시오.

(1) 우리는 기존의 담화 관습을 존중하며 무조건적으로 수용하는 자세를 가져야 한다. ( )

(2) 화법 활동을 할 때 사회·문화적 맥락을 고려함에 있어 상대방과 나의 사회·문화적 차이를 이해하고 상대방을 존중하는 태도를 지녀야 한다. ( )

화법의 성격

01 다음 ㉠~㉤을 이해한 내용으로 적절하지 않은 것은?

> **민수:** 요새 무슨 일이라도 있니? ㉠네 얼굴이 어두워서 무슨 일이라도 있는 건지 걱정을 많이 했어. 요즘 같이 놀자는 말도 잘 안하고 말이야.
> **소진:** 휴 그랬구나. ㉡너는 눈치가 빠른 것 같아. 걱정하는 네 표정을 보니 이제 얘기를 해 줘야 할 것 같네. ㉢실은 엄마가 병원에 입원하셨어.
> **민수:** ㉣(소진이의 손을 잡아 주며) ㉤엄마가 편찮으셔서 걱정이 많았구나. 난 그것도 모르고 네가 날 피한다고 오해했어. 미안해.
> **소진:** 내가 더 미안해. 네게 고민을 털어 놓으면 잘 이해해 주리라 생각은 했지만, 이렇게 내 마음을 바로 헤아려 주다니 넌 정말 좋은 친구야.

① ㉠: 의사소통에 있어서 비언어적 요소가 화자의 판단에 단서를 제공하고 있음을 보여 준다.
② ㉡: 직접적이고 즉각적인 상호 작용에 기여하는 구두 언어의 특성이 나타나 있다.
③ ㉢: 상대방에게 고민을 털어 놓는 것으로 볼 때 두 대화 참여자의 관계가 꽤 친밀함을 추측할 수 있다.
④ ㉣: 구두 언어 상황에서 비언어적 요소보다 언어적 요소가 효과적임을 보여 준다.
⑤ ㉤: 구두 언어 상황에서 상대방이 한 말을 즉각적으로 재구성해서 수용할 수 있음을 보여 준다.

[02~04] 다음은 강연의 일부이다. 물음에 답하시오.

△△ 고등학교 1학년 학생 여러분 반갑습니다. 저는 학생 안전 교육 협회에서 나온 안전 교육 전문가 조성진입니다. 오늘은 여러분과 같은 고등학생에게 자주 발생하는 교통사고의 유형과 그 예방법을 안내해 드리기 위해 이 자리에 섰습니다.

첫째, 보행 중에 발생하는 사고와 예방법을 안내하겠습니다. 이와 관련해서 최근 가장 문제가 되는 것은 스마트폰을 보면서 보행하는 행동입니다. 특히 최근 스마트폰 게임이 유행하면서 이러한 행동을 하는 학생들이 많은데, 이렇게 주변을 살피지 않고 걸으면 갑자기 어떤 상황이 벌어졌을 때 반응 속도가 늦어져서 위험합니다. 따라서 이러한 사고를 예방하기 위해서는 보행 중에 스마트폰을 보지 않아야 합니다.

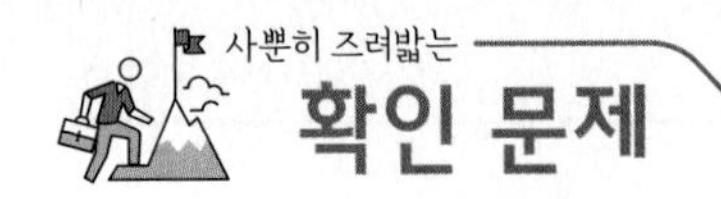

둘째, 무면허로 오토바이나 자동차를 운전하여 발생하는 사고의 위험성과 그 예방법에 대해 안내하겠습니다. 최근 무면허로 오토바이 및 자동차를 운전하여 발생하는 사고가 꾸준히 증가하고 있습니다. 이와 같은 무면허 운전으로 발생하는 사고의 경우 자신의 생명은 물론 타인의 생명까지도 위험할 수 있습니다. 따라서 이러한 사고를 예방하려면 무면허로 오토바이나 자동차 운전을 절대로 하지 않아야 합니다.

화법의 맥락

02 이 강연의 맥락에 대한 설명으로 적절하지 않은 것은?

① 강연의 주제는 '교통사고 유형에 따른 예방법을 숙지하여 안전사고를 예방하자.'이다.
② 화자는 담화 관습을 고려하여 자신보다 나이가 어린 청자에게도 존댓말을 사용하고 있다.
③ 강연의 목적은 교통사고의 유형과 예방법을 안내하고, 안전 수칙을 지키도록 청자를 설득하는 것이다.
④ 화자는 청자의 일상생활과 관련이 낮은 주제를 선정함으로써 청자가 강연에 관심을 갖도록 하고 있다.
⑤ 화자가 '학생 안전 교육 협회'에서 나온 전문가라는 사실은 화자의 전문성을 강조하여 강연 내용에 대한 신뢰를 준다.

화법의 맥락

03 이 강연의 화자가 지역 초등학생들을 대상으로 같은 주제의 강연을 하고자 할 때, 수정해야 할 사항으로 가장 적절하지 않은 것은?

① "주차장이나 차도에서 공놀이를 하면 위험하다"라는 내용을 추가해야겠어.
② '보행 중'이라는 표현은 '길을 걷는 중'이라는 표현으로 바꾸는 것이 좋겠어.
③ '무면허 운전'이라는 표현은 '불법 운전'이라는 표현으로 바꾸는 것이 좋겠어.
④ 청자가 흥미를 느끼도록 '스마트폰을 보면서 보행하는 초등학생들의 모습이 담긴 영상'을 추가로 활용해야겠어.
⑤ '초등학생이 무면허로 오토바이나 자동차를 운전하여 발생했던 사고의 사례와 그 피해'를 추가하여 내용을 효과적으로 전달해야겠어.

화법의 원리

04 이 강연을 하기 위해 가장 먼저 이루어졌을 사고 과정에 해당하는 것은?

① 예상 청중의 이해를 돕는 표현 방법은 무엇일까?
② 강연을 하고자 하는 목적과 청자의 특성은 무엇일까?
③ 필요한 자료를 수집하는 적절한 방법은 무엇일까?
④ 청중들의 이해를 돕기 위한 효과적인 내용 조직 방법은 무엇일까?
⑤ 주제에 관해 내가 알고 있는 것과 더 필요한 자료는 무엇일까?

언어 공동체의 담화 관습

05 담화 관습과 관련하여 <보기>의 학생이 드러내고 있는 태도가 아닌 것은?

보기

나는 한국어를 사용하는 민족적 언어 공동체에 속해 있어. 우리 민족은 상하 관계를 중시했기 때문에 높임법이 발달했고, 혈연을 중시했기 때문에 호칭어도 세분화되었어. 지난주 누나의 결혼식에서 작은집 식구를 만났을 때, 당숙께서 조카 왔냐고 반갑게 인사해 주셨지만 나는 적절한 호칭이 떠오르지 않아 당황했던 경험이 생각나네. 그런데 한편으로는 핵가족화된 오늘날의 사회를 고려하면 우리가 쓰는 호칭어가 너무 많다는 생각도 들어.

① 자신의 속한 언어 공동체에 대해 생각해 본다.
② 언어 공동체의 구성원이 갖는 성향을 추측해 본다.
③ 언어 공동체의 담화 관습에 비추어 자신의 경험을 떠올려 본다.
④ 다른 나라와 비교해 자신이 속한 언어 공동체의 특수성을 생각해 본다.
⑤ 전통적인 담화 관습을 오늘날의 상황을 고려하여 비판적으로 이해해 본다.

02 대화, 면접

비판적 듣기와 공감적 듣기

개념을 품은 기출 선택지

- 자신의 **경험**에 비추어 승우가 처한 상황에 **공감**하고 있다. (2016. 9. 모의평가Ⓑ)
- **질문**하는 방식을 통해 **상대방의 뜻에 동조**하고 있음을 드러내고 있다. (2015. 6. 모의평가Ⓑ)
- 지원 동기를 물어본 후 **지원자의 답변**과 관련하여 더 궁금한 점을 추가로 **질문**했다. (2017. 10. 고3 학력평가)

1 대화

대화는 두 사람 이상이 모여 서로의 생각이나 느낌을 말로 표현하고 이해하는 상호 교섭적인 활동이다. 대화의 목적은 정보 전달, 설득, 친교 형성, 정서 표현 등 다양하다.

➲ 대화를 통해 생각이나 느낌을 단순히 주고받는 것이 아니라 새로운 의미를 생성해 나가기 때문임.

대화의 원리

공손성의 원리: 상대방을 배려하며 언어 예절을 갖추어 대화해야 한다는 것이다.

요령의 격률	상대방에게 부담이 되는 표현은 줄이고, 이익이 되는 표현은 늘린다. 예 혹시 여유가 되면 천 원만 빌려 줄 수 있니?
관용의 격률	자신에게 이익이 되는 표현은 줄이고, 부담이 되는 표현은 늘린다. 예 제가 눈이 나빠서 그런데 글씨를 조금 크게 써 주실래요? – 문제를 내 탓으로 돌려서 상대방이 관용을 베풀게끔 말함.
찬동의 격률	상대방을 비방하는 표현은 줄이고, 칭찬하는 표현은 늘린다. 예 네가 발표 자료를 잘 만들어서 발표 내용을 이해하기 쉬웠어. – 상대방의 장점을 칭찬함.
겸양의 격률	자신을 칭찬하는 표현은 줄이고, 비방하는 표현은 늘린다. 예 내가 긴장을 해서 좀 떨었을 텐데, 칭찬해 줘서 고마워. – 스스로를 낮추어 겸손하게 말함.
동의의 격률	자신과 상대방의 의견에서 차이점은 줄이고, 일치점은 늘린다. 예 진미: 저녁 먹으러 갈래? / 은경: 좋지! 그런데 우선 여길 좀 치우고 가자.

협력의 원리: 대화 참여자가 대화의 목적에 성공적으로 도달하기 위해 서로 협력해야 한다는 것이다.

순서 교대의 원리: 대화 참여자가 서로 적절하게 순서를 교대해 가면서 말을 주고받아야 한다는 것이다.

→ '혼자 오랫동안 말하지 않기, 침묵하지 말고 대화에 참여하기, 다른 사람이 말할 때 끼어들지 않기' 등을 지키며 말해야 한다.

개념+ 협력의 원리

- **양의 격률**: 필요한 만큼의 정보를 제공하기.
- **질의 격률**: 타당한 근거를 들어 진실한 정보를 제공하기.
- **관련성의 격률**: 대화의 목적, 주제, 내용과 관련이 있는 것을 말하기.
- **태도의 격률**: 모호한 표현·중의적인 표현을 피하고 간결하고 조리 있게 말하기.

공감적 듣기

상대방의 말을 분석하거나 비판하기보다는 상대방을 존중하고 배려하는 마음으로 상대방의 생각이나 감정에 깊이 있게 공감하며 듣는 방법이다. 대화를 할 때에는 상대방의 입장에서 공감적 듣기를 하는 것이 바람직하다.

소극적 들어 주기	상대방이 대화를 계속 진행할 수 있도록 관심을 표현하거나 대화의 맥락을 조절하여 주는, 격려하기 활동을 중심으로 하는 방법이다. 예 시선을 마주치며 고개를 끄덕이기, '그래?, 정말?'과 같은 말로 관심 표현하기, 맞장구치기, 적절한 표정 짓기
적극적 들어 주기	상대방의 말을 요약·정리하고 반영하여, 상대방이 객관적인 관점에서 문제에 접근하고 스스로 문제를 해결할 수 있도록 돕는 방법이다. 예 상대방의 말을 자신의 말로 요약하기, 감정을 이입하여 상대방의 정서 추측하기, 자신의 경험에 비추어 상대방의 처지에 공감하기

짚고 가요

듣기 방법과 전략

듣기 방법은 일반적으로 '사실적 듣기-추론적 듣기-평가적 듣기-공감적 듣기'로 나눌 수 있는데, 상황에 알맞은 듣기 방법과 그에 따른 듣기 전략을 활용해야 해. 다음 ㉠, ㉡을 읽고, 이어지는 진술이 맞으면 ○, 틀리면 ×에 표시해 보자.

㉠ "(친구에게) 내가 작년에 학술제 준비를 해 봐서 아는데 일이 많아서 혼자 하긴 벅차지. 그 마음 충분히 이해해." → 화자는 자신의 경험에 비추어 청자가 처한 상황에 공감하고 있다. (○, ×)

㉡ (발표를 듣고) "발표에 사용된 자료가 믿을 만한 정보인지 확인하기 위해 출처를 찾아보아야 되겠다." → 이 청자는 자료의 신뢰성을 평가하며 발표를 듣고 있다. (○, ×)

정답은 모두 ○야. 화법 활동을 할 때에는 이처럼 듣기 전략을 적절하게 활용하고 있는지를 수시로 점검하고 조정하는 것이 중요하기 때문에, 시험에서는 위와 같은 방식으로 듣기 방법의 적절성을 물어본단다.

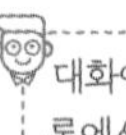

대화에서는 공감적 듣기, 면접에서는 추론적 듣기, 연설·토론에서는 평가적 듣기를 중점적으로 공부할 거야.

2 면접

면접은 질문을 통해 면접 대상자의 지식이나 능력, 성품, 잠재력 등을 파악하여 평가하기 위한 공적 대화이다. 주로 면접을 실시하는 기관이나 단체에서 필요한 사람을 선발하는 상황 맥락을 지닌다. 면접은 공적 대화이므로 면접자와 면접 대상자 모두 격식을 갖춘 표현을 사용해야 한다.

질문의 의도 파악하기

면접에서 좋은 결과를 얻기 위해서는 면접관의 질문을 표면적으로 이해하는 것에서 나아가 질문에 담긴 의도를 추론하는 추론적 듣기를 하는 것이 중요하다.

면접관: 평소 디저트 만드는 것에 관심이 있었다면 창업 동아리보다는 제과·제빵 동아리가 더 나을 것 같은데, 본인 생각은 어떤가요?

면접 대상자: 제과·제빵 동아리는 디저트를 만드는 활동을 주로 합니다. 하지만 창업 동아리는 많은 사람들이 맛있는 디저트를 즐길 수 있게 하는 방안을 연구한다는 점에서 창업 동아리에 더 큰 매력을 느꼈습니다. ➲ 면접관의 질문 의도를 파악하여 제과·제빵 동아리가 아닌 창업 동아리를 선택한 이유를 답변으로 제시함.

면접 지문을 읽는 팁! 면접은 면접자와 면접 대상자 사이의 질문과 대답이 반복되는 담화이므로, '질문-답변' 단위로 내용을 끊어서 읽으면 효과적이야.

개념+ '나-전달법'

'나-전달법'은 문제 상황에서 다른 사람을 평가하고 해석하는 대신, 자신이 느끼는 감정과 느낌을 표현하는 의사소통 방법이다. 이 방법은 갈등을 해결하는 데 효과적인데, 다음과 같이 '사건-감정-기대'의 순서로 메시지를 구성하여 전달한다.

> 체육복을 빌려 갔으면 제때 돌려 줘야지. 너 때문에 선생님한테 혼났잖아. 너 진짜 생각 없다.(비판)
> → 네가 체육복을 빌려 가고 제때 돌려주지 않아서(사건) 선생님께 혼이 난 것이 너무 속상하고 화나.(감정) 앞으로는 제때 돌려주면 좋겠어.(기대)

개념+ 면접 질문의 유형

- **폐쇄형 질문**: 질문자가 제시한 선택지에서 답을 선택하거나 제한된 범위의 단어로 답하도록 하는 질문.
  예 훈민정음은 누가 창제했나요?
- **개방형 질문**: 면접 대상자가 자유롭게 자신의 의견을 말할 수 있도록 허용된 질문.
  예 유기견을 줄이기 위한 방안에는 무엇이 있을까요?
- **보충 질문**: 면접 대상자의 답변을 듣고 보다 구체적인 정보를 원할 경우 추가로 하는 질문.
  예 존경하는 인물이 '이순신'이라고 하셨는데, 그 이유는 무엇인가요?

개념 콕 1 다음 설명이 맞으면 ○표, 틀리면 ×표를 하시오.

(1) 공감적 듣기는 상대방의 말이 믿을 만한지 판단하며 듣는 것이다. ( )

(2) 갈등 상황에서 자신의 감정과 기대를 말하는 것은 갈등 해결에 역효과를 불러일으킨다. ( )

(3) 면접관의 질문은 표면적으로만 이해해서는 안 되므로 질문을 끝까지 경청하는 것이 좋다. ( )

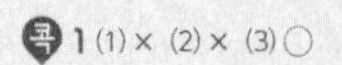

콕 1 (1) × (2) × (3) ○

사뿐히 즈려밟는

확인 문제

정답과 해설 61쪽

✔ 바로바로 간단 체크

1 괄호 안에 들어갈 알맞은 말을 쓰시오.

(1) 대화가 원활하게 이루어지려면 서로 적절하게 (ㅅㅅ)를 교대해 가면서 말을 주고받아야 하는데 이를 '순서 교대의 원리'라고 한다.

(2) 대화할 때에는 상대방을 배려하고 존중하며 언어 예절을 지켜 말해야 하는데, 이를 가리켜 '(ㄱㅅㅅ)의 원리'라고 한다.

(3) (ㄱㄱㅈ ㄷㄱ)는 상대방을 존중하고 배려하는 마음으로 상대방의 생각이나 감정에 깊이 있게 공감하며 듣는 방법이다.

2 괄호 안의 말 중 적절한 것에 ○표 하시오.

(1) 면접은 (사적 대화, 공적 대화)이므로 면접자와 면접 대상자는 (격의 없는 표현, 격식을 갖춘 표현)을 사용하는 것이 바람직하다.

(2) 면접에서 좋은 결과를 얻기 위해서는 면접관의 질문을 표면적으로 이해하는 것에서 나아가 질문에 담긴 의도를 (추론하며 듣는, 공감하며 듣는) 것이 중요하다.

대화의 특성과 원리

01 대화에 대한 설명으로 적절하지 않은 것은?

① 두 사람이 이상이 말로써 생각과 느낌을 주고받는 의사소통 방법이다.
② 화자는 스스로를 과시하지 않고 겸손한 자세로 대화를 나누어야 한다.
③ 대화를 하는 화자와 청자는 적절하게 차례를 지키며 말을 주고받아야 한다.
④ 화자와 청자는 대화를 할 때 상대방을 존중하고 배려하는 마음을 가져야 한다.
⑤ 대화 참여자는 대화의 목적에 성공적으로 도달하기 위해 최소한의 정보를 제공해야 한다.

[02~04] 다음은 대화의 일부이다. 물음에 답하시오.

2014학년도 4월 고3 학력평가Ⓐ(변형)

우진: 서진아 안녕.
서진: 응, 우진아. 잘 지냈지? (밖에서 자동차 경적이 울리고) ⓐ콩쿠르 준비하고 있다는 소식 들었어. 연습은 잘 되어 가?
우진: ______㉮______
서진: 콩쿠르 준비 잘 하고 있냐고 물었어.
우진: (시무룩한 표정으로) 어, 그럭저럭.
서진: 어? ⓑ표정이 안 좋은데 무슨 일 있는 거 아냐?
우진: 사실은……. 요즘 피아노 앞에 앉기가 너무 싫어.
서진: (걱정스런 표정으로) ⓒ저런……. 늘 열심히 연습하더니, 갑자기 왜?
우진: (한숨을 쉬며) 같은 곡만 계속 연습했더니 내 느낌이 없어서 피아노 치는 것이 재미없어. 마치 내가 피아노 치는 기계가 된 것 같거든.
서진: ⓓ네 말은, 연습만 하다 보니 너만의 느낌을 살리지 못해서 재미가 없어졌다는 거지? 많이 답답했겠네.
우진: (속상한 표정으로) 응, 맞아…….
서진: 그런데 너는 느낌을 담아 연주한다는 게 어떤 것이라고 생각해?
우진: 음, 곡에 대한 나만의 감정을 담아 연주하는 거 아닐까?
서진: 내가 피아노 연주에 대해서는 잘 모르지만, 훌륭한 연주자들은 모두 곡에 대한 자기만의 감정을 담아 연주하지 않나?
우진: 그렇지. 나도 언젠가 TV에서 내가 좋아하는 피아니스트가 한 곡을 엄청나게 연습해 자기만의 음악적 색깔을 완성했다는 인터뷰 내용을 본 적이 있어.
서진: ⓔ응, 그래? 역시 공든 탑은 무너지지 않는다는 말이 맞나 봐. (부드러운 목소리로) 혹시 너도 지금 너만의 공든 탑을 쌓아 올리고 있는 것이 아닐까?
우진: 맞아, 그런 것일 수도 있겠네. (미소를 지으며) 이렇게 너하고 대화를 나누다 보니 마음도 풀리고, 내가 하는 연습들이 나만의 색깔을 찾는 데 도움이 될 거라는 생각도 들어. 고민 들어줘서 고마워.

공감적 듣기

02 다음은 공감적 듣기에 대한 설명이다. [A]의 사례를 〈보기〉에서 찾았을 때, 가장 적절한 것은?

보기

공감적 듣기에는 '소극적 들어 주기'와 '적극적 들어 주기'가 있다. 소극적 들어 주기란 상대방에게 관심을 드러내면서 계속 이야기를 이어갈 수 있도록 격려하며 들어주는 것이다. 이에 비해 [A]적극적 들어 주기란 상대방이 객관적인 관점에서 문제에 접근하도록 상대방의 말을 정리하며 들어주는 것이다.

① ⓐ ② ⓑ ③ ⓒ ④ ⓓ ⑤ ⓔ

대화의 원리

03 〈보기〉에서 설명하고 있는 내용을 적용할 때, ㉮에 들어갈 말로 가장 적절한 것은?

보기

상대방과 원활하게 대화를 나누기 위해서는 주변 상황이나 상대방에게 책임을 미루기보다는 자신의 책임임을 나타내는 표현을 사용하는 것이 더 바람직하다.

① 나한테 지금 뭐라고 했니?
② 네 목소리 크기가 너무 작은 것 같아.
③ 자동차 경적 소리 때문에 네 말이 잘 안 들려.
④ 내가 잘 못 들어서 그런데 다시 한 번 말해 줄래?
⑤ 그러고 보니 너도 피아노를 잘 친다고 했던 것 같은데.

말하기 방식의 이해

04 서진의 말하기 방식에 대한 평가로 적절한 것은?

① 자신의 경험을 언급하며 상대방에게 조언하고 있다.
② 준언어적 표현을 활용하여 상대방을 격려하고 있다.
③ 관용적 표현을 활용하여 상대방의 의견을 비판하고 있다.
④ 상대방을 위로하기 위해 새로운 화제로 말을 돌리고 있다.
⑤ 상대방을 설득하기 위해, 자신이 제시한 해결 방안의 타당성을 강조하고 있다.

면접 대상자의 역할

05 면접 절차에 따른 면접 대상자의 역할로 적절하지 않은 것은?

	면접 대상자
준비 단계	• 자기소개서, 이력서 등을 작성하기. ······ ① • 예상 질문과 답변을 정리하고, 말하기 연습하기. ······ ②
본 면접 단계	• 시간에 얽매이지 않고, 최대한 구체적이고 상세하게 자신의 생각을 답변하기. ······ ③ • 면접관의 질문 의도를 명확히 파악하고, 예의 바른 태도로 답변하기. ······ ④
평가 단계	• 면접 결과에 대해 스스로 점검하고 평가하기. ······ ⑤

[06~08] 다음은 모의 면접 수업의 일부이다. 물음에 답하시오.

2015학년도 3월 고2 학력평가(변형)

[모의 면접 수업의 진행 방식]

○ 면접자, 피면접자로 나누어 모의 면접을 진행하고, 이에 대해 평가한다.

[선생님이 내 준 과제]

○ 면접자의 역할을 맡은 학생: 피면접자의 자기소개서를 바탕으로 관심 분야, 전공 선택 동기, 지원 학과에 대한 준비 정도 등을 확인할 수 있는 질문 준비하기.
○ 피면접자의 역할을 맡은 학생: 자기소개서를 면접자에게 제출하고, 면접자의 질문을 예상하여 답변 준비하기.

[모의 면접]

면접자: 긴장한 것처럼 보이는데, 심호흡 한번 하시고 편하게 답해 주세요. 자기소개서를 보니 심리학에 관심이 많고 그 분야에 관한 책도 많이 읽었네요. 그런데 심리학과가 아닌 경제학과에 지원한 이유는 뭐죠?

피면접자: 저는 인간의 생각, 사고 과정 등에 관심이 많아 평소에 심리학과 관련된 책을 많이 읽었습니다. 그러다가 학교 수업 시간에 경제를 배우면서부터 경제학의 중요성을

알게 되었습니다. 그런데 어떤 경제학자는 "경제는 심리다."라고 하면서 경제 현상을 잘 이해하려면 인간의 생각이나 사고 과정 등에 대한 지식이 꼭 필요하다고 했습니다. 그래서 저는 다양한 경제 현상을 심리학과 관련지어 본격적으로 공부하고 싶어 경제학과에 지원하였습니다.

면접자: 네, 그렇군요. 그러면 경제학과에 지원하기 위해 어떤 준비를 해 왔나요?

피면접자: 제 수준에 맞는 경제 관련 서적을 많이 읽으면서, 틈틈이 경제 관련 기사를 스크랩해 두었습니다. 그리고 교내의 경제 동아리에서 지속적으로 활동해 왔습니다.

[A]
면접자: 경제학 관련 서적을 많이 읽었다고 했는데, 그동안의 독서 경험이 자신에게 어떤 영향을 주었나요?
피면접자: 예, 저에게 가장 많은 영향을 준 책은 대니얼 카너먼의 《행동 경제학》입니다.

[B]
면접자: 그래요? 으음, 다음 질문으로 넘어가겠습니다. 기업의 입장에서 'CSR'을 강화해야 한다고 생각하나요? 아니면 약화해야 한다고 생각하나요?
피면접자: '기업의 사회적 책임'에 대한 생각을 물어보시는 것인가요?
면접자: 네.
피면접자: 강화해야 한다고 생각합니다.

[C]
면접자: 그렇게 생각하는 이유가 무엇입니까?
피면접자: 기업이 이윤 추구 외에도 사회적 공헌 활동을 하게 되면 기업 이미지가 좋아지고, 그것은 결과적으로 기업의 수익 증대로 이어집니다. 그렇기 때문에 저는 기업의 사회적 책임을 강화해야 한다고 생각합니다.

면접관의 역할

06 **위 모의 면접을 참관한 학생들이 면접자에 대해 평가한 내용이다. 평가 내용으로 적절하지 않은 것은?**

① 진학을 위해 피면접자가 어떤 준비를 해 왔는지를 설명하도록 요청하고 있다.
② 자기소개서에 드러난 관심 분야와 관련지어 피면접자의 지원 동기를 묻고 있다.
③ 추가 질문을 활용하여 전공 선택의 동기에 대한 구체적인 경험을 요구하고 있다.
④ 피면접자가 편안하게 자신의 생각을 말할 수 있도록 긴장을 풀어 주는 발언을 하고 있다.
⑤ 전문 용어를 사용하여 학과에서 다루는 내용에 대한 기본적인 지식과 생각을 확인하고 있다.

면접 답변 전략

07 **피면접자의 첫 번째 답변에 대한 설명으로 가장 적절한 것은?**

① 자신의 학습 계획을 구체적으로 언급하며 전공에 대한 이해를 드러내고 있다.
② 전문가의 견해를 인용하여 관심 분야와 선택 전공 간의 관련성을 강조하고 있다.
③ 면접자가 제시한 질문의 의미를 재확인하여 답변의 내용을 명확하게 한정하고 있다.
④ 선택 전공을 전문적으로 다룬 서적에 대한 풍부한 독서 경험을 내세워 강점을 부각하고 있다.
⑤ 자신이 선택한 전공 분야가 미래 사회에서 더욱 발전할 것임을 제시함으로써 지원 동기를 구체화하고 있다.

면접의 질문 유형

08 **〈보기〉를 바탕으로 [A]~[C]에 대해 설명할 때 적절하지 않은 것은?**

보기

면접에서 면접자의 질문은 크게 폐쇄형 질문과 개방형 질문으로 나눌 수 있다. 폐쇄형 질문은 질문자가 제시한 선택지에서 답을 선택하거나 제한된 범위의 단어로 답하는 질문이다. 개방형 질문은 피면접자가 자유롭게 자신의 의견을 말할 수 있도록 허용된 형태의 질문이다.

① [A]에서 피면접자는 폐쇄형 질문에 맞추어 그에 부합하는 대답을 하였다.
② [B]에서 피면접자는 특정 사항에 대한 판단을 밝혔다.
③ [A]와 [C]에서의 면접자의 질문은 동일한 유형의 질문에 해당한다.
④ [C]에서 면접자는 피면접자가 자유롭게 자신의 의견을 말할 수 있도록 하는 질문을 하였다.
⑤ [C]에서 피면접자는 [B]에서 한 답변을 바탕으로 심화된 내용을 진술하였다.

03 발표, 연설

개념을 품은 기출 발문·선택지

- **전문가의 말을 인용**하여 **발표 내용의 신뢰성**을 높이고 있다. (2019. 3. 고3 학력평가)
- **강연**의 앞부분에서 **강연 내용의 순서를 제시**하여 **청중**들이 내용을 예측하여 듣게 하고 있다. (2018. 6. 모의평가)
- **연설자**가 **연설에 사용한 전략**과 구체적 내용이 바르게 연결된 것은? (2016. 수능Ⓑ)

개념+ 강연

전문가가 일정한 주제에 대하여 청중에게 강의 형식으로 전달하는 말하기로, 발표와 내용 구성 전략이 유사하다.

1 발표

발표는 여러 사람 앞에서(공적인 말하기) 자신의 생각이나 의견(목적: 설득) 또는 어떠한 사실이나 정보(목적: 정보 전달)에 대해 진술하는 말하기이다. 발표를 하는 화자는 청중의 특성을 분석하여 발표의 내용을 구성하고 전달해야 정보 전달, 혹은 설득이라는 발표의 목적을 효과적으로 달성할 수 있다.

개념 콕 1 발표에 대한 설명으로 적절하지 않은 것은?

① 목적이나 주제 없이 발표를 구성해서는 안 된다.
② 청중의 특성을 고려하여 내용을 구성해야 한다.
③ 전달하고 싶은 내용에 대한 자료를 충분히 수집해야 한다.
④ 여러 사람 앞에서 의견, 사실, 정보 등을 진술하는 행위이다.
⑤ 청중은 발표를 듣는 입장이기 때문에 청중과의 상호 작용은 고려하지 않아도 된다.

발표의 원리

계획하기		내용 생성·조직하기		표현하기, 평가하기
• 목적 설정하기. • 주제 정하기. • 청중 분석하기. 예 연령대, 성별, 관심사, 배경지식 등을 고려 • 시간·장소 분석하기. 예 컴퓨터/마이크 존재 유무 등	➡	• 충분히 자료 수집하기. • 목적·주제·청중을 고려해 자료 선택하기. • 내용 구성하기.	➡	• 미리 충분히 연습하기. • 청중과 상호 작용하기. • 내용, 구성, 표현 방법 등을 평가하기.

청중을 분석하는 것과 그렇게 분석한 내용을 토대로 발표의 내용을 구성하는 것이 중요해. 그래야 발표의 목적을 효과적으로 달성할 수 있거든.

청자를 고려하여 발표의 내용 구성하기

청자에게서 고려할 점	내용 구성 방법
내용에 대한 흥미와 이해 정도	• 청자의 이해 수준을 고려하여 발표 내용을 구성하는 것이 필요함. 예 '의학'과 연관된 내용을 고등학생 대상으로 발표할 때는 전문 용어를 쉽게 풀어 설명해 주어야 함. • 내용에 대한 흥미와 이해 정도가 낮은 청자일수록 발표 내용에 집중하지 않을 가능성이 높으므로 발표 도입부에 청자의 관심을 유발할 수 있는 표현을 사용하거나 발표 내용과 청자와의 관련성을 강조해야 함. 예 여러분, 혹시 '드론'이라는 말을 들어 보지 못한 사람이 있나요?
주제에 대한 태도	• 태도가 부정적인 경우: 주제에 대해 긍정적으로 생각할 수 있게 한 후에 구체적인 내용을 전달함. • 태도가 긍정적인 경우: 내용을 선명하게 드러내어 청자가 긍정적 태도를 확신할 수 있게끔 유도함.
주제와 관련한 세부 관심사	• 청자가 특히 관심을 갖는 세부 관심사를 파악하여 발표 내용에 반영하는 것이 필요함. 예 여행에 관심 있는 청자라면, 맛집 여행, 오지 탐험, 문화재 답사, 문화 체험 등의 세부 내용 중 어느 것에 더 관심이 많은지 분석하기
정서적 상태	• 청자의 정서적 상태를 고려하지 않으면 청자가 화자에게 부정적 태도를 가지게 하여, 발표 내용이 타당함에도 불구하고 청자가 이를 수용하고 싶지 않다고 생각할 수 있음. • 따라서 청자의 정서적 상태를 이해하고 이에 공감하고 있음을 말과 행동으로 표현하는 것이 필요함.

발표의 일반적인 내용 구성 단계

도입부 [처음]	➡	전개부 [중간]	➡	정리부 [끝]
• 청중의 관심 유발하기. • 목적 · 주제 · 화제 제시하기. • 전체 내용 개관하기. (개관: 전체를 대강 살펴봄.)		• 핵심 내용 제시하기. • 다양한 자료와 구체적 사례로 청자의 이해 돕기. ➲ 전문가의 견해, 통계 자료, 사례 등을 제시하면 객관성·신뢰성이 높아짐.		• 핵심 내용 요약 및 강조하기. • 당부 및 제언 제시하기. (제언: 덧붙이고 싶은 생각이나 느낌) • 청자와 질의응답하기.

발표의 듣기 전략

듣기 전	• 듣는 목적 구체화하기. • 배경지식 구체화하기: 강연자나 발표 주제에 대해 조사함.
듣는 중	• 고개를 끄덕이는 등의 반응을 보여 주며 집중해서 듣기. • 메모하기 등의 방법을 사용해 발표 내용을 재구성하며 능동적으로 듣기. ➲ 발표의 핵심 내용, 자신이 새롭게 알거나 기억하고 싶은 내용, 자신의 의견 및 비판, 더 알고 싶은 내용 등을 기록할 수 있음.
듣기 후	• 발표자의 발표 전략이나 발표 내용이 적절했는지 비판적으로 판단하기. • 이해되지 않거나 보충 설명이 필요한 내용 질문하기.

짚고 가요

청중과의 상호 작용

발표자가 내용을 잘 구성해서 아나운서처럼 전달했다 하더라도 청중이 그 발표에 흥미가 없어서 집중하지 않았다면, 그건 잘된 발표라고 할 수 없겠지? 그렇기 때문에 발표에서는 청중과 상호 작용하는 것이 매우 중요해. 청중의 반응을 살펴 자신의 발표 내용과 방법을 적절히 조정하고, 청중과 질의응답하면서 발표 내용에 대한 이해를 점검하는 과정이 모두 청중과의 상호작용에 해당해.
시험에서는 발표 중간 중간 화자가 질문을 건네 청중의 이해를 점검하거나, 예시를 활용하여 청중의 흥미를 유발하는 등의 구체적인 예시가 자주 나오지. 발표에서는 매우 중요한 개념이니, 잘 알아 두자.

짚고 가요

시각 자료 활용하기

발표를 할 때, 적절한 시각 자료를 활용한다면 구두 언어로만 전달하기 힘든 내용을 효과적으로 전달할 수 있어. 그러면 청중이 내용을 보다 잘 이해하여 발표의 효과도 그만큼 커지겠지? 시각 자료의 활용도 발표에서는 매우 중요한 개념이야.
그래서 시험에서는 〈보기〉로 사진, 그래프, 통계 자료 등을 주고 이를 발표나 강연에서 적절하게 활용하는 방안이 무엇인지 물어본단다.

개념 콕 2 다음과 같은 경우에 적절한 발표 전략은?

> 청중이 발표 내용에 대한 흥미와 이해도가 낮은 경우

① 발표 도입부에서 청자의 관심을 유발할 수 있는 내용을 제시한다.
② 발표의 내용 수준을 좀 더 어렵게 구성하여 청자의 호기심과 흥미를 유발한다.

콕 1 ⑤ 2 ①

1 화법

개념+ **화자의 공신력**

화자가 공적으로 어느 정도 믿을 만한 능력이 있는지를 나타내는 말을 '화자의 공신력(公信力)'이라 한다. 청자는 말의 내용을 받아들일 때 그 내용 자체와 더불어 누가 말하느냐를 중요하게 여기기 때문에 화자의 인격과 품성 등에 대한 청자의 판단이 내용 전달에 큰 영향을 미친다. 화자의 공신력은 화자의 품성뿐만 아니라 평판이나 전문성 등을 통해 형성된다.

개념+ **논증 방법**

연역	일반적인 사실·원리를 근거로 개별적인 사실이나 좀 더 특수한 원리를 이끌어 내는 방법.
귀납	개별적이고 특수한 사실·원리를 근거로 일반적이고 보편적인 법칙을 유도해 내는 방법.
유추	두 대상이 지닌 유사성을 근거로 다른 속성도 유사할 것이라고 추론하는 방법.

개념 콕 **3** **'금연을 해야 한다.'는 주장을 할 때 사용할 다음의 설득 전략을 읽고, 인성적 설득 전략에는 '인', 이성적 설득 전략에는 '이', 감성적 설득 전략에는 '감'을 쓰시오.**

(1) 흡연자와 비흡연자의 질병 발생률을 비교하는 의학적 근거를 드는 것 ( )

(2) 흡연자의 후회가 담긴 말, 흡연자의 가족들의 고통을 생생하게 묘사하는 것 ( )

(3) 청중과 시선을 맞추고, 청중에게 우호적인 태도를 가지고 있음을 언어적·준언어적·비언어적으로 표현하는 것 ( )

콕 3 (1) 이 (2) 감 (3) 인

2 연설

연설은 화자가 자신의 생각이나 견해를 펼쳐서 청중의 태도나 행동을 변화시키려는 공식적인 말하기이다. (목적: 설득)

연설의 화자는 청중이 자신의 말을 믿고 태도나 행동을 바꿀 수 있도록 청중의 신뢰를 얻고, 연설 내용에 맞는 적절한 설득 전략을 사용할 수 있어야 해.

연설의 설득 전략

	정의	구체적인 방법
인성적 설득 전략	화자의 성품, 평판, 전문성을 바탕으로 화자의 공신력+을 높여 설득하는 방법.	• 평소 언행을 바르게 하여 신뢰받는 삶 살기. • 주제에 대한 전문성 드러내기. • 경험과 생각을 진솔하게 드러내기. • 자신감 있는 태도로 말하기. • 청중을 이해하고 있음을 드러내기.
이성적 설득 전략	주장을 뒷받침하는 타당한 근거를 들어 논리적으로 설득하는 방법.	• 논증 방법+ 활용하기. • 통계 자료, 전문가의 의견, 역사적 사실이나 사건 등을 근거로 제시하기.
감성적 설득 전략	청중의 감정(자긍심, 동정심, 분노, 수치심 등)에 호소하여 설득하는 방법.	• 청중과 공감대 마련하기. • 비유적 표현, 유머, 일화 활용하기. • 감정에 호소할 수 있는 준언어적·비언어적 표현 활용하기. ➲ 상식적·합리적 범위에서 이루어져야 함.

설득 전략을 사용할 때 유의할 점

- 이성적 설득 전략과 감성적 설득 전략을 상호 보완적으로 사용해야 함.
  → 논리적으로 주장을 하면서도 청중의 감성을 고려하고, 청중의 감성을 자극하여 주장의 설득력을 높이면서도 전달 내용이 논리성을 갖추어야 함.
- 특정 집단, 지역, 견해 등에 대해 부정적 인식을 심어 주거나 잘못된 판단을 유발해서는 안 됨.

3 발표와 연설의 표현 전략

발표와 연설은 한 명의 화자가 다수의 청중에게 공적으로 말하는 화법 유형이므로 다음의 전략을 활용하면 내용을 더 효과적으로 전달할 수 있다.

언어적 표현 전략	• 언어 규범을 준수하고, 공식적인 상황에서는 표준어를 사용하기. • 장황하거나 모호한 표현을 피하고, 구체적이고 정확하게 표현하기.
준언어적 표현 전략	• 내용, 장소, 청중의 규모 등에 따라 목소리 크기 조절하기. • 내용에 따라 어조나 억양에 변화를 주어 단조로움 피하기. • 적절한 빠르기로 말하기.
비언어적 표현 전략	• 자신감 있는 표정 짓기. • 시선을 원고에만 두지 않고, 청중 바라보며 말하기. • 손짓이나 몸동작을 사용하여 언어적 표현 보충하기.
청중과의 상호 작용	• 청중의 관심을 끌 수 있는 적절한 매체 자료 활용하기. • 흥미로운 표현, 질문 등을 활용해 청중의 주의 환기하기. • 청중의 반응을 살펴 발표와 연설의 분량, 내용, 순서 등을 조정하기.

✔ 바로바로 간단 체크

1 괄호 안에 들어갈 알맞은 말을 쓰시오.

(1) (ㅂㅍ)란 여러 사람 앞에서 자신의 생각이나 의견 또는 어떤 사실이나 정보에 대해 진술하는 말하기이다.

(2) 효과적으로 발표를 하기 위해서는 계획하기 단계에서 (ㅊㅈ)의 특성을 분석하는 것이 중요하다.

(3) 청자는 발표나 강연을 듣고 말하는 이가 전달한 내용이나, 말하는 이가 사용한 전략을 (ㅂㅍㅈ)으로 판단해야 한다.

(4) (ㅇㅅ)이란 한 화자가 자신의 견해를 펼쳐 청중의 태도나 행동을 변화시키려는 공적 화법이다.

(5) 화자의 (ㄱㅅㄹ)이란 화자가 인품, 전문성을 갖추어 청자로부터 공적인 신뢰를 얻을 수 있는 능력을 뜻한다.

2 다음 설명이 맞으면 ○표, 틀리면 ×표를 하시오.

(1) 발표의 청자가 내용에 대한 흥미가 낮을 것으로 예상된다면, 발표 도입부에 청자의 관심을 유발할 수 있는 표현을 사용하는 것이 좋다. ( )

(2) 발표자는 미리 준비한 발표 전략이 있더라도 청중의 반응에 따라 융통성 있게 조절할 수 있다. ( )

(3) 연설에서 감성적 설득 전략을 사용할 때에는 되도록 준언어적·비언어적 표현을 삼가야 청중이 언어적 표현에 집중할 수 있다. ( )

(4) 청중을 효과적으로 설득하기 위해서는 '이성적 설득 전략'과 '감성적 설득 전략'을 동시에 사용해서는 안 된다. ( )

[01 ~ 03] 다음은 발표의 일부이다. 읽고 물음에 답하시오.

2017학년도 11월 고1 학력평가 (변형)

여러분, "나이가 들수록 시간 참 빨리 간다!"라는 어른들의 말씀을 많이 들어 보셨죠? 시간이 실제로 점점 빨라지는 건 아닌데, 왜 이런 느낌이 드는 걸까요? (화면을 가리키며) 자, 그림을 보세요. 이건 어린 학생들과 노인들을 대상으로 '시간' 하면 떠오르는 이미지를 그리게 한 실험의 결과입니다. 보시다시피 어린 학생들은 정적인 이미지를, 노인들은 동적인 이미지를 그렸습니다. 왜 이런 결과가 나왔을까요? (목소리에 힘을 주며) 제가 오늘 이 궁금증을 풀어 드리도록 하겠습니다.

혹시 '시간 수축 효과'라고 들어 보신 적 있으세요? 마치 타임머신이 등장하는 공상 과학 영화 속에서나 나올 법한 용어 같지 않나요? 하지만 이는 심리학 용어로 나이가 들수록 시간이 빨리 흐르는 듯한 느낌을 받는 현상을 말합니다. 심리학자들은 이 현상에 대해 여러 가지 견해를 제시하고 있습니다. 그 중 대표적인 두 가지를 소개하고자 합니다.

첫 번째는 '생리 시계 효과'입니다. 생리 시계 효과란 신체가 노화되면서 몸이 느끼는 생리학적 시간이 실제 시간보다 느려져 상대적으로 실제 시간의 흐름을 더욱 빠르다고 느끼는 현상을 말합니다. 사람의 생리학적 시계는 도파민이라는 신경 전달 물질의 영향을 받는데, 노화와 함께 도파민의 방출이 줄어들고 생리학적 시계도 느려진다고 해요. 미국의 신경학자 피터 맹건은 실험을 통해 이를 확인했습니다. 먼저 사람들을 나이에 따라 세 집단으로 나누고 마음속으로 3분을 헤아리게 한 후 버튼을 누르게 했더니, 청년층은 평균 3분 3초, 중년층은 3분 6초, 노년층은 3분 40초에 버튼을 눌렀습니다. 이처럼 노년층일수록 생리학적 시계가 느려집니다. 그렇다면 3분 40초를 3분으로 인식한 노년층과, 3분 3초를 3분으로 인식한 청년층 중에서 누가 더 시간이 빠르게 흘러간다고 느꼈을까요? (청중의 대답을 듣고) 네, 맞습니다. 노년층은 청년층보다 실제 시간을 더 짧다고 느꼈기 때문에 시간이 빨리 지나갔다고 생각했을 것입니다.

두 번째는 '회상 효과'입니다. 회상 효과란 나이가 든 사람이 과거를 회상했을 때, 최근의 경험보다 젊은 시절의 경험들을 훨씬 더 많이 기억해 내는 현상을 말합니다. 그 이유는 젊은 시절에 겪은 일들이 주로 새로운 경험들이라서 그렇습니다. 일반적으로 기억할 일이 많은 시기는 길게 느껴지고, 기억할 게 없는 시기는 짧게 느껴진다고 해요. 그래서 노년층은 새로운 경험이 많았던 청년기와는 달리 노년기에는 새로운 경험이 적기 때문에 노년기를 기억할 게 별로 없는 시기로 느껴 상대적으로 시간이 빨리 흐른다고 인식하게 되는 것입니다.

지금까지 시간 수축 효과에 대해 알아봤는데요. 어른들께서 시간이 빨리 간다는 말씀을 왜 하시는지 이제 이해가 되시죠? 그럼 이상 발표를 마치겠습니다.

발표의 내용 구성

01 위 발표에 대한 설명으로 적절한 것은?

① 시간 수축 효과의 개념을 제시한 후 그에 대한 두 가지 견해를 소개하고 있다.
② 시간 수축 효과의 문제점을 언급한 후 이를 극복할 수 있는 방안을 제시하고 있다.
③ 시간 수축 효과의 의의를 설명한 후 시간 수축 효과를 다른 심리 현상들과 비교하고 있다.
④ 시간 수축 효과의 원인에 대해 상반되는 가설들을 제시한 후 발표자의 견해를 덧붙이고 있다.
⑤ 시간 수축 효과의 긍정적인 측면을 강조한 후 바람직한 생활 태도를 담은 조언으로 발표를 시작하고 있다.

발표의 원리와 표현 전략

02 다음은 발표자의 발표 계획이다. 발표에 반영되지 않은 것은?

ㄱ. 화제에 대한 청중의 관심을 끌기 위해 다른 사람의 말을 인용해 보자. ······ ①
ㄴ. 실제 실시되었던 실험 내용을 제시하여 내용의 신뢰도를 높여야겠군. ······ ②
ㄷ. 청중들이 발표 대상을 시각적으로 확인할 수 있도록 자료를 활용해야겠어. ······ ③
ㄹ. 청중의 이해 여부를 확인하기 위해 청중에게 질문을 한 뒤 반응을 살펴봐야겠어. ······ ④
ㅁ. 발표의 핵심 내용을 청중이 잘 기억할 수 있도록 설명한 내용을 요약하며 발표를 마무리해야지. ······ ⑤

발표의 듣기 전략

03 다음은 위 발표를 들으며 학생이 떠올린 생각이다. 이를 바탕으로 발표자에게 추가 질문할 내용으로 가장 적절한 것은?

> 나이를 먹으면 먹을수록 무조건 회상 효과가 강해지는 걸까? 이에 대해 질문해야겠어.

① 노년층이 청년층에 비해 실제 시간을 더 짧다고 느끼는 이유는 무엇인가요?
② 노인들은 왜 정적인 이미지보다 동적인 이미지를 선호하는 경향이 있나요?
③ 도파민의 체내 방출을 인위적으로 유도한다면, 생리학적 시계가 느려지나요?
④ 청년층이나 노년층과 달리 아이들은 왜 시간 수축 효과를 직접적으로 경험하지 못하나요?
⑤ 익숙하지 않은 일들을 노년기에 새롭게 경험하는 경우, 그렇지 않은 노년기의 사람과 비슷하게 시간이 빠르게 흐른다고 인식하나요?

[04~06] 다음은 강연의 일부이다. 읽고 물음에 답하시오.

2018학년도 9월 고1 학력평가(변형)

안녕하세요? 저는 '정의로운 삶'이라는 주제로 강연을 하게 된 신○○입니다. 여러분은 어떤 삶이 '정의로운 삶'이라고 생각하나요? 정의가 무엇인지부터 확실히 짚고 넘어가야겠군요. 제가 '정의(正義)'를 정의(定義)해 보겠습니다. (청중 웃음) '정의'의 사전적 의미는 '진리에 맞는 올바른 길'이고, 철학적으로는 '개인 간의 올바른 도리, 또는 사회를 구성하고 유지하는 공정한 방법이나 길'을 뜻합니다. 저는 오늘 이 자리에서 이솝 우화 <토끼와 거북이>를 빌려 정의로운 삶에 대하여 이야기해 보려고 합니다.

(이야기를 간략하게 요약한 동영상을 틀어준 후) 여러분, 이 이야기의 교훈은 무엇일까요? (청중의 대답을 들은 후) 네, 맞아요. 느려도 꾸준히 노력하면 승리한다는 것이지요. 그런데 이 이야기에는 '정의로운 삶'과 관련하여 몇 가지 생각해 볼 문제점이 있어요.

우선, 토끼의 제안에 대해 함께 생각해 봅시다. 토끼는 거북이에게 왜 뭍에서 경주를 하자고 했을까요? (청중의 대답을 들은 후) 네, 그래요. 토끼는 뭍에서 살고 거북이도 가끔 뭍에 올라오니까, 뭍에서 경주하는 게 아무런 문제가 없다고 생각했을 거예요. 우리도 뭍에 살고 있으니까 그동안 토끼의 제안을 전혀 이상하다고 느끼지 못했던 것이지요. 하지만 토끼의 제안은 거북이의 입장은 전혀 고려하지 않은, 토끼에게만 유리한 것이었기 때문에 둘의 경주는 시작부터 공정하지 않다고 볼 수 있습니다.

다음으로 생각해 볼 문제는 거북이의 승리에 관한 것입니다. 여러분도 잘 알다시피, 거북이는 토끼가 경주 중간에 잠을 잤기 때문에 승리할 수 있었어요. 토끼의 실수를 거북이가 놓치지 않고 기회로 삼았던 것이죠. 겉으로는 꾸준히 노력하면 성공한다고 말하지만 속으로는 타인의 허점이나 실수를 기회로 삼아야 한다는 것을 말하고 있다고 볼 수 있습니다. 그러나 남의 약점을 이용해 무언가를 성취하는 것을 진정한 의미의 성공이라고 이야기할 수 있을까요?

지금까지 살펴본 ㉠토끼와 거북이의 경주를 통해 우리는 정의를 실현하는 과정과 절차에 주목해야 할 것입니다. 이를 위해 다음과 같은 점을 기억하면 좋겠습니다. 어떤 일을 할 때 자신의 입장에서만 생각하는 것은 아닌지, 누군가의 실수를 기회로 삼아 자신의 성공이나 행복을 얻으려고 하는 것은 아닌지 살펴보는 것이 정의로운 삶의 시작이라는 것을 말이에요.

강연의 원리와 표현 전략

04 **이 강연의 강연자가 계획한 내용이 적절하게 반영되었는지 평가한 표이다. 평가 내용이 적절하지 않은 것은?**

	강연자의 계획 내용	반영 여부	
		예	아니오
①	강연 중 질문을 하며 청중과 상호 작용을 해야겠어.	✓	
②	통계 자료를 활용하여 강연 내용의 신뢰성을 높여야겠어.	✓	
③	도입부에서 강연 주제와 관련된 언어유희를 통해 청중의 주의 집중을 유도해야겠군.	✓	
④	강연을 끝까지 들어준 것에 대한 감사 인사로 마무리해야겠어.		✓
⑤	순서를 나타내는 말을 사용하여 청중이 강연 내용을 구조적으로 파악할 수 있도록 해야겠어.	✓	

관점에 따른 강연 내용 판단

05 **〈보기〉를 바탕으로 ㉠에 대해 이해한 내용으로 가장 적절한 것은?**

보기

절차적 정의는 결과에 도달하기까지의 과정이 공정했다면 결과의 불평등 또한 정당화된다고 본다. 즉 공정한 절차가 있고, 이 절차를 제대로 따른다면 어떤 결과가 나오더라도 그 결과는 공정하다고 말할 수 있다.

① 뭍은 토끼에게 더 유리한 장소였기 때문에 과정 자체가 공정하지 않습니다.
② 거북이가 경주 장소를 바다로 바꾼다면 공정한 절차를 확보할 수 있습니다.
③ 거북이가 승리한 것은 정의로운 결과이므로 과정에는 아무 문제가 없습니다.
④ 토끼가 중간에 잠을 잔 것은 결과의 불평등을 정당화하기 위한 것이었다고 볼 수 있습니다.
⑤ 거북이의 꾸준한 노력이 결과를 바꾼 것이므로 공정한 절차로 경기가 진행되었다고 볼 수 있습니다.

강연의 듣기 전략

06 **〈보기〉는 강연을 들은 후 학생들이 보인 반응이다. 강연을 바탕으로 이를 분석한 것으로 적절하지 않은 것은?**

보기

학생 1: 승리하기 위해 상대의 실수를 이용한 것이 왜 나쁜 것인지 잘 모르겠어.
학생 2: 〈토끼와 거북이〉를 통해 정의로운 삶이라는 주제를 이끌어 내는 것이 신선하게 느껴져.
학생 3: 수업 시간에 배운 정의에 대한 철학자들의 이론을 떠올리며 들으니 내용을 이해하는 데 도움이 되었어.
학생 4: 학급 회의 때 내 입장만 생각해서 의견을 고집했던 적이 있었는데, 지금 생각해 보니 정의롭지 못한 행동이었어.
학생 5: '최대 다수의 최대 행복'이라는 목적을 달성하는 것이 '정의'라고 알고 있었는데, 강연을 통해서 '정의'를 실현하는 과정도 중요하다는 것을 알게 되었어.

① 학생 1은 강연에서 언급되지 않은 내용을 추론하고 있군.
② 학생 2는 강연자의 주제 접근 방식을 긍정적으로 생각하고 있군.
③ 학생 3은 자신의 배경지식을 활용하여 강연 내용을 이해하고 있군.
④ 학생 4는 강연 내용과 관련된 자신의 경험을 떠올리고 있군.
⑤ 학생 5는 강연을 통해 새롭게 알게 된 점을 언급하고 있군.

04 토의, 토론, 협상

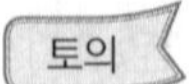

협상

개념을 품은 기출 선택지

- **보충 질문**을 통해 **토의** 참여자들이 자신의 발언 내용을 구체화하도록 요구하고 있다. (2016. 10. 고3 학력평가)
- '**반대 1**'은 상대의 생각에 일부 동의한 후 그에 대한 자신의 견해를 **주장**하고 있다. (2017. 7. 고3 학력평가)
- **의견을 조율**하는 과정에서 지난 **협상**에서 합의된 사안이 수정되었군. (2015. 9. 모의평가Ⓐ)

1 토의

토의⊕는 두 명 이상의 참여자가 모여 공동의 문제에 관한 정보와 그에 대한 다양한 의견을 교환하며 최선의 해결 방법을 찾는 협력적 의사소통의 방식이다.

└ 모든 구성원들이 관심을 가질 수 있는 공동의 문제가 '토의의 주제'가 됨.

토의에서는 토의의 주제, 제시된 의견과 합의안, 그리고 토의 사회자의 역할을 파악하는 것이 중요해.

토의의 의사 결정 단계

토의의 참여자는 '토의 주제의 확정 및 분석 → 해결 방안의 제안 및 평가 → 구체적인 실천 방법 모색'이라는 의사 결정 단계를 거쳐 공동의 문제를 합리적으로 해결한다.

단계	내용
토의 주제의 확정 및 분석	• 사회자가 토의 주제를 제시하여, 토의 참여자들 사이의 공감대를 형성함. • 토의 참여자는 토의 주제를 분석하여, 문제의 원인·해결 방안 등을 탐색함.
해결 방안 제안 및 평가	• 참여자 각자가 준비한 해결 방안을 제안하고, 이를 평가할 공동의 기준을 정해 가장 적합한 해결 방안을 선정하고 합의함.
구체적인 실천 방법 모색	• 모두가 합의한 해결 방안을 실천할 수 있는 구체적인 방법을 찾음.

토의 사회자의 역할과 태도

- 공정하게 토의를 진행한다.
- 토의의 주제, 절차, 규칙을 안내한다.
- 적절한 시기에 토의 내용을 요약·정리한다.
- 토의 참여자에게 보충 질문을 하여 내용 보충을 요구한다.
- 토의 참여자들 사이에 갈등이나 의견 충돌이 생겼을 때 이를 조정하고 해결한다.

개념⊕ 토의의 유형

- 패널 토의: 주로 시사적인 주제를 다루며, 각계의 입장을 대표하는 전문가가 참여함.
- 심포지엄: 주로 학술적인 주제를 다루며, 하나의 주제에 대해 서로 다른 입장을 가진 전문가들이 자신의 의견을 공개 강연함.
- 포럼: 주로 여론을 수렴하여 정책을 입안하려고 할 때 사용되는 형식으로, 주제에 대해 상충된 의견을 지닌 전문가들이 각자의 견해를 발표함.

2 토론

토론은 어떤 논제에 대해 찬성자와 반대자가 논거를 들어 자신의 주장이 옳음을 내세우고 상대방의 주장이나 논거가 부당하다는 것을 밝히는 경쟁적 의사소통의 방식이다.

토론의 발언

토론의 발언에는 입론과 반론이 있다. 토론의 유형에 따라 입론이나 반론 단계에서 반대 신문을 하기도 한다.
반대 신문식 토론 등에서 반대 신문이 이루어짐.

입론	찬성 측과 반대 측에서 자기 측의 주장이 타당함을 논리적으로 입증하는 말하기.
반론	상대측 주장이 타당하지 않음을 증명하기 위해 근거의 불충분함, 부정확함, 부적절함, 이유와 근거의 비연관성 등을 지적하는 말하기.
반대 신문 (교차 신문)	토론 참여자가 지정된 시간 안에 상대측 발언의 오류나 허점이 드러나도록 질문을 하고 그에 대한 답변을 듣는 말하기.

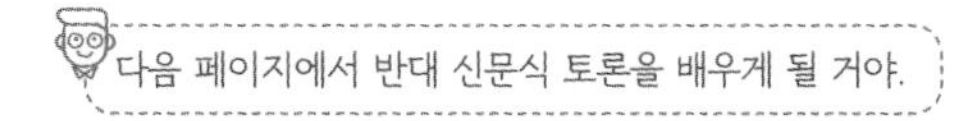

논제

논제란 토론의 주제로, 어떤 논제에 대해 찬성하는 입장의 사람들과 반대하는 입장의 사람들은 논증을 구성하여 자신의 주장이 옳음을 토론에서 입증한다.

사실 논제	어떤 사실이 참인지 거짓인지 진실 여부를 따지는 논제. 예 • 독도는 대한민국 영토이다. • 피고는 절도 혐의가 없다.
가치 논제	어떤 주장이 옳은지 그른지에 대한 가치 판단을 하는 논제. 예 • 우리 국민들은 우리 농산물을 애호하는 것이 바람직하다. • 선의의 거짓말은 인정해야 한다.
정책 논제	어떤 정책의 실행 여부와 실행 방안을 주장하는 논제. 예 • 대학 입시의 혼란을 줄이기 위해 대학 입시 간소화 정책을 도입해야 한다. • 흡연율 저하를 위해 담뱃값을 인상해야 한다.

시험에는 정책 논제를 다루는 토론이 자주 등장해.

쟁점과 필수 쟁점

쟁점은 토론에서 찬성과 반대 양측의 입장이 나뉘는 지점이자, 치열하게 맞대결하는 세부 주장이다. 논제와 관련해 반드시 짚어야 할 쟁점을 필수 쟁점이라 한다.

짚고 가요

정책 논제를 다루는 토론의 필수 쟁점 구성

찬성 측	필수 쟁점	반대 측
문제가 심각하여 조치가 시급함.	문제	문제가 심각하지 않음.
제시된 방안으로 문제를 해결할 수 있고, 방안이 실행 가능함.	해결 방안	제시된 방안으로 문제를 해결할 수 없거나 방안이 실행 불가능함.
효과와 이익이 비용보다 큼.	효과와 이익	비용이 효과와 이익보다 큼.

짚고 가요

토론의 논제 VS 토의의 주제

토론과 토의는 모두 여러 사람이 함께 가장 좋은 결론을 찾기 위한 화법의 유형이지만, 토의는 협력적인 의사소통, 토론은 경쟁적인 의사소통이라는 차이가 있어. 논제(주제)와 관련해서도 다음과 같은 차이가 있지.

• 토론의 논제: 공공성이 강한 문제로 찬성과 반대로 의견이 나뉠 수 있어야 하며, 문제가 구체적이고 명확해야 한다. 토론의 논제는 주장하는 바를 정확하게 드러내기 위해서 긍정의 평서문 형태로 진술하는 것이 좋다.

예 • 투표 연령을 하향 조정해야 한다.
• 교내 휴대전화 사용을 금지해야 한다.

• 토의의 주제: 가치 있으면서 시의 적절하고 공동의 관심사에 해당하는 것을 다룬다. 의문문 형태로 진술하여 다양한 의견 접근이 가능하도록 하는 것이 좋다.

예 • 학교 음식물 쓰레기를 줄이는 방법은 무엇인가?
• 인터넷에서 악성 댓글을 없애는 방법은 무엇인가?

개념 콕 1 토론 발언의 종류 3가지를 쓰고, 그 중에서 상대측 발언의 오류나 허점이 드러나도록 질문을 하고 그에 대한 답변을 듣는 말하기가 무엇인지 쓰시오.

개념 콕 2 다음 논제의 종류를 쓰시오.

(1) 우리나라에서 남녀 차이로 인한 불평등은 없어야 한다. (　　　　)

(2) 한글을 올바르게 사용할 수 있도록 국가적인 대책이나 교육이 필요하다. (　　　　)

콕 1 입론, 반론, 반대 신문 / 반대 신문 2 (1) 가치 논제 (2) 정책 논제

짚고 가요

신뢰성, 타당성, 공정성

토론이나 연설과 같이 설득을 목적으로 하는 화법 유형에서는 '신뢰성, 타당성, 공정성'을 기준으로 하여 화자가 한 말이 논리적 오류와 허점이 없는지를 평가하면서 듣는 것이 중요해.

- 신뢰성: 인용된 정보의 내용과 출처가 정확한가? 권위를 인정할 수 있는 자료인가?
  - 예 방금 조사 결과를 말씀하셨는데, 그 자료의 출처가 어딘가요?
- 타당성: 결론을 합리적으로 이끌어 내는가? 주장과 논거가 현실이나 삶의 이치에 부합하는가?
  - 예 드론을 범죄에 이용한 일부 사례만 보고 드론 전체를 규제해야 한다고 주장하는 것은 성급한 일반화가 아닌가요?
- 공정성: 발언이 특정 개인이나 특정 집단의 이익에 치우치지 않은, 공평하고 정의로운 내용인가?
  - 예 로봇세가 일부 노동자에게는 도움이 될 수 있지만, 로봇 산업에 종사하는 노동자에게는 불이익을 초래할 수 있다는 생각은 해 보신 적 없습니까?

특히나 토론의 반대 신문은 상대측 발언의 오류와 허점을 지적하는 질문이니, 이러한 판단 기준이 더 잘 드러나겠지? 그러니 위에서 제시한 반대 신문의 예를 통해 '신뢰성, 타당성, 공정성'을 이해하고 가자.

개념 콕 3 토론 사회자의 역할로 적절하지 않은 것은?

① 문제 상황과 논제를 제시한다.
② 토론자의 발언 순서를 지정한다.
③ 공정한 태도로 토론을 진행한다.
④ 토론이 끝나면 토론의 규칙을 정리해 준다.
⑤ 토론자의 발언 중 논제에서 벗어난 내용을 지적한다.

논증

근거를 바탕으로 자신의 주장을 논리적으로 증명하는 것으로, 찬성 측에서는 쟁점을 입증할 수 있는 논증을, 반대 측에서는 찬성 측에서 제기한 쟁점을 반증할 수 있는 논증을 구성한다. 논증을 구성하는 요소에는 주장, 이유, 근거가 있다.

주장: 쟁점에 관해 내세우는 의견으로, 진술이 명확해야 한다.
예 자동차 요일제를 실시해야 한다.

이유: 주장에 이르게 된 원인이나 조건으로, 주장을 정당화할 수 있어야 함.
예 자동차 요일제를 실시하면 대기 오염을 줄일 수 있기 때문이다.

근거: 객관적인 사실 정보로, 근거와 이유 사이에는 밀접한 연관성이 있어야 함.
예 ○○○ 보고서에 따르면, 자동차 매연이 대기 오염의 주된 원인 가운데 하나라고 한다.

반대 신문식 토론

찬성 측과 반대 측이 반대 신문을 통해 상대방의 논지를 반박함으로써 승부를 가르는, 토론의 한 유형이다. 입론 단계에서 반대 신문이 행해지는 것이 특징이며, 반대 신문에서는 바로 앞 차례의 상대측 토론자가 입론한 내용에 대해 질문을 한다. 반대 신문식 토론은 논제의 다양한 쟁점을 충분히 살피는 과정을 통해 논제를 깊이 있게 이해할 수 있다는 장점이 있다.

토론 참여자의 역할과 태도

토론 지문을 읽을 때 주의 깊게 봐야 할 내용에는 '문제 상황, 논제, 찬반 측의 주장과 근거, 찬반 측이 주장을 뒷받침하기 위해 사용한 자료, 사회자의 역할' 등이 있어.

3 협상

협상은 개인이나 집단 사이에서 이익과 주장이 달라 갈등이 생길 때, 서로 타협하고 조정하면서 문제 해결 방법을 찾아가는 협력적 의사소통 방식이다.

협상의 용어

의제	협상에서 상호 간에 합의가 필요한 사안.
입장	협상에서 의제에 대한 당사자의 태도.
제안	자기 측의 안이나 의견을 내놓는 것. 또는 그 안이나 의견.
대안	의제에 대하여 대처할 방안. 어떤 안을 대신하는 안.
합의안	양측의 제안이나 대안들에 대해 논의하여 의견을 종합한 것.

정리해 보자. 협상 참여자들은 '의제'에 대한 서로의 '입장'을 밝히고, 의제와 관련된 여러 '제안', 혹은 '대안'을 교환해. 그리고 그에 대한 '합의안'을 도출해 내지.

협상의 절차

시작 단계		조정 단계		해결 단계
문제에 대한 입장 차이를 서로 확인하고, 갈등 해결 가능성을 판단한다.	➡	서로의 대안을 검토하면서 상대의 처지와 관점을 이해하고, 양보를 통해 입장 차이를 좁힌다.	➡	제시된 대안들을 재구성하면서 합의에 이른다.

협상의 전략

시작 단계	• 목표 수립하기: 협상의 의제와 대안을 확인하여 협상 당사자들이 협상 대안을 마련한다.
조정 단계	• 상대방이 정말 원하는 것 찾기: 상대방이 정말 원하는 것과 자신이 정말 원하는 것 중 양립할 수 있는 것을 찾는다. • 상대방의 표준을 파악하여 마음을 움직일 수 있게 표현하기 – 표준: 의사를 결정할 때 정당성을 부여하는 정책이나 참고 사항. – 방법: 상대방의 '표준'과 자신의 요구를 연결시켜 상대방의 마음을 움직일 수 있게 표현한다. • 먼저 제안하기: 먼저 제안된 내용을 기준으로 하여 상대방이 조정안을 내놓고 다시 이에 대하여 타협할 수 있는 지점을 정하기 때문에 먼저 제안하는 것이 유리하다. • 양보에 대해 보상하기: 자신이 요구하는 바를 얻어 냈다면, 상대에게 그에 상응하는 보상을 제공한다. • 차선책 준비하기: 최선책이 수용되지 않았을 때 협상이 바로 결렬되지 않도록 차선책을 준비한다.
해결 단계	• 최선의 방법과 우선 순위 정하기: 양측 모두에게 이득이 되는 최선의 방법을 생각해 보고, 우리 측이 어느 선까지 양보할 수 있을지 우선 순위를 결정한다. • 합의 사항 점검하기: 합의 사항을 점검하고, 이행 방법을 명확히 해야 한다.

협상에서는 어떤 제안과 대안을 통해 입장 차이를 좁혀 가고 있는지가 중요해. 따라서 각자 어떤 부분에서 양보하고 있는지를 주의 깊게 확인하고, 최종 합의안이 무엇인지 체크해 두면 좋아.

개념+ 표준

화법에서는 어떤 개인이 행동을 결정할 때 중요하게 생각하는 것을 '표준'이라고 한다.

예 교내 밴드부가 연습 때 내는 소음으로 공부에 방해를 받은 학생들과 밴드부의 갈등 상황 → 이때 다른 학생들의 표준은 '학교는 우리 학교 학생 모두의 공간이므로, 타인의 권리를 침해하는 것은 올바르지 않다.'임.

개념 콕 4 협상을 할 때 주의해야 할 점이 아닌 것은?

① 상대방의 처지와 관점을 이해한다.
② 모두에게 이익이 되는 대안을 제시한다.
③ 상대방이 양보한다면 그에 맞는 적절한 보상을 한다.
④ 서로의 신뢰 하에 합의안의 이행 방법은 검토하지 않는다.
⑤ 상대방의 요구를 정확히 파악하고, 상대방의 양보만을 강요하지 않는다.

콕 3 ④ 4 ④

사뿐히 즈려밟는

확인 문제

✔ 바로바로 간단 체크

1 괄호 안에 들어갈 알맞은 말을 쓰시오.

(1) 공동체의 문제에 대해 구성원들이 서로 다른 의견을 나누며 최선의 해결 방안을 찾는 의사소통 방법을 (ㅌㅇ)라고 한다.

(2) 토론에서 자신의 주장이 타당함을 논리적으로 입증하는 말하기를 (ㅇㄹ)이라고 한다.

(3) 토론에서 논증을 구성할 때에는 쟁점에 대한 주장이 명확해야 하며, 주장을 뒷받침하는 (ㅇㅇ)와 (ㄱㄱ)가 타당해야 한다.

(4) 협상은 서로의 이익과 주장이 달라 갈등이 생길 때, 서로 (ㅌㅎ)하고 조정하면서 문제 해결 방법을 찾는 의사소통 방법이다.

2 다음 설명이 맞으면 ○표, 틀리면 ×표를 하시오.

(1) 토론에서 청중은 토론 참여자의 의견이 적절하지 않은 경우 개인의 의견을 제시해야 한다. ( )

(2) 토론의 참여자는 타당하고 신뢰할 수 있는 근거가 마련되어 있지 않더라도 자신의 주장을 끝까지 유지해야 한다. ( )

(3) 토의의 주제는 토의할 가치와 필요성이 있고, 모든 구성원들이 관심을 가질 수 있는 것으로 선정한다. ( )

(4) 협상의 참여자는 상대방의 처지와 관점을 이해하고 적절한 대안을 제시할 수 있어야 한다. ( )

(5) 토론은 찬성과 반대 입장을 지닌 참여자들의 '협력', 토의는 최적의 문제 해결을 위한 '경쟁', 협상은 참여자 모두가 납득할 수 있는 해결안을 만들기 위한 '양보'가 필요하다. ( )

[01~02] 다음은 토의의 일부이다. 읽고 물음에 답하시오.

2017학년도 3월 고1 학력평가 (변형)

부장: 우리 '자연 사랑' 환경 동아리는 매년 동아리 첫 시간에 그 해 어떤 활동을 할지 토의합니다. 작년에 하천 정화 활동을 했었는데, 올해는 어떤 활동이 좋을지에 대해 논의해 봅시다. 먼저 활동에 대한 제안을 들은 후 부원들의 질의를 받고, 투표로 활동을 정하겠습니다. 이제 의견을 말씀해 주시기 바랍니다.

[A]
부원 1: 작년 활동이 의미는 있었지만, 학교 밖으로 나가서 활동하는 것이 부담스러웠습니다. 거리도 멀었고, 그만큼 실제로 활동할 수 있었던 시간도 부족했습니다. 그래서 저는 올해는 학교 안에서의 활동이 좋다고 생각해서 동아리 시간마다 한 권씩 책을 읽을 것을 제안합니다. 독서를 통해 환경 관련 공부를 하면 좋겠습니다.
부원 2: 저도 학교 안에서의 활동에 동의합니다. 그래서 현재 쓰레기장처럼 쓰이고 있는 학교 운동장 옆 공터를 텃밭으로 가꾸면 좋겠습니다. 화학 비료 대신 천연 비료를 만들어 사용한다면 환경 문제에 대한 관심을 높일 수 있습니다. 학교도 깨끗해질 수 있고요.

부장: 독서를 통해 환경 관련 공부를 하자는 의견과 운동장 옆 공터를 텃밭으로 가꾸자는 의견이 나왔습니다. 다른 의견 없으십니까? 그럼 독서 활동부터 질문을 받겠습니다.

[B]
부원 3: 우리 동아리는 우리가 직접 참여하고, 실천하는 환경 관련 활동을 목적으로 만들어졌습니다. 독서가 이러한 우리 동아리의 목적에 적합할까요?
부원 1: 독서가 동아리의 목적과 다소 거리가 있다는 점은 저도 인정합니다. 하지만 직접 체험하는 환경 관련 활동만큼 독서를 통해 환경에 대해 아는 것도 의미 있다고 생각합니다.
부원 3: 저도 환경에 대해 아는 것이 중요하다고는 생각합니다. 하지만 우리 동아리의 목적을 생각한다면 독서는 적절하지 않으며, 쓰레기 줍기와 같은 활동을 하는 것이 좋다고 봅니다.
부원 4: 저는 독서 활동 방법에 대해 묻고 싶습니다. 부원마다 읽고 싶은 책도 다르고 읽는 속도도 달라서 같은 책을 동시에 읽기 어려운데, 이를 해결할 좋은 방법이 있나요?

부원 1: 각자 원하는 책을 정해서 동아리 시간에 자율적으로 읽으면 됩니다.

부원 4: 그렇다면 독서는 동아리 활동보다는 개인이 자율적으로 하는 것이 더 낫다고 봅니다.

부장: 다음은 텃밭 가꾸기에 대해 질문을 받겠습니다.

부원 2: 우선 교장선생님께 허락을 받아서 공터를 텃밭으로 조성해야 합니다.

부원 4: 텃밭을 가꾸기 위해서는 많은 노력이 필요할 텐데, 그래도 우리가 꼭 텃밭을 가꾸어야 하나요? 텃밭을 가꾸는 과정에서 우리가 배울 수 있는 것은 무엇인가요?

부원 2: [㉠]

토의 참여자의 말하기 방식

01 **[A]와 [B]에 대한 이해로 적절하지 않은 것은?**

① [A]에서 '부원 1'은 작년 동아리 활동의 문제점을 근거로 교내에서 할 수 있는 독서 활동을 제안하고 있다.

② [A]에서 '부원 2'는 예상되는 긍정적인 결과를 근거로 텃밭 가꾸기 활동을 제안하고 있다.

③ [B]에서 '부원 1'은 '부원 3'의 질문에 작년의 활동을 토대로 독서가 동아리 활동으로 적합한 이유를 설명하고 있다.

④ [B]에서 '부원 3'은 '부원 1'의 의견에 부분적으로 동의하면서도, 독서 활동이 동아리의 목적에 부합하지 않는다고 생각하고 있다.

⑤ [B]에서 '부원 4'는 독서 활동에서 생길 수 있는 문제를 거론하며 '부원 1'에게 그 해결 방법에 대해 질문하고 있다.

자료에 근거한 말하기

02 **〈보기〉는 토의를 준비하는 과정에서 '부원 2'가 찾은 자료이다. 이를 활용하여 ㉠에서 할 수 있는 답변으로 가장 적절한 것은?**

보기

1. 텃밭 관리 방법

자신이 심은 작물은 스스로 관리하며, 지지대 세우기와 천연 비료 만들기 등은 시간을 정해서 모두 함께 한다.

2. 텃밭 운영의 효과

맡은 일에 대한 책임감을 기르는 동시에 함께 힘을 합하는 과정에서 협동심을 기를 수 있다.

① 동아리 일지에 텃밭을 가꾸는 과정을 기록한다면, 식물이 자라는 과정을 배울 수 있을 것입니다.

② 동아리 부원 중 희망하는 사람들만 텃밭을 가꾸기로 한다면, 동아리 활동을 통해 자발성을 배울 수 있을 것입니다.

③ 텃밭을 가꾸는 과정과 관련된 책을 읽는다면, 환경 문제와 관련해서 텃밭이 왜 중요한지 배울 수 있을 것입니다.

④ 텃밭을 가꾸면서 인근 농촌 마을을 방문한다면, 지지대 세우기나 천연 비료 만드는 방법을 배울 수 있을 것입니다.

⑤ 텃밭의 구역을 나누어서 자신이 맡은 구역을 가꾸고 협업이 필요한 일은 함께 한다면, 책임감과 협동심을 배울 수 있을 것입니다.

[03~05] 다음은 학생 토론의 일부이다. 읽고 물음에 답하시오.

2016학년도 11월 고1 학력평가 (변형)

사회자: 최근 학생들이 학교 산책로에 쓰레기를 함부로 버려 문제가 되고 있습니다. 이에 '학교 산책로에 쓰레기통을 설치해야 한다.'라는 의견이 제기되고 있어, 오늘은 이 논제로 토론을 하고자 합니다. 먼저 찬성 측부터 입론해 주시기 바랍니다.

찬성 1: 학교 산책로에 쓰레기통을 설치해야 한다고 생각합니다. 학교 산책로 이용에 관한 교내 설문 조사에 따르면 산책로에 쓰레기를 버릴 곳이 없어 불편하다는 의견이 많았습니다. 또한 산책로를 잘 이용하지 않는다는 학생들도 많았는데, 이 중 80% 정도는 쓰레기가 지저분하게 버려져 있기 때문이라고 응답했습니다. 따라서 학생들의 불편을 해소하고 깨끗한 산책로를 조성하기 위해 쓰레기통을 설치해야 합니다.

반대 1: 제가 조사한 바에 따르면 인근 ○○고등학교의 경우 학생 쉼터에 쓰레기통을 설치했음에도 불구하고, 학생들이 함부로 버린 쓰레기가 분리수거도 되지 않은 채 마구 뒤섞여 있고, 쓰레기통 주위도 지저분해져서 악취와 벌레 때문에 문제가 되고 있다고 합니다. 그래서 저는 쓰레기통 설치에 반대합니다. 게다가 산책로에 쓰레기통을 설치한다면 누가 관리하는가 하는 문제도 발생할 수 있습니다. 교실 청소도 벅찬 상황에서 산책로 쓰레기통까지 관리해야 한다면 그것을 담당할 학생들에게 부담이 될 것입니다.

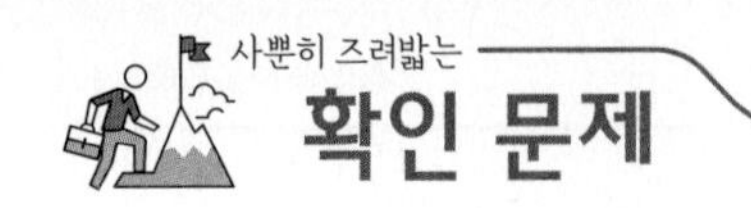

사회자: 두 분의 말씀 잘 들었습니다. 이어서 양측의 반론을 듣겠습니다. 반대 측부터 반론해 주시기 바랍니다.

반대 2: 단순히 불편하다는 이유만으로 산책로에 쓰레기통을 설치할 필요는 없다고 생각합니다. 쓰레기통은 산책로 바로 옆 매점에도 있으니 산책로를 이용하는 학생들은 그 쓰레기통을 사용하면 됩니다. 또한 편의를 위해 쓰레기통을 설치한다고 해도 산책로가 깨끗해질 것이라고는 생각하지 않습니다. 왜냐하면 쓰레기통이 없어서라기보다는 근본적으로 학생들의 잘못된 인식과 습관이 문제이기 때문입니다. 따라서 쓰레기 되가져가기 캠페인 등을 실시하여 책임 의식을 높이고 학생들이 자발적으로 쓰레기를 정해진 곳에 버리는 습관을 형성하는 것이 필요합니다.

찬성 2: ○○고등학교에서 쓰레기통을 설치해 문제가 생겼다고 해서 우리 학교에서도 동일한 상황이 벌어진다고 볼 수 있을까요? ○○고등학교의 경우에는 일반 쓰레기통만을 설치했기 때문에 문제가 된 것입니다. 이 사례를 거울 삼아 분리수거를 할 수 있도록 재활용 쓰레기통을 함께 설치한다면 부작용을 최소화할 수 있다고 생각합니다. 그리고 학급별 순번제 관리 시스템을 도입한다면 관리에 대한 부담을 줄일 수 있고, 이를 통해 학생들이 주인 의식을 기를 수 있어 교육적으로도 가치가 있다고 생각합니다.

토론의 과정

03 위 토론 과정에 대한 분석으로 적절하지 않은 것은?

발언 순서		분석 내용
사회자		문제 상황과 토론 주제를 제시하고 있다.
입론	찬성 1	설문 조사의 결과를 주장을 뒷받침하는 근거로 제시하고 있다. ·················①
입론	반대 1	실제 사례를 근거로 제시한 후 자신의 주장을 밝히고 있다. ·····················②
사회자		토론자의 발언 순서를 안내하며 토론을 진행하고 있다. ··························③
반론	반대 2	질문의 형식을 활용하여 상대방 발언의 의도를 확인하고 있다. ·················④
반론	찬성 2	대안을 제시하며 그로 인한 긍정적 효과를 언급하고 있다. ························⑤

토론자의 입장 파악

04 위 토론에서 '반대 1'과 '찬성 2'가 공통으로 인정하고 있는 것은?

① 캠페인 실시는 근본적인 해결책이 될 수 없다.
② 인근 고등학교와 같은 관리 시스템을 도입해야 한다.
③ 쓰레기통을 관리하는 문제로 학생들이 부담을 느낄 수 있다.
④ 쓰레기통을 설치하면 학생들의 산책로 이용률을 높일 수 있다.
⑤ 문제를 해결하기 위해서는 분리수거가 가능한 쓰레기통을 설치해야 한다.

자료의 활용 방안

05 <보기>는 위 토론을 준비하는 과정에서 찬성과 반대 양측이 수집한 자료의 일부이다. 자료의 활용 방안으로 가장 적절한 것은?

보기

(가) 자원순환연대가 시민 310명을 대상으로 '쓰레기를 무단 투기한 경험과 그 이유'에 관해 설문 조사를 진행하였다. 그 결과 무단 투기의 경험이 있다고 답한 시민들 중 38.8%가 쓰레기 무단 투기의 이유로 "주변에 쓰레기통이 없어서"를 들었다.

(나) ○○시에서는 거리의 청결 유지 및 관리 용이성을 확보하기 위해 사물 인터넷 기술이 적용된 스마트 쓰레기통 200여 개를 설치했다. 그러나 다수의 시민들의 몰상식한 행동으로 인해, 오히려 주변 환경을 오염시키는 결과를 낳고 있다. 쓰레기통 주변에 쓰레기를 무단 투기하는 행위, 일반 쓰레기와 재활용 쓰레기를 구분하지 않는 행위, 음식물 등을 쓰레기통에 버리는 행위 탓에 악취, 기기 고장 등의 부작용이 나타나고 있는 것이다.

① (가)와 (나) 모두 '반대 1'과 '반대 2'의 주장을 반박하는 근거 자료로 활용한다.
② (가)는 '찬성 2'를 비판하는 근거로, (나)는 '찬성 1'을 옹호하는 근거로 활용한다.
③ (가)는 '반대 1'의 주장을 반박하는 근거로, (나)는 '찬성 1'의 주장을 반박하는 근거로 활용한다.
④ (가)는 '반대 1'의 주장을 뒷받침하는 근거로, (나)는 '반대 2'의 주장을 반박하는 근거로 활용한다.
⑤ (가)는 '찬성 1'의 주장을 뒷받침하는 근거로, (나)는 '반대 2'의 주장을 뒷받침하는 근거로 활용한다.

단원 정리

화법의 본질과 태도

개념 화자와 청자가 구두 언어를 통해 상호작용함으로써 의미를 공유하고 구성하는 과정.

특성
- 언어적 표현외에도 준언어적 표현, ❶ [ ]이 의사소통에 큰 영향을 미치므로 이를 고려해야 함.
- 화자와 청자가 상호작용하면서 새로운 의미를 창조해 가므로, 화자는 ❷ [ ]를 고려해야 하며 청자는 적절한 듣기 전략을 사용해야 함.
- 상황 맥락과 ❸ [ ]이 의사소통에 영향을 미치므로, 이를 고려해야 함.
- '계획-생성-조직-표현'의 일련의 사고 과정을 거쳐 이루어지는 의사소통 행위로, 화법 활동을 할 때에는 이와 같은 과정을 ❹ [ ]하는 것이 필요함.

태도 화법 활동이 개인의 자아 성장과 공동체 발전에 기여한다는 것에 대한 이해를 바탕으로 하여, 진심을 담아 말하고, 언행일치하려 노력하고, ❺ [ ] 표현을 사용해야 함.

화법의 유형

'대화' 유형

대화 두 사람 이상이 모여 서로의 생각이나 느낌을 말로 표현하고 이해하는 상호 교섭적인 활동 - ❻ [ ] 듣기

면접 질문을 통해 면접 대상자의 지식이나 능력, 성품, 잠재력 등을 파악하기 위한 공적 대화 - 질문의 의도 파악하기

청중 대상의 공적 화법

발표 여러 사람 앞에서 자신의 생각이나 의견 또는 어떠한 사실이나 정보에 대해 진술하는 공식적인 말하기.

연설 자신의 행각이나 견해를 펼쳐서 청중의 태도나 행동을 변화시키려는 공식적인 말하기 - 인성적 설득 전략. ❼ [ ] 설득 전략. 감성적 설득 전략

의견의 교환을 통한 문제 해결

토의 두 명 이상의 참여자가 모여 공동의 문제에 관한 정보와 그에 대한 다양한 의견을 교환하며 최선의 해결 방법을 찾는 ❽ [ ] 의사소통

토론 어떤 논제에 대해 찬성자와 반대자가 논거를 들어 자신의 주장이 옳음을 내세우고 상대방의 주장이나 논거나 부당하다는 것을 밝히는 ❾ [ ] 의사소통 - 공정성, 타당성, 신뢰성

협상 개인이나 집단 사이의 이익과 주장이 달라 갈등이 생길 때, 서로 타협하고 조정하면서 문제 해결 방법을 찾아가는 협력적 의사소통

빈칸 답 | ❶ 비언어적 표현 ❷ 청자 ❸ 사회·문화적 맥락 ❹ 점검하고 조정 ❺ 공손한 ❻ 공감적 ❼ 이성적 ❽ 협력적 ❾ 경쟁적

알아 두면 쓸데 있는 100인의 지혜

화법 풀이의 지혜

220쪽에서 설명한, 화법과 작문에 대한 소개를 먼저 읽고 오렴!

화법 문제 풀이의 핵심은 '선택지의 근거 찾기'야. 선택지의 옳고 그름을 판단할 수 있는 근거를 지문에서 찾아내는 것이 매우 중요해. 아마 시간만 충분히 주어진다면 여러분들은 지금 당장도 화법 문제의 답을 어렵지 않게 찾을 수 있을 거야. 하지만 시험은 시간이 제한되어 있기 때문에 지문을 빠른 시간 내에 파악해야 해. 그러려면 화법의 담화 유형별 특성과 독해법을 익혀 두는 것이 도움이 되지. 토론/토의/발표·강연/대담·면접 순으로 살펴본 다음, 기출 발문을 보고 선택지의 옳고 그름을 가려 보자. 정답은 248쪽 하단에 있어.^^

토론

토론의 논제는 보통 찬성 측의 주장이야. 먼저 문제 상황과 논제를 확인한 후, 찬성·반대 측의 주장과 근거를 표시하며 읽으면 효과적이야. 또 토론의 진행 절차와 사회자의 역할도 같이 확인하면 좋아.

2019학년도 9월 모의평가

사회자: 지금부터 '학생회장 선거에 결선 투표제를 도입해야 한다.'라는 논제로 공개 토론을 시작하겠습니다. 먼저 찬성 측 첫 번째 토론자 입론하십시오.

(논제 제시 / 발언 순서 지정)

찬성 1: 우리 학교는 단순 다수제로 학생회장을 선출하고 있습니다. 그런데 학생들의 투표율이 낮아, 선출된 학생 회장의 대표성에 대해 논란이 제기되고 있습니다. 이를 해결하기 위해 학생회장 선거에 결선 투표제를 도입해야 한다고 생각합니다. 결선 투표제는 과반의 득표자가 없을 때, 다수표를 얻은 사람들을 후보자로 올려 과반의 득표로 선출하는 방식입니다. 이를 도입하면 선거에 대한 관심이 고조되고 투표율이 높아져 대표성을 인정받는 학생회장이 선출될 것으로 기대됩니다. 또한 1차 투표와 결선 투표를 거치면서 서로 다른 의사가 수렴되므로 후보자의 자질과 능력도 향상될 것입니다. (중략)

(문제 상황, 문제 의식 / 찬성 측 주장 / '결선 투표제'의 개념을 정의 / 근거① / 근거②)

반대 1: 저는 결선 투표제 도입에 반대합니다. 단순 다수제는 후보자 중 최다 득표자가 당선되는 방식입니다. 학생 회장 선거의 투표율을 높여야 하는 것에는 공감하지만, 결선 투표제를 도입한다고 해서 이 문제가 해결된다고 생각하지 않습니다. 오히려 단순 다수제는 투표권을 한 번만 행사할 수 있기 때문에 후보자를 더 신중하게 결정하게 되는 민주적 절차입니다. 무엇보다 결선 투표제를 도입할 때 발생할 수 있는 가장 큰 문제는 학교에서 시행하기 번거롭다는 것입니다. 결선 투표를 하게 되면 시간을 또 내야 하고, 투표소도 다시 설치해야 하는 등 시간과 비용의 측면에서 비효율적입니다. (후략)

(반대 측 주장 / 찬성 측이 제시한 문제 상황, 문제 의식에 동의 / 근거① / 근거②)

기출 발문	찬성과 반대 측이 공통으로 인정하고 있는 내용으로 가장 적절한 것은?

선택지 OX	❶ 학생회장 선거에서 투표율을 높여야 한다. (○, ×)

토의

토의의 목적은 토의 참여자 간의 합의점을 찾는 것이야. 따라서 합의점과 합의점을 도출하는 과정에 초점을 맞춰서 읽으면 지문의 내용을 효과적으로 파악할 수 있어. 합의점은 보통 지문의 마지막 부분에 언급되지. 물론 사회자의 역할을 확인하는 것도 중요해. 다음을 읽어 보자.

2017학년도 9월 모의평가

사회자: 이번 교내 학생 연설의 주제는 '사이버 언어폭력 근절을 위해 노력합시다'이고 오늘 우리가 할 토의 주제는 '사이버 언어폭력 근절을 위한 교내 학생 연설을 어떻게 할 것인가'야.(토의 주제 확인) 지금부터 우리가 할 연설에 대해 토의해 보는데 먼저 연설을 시작할 때 친구들의 주의를 집중하게 하는 방법에 대해 얘기해 볼까?(논의할 내용 제시)

학생 1: 우선 연설을 할 장소와 연설을 들을 친구들의 특성을 감안해야 해. 연설 장소가 넓은 강당이고, 주제에 대한 관심의 정도가 제각각인 친구들이 대상이니 인기 가요를 틀어 친구들의 주의를 끄는 게 어떨까?(제안①)

학생 2: 글쎄, 그 방법은 이미 다른 친구들이 여러 번 쓴 방법이라 더 이상 친구들의 주의를 집중시키기 어려워.(제안①의 한계 지적) 가볍고 재미있는 이야기로 시작하는 건 어때?(제안②)

학생 3: 연설 분위기를 부드럽게 하는 데에는 도움이 되겠지만 우리 연설 주제를 고려할 때 적합하지 않아.(제안②의 한계 지적) 주제와 관련 있는 내용이면 좋겠어. 그래서 말인데, 연설을 시작할 때 연설 주제에 적합한 시를 낭송한 후 사이버 언어폭력의 개념과 사이버 언어폭력 근절의 시급성을 언급하자. ─ 학생 1, 2, 3이 합의함.

학생 1: 응. 시 낭송은 참신한 방식이니 친구들의 주의를 끄는 데 도움이 되겠네. 주제와도 관련이 있으니 연설 내용 이해에도 도움이 될 거고.(합의안에 동의하면서 합의안의 기대 효과 언급) / **학생 2:** 그래. 생각해 보니 그 방법이 좋겠다. (후략)

기출 발문	사회자가 합의된 토의 내용에 따라 연설 계획을 세운다고 할 때 적절한 것은?

선택지 OX	❷ 청중의 주의를 집중시키기 위해 연설을 시작할 때 주제와 관련된 시 작품을 활용해야겠어. (○, ×)

발표·강연

발표·강연은 혼자서 청중을 상대로 하는 말하기야. 따라서 시·청각 자료를 사용하기도 하고, 억양이나 몸짓, 손짓과 같은 준언어적·비언어적 표현을 동반하여 말하기의 효과를 극대화하지. 이와 같은 내용은 지문에서 괄호 안의 지시문으로 제시돼. 또 발표 내용의 순서와, 발표자가 청중과 상호 작용하고 있는지 그렇지 않은지 확인하는 것도 중요해.

2018학년도 수능

오늘은 조선의 궁중 음식 중 수라상에 대해 말씀드리겠습니다.(발표 주제) 발표는 수라상의 상차림, 왕의 식사 횟수와 식사 장면, 그리고 수라상의 음식을 포함한 조선의 궁중 음식이 지닌 의의 순으로 진행하겠습니다.(발표 순서 소개)

우선 '수라'는요, 고려 때 몽골의 영향으로 생긴 말로 왕에게 올리는 밥을 높여 이르던 말입니다.('수라'의 개념 소개) 지금 보시는 화면이 수라상의 사진인데요,(시각 자료 활용①) 세 개의 상과 화로를 한눈에 볼 수 있습니다. (사진을 가리키며)(비언어적 표현) 왼쪽에 보이는 큰 상인 대원반에는 흰밥과 탕, 반찬들이, 오른쪽에 보이는 소원반에는 팥밥과 탕, 접시가 놓여 있습니다. 왕이 고를 수 있게 밥과 탕을 두 가지씩 준비한 겁니다. 소원반 옆에 놓인 화로는 전골 요리에 썼다고 해요. 《조선 왕조 궁중 음식》이라는 책에 따르면(정보의 출처 언급 → 신뢰성 높임.) 왕은 이러한 수라상을 아침과 저녁에 받았다고 합니다. ─ 수라상의 상차림

왕이 하루에 식사를 두 번만 한 것은 아니었어요. 두 번째 화면을 볼게요.(시각 자료 활용②) 이것은 수라상 외에 왕이 받은 초조반상, 낮것상, 야참의 사진입니다. 초조반상과 낮것상은 주로 죽으로, 야참은 면, 식혜 등으로 간단히 차린 걸 볼 수 있죠. 야참을 식사로 본다면 왕은 하루에 몇 번이나 식사를 했을까요?(청중에게 질문) (청중의 대답을 듣고)(청중과 상호 작용) 예, 다섯 번이죠. 아침, 저녁의 수라상까지 합해 왕은 하루에 다섯 번 식사를 한 셈입니다. (후략) ─ 왕의 식사 횟수

기출 발문	발표에 반영된 학생의 발표 계획으로 적절한 것은?

선택지 OX	❸ 정보의 출처를 언급하여 발표 내용의 신뢰성을 높여야겠어. (○, ×) ❹ 발표 중에 질문을 하여 발표 내용에 대한 청중의 이해를 확인해야겠어. (○, ×)

1 화법

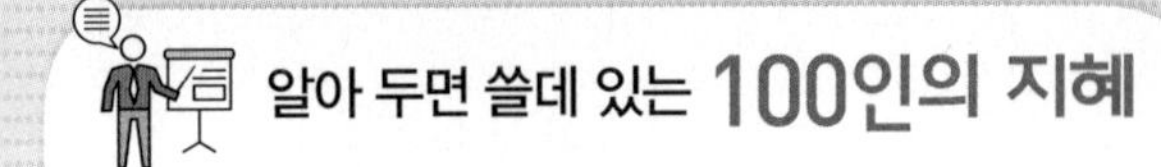

대담·면접

대담은 진행자-전문가, 면접은 면접자-면접 대상자 사이에 질문과 대답이 반복되는 담화이니, 각각의 질문과 그에 대한 대답을 끊어가면서 읽으면 효과적이야. 이때, 질문의 의도를 파악하고, 대답이 그 의도에 적합한지 확인하면서 읽는 게 중요해.

2018학년도 9월 모의평가

● 다음은 '또래 상담 요원 모집 공고문'을 보고 지원한 학생에게 실시한 면접의 일부이다. 물음에 답하시오.

면접 대상자: 안녕하십니까? 지원자 김○○입니다.

면접자: 안녕하세요? 긴장한 것 같은데요, 편안한 마음으로 답변하면 됩니다. (면접 대상자의 긴장을 풀어 주고 있음.)

면접 대상자: 네. 잘 알겠습니다.

질문① **면접자:** 다양한 상담의 유형이 있는데, 청소년들에게 또래 상담이 왜 필요하다고 생각하나요? (질문① (개방형 질문))

면접 대상자: 네. 요즘 청소년들은 많은 고민을 안고 있는데요, 제가 본 설문 조사 결과에 따르면 청소년이 고민을 이야기하고 싶은 대상 1순위가 친구였습니다. (객관적 자료를 답변의 근거로 제시) 또래 상담은 생각의 눈높이가 맞는 또래 친구와 함께 고민을 나눌 수 있다는 점에서 청소년들에게 꼭 필요한 상담이라고 생각합니다. (답변①)

질문② **면접자:** 평소 또래 상담에 대해 많은 생각을 했군요. (긍정적인 반응①) 인간 중심적 상담 이론에서 제시한 상담자의 태도에 대해 좀 더 자세히 설명해 줄 수 있을까요? (질문② (개방형 질문))

면접 대상자: 네. 《상담 심리학의 기초》란 책을 보면 (정보의 출처 언급) 인간 중심적 상담 이론에서의 상담자의 태도가 세 가지로 제시되어 있는데요, 공감적 이해의 태도 외에도 상담자는 피상담자를 진정성 있게 대해야 하며 피상담자에 대한 긍정적 존중의 태도를 지녀야 한다고 했습니다. (답변②)

질문③ **면접자:** 잘 알고 있네요. (긍정적인 반응②) 혹시 상담에서 말하는 '래포'가 무엇인지 알고 있나요? (질문③ (폐쇄형 질문))

면접 대상자: 래포의 개념을 말씀하시는 건가요? (질문 내용 확인) / **면접자:** 네. 맞습니다.

면접 대상자: 래포란 상호 간에 신뢰하며 감정적으로 친근감을 느끼는 인간관계를 말합니다. 상담은 마음을 열고 진솔하게 이야기를 나눌 수 있어야 하는 활동이므로 래포는 상담이 이뤄지기 위한 중요한 요소라고 생각합니다. (답변③)

질문④ **면접자:** 신뢰와 친근감을 뜻하는 래포는 진솔하게 이야기를 나눌 수 있게 하는 상담의 중요한 요소라는 말이군요. (면접 대상자의 답변 내용 요약·재진술) 이번에는 상담 상황을 하나 말씀드리겠습니다. 또래 친구가 최근 성적이 많이 떨어져 부모님께서 자신에 대해 실망하시는 모습을 보며 우울해하고 있습니다. 이 경우에 어떻게 상담을 하겠습니까? (질문④ (개방형 질문))

면접 대상자: 먼저 또래 친구와 마음을 터놓고 이야기할 수 있도록 신뢰와 친근감을 형성한 뒤 친구의 어려움에 공감해 주며 상담을 하겠습니다. (답변④)

이 지문은 면접자의 질문에 대한 면접 대상자의 답변이 질문 의도에 적절한지를 체크한 다음 선택지의 옳고 그름을 가려 보자.

	질문① – 답변①	질문② – 답변②	질문③ – 답변③	질문④ – 답변④
질문 의도	또래 상담의 필요성에 대한 생각 확인	상담 이론에 대한 전문성 확인	상담 이론에 대한 전문성 확인	실제 상담 상황에서의 대처 능력 확인
답변의 적절성 O X	①(○, ×)	②(○, ×)	③(○, ×)	④(○, ×)

기출 발문 이 글에 나타난 면접 참여자들의 의사소통 방식에 대한 설명으로 적절한 것은?

→ **선택지 OX**

❺ '면접 대상자'는 '면접자'와의 견해 차이를 인정하면서 자신의 입장을 밝히고 있다. (○, ×)

❻ '면접자'는 '면접 대상자'의 답변 내용을 요약하며 재진술하고 있다. (○, ×)

• 선택지 OX 답: ❶○ ❷○ ❸○ ❹○ ❺× ❻○ • 답변의 적절성 OX 답: ❶○ ❷○ ❸○ ❹○

수능 다가가기

정답과 해설 65쪽

[01 ~ 03] 다음은 토론의 일부이다. 물음에 답하시오.

2017학년도 수능

사회자: 우리 학교 동아리 축제에서 동아리 홍보관은 신입 회원 모집을 위한 홍보 효과가 높기 때문에 동아리들에게 인기가 많습니다. 그러나 홍보관 설치를 위한 공간이 한정되어 있어, 지금까지는 학생회가 홍보관 운영 계획서를 공모하여 심사한 후 홍보관을 운영할 동아리를 선정해 왔습니다. 그런데 기존 방식인 ㉠심사 방식 대신 새로운 방식으로 ㉡추첨 방식을 요구하는 동아리들이 많이 있어, 이번 시간에는 '동아리 축제에서 홍보관을 운영할 동아리를 선정할 때 추첨 방식으로 해야 한다.'라는 논제로 토론을 하겠습니다. 찬성 측 입론해 주십시오.

찬성 1: 동아리 축제에서 홍보관을 운영할 동아리를 선정할 때 추첨 방식으로 해야 합니다. 심사 방식의 평가 기준이 타당하지 않고, 평가자 주관이 개입될 수 있어 평가의 신뢰성이 낮아 학생들의 불만이 높기 때문입니다. 반면에 추첨 방식은 선정 과정에서 평가자의 견해가 반영될 수 없습니다. 또한 추첨 방식으로 한다면 홍보관 운영 동아리로 선정될 수 있는 기회가 모든 동아리에 균등하게 부여될 수 있습니다. 그리고 동아리 홍보관 운영 계획서를 준비하는 과정에서 동아리들이 시간과 노력을 불필요하게 들이는 문제도 해소할 수 있습니다.

사회자: 이번에는 반대 측에서 반대 신문 해 주십시오.

반대 2: 추첨 방식이 기회를 균등하게 부여한다고 말씀하셨는데, 그럴 경우 동아리 홍보관 운영을 더 잘 계획하고 준비한 동아리가 탈락할 수도 있죠. 준비가 덜 된 동아리가 선정된다면 동아리 홍보관 운영의 부실로 이어질 수 있지 않나요? [A]

찬성 1: 그렇지 않습니다. 선정된 동아리들은 새로운 회원을 모집하기 위해 적극적으로 홍보해야 하므로, 홍보관 운영에 최선을 다할 것입니다.

사회자: 이번에는 반대 측에서 입론해 주십시오.

반대 1: 홍보관 운영 동아리 선정을 추첨 방식으로 하는 것에 반대합니다. 기존의 심사 방식은 전체 학생을 대표하는 다수의 평가자가 참여하여 평가자의 주관적 개입을 줄일 수 있고, 평가 기준 역시 매년 학생들의 의견을 수렴하여 개선해 왔기 때문에 그 타당성이 매우 높다고 할 수 있습니다. 또한 심사 방식은 모든 동아리가 홍보관 운영 계획서를 제출할 기회를 공평하게 부여하고 있습니다. 그리고 이 계획서를 준비하는 과정에서 동아리 구성원들이 동아리 축제의 목적에 부합하는 활동을 고민하게 되므로 축제가 내실화될 수 있습니다.

사회자 : 이번에는 찬성 측에서 반대 신문 해 주십시오.

찬성 1 : 홍보관 운영 계획서를 평가하는 기준이 타당하다고 하셨는데 작년 설문 조사 결과에 따르면 평가 기준 중의 일부가 특정 동아리에게 유리하게 작용한다고 응답한 학생들이 많았습니다. 이런 점에서 평가 기준이 타당하다고 보기 어렵지 않나요? [B]

반대 1 : 그 문제는 평가 기준의 일부를 개선하여 해결할 수 있습니다.

토론의 입론

01 위 토론의 입론에 대한 이해로 가장 적절한 것은?

① '찬성 1'은 용어의 개념을 정의함으로써 논의의 범위를 한정하고 있다.

② '찬성 1'은 기존 방식이 유지될 때 발생하는 기대 효과를 중심으로 주장하고 있다.

③ '반대 1'은 논제와 관련된 문제 해결의 시급성을 강조하고 있다.

④ '반대 1'은 기존 방식의 긍정적 측면을 근거로 삼아 새로운 방식을 반대하고 있다.

⑤ '반대 1'은 새로운 방식을 도입할 때 발생할 수 있는 부정적 측면에 대하여 언급하고 있다.

토론의 전략

02 [A]와 [B]에 대한 설명으로 가장 적절한 것은?

① [A]는 상대측이 제시한 사례가 적합한지에 대해 의문을 제기하고, 적합한 사례를 제시할 것을 요구하고 있다.
② [A]는 상대측이 앞서 진술한 내용의 일부를 확인하고, 기존 방식을 고수할 경우 생길 문제점을 제기하고 있다.
③ [B]는 상대측 주장을 뒷받침하는 근거가 믿을 만한지 의문을 제기하고, 출처를 제시할 것을 요구하고 있다.
④ [B]는 상대측이 언급한 내용의 일부를 확인하고, 설문 조사 결과를 근거로 평가 기준의 타당성에 대해 의문을 제기하고 있다.
⑤ [A]와 [B] 모두 상대측이 인용한 전문가의 설명이 적합한지 따지고, 사실 관계를 확인하고 있다.

양측의 주장과 근거 파악

03 ㉠과 ㉡에 관한 토론의 내용을 분석한 것으로 적절하지 <u>않은</u> 것은?

① 찬성 측은 평가자의 주관이 개입될 수 없다는 점에서 ㉡이 적합한 방식이라고 주장하고 있군.
② 찬성 측은 시간과 노력이 불필요하게 드는 ㉠의 문제점을 ㉡이 해소할 수 있다는 점에서 ㉡이 적합하다고 주장하고 있군.
③ 반대 측은 홍보관 운영을 더 잘 계획하고 준비한 동아리가 ㉡으로 인해 탈락할 수 있다는 점을 들어 ㉠을 옹호하고 있군.
④ 반대 측은 동아리가 홍보관 운영 계획서를 준비하는 과정을 통해 축제가 내실화될 수 있다고 주장하며 ㉠을 지지하고 있군.
⑤ 반대 측은 ㉡을 도입하면 모든 동아리에게 선정 기회가 균등하게 부여된다는 점을 들어 ㉡이 ㉠보다 더 공평하다고 주장하고 있군.

[04~06] 다음은 라디오 방송이다. 물음에 답하시오.

2019학년도 수능

혹시 어두운 밤길을 걸어 본 적이 있으신가요? 예전에 제가 밤길을 혼자 걸은 적이 있는데요, 처음엔 어둡고 무서웠지만 달빛 덕분에 어렵지 않게 걸었답니다. 여러분의 삶에 든든한 달빛 같은 방송, 청취자의 사연을 읽고 상담해 주는 '나에게 말해 줘' 시간입니다. 저는 이 방송의 진행자인 심리 상담가 ○○○입니다. 오늘의 사연을 읽어 드릴게요.

> 저는 고등학생 □□라고 해요. 제 친구는 자꾸 친구들과 비교하면서 자신이 못났다고 생각해요. 차분하고 손재주도 좋은 친구인데 스스로를 그렇게 생각하는 게 안타까워요. 또 작은 실수에도 "난 항상 이래."라며 자책하고 우울해해요. 그런 생각을 안 하도록 돕고 싶은데 방법을 모르겠어요.

□□님은 스스로를 못났다고 생각하는 친구를 돕고 싶은데 방법을 모르신다는 거네요. 친구를 생각하는 마음이 참 따뜻하게 느껴져요. 저도 □□님처럼 안타깝네요.

자신의 능력과 가치에 대한 전반적인 평가와 태도를 나타내는 말을 자존감이라고 합니다. 자존감이 낮은 원인은 다양하지만 일반적으로 알려진 것에는 남과 비교하는 버릇이 원인인 경우와 자책하는 태도가 원인인 경우가 있습니다. 사연 속 친구는 자신을 다른 사람과 비교해서 열등감을 느끼고, 사소한 실수에도 자신을 탓하며 스트레스를 받아서 자존감이 낮아진 것으로 보이네요.

이러한 경우에는 '장점 말해 주기'와 '감정 헤아려 주기' 방법이 도움이 될 수 있어요. 먼저 친구가 현재 가지고 있는 긍정적인 면들을 자주 말해 주세요. 그러면 친구가 자신의 장점을 깨닫고 남과 비교하지 않을 거예요. 그리고 친구의 마음을 헤아려주세요. 만약 친구가 실수해서 자책하고 있으면 "많이 속상하겠구나. 괜찮아. 누구나 그럴 수 있어."라며 친구의 감정을 이해해 주는 식으로요. 그러면 친구가 스스로 괜찮다고 느껴 스트레스를 덜 받고 자책하지 않을 거예요.

오늘 방송 잘 들으셨나요? 저에게 하고 싶은 말이나 청취 소감은 언제든 게시판에 올려 주세요. 그럼 △△의 노래 '우리 함께'를 들으며 오늘 방송 마치겠습니다. 추운 날씨에 감기 조심하세요.

말하기 방식

04 위 방송 진행자의 말하기 방식에 대한 설명으로 가장 적절한 것은?

① 사연 내용을 정리하고 사연 신청자의 마음에 공감하고 있다.
② 사연 신청자의 궁금증을 해소하고 다음 방송을 예고하고 있다.
③ 사연 내용을 선정하게 된 동기를 밝히고 청취자의 참여를 독려하고 있다.
④ 사연과 관련된 자신의 과거 경력을 소개하고 전문성을 부각하고 있다.
⑤ 사연에 대한 상담 중에 질문을 던지고 사연 속 상황을 다양한 관점에서 생각해 보도록 유도하고 있다.

말하기 계획

05 다음은 위 방송을 진행하기 위해 진행자가 세운 계획이다. 방송에 반영되지 않은 것은?

[오프닝]
방송의 취지를 드러내기 위해 '달빛' 이야기로 시작
[사연 소개 및 고민 진단]
○ 사연 신청자가 보낸 사연 소개
○ 내용의 이해를 돕기 위해 자존감이라는 용어의 의미 제시 ···································· ㉠
○ 자존감이 낮은 원인 중 일반적으로 알려진 원인을 제시하고 사연의 문제 상황에 적용 ···················· ㉡
○ 사연의 문제 상황을 설명하기 위해 유사한 문제 상황 제시 ···································· ㉢
[방법 제시]
○ '장점 말해 주기' 방법을 안내하고 효과 제시 ·········· ㉣
○ '감정 헤아려 주기' 방법을 예를 들어 소개하고 효과 제시 ···································· ㉤
[클로징] 청취자 게시판에 관한 안내 및 인사말로 마무리

① ㉠ ② ㉡ ③ ㉢ ④ ㉣ ⑤ ㉤

청자의 반응

06 다음은 위 방송을 들은 청취자들이 게시판에 올린 댓글이다. 방송 내용을 고려하여 청취자들의 반응을 분석한 것으로 적절하지 않은 것은?

'나에게 말해 줘' 게시판

○월 ○일 방송에 대해 자유롭게 의견을 남겨 주세요.

• **청취자 1**: 저도 자존감이 낮은 거 같아서 좋은 방법이 나오기를 기다리며 들었는데, 스스로 자존감을 높이는 방법은 안 나오네요.
• **청취자 2**: 자존감을 높여 주려면 자기만 부족하다는 생각에서 벗어나게 해 주라는 거네요. 그렇다면 가능한 목표를 세워서 도달하게 하는 방법도 성취감을 느낄 수 있게 해 주어 자존감을 높이는 데 도움이 되겠군요.
• **청취자 3**: 딸아이의 자존감이 향상되도록 앞으로는 제 아이에게 긍정적인 면들을 말해 줘야겠어요.
• **청취자 4**: 도와주고 싶은 대상의 연령대가 사연 속 친구와 다를 때에도 방송에서 알려 준 방법대로 해도 되는 건가요?
• **청취자 5**: 감정을 헤아려 주는 건 좋은 방법이네요. 제가 직설적으로 말하는 버릇이 있어서 친구들이 속상했을 텐데 활용해 볼게요.

① '청취자 1'은 자신이 방송을 들은 목적과 관련해 방송 내용이 충분하지 않다고 판단하고 있군.
② '청취자 2'는 방송 내용을 이해한 바를 확인하고 방송에서 안내되지 않았던 방법의 효과를 예측하고 있군.
③ '청취자 3'은 방송에서 언급한 방법을 다른 사람들에게 권유하고 적용할 것을 다짐하고 있군.
④ '청취자 4'는 방송에서 제시한 방법을 다른 경우에도 적용할 수 있는지 궁금해하고 있군.
⑤ '청취자 5'는 방송에서 언급한 방법을 긍정적으로 평가하고 자신의 언어 습관을 반성하고 있군.

05 작문의 본질과 태도

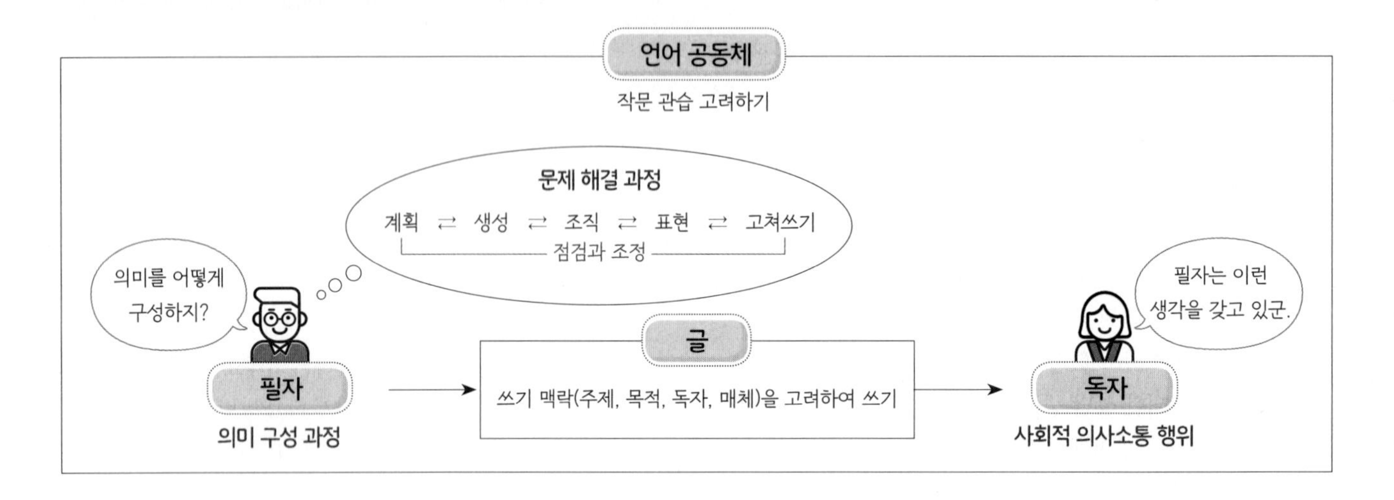

개념을 품은 **기출 발문 · 선택지**

- '**학생의 초고**'에 반영된 **글쓰기 전략**으로 적절한 것은? (2017. 04. 고3 학력평가)
- ⓐ~ⓔ 중 '**초고**'에 반영되지 않은 것은? (2017. 07. 고3 학력평가)
- ⓜ: 글의 **통일성**을 해치는 내용이므로 삭제한다. (2017. 03. 고3 학력평가)
- ㉠~㉤을 **고쳐 쓰기 위한 방안**으로 적절하지 않은 것은? (2017. 수능)

1 작문의 개념과 특성

작문은 쓰기 과정에서의 문제를 해결하며 의미를 구성하고 사회적으로 소통하는 행위이다.

(1) 의미 구성 과정으로서의 작문

필자는 쓰기 맥락을 고려하는 가운데 자신이 가지고 있는 배경지식과 다양한 자료에서 얻은 내용을 쓰기 과정에 따라 종합하여 조직하고 표현하면서 의미를 구성한다.

(2) 문제 해결 과정으로서의 작문

- 작문은 필자가 쓰기 과정에서 부딪히는 여러 문제를 해결하며 글을 완성해 가는 문제 해결 과정이다.
- 이때 쓰기 과정은 처음부터 끝까지 순차적으로 한 번 씩 진행되는 것이 아니라, 언제든 다시 이전의 과정으로 돌아가서 점검하고 조정할 수 있는 것이다.

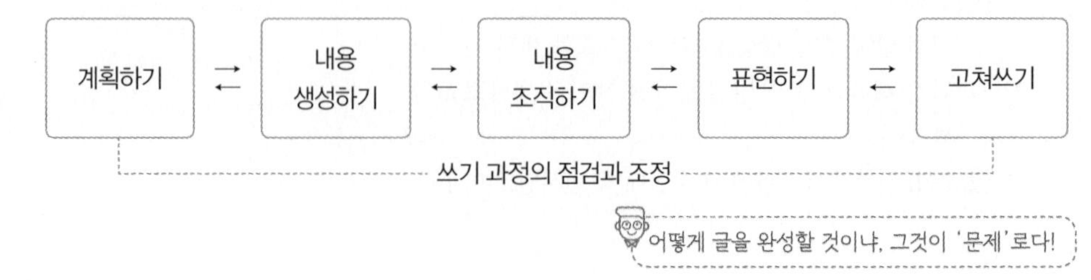

어떻게 글을 완성할 것이냐, 그것이 '문제'로다!

개념+ 쓰기 과정에서 부딪히는 문제의 예

- 화제와 관련된 배경 지식이 부족할 때
- 떠올린 내용을 옮길 적절한 단어나 표현을 찾기가 어려울 때
- 독자의 이해를 도울 수 있게 문단을 배열해야 할 때

↓

이러한 문제를 해결하기 위해서는 적절한 쓰기 전략을 사용하는 것이 필요하다.

개념+ 작문의 회귀적 성격

언제든 다시 이전의 과정으로 돌아갈 수 있다는 쓰기 과정의 특징을, '회귀적(回歸的)'이라고 표현한다. '회귀적'은 '한 바퀴를 돌아 제자리로 돌아가는 것'을 의미하는 말이다.

(3) 사회적 의사소통 행위로서의 작문

- 작문을 통한 의미 구성은 필자 혼자만의 것이 아니다. 독자 역시 자신이 처한 맥락에 따라 나름의 의미 구성 과정을 거치면서 글을 이해하게 된다. 즉, 작문은 필자와 독자가 함께 의미를 구성하는 사회적 의사소통 행위이다.
- 작문은 필자와 독자가 공유하는 언어 공동체를 고려하며 이루어지는 사회적 의사소통 행위이다. 필자는 자신이 속한 언어 공동체가 추구하는 가치와 신념, 그리고 언어 공동체가 공유하는 작문 관습을 고려하며 글을 쓴다.

짚고 가요

작문 관습-'~답게' 쓰기!

선생님 친구 중에 별명이 '4차원'인 친구가 있어. 많은 사람들이 공유하는 약속과 규칙을 거부하며 자신만의 방식을 외치는 친구지. 함께 있으면 즐거운 친구지만, 글을 쓸 때만은 내 친구 '4차원'처럼 행동하면 곤란해. 작문은 나 혼자만의 행위가 아니라, 사회적 의사소통 행위이니 말이야. 따라서 글을 쓸 때에는 언어 공동체가 공유하는 작문 관습을 지키는 것이 필요해. 작문 관습이 뭐냐고? 쉽게 말하면, '~답게' 쓰는 것이야. 편지글은 편지글답게, 논설문은 논설문답게 쓰라는 거야. 이렇게 글의 유형에 따른 고유의 형식과 표현 방식을 고려하며 글을 쓰면, 독자에게 의미가 더 잘 전달되어, 필자와 독자 사이에 이루어지는 간접적인 의사소통이 원활하게 이루어질 수 있겠지. 이어지는 소단원 06, 07에서는 설명문, 논설문 외 몇 가지 글들의 작문 관습을 살펴볼 거야. 참, 올바른 문장 표현과 같은 표기의 관습을 고려하는 것도 중요해.

94쪽

2 작문의 태도

작문은 사회적 의사소통 행위이므로, 내가 쓴 글이 독자와 언어 공동체에 영향을 미칠 수 있다는 것에 대한 이해를 바탕으로 하여 바람직한 작문 태도를 갖도록 한다.

- 쓰기 윤리를 준수한다.
- 내용을 과장·축소·왜곡하지 않고 정직하고 신중하게 글을 쓴다.

3 작문의 원리

필자는 쓰기의 과정에서 부딪히는 문제를 해결하기 위해 적절한 쓰기 전략을 활용할 수 있어야 한다. 또한 필요에 따라서는 전 단계로 돌아가서 글쓰기 과정을 적절하게 점검하고 수정할 수 있어야 한다. 이로써 필자는 자신의 목적을 이룰 수 있다.

계획하기-내용 생성하기-내용 조직하기-표현하기-고쳐쓰기

계획하기

글을 쓰기 전 쓰기 맥락(주제, 목적, 독자, 매체)을 고려하여 글쓰기 전반을 계획하는 과정이다. 쓰기 맥락을 고려하는 것은 글쓰기 전체를 관통하는 매우 중요한 과정이다.

짚고 가요

쓰기 맥락

쓰기 맥락은 글을 쓸 때 고려해야 할, '주제', '목적', '독자', '매체'를 말해. 시험 문제에서는 이러한 쓰기 맥락을, 학생이 초고를 쓰기 위해 작성한 메모의 형태로 보여 주곤 하지. 그리고 학생의 초고에 이러한 메모의 내용이 잘 반영되었는지 물어보곤 해.

내용 생성하기

글을 쓰기 위해 다양한 생각을 떠올리고, 관련 자료를 찾아 수집하고 선정하는 과정이다.

- 화제와 관련된 배경 지식이 부족한 문제에 부딪힐 경우, 대화와 토의 등의 화법 활동을 하는 전략을 사용하여 내용을 생성할 수 있다.
- 수집한 여러 자료 중 가치 있는 자료를 선별하는 것이 중요하다.

시험에서는 <보기>로 여러 자료를 주고 자료를 적절하게 활용하는 방안이 무엇인지를 물어 보곤 해. 또한 최근에는 화법과 작문의 융합 문제가 출제되는 경향이 있는데, 글의 주제와 관련된 대화, 대담, 토의 지문과 이와 같은 화법 활동을 하여 내용을 생성해 쓴 초고를 지문으로 함께 제시하는 방식이지.

개념+ 통일성과 응집성의 판단 기준

① 통일성의 판단 기준
- 글의 주제에서 벗어난 내용은 없는가?
- 각 부분이 위계적으로 주제를 잘 뒷받침하는가?

② 응집성의 판단 기준
- 글에서 지시어, 연결어가 적절히 사용되었는가?
- 중심 내용과 뒷받침 내용의 연결이 분명히 드러나는가?

내용 조직하기

내용의 통일성과 응집성을 고려하며 내용을 조직하는 과정이다.

통일성	글의 어떤 내용이 하나의 주제로 긴밀하게 연결되는 원리이다. 글의 주제를 명료하게 드러내기 위해서는 통일성을 고려하는 것이 필요하다.
응집성	글의 여러 문장이 문법적으로 긴밀하게 연결되는 원리이다. 통일성이 글에 포함된 내용들 간의 의미 관계라면, 응집성은 글에 포함된 세부 요소들 사이의 표면적인 연결 관계를 의미한다.

짚고 가요

내용 전개 방법

내용 조직하기 단계에서는 글의 목적에 맞는 '내용 전개 방법'이 무엇인지 고려해야 해. 예를 들어 어떤 대상을 설명하는 글을 쓸 때에는 '정의, 분석, 분류, 비교, 대조, 인과, 과정'과 같은 방법을, 주장을 입증하는 글을 쓸 때에는 '연역, 귀납, 유추' 등의 방법을 사용할 수 있지.

표현하기

쓰기 맥락을 고려하여 표현 방법을 적절하게 활용하는 것이 중요하다. 이때, 어법에 맞는 정확한 문장으로 표현해야 함은 물론이다.

- 비유하기, 변화 주기, 강조하기 등의 방법을 적절하게 활용하고, 속담, 관용 표현, 격언, 명언 등을 적절하게 인용하여 표현 효과를 높인다.
- 시·청각 보조 자료도 적절하게 활용한다.

복합 양식성…212쪽

시험에서는 표현 방법과 그 표현 방법을 사용함으로써 기대할 수 있는 효과를 〈조건〉으로 주고, 선택지에서 그러한 〈조건〉에 알맞은 표현을 찾을 수 있는지를 묻곤 해. ^^

개념+ 고쳐쓰기의 일반 원리
- 문맥에 어울리지 않는 단어를 찾아 고쳐쓰기.
- 표현 효과를 고려하여 문장 고쳐쓰기.
- 문장이 자연스럽게 이어지지 못한 부분 고쳐쓰기.
- 주제에서 벗어난 내용 고쳐 쓰기.
- 글 전체 수준에서 고쳐쓰기.

고쳐쓰기

고쳐쓰기의 일반 원리+를 고려하여 글을 고쳐 쓴다. 고쳐쓰기는 대부분 표현하기 단계에서 초고를 완성한 후에 하게 되지만, 계획하기, 내용 생성하기, 내용 조직 과정에서도 얼마든지 일어날 수 있다.

수준별 고쳐쓰기 전략의 필요성

글 전체 수준	• 내용이 처음부터 떠오르지 않기 때문에. • 문단과 문단의 연결이 자연스럽지 않은 경우가 있기 때문에. • 주제와 관련이 적은 문단을 쓰는 경우가 있기 때문에.
문단 수준	• 문단의 통일성을 얻기 위해서. • 중심 문장이 문단 전체의 내용을 포괄하지 못하기 때문에.
문장 수준	• 문법적으로 바른 문장을 쓰기 어렵기 때문에. • 높임법, 시간 표현을 바르게 쓰기 어렵기 때문에. • 문장의 호응 관계가 자연스럽지 않기 때문에. • 접속어와 지시어를 잘못 쓰는 경우가 있기 때문에. • 불필요한 피동문을 쓰는 경우가 있기 때문에.
단어 수준	• 적절한 단어의 선택이 어렵기 때문에. • 불필요한 단어를 섞어 쓰는 경우가 있기 때문에. • 표준어가 아닌 말을 사용하는 경우가 있기 때문에. • 표기법에 맞게 쓰기가 어렵기 때문에.

짚고 가요

고쳐쓰기 방안

다음 중 ㉠~㉤을 고쳐쓰기 위한 방안으로 적절하지 않은 것은?

자주 보았던 질문이지? 시험에서는 학생의 초고를 지문으로 제시하고, 이를 어떻게 고쳐 쓰면 좋을지를 물어 봐. 주로 문장 수준에서 문법적으로 틀린 부분을 찾게 하는 문제지. 그러니 'Ⅰ. 문법' 단원에서 배운 다음의 내용들을 다시 한 번 확인해 보자.

- 잘못된 피동, 사동 표현 – 95쪽
- 접속어(접속 표현) – 146쪽
- 번역투 표현 – 97쪽

사뿐히 즈려밟는
확인 문제

정답과 해설 68쪽

✔ 바로바로 간단 체크

1 다음 빈칸에 들어갈 알맞은 말을 쓰시오.

(1) 작문은 필자가 쓰기 과정에서 부딪히는 여러 문제를 해결하며 글을 완성해 가는 (ㅁㅈ ㅎㄱ ㄱㅈ)이다.

(2) 작문은, 언어 공동체를 공유하는 필자와 독자가 함께 의미를 구성한다는 점에서 (ㅅㅎㅈ) 의사소통 행위이다.

(3) (2)와 같은 특성 때문에, 필자는 (ㅆㄱ ㅇㄹ)를 준수하고 정직하고 신중하게 글을 쓰는 태도를 지녀야 한다.

(4) 글을 쓸 때 고려해야 할 '(ㅈㅈ), (ㅁㅈ), (ㄷㅈ), 매체'를 '쓰기 맥락'이라고 한다.

작문의 본질

01 작문의 본질에 관한 설명으로 적절하지 않은 것은?

① 필자는 문자 언어로 자신의 사고와 정서를 표현한다.
② 필자는 글에 공동체의 사회·문화적 상황을 반영한다.
③ 필자는 글을 쓸 때 예상 독자, 작문 목적을 고려하며 내용을 생성한다.
④ 필자는 글쓰기를 통해 공동체의 지식, 가치관, 세계관을 유지하고 발전시켜 나간다.
⑤ 사회·문화 공동체와의 의미 협상 과정을 반영한 작문 활동은 개인적 차원의 의사소통 행위이다.

작문의 원리

02 글쓰기 과정에 대한 설명으로 적절한 것끼리 묶인 것은?

> ㉠ 내용 조직 단계에서는 통일성과 응집성을 고려한다.
> ㉡ '계획-내용 생성과 조직-표현-고쳐쓰기'가 순차적으로만 진행된다.
> ㉢ 내용을 선정할 때에는 무조건 다양한 자료를 선정하는 것이 중요하다.
> ㉣ 계획 단계에서는 쓰기 맥락을 고려하여 작문 계획을 수립할 수 있어야 한다.
> ㉤ 고쳐쓰기 단계는 글을 다 쓴 후의 단계이므로, 큰 수정은 하지 말고 단어 수준에서만 고치는 것이 필요하다.

① ㉠, ㉡ ② ㉠, ㉢ ③ ㉠, ㉣ ④ ㉠, ㉤ ⑤ ㉣, ㉤

[03~06] 다음을 읽고 물음에 답하시오.

2018학년도 3월 고1 학력평가 (변형)

(가) 작문 상황 및 내용 구성 방안

■ 작문 상황: ㉮자율 동아리에서 '스몸비'와 관련된 사고를 예방하기 위한 캠페인의 일환으로 누리 소통망(SNS)에 글을 올리고자 한다.

■ 글의 내용 구성
○ 스몸비 관련 사고의 심각성 ······ ⓐ
○ 스몸비의 개념과 행동 특성 ······ ⓑ
○ 스몸비 문제로 인한 세대 갈등 ······ ⓒ
○ 스몸비 예방 캠페인의 목적 ······ ⓓ
○ 스몸비 예방 캠페인의 실행 방법 ······ ⓔ

(나) 초고

멈춰, 스몸비! 반갑습니다. 저희는 자율 동아리 '안전지대'입니다. 얼마 전 인근 학교 학생이 스마트폰을 사용하면서 길을 건너던 중 달려오는 차를 보지 못해 교통사고를 당한 일이 있습니다. 저희는 이 소식을 듣고 스마트폰에 집중한 ㉠채 걷는 것이 얼마나 심각한 위험인지 깨닫게 되었습니다. ㉡더욱이 스마트폰 사용이 늘어나면서 이러한 교통사고뿐만 아니라 여러 보행 사고가 증가하고 있다고 합니다.

여러분 '스몸비'라는 말을 들어 본 적이 있나요? 스몸비는 '스마트폰'과 '좀비'를 합성하여 만들어진 단어로, 스마트폰에 집중한 채 좀비처럼 걷는 사람들을 일컫는 말입니다. 보행 중 스마트폰을 사용하지 않는 사람들에 비해 스몸비는 보행 속도가 느리고, 외부 자극에 대한 인지 능력이 떨어지는 행동 특성을 ㉢보여진다고 합니다. ㉣그 결과 위험을 피할 수 있는 시간을 충분히 확보하지 못해 사고가 일어날 확률이 높습니다. 문제는 대다수의 스몸비가 이러한 위험성을 알면서도 스마트폰 사용을 자제하지 못하고 있다는 점입니다.

저희 '안전지대'는 스몸비와 관련된 안전사고를 예방하기 위해 '멈춰, 스몸비!' 캠페인을 시작하였습니다. 저희는 누리 소통망을 통해 스몸비의 위험성을 알리고, ㉯스몸비에 대한 보고서를 작성하여 각 학급에 배부할 예정입니다. 또한 '스마트폰 게임하며 공 피하기' 등의 체험 활동을 기획하여 스몸비의 위험성을 일깨우고자 합니다. ㉤저희의 노력이 스몸비에 대한 사회적 경각심을 불러일으켜 스몸비와 관련된 안전사고 예방을 위한 여러 방안이 모색되기를 희망합니다.

내용 조직하기

03 ⓐ~ⓔ 중 '초고'에 반영되지 않은 것은?

① ⓐ ② ⓑ ③ ⓒ ④ ⓓ ⑤ ⓔ

조건에 따라 표현하기

04 〈조건〉에 따라 작성한 ㉮의 문구로 가장 적절한 것은?

조건
- ○ 스몸비에 대한 경각심을 환기할 것.
- ○ 직유법을 활용하여 문구의 표현 효과를 높일 것.

① 좀비, 좀 비켜!
② 안전은 스몸비 앞에서 멈춘다!
③ 거북이처럼 걷는 당신, 몹시 거북합니다!
④ 스몸비, 닳아 가는 배터리처럼 안전도 방전!
⑤ 스몸비 승객 여러분, 이번 역은 병원, 병원입니다!

고쳐쓰기

05 ㉠~㉤을 수정하는 방안으로 적절한 것은?

① ㉠: 어법에 맞는 의존 명사인 '체'로 수정한다.
② ㉡: 문장의 연결성을 고려해 '그러나'로 수정한다.
③ ㉢: 이중 피동 표현이 사용됐으므로 '보인다고'로 수정한다.
④ ㉣: 글 전체의 흐름을 고려하여 앞 문장과 위치를 바꾼다.
⑤ ㉤: 글의 통일성을 어긋나게 하는 내용이므로 문장을 삭제한다.

자료의 활용 방안

06 (나)에서 언급된 내용을 바탕으로 ㉯를 작성하고자 한다. 〈보기〉의 자료를 활용하는 방안으로 적절하지 않은 것은?

보기

Ⅰ. 연구 자료

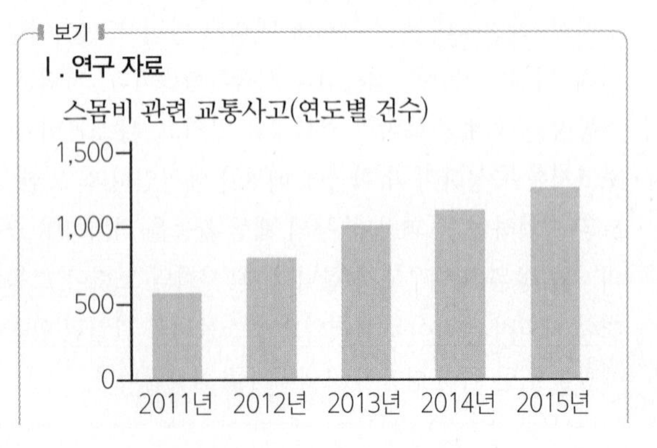

Ⅱ. 전문가 인터뷰

"보행 중 스마트폰을 사용하면 평소에 비해 시야 폭이 56%, 전방 주시율도 15% 정도 감소하여 사물을 인지하는 능력이 떨어지게 됩니다. 한 설문 조사에 따르면 전체 응답자 중 84%가 보행할 때 스마트폰 사용이 위험하다는 사실을 알고 있다고 응답하였습니다. 그럼에도 불구하고 많은 사람들이 보행 중에 스마트폰을 사용하고 있습니다. 따라서 이런 사람들에 대한 계도가 시급합니다."

Ⅲ. 신문 기사

스몸비로 인한 문제를 해결하기 위해 다른 나라에서는 어떤 방법을 사용할까? A국은 보행 중에 스마트폰을 사용하는 사람에게 벌금을 부과하고 있으며, B국은 바닥의 표지판이나 횡단보도 등의 시설물을 활용하여 보행 중 스마트폰 사용의 위험성을 경고하고 있다. 또한 C국은 보행 중에는 스마트폰 사용이 차단되는 애플리케이션을 개발하여 스마트폰 사용자들이 이를 의무적으로 설치하도록 할 계획이다.

① Ⅰ을 첫째 문단과 연결하여, 스몸비 관련 교통사고가 증가하고 있는 추세를 구체적으로 보여 주는 자료로 활용한다.
② Ⅱ를 둘째 문단과 연결하여, 보행 중 스마트폰 사용의 위험성을 알고도 고치지 않는 스몸비에 대한 계도의 필요성을 보여 주는 자료로 활용한다.
③ Ⅲ을 셋째 문단과 연결하여, 스몸비 문제를 해결하기 위한 다양한 방안의 예를 보여 주는 자료로 활용한다.
④ Ⅰ과 Ⅱ를 둘째 문단과 연결하여, 보행 중 스마트폰을 사용하면 인지 능력이 저하됨을 보여 주는 자료로 활용한다.
⑤ Ⅱ와 Ⅲ을 셋째 문단과 연결하여, 스몸비 문제를 해결하기 위해 기업의 협조가 필수적임을 보여 주는 자료로 활용한다.

06 정보를 전달하는 글, 설득하는 글

작문의 목적은 크게 네 가지로 볼 수 있어. 그리고 그 목적에 따라 글의 유형을 분류할 수 있지. 앞 단원에서 작문 관습을 언급하면서, 글은 '~답게' 쓰는 것이 중요하다고 했지? 그래야 글의 목적을 잘 달성할 수 있거든. 06, 07 단원에서는 '그 유형의 글답게' 쓰는 전략들을 살펴볼 거야. 그러면 시험에서 그 글의 유형이 지문으로 제시됐을 때, 좀 더 수월하게 문제를 풀 수 있거든.

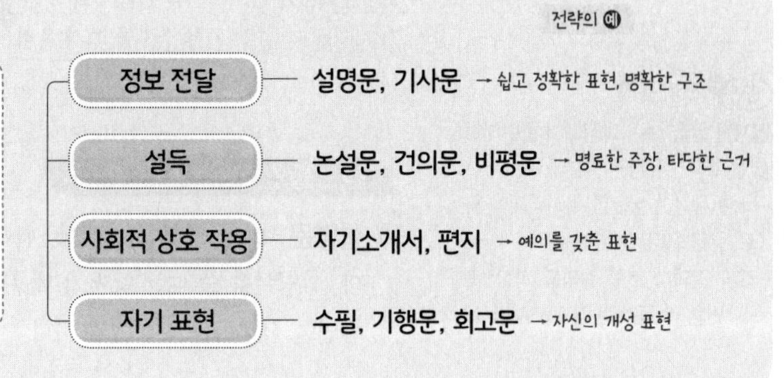

개념을 품은 기출 선택지

- ○○시 명칭의 유래를 추가하자는 의견을 반영하되, ○○시의 명칭이 변화되어 온 과정도 **설명**한다. (2018. 6. 모의평가)
- 실제 역사와 사극으로 초점이 분산되어 **논지**가 흐려지므로, 사극은 상상력을 바탕으로 한 창작물이라는 **입장**이 부각되도록 (2019. 6. 모의평가)

개념+ 정보를 수집하는 다양한 방법

매체 활용	인쇄 매체(책, 백과사전, 신문), 방송, 인터넷 등
	인터넷 매체를 이용하면 다양한 정보를 쉽게 습득할 수 있으나, 신뢰성 문제가 있음.
조사·면담	설문 조사, 현장 조사, 전문가와의 면담 등
	자신이 원하는 구체적인 정보를 얻을 수 있으나, 시간이 오래 걸림.

개념+ 정보를 선별하는 기준

정확성	• 객관적인 사실에 근거한 정보인가? • 정보에 과장이나 왜곡은 없는가?
신뢰성	• 출처가 분명한가? • 공신력이 있는 저자와 기관이 제공하는 정보인가?
효용성	• 독자에게 유용하고 이해하기 쉬운 정보인가? • 자료에 포함된 정보가 지나치게 오래되어 효용이 떨어지지 않는가?

1 정보를 전달하는 글

어떤 대상, 사실, 현상 등에 관하여 가치 있거나 새로운 정보를 전달하려는 목적으로 쓴 글이다. 이러한 글을 쓸 때는 필자의 주관적인 생각과 의견을 배제하고, 사실에 바탕을 둔 객관적이고 정확한 정보를 제시해야 한다.

정보를 전달하는 글을 쓰는 목적은 독자에게 내가 전달하고자 하는 정보를 이해시키는 거야. 그러려면 여러 정보 중 가치 있는 정보를 선별하고, 이를 정보의 속성에 맞게 범주화하여 전달하는 것이 중요해.

정보 전달을 위한 글을 쓰는 방법

정보 수집·선별하기	• 다양한 경로에서 풍부하게 정보를 수집하기. • 글의 목적, 주제, 독자를 고려하여 정보 선별하기. • 정보의 정확성, 신뢰성, 효용성을 따져 정보 선별하기.

↓

정보 조직하기	• 정보의 속성에 따라 내용 조직하기	
	시간적 구성	수집한 정보의 속성이 시간의 흐름에 따라 변화하거나 일련의 과정으로 구성될 때 사용함. 예 어떤 인물의 생애나 건국의 과정을 설명할 때
	공간적 구성	수집한 정보의 속성이 공간의 이동에 따라 변화하거나 구별되는 특징이 있을 때 사용함. 예 제주도 올레 길에 대한 정보를 제시할 때
	논리적 구성	수집한 정보가 사물이나 현상의 본질과 특성을 설명하는 것일 때 사용함. 예 사막화 현상과 관련하여 화석 연료의 온실가스 배출량 증가, 물 부족 현상 등을 정보로 수집했을 때

↓

글 쓰기	• 내용 연결 표현을 적절하게 활용하기. • 도표, 사진과 같은 적절한 보조 자료를 활용하기. • 객관적인 관점에서 간결하고 명료하게 표현하기. • 모호하고 장황한 표현이나 함축적인 표현을 사용하지 않기.

↓

고쳐쓰기	• 내용 면에서는 정보의 정확성, 신뢰성, 효용성, 조직 면에서는 체계성, 표현 면에서는 간결성과 명확성 고려하기. • 저작권 등 쓰기 윤리를 고려하기.

정보를 전달하는 글의 유형

설명문: 어떤 사실이나 현상, 원리, 추상적인 개념, 법칙 등을 알기 쉽게 풀어 쓴 글이다. 설명문을 쓸 때는 독자가 내용을 쉽게 이해할 수 있도록 설명 대상에 맞는 내용 전개 방법을 선정하는 것이 필요하다.

• 설명의 내용 전개 방법

정의	대상과 개념의 의미를 엄밀히 규정하는 방법
부연	어떤 내용에 대해 자세히 덧붙여서 설명하는 방법
상술	앞의 내용을 좀 더 알기 쉽게 구체적으로 풀어 주는 방법
분석	대상이나 개념을 나누고 쪼개어 그것의 특징을 밝히는 방법
분류	대상이나 개념을 일정한 기준에 따라 나누거나 묶어서 설명하는 방법
예시	원리와 개념을 더욱 구체적으로 이해시키기 위해 예를 들어 설명하는 방법
비교·대조	둘 이상의 사물이나 개념을 공통점이나 차이점을 중심으로 설명하는 방법
유추	낯선 대상을 익숙한 것에 비유하여 설명하는 방법

기사문: 실제로 일어난 사건, 새로운 정보나 소식을 신문, 잡지 등에 실어 사실대로 알리는 글이다. 육하원칙에 따라 내용을 구성하고, 기사문의 일반적인 구성 요소를 갖추어 써야 한다.

• 기사문의 일반적인 구성 요소

표제	• 전체 내용을 압축한 제목으로, 사건의 핵심을 한눈에 보여줌. • 독자의 시선을 끌 수 있도록 작성하되, 과장된 표현은 피해야 함.
부제	• 표제를 보충하는 부수적인 제목으로, 표제보다 구체적인 정보를 담음.
전문	• 육하원칙에 따라 사건을 요약해 핵심 내용을 드러내는, 기사의 첫 부분임.
본문	• 전달하고자 하는 사실이나 사건을 구체적으로 자세하게 서술하는 부분임. • 소제목으로 기사를 세분화하거나, 끝부분에 전망·해설이 활용되기도 함.

기사문의 구성 요소는 꼭! 눈에 익혀 두도록!

보고문: 어떤 주제나 대상에 대해 조사하거나 관찰 또는 실험을 하고, 그 절차와 결과를 알리기 위해 쓴 글이다. 보고서를 쓸 때는 절차와 결과가 잘 드러나도록 보고서의 체계적인 짜임에 맞는 내용을 써야 한다. 또한 조사·관찰·실험의 결과를 과장·축소·변형·왜곡하지 않고 쓰는 것이 중요하다.

개념+ 내용 연결 표현

지시어, 반복 어구, 접속어, 연결 표현 등을 의미한다.

➔ 독자가 정보를 쉽게 이해하고 오래 기억하게 하려면 독자의 이해를 돕는 구조로 글이 구성되어야 하며 그러기 위해서 정보를 자연스럽게 연결하는 표현을 적절히 사용해야 함.

개념+ 쓰기 윤리

필자가 글을 쓰는 과정에서 준수해야 할 윤리적인 규범을 말한다.

• 다른 사람이 생산한 아이디어나 자료, 글을 올바르게 인용하기

• 조사 결과나 연구 결과를 과장·축소·변형·왜곡하지 않고 제시하기

개념+ 설명문의 일반적인 형식

처음	정보를 전달하는 이유와 목적을 밝히고, 전달할 내용을 개관함.
중간	중심 내용과 세부 내용을 제시함.
끝	앞에서 설명한 내용을 요약하거나 정리함.

개념 콕 1 설명문을 쓸 때 유의할 사항으로 적절하지 않은 것은?

① 설명 내용을 이해하기 쉽도록 체계적으로 쓴다.

② 추상적인 표현보다는 구체적인 표현을 사용한다.

③ 독자를 고려하여 가능한 한 많은 정보를 제공한다.

개념 콕 2 기사문의 구성 요소에 대한 설명으로 적절한 것은?

① 부제는 표제보다 구체적인 정보를 드러낸다.

② 전문은 육하원칙에 따라 중요한 정보를 구체적이고 상세하게 제시한다.

③ 표제는 사건의 핵심 내용이 드러나게 가능한 한 상세히 쓴다.

• 보고문의 일반적인 구성 요소

처음	• 보고 주제, 보고자, 보고의 목적과 필요성 • 선행 연구에 대한 검토 내용 • 조사 기간, 조사 방법, 조사 인원 등의 조사 정보
중간	• 연구 과정과 결과 내용
끝	• 보고 내용을 요약·정리한 뒤, 보고자의 의견을 덧붙임. • 참고 문헌의 출처

국어 말고도 다른 과목에서, 보고서 쓰기 숙제를 주는 일이 많은 건 왜일까? 보고서의 또 다른 목적은 '학습'이거든. 그 체계적인 짜임에 맞게 보고서를 쓰다 보면 대상을 더 정확하게 이해할 수 있지. 과학 실험 보고서를 씀으로써 실험의 과정과 결과를 더 정확하게 이해할 수 있는 것처럼 말이야.

2 설득하는 글

어떤 문제에 대한 자신의 생각이나 주장을 논리적으로 펼쳐 다른 사람의 생각이나 행동, 태도의 변화를 이끌어 내고자 하는 글이다. 설득이라는 목적이 뚜렷한 글이므로 주장이 분명하고 일관성이 있어야 하며, 사실과 의견을 구분하여 쓰는 것이 필요하다. 또한 독자가 주장을 수용할 수 있도록 언어 공동체가 추구하는 가치를 고려하며 쓰는 것이 필요하다.

설득하는 글의 논거

• **논거**: 주장이나 의견의 타당함을 뒷받침해 주는 논리적 근거를 말한다.
• 독자의 생각, 행동, 태도의 변화를 이끌어 내려면 타당성, 신뢰성, 공정성을 갖춘 논거를 사용하여 자신의 주장을 논리적으로 증명할 수 있어야 한다.
 (논리적으로 증명 → 논증 → 연역, 귀납, 유추의 방법이 있음.)

타당성	논거가 이치에 맞고, 주장을 논리적으로 뒷받침할 수 있는 것인가?
신뢰성	논거로 제시한 자료의 내용·출처가 정확하고 믿을 만한가?
공정성	편파적이지 않고 다양한 측면을 고려해 논거를 확보하였는가?

공신력 있는 사람의 말이나 글을 논거로 삼아 신뢰성을 확보하는 것이 필요해. 그래야 독자를 설득할 수 있거든.

설득하는 글을 쓰는 방법

주장 세우기	• 다양하고 풍부하게 자료를 분석한 후 관점과 주장 명료화하기. (관점: 특정한 문제에 대해 필자가 가지고 있는 태도, 입장.) • 자신의 주장이 미칠 사회적 영향과 책임 고려하기.
↓	
논거 수집하기	• 독자의 요구, 관심사, 수준 등을 고려해 논거 수집하기. ➔ 설득의 목적은 독자의 행동이나 태도를 변화시키려는 것이므로, 독자를 고려하는 것이 중요함. • 타당성, 신뢰성, 공정성을 고려하여 논거 선별하기.
↓	
글 쓰기	• 독자, 주제, 글의 유형, 매체와 같은 쓰기 맥락 고려하기. • 적절한 설득 전략을 사용하기.
↓	
고쳐쓰기	• 내용 면에서는 논거의 타당성, 풍부성, 조직 면에서는 논의의 일관성과 조직의 체계성, 표현 면에서는 주장의 논리성, 표현의 명확성 고려하기. • 언어 공동체를 고려하기 → 언어 공동체의 가치나 관습, 글이 사회에 미칠 영향, 객관적인 관점에서 서술했는지의 여부 등을 점검하기.

개념+ 안내문

정보 전달을 목적으로 하는 다른 글로 안내문이 있다. 안내문은 행사나 모임 또는 어떤 사실에 대한 정보를 독자에게 제공하는 글이다. 독자에게 어떠한 행동을 요구(행사나 모임 참여, 방문 등)한다는 점에서 설명문과 구별된다.
안내문을 쓸 때는, 독자에게 전달하려는 정보가 충분히 담겨 있는지, 그림이나 약도를 효과적으로 활용했는지, 정중하고 간결한 표현을 사용했는지를 고려해야 한다.

개념+ 논거의 종류

사실 논거	통계 자료, 설문 조사, 연구 결과, 사례처럼 구체적이고 객관적인 사실에 바탕을 둔 논거
의견 논거	해당 분야의 전문가나 권위자의 의견, 증언 등을 내용으로 하는 논거

짚고 가요

설득하는 글의 타당성

다음 ①~③을 만족하여 타당성을 확보해야, 설득이라는 목적을 달성할 수 있어.

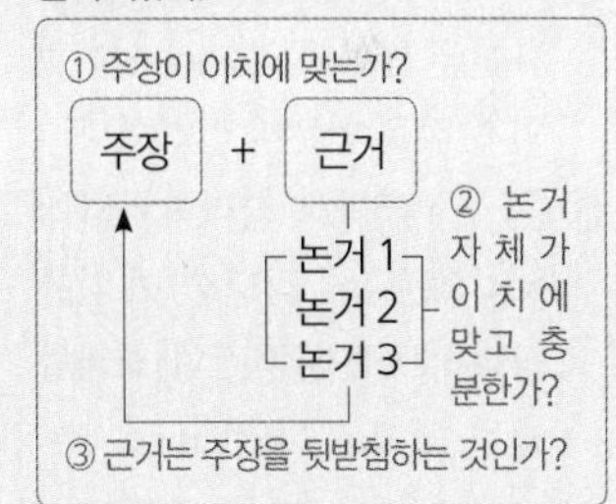

개념+ 설득력을 높이는 표현 전략

이중 부정	한 번 부정한 것을 다시 부정하여 강한 긍정을 나타내는 표현 전략
설의	누구나 다 아는 사실을 의문 형식으로 제시해 독자가 스스로 결론을 내리게 하는 표현 전략
비유	표현하려는 대상을 독자가 이해하기 쉬운 다른 대상에 빗대는 표현 전략

확 1 ③ 2 ①

설득하는 글의 유형

논설문: 논설문은 어떤 주제에 관하여 자기의 생각이나 주장을 체계적으로 밝혀 쓴 글이다. 주장과 논거를 논리적으로 조직하고, 다양한 논증의 내용 전개 방법을 활용하여 쓰는 것이 필요하다.

- 논설문의 일반적인 형식

서론	문제를 제기하고 논의 방향을 제시함.
본론	문제의 원인을 분석하고, 주장과 논거 및 문제 해결 방안을 제시함.
결론	본론을 요약하고 자신의 주장을 강조함. 전망을 덧붙이기도 함.

건의문: 건의문은 어떤 문제 상황이나 쟁점에 대하여 개인이나 기관에 문제 해결을 요구하거나 해결 방안을 제안하고자 쓰는 글이다.

(쟁점: 문제와 관련하여 서로 다른 의견이 대립하게 되는 지점. 문제 상황, 해결 방안, 기대 효과가 건의문의 쟁점임.)

㉠ 예상 독자가 분명한 글로, 독자가 누구인지에 따라 설득 전략과 표현 방법을 달리해야 한다. 논거가 타당해야 함은 물론이다. (공익성, 공정성, 합리성, 실현 가능성)

㉡ 건의문을 쓸 때에는, 글쓰기가 사회적 의사소통 행위임을 인식하고, 책임감 있는 태도로 쓰는 것이 중요하다.

㉢ **건의문의 형식**

처음	인사말, 건의자 소개, 건의 목적 제시	
중간	문제 상황	• 문제가 무엇이며, 문제가 얼마나 심각한지를 밝힘. • 통계, 사진, 연구 결과, 증언 등을 논거로 삼을 수 있음.
	해결 방안	• 구체적이고 실현 가능한 해결 방안을 제시해야 함. • 특정 개인이나 집단이 아닌 공공의 이익을 추구하며, 도덕 규범에 어긋나지 않아야 함.
	기대 효과	• 해결 방안으로 얻을 수 있는 긍정적인 효과를 제시함. • 해결 방안에 드는 비용보다 기대 효과가 큼을 강조함.
끝	주장 요약, 수용에 대한 긍정적 기대, 끝인사, 건의 일자 및 서명	

건의문의 형식은 그것이 담는 내용과 직접적인 관련이 있으니, 잘 알아두자.

비평문: 비평문은 어떤 사물이나 현상에 대해 옳고 그름, 아름답고 추함 등의 가치를 논하는 글이다. 한 편의 영화에 대해 매기는 마치가 사람마다 다양하듯, 어떤 대상에 대한 해석은 다양할 수 있다. 비평문은 대상에 대한 다양한 해석을 고려하며 쓰는 것이 필요하다.

개념+ 좋은 비평문을 쓰는 방법

- 다양한 관점에서 대상을 이해한 후, 자신의 관점(의견, 주장, 견해)을 수립한다.
  - 예 ○○시의 난민 수용 문제에 관한 사람들의 다양한 생각이 담긴 글을 읽어 보고, 이에 대한 자신의 관점을 세운다.
- 자신의 관점은 명료하게 제시해야 하며, 그 근거는 공정해야 한다. 비평문의 목적 역시 설득이기 때문이다.
  - 예 관점 수립의 예: 나는 ○○시가 난민을 수용하는 것이 바람직하다고 생각한다.

비평문은 〈화법과 작문〉 교과서에서 배우게 될 거야. 여기에서는 '이런 글도 있구나.' 정도만 알고 가면 돼. ^^

개념+ 논증의 내용 전개 방법

① 연역: 이미 증명된 하나 또는 둘 이상의 명제를 전제로 하여 새로운 명제를 결론으로 이끌어 내는 추론 방법
  예 모든 사람은 나이를 먹는다. 나는 사람이다. 나도 나이를 먹을 것이다.

② 귀납: 개별적인 특수한 사실이나 원리로부터 그러한 사례들이 포함되는 좀 더 확장된 일반적 명제를 이끌어 내는 추론 방법
  예 참새도, 비둘기도, 공작새도 피부가 깃털로 덮여 있다. 그러므로 모든 새의 피부는 깃털로 덮여 있다.

③ 유추: 대상의 공통점을 찾아 결론을 내리는 방식으로, 생소하고 어려운 대상을 설명할 때, 독자가 잘 알 만한 대상과 공통점을 들어서 설명하면 독자의 이해를 도울 수 있기 때문에 많이 사용한다.
  예 우리말을 바로 세우는 일에도 소홀해져서는 안 된다. 황소개구리의 황소 울음 같은 소리에 익숙해져 청개구리의 소리를 잊어서는 안 되는 것처럼.

개념 콕 3 다음 주장에 대한 논거 중, 가장 신뢰성을 확보한 것을 고르면?

> 인터넷 게임은 심리적으로 긍정적인 영향을 줄 수 있다.

① 나는 게임을 하면서 심리적인 안정을 얻는다.
② TV에 나온 한 원로 정치인은, 자신은 게임을 하면서 심리적인 안정을 얻는다고 하였다.
③ ○○○ 대학교 심리학과의 ××× 교수는, 적당한 게임은 심리적으로 긍정적인 효과를 줄 수 있다고 하였다.

개념 콕 4 건의문의 일반적인 형식에 맞게 다음 ㉠~㉤을 순서대로 나열하시오.

> ㉠ 문제 상황의 심각성
> ㉡ 문제 상황을 해결할 방안
> ㉢ 인사말, 건의자 소개, 건의 목적
> ㉣ 해결 방안으로 얻을 수 있는 기대 효과
> ㉤ 건의 수용에 대한 긍정적 기대, 건의 일자 및 서명

콕 3 ③ 4 ㉢, ㉠, ㉡, ㉣, ㉤

사뿐히 즈려밟는

확인 문제

정답과 해설 69쪽

바로바로 간단 체크

1 다음에 쓰인 내용 전개 방법을 〈보기〉에서 찾아 쓰시오.

보기

분석, 분류, 정의, 비교·대조

(1) 꽃은 꽃잎, 암술, 수술, 꽃받침 등으로 이루어져 있다.

(2) 문학은 언어를 표현 수단으로 하는 예술의 한 갈래이다.

(3) 민화는 주제에 따라 종교적 민화와 비종교적 민화가 있다.

(4) 전설과 민담은 모두 예로부터 민간에 전해 내려오는 이야기이다. 하지만 전설은 증거물이 있어야 하고, 민담은 증거물이 필요치 않다.

2 다음은 기사문의 구성 요소이다. ㉠~㉣에 들어갈 알맞은 말을 쓰시오.

표제	전체 내용을 압축한 제목이다. 사건의 핵심을 한눈에 보여 주고, ㉠______의 시선을 끌 수 있어야 한다.
㉡______	㉢______를 보충하는 부수적인 제목으로, ㉢______보다 구체적인 정보를 담는다.
전문	㉣__________에 따라 사건을 요약해 핵심 내용을 드러내는, 기사의 첫 부분이다.
본문	전달하고자 하는 사실이나 사건을 구체적으로 자세하게 서술하는 부분이다.

3 설득하는 글의 논거는 (ㅌㄷㅅ), (ㅅㄹㅅ), (ㄱㅈㅅ)을 갖추어 써야 한다.

4 다음에 쓰인 논증 방법을 〈보기〉에서 찾아 쓰시오.

보기

연역 귀납 유추

역사를 보는 시각은 캄캄한 밤에 손전등을 쓰는 것과 같다. 같은 사물이라도 손전등의 밝기나 각도에 따라 우리의 눈에는 다르게 보인다. 그렇다고 다르게 보이는 그 사물의 모습이 왜곡되었다거나, 거짓된 모습이라고 말할 수는 없다.

[01~04] 다음 글을 읽고 물음에 답하시오.

2018학년도 6월 고2 학력평가(변형)

(가) 초고 작성을 위한 메모

- 예상 독자: 시청 도로교통 담당자
- 글의 목적: 안전한 통학로를 확보해 달라고 건의하기
- 글의 주제: 안전한 통학로를 확보하기 위한 방안 제시
- 글의 자료: 통학로에서 교통사고를 당한 사례

(나) 글의 초고

안녕하십니까? 저는 □□고등학교 2학년에 재학 중인 홍길동입니다. 제가 이렇게 글을 쓰게 된 이유는 지난주에 우리 학교 앞에서 발생한 교통사고와 관련하여 시청 도로교통 담당자님께 안전한 통학로를 확보하기 위한 방안을 건의하기 위해서입니다.

우리 학교는 통학로가 차도와 인도로 구분되어 있지 않아 위험하고, 그 길마저 불법 주·정차된 자동차들로 막혀 있어서 학생들의 보행권 침해가 심각합니다. 지난주에 학교 앞에서 발생한 교통사고도 불법 주차된 자동차 때문에 발생한 것입니다. 이런 사고가 몇 년째 ㉠되풀이해서 반복되다 보니, 부모님이 직접 자가용으로 자녀들을 학교까지 태워 주거나 자녀들이 승합차를 이용해 통학하게 하는 경우가 늘고 있습니다. 그런데 문제는 이런 노력에도 불구하고 교통사고가 계속 일어나고 ㉡있다는 것입니다. 더구나 통학 차량의 증가로 학교 주변의 교통이 혼잡해지다 보니, 인근 주민들도 출근길 교통 체증과 관련하여 지속적으로 ㉢시청의 민원을 제기하는 상황입니다.

그래서 이 문제를 해결하기 위해 다음과 같은 방안을 제안하고자 합니다. 먼저, 통학로에 교통안전시설을 설치하여 차도와 인도를 명확하게 구분하여 주시기 바랍니다. 이러한 근본적인 대책 없이는 학생들의 안전을 보장할 수 없기 때문에, 교통안전시설 설치는 가장 시급하게 처리해야 할 문제라고 생각합니다. 다음으로, 공영 주차장 만드는 일을 적극 검토해 주시기 바랍니다. 학교 주변 지역이 산비탈이다 보니 주차 공간이 부족합니다. 이를 해결하려면 충분한 주차 공간의 확보가 절실합니다. 끝으로, 마을버스 노선을 우리 학교 앞까지 연장해서 운행해 주시기 바랍니다. ㉣그리고 출근길 교통 체증도 해결할 수 있어서 인근 주민들의 불편도 해소할 수 있습니다.

안전한 통학로를 확보하는 것은 지역 사회의 문제를 해결하는 방안 중 하나입니다. 그런데 이 문제를 해결하기 위해서는 예산이 필요하기 때문에, 학교나 지역 주민이 자체적으로 해결하기가 어렵습니다. 그래서 시청 도로교통 담당자님의

2 작문

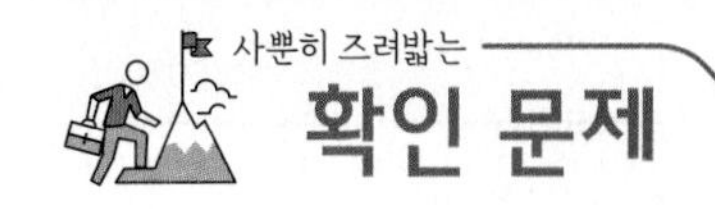

적극적인 역할이 중요합니다. 부디 ㉤안전에 대한 걱정 없이 통학할 수 있도록 많은 관심을 부탁드립니다.

건의문의 특성

01 건의문의 특성을 고려하여 (가)와 (나)를 분석한 내용으로 적절하지 않은 것은?

① (가)의 '예상 독자' 항목은 예상 독자가 비교적 구체적인 건의문의 특성을 보여 주는군.
② (가)의 '글의 주제' 항목을 보니 해결 방안을 핵심 내용으로 제시해야 하는 건의문의 특성이 드러나는군.
③ (나)에서는 인사말과 자기소개로 글을 시작하여 건의문의 격식과 예의를 갖추고 있군.
④ (나)의 둘째 문단에 통학로의 위험 요소가 열거된 것에서 구체적인 문제 상황과 원인을 밝혀야 하는 건의문의 특성이 드러나는군.
⑤ (나)의 마지막 문단에서는 해결 방안으로 얻을 수 있는 여러 가지 기대 효과를 제시하고 있어 기대 효과를 강조하는 건의문의 특성이 드러나는군.

글쓰기 전략

02 (가)를 참고하여 (나)를 분석한 내용으로 적절한 것만을 〈보기〉에서 골라 바르게 묶은 것은?

보기

ㄱ. 주장을 강조하기 위해 비유적인 표현을 활용하였다.
ㄴ. 자료의 객관성을 높이기 위해 통계 자료를 제시하였다.
ㄷ. 예상 독자의 관심을 끌기 위해 통학로의 실태를 제시하였다.
ㄹ. 글의 목적을 달성하기 위해 통학로에서 발생한 교통사고를 언급하였다.

① ㄱ, ㄴ ② ㄱ, ㄷ ③ ㄴ, ㄷ
④ ㄴ, ㄹ ⑤ ㄷ, ㄹ

자료의 활용 방안

03 다음의 〈자료〉를 활용하여 (나)를 보완하기 위한 방안으로 적절하지 않은 것은?

자료

[A] 학부모 인터뷰

"아이를 학교에 보낼 때마다 통학로가 위험해 늘 걱정이에요. 승합차를 태우려니 경제적으로 부담이 생기고, 아이를 직접 학교에 태워다 주려니 출근 시간이 빠듯합니다."

[B] 신문 기사

스쿨존(School Zone)은 어린이들을 교통사고의 위험에서 보호하기 위해 유치원과 초등학교 주변에 설정한 특별보호구역이다. 그런데 최근 통학로에서 중·고등학생들의 교통사고가 잇따라 발생하자, 도로교통 담당 부서에 스쿨존을 확대해 달라는 민원이 제기되고 있다.

[C] 교통 잡지

아래의 표를 보면 교통안전시설 설치가 필요함을 알 수 있다. 도로교통 담당 부서에서는 교통안전시설을 마련하여 통학로 교통사고가 발생하지 않도록 대비해야 한다.

교통안전시설	설치(50곳)	미설치(250곳)
교통사고 건수	1건	40건

〈통학로에서 발생한 교통사고 통계 자료(작년 △△시 기준)〉

① [A]를 활용하여 안전하지 못한 통학로 때문에 학부모의 부담이 늘었음을 구체적으로 제시해야겠어.
② [B]를 활용하여 스쿨존의 적용 범위를 고등학교까지 확대해 달라는 내용을 해결 방안에 추가해야겠어.
③ [C]를 활용하여 교통안전시설 설치가 문제를 해결하는 방안이 될 수 있다는 근거 자료로 삼아야겠어.
④ [A]와 [B]를 활용하여 통학로 안전 문제에 대한 불만이 학교에 대한 불신으로 이어지고 있음을 강조해야겠어.
⑤ [B]와 [C]를 활용하여 안전한 통학로를 조성하기 위해서는 예상 독자의 역할이 중요함을 강조해야겠어.

고쳐쓰기

04 ㉠~㉤을 고쳐 쓰기 위한 방안으로 적절하지 않은 것은?

① ㉠: 이어지는 단어와 의미가 중복되므로 '되풀이해서'를 삭제한다.

② ㉡: 주어와 서술어의 호응이 어색하므로 '있습니다'로 고친다.

③ ㉢: 조사의 쓰임이 적절하지 않으므로 '시청에'로 고친다.

④ ㉣: 접속어의 사용이 부자연스러우므로 '그러면'으로 고친다.

⑤ ㉤: 필요한 문장 성분이 빠졌으므로 '학생들이'를 추가한다.

[05~07] **(가)는 학생들이 발명가를 대상으로 한 인터뷰이고, (나)는 이를 참고하여 '학생 1'이 '학습 활동' 과정에서 작성한 설명문의 초고이다. 물음에 답하시오.**

2018학년도 6월 모의평가

(가)

학생 1: 안녕하세요? 학생 발명가이신 선배님께 궁금한 게 많습니다. 먼저 발명이 무엇인지부터 말씀해 주세요.

발명가: 네. 발명은 전에 없던 기술이나 물건을 새롭게 생각하여 만들어 내는 것이라고 할 수 있지요.

학생 2: 새롭게 생각하여 전에 없던 기술이나 물건을 만든다는 게 쉽지 않은데요, 선배님의 발명품이 궁금해요.

발명가: (발명품을 꺼내며) 네, 이걸 보여 드리죠. 설탕, 소금과 같은 양념을 담는 통들이 어디 있는지 찾지 못해 곤란한 때가 많았어요. 그래서 통의 뚜껑과 본체를 여러 개로 나눈다는 아이디어를 생각해 냈습니다. 통 하나에 여러 가지 양념을 담을 수 있게 말이죠.

학생 2: 간단하면서도 유용하네요. 저도 발명을 하고 싶은데 아이디어가 잘 떠오르지 않아서 힘들어요. 도움이 될 만한 게 있다면 알려 주세요.

발명가: 아이디어 창출 중심 모형이 도움이 될 것 같네요. 이것은 세 단계로 구성됩니다. 체험 단계에서는 발명의 주제가 되는 물건을 탐색하며 발명에 대한 호기심을 가져 보고, 인지 단계에서는 그 물건에 담긴 과학적 원리를 학습합니다. 이 두 단계를 통해 주제가 되는 물건에 대한 이해를 높입니다. 발명 단계에서는 그러한 이해를 바탕으로 물건을 개선할 아이디어를 창출합니다. 이때 도움을 얻기 위해 기존의 다른 발명품들을 참고할 수 있습니다.

학생 1: 아직 이해가 잘 안 되는데요. 예를 들어 설명해 주실 수 있을까요?

발명가: 좋습니다. (가방에서 필통을 꺼내며) 필기구로 말씀드리죠. 여기 연필, 볼펜, 자가 있지요? 필기구를 발명 주제로 정했다면, 체험 단계에서는 필기구만 골라 만지고 분해하며 호기심을 가져 봅니다.

학생 2: 그럼 다음 단계에선 과학적 원리를 공부하겠군요.

발명가: 네, 인지 단계에서는 필기구에 담긴 과학적 원리를 공부하지요. 다음으로 발명 단계에서는 필기구를 개선할 아이디어를 창출합니다. 아까 기존의 다른 발명품을 참고한다고 했는데요, 이를테면 자가 발전 기능이 있는 손전등에 전자기 유도 법칙이 이용됐다는 것을 참고할 수 있습니다. 참고한 내용을 통해 빛을 내는 볼펜이라는 아이디어를 생성할 수 있지요.

학생 1: 그렇군요. 끝으로 미래의 발명가 후배들에게 한 말씀 부탁드려요.

발명가: 주변 사물에 호기심을 갖고 개선할 점이 있는지 살펴보세요. 과학적 원리를 바탕으로 개선 방법을 찾다 보면 좋은 아이디어가 떠오를 것입니다.

학생 1, 2 : 네, 감사합니다.

> [학습 활동]
> 1. 정보 전달을 목적으로 발명 동아리 소식지에 글 쓰기
> 2. 상호 평가를 통한 고쳐 쓰기

(나)

학생들은 발명을 어려워한다. 그 이유는 새로운 아이디어를 떠올리기가 어렵기 때문이다. 이를 해결하기 위해 사용할 수 있는 것이 아이디어 창출 중심 모형이다. 이것은 아이디어를 떠올리는 데 어려움을 겪는 학생들에게 도움을 줄 수 있고, 그로 인해 쉽게 발명에 다가설 수 있게 한다. 그렇다면 아이디어 창출 중심 모형은 어떤 단계로 이루어질까?

먼저 체험 단계에서는 발명에 대한 호기심을 유발한다. 예를 들어 자전거라는 발명 주제가 제시되면 자전거를 눈으로 살피고 손으로 만진다. 그리고 직접 자전거를 타 보이기도 하고, 자전거를 분해해 보이기도 하면서 탐색된다.

그 후 인지 단계에서는 자전거에 적용된 과학적 원리를 학습한다. 커브를 도는 쪽으로 자전거를 기울여야 하는 것은 원심력 때문이고, 울퉁불퉁한 길을 부드럽게 달릴 수 있는 것은 타이어의 탄성력 때문임을 알 수 있다. 이런 내용을 친구들과

이야기하면서 발명 주제인 자전거를 깊이 이해하게 된다. 이때 자전거를 탔던 즐거운 추억을 떠올려 감상문을 써 보는 것도 좋다.

마지막으로 발명 단계에서는 자전거에 대한 이해를 바탕으로 그것의 개선 방안을 생각한다. 즉 자전거가 아닌, 자동으로 공기가 채워지는 튜브를 참고해 물에 뜨는 자전거라는 아이디어를 창출할 수 있는 것이다. 개선 방안을 생각할 때는 기존의 다른 발명품을 참고할 수 있다.

내용 생성하기

05 **다음은 (가)에 참여한 '학생 1'이 (나)를 쓰기 위해 '학생 2'와 나눈 대화의 일부이다. (가)와 (나)를 고려할 때, ⓐ에 들어갈 말로 가장 적절한 것은?**

보기

학생 2: 선배님의 말씀을 활용해서 글을 쓴다고 했잖아. 어떤 내용을 글에 포함할 거니?
학생 1: 선배님은 ____ⓐ____

① 발명품을 만드는 데 어려움을 겪었다고 하셨지. 나도 발명 도중에 겪었던 어려움을 글에 포함해야겠어.
② 주변 사물에 호기심을 갖고 개선점을 찾아보라고 하셨지. 나는 개선이 필요한 주변 사물의 문제점을 글에 포함해야겠어.
③ 모형의 각 단계를 양념 담는 통으로 설명하셨지. 나는 다른 물건을 이용해 모형을 설명하는 내용을 글에 포함해야겠어.
④ 기존의 다른 발명품을 참고할 수 있다고 하셨지. 나도 기존의 다른 발명품을 참고하여 아이디어를 창출하는 내용을 글에 포함해야겠어.
⑤ 발명은 아이디어를 통해 새로운 물건을 만드는 것이라고 하셨지. 나도 창출한 아이디어를 이용하여 새로운 물건을 제작, 완성하는 과정을 글에 포함해야겠어.

조건에 따른 글쓰기

06 **다음 선생님의 조언에 따라 (나)에 내용을 추가하고자 할 때, 가장 적절한 것은?**

보기

선생님 : 설명문의 끝부분을 쓸 때에는 먼저 중심 내용이 잘 드러나도록 요약해야 합니다. 그리고 중심 내용이 지닌 의의를 덧붙이며 글을 마무리하면 좋습니다.

① 이처럼 아이디어 창출 중심 모형은 발명을 처음 시작하는 사람에게 좋은 안내가 될 수 있다. 또한 주위 사물을 꼼꼼하게 관찰하는 태도를 길러 준다.
② 이처럼 아이디어 창출 중심 모형은 체험, 인지, 발명 단계로 이루어진다. 발명 단계 이후에는 체험 단계 이전에 학습한 발명 기법을 떠올리며 아이디어를 창출한다.
③ 이처럼 아이디어 창출 중심 모형은 주변의 사물들 중에서 발명 주제를 선정하는 것이다. 이렇게 주제를 선정하면 손쉽게 아이디어를 구상할 수 있다는 장점이 있다.
④ 이처럼 아이디어 창출 중심 모형은 체험 단계, 인지 단계, 발명 단계가 순서대로 진행된다. 이 모형의 단계를 따라 하면 쉽게 아이디어를 생성할 수 있고 이를 통해 발명에 대한 자신감을 가질 수 있다.
⑤ 이처럼 아이디어 창출 중심 모형은 발명에 대한 호기심을 떠올리는 체험 단계, 과학적 원리를 탐구하는 인지 단계, 발명 아이디어를 창출하는 발명 단계로 이루어진다. 그리고 이후에는 아이디어를 구현한 제품을 만드는 적용 단계가 있다.

글쓰기 과정의 점검과 조정

07 **(나)에 대한 '학생 2'의 상호 평가 내용으로 적절하지 않은 것은?**

'학생 2'의 평가 내용

잘한 점	비교의 방법을 사용하여 중심 화제의 의미를 구체적으로 설명한 점.	①
	글의 흐름이 잘 드러나도록 문단의 앞부분에 순서를 알려 주는 표지를 사용한 점.	②
수정할 점	2문단에서 표현이 어색한 문장을 사용한 점.	③
	3문단에서 글의 흐름과 어긋나는 문장을 사용하여 통일성을 떨어뜨린 점.	④
	4문단에서 앞뒤 문장의 위치를 잘못 배열하여 내용의 연결이 자연스럽지 않은 점.	⑤

07 사회적 상호 작용을 위한 글, 자기표현적 글

어떻게 써야 합격할 수 있나요?

개념을 품은 **기출 선택지**

- 자신의 **친화력을 드러낼 수 있는** 소재로 성장 배경 대신 학급 내의 교우 관계에 초점을 맞춘다. (2017. 6. 모의평가)
- 의미 없이 보냈던 시간을 **돌아보며** 현재에 충실하고자 한다. (2016. 4. 고3 학력평가)

1 사회적 상호 작용을 위한 글

사회 구성원으로서 타인에게 나를 알리고, 다른 사람과 친밀한 관계를 맺으며 살아가기 위해 쓰는 글을 사회적 상호 작용을 위한 글이라 할 수 있다. 이와 같은 글은 글의 목적과 예상 독자 등 쓰기 맥락이 뚜렷하므로 이를 고려하는 것이 중요하다.

자기를 소개하는 글

주로 입학이나 취업을 목적으로, 다른 사람이나 기관, 단체 등의 독자에게 자기가 어떠한 사람인지를 알리는 글이다. 나의 여러 모습 중 예상 독자가 원하는 자신의 모습을 알려 주어야 글의 목적을 달성할 수 있으므로, 독자가 나에 관해 알고자 하는 정보가 무엇인지 정확히 파악하는 것이 중요하다.

자기소개서 작성 방법

계획하기	• 글의 목적과 예상 독자 등 쓰기 맥락 고려하기.
자료 수집	• 자기 탐색을 통해 자신의 성격, 장·단점, 능력, 특성 등을 확인하기. • 자신에 대한 기록을 검토하여 자료 수집하기 ➲ 이때, 가치나 의미가 비슷한 수준이라면 과거보다는 최근의 활동을 선정하는 것이 좋음.
글 쓰기	• 자신이 경험한 구체적인 사례를 들어 작성하기. • 자료를 토대로 객관적 사실에 근거해서 쓰기.

짚고 가요

자기소개서 작성 시 점검할 사항

- 내용: 거짓되거나 과장된 내용은 없는가?
- 조직: 내용이 유기적으로 조직되었으며 일관된 흐름이 있는가?
- 표현: 창의적이면서도 품격 있는 표현을 사용했는가?

개념 콕 1 자기소개서 쓰기에 관한 설명으로 적절하지 않은 것은?

① 품격 있는 표현을 써야 한다.
② 거짓되거나 과장된 내용을 담지 않는다.
③ 독자가 기대하는 나의 모습만을 재구성하여 쓴다.

2 작문

짚고 가요

자기표현적 글쓰기가 지닌 가치

05단원에서, 작문은 사회적 소통 과정에 적극적으로 참여하는 사회적 의미 구성 행위라고 했지? 우리는 책임감 있는 태도를 지니고 건의문과 같은 글을 씀으로써 공동체의 문화 발전에 기여할 수 있어. 이것이 작문이 지닌 사회적 차원의 가치야. 한편, 어쨌든 작문은 본질적으로 개인이 의미를 구성하는 행위야. 필자는 때론 그 과정에서 자신에 대해 진지하게 고민하고 성찰을 하게 되지. 이것이 작문이 지닌 개인적 차원의 가치인데, 이 단원에서 배우는 자기표현적 글쓰기와 연관이 깊어. 일기나 회고록과 같은 글을 쓰면서, 우리는 자아를 성장시키는 경험을 할 수 있어.

개념+ **기행문**

여행의 체험을 기록한 글이다. 여정, 견문, 감상이 잘 드러나게 써야 한다.

여정	여행의 과정이나 일정.
견문	보거나 듣거나 하여 깨달아 얻은 지식.
감상	여정 또는 여행 후 얻게 된 정서와 깨달음.

개념 콕 2 **독서 감상문의 일반적인 구조에 대한 설명으로 적절한 것은?**

① 마무리에는 책을 접하게 된 동기를 쓴다.
② 앞부분에는 책을 읽고 자신에게 나타난 변화를 담는다.
③ 중간 부분에는 인상 깊은 장면에서 받은 느낌과 나의 경험을 연관 지어 서술한 내용을 담을 수 있다.

콕 1 ③ 2 ③

친교 표현의 글

인간 관계를 원만히 유지시키고자 하는 목적으로 쓰는 글이다. 예상 독자가 뚜렷하므로 독자를 존중하고 배려하며 쓰는 것이 중요하다. 일반적인 편지와 같이 개인적 친교(친밀하게 사귐.)를 위한 글과, 공적으로 감사, 축하, 격려, 초대 등의 내용을 담은 공적 친교를 위한 글로 나뉜다.

2 자기표현적 글

개인의 생각과 느낌을 드러낸 글을 자기표현적 글이라 할 수 있다. 이와 같은 글쓰기는 개인의 내적 성장에 기여한다는 가치를 지닌다.

정서를 표현하는 글

특정 대상에 관한 필자의 느낌이나 생각 등을 주 내용하는 글로 감상문, 기행문+, 수필 등이 이에 속한다. 이와 같은 글을 쓸 때에는 느낌이나 생각을 과장이나 왜곡 없이 진솔하게 표현하여 독자에게 감동을 줄 수 있어야 한다.

- **감상문**: 특정 대상에 대한 느낌이나 생각을 정리하여 쓴 글로, 주로 문학, 연극, 영화, 미술 등 다양한 예술 작품이 대상이 된다.

• 감상문의 일반적인 구성 요소

처음	감상하게 된 동기, 대상을 처음 대했을 때의 인상.
중간	감상한 내용, 감상 내용과 관련된 생활 경험, 감상으로 얻은 인상이나 감동.
끝	감상 후 자신에게 나타난 변화, 감상한 내용과 관련된, 앞으로의 계획이나 희망.

자기를 성찰하는 글

자신의 삶을 되돌아보고 성찰하는 내용을 담은 것으로 일기, 자서전, 회고문 등이 이에 해당한다.

- **회고문**: 자신의 지난 삶 가운데 의미 있는 사건과 활동을 되돌아보며 얻은 느낌이나 생각을 쓴 글이다.

• 회고문을 쓰는 과정

회고 및 기록 시기 정하기	• 자신의 인생 전체 되돌아보기. • 삶의 전 과정 중에서 변화를 가져 온 중대한 사건이 있던 순간을 선택하기.
의미 발견 및 기록	• 회고의 대상이 된 시기에 관해 세세히 정리하고 가치 있는 깨달음 정리하기. • 회고의 대상이 된 시기를 중심으로 주요 사건과 의미 기록하기.
조직하기	일반적으로 '처음–가운데–끝'의 삼단 구성을 많이 사용함.
표현하기	담담한 어조로 진솔하게 구체적으로 서술하기.
고쳐쓰기	• 자신의 삶을 성찰하여 진지하게 표현하였는가? • 자신의 삶에서 뜻깊은 일을 다루었는가? • 과장하거나 왜곡한 내용은 없는가?

• 회고문 쓰기의 효과

회고문을 씀으로써 자신의 삶을 반성하고 자아 성찰을 할 수 있으며, 자신의 삶에 의미를 부여할 수 있다. 회고문은 나아가 누구나 쓸 수 있고 공유하기 손쉬운 글이라는 점에서 공동체의 글쓰기 문화에 기여한다.

사뿐히 즈려밟는

확인 문제

정답과 해설 70쪽

바로바로 간단 체크

1 다음 빈칸에 알맞은 말을 쓰시오.

(1) (ㅈㄱㅅㄱㅅ)란 입학이나 취업 등의 상황에서 자신의 가치를 상대방에게 알리려는 의도를 가지고 쓰는 글을 말한다.

(2) 공적 친교를 위한 글을 쓸 때에는 초대, 감사, 축하, 격려, 초대 등의 글의 (ㅁㅈ)을 확실히 하고 글을 작성하는 것이 필요하다.

(3) 정서를 표현하는 글을 쓸 때에는 느낌이나 생각을 과장이나 왜곡 없이 진솔하게 표현함으로써 (ㄷㅈ)에게 감동을 줄 수 있다.

2 다음 설명이 맞으면 ○표, 틀리면 ×표를 하시오.

(1) 자기소개서를 쓸 때는 자신의 개성을 드러내는 것이 중요하므로 격식을 갖춘 언어를 쓰지 않아도 된다. ( )

(2) 자기표현적 글은 쓰기 맥락 중 특히 독자에 대한 고려가 많이 필요한 글이다. ( )

(3) 자기를 성찰하는 글 쓰기를 통해 자신의 삶을 돌아보고 자아를 성찰할 수 있으며, 자신의 삶에 의미를 부여할 수 있다. ( )

3 감상문의 일반적인 구조에 알맞은 내용 요소를 연결하시오.

(1) 처음 •　　　• ㉠ 감상하게 된 동기

(2) 중간 •　　　• ㉡ 감상 후 자신에게 나타난 변화, 앞으로의 계획이나 희망

(3) 끝 •　　　• ㉢ 감상한 내용, 감상으로 얻은 인상이나 감동

[01~04] 다음은 '△△시 청소년참여위원 모집 공고문'에 따라 학생이 작성한 자기소개서이다. 물음에 답하시오.

2018년 11월 고1 학력평가(변형)

> **[청소년참여위원 모집 공고문]**
> - **모집 대상:** △△시에 거주하는 청소년
> - **신청 방법:** 자기소개서를 작성하여 △△시 청소년참여위원회 홈페이지를 통해 제출
> - **선발 방법**
>   - 1차(서류): 청소년을 위한 정책 제안이 포함된 자기소개서 심사
>   - 2차(면접): 자기소개서를 바탕으로 한 개별 질문

저는 얼마 전 저희 학교에서 열린 '△△시 청소년참여위원들과의 소통의 장'에 참여하면서 청소년참여위원회를 처음 알게 되었습니다. 그때 청소년 정책 및 사업에서 주체적인 ⓐ역활을 하는 청소년참여위원들의 모습이 인상 깊었습니다. 이를 계기로 청소년참여위원에 관심이 생겨 이번 '△△시 청소년참여위원 모집 공고문'을 보고 지원하였습니다.

청소년참여위원이 갖춰야 할 첫 번째 자질은 창의적 능력이라고 ⓑ생각됩니다. 저는 고등학교 1학년 때 학급자치회장을 맡으며 '마음을 전해요'라는 학급 프로그램을 운영한 경험이 있습니다. 학생들이 눈길이 잘 닿지 않던 게시판에 평소 친구들에게 느낀 고마움을 정기적으로 적게 했습니다. 프로그램을 운영하며 크고 작은 어려움도 있었지만, 교우 관계는 더욱 좋아졌습니다. 2학기 말에 자체적으로 ⓒ시작한 설문 조사에서 70% 이상의 학생들이 이 프로그램이 매우 좋았다고 응답했습니다. 창의적 능력이란 의미 있는 목적을 이루기 위해 변화를 만들어 내는 능력이라고 생각합니다. 청소년의 아이디어로 공동체의 의미 있는 변화를 이끌어 내는 청소년참여위원회 활동에서 저의 창의적 능력은 반드시 필요하다고 생각합니다.

청소년참여위원이 갖춰야 할 또 다른 자질은 소통 능력입니다. 학생자치회 임원 활동은 제 소통 능력도 신장시켰습니다. ⓓ저의 이러한 태도는 안건에 대한 합의점을 찾기 힘들게 만들었습니다. 제가 학급자치회장이다 보니, 회의를 주도해야 한다는 생각을 했고 학생자치회 회의 중에 제 의견만 강조하기 바빴습니다. 저는 저의 태도에 대해 깊이 반성하며 원활한 진행을 위해 임원 학생들의 말을 더욱 경청하기로 했습니다. 이 과정에서 함양할 수 있었던 소통 능력은 많은 사람들과 대화하고 의견을 조율해 나가야 하는 청소년참여위원회 활동에서 핵심

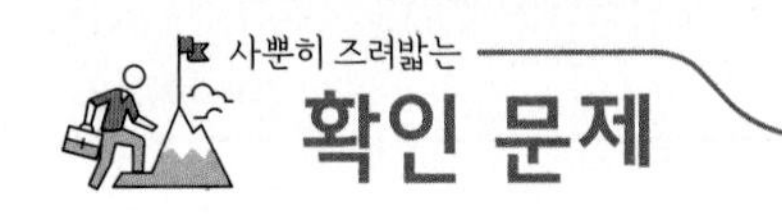

정답과 해설 70쪽

적인 자질이 될 것이라고 생각합니다.

제가 제안하는 △△시 청소년을 위한 정책 중 첫 번째는 '전공체험 프로그램'입니다. 현재 △△시에 있는 학교들에서 주로 진행되고 있는 진로 탐색 활동은 외부 기관과의 연계성이 부족하고 강의 위주로 구성되어 있어 진로 탐색이 충분히 ⓔ이루어지지 못하고 있습니다. △△시와 대학이 협약을 맺고 내실 있는 전공체험 프로그램을 운영하는 사업은 학생들에게 충실한 진로 탐색의 기회를 줄 것이라 생각합니다.

두 번째로 △△ 시의 특색 있는 문화와 청소년을 이어주는 '한마음 축제'를 제안합니다. 우리 시의 특색 있는 문화에 청소년들의 끼와 열정이 더해진 축제는 학업에 지친 청소년들의 삶에 활력을 불어넣어 주며 청소년들의 주체성을 함양할 수 있는 좋은 기회가 될 것이라 생각합니다.

[A] 제가 △△시 청소년참여위원이 된다면 저의 창의적 능력과 소통 능력을 바탕으로 청소년들의 목소리에 귀 기울이고, 그들의 의견이 반영된 정책 및 사업을 제안할 수 있도록 노력하겠습니다.

글의 내용 파악하기

01 이 글의 내용에 대한 설명으로 적절하지 않은 것은?

① 처음 부분에서는 청소년참여위원회를 알게 된 계기를 언급하고, 청소년참여위원 모집에 지원한 동기를 밝히고 있다.
② 두 번째 문단에서는 지원 분야와 관련된 자신의 경험을 제시하고, 이를 통해 자신이 청소년 참여 위원으로서 역량을 갖추고 있음을 드러내고 있다.
③ 세 번째 문단에서는 학생 자치회 활동의 경험을 통해 청소년 참여위원의 조건인 창의적 능력을 갖추게 되었음을 나타내고 있다.
④ 네 번째 문단에서는 공고문의 '선발 방법'을 고려하여, 청소년을 위한 정책 제안에 관한 내용을 담고 있다.
⑤ 다섯 번째 문단에서는 자신의 제안이 가져 올 긍정적인 효과를 언급하고 있다.

글쓰기 전략

02 위 글에 드러난 표현 전략에 대한 설명으로 가장 적절한 것은?

① 지원 분야와 관련된 통념을 자신의 경험으로 반박한다.
② 설의적 표현을 사용해 지원 분야에 대한 자신의 능력을 강조한다.
③ 구체적인 통계 자료를 활용하여 지원 분야의 최근 현황을 제시한다.
④ 지원 분야와 관련해 자신이 갖춘 능력을 담화 표지를 사용해 부각한다.
⑤ 과거 자신의 독서 경험을 언급하며 지원 분야에 대한 잠재력을 드러낸다.

고쳐쓰기

03 ⓐ～ⓔ를 고쳐쓰기 위한 방안으로 적절하지 않은 것은?

① ⓐ: 맞춤법에 어긋나므로 '역할'로 고쳐야겠어.
② ⓑ: 잘못된 피동 표현이므로 '생각합니다'로 바꿔야겠어.
③ ⓒ: 문맥상 어색하므로 '실시한'으로 수정해야겠어.
④ ⓓ: 내용의 연결이 어색하므로 뒷문장과 순서를 바꿔야겠어.
⑤ ⓔ: 피동 표현이 중복되었으므로 '이루지'로 바꿔야겠어.

〈조건〉에 맞게 고쳐쓰기

04 [A]를 〈조건〉에 맞게 수정 및 보완한 것으로 가장 적절한 것은?

> 조건
> • 글의 목적과 흐름을 고려하면서 글을 마무리할 것.
> • 비유와 대조를 통해 설득의 효과를 높일 것.

① 저와 △△시 청소년참여위원회는 바늘과 실처럼 잘 어울릴 것입니다. 제가 가진 창의와 소통 능력을 바탕으로 더 나은 정책 및 사업을 제안하겠습니다.
② 제가 △△시 청소년참여위원이 된다면, 청소년들이 필요로 하는 정책을 신속 배달하는 택배원처럼 일사불란하게 움직이겠습니다.
③ 제가 △△시 청소년참여위원이 된다면, 촛불 같은 사람이 되겠습니다. 어둠은 길을 가리지만, 촛불은 길을 밝힙니다. 저는 창의와 소통을 바탕으로 여러분의 길잡이가 되겠습니다.
④ △△시 청소년참여위원회에는 훌륭한 요리사가 필요합니다. 저의 창의와 소통 능력을 바탕으로 세상에서 가장 맛있는 청소년 정책을 만들겠습니다.
⑤ 학생은 약하지만, 행동하는 학생은 강합니다. 제가 △△시 청소년참여위원이 된다면 창의와 소통 능력을 바탕으로 청소년이 선호하는 정책들을 꾸준히 고민하겠습니다.

단원 정리

작문의 본질과 태도

본질 …… 작문은 쓰기 과정에서의 ❶ [   ]를 해결하며 의미를 구성하고 사회적으로 소통하는 행위이다.

태도 …… 작문은 ❷ [   ] 의사소통 행위이므로, 내가 쓴 글이 독자와 ❸ [   ]에 영향을 미칠 수 있다는 것에 대한 이해를 바탕으로 하여 바람직한 작문 태도를 갖도록 한다.

작문의 과정

단계	내용
계획하기	❹ [ ](주제, 목적, 독자, 매체)을 고려하여 계획하기
↑↓	
내용 생성하기	풍부한 자료 수집하여 가치 있는 자료 선별하기
↑↓	
내용 조직하기	❺ [ ]과 응집성 고려하기
↑↓	
표현하기	쓰기 맥락을 고려하여 표현 방법 활용하기
↑↓	
고쳐쓰기	고쳐쓰기의 일반 원리를 고려하여 고쳐 쓰기

…… 쓰기 과정의 점검과 조정

목적에 따른 글의 유형

유형	글
정보 전달	설명문, 기사문
❻ [ ]	논설문, 건의문, 비평문
사회적 상호 작용	자기소개서, 편지
자기표현	감상문, 수필, 기행문, 회고문

…… 작문 관습 고려하기

빈칸 답 | ❶ 문제 ❷ 사회적 ❸ 언어 공동체 ❹ 쓰기 맥락 ❺ 통일성 ❻ 설득

2 작문

수능 다가가기

[01~04] (가)는 활동지의 '활동 1'에 따라 학생들이 실시한 독서 토의의 일부이고, (나)는 '활동 2'에 따라 '민호'가 작성한 글의 초고이다. 물음에 답하시오.

2018학년도 수능

활동지

〈활동 1〉 다음의 내용을 바탕으로 토의해 보자.

〈허생의 처〉에서 허생은 집안을 전혀 돌보지 않고 자신의 이상만을 추구한다. 이 때문에 허생의 처는 홀로 집안의 생계를 힘겹게 꾸려 나가지만 빈곤한 형편에서 벗어나지 못한다. 이러던 중 허생의 처는 행복하지 않은 자신의 처지를 한탄하며 허생과 갈등한다. 두 인물은 삶에서 중요시하는 행복의 조건이 서로 달라 갈등한다고도 볼 수 있다. 허생은 세상의 이치를 밝히고자 독서에만 전념한 것으로 보아 여기에서 자신의 행복을 찾고 있다고 볼 수 있다. 그렇다면 허생의 처가 추구하는 행복의 조건은 무엇일까?

〈활동 2〉 토의 내용을 참고하여 자신의 삶을 성찰하는 글을 써 보자.

(가) 현지: 오늘은 내가 진행할게. (활동지를 나눠 주며) 지난 시간에 〈허생의 처〉를 읽었으니, 이번 시간에는 '허생의 처가 추구하는 행복의 조건은 무엇인가?'라는 주제로 토의하려고 해. 활동지를 통해 주제와 관련된 내용을 확인했으면, 지금부터 토의를 시작해 보자.

민호: 행복의 조건은 지혜나 도덕적 선과 같은 내적 조건과 부나 명예와 같은 외적 조건으로 나눌 수 있잖아. 허생의 처는 빈곤한 형편에 놓여 있기 때문에 행복하지 않았다고 생각해. 이런 이유로 볼 때, 허생의 처는 외적 조건인 부를 추구하는 사람이라고 볼 수 있어.

영수: 과연 그럴까? 허생의 처는 생존을 위한 기본적 요건을 충족하고자 한 것으로 볼 수 있어. 그런 점에서 허생의 처가 외적 조건인 부를 추구하는 사람이라고 볼 수는 없을 것 같아. [A]

민호: 듣고 보니 그러네. 허생의 처가 행복의 외적 조건인 부를 추구하고 있다고 보는 건 적절하지 않을 수 있겠어.

현지: 정리하면, 허생의 처가 추구한 행복의 조건을 외적 조건이나 내적 조건으로만 접근하는 건 적절하지 않을 수 있겠네. 그렇다면 허생의 처가 추구한 행복의 조건을 다른 측면에서는 어떻게 접근할 수 있을까?

민호: 허생의 처가 추구하는 행복의 조건은 가족 구성원의 관계라는 측면에서 접근해 볼 수 있겠어. 허생의 처는 홀로 가정 생계를 꾸려야 하는 부담을 일방적으로 강요받고 있고 허생은 허생의 처의 힘겨움을 외면하고 있어. 이 때문에 허생의 처는 행복하지 않다고 느끼는 것 같아.

영수: 맞아. 허생의 처가 추구하는 행복의 조건을 가족 구성원의 관계라는 측면에서 더 살펴보면, "나는 내 남편이 하는 일을 모르고, 남편은 제 아내인 나를 모르고…."라고 허생의 처가 남편에 대해 한탄하는 대목을 볼 때 허생의 처는 가족 간의 소원한 관계도 행복하지 않은 이유로 여기는 것 같아. [B]

현지: 정리하면, 결국 허생의 처는 강요된 희생과 소원한 가족관계라는 두 가지 이유 때문에 행복하지 않았던 것이고, 가족 구성원 간의 바람직한 관계를 행복의 조건으로 추구했다고 볼 수 있겠어.

(나) 〈허생의 처〉를 읽고 허생의 처가 빈곤한 형편에 힘들어 하고 한탄하는 모습을 통해, 나는 허생의 처가 행복의 외적 조건을 추구하고 있다고 여겼다. 하지만 토의를 통해 허생의 처는 단지 생존을 위한 기본적인 요건이 충족되기를 바랐을 뿐, 물질적인 부를 추구했다고 보기 어렵다는 사실을 깨닫게 되었다.

그런데 생계와 관련된 문제만 해결된다면 허생의 처는 행복해질 수 있었을까 하는 의문이 들었다. 허생은 자신의 이상을 추구하느라 독서에만 전념하여 가정을 외면했다. 이 때문에 허생의 처는 생계에 대한 부담을 홀로 떠안게 되었고, 남편인 허생과 소원해지면서 가족 구성원으로서의 유대감 또한 느낄 수 없었던 것이다. 결국 허생의 처가 행복해지기 위해서는 가족 구성원간의 바람직한 관계 역시 중요한 조건이었던 것이다.

그동안 나는 돈을 많이 벌거나 좋은 직업을 갖는 등 행복의 외적 조건만이 나를 행복으로 이끌어 줄 것이라 생각했다. 하지만 ㉠<u>이 조건만이 행복을 위한 조건의 전부가 아니라는 것을 깨닫게 되었다</u>. 그리고 그동안 부모님의 희생을 당연하게 여기며 살아온 것은 아닌지, 공부나 친구를 핑계로 가족과의 관계를 소원하게 만든 것은 아닌지 반성하게 되었다.

토의 사회자의 역할

01 다음은 '현지'가 (가)를 준비하면서 떠올린 생각이다. ㉮ ~ ㉲ 중 (가)에서 확인할 수 있는 것을 고른 것은?

이번 독서 토의는 어떻게 진행하는 게 좋을까? 우선 토의와 관련된 활동지를 나눠 주고, ㉮시작할 때 토의 주제를 언급하는 게 좋겠어. 그리고 참여자들이 고루 의견을 제시할 수 있도록 ㉯발언 순서를 지정해 줘야지. ㉰근거 없이 의견만을 이야기할 때는 근거를 함께 제시하도록 요구해야겠어. 토의 흐름을 이해할 수 있도록 ㉱토의 내용을 정리해 주고, ㉲질문을 통해 다른 관점에서 생각해 보도록 유도하는 것도 좋을 것 같아.

① ㉮, ㉯, ㉱　② ㉮, ㉰, ㉲　③ ㉮, ㉱, ㉲
④ ㉯, ㉰, ㉲　⑤ ㉰, ㉱, ㉲

토의 참여자의 말하기 방식

02 [A], [B]를 이해한 내용으로 가장 적절한 것은?

① [A] : '영수'는 '민호'에게 추가적인 근거를 요구하기 위해 질문하고 있다.
② [A] : '영수'는 '민호'의 의견을 수용하면서 또 다른 근거를 제시하고 있다.
③ [A] : '영수'는 '민호'의 의견에 동의하면서 그 의견을 재진술하고 있다.
④ [B] : '영수'는 '민호'의 의견을 받아들이며 이를 보완하는 의견을 추가하고 있다.
⑤ [B] : '영수'는 '민호'의 의견에 대해 논리적 오류를 지적하면서 상반된 의견을 제시하고 있다.

글쓰기 과정

03 다음은 (가)를 반영하여 (나)를 작성하기 위한 '민호'의 작문 계획이다. (나)에 반영된 내용으로 적절하지 않은 것은?

1문단
○ 허생의 처가 추구한 행복의 조건이 외적 조건이라고 한 기존의 내 의견과, 토의를 통해 수정된 내 생각을 함께 써야겠어. ·········· ①
2문단
○ 허생의 처가 행복하지 않은 이유를 생계 문제를 중심으로 파악했던 의견에 의문을 제기하고 이에 답하는 식으로 써야겠어. ·········· ②
○ '영수'가 허생의 처의 말을 인용하면서 개진한 의견을 포함하여 허생의 처가 행복해지기 위한 조건을 써야겠어. ·········· ③
3문단
○ 나와 '영수'가 허생의 처의 행복을 가족 간의 관계의 측면에서 논의한 내용을 바탕으로, 내가 기존에 갖고 있던 행복에 대한 생각이 편협했음을 깨달았다는 내용을 써야겠어. ·········· ④
○ 허생의 처가 왜 행복하지 않은지에 대해 나와 '영수'가 동의했던 두 가지 이유 중 강요된 희생을 주된 이유로, 소원한 관계를 부차적 이유로 구별하고 이에 비추어 나의 삶을 반성하는 내용을 써야겠어. ·········· ⑤

자료의 활용

04 〈보기〉는 '민호'가 (나)를 쓴 후 찾은 자료이다. (나)의 문맥에 따라 〈보기〉를 활용하여 ㉠을 구체화할 수 있는 방안으로 가장 적절한 것은?

보기
○ 한 경제학자는 ⓐ소득이 높아질수록 행복 수준도 상승할 것이라는 사람들의 기대와는 달리, ⓑ소득이 일정 수준을 넘어서면 소득이 더 증가해도 행복 수준은 더 이상 상승하지 않는다고 주장했다.
○ OECD 국가 간 행복 비교 연구에서는 ⓒ행복 수준을 조사하기 위해 물질적 풍요 수준, 가족이나 친구와 같은 인간 관계에서의 만족 수준 등을 종합적으로 고려한다.

① ⓐ를 활용하여, 행복을 위한 조건인 물질적 부의 수준은 사람마다 다를 수 있다는 내용으로 구체화한다.
② ⓑ를 활용하여, 일정 소득 수준을 넘어선 물질적 부의 추구가 행복의 조건에 해당하지 않는다는 내용으로 구체화한다.
③ ⓒ를 활용하여, 행복을 위한 조건으로 물질적 부도 고려해야 하지만 가족 구성원 간의 바람직한 관계 형성도 고려해야 한다는 내용으로 구체화한다.
④ ⓐ와 ⓒ를 활용하여, 행복을 위한 조건인 바람직한 가족 관계를 형성하려면 일정 수준 이상의 소득이 보장되어야 한다는 내용으로 구체화한다.
⑤ ⓑ와 ⓒ를 활용하여, 행복을 위한 조건인 물질적 부를 추구할 경우 가족 간의 관계가 소원해질 수 있다는 내용으로 구체화한다.

100인 선생님이 여러분을 응원합니다!

박혜영 선생님

나와 사람들의 삶, 그리고 세상에 대해 끊임없이 질문하고 답을 찾아가는 힘. 국어 공부는 그 힘을 기르는 과정입니다. 학생 여러분의 국어 공부를 응원합니다!

정은화 선생님

'불치하문'이라는 공자의 말이 있어요. 묻는 것을 부끄러워 말라는 뜻인데요. 우리가 공부를 하다 보면 이런 저런 이유로 묻지 못할 때가 많죠. 그래서 답답함은 쌓여 가고요. 《100인의 지혜》는 우리들의 질문에 답을 해 줄 수 있는 구성과 내용으로 되어 있어요. 묻기를 두려워 말고, 《100인의 지혜》를 통해 지혜와 지식을 얻어 가길 바랍니다. 힘내세요.

이유림 선생님

각자의 꽃씨를 피워 내느라 누구보다 애쓰고 있을 학생들에게, 그 존재 자체만으로도 가르치는 이의 보람이자 기쁨이 될 수 있다는 마음을 전하고 싶습니다. 오늘 저는 여러분들이 마음 놓고 뿌리 내릴 수 있도록 성심성의껏 검토한 교재를 선사하고자 합니다. 확실한 개념 이해 및 교재의 차별화된 구성을 바탕으로 학습한다면 국어에 대한 자신감은 한층 높아질 것이라고 믿습니다. 당신의 미래에 아낌없는 밑거름이 될 것입니다.

권용덕 선생님

학문은 진실한 마음으로 대하지 않으면 쉽사리 문을 열어 주지 않는다. 단지 시험을 대비하기 위한 국어 공부로는 시험조차 마냥 버거울 뿐이지. 각자의 진로는 다르지만 국어를 공부할 때만이라도 진정으로 국어를 탐구하며 국어의 세계를 즐길 때 국어는 자신의 세상을 훤히 보여 줄 거야!

이원재 선생님

화법과 작문 그리고 문법, 이 과정을 잘 넘는 자만이 국어 고득점을 획득할 수 있다. 문법을 보는 꼼꼼함으로 문학과 독서 지문을 볼 수만 있다면 만점을 받을 수 있다. 나는 어떻게 할 것인가? 그 선택이 이 한 권으로 시작된다.

하랑 선생님

문법의 처음과 끝. 이 책은 문법에 대한 막연한 두려움을 가진 학생은 물론 고득점을 노리는 학생에게 희망이 되리라 확신합니다. 문법은 결코 넘지 못하는 산이 아닙니다. 언제나 여러분을 응원합니다!

김흙 선생님

국어는 1교시. 문법 · 화작은 그중에서도 처음. 처음을 여는 황금 열쇠의 탄생. 꼭 필요한 내용과 알기 쉬운 해설이 있습니다. 여러분의 사랑을 받을 차례가 남았습니다.

김금진 선생님

학생들을 가르치다 보면 "선생님 저 화법, 작문에서 틀렸어요. 어떡해요?"라며 화법, 작문을 틀리는 걸 부끄러워하거나 "문법 손 놨어요."라며 어쩔 줄 몰라하는 문포자(?) 학생들을 봅니다. 제대로 배운다면 여러분도 정답을 잘 맞힐 수 있습니다. 100인 선생님들의 강의 노하우로 '문법 · 화작'도 실수 없이 점수 내 보자구요!

오지희 선생님

이 책은 2015 개정 교육 과정에 발맞추어 새롭게 펴낸, 내신과 수능 모두를 대비할 수 있는 보석같은 교재입니다. 기본 개념 학습부터 검증된 기출 문제와 변형 문제를 수록함은 물론 100인 솔로몬 선생님들의 노하우가 집약되어 있어 이해하기 쉽고, 누구나 친숙하게 다가갈 수 있습니다.

이영지 선생님

문법은 물론 화법 · 작문의 개념이 잡히니 생각보다 쉽지? 화법 · 작문은 반복 학습이 중요해. 복습을 통해 문법과 화법 · 작문 영역은 다 맞도록 하자. 파이팅!!

100인의 지혜를
모두 모았다!
이것이 진정한
명강의 모음집

정답과 해설

문법·화작

국어 기본서

수능&내신 모두 잡는 명강사 100인의 지혜를 담다

천재교육

정답과 해설

Contents

Ⅰ 문법

Ⅱ 화법과 작문

I. 문법

1. 단어

01 품사 ❶ – 체언, 관계언

사뿐히 즈려밟는 **확인 문제** p.18~21

✔ 바로바로 간단 체크 1 (1) 민수–명사, 동생–명사, 이랑–조사 (2) 하나–수사, 열–수사, 을–조사 (3) 우리–대명사, 셋째–수사, 는–조사 (4) 댁–명사, 둘째–명사, 만–조사 (5) (순서대로) 대로–조사, 대로–명사 (6) (순서대로) 뿐–조사, 뿐–명사 2 (1) 학교–자립 명사, 데–의존 명사 (2) 피자–자립 명사, 때–의존 명사 (3) 만큼–의존 명사, 성적–자립 명사
3 (1) 는–보조사, 와–접속 조사 (2) 까지–보조사, 한테–격 조사 (3) 가–격 조사, 와–격 조사 (4) 랑–접속 조사, 를–격 조사

01 ③	02 ②	03 ①	04 ④	05 ⑤	06 ⑤
07 ②	08 ⑤	09 ④	10 ④	11 ⑤	12 ④
13 ③	14 ③	15 ③	16 ②		

01 품사의 체계 ❸

국어의 품사는 기능에 따라 체언, 용언, 수식언, 관계언, 독립언으로 구분되며 그중 체언은 의미에 따라 명사, 대명사, 수사로 구분된다.

오답 피하기

① 우리말의 단어를 의미에 따라 분류하면 명사, 대명사, 수사, 조사, 동사, 형용사, 관형사, 부사, 감탄사의 아홉 개로 구분된다.
②, ④ 단어는 형태에 따라 가변어와 불변어로 나뉘는데 서술격 조사 '이다'는 가변어에 속한다.
⑤ 관계언은 앞말(주로 체언)과 다른 말의 문법적 관계를 나타내는 기능을 한다.

02 체언 ❷

②에는 체언이 두 개(이것, 저것) 사용되었다.

오답 피하기

① 체언이 세 개(아기, 셋, 우유) 사용되었다.
③ 체언이 세 개(첫째, 것, 건강) 사용되었다.
④ 체언이 세 개(가족, 한라산, 등산) 사용되었다.
⑤ 체언이 세 개(보라, 우진, 사탕) 사용되었다.

03 명사 ❶

'사랑'과 '연필'이 명사에 해당한다.

오답 피하기

'매우'는 부사, '셋'은 수사, '어느'는 관형사, '그녀'는 대명사이다.

04 의존 명사 ❹

④의 '뿐'은 체언 뒤에 붙여 쓰고 있으므로 조사에 해당한다.

오답 피하기

①, ②, ③, ⑤ 밑줄 친 말들은 앞말의 수식을 받으며, 앞말과 띄어 쓰고 있으므로 의존 명사이다.

05 대명사 ❺

㉤(지난번)은 명사에 해당한다.

오답 피하기

①, ② '여기'와 '어디'는 장소를 대신 나타내는 지시 대명사이다.
③ '이것'은 사물을 대신 나타내는 지시 대명사이다.
④ '너희'는 청자를 대신 나타내는 2인칭 대명사이다.

06 인칭 대명사 ❺

㉤(당신)은 부부 사이에서 상대방을 높여 이르는 2인칭 대명사이다.

오답 피하기

① ㉠의 '누구'는 가리키는 대상은 정해져 있으나(초인종을 누른 사람) 그 대상이 무엇인지 정확하게 알지 못할 때 쓰이고 있으므로 미지칭 대명사이다.
② ㉡의 '저'는 자신을 낮추어 이르는 1인칭 대명사이다.
③ ㉢의 '아무'는 지시 대상을 특별히 정하지 않고 가리키는 부정칭 대명사이다.
④ ㉣의 '당신'은 앞에 나온 명사인 '할머니'를 다시 가리키는 재귀칭 대명사로 쓰이고 있다.

1등급만 아는 개념 ⊕ 인칭 대명사의 높임 표현

• 1인칭 대명사에는 자신을 낮춤으로써 상대편을 높이는 겸사말이 존재한다.

	단수	복수
예사말	나	우리
겸사말	저	저희

• 2인칭 대명사에는 상대방을 높여서 이르는 공대말이 존재한다.

	단수	복수
예사말	너	너희
공대말	자네, 당신, 그대	

07 부정칭·미지칭 대명사 ❷

"과제물을 언제까지 제출해야 합니까?"의 '언제'는 제출 시기를 모를 때 사용한 미지칭 대명사이고, "물건은 언제든 찾아가실 수 있습니다."의 '언제'는 정해지지 아니한 시간을 가리키는 부정칭 대명사이다.

오답 피하기

① "아무도 나를 기다리지 않았다."와 "아무에게나 네 속마음을 털

어놓지 마."의 '아무'는 정해지지 아니한 사람을 가리키는 부정칭 대명사이다.

③ "네가 원하다면 나는 어디든 가도 좋아."의 '어디'는 정해지지 아니한 장소를 가리키는 부정칭 대명사이고, "어제 내가 지갑을 어디에 두었더라?"의 '어디'는 지갑을 둔 장소를 모를 때 사용한 미지칭 대명사이다.

④ "그것은 누구나 한 번은 겪는 일입니다."의 '누구'는 정해지지 아니한 사람을 가리키는 부정칭 대명사이고, "밖에서 어슬렁대는 사람은 누구입니까?"의 '누구'는 모르는 사람을 가리키는 미지칭 대명사이다.

⑤ "무엇에 쫓길 때처럼 다리가 움직이지 않았다."의 '무엇'은 정해지지 아니한 대상을 가리키는 부정칭 대명사이고, "그가 무엇 때문에 그렇게 고민하는지 궁금하다."의 '무엇'은 모르는 대상을 가리키는 미지칭 대명사이다.

08 수사 ⑤

⑤에서 '첫째'와 '둘째'는 순서를 나타내는 말이 아니라 '맏이'와 '둘째 자식'을 나타내는 명사이다.

오답 피하기

① 수사 '넷'이 서술격 조사 '이다' 앞에 사용되었다.

② 수사 '열'이 관형격 조사 '의' 앞에 사용되었다. '열 배'의 '열'은 수 관형사이다.

③ 수사 '일'과 '백'이 각각 보조사 '부터'와 '까지'의 앞에 사용되었다.

④ 수사 '제일, 제이'가 보조사 '도' 앞에 사용되었다.

09 격 조사 ④

④의 '에서'는 단체를 나타내는 명사 뒤에 붙어 앞말이 주어임을 나타내는 주격 조사이다.

오답 피하기

① 앞말이 진행 방향임을 나타내는 부사격 조사이다.

②, ⑤ 앞말이 지위나 신분 또는 자격임을 나타내는 부사격 조사이다.

③ 앞말이 어떤 행동이 미치는 대상임을 나타내는 부사격 조사이다.

10 격 조사 ④

ⓒ에는 주격 조사 '가', 부사격 조사 '에', 목적격 조사 '을'이 쓰였다. '있다'는 '보다'라는 본용언 뒤에 쓰인 보조 동사로, 서술격 조사 '이다'와는 관계가 없다.

오답 피하기

① '에서'는 앞말이 출발점임을 나타내는 부사격 조사로 앞말이 부사어가 되게 한다.

② '께서'와 '가'는 주격 조사로 앞말이 주어의 역할을 하게 한다.

11 보조사 ⑤

ⓔ에서 보조사 '만'이 관형격 조사 '의'와 함께 사용되고 있다.

오답 피하기

③ ⓒ에서 보조사 '는'은 부사 '빨리'와 결합하였고, ⓔ에서 보조사 '요'는 용언 '살아가겠어'와 결합하였다.

12 품사의 분류 ④

'아홉'은 수사이고 '학생'은 명사이므로 서로 다른 품사이다.

오답 피하기

① '착실한'과 '이다'는 활용하여 그 형태가 변하는 가변어이다.

② 체언은 문장에서 주어, 목적어, 보어의 기능을 하는 말로 명사, 대명사, 수사가 이에 해당한다.

③ '은'은 보조사이고, '이다'는 서술격 조사로 둘 다 관계언이다.

⑤ '매우'는 부사이고, '착실한'은 형용사이다.

13 명사와 조사의 특성 ③

ⓛ은 명사, ⓔ은 의존 명사로 체언이다. 체언에는 조사가 붙어 문장의 주어, 목적어, 보어 등으로 활용될 수 있다.

오답 피하기

① ⓖ은 조사이고, ⓒ은 의존 명사인데, 조사는 꾸미는 말의 꾸밈을 받을 수 없다.

② ⓖ은 조사, ⓔ은 의존 명사로 둘 다 자립하여 쓰일 수 없지만 의존 명사는 관형어와 함께 쓰여 명사적 기능을 담당하고, 조사는 앞말과 쉽게 분리되기 때문에 단어로 인정한다.

④ ⓛ은 명사, ⓜ은 의존 명사로 둘 다 단어로 인정하지만 의존 명사는 반드시 관형어의 수식을 받아야 한다.

⑤ ⓒ, ⓜ은 의존 명사이다. 홀로 쓰일 수 있는 말에 붙어 쉽게 분리되는 특징이 있는 단어는 조사이다.

14 조사 ③

ㄷ에서 쓰인 '만'은 '한정', '도'는 '더함'의 뜻을 앞말에 더해 주는 보조사로 앞말의 품사를 바꾸지는 않는다.

오답 피하기

① ㄱ은 격 조사가 쓰인 예로 주격 조사 '이/가'는 앞의 체언(동생, 여기)이 주어의 자격을, 목적격 조사 '을'은 앞의 체언(책)이 목적어의 자격을 갖게 한다.

② ㄴ은 접속 조사가 쓰인 예로 접속 조사 '와'는 '엄마'와 '나'를, 접속 조사 '랑'은 '나'와 '동생'을 같은 자격으로 이어 준다.

④ ㄹ에서 주격 조사 '이'는 체언 '꽃' 뒤에 쓰였지만, 보조사 '도'는 용언 '예쁘게' 뒤에, 보조사 '만'은 부사 '천천히' 뒤에 쓰였다.

⑤ ㅁ의 첫 번째 문장에서는 주격 조사 '이'가 쓰였지만, 두 번째 문장에서는 주격 조사 '이'가 생략되었고, 세 번째 문장에서는 '만(보조사)+으로(부사격 조사)+도(보조사)'처럼 여러 조사가 겹쳐서 쓰였다.

15 보조사 ❸

'한테'는 체언 '친구'에 붙어 '친구한테'를 부사어로 만드는 부사격 조사이다.

오답 피하기

① '만'은 '한정'의 뜻을 더해 주는 보조사이다.
② '은'은 '대조/화제'의 뜻을 더해 주는 보조사이다.
④ '도'는 '더함'의 뜻을 더해 주는 보조사이다.
⑤ '까지'는 '포함된 것에 더함'의 뜻을 더해 주는 보조사이다.

16 조사 ❷

"올챙이가 개구리가 되었다."에서 '개구리가'의 '가'는 '로'로 바꾸어 쓸 수 있다. 하지만 '가[1]2'를 볼 때, ⓑ의 '가'는 '되다' 앞에 쓰여 바뀌게 되는 대상을 나타낸 것이지, 부정하는 대상을 나타낸 것이 아님을 알 수 있다.

오답 피하기

① ⓐ의 '가'는 받침 없는 체언 '올챙이' 뒤에 붙었고, ⓓ의 '이'는 받침 있는 체언 '뽕밭' 뒤에 붙었으므로 탐구한 내용이 적절하다.
③ ⓒ의 '가'는 연결 어미 '-지' 뒤에 오고, '가'를 '를'로 바꾸어 쓸 수 있으며, 뒤에 부정적인 표현인 '않다'가 왔다. 따라서 '가[2]'를 볼 때 '가'가 앞말을 지정하여 강조하는 뜻을 나타내는 보조사임을 알 수 있다.
④ ⓓ의 '이'는 '되다'의 과거형 '되었다' 앞에 쓰였고, '이'를 '으로'로 바꾸어 쓸 수 있다. 따라서 '이[1]2'를 볼 때 '이'는 바뀌게 되는 대상을 나타내는 격 조사임을 알 수 있다.
⑤ ⓔ의 '이'는 '-고 싶다'의 구성인 '보고 싶다'의 앞에 쓰이고, '보다'의 목적어인 '백두산' 뒤에 붙고 있다. '이[2]'를 볼 때, '이'는 앞말을 지정하여 강조하는 뜻을 나타내는 보조사임을 알 수 있다. "백두산이 제일 보고 싶다."는 "백두산을 제일 보고 싶다."로 바꾸어 쓸 수 있다는 점에서 '이'가 격 조사가 아닌 목적격 조사 '을' 대신 쓰인 보조사임을 알 수 있으며, 앞의 문장과 뒤의 문장을 비교했을 때, "백두산을 제일 보고 싶다."에는 여러 산들 중에서도 백두산을 지정하여 가장 보고 싶음을 강조한다는 의미가 더해지고 있다.

02 품사 ❷ - 용언

사뿐히 즈려밟는 **확인 문제** p.27~29

바로바로 간단 체크 1 (1) 동사 (2) 형용사 (3) 동사 (4) 동사 (5) 형용사 (6) 동사 2 (1) 어간: 밝-/어미: -았-, -다 (2) 어간: 먹-/어미: -게 (3) 어간: 덧붙-/어미: -는 (4) (순서대로) 어간: 사-/어미: -서, 어간: 웃-/어미: -음 3 (1) 보 (2) 본 (3) 보 (4) 본

01 ⑤	02 ⑤	03 ④	04 ①	05 ②	06 ④
07 ①	08 ④	09 ③	10 ⑤	11 ③	

01 용언의 이해 ❺

용언은 활용하더라도 그 품사가 바뀌지 않는다.

오답 피하기

①, ②, ④ 용언은 의미에 따라 동사, 형용사로 나뉘며, 동사는 주어의 움직임이나 작용을 나타내고 형용사는 주어의 성질이나 상태를 나타내는데, 지시 형용사와 구분하여 이를 성상 형용사라고도 한다.
③ 용언이 활용할 때 형태가 변하지 않는 부분을 어간, 형태가 변하는 부분을 어미라고 한다.

02 동사와 형용사 ❺

⑤에서 '있다'가 "어떤 물체를 소유한 상태이다."라는 뜻이므로 형용사이다. 대부분의 형용사는 관형사형 전성 어미 '-는'이 붙어 활용될 수 없으나 형용사 '있다'는 예외적으로 '-는'과 어울릴 수 있다.

오답 피하기

① '밝다'가 "빛깔의 느낌이 환하고 산뜻하다."라는 상태를 나타내고, 현재 시제 선어말 어미 '-는-'과 어울리면 문장이 어색해지므로 형용사임을 알 수 있다.
② '밝다'가 "밤이 지나고 환해지며 새날이 온다."라는 동작의 작용을 나타내고, 현재 시제 선어말 어미 '-는-'과 어울리는 것을 볼 때 동사임을 알 수 있다.
③ '늙다'가 "사람이나 동물, 식물 따위가 나이를 많이 먹다."라는 동작의 작용을 나타내고, 관형사형 전성 어미 '-는'과 어울리는 것을 볼 때 동사임을 알 수 있다.
④ '젊다'가 "나이가 한창때에 있다."라는 상태를 나타내고, 관형사형 전성 어미 '-는'과 어울리지 않고, '-은'과 어울리는 것을 볼 때 형용사임을 알 수 있다.

03 어미의 종류 ❹

㉠은 어말 어미, ㉡은 선어말 어미, ㉢은 종결 어미, ㉣은 연결 어미, ㉤은 전성 어미에 해당한다.

04 본용언과 보조 용언 ❶

'씻어 먹었다'는 '본용언+본용언'으로 구성되었으며, 연결 어미 '-어'를 '-어서'로 바꾸어 '씻어서 먹었다'로 쓸 수 있고, '씻어 빨리 먹었다'처럼 다른 말이 끼어들 수 있다. 따라서 밑줄 친 말은 본용언에 해당한다.

오답 피하기

②~⑤ 각각 앞 어절과 함께 '본용언+보조 용언'으로 구성되었으며, 밑줄 친 말은 모두 보조 용언에 해당한다.

05 규칙 활용과 불규칙 활용 ❷

㉡은 '짓-+-었-+-다 → 지었다'가 되어 어간의 끝소리 'ㅅ'이 탈락하는 'ㅅ 불규칙 활용'에 해당한다. ㉤은 '빨갛-+-어서 → 빨개

서'가 되어 어간과 어미가 모두 바뀌는 'ㅎ 불규칙 활용'에 해당한다.

오답 피하기

㉠ '담그-+-었-+-다 → 담갔다'가 되어 어간의 형태가 바뀌었지만 'ㅡ 탈락'이라는 보편적인 음운 변동 규칙으로 설명 가능하므로 규칙 활용이다.

㉢ '묻-+-었-+-다 → 묻었다'가 되어 어간과 어미의 형태가 달라지지 않았으므로 규칙 활용이다.

㉣ '날-+-는 → 나는'이 되어 어간의 형태가 바뀌었지만 'ㄹ 탈락'이라는 보편적인 음운 변동 규칙으로 설명 가능하므로 규칙 활용이다.

1등급만 아는 개념 ⊕ 음운 변동과 규칙 활용

• 용언이 활용할 때 어간과 어미의 형태가 변하더라도 그 형태 변화가 모든 활용에 적용되고 음운 변동으로 설명할 수 있다면 규칙 활용으로 본다. 음운 변동과 관련 있는 규칙 활용은 다음과 같다.

'ㄹ' 탈락	'ㄹ'로 끝난 어간이 'ㄴ, ㅂ, ㅅ'으로 시작하는 어미나 '-오, -ㄹ'를 만날 때, 어간 받침 'ㄹ'이 탈락하는 현상 예 날-+-는 → 나는, 살-+-오 → 사오
'ㅡ' 탈락	'ㅡ'로 끝난 어간이 모음 어미를 만날 때, 어간 모음 'ㅡ'가 탈락하는 현상 예 크-+-어 → 커, 따르-+-아 → 따라
동음 탈락 ('ㅏ/ㅓ' 탈락)	'ㅏ/ㅓ'로 끝나는 어간이 'ㅏ/ㅓ'로 시작하는 어미와 만날 때, 그중 하나가 탈락하는 현상 예 가-+-아 → 가, 서-+-어 → 서

06 용언의 이해 ❹

ㄴ의 '더워'는 본용언으로, '온다'는 보조 용언으로 쓰인 반면 ㄷ에 쓰인 '먹고'와 '갔다'나, ㄹ에 쓰인 '접어'와 '띄웠다'는 모두 본용언으로 쓰였다. 본용언은 문장의 주체를 주되게 서술하는 용언으로서 단독으로 쓰여도 문장이 성립되지만, 보조 용언은 본용언과 연결되어 본용언의 뜻을 보충하는 용언으로 보조 용언만 쓰이면 문장이 성립되지 않는다. 따라서 ㄴ은 ㄹ처럼 의미가 성립하는 두 문장으로 나누어지지 않는다.

오답 피하기

① ㄱ은 '덥다'라는 용언이 홀로 쓰인 문장이고, ㄴ은 ㄱ에 사용된 용언인 '덥다'의 활용형 '더워'가 본용언으로 '온다'라는 용언이 보조 용언으로 쓰였다. 따라서 '덥다'를 보면 '한 용언이 홀로 쓰이기도 하고 다른 용언과 어울려 쓰이기도 함'을 알 수 있다.

② ㄴ은 앞에 있는 '더워'가 실질적인 의미를 가진 본용언이며, 뒤에 있는 '온다'가 본용언에 의미를 더해 주는 보조 용언이므로 '뒤의 용언이 앞의 용언의 의미를 보충하는 역할을 함'을 알 수 있다.

③ ㄷ의 '먹고'와 '갔다'는 모두 실질적인 의미를 지닌 본용언으로 사용되었다. 이 경우 "철수가 밥을 먹고 갔다."는 올바른 문장이나 "철수가 밥을 먹고갔다."는 비문이라고 한 것을 보아 '두 용언이 모두 실질적인 의미를 가지고 있으면 띄어 써야 함'을 알 수 있다.

⑤ ㄴ은 '덥-+-어', ㄷ은 '먹-+-고', ㄹ은 '접-+-어'로 어간과 어미를 분석할 수 있는데, 이때 사용된 '-아/어', '-고'는 용언과 용언을 연결하고 있음을 알 수 있다.

07 용언의 활용 ❶

'깨달은'은 어간 '깨닫-'에 관형사형 전성 어미 '-은'이 붙은 단어로, 어간의 끝소리가 'ㄹ'인 경우에 해당하지 않는다. '깨닫-'의 어간 끝소리 'ㄷ'이 'ㄹ'로 바뀐 것은 'ㄷ' 불규칙 활용에 해당하는 것으로, '깨달은'은 옳은 표기에 해당한다.

오답 피하기

① '낯설은'은 ㄹ로 끝난 어간 '낯설-'에 관형사형 전성 어미 '-은'을 잘못 붙인 경우로, 어간 끝 자음 'ㄹ'을 탈락시킨 뒤 관형사형 전성 어미 '-ㄴ'을 붙여 '낯선'으로 고쳐 써야 한다.

② '시들은'은 ㄹ로 끝난 어간 '시들-'에 관형사형 전성 어미 '-은'을 잘못 붙인 경우로, 어간 끝 자음 'ㄹ'을 탈락시킨 뒤 관형사형 전성 어미 '-ㄴ'을 붙여 '시든'으로 고쳐 써야 한다.

④ '내밀은'은 ㄹ로 끝난 어간 '내밀-'에 관형사형 전성 어미 '-은'을 잘못 붙인 경우로, 어간 끝 자음 'ㄹ'을 탈락시킨 뒤 관형사형 전성 어미 '-ㄴ'을 붙여 '내민'으로 고쳐 써야 한다.

⑤ '물들은'은 ㄹ로 끝난 어간 '물들-'에 관형사형 전성 어미 '-은'을 잘못 붙인 경우로, 어간 끝 자음 'ㄹ'을 탈락시킨 뒤 관형사형 전성 어미 '-ㄴ'을 붙여 '물든'으로 고쳐 써야 한다.

08 동사와 형용사 ❹

'기대가 크다.'에서 '크다'는 "기대나 생각이 보통 정도를 넘는다."라는 뜻으로 상태를 나타내므로 형용사이다. '쑥쑥 큰다.'에서 '크다'는 '자라다'의 뜻으로 작용을 나타내고, 현재형 종결 어미 '-ㄴ다'와 어울리므로 동사이다.

오답 피하기

① '속눈썹은 길다.'에서 '길다'가 현재형 종결 어미 '-ㄴ다'와 어울려 '긴다'처럼 쓰일 수 없고, '긴 겨울방학'에서 '긴'이 관형사형 전성 어미 '-는'과 어울려 '길는'처럼 쓰일 수 없으므로 '길다'와 '긴'은 모두 형용사로 쓰였다.

② '얼굴이 젊다.'에서 '젊다'가 현재형 종결 어미 '-는다'와 어울려 '젊는다'처럼 쓰일 수 없고, '젊은 나이'에서 '젊은'이 관형사형 전성 어미 '-는'과 어울려 '젊는'처럼 쓰일 수 없으므로 '젊다'와 '젊은'은 모두 형용사로 쓰였다.

③ '봄바람이 따뜻하다.'에서 '따뜻하다'가 현재형 종결 어미 '-ㄴ다'와 어울려 '따뜻한다'처럼 쓰일 수 없고, '따뜻한 마음씨'에서 '따뜻한'이 관형사형 전성 어미 '-는'과 어울려 '따뜻하는'처럼 쓰일 수 없으므로 '따뜻하다'와 '따뜻한'은 모두 형용사로 쓰였다.

⑤ '너무 늦다.'에서 '늦다'가 현재형 종결 어미 '-는다'와 어울려 '늦는다'처럼 쓰일 수 없고, '늦은 나이'에서 '늦은'이 관형사형 전성 어미 '-는'과 어울려 '늦는'처럼 쓰일 수 없으므로 '늦다'와 '늦은'은 모두 형용사로 쓰였다.

09 어미의 종류 ③

㉠은 종결 어미, ㉡은 연결 어미, ㉢은 전성 어미에 대한 설명으로, ③의 '가는'에서 '-는'은 동사 '가다'의 어간 '가-'에 붙은 관형사형 전성 어미로 ㉢에 해당한다.

오답 피하기

① '-구나'가 '도착했겠-' 뒤에 붙어 문장을 끝맺고 있으므로 ㉠에 해당한다.
② '-지'가 '오시-' 뒤에 붙어 문장을 끝맺고 있으므로 ㉠에 해당한다.
④ "형은 밥을 먹었다."와 "누나는 밥을 먹지 않았다."라는 두 문장이 '-으나'로 연결되어 있으므로 ㉡에 해당한다.
⑤ '운동하-'라는 동사의 어간에 어미 '-기'가 붙어 명사처럼 기능하며, 조사인 '에'와 결합하고 있으므로 ㉢에 해당한다.

10 어미와 의존 명사 ⑤

'흐린 걸'은 '흐린 것을'의 구어적 표현이다. 이때의 '것'은 의존 명사이므로 앞말과 띄어 써야 한다.

오답 피하기

①, ② '않은 걸', '바라는 걸'은 각각 '않은 것을', '바라는 것을'의 구어적 표현이다. 이때의 '것'은 의존 명사이므로 앞말과 띄어 써야 한다.
③ '쌓였는걸'은 감탄의 뜻을 나타내는 종결 어미 '-는걸'이 쓰였으므로 앞말과 붙여 써야 한다.
④ '훌륭하던걸'은 가벼운 반박이나 감탄의 뜻을 나타내는 종결 어미 '-ㄴ걸'이 쓰였으므로 앞말과 붙여 써야 한다.

11 용언의 불규칙 활용 ③

"한쪽으로 휘어져 있다."라는 뜻을 지닌 '굽다'는 '굽어서'와 같이 규칙 활용을 하지만, "불에 익히거나 타게 하다."라는 뜻의 '굽다'는 '구워서'와 같이 어간 '굽-'의 'ㅂ'이 'ㅜ'로 바뀌는 'ㅂ' 불규칙 활용을 한다.

오답 피하기

① "친구가 병이 낫다."에서 '낫다'는 "병이나 상처 따위가 고쳐져 본래대로 되다."라는 뜻의 동사, "동생이 형보다 인물이 낫다."에서 '낫다'는 "보다 더 좋거나 앞서 있다."라는 뜻의 형용사로 동음이의 관계에 있지만 둘 다 '낫-+-아 → 나아'처럼 용언의 어간 받침인 'ㅅ'이 탈락하는 'ㅅ' 불규칙 활용을 한다.
② "벽에 바른 벽지가 울다."에서 '울다'는 "발라 놓은 것이 반반하지 못하고 우글쭈글해지다."라는 뜻의 동사, "시합에 진 어린이가 울다."에서 '울다'는 "눈물을 흘리다."라는 뜻의 동사로 쓰여 동음이의 관계에 있지만 둘 다 '울-+-어 → 울어, 울-+-니 → 우니'와 같은 규칙 활용을 한다.
④ "친구에게 약속 시간을 이르다."에서 '이르다'는 "무엇이라고 말하다."라는 뜻의 동사로 '이르-+-어 → 일러'처럼 '르' 불규칙 활용을 한다. 반면 "약속 장소에 이르다."에서 '이르다'는 "어떤 장소나 시간에 닿다"라는 뜻의 동사로 '이르-+-어 → 이르러'처럼 '러' 불규칙 활용을 한다.
⑤ "장작이 벽난로에서 타다."에서 '타다'는 "불이 번지거나 불꽃이 일어나다."라는 뜻의 동사로, "학교에 가려고 버스를 타다."에서 '타다'는 "탈 것에 몸을 얹다."라는 뜻의 동사로 동음이의 관계에 있지만 둘 다 '타-+-아 → 타(동음 탈락), 타-+-니 → 타니'와 같은 규칙 활용을 한다.

1등급만 아는 개념 '르' 불규칙과 '러' 불규칙 용언

- 흐르다('르' 불규칙): 흐르-+-어 → 흘러 ('르' → 'ㄹㄹ')
- 푸르다('러' 불규칙): 푸르-+-어 → 푸르러 ('어' → '러')
- 치르다(규칙 용언): 치르- + -어 → 치러 ('ㅡ' 탈락)

'르' 불규칙	'러' 불규칙	'ㅡ' 탈락
불규칙 활용	불규칙 활용	규칙 활용

03 품사 ③ – 수식언, 독립언

사뿐히 즈려밟는 확인 문제 p.33~35

바로바로 간단 체크 **1** (1) 이기(서술격 조사 '이다'의 이-+-기): 가변어, 나쁘게(나쁘-+-게): 가변어 (2) 가: 불변어, 모두: 불변어, 솔직히: 불변어 (3) 와: 불변어, 그렇게(그렇-+-게): 가변어, 쉽지(쉽-+-지): 가변어 (4) 쓴(쓰-+-ㄴ): 가변어, 진짜: 불변어 (5) 그: 불변어, 멋지구나(멋지-+-구나): 가변어 **2** (1) 네: 대명사, 이: 조사, 전부: 부사 (2) 우아: 감탄사, 과연: 부사, 그렇게(그렇-+-게): 형용사, 됐구나(되-+-었-+-구나): 동사, (3) 두: 관형사, 제일: 부사, 큰(크-+-ㄴ): 형용사 (4) 집중: 명사, 만: 조사, 잘: 부사, 살(살-+-ㄹ): 동사 (5) 흠: 감탄사, 안: 부사, 것: 명사 (6) 예쁜(예쁘-+-ㄴ): 형용사, 꼭: 부사 (7) 급하게(급하-+-게): 형용사, 도: 조사, 음: 감탄사, 조심조심: 부사 (8) 즐겁게(즐겁-+-게): 형용사, 춤: 명사, 춤(추-+-ㅁ): 동사 (9) 그것: 대명사, 저: 관형사, 좀: 부사 (10) 여보: 감탄사, 좀: 부사 (11) 여러: 관형사, 총: 관형사, 넷: 수사, 이다: 조사

01 ③	02 ④	03 ④	04 ③	05 ⑤	06 ⑤
07 ③	08 ⑤	09 ④	10 ②	11 ②	12 ⑤
13 ③					

01 품사의 구분 ③

'두'는 '집'을 수식하는 수 관형사이다.

오답 피하기

⑤ '언제'는 용언 '세워졌나요'를 수식하는 지시 부사로 잘 모르는 때를 나타내고 있다.

02 형용사와 부사 ④

'깊이'의 품사는 부사이다. '깊이'는 용언의 어간 '깊-'에 부사 파생 접미사 '-이'가 결합하여 품사가 부사로 변하였다.

오답 피하기

①, ③, ⑤ 밑줄 친 단어는 용언의 어간에 부사형 전성 어미 '-게'가 붙은 것으로 품사는 형용사이다.

② 밑줄 친 단어는 용언의 어간에 관형사형 전성 어미 '-ㄴ'이 붙은 것으로 품사는 형용사이다.

03 관형사 ❹

'최신'은 명사로 '최신의 휴대폰'과 같이 조사와 결합할 수 있다.

오답 피하기

① '몇'이 횟수를 나타내는 의존 명사 '번' 앞에 쓰여 의존 명사를 수식하는 관형사이다.

②, ③ 밑줄 친 말이 명사 앞에 쓰여 명사를 수식하는 관형사이다.

⑤ '다른'은 '당장 문제가 되거나 해당되는 것 이외의'라는 뜻의 관형사로 '딴'으로 바꾸어서 쓸 수 있다. 형용사 '다르다'에 관형사형 전성 어미 '-ㄴ'이 붙은 것으로 생각할 수 있지만, 이 문장에서는 서술성이 없이 뒤에 오는 체언을 수식하므로 관형사로 보는 것이 알맞다.

1등급만 아는 개념 용언의 관형사형 vs 관형사

- 관형사 중에서는 '다른, 헌'처럼 용언의 관형사형(용언의 어간에 관형사형 전성 어미가 붙은 활용)이 관형사로 굳어진 형태가 있어서 용언의 관형사형과 관형사를 구분할 때 주의해야 한다.
- 용언의 관형사형은 품사가 용언이므로 서술하는 기능이 있고, 다른 문장에 관형절로 안긴 것이기 때문에 아래와 같이 두 문장으로 나눌 수 있다. 그러나 관형사는 서술의 기능이 없기 때문에 두 문장으로 나눌 수 없다. (문장은 '주어+서술어'가 한 번씩 나와야 함.)

  예 • 모양이 다른 상자가 있다. (용언의 관형사형)
  → (상자가) 모양이 다르다. + 상자가 있다.
  • 다른 물건을 보고 싶습니다. (관형사)

04 품사의 구분 ❸

'여기'는 장소를 대신하는 지시 대명사로 조사 '에서'와 함께 쓰이고 있다.

오답 피하기

①, ②, ④ 밑줄 친 단어가 각각 용언 '간다', '잔다', '도착하는지'를 꾸며 주므로 부사임을 알 수 있다.

⑤ '설마'는 문장 전체를 꾸며 주므로 부사임을 알 수 있다.

05 부사의 이해 ❺

'또는'은 접속 부사로서 '색종이'와 '한지'라는 두 단어를 이어 주고 있다.

오답 피하기

①, ② ㉠의 '이리'는 동사 '가져오시오'를, ㉡의 '쾅쾅'은 동사 '굴렀다'를 수식한다.

③ '분명히'는 "그녀는 착한 사람일 거야."라는 문장 전체를 수식하며 화자의 확신을 드러낸다.

④ '겨우'는 '그것'이라는 대명사를 수식한다. '그것이다'는 대명사 '그것'에 서술격 조사 '이다'가 결합한 형태이다.

1등급만 아는 개념 체언 수식 부사

- 체언을 수식하는 것은 관형사의 기능인데, 학교 문법에서는 몇몇 부사가 체언을 수식하는 기능을 한다고 인정한다. 이를 체언 수식 부사라고 한다. 즉, 부사는 용언이나 다른 부사를 수식하는 것은 물론 체언, 관형사, 문장에 이르기까지 다양한 문법 단위들을 수식할 수 있다.

  예 • 그는 ㉠바로 떠났다. / 내가 좋아하는 사람이 ㉡바로 너이다. (→ 바로 너)
  • 신발이 내 발에 ㉢꼭 맞다. / ㉣꼭 열흘이 지났다. (→ 꼭 열흘)
- 부사는 ㉠과 ㉢의 예처럼 용언을 수식하는 역할을 주로 하지만, ㉡과 ㉣의 예처럼 체언 앞에 놓여 체언을 수식하며 '강조, 수량, 위치, 서술' 등의 뜻을 지니게 된다. 이때 체언 뒤에 오는 조사나 접미사 등은 생략되기도 한다. 중요한 것은 ㉠과 ㉡, ㉢과 ㉣은 부사와 관형사로 품사가 통용되어 쓰이는 것이 아니라는 점이다. 학교 문법에서는 부사가 체언을 수식할 수 있다고 보기 때문에 ㉠~㉣은 모두 부사의 쓰임을 보여 주는 예이다.

06 수식언의 이해 ❺

'헌 모자'에서 '헌'은 '헐다'라는 용언의 관형사형이 관형사로 굳어진 것으로, 서술하는 기능 없이 '모자'를 수식하고 있다.

오답 피하기

③ '빠르게'는 형용사의 어간 '빠르-'에 부사형 전성 어미 '-게'가 붙은 것이며, '빨리'는 용언 '와라'를 수식하고, 활용이 불가능하므로 부사이다.

④ '다섯이'에서 '다섯'의 품사는 수사로 조사 '이'와 결합하여 쓰이고 있으나, '다섯 친구'에서 '다섯'의 품사는 관형사로 체언 '친구'를 꾸며 주고 있다.

07 독립언의 이해 ❸

'영주야'는 명사(영주)와 호격 조사(야)가 결합한 형태이며 감탄사로 볼 수 없다.

오답 피하기

⑤ 감탄사는 크게 '아'처럼 상대방을 의식하지 않고 감정을 표출하는 감정 감탄사, '여보세요'처럼 상대방을 의식하며 자기의 생각을 표현하는 의지 감탄사, '에'처럼 생각이 나지 않아 말을 더듬거나 별다른 의미 없이 내뱉는 무의미 감탄사로 구분할 수 있다.

08 감탄사 ❺

'청춘'은 문장의 첫머리에서 제시어나 표제어의 역할을 하는 명사이다.

오답 피하기

① '네' ② '허허' ④ '여보세요' ⑤ '아이고'라는 감탄사가 쓰였다.

09 감탄사 ❹

감탄사는 <보기>의 ㉠, ㉡, ㉢처럼 문장에서 단독으로 쓰일 수 있다.

10 형용사와 관형사 ❷

ㄱ의 '아름다운'은 '꽃이 아름답다'는 것으로 주어인 '꽃이'를 서술하는 기능을 하며, ㅁ의 '빠른'은 '일처리가 빠르다'라는 것으로 주어인 '일처리가'를 서술하는 기능을 한다. 따라서 ㄱ, ㅁ의 밑줄 친 단어는 형용사이다. 하지만 ㄴ의 '웬'과 ㄷ의 '새', ㄹ의 '모든'은 주어를 서술하는 기능을 하지 못하고, 뒤에 오는 체언을 꾸며 주므로 관형사이다.

11 기능에 따른 품사 구분 ❷

ⓐ'이'는 명사 '사과'를, ⓑ'그'는 명사 '책'을 수식하는 관형사이다. ⓒ'여기'는 장소를 나타내는 대명사로 조사 '가' 앞에 쓰였다. ⓓ'이리'는 용언 '오게'를, ⓔ'그리'는 용언 '보내겠습니다'를 수식하는 부사이다.

12 부사와 조사의 구분 ❺

⑤의 "은숙이와 친구는 같이 사업을 했다."에서 '같이'는 '서로 함께'라는 의미로 쓰인 부사이므로 ㄷ에 해당하는 예문이다.

오답 피하기

① ㄱ의 '같이'가 체언 '눈' 뒤에 붙어 '~처럼'이라는 의미로 쓰인 조사이므로 적절한 예문이다.
② ㄴ의 '같이'가 '때'를 나타내는 명사 '새벽' 뒤에 붙어 '때'를 강조하고 있는 조사이므로 적절한 예문이다.
③ ㄷ의 '같이'가 "서로 함께"라는 의미로 쓰이는 부사이므로 적절한 예문이다.
④ ㄹ의 '같이'가 "어떤 상황(예상한 바)이나 행동 따위와 다름이 없이"라는 의미로 쓰이는 부사이므로 적절한 예문이다.

13 품사의 통용 ❸

"식구 모두가 여행을 떠났다."의 '모두'는 조사 '가'와 결합하여 문장에서 주어의 역할을 하는 명사이고, "그릇에 남긴 소금을 모두 쏟았다."의 '모두'는 용언 '쏟았다'를 수식하는 부사이다.

오답 피하기

① 둘에 다섯을 더하면 일곱이다.
서술격 조사 '이다'와 결합하여 서술어 역할 → (수사)
여기 사과 일곱 개가 있다.
의존 명사 '개'를 수식 → (수 관형사)
② 너 커서 무엇이 되고 싶니?
'몸의 길이가 자라다.'라는 뜻 → (동사)
가구가 커서 방에 들어가지 않는다.
'사물의 외형적 길이, 넓이, 높이, 부피 따위가 보통 정도를 넘다.'라는 뜻 → (형용사)
④ 나를 처벌하려면 법대로 해라.
명사 '법'에 붙음. → (조사)
큰 것은 큰 것대로 따로 모아 두다.
명사 '것'에 붙음. → (조사)
⑤ 모두 같이 학교에 갑시다.
동사 '갑시다'를 수식 → (부사)
얼음장같이 차가운 방바닥이 생각난다.
명사 '얼음장'에 붙어 '~처럼'이라는 의미를 더함. → (조사)

04 단어의 형성

사뿐히 즈려밟는 확인 문제 p.41~44

✔ 바로바로 간단 체크 1 (1) 합성어 (2) 단일어 (3) 합성어 (4) 단일어 (5) 파생어 (6) 파생어 (7) 합성어 (8) 파생어 (9) 파생어 (10) 합성어
2 (1) –스럽– (2) –롭– (3) –하– (4) –이 (5) 짓–, –히–
3 (1) 비통사적 합성어 (2) 비통사적 합성어 (3) 통사적 합성어 (4) 통사적 합성어 (5) 비통사적 합성어

01 ②	02 ②	03 ②	04 ①	05 ③	06 ④
07 ①	08 ②	09 ①	10 ④	11 ②	12 ⑤
13 ①	14 ①	15 ③	16 ④	17 ④	18 ⑤

01 형태소의 종류 ❷

자립 형태소는 다른 형태소의 도움 없이 혼자 쓰일 수 있는 형태소이다. 조사와 용언의 어간과 어미를 제외한 모든 단어는 자립 형태소에 해당한다. 의존 형태소는 반드시 다른 말에 기대어 쓰이는 형태소로 조사, 용언의 어간과 어미, 접사에 해당한다. 따라서 '나, 모자'는 자립 형태소, '는, 예쁘–, –ㄴ, 를, 보–, –았–, –다'는 의존 형태소이다.

02 형태소와 단어의 이해 ❷

'이'는 조사에 해당하며, 조사는 형식·의존 형태소이다. 조사는 자립적으로 쓰일 수 없지만, 단어로 인정한다.

오답 피하기

① '하늘'은 구체적인 대상을 나타내는 명사로, 실질·자립 형태소이자 하나의 단어이다.
③ '매우'는 '보통보다 훨씬 더'라는 구체적인 의미를 지닌 부사로, 실질·자립 형태소이자 하나의 단어이다.
④ '파랗–'은 용언의 어간으로 구체적인 의미를 지니는 실질 형태소이다. 하지만 어미 없이 홀로 쓰일 수 없기 때문에 의존 형태소이며, 어미가 없이는 단어로 인정되지 않는다.
⑤ '–다'는 용언의 어미로 실질적 의미가 없는 형식 형태소이자, 어간 없이 홀로 쓰일 수 없는 의존 형태소로, 어간이 없이는 단어로 인정되지 않는다.

03 형태소 분석 ❷

이 문장은 '집, 에, 늦게, 돌아온, 날, 은, 감기, 를, 앓았다.' 총 9개의 단어로 이루어져 있다.

오답 피하기

① 형식 형태소는 '에, –게, –아, –ㄴ, 은, 를, –았–, –다'로 총 8개가 쓰였다.
③ 이 문장은 '집, 에, 늦–, –게, 돌–, –아, 오–, –ㄴ, 날, 은, 감기, 를, 앓–, –았–, –다'와 같이 총 15개의 형태소로 분석된다.
④ 자립 형태소는 '집, 날, 감기'로 총 3개가 쓰였다.

⑤ 실질 형태소는 '집, 늦-, 돌-, 오-, 날, 감기, 앓-'로 총 7개가 쓰였다.

04 단어의 형성 방법 ①

[A]는 단일어, [B]는 복합어, [C]는 파생어, [D]는 합성어, [E]는 접두사에 해당한다.

05 단어의 형성 방법 ③

첫사랑은 관형사인 어근 '첫'과 명사인 어근 '사랑'이 결합하여 만들어진 합성어이다.

오답 피하기

①, ②, ④, ⑤ 접두사가 붙어 만들어진 파생어이다.

06 접사의 기능 이해 ④

'시아버지'는 어근 '아버지(명사)'에 접두사 '시(媤)-'가 붙은 것으로 그 품사는 여전히 명사이다.

오답 피하기

① 용언의 어근 '자-(동사)'에 접미사 '-ㅁ'이 붙어 품사가 명사로 바뀌었다.
② 용언의 어근 '높-(형용사)'에 접미사 '-이'가 붙어 품사가 명사 또는 부사로 바뀌었다.
③ 어근 '신사(명사)'에 접미사 '-답-'가 붙어 품사가 형용사로 바뀌었다.
⑤ 어근 '마르다(동사)'에 접두사 '메-'가 붙어 품사가 형용사로 바뀌었다.

1등급만 아는 개념+ 한정적 접사, 지배적 접사

• 접사는 통사 구조에 영향을 미치는지, 품사에 변화를 주는지에 따라 다음과 같이 나누기도 한다.

구분	내용
한정적 접사	어근의 의미에 부가적인 의미만을 덧붙이는 것 예 풋- + 사과, 치- + 솟다
지배적 접사 (통사적 접사)	문장 통사 구조에 영향을 주거나 품사 변화에 영향을 주는 것 • 품사가 바뀌는 경우 예 먹-(동사) + -이 → 먹이(명사) (동사를 명사로 바꿈.) 어른(명사) + -스럽- + -다 → 어른스럽다(형용사) (명사를 형용사로 바꿈.) • 통사 구조에 영향을 미치는 경우 예 고양이가 쥐를 잡다. → 쥐가 고양이에게 잡히다. (목적어가 주어로 바뀜.)

07 파생어 ①

'군밤'의 '군-'은 '굽다'의 어간 '굽-'에 관형사형 전성 어미 '-ㄴ'이 결합한 것으로 접사가 아닌 어근에 속한다.

08 파생어 ②

'먹히다'는 '먹다'의 피동사로, 접미사 '-히-'는 '먹다'의 어근 '먹-'에 붙어 문장 구조(통사 구조)에 영향을 미치지만 '먹다'와 '먹히다' 모두 품사는 동사로, 품사가 바뀌지는 않았다.

오답 피하기

④ 용언의 어간 뒤에 붙어 명사를 만드는 명사 파생 접미사로는 '-음/ㅁ'이 있는데 '-음'은 '믿음'처럼 ㄹ을 제외한 받침이 있는 용언의 어간에 붙고, '-ㅁ'은 '삶, 꿈'처럼 ㄹ 받침으로 끝나거나, 받침이 없는 용언의 어간 뒤에 붙는다.

09 합성어의 의미 관계 ①

①에서 '물병(물을 담는 병)'은 '물'이 '병'을 꾸며 주는 종속 합성어이다.

오답 피하기

② ㉡의 '돌다리(돌로 된 다리)'는 '돌'이 '다리'를 꾸며 주는 종속 합성어이다. '손수건(손을 닦는 수건)'은 '손'이 '수건'을, '책가방(책을 넣는 가방)'은 '책'이 '가방'을 꾸며 주는 종속 합성어이므로 예로 들 수 있다.
③ ㉢의 '바늘방석'은 '앉아 있기에 아주 불안스러운 자리를 비유적으로 이르는 말'로 어근 '바늘', '방석'의 본래 의미와 전혀 다른 새로운 의미로 쓰였기 때문에 융합 합성어이다.
④ "피땀을 흘리며 일하다."의 '피땀'은 '무엇을 이루기 위하여 애쓰는 노력과 정성을 비유적으로 이르는 말'로 어근 '피'와 '땀'이 지닌 본래 의미와 전혀 다른 새로운 의미로 쓰였기 때문에 융합 합성어이다.
⑤ "춘추복을 사러 가다."에서 '춘추'는 '봄과 가을'이라는 의미이므로 대등 합성어이고, "올해 춘추가 어떻게 되십니까?"에서 '춘추'는 '어른의 나이를 높여 이르는 말'이므로 융합 합성어이다.

10 통사적 합성어 ④

'본받다'는 '목적어+서술어(본을+받다)'의 관계이지만, '앞서다'는 '부사어+서술어(앞에+서다)'의 관계이다.

오답 피하기

① '한번'은 수 관형사 '한'과 단위성 의존 명사 '번'이 결합한 합성어이다. 의존 명사는 자립성이 없을지라도 그 품사가 명사이기 때문에 어근으로 본다. '온종일'은 관형사 '온'과 명사 '종일'이 결합한 합성어이다.
② '큰집'은 용언의 관형사형인 '큰(크-[용언의 어간]+-ㄴ[관형사형 전성 어미])'과 명사 어근 '집'이 결합한 통사적 합성어이다. '날짐승'은 용언의 관형사형인 '날(날-[용언의 어간]+-ㄹ[관형사형 전성 어미] → 'ㄹ 탈락'으로 용언의 어간 받침인 'ㄹ'이 없어짐)'에 명사 어근 '짐승'이 결합한 통사적 합성어이다. '작은아버지'는 용언의 관형사형인 '작은(작-[용언의 어간]+-은[관형사형 전성 어미])'에 명사 어근 '아버지'가 결합한 통사적 합성어이다.

③ '귀먹다'는 '귀가 먹다'에서 조사 '가'가, '힘들다'는 '힘이 들다'에서 조사 '이'가 생략되었다. '본받다'는 '본을 받다'에서 조사 '을'이, '앞서다'는 '앞에 서다'에서 조사 '에'가 생략되었다. 조사의 생략은 우리말에서 자연스럽게 일어나기 때문에 이들은 모두 통사적 합성어이다.
⑤ '길바닥'은 '길+바닥', '손발'은 '손+발', '고무신'은 '고무+신'으로 모두 명사와 명사가 결합하였으며, 명사와 명사 어근 사이에 조사가 생략된 형태이기 때문에 통사적 합성어에 속한다.

11 비통사적 합성어 ❷

'누비옷'은 용언의 어간인 '누비-'에 관형사형 전성 어미 없이 체언 '옷'이 바로 결합한 비통사적 합성어이다.

오답 피하기

① '큰집'은 '크-+-ㄴ+집'으로 분석되며 용언의 관형사형과 체언이 결합한 통사적 합성어이다.
③ '새언니'은 '새+언니'로 관형사와 체언이 결합한 통사적 합성어이다.
④ '뛰놀다'는 '뛰-+놀-+-다'로 용언의 어간과 어간이 결합할 때 연결 어미가 생략된 비통사적 합성어이다.
⑤ '부슬비'는 '부슬+비'로, 부사와 체언이 결합한 비통사적 합성어이다.

12 비통사적 합성어 ❺

'척척박사'는 '척척+박사'로, 부사와 체언이 결합한 비통사적 합성어이다.

오답 피하기

① '길짐승'은 용언의 관형사형 '길(길-+-ㄹ)'에 명사 어근 '짐승'이 결합한 통사적 합성어이다.
② '깡충깡충'은 부사 어근 '깡충'이 거듭된 통사적 합성어이다.
③ '가로막다'는 부사 '가로('옆으로 길게'라는 뜻)'에 용언의 어근 '막다'가 결합한 통사적 합성어이다.
④ '돌아가다'는 용언의 연결형 '돌아'에 용언의 어근 '가다'가 결합한 통사적 합성어이다.

13 형태소의 이해 ❶

㉠에 쓰인 자립 형태소는 '하늘', '매우'로 2개이다.

오답 피하기

② ㉠에 쓰인 형식 형태소는 '이', '-고', '-다'로 3개이다.
③ ㉠에 쓰인 의존 형태소는 '이', '높-', '-고', '푸르-', '-다'로 5개이다.
④ 실질 형태소이면서 의존 형태소는 용언의 어간이며, '높-', '푸르-'로 2개이다.
⑤ 실질 형태소이면서 자립 형태소는 조사와 용언의 어간과 어미를 제외한 단어이며, '하늘', '매우'로 2개이다.

14 단어 형성법 ❶

'새해'는 관형사 어근 '새'와 명사 어근 '해'가 결합한 합성어이다.

오답 피하기

② '밤낮'은 명사 어근 '밤'과 명사 어근 '낮'이 결합한 합성어이다.
③ '구경꾼'은 명사 어근 '구경'과 접사 '-꾼'이 결합한 파생어이다.
④ '이슬비'는 명사 어근 '이슬'과 명사 어근 '비'가 결합한 합성어이다.
⑤ '민들레'는 하나의 어근으로 이루어진 단일어이다.

15 직접 구성 요소 분석 ❸

'글짓기'는 '글+짓기'로 '짓기'는 다시 '짓-+-기'로 분석되므로 〈보기〉의 '말다툼'과 단어의 계층 구조가 동일하다.

오답 피하기

① '달리기'는 '달리-+-기'로 분석된다.
② '나들이'는 '나들+-이'로 '나들'은 다시 '나-+들-'로 분석된다.
④ '들기름'은 '들-+기름'으로 분석된다.
⑤ '웃음보'는 '웃음+-보'로 '웃음'은 다시 '웃-+-음'으로 분석된다.

1등급만 아는 개념 '직접 구성 요소' 분석

- '직접 구성 요소'란 어떤 구성을 둘로 쪼갰을 때의 각각을 말한다. 직접 구성 요소 분석은 구성체의 구조와 순서를 밝힐 때 유용하기 때문에 두 개 이상의 어근이 연결되어 형성된 합성어뿐만 아니라 문장 등의 분석에도 이용할 수 있다.

예 민수가 밥을 먹었다.
→ (1차 분석) 민수가 / 밥을 먹었다.
→ (2차 분석) 밥을 / 먹었다.

16 단어 형성법의 이해 ❹

㉣에서 '긁-', '밀-'은 동사 어근, '도구'는 명사 어근이다. 동사 어근이 어미와 결합하는 절차를 거치지 않고 명사 어근과 직접 결합하는 것은 우리말의 일반적인 결합 방식과 부합하지 않는다. 따라서 ㉣에서 제시된 단어들은 비통사적 합성어이다.

오답 피하기

① ㉠에서 '오이', '껍질', '칼'은 명사 어근이다. 명사가 명사를 수식하는 것은 우리말의 일반적인 결합 방식에 부합한다.
② ㉡에서 '갉작갉작', '사각사각'은 부사 어근, '칼'은 명사 어근이다. 부사가 명사를 수식하는 것은 우리말의 일반적인 결합 방식에 부합하지 않는다.
③ ㉢에서 '까-', '깎-'은 동사 어근, '-개'는 접사이다.
⑤ ㉤에서 '박박', '쓱쓱'은 부사 어근, '-이'는 접사이다.

17 어간과 어근 분석 ❹

'줄이다'의 경우 파생어이므로 어간 '줄이-'가 '줄-'(어근)+'-이-'(접사)로 이루어져 있고, '힘들다'의 경우 합성어이므로 어간 '힘들-'이 '힘'(어근)+'들-'(어근)로 이루어져 있으며, '오가다'의 경우 합성어이므로 어간 '오가-'가 '오-'(어근)+'가-'(어근)로 이루어져 있다.

18 단어 형성의 원리 ⑤

'앞서다'는 체언 '앞'과 용언 '서다'의 연결을 통해 만들어진 통사적 합성어에 해당한다.

오답 피하기

① '낯설다'는 체언 '낯'과 용언 '설다'가 결합하였으므로 ㉠의 적절한 예이다.
② '첫사랑'은 관형사 '첫'과 체언 '사랑'이 결합하였으므로 ㉡의 적절한 예이다.
③ '뜬소문'은 용언 '뜨다'의 관형사형 '뜬'과 체언 '소문'이 결합하였으므로 ㉢의 적절한 예이다.
④ '덮밥'은 용언의 어간 '덮-'에 체언 '밥'이 연결되어 만들어진 비통사적 합성으로 ㉣의 적절한 예이다.

05 단어의 의미

사뿐히 즈려밟는 **확인 문제** p.48~49

☑ **바로바로 간단 체크** 1 (1) 유의 관계, 유의어 (2) 반의 관계, 반의어 (3) 상하 관계 (4) 부분-전체 관계 2 (1) ○ (2) X (3) X (4) ○ (5) ○

01 ④ **02** ② **03** ④ **04** ② **05** ③ **06** ⑤ **07** ④

01 유의 관계 ④

'잡다'는 "손 따위로 움켜쥐고 놓지 않다."라는 의미를, '쥐다'는 "손가락을 구부려 주먹을 짓거나 주먹 안에 사물을 넣고 움켜잡다."라는 의미를 가진다. 그렇기 때문에 한 손에 쥘 수 없는 대상에는 '쥐다'를 쓸 수 없다.

오답 피하기

① ㉠에서 '잡다'와 '쥐다'는 "손으로 물체를 붙든다."라는 유사한 의미를 지니고 있으므로 유의 관계에 있다.
③ ㉢의 "서진이가 도둑을 쥐었다."는 목적어 '도둑'이 한 손에 쥘 수 없는 대상이기 때문에 문장의 의미가 어색해진다.
⑤ ㉠, ㉡과 달리 ㉢의 경우 '잡다'를 '쥐다'로 바꾸어 쓸 수 없으므로 유의 관계에 있는 단어들을 바꾸어 쓰는데 제약이 있음을 알 수 있다.

02 동음이의 관계 ②

'맵다'는 다의어로, 첫 번째 '맵다'는 "고추나 겨자와 같이 맛이 알알하다."라는 중심적 의미로 쓰였고, 두 번째 '맵다'는 "성미가 사납고 독하다."라는 주변적 의미로 쓰였다.

오답 피하기

① 첫 번째 '손'은 '다른 곳에서 찾아온 사람'의 의미로, 두 번째 '손'은 신체의 일부인 '손'의 주변적 의미인 '일을 하는 사람, 즉 일손'의 의미로 쓰였다. 두 단어는 소리는 같으나 의미상 연관성이 없기 때문에 동음이의 관계이다.
③ 첫 번째 '들다'는 "날이 날카로워 물건이 잘 베어지다."라는 의미로, 두 번째 '들다'는 "손에 가지다."라는 의미로 쓰였다. 두 단어 사이의 의미상 연관성이 없기 때문에 동음이의 관계이다.
④ 첫 번째 '점(占)'은 "여러 가지 방법으로 앞날의 운수나 길흉을 미리 판단하는 일"을 의미하며, 두 번째 '점(點)'은 "사람의 살갗이나 짐승의 털에 있는 얼룩"을 의미한다. 두 단어 사이의 의미상 연관성이 없으므로 동음이의 관계이다.
⑤ 첫 번째 '타다'는 "탈것에 몸을 얹다."라는 의미로, 두 번째 '타다'는 "불이 번지다."라는 의미로 쓰였다. 두 단어 사이의 의미상 연관성이 없으므로 동음이의 관계이다.

03 상하 관계와 부분-전체 관계 ④

상의어가 될수록 그 의미가 더 추상적이고 포괄적이며, 하의어가 될수록 그 의미가 더욱 개별적이며 구체적이다.

오답 피하기

① ㉠에서 '식물'은 '꽃'의 의미를 포함하므로 '식물'은 상의어이고 '꽃'은 하의어이다.
② ㉡에서 '꽃'은 '무궁화'의 의미를 포함하므로 '꽃'은 상의어, '무궁화'는 하의어이다.
③ ㉠의 '꽃'은 '식물'의 하의어로, ㉡의 '꽃'은 '무궁화'의 상의어로 쓰였으므로 상의어와 하의어의 관계는 상대적임을 알 수 있다.
⑤ ㉢에서 '꽃잎'은 '잎, 줄기' 등과 함께 '무궁화'를 구성하는 부분이 되므로 '무궁화'와 '꽃잎'은 부분-전체 관계를 이룬다.

04 반의 관계 ②

반의어는 두 단어 사이에 공통적인 의미 요소를 가지면서 한 개의 의미 요소가 다를 때 성립한다. '엄마'와 '아빠'는 '사람, 부모'와 같은 공통적인 의미 요소를 가지지만 '성별'이라는 의미 요소가 다르기 때문에 반의 관계에 속한다.

오답 피하기

① '벗다'는 '(옷을) 벗다'로 쓰일 때는 '입다'와, '(모자를) 벗다'로 쓰일 때는 '쓰다'와, '(신발을) 벗다'로 쓰일 때는 '신다'와 반의 관계를 이루므로 문맥에 따라 다양한 반의어가 존재한다.
③ '오다'는 "기준이 되는 쪽으로 움직여 위치를 이동하다."라는 뜻이고, '가다'는 "기준이 되는 쪽에서 다른 쪽으로 움직여 위치를 이동하다."라는 뜻이므로 두 단어는 방향의 대립 관계를 이룬다.
④ '차갑다'와 '뜨겁다'는 손이 느끼는 온도의 정도를 기준으로 '차갑다'는 온도가 낮은 상태를, '뜨겁다'는 온도가 높은 상태를 의미하기 때문에 등급의 대립 관계를 이루는 등급 반의어이다. 또한, 두 단어 사이에는 중간 등급의 '미지근하다' 등이 존재한다.
⑤ '남자'와 '여자'는 '성별'이라는 의미 영역을 둘로 나눈 것이기 때문에 중간 개념이 없이 하나가 참이면 하나는 거짓이 되는(예: 남자이면, 여자가 아니다.) 상호 배타적인 성격을 보이는 상보 반의어이다.

05 다의 관계 ③

㉠의 '뿌리'는 '사물이나 현상을 이루는 근본을 비유적으로 이루는 말'로 중심적 의미로부터 확장된 주변적 의미로 쓰였고, ㉡의 '뿌리'는 '식물의 밑동'을 뜻하는 중심적 의미로 쓰였다.

오답 피하기

① ㉠의 '별'은 자연물 자체를 가리키는 중심적 의미로 쓰였고, ㉡의 '별'은 '어떤 분야에서 위대한 업적을 남긴 대가를 비유적으로 이르는 말'이므로 주변적 의미로 쓰였다.

② ㉠의 '번개'는 자연현상 자체를 가리키는 중심적 의미로 쓰였고, ㉡의 '번개'는 '동작이 아주 빠르고 날랜 사람이나 사물을 비유적으로 이르는 말'이므로 주변적 의미로 쓰였다.

④ ㉠의 '태양'은 자연물 자체를 가리키는 중심적 의미로 쓰였고, ㉡의 '태양'은 '매우 소중하거나 희망을 주는 존재를 비유적으로 이르는 말'이므로 주변적 의미로 쓰였다.

⑤ ㉠의 '이슬'은 자연물 자체를 가리키는 중심적 의미로 쓰였고, ㉡의 '이슬'은 눈물을 비유적으로 이르는 말이므로 주변적 의미로 쓰였다.

06 다의 관계와 반의 관계 ⑤

'서다'의 중심적 의미는 "사람이나 동물이 발을 땅에 대고 다리를 쭉 뻗으며 몸을 곧게 한다."이고, '앉다'의 중심적 의미는 "사람이나 동물이 윗몸을 바로 한 상태에서 엉덩이에 몸무게를 실어 다른 물건 위에 몸을 올려놓거나 무릎을 구부려 엉덩이를 다리나 발 위에 올려놓다."이다. 따라서 '서다'와 '앉다'의 중심적 의미가 쓰인 ⑤는 반의 관계가 성립된다.

오답 피하기

① '서다'가 "계획, 결심, 자신감 따위가 마음속에 이루어지다."라는 주변적 의미로 쓰였고, '앉다'도 "어떤 직위나 자리를 차지하다."라는 주변적 의미로 쓰였다.

② '서다'는 중심적 의미로 쓰였으나, '앉다'는 "새나 곤충 따위가 일정한 곳에 내려 자기 몸을 다른 물건 위에 놓다."라는 주변적 의미로 쓰였다.

③ '서다'가 "무딘 것이 날카롭게 되다."라는 주변적 의미로 쓰였고, '앉다'도 "공기 중에 있던 먼지와 같은 미세한 것이 다른 물건 위에 내려 쌓이다."라는 주변적 의미로 쓰였다.

④ '서다'는 "부피를 가진 어떤 물체가 땅 위에 수직인 상태로 있게 되다."라는 주변적 의미로, '앉다'는 중심적 의미로 쓰였다.

07 단어의 의미 관계 ④

'쓰다'와 '달다'는 맛을 기준으로 했을 때 반의 관계이고, 〈보기〉의 '입다'와 상하 관계를 형성하고 있는 '(모자를) 쓰다'와 '(이름표를) 달다'는 '입다'의 하의어일 뿐이다.

오답 피하기

① '끼다'는 "무엇에 걸려 있도록 꿰거나 꽂다."라는 의미이므로 손가락에 꿸 수 있는 장갑과 반지 등과 어울려 쓸 수 있다.

③ 〈보기〉의 [A]에서 '매다'와 '두르다'는 "끈이나 줄 따위를 몸에 휘감다."라는 유사한 의미를 지니므로 유의 관계를 이룬다.

⑤ '붙이다'는 '달다'와 "물건을 다른 물건에 부착하다."라는 유의 관계를 이루므로, '달다'의 상의어 '입다'와 '붙이다'도 상하 관계를 이룰 수 있다.

꿈엔들 잊힐리야 수능 다가가기 p.54~57

01 ⑤ 02 ④ 03 ③ 04 ① 05 ③ 06 ① 07 ② 08 ② 09 ① 10 ⑤ 11 ①

01 품사의 구분 정답 ⑤ 정답률 69%

답인 이유

① '즐거운'은 ㉤에 해당하고 관형사이다.

➡ ㉤은 '활용하지 않으며 뒤에 오는 체언을 수식하는 말'로 관형사에 대한 설명이다. 그러나 '즐거운'은 형용사 '즐겁다'의 어간 '즐겁-'에 관형사형 전성 어미 '-은'이 붙은 형용사의 관형사형이다(즐겁-+-은 → 즐거운[ㅂ불규칙 활용]). 파생 접사와 달리 전성 어미는 품사를 바꾸지 않으므로, '즐거운'의 품사는 형용사이다.

오답 풀이

① '옛날, 사진, 기억'은 ㉠에 해당하고 명사이다.

➡ ㉠은 '활용하지 않으며 사물의 이름을 나타내는 말'로 명사에 대한 설명이다. 제시된 예문에서는 '옛날, 사진, 기억'은 명사이므로 ㉠에 해당한다.

② '보니, 떠올랐다'는 ㉡에 해당하고 동사이다.

➡ ㉡은 '활용하고 사물의 동작이나 작용을 나타내는 말'로 동사에 대한 설명이다. 제시된 예문에서 '보니, 떠올랐다'는 동사이므로 ㉡에 해당한다.

③ '하나'는 ㉢에 해당하고 수사이다.

➡ ㉢은 '활용하지 않으며 수량이나 순서를 나타내는 말'로 수사에 대한 설명이다. 제시된 예문에서 '하나'가 수사이므로 ㉢에 해당한다.

④ '을, 가'는 ㉣에 해당하고 조사이다.

➡ ㉣은 '활용하지 않으며 앞말에 붙어 앞말과 다른 말의 문법적 관계를 나타내거나 특수한 의미를 덧붙이는 말'로 조사에 대한 설명이다. 제시된 예문에서 '을, 가'가 조사이므로 ㉣에 해당한다.

개념의 좌표 찾기

- 품사 분류(→ 13쪽)
- 관형사(→ 31쪽)
- 전성 어미(→ 24쪽)
- 명사(→ 14쪽)
- 동사(→ 23쪽)
- 수사(→ 15쪽)
- 조사(→ 16쪽)

02 동사와 형용사의 구분 | 정답 ④ | 정답률 87%

답인 이유

④ '있다'와 '없다'는 상태의 의미를 나타내지만 동사로 쓰이고 있다.

➡ [A]에서 존재, 소유와 같이 상태의 의미를 나타내는 '있다'는 형용사라고 하였고, 형용사 '없다'의 경우도 반의어인 형용사 '있다'와 동일한 활용 양상을 보인다고 하였다. 이를 참고하면 ⓓ에 쓰인 '있다'와 '없다'는 소유의 의미를 나타내는 형용사로 쓰이면서, 예외적으로 현재 시제 관형사형 어미 '-는'과 결합하였음을 알 수 있다.

오답 풀이

① ⓐ: 동사와는 달리 형용사는 현재를 나타내는 선어말 어미와 결합할 수 없다.

➡ [A]에서 동사와 달리 형용사는 원칙적으로 선어말 어미 '-ㄴ/는-'과 결합하여 쓰이지 않는다고 하였다. 이를 참고하면 ⓐ에서 동사인 '먹다'는 현재를 나타내는 선어말 어미 '-는-'과 결합하여 '먹었다, 먹는다'로 쓰이는 것과 달리, 형용사인 '예뻤다'는 현재 시제 선어말 어미 '-ㄴ-'과 결합하면 '예쁜다'라는 비문법적 표현이 된다.

② ⓑ: 동사와는 달리 형용사는 명령형·청유형 어미와 결합할 수 없다.

➡ [A]에서 형용사는 명령형, 청유형 종결 어미와 결합하여 쓰이지 않는다고 했다. 이를 참고하면 ⓑ에서 동사인 '먹다'가 명령형 종결 어미 '-어라'와 청유형 종결 어미인 '-자'와 결합하여 '먹어라, 먹자'로 쓰이는 것과 달리, 형용사인 '예쁘다'는 '-어라'나 '-자'가 결합할 경우 '예뻐라, 예쁘자'라는 비문법적인 표현이 된다.

③ ⓒ: 동사와는 달리 형용사는 의도·목적을 나타내는 연결 어미와 결합할 수 없다.

➡ [A]에서 형용사는 의도나 목적을 나타내는 연결 어미와 결합하여 쓰이지 않는다고 하였다. 이를 참고하면 ⓒ에서 동사인 '먹다'는 의도를 나타내는 연결 어미 '-려고'와 목적을 나타내는 연결 어미 '-러'와 결합하여 '먹으려고, 먹으러'로 쓰이는 것과 달리, 형용사인 '예쁘다'는 '-려고'나 '-러'가 결합할 경우 '예쁘려고, 예쁘러'라는 비문법적인 표현이 된다.

⑤ ⓔ: '크다'와 '길다'는 형용사, 동사로 모두 쓰이고 있다.

➡ [A]에서 '사물의 속성이나 상태를 나타내는 형용사와 사물의 작용의 일종인 상태 변화를 나타내는 일부 동사는 의미상 매우 밀접하'다고 하였다. 이를 참고하면 ⓔ에서 '나무가 크다.'와 '머리카락이 길다.'에서의 '크다'와 '길다'는 상태를 나타내는 형용사이고, '나무가 쑥쑥 큰다.'와 '머리카락이 잘 긴다.'에서의 '크다'와 '길다'는 상태의 변화를 나타내는 동사로, 현재 시제 선어말 어미 '-ㄴ-'과 결합하고 있다.

개념의 좌표 찾기

• 동사와 형용사 구분하기(→ 23쪽)

03 품사의 구분과 단어의 형성 | 정답 ③ | 정답률 83%

답인 이유

③ ㉯, ㉰

그 가수는 현란한 ㉯춤을 추며 노래를 불렀다.

오늘따라 학생들의 ㉰걸음이 가벼워 보였다.

➡ 〈보기 1〉에서 ㉠의 '달리기'는 명사로서 관형어 '하는'의 수식을 받으며, ㉡의 '달리기'는 동사로서 부사어 '빨리'의 수식을 받는다. 〈보기 2〉에서 ㉠과 품사가 같은 것, 즉 명사인 것은 ㉯와 ㉰인데, ㉯는 '추-(동사 '추다'의 어근)'에 접미사 '-(으)ㅁ'이 붙어 만들어진 명사로서 관형어 '현란한'의 수식을 받으며, ㉰는 '걷-(동사 '걷다'의 어근)'에 접미사 '-(으)ㅁ'이 붙어 만들어진 명사로서 관형어 '학생들의'의 수식을 받는다.

오답 풀이

그는 멋쩍게 ㉮웃음으로써 답변을 회피했다.

➡ '웃-'에 명사형 전성 어미 '-(으)ㅁ'이 붙은 동사로서 부사어 '멋쩍게'의 수식을 받는다.

자기 소개서에 "만화를 잘 ㉱그림."이라고 썼다.

➡ '그리-'에 명사형 전성 어미 '-(으)ㅁ'이 붙은 동사로서 부사어 '잘'의 수식을 받는다.

개념의 좌표 찾기

• 명사형 전성 어미와 명사 파생 접미사 구분하기(→ 39쪽)

04 단어의 의미 | 정답 ① | 정답률 89%

답인 이유

① ㉠: 물은 낮은 곳으로 흐른다. / ㉡: 환경에 대한 관심도가 낮다.

➡ "물은 낮은 곳으로 흐른다."에서 '낮은'은 공간의 높고 낮음을 뜻하므로 중심적 의미의 예시로 적절하다. 또한 "관심도가 낮다."에서 '낮다'는 "기준이 되는 정도에 미치지 못함."을 뜻하는 것으로 중심적 의미에서 확장된 주변적 의미로 쓰이고 있다.

오답 풀이

② ㉠: 그는 성공할 가능성이 크다. / ㉡: 힘든 만큼 기쁨이 큰 법이다.

➡ '크다'의 중심적 의미는 "사람이나 사물의 외형적 길이, 넓이, 부피 따위가 보통 정도를 넘다."이다. 그러나 ㉠에서 '크다'는 '가능성 따위가 많다'라는 주변적 의미로 쓰였으며, ㉡에서의 '크다' 역시 "일의 규모, 범위, 정도, 힘 따위가 대단하거나 강하다."라는 주변적 의미로 쓰였다.

③ ㉠: 두 팔을 최대한 넓게 벌렸다. / ㉡: 도로 폭이 넓어서 좋다.

➡ '넓다'의 중심적 의미는 "면이나 바닥 따위의 면적이 크다."이다. 그러나 ㉠과 ㉡에서의 '넓다'는 모두 중심적 의미로 쓰였다.

④ ㉠: 내 좁은 소견을 말씀드렸다. / ㉡: 마음이 좁아서는 곤란하다.

➡ '좁다'의 중심적 의미는 "면이나 바닥 따위의 면적이 작다."이다. ㉠과 ㉡에서의 '좁다'는 모두 "마음 쓰는 것이 너그럽지 못

하다."라는 주변적 의미로 쓰였다.

⑤ ㉠: 작은 힘이라도 보태고 싶다. / ㉡: 우리 학교는 운동장이 작다.

➡ ㉠에서 '작다'는 "일의 규모, 범위, 정도, 중요성 따위가 비교 대상이나 보통 수준에 미치지 못하다."라는 주변적 의미로 쓰였으며, ㉡에서 '작다'는 "길이, 넓이, 부피 따위가 비교 대상이나 보통보다 덜하다."라는 중심적 의미로 쓰였다. 따라서 ㉠과 ㉡의 사례가 바뀌었다.

개념의 좌표 찾기

• 다의 관계(→ 47쪽)

05 형태소의 특징 | 정답 ③ | 정답률 89%

답인 이유

③ 반드시 다른 말과 결합하여 쓰이고 음운 환경에 따라 그 형태가 바뀌는군요.

➡ '은'과 '는'은 보조사이면서 홀로 쓸 수 없는 의존 형태소이다. 또한 앞의 단어가 받침이 있는지 여부에 따라 '은'과 '는'으로 형태가 바뀐다. 하지만 앞말과 쉽게 분리되어 단어의 자격을 가진다. '듣-'과 '들-'은 동사 '듣다'의 어간이므로 실질적 의미를 나타내는 실질 형태소이면서 의존 형태소이다. 또한 뒤에 결합하는 어미가 자음으로 시작하는지 모음으로 시작하는지에 따라 형태가 달라졌음을 알 수 있다. '-았-'과 '-었-'은 선어말 어미로서 의존 형태소이다. 또한 결합하는 어간의 모음이 양성 모음이냐 음성 모음이냐에 따라 다른 형태로 나타난다.

개념의 좌표 찾기

• 형태소의 분류(→ 37쪽)
• 이형태(→ 37쪽)

06 의존 명사와 자립 명사의 구분 | 정답 ① | 정답률 92%

답인 이유

① 이 글에는 여러 군데 잘못이 있다.

➡ '군데'는 '낱낱의 곳을 세는 단위'의 의미를 지니는 의존 명사로 '여러 군데, 한 군데, 두 군데, 몇 군데'처럼 항상 관형어의 수식을 받아야 하며 자립 명사로는 쓰이지 않는다.

오답 풀이

② 앉은 자리에서 밥 두 그릇을 먹었다.

➡ ②에서 '그릇'은 수량을 나타내는 말 '두' 뒤에서 밥의 단위를 나타내지만, "그릇을 씻다."에서처럼 '음식이나 물건 따위를 담는 기구를 통틀어 이르는 것'을 뜻하는 자립 명사로도 쓰인다.

③ 시장에서 수박 세 덩어리를 사가지고 왔다.

➡ ③에서 '덩어리'는 수량을 나타내는 말 '세' 뒤에서 수박의 단위를 나타내지만, "흙이 덩어리가 지다."에서처럼 '크게 뭉쳐서 이루어진 것'을 뜻하는 자립 명사로도 쓰인다.

④ 할아버지께서는 밥을 몇 숟가락 겨우 뜨셨다.

➡ ④에서 '숟가락'은 수량을 나타내는 말 '몇' 뒤에서 밥을 숟가락으로 뜬 단위를 나타내지만, "숟가락을 떨어트렸다."에서처럼 '밥이나 국물 따위를 떠먹는 기구'를 뜻하는 자립 명사로도 쓰인다.

⑤ 나는 서너 발자국 뒤로 물러서다가 냅다 도망쳤다.

➡ ⑤에서 '발자국'은 수량을 표현하는 '서너' 뒤에서 발을 한 번 떼어 놓는 걸음을 세는 단위를 나타내지만, "발자국을 따라가다."에서처럼 '발로 밟은 자리에 남은 모양'의 의미를 지니는 자립 명사로도 쓰인다.

개념의 좌표 찾기

• 자립 명사/의존 명사(→ 14쪽)

07 단어의 구조 파악 | 정답 ② | 정답률 57%

답인 이유

② ⓑ는 그 직접 구성 요소 중 하나가 파생어인 합성어이다.

➡ '눈웃음'을 직접 구성 요소로 나누면 '눈+웃음'이 된다. '눈웃다'라는 말이 존재하지 않기 때문에 '눈웃-+-음'으로 나눌 수 없다. 다시 '웃음'을 직접 구성 요소로 나누면 '웃-+-음(명사 파생 접미사)'이므로, '눈웃음'은 그 직접 구성 요소 중 하나인 '웃음'이 파생어인 합성어이다.

오답 풀이

① ⓐ는 그 직접 구성 요소 중 하나가 합성어인 합성어이다.

➡ '나들이옷'은 '나들이+옷'으로 분석되는 합성어이고, '나들이'는 다시 '나들-+-이(접미사)'로 분석되는 파생어이다. 따라서 '나들이옷'은 그 직접 구성 요소 중 하나가 파생어인 합성어이다.

③ ⓒ는 그 직접 구성 요소 중 하나가 합성어인 파생어이다.

➡ '드높이(다)'는 '드높-+-이-(접미사)'로 분석되는 파생어이고, '드높-'은 다시 '드-(접두사)+높-(어근)'으로 분석되는 파생어이다. 따라서 '드높이(다)'는 그 직접 구성 요소 중 하나가 파생어인 파생어이다.

④ ⓓ는 그 직접 구성 요소 중 하나가 파생어인 파생어이다.

➡ '집집이'는 '집집+-이(접미사)'로 분석되는 파생어이고, '집집'은 '집+집'으로 분석되는 합성어이다. 따라서 '집집이'는 그 직접 구성 요소 중 하나가 합성어인 파생어이다.

⑤ ⓔ는 그 직접 구성 요소 중 하나가 합성어인 파생어이다.

➡ '놀이터'는 '놀이+터'로 분석되는 합성어이고, '놀이'는 '놀-+-이(접미사)'이므로 파생어이다. 따라서 '놀이터'는 그 직접 구성 요소 중 하나가 파생어인 합성어이다.

개념의 좌표 찾기

• 직접 구성 요소 분석(→ 40쪽)
• 파생어(→ 39쪽)
• 합성어(→ 40쪽)

08 단어 형성법의 이해 정답 ② 정답률 48%

답인 이유

② ㄷ, ㅁ

ㄷ. '사범'과 '대학'을 결합하여 '사대'라는 말을 만들었다.

ㅁ. '비빔'과 '냉면'을 결합하여 '비빔냉면'이라는 말을 만들었다.

➡ '사대'는 선생님의 마지막 발언에서 예로 든 '인강'처럼 앞말과 뒷말의 첫 음절만 따서 만든 단어이다. '비빔냉면'은 윗글에서 예로 든 '건널목, 노림수, 섞어찌개'처럼 용언의 활용형이 명사와 결합하여 만들어진 단어이다.

오답 풀이

ㄱ. '선생님'을 줄여서 '샘'이라는 말을 만들었다.

➡ '선생님'을 줄여 '샘'을 만든 것은 앞말과 뒷말의 일부 음절을 딴 방식에 해당하지 않으며, 합성 명사로 보기도 어렵다.

ㄴ. '개-'와 '살구'를 결합하여 '개살구'라는 말을 만들었다.

➡ '개살구'는 접두사 '개-'와 명사 '살구'가 결합한 파생 명사이기 때문에 제시된 수업 대화의 사례로 보기 어렵다.

ㄹ. '점잖다'라는 형용사로부터 '점잔'이라는 말을 만들었다.

➡ '점잔'은 '점잖은 태도'를 뜻하는 명사인데, 형용사 '점잖다'로부터 만들어진 말임을 확인할 수 있을 뿐 합성 명사가 아니기 때문에 제시된 수업 대화의 사례로 보기 어렵다.

1등급만 아는 개념+ 새말 만들기

'새말'은 '신어(新語)'라고도 하는데, 새로 생겨난 사물이나 개념을 표현하기 위해 지어낸 말을 의미한다. 새말은 기존의 합성어·파생어를 만드는 방식으로 생겨나기도 하지만, 머리글자를 결합하거나 단어의 일부만을 결합하여 만들기도 한다.

- 머리글자의 결합 - 예 강추(← 강력 추천), 인강(← 인터넷 강의)
- 단어의 일부를 결합 - 예 칼제비(← 칼국수 + 수제비)

09 단어 형성법의 이해 정답 ① 정답률 75%

답인 이유

① 자기 잘못은 자기가 책임져야 한다.

'잘못'은 부사 '잘'과 부사 '못'이 결합되어 만들어진 합성 명사이다.

오답 풀이

② 언니는 가구를 전부 새것으로 바꿨다.

➡ '새것'은 관형사 '새'와 의존 명사 '것'이 결합하여 합성 명사가 형성된 경우로 수업 대화 중 '새색시'와 같은 형성 방식의 예이다.

③ 아이가 요사이에 몰라보게 훌쩍 컸다.

➡ '요사이'는 관형사 '요('이'를 낮잡아 이르거나 귀엽게 이르는 말)'와 명사 '사이'가 결합하여 합성 명사가 형성된 경우로 수업 대화 중 '새색시'와 같은 형성 방식의 예이다.

④ 오늘날에는 교육에서 창의성이 중시된다.

➡ '오늘날'은 명사 '오늘'과 명사 '날'이 결합하여 합성 명사가 형성된 경우로 수업 대화 중 '논밭, 불고기'와 같은 형성 방식의 예이다.

⑤ 나는 갈림길에서 어디로 가야 할지 몰랐다.

➡ '갈림길'은 용언 '갈리다'의 활용형 '갈림(갈리-+-ㅁ[명사형 전성 어미])'과 명사 '길'이 결합하여 합성 명사가 형성된 경우로 수업 대화 중 '건널목, 노림수, 섞어찌개'와 같은 형성 방식의 예이다.

개념의 좌표 찾기

- 합성어(→ 40쪽)
- 관형사(→ 31쪽)
- 부사(→ 31쪽)
- 전성 어미(→ 24쪽)

10 품사의 구분과 사전 활용 정답 ⑤ 정답률 71%

답인 이유

	ⓐ	ⓑ	ⓒ
⑤	바투[부]	㉣	㉠

➡ 〈보기〉에서 ㉠, ㉡에 쓰인 '밭게'는 '밭다'의 활용형이며 ㉢, ㉣에 쓰인 '바투'는 부사임을 알 수 있다. 따라서 ⓐ에 들어가기 적절한 것은 '바투[부]'이다. ⓑ와 ⓒ에 무엇이 들어갈지는 의미를 통해 확인할 수 있는데 ⓑ는 두 대상의 사이가 썩 가깝다는 의미로 쓰인 경우이므로 ㉣이 들어가기에 적절하며 ⓒ는 시간이나 공간이 몹시 가깝다는 의미로 쓰인 경우이므로 ㉠이 들어가기에 적절하다.

개념의 좌표 찾기

- 형용사(→ 23쪽)
- 형용사와 부사의 구분(→ 32쪽)
- 부사(→ 31쪽)

11 본용언과 보조 용언의 구분 정답 ① 정답률 63%

답인 이유

	㉠	㉡	㉢
①	살아가다	받아 가다	닮아 가다 또는 닮아가다

➡ '살아가다'는 사전에 하나의 단어로 실려 있으므로 '살아가다'로 써야 한다. '받아가다'는 사전의 표제어로 등재되어 있지 않지만 '-아'를 '-아서'로 바꾸어 쓸 수 있으므로 '본용언+본용언'의 구성이며, '받아 가다'로 띄어 써야 한다. '닮아가다'는 사전에 표제어로 실려 있지 않으며, '-아'를 '-아서'로 바꾸어 쓸 수 없으므로 '본용언+보조 용언'의 구성이다. 이 경우 띄어 씀을 원칙으로 하되 붙여 씀도 허용하므로 '닮아 가다', '닮아가다'로 모두 쓸 수 있다.

개념의 좌표 찾기

- 본용언/보조 용언(→ 25쪽)

2. 문장

06 문장 성분

사뿐히 즈려밟는 **확인 문제** p.63~65

바로바로 간단 체크 1 (1) 나는(주어), 감사를(목적어), 보낸다(서술어) (2) 너에게(부사어), 무한한(관형어) (3) 청춘(독립어) 2 (1) 주어 (2) 서술어 (3) 목적어 (4) 보어 (5) 부사어 3 (1) ㉠ (2) ㉡, ㉣, ㉤ (3) ㉢, ㉥ 4 (1) 어린, 세상의, 모든 (2) 빠르게, 남쪽으로, 열시에, 너에게

01 ⑤ 02 ③ 03 ⑤ 04 ⑤ 05 ④ 06 ③ 07 ① 08 ⑤ 09 ② 10 ②

01 문장 성분 분석 ⑤

ㄴ의 '입는다'라는 서술어는 주어(영수가)와 목적어(옷을)가 필요한 두 자리 서술어이지만, ㄷ의 '선물했다'라는 서술어는 주어(진수가), 필수적 부사어(영희에게), 목적어(꽃을)가 필요한 세 자리 서술어이므로 두 문장에 쓰인 필수 성분의 개수는 다르다.

오답 피하기

① ㄱ에서 '빠르게'는 부사어로 부속 성분에 해당한다.
② ㄴ에서 부속 성분인 관형어 '새'는 체언 '옷'을 꾸며 준다.
③ ㄷ에서 부속 성분은 '영희에게(부사어)', '예쁜(관형어)' 두 개이고, 주성분은 '진수가(주어)', '꽃을(목적어)', '선물했다(서술어)' 세 개이므로 주성분의 개수가 더 많다.
④ ㄱ과 ㄴ에는 생략된 필수 성분이 없다.

02 주어의 특징 ③

'ㄷ'처럼 특정 단어나 문장을 인용할 때에는 체언이 아니어도 주격 조사가 결합하여 문장에서 주어 역할을 할 수 있다. 따라서 '반드시 체언이 쓰여야 한다'는 진술은 적절하지 않다.

03 서술어의 자릿수 ⑤

㉠에서는 "그는 (성인군자가) 아니다."처럼 '아니다'가 필수적으로 요구하는 '주어'와 '보어' 중 '보어'가 빠졌기 때문에 문장이 어색해졌다. ㉡에서는 "혜지가 (엄마와) 닮았다."처럼 '닮다'가 필수적으로 요구하는 '주어'와 '필수적 부사어' 중 '필수적 부사어'가 빠졌기 때문에 문장이 어색해졌다. ㉢에서는 "수호가 (동화책을) 읽었다."처럼 '읽다'가 필수적으로 요구하는 '주어'와 '목적어' 중 '목적어'가 빠졌기 때문에 문장이 어색해졌다. 즉 ㉠~㉢은 모두 서술어가 요구하는 필수 성분이 생략되어 문장이 어색해졌다.

04 서술어의 자릿수 ⑤

'말해 주었다'는 주어와 목적어 외에도 말을 전달받는 대상인 '내게(필수적 부사어)'가 반드시 필요한 세 자리 서술어이다.

05 문장 성분 분석 ④

㉣의 품사는 부사로, 부사형 전성 어미 '-게'가 붙어서 부사어로 활용된 용언 '㉤달리게(기본형: 달리다)'를 꾸며 주는 부사어이다.

오답 피하기

① '새'는 관형사로 '옷'이라는 체언을 꾸미는 관형어이다.
② '간절한(기본형: 간절하다)'은 형용사로 어간 '간절하-'에 관형사형 전성 어미 '-ㄴ'이 붙어 '소원'이라는 체언을 꾸미는 관형어로 활용되었다.
③ '소원을'은 체언 '소원'에 목적격 조사 '을'이 붙어, 서술어가 표현하는 동작의 대상이 되는 목적어로 쓰였다.
⑤ '달리게(기본형: 달리다)'는 동사로 어간 '달리-'에 부사형 전성 어미 '-게'가 붙어, 서술어 '되었다'를 꾸미는 부사어로 활용되었다.

06 관형어의 구조 ③

ㄷ의 '따뜻한'은 형용사 어간인 '따뜻하-'에 관형사형 전성 어미 '-ㄴ'이 결합하여 관형어가 된 것이고, ㅁ은 동사 어간인 '읽-'에 관형사형 전성 어미 '-던'이 결합하여 관형어가 된 것이므로 ㄷ과 ㅁ의 품사는 다르다.

오답 피하기

① ㄱ에서는 관형사 '첫'이 관형어가 되어 체언 '서리'를 꾸며 준다.
② ㄴ에서는 체언 '대한민국'에 관형격 조사 '의'가 결합하여 체언 '수도'를 꾸며 준다.
④ ㄴ은 관형격 조사 '의'가 관형어임을 드러내는 표지가 되지만, ㄹ의 경우 체언 뒤에 관형격 조사가 생략되어 있으므로 관형어임을 나타내는 표지가 드러나지 않는다.
⑤ ㅁ에서는 용언 '읽다'의 어간 '읽-'에 관형사형 전성 어미 '-던'이 결합한 관형어가 체언 '책'을 꾸며 준다.

07 부사어의 특징 ①

'아무'는 뒤따르는 체언인 '말'을 꾸며 주는 '관형어'로 쓰이고 있다. '아무'의 품사는 관형사이다.

오답 피하기

② '무척'은 뒤따르는 부사어 '부지런히'를 꾸민다. '부지런히'는 '부지런('놀지 아니하고 하는 일에 매우 꾸준함'을 뜻하는 명사)+-히(부사 파생 접미사)'로 만들어진 부사이자 부사어이다.
③ '과연'은 문장 전체를 꾸며 주는 문장 부사어로 화자의 태도를 드러낸다.
④ '전하다'는 필수적 부사어를 필요로 하는 세 자리 서술어이다. 따라서 부사어인 '재범이에게'가 생략되면 문장이 완결된 의미를 갖기 어렵다.
⑤ '그래서'는 문장과 문장을 이어 주는 문장 부사어로 두 문장이 인과 관계임을 알려 준다.

08 문장 성분 분석 ⑤

ㄱ의 '가위로'와 달리 ㄴ의 '동생으로'는 서술어 '삼았다'가 온전한 문장이 되기 위해 반드시 필요한 성분인, 필수적 부사어이다.

09 부사어의 구분 ②

'이상하게'는 문장과 문장을 이어 주는 기능을 하는 것이 아니라, "오늘은 운이 좋다."라는 문장에 대한 화자의 '의아함(태도)'을 드러내는 문장 부사어이다.

10 서술어의 자릿수 ②

'살다'가 ㉡의 의미로 쓰일 때에는 주어만 필수적으로 요구하는 한 자리 서술어가 된다. '살다'가 두 자리 서술어로 사용될 때에는 ㉢의 의미로 쓰이거나 "어느 곳에 거주하다."의 의미로 쓰일 때이다.

07 문장 구조

사뿐히 즈려밟는 **확인 문제** p.70~73

☑ **바로바로 간단 체크** 1 (1) ②, ③ (2) ①, ④, ⑤ 2 ㉠ 부사절 ㉡ -기 ㉢ -던 ㉣ 라고 3 (1) 내가 기다리던-관형절 / 늦게-부사절 (2) 성실한-관형절 / 공부를 다 했다고-인용절 (3) 그가 가게에서 산-관형절 / 값이 싸다-서술절 (4) 평소와 달리-부사절 / 커피를 마셨음-명사절

01 ②	02 ④	03 ④	04 ④	05 ④	06 ④
07 ②	08 ⑤	09 ⑤	10 ③	11 ④	12 ②
13 ①	14 ②	15 ④	16 ①	17 ④	

01 문장 구조의 이해 ②

다른 문장을 문장 성분으로 포함하는 문장을 '안은문장'이라 하고, 다른 문장의 문장 성분이 된 문장을 '안긴문장'이라고 한다.

오답 피하기

⑤ 서술절을 안은문장은 '주어+[주어+서술어]'의 형태로 이루어져 있어, 표면적으로는 주어가 두 개인 것처럼 보인다.

02 겹문장의 짜임 ④

〈보기〉는 관형절(밑줄 친 부분)을 안은문장이다. 나머지 선지들도 모두 이와 같이 절이 안겨 있는 안은문장이지만, ④는 연결 어미 '-지만'을 통해 "시골집은 너무 덥다."와 "시골집은 매우 고즈넉했다."라는 두 문장이 대등하게 이어진 문장이다.

03 이어진문장의 구분 ④

이어져 있는 두 문장의 의미 관계를 통해 대등하게 이어진문장인지, 종속적으로 이어진문장인지 알 수 있다. ④는 "간식을 자주 먹는다."라는 홑문장과 "살이 빠지지 않는다."라는 홑문장이 연결된 겹문장으로, 앞 절이 뒤 절의 원인이나 이유가 되는 관계이다. 이러한 의미 관계는 종속적 연결 어미 '-으니'를 통해서도 확인할 수 있다.

오답 피하기

① 대등적 연결 어미 '-고', ② 대등적 연결 어미 '-며', ③ 대등적 연결 어미 '-지만', ⑤ 대등적 연결 어미 '-으나'를 통해 두 문장이 대등하게 이어졌다.

04 이어진문장의 의미 관계 ④

"새를 잡으려고 돌팔매질을 했다."라는 문장은 "새를 잡다."와 "돌팔매질을 했다."라는 두 홑문장이 연결된 겹문장이다. 이때 사용된 연결 어미 '-으려고'는 '의도, 목적'의 의미를 나타낸다.

오답 피하기

① '-고'는 앞 절과 뒤 절을 나열하는 대등적 연결 어미이다.
② '-아서'는 이유를 나타내는 종속적 연결 어미이다.
③ '-다가'는 동작의 전환을 나타내는 종속적 연결 어미이다.
⑤ '-지만'은 역접, 대조의 관계로 두 문장을 이어 주는 대등적 연결 어미이다.

05 종속적으로 이어진문장 ④

ㄹ에 쓰인 종속적 연결 어미 '-면'은 앞 절이 뒤 절의 '조건'임을 표시해 준다.

오답 피하기

① 앞 절과 뒤 절이 대조의 의미로 대등하게 이어진문장이다.
② '-어도'는 가정이나 양보의 의미를 나타내는 연결 어미이다.
③ 앞 절 "속이 불편하다."는 뒤 절 "좋아하는 음식을 먹지 못했다."의 원인이 된다.
⑤ 앞 절 "다은이를 만나다."는 뒤 절 "일찍 집을 나섰다."의 의도로 볼 수 있다.

06 안긴문장의 구분 ④

㉠에 들어갈 문장은 〈보기〉에 제시된 두 가지 조건을 만족해야 하므로 겹문장 중 안은문장이다. ④의 문장은 "(주어가) 어제 사람을 만나다."라는 홑문장이 관형사형 전성 어미 '-ㄴ'에 의해 관형절 '어제 만난'으로 안겨 있기 때문에 ㉠의 예로 적절하다. 안긴문장의 목적어인 '사람을'은 관형절이 수식하는 명사인 '사람'을 포함하고 있기 때문에 생략되었다.

오답 피하기

①, ②, ③ 주어와 서술어의 관계가 한 번 나타나는 홑문장이다.
⑤ 연결 어미 '-고'로 연결된 대등하게 이어진문장이다.

07 안긴문장의 이해 ②

〈보기〉의 문장에 포함된 안긴문장은 '영희와 다르게(←민주가 영희와 다르다.)'로 용언 어간 '다르-'에 '-게'가 붙은 부사절이다. 따

라서 부사절이 포함되지 않은 문장을 찾으면 된다. ②의 안긴문장 '반짝이는(←별이 반짝이다.)'은 용언 어간 '반짝이-'에 관형사형 전성 어미 '-는'이 붙은 관형절이다.

08 안긴문장의 이해 ❺

서술어 '아니다' 앞에 위치하는 '이'는 주격 조사가 아니라 보격 조사이다. 따라서 ⑤는 '주어+보어+서술어'로 구성된 홑문장이다.

오답 피하기

① '키가 작다', ② '목이 길기도 하다', ③ '상상력이 풍부하다', ④ '강아지가 두렵다'가 서술절로 쓰였다. 서술절은 주어가 두 개인 것처럼 보이는 문장으로 절 자체가 전체 문장의 서술어 기능을 한다.

09 안긴문장 구조 분석 ❺

ㄷ의 안긴문장은 "구렁이가(주어), 담을(목적어), 넘다(서술어)."로 문장 성분의 생략이 일어나지 않았다. ㄱ의 안긴문장 "차연이가(주어), 만점을(목적어), 받았다(서술어)."에서도 문장 성분이 생략되지 않았다. 반면 ㄴ의 안긴문장은 "윤서가(주어), 음료수를(목적어), 마신다(서술어)."인데, '음료수를'이라는 목적어가 생략되었다.

오답 피하기

①, ② ㄱ에서 명사형 전성 어미 '-음'은 안긴문장의 용언 어간 '받았-'과 결합하여 명사절 '차연이가 만점을 받았음'을 만들고 있다. 그리고 이 명사절이 부사격 조사 '에'와 결합하여 전체 문장의 부사어 역할을 한다.

③ ㄴ에서 관형사형 전성 어미 '-는'이 안긴문장의 용언 어간 '마시-'와 결합하여 체언 '음료수'를 꾸미는 관형절로 기능하고 있다.

④ ㄷ에서 '-듯'이 안긴문장의 용언 어간 '넘-'과 결합하여 서술어 '능청거린다'를 꾸미는 부사절로 기능하고 있다.

10 홑문장과 겹문장의 구분 ❸

③은 '주어(우리는)'와 '서술어(돌아왔다)'의 관계가 한 번밖에 나타나지 않는 홑문장이다.

오답 피하기

① 연결 어미 '-면'에 의해 종속적으로 이어진문장이다.

② '소리도 없이'라는 부사절을 안은문장이다.

④ '우리가 돌아온'이라는 관형절을 안은문장이다.

⑤ 연결 어미 '-고'로 대등하게 이어진문장이다.

11 안긴문장의 표지(어미와 접사의 구분) ❹

㉠은 부사어 '홀로'의 수식을, ㉡은 부사어 '충분히'의 수식을, ㉤은 부사어 '매우'의 수식을 받으므로 ㉠, ㉡, ㉤에는 명사형 어미(ⓐ)가 결합하여 쓰였다. ㉢은 관형어 '차가운'의 수식을, ㉣은 관형어 '건전한'의 수식을 받으므로 ㉢, ㉣에는 명사 파생 접미사(ⓑ)가 결합하여 쓰였다.

12 안긴문장의 생략된 성분 파악 ❷

㉢에서는 안긴문장의 용언 어간 '하-'에 관형사형 전성 어미 '-ㄴ'이 결합한 관형절이 쓰이고 있으며, 두 문장에서 '공원'이라는 의미가 중복되기 때문에 ㉠의 '공원에서(부사어)'가 생략되었음을 알 수 있다.

13 종속적으로 이어진문장 ❶

①은 조건을 나타내는 연결 어미 '-면'을 통해 앞 절과 뒤 절을 잇고 있다.

오답 피하기

② 목적을 나타내는 연결 어미 '-려고', ③ 양보를 나타내는 연결 어미 '-어도', ④ 배경을 나타내는 연결 어미 '-는데', ⑤ 인과를 나타내는 연결 어미 '-어서'가 쓰였다.

14 부사절을 안은문장 ❷

〈보기〉에서는 부사절이 무엇인지에 대해 설명하고 있으므로 부사절을 안은문장을 찾으면 된다. ②에서 '이가 시리도록'은 원래 '이가 시리다.'라는 문장의 용언 어간 '시리-'에 '-도록'이 결합되어 서술어인 '차가웠다'를 수식하는 부사절이다.

오답 피하기

① 밑줄 친 부분은 "(주어가) 이 일을 하다."라는 문장의 용언 어간 '하-'에 명사형 전성 어미 '-기'와 주격 조사 '가'가 붙어 문장의 주어로 쓰이는 명사절이다.

③ 밑줄 친 부분은 조사 '고'가 사용되어 은기의 말을 간접 인용한 것이므로 인용절이다.

④ 밑줄 친 부분은 "(사람이) 마음이 따뜻하다."라는 문장의 용언 어간 '따뜻하-'에 관형사형 전성 어미 '-ㄴ'이 결합하여 체언 '사람'을 수식하는 관형절이다.

⑤ 밑줄 친 부분은 "우리가 어제 돌아오다."라는 문장의 용언 어간 '돌아오-'에 관형사형 전성 어미 '-ㄴ'이 결합하여 체언 '사실'을 수식하는 관형절이다.

15 안긴문장의 생략된 성분 파악 ❹

㉣은 "내가 공원에서 늘 쉬다."라는 문장이 "그는 공원에서 산책을 했다."라는 문장에 안겨 있는 것으로, 용언 어간 '쉬-'에 관형사형 전성 어미 '-던'이 결합하여 관형절 '내가 늘 쉬던'이 되었다. 그리고 안긴문장의 부사어 '공원에서'가 안은문장의 부사어와 중복되면서 생략되었음을 알 수 있다.

오답 피하기

① "자식이 건강하다."라는 문장의 용언 어간 '건강하-'에 명사형 전성 어미 '-기'가 붙어 명사절 '자식이 건강하기'로 쓰였으며, 다른 문장에 안기면서 생략된 문장 성분은 없다.

② "연락도 없다."라는 문장의 용언 어간 '없-'에 '-이'가 붙어 부사절 '연락도 없이'로 쓰였으며, 다른 문장에 안기면서 생략된 문장 성분은 없다.

③ "자신의 판단이 옳았다."라는 문장의 용언 어간 '옳-'에 선어말 어미 '-았-'과 명사형 전성 어미 '-음'이 붙어 명사절 '자신의 판단이 옳았음'으로 쓰였으며, 다른 문장에 안기면서 생략된 문장 성분은 없다.
⑤ "과제가 아주 어렵다."라는 문장의 용언 어간 '어렵-'에 관형사형 전성 어미 '-은'이 붙어 관형절 '아주 어려운'으로 쓰였으며, "그 사람들은 과제를 금방 끝냈다."라는 문장에 안기면서 주어(과제가)가 생략되었다.

16 안은문장과 안긴문장 ❶

ㄱ에서 안은문장의 주어는 '누나는'이고, 안긴문장의 주어는 '마음이'이다.

오답 피하기

② ㄴ에서 주어는 '그 배는'이고 서술어는 '갔다'로 주어와 서술어의 관계가 한 번만 나타난다.
③ ㄷ에서 안긴문장은 "형이 책을 주다."이고 안은문장은 "나는 책을 읽었다."이므로 두 문장의 목적어가 같다.
④ ㄷ의 안긴문장 '형이 준'은 관형어의 역할을 하는 관형절이고 ㄹ의 안긴문장 '그가 학생임'은 목적격 조사 '을'이 붙어 목적어의 역할을 하는 명사절이다.
⑤ ㅁ은 나열의 의미를 나타내는 연결 어미 '-고'를 통해 만들어진 대등하게 이어진문장이다.

17 겹문장의 특성 파악 ❹

명사절의 표지인 '-(으)ㅁ, -기'나 관형절의 표지 '-ㄴ, -는, -ㄹ' 등을 통해 명사절과 관형절이 모두 쓰인 문장을 찾을 수 있다. ④ "꽃이 봄에 활짝 피다."라는 문장의 용언 어간 '피-'에 관형사형 전성 어미 '-ㄴ'이 붙어 체언 '봄'을 수식하는 관형절 '꽃이 활짝 핀'으로 쓰였으며, "봄이 오다."라는 문장의 용언 어간 '오-'에 명사형 전성 어미 '-기'가 붙은 명사절 '봄이 오기'가 목적격 조사 '를'과 함께 쓰여 문장의 목적어로 기능하고 있다.

오답 피하기

① 조건의 의미를 나타내는 연결 어미 '-면'이 쓰인 종속적으로 이어진문장이다.
② "꽃이 봄에 활짝 피다."라는 문장의 용언 어간 '피-'에 관형사형 전성 어미 '-는'이 붙은 관형절 '꽃이 활짝 핀'이 쓰인 문장이다.
③ 나열의 의미를 나타내는 연결 어미 '-고'가 쓰인 대등하게 이어진문장이며, "꽃이 활짝 피다."라는 문장의 용언 어간 '피-'에 명사형 전성 어미 '-기'가 붙은 명사절 '꽃이 활짝 피기'가 목적어로 기능하는, 명사절을 안은문장이다.
⑤ "봄이 오다."라는 문장의 용언 어간 '오-'에 원인의 의미를 나타내는 연결 어미 '-아서'가 쓰인 종속적으로 이어진문장이며, "꽃이 활짝 피다."라는 문장의 용언 어간 '피-'에 명사형 전성 어미 '-기'가 붙은 명사절 '꽃이 활짝 피기'가 목적어로 기능하는, 명사절을 안은문장이다.

08 문법 요소 ❶ - 종결, 높임, 시간

사뿐히 즈려밟는 **확인 문제** p.79~83

☑ 바로바로 간단 체크 1 (1) 주체 높임법, 객체 높임법, 상대 높임법 / 할아버지, 할머니 (2) 주체 높임법, 상대 높임법 / 선생님, 선생님의 아들(간접 높임) (3) 상대 높임법 / 박 서방 (4) 주체 높임법, 객체 높임법, 상대 높임법 / 모친(어머니), 고모 (5) 주체 높임법, 상대 높임법 / 이사, 이사의 솜씨(간접 높임) 2 (1) 눈이 크네요. → 눈이 크시네요. (2) 선생님이 오시래. → 선생님께서 오라고 하셔. (3) 아시는 → 아는 / 주려고요. → 드리려고요. (4) 없으십니다. → 없습니다. (5) 끝나시기 → 끝나기 3 (1) 현재 시제, 진행상 (2) 과거 시제, 완료상 (3) 미래 시제, 진행상 (4) 과거 시제, 완료상

01 ⑤	02 ①	03 ⑤	04 ②	05 ①	06 ④
07 ④	08 ③	09 ②	10 ④	11 ③	12 ④
13 ①	14 ③	15 ①	16 ⑤	17 ①	18 ①
19 ⑤	20 ③				

01 문장의 종류 ❺

ⓜ은 화자와 청자가 같이 '연극을 보는' 행위를 하자고 요청하는 청유문이다.

02 의문문의 종류 ❶

ⓐ는 날씨에 대한 구체적인 정보를 요구하는 '설명 의문문', ⓑ는 문제를 풀 수 있는지에 대한 긍정 또는 부정의 반응을 요구하는 '판정 의문문', ⓒ는 당연한 일이라는 의미를 강조하는 '수사 의문문'이다.

03 간접 발화 ❺

⑤의 문장은 청자에게 '가방을 챙긴 사람이 맞는지'에 대한 긍정이나 부정의 대답을 요구하는 판정 의문문으로, 문장의 유형과 화자의 의도가 일치한다. ①, ②, ③, ④는 모두 문장의 유형과 화자의 의도가 일치하지 않는 간접 발화이다.

04 주체 높임 ❷

②는 높임의 부사격 조사 '께'를 사용하여 객체인 '아주머니'를 높이고 있다.

오답 피하기

① 접미사 '-님', 높임의 주격 조사 '께서', 높임의 선어말 어미 '-시-'를 사용하여 주체인 '사장'을 높이고 있다.
③ 높임의 주격 조사 '께서', 특수 어휘 '계시다'를 사용하여 주체인 '아버지'를 높이고 있다.
④ 접미사 '-님', 높임의 선어말 어미 '-시-'를 사용하여 주체인 '선생님'을 높이고 있다.
⑤ 높임의 주격 조사 '께서', 특수 어휘 '잡수시다'를 사용하여 주체인 '어머니'를 높이고 있다.

05 간접 높임 ❶

①은 높임의 선어말 어미 '-시-'를 사용하여 주체인 할머니를 직접 높이고 있다.

오답 피하기

② 주체의 말인 '말씀'을 높임의 선어말 어미 '-으시-'를 사용하여 높이고 있다.
③ 주체의 신체 일부인 '눈'을 높임의 선어말 어미 '-으시-'를 사용하여 높이고 있다.
④ 주체의 소유물인 '지팡이'를 높임의 선어말 어미 '-으시-'를 사용하여 높이고 있다.
⑤ 주체의 가족인 '아들'을 높임의 접미사 '-님'과 높임의 선어말 어미 '-시-'를 사용하여 높이고 있다.

06 객체 높임 ❹

㉠, ㉡에는 높임의 주격 조사 '께서', 높임의 부사격 조사 '께'가 사용되었으며, ㉢에는 높임의 주격 조사 '께서'가 사용되었다.

오답 피하기

①, ③ ㉠은 객체인 '은사'를 높이기 위해 높임의 부사격 조사 '께'와 높임의 의미를 지닌 접미사 '-님'을 사용하였다.
② ㉡은 주체인 '어머니'를 높이기 위해 높임의 주격 조사 '께서', 높임의 선어말 어미 '-시-'를 사용하였으며 객체인 '큰아버지'를 높이기 위해 높임의 부사격 조사 '께', 특수 어휘 '진지'를 사용하였다.
⑤ ㉠에는 '드리다', ㉡에는 '진지', ㉢에는 '모시다'가 사용되었다.

07 높임 표현 ❹

'학생2'는 '잡수시다', '계시다'라는 특수 어휘를 사용하여 주체인 교수를 직접 높이고 있다. 그러나 간접 높임 표현은 찾아보기 어렵다.

오답 피하기

①, ② '학생1'은 하십시오체와 해요체, '교수'는 하게체를 사용하여 상대 높임을 하고 있다.
③ '학생2'는 특수 어휘를 사용하여 주체인 '교수'를 높이는 주체 높임과, 해요체를 사용한 상대 높임을 하고 있다.
⑤ '교수'는 격식체인 하게체를 사용하고 있다.

08 높임 표현 ❸

주체인 '숙모'를 높이기 위해 높임의 주격 조사 '께서'와 선어말 어미 '-시-'가 쓰였으며, 객체인 '할머니'를 높이기 위해 높임의 부사격 조사 '께'와 특수 어휘 '드리다'가 쓰였다. 상대 높임으로는 청자인 '삼촌'을 높이기 위한 해요체가 쓰였다.

09 시간 표현 ❷

〈보기 1〉에서 동사에는 과거를 나타내는 관형사형 전성 어미 '-(으)ㄴ'과 '-던'이 결합할 수 있다고 하였는데, 동사 어간 '좋아하-'에 관형사형 전성 어미 '-ㄴ'이 결합한 '좋아한'은 그 시제가 '좋아하던'과 마찬가지로 과거이다.

오답 피하기

③ ㄴ에 쓰인 시간 부사어 '내일'과 동사의 어간 '가-'에 결합한 관형사형 전성 어미 '-ㄹ'은 미래 시제를 나타낸다.
④, ⑤ ㄷ에 쓰인 시간 부사어 '지금'과 형용사의 어간 '착하-'에 결합한 관형사형 전성 어미 '-ㄴ'은 현재 시제를 나타낸다.

10 과거 시제 선어말 어미 ❹

"엄마를 많이 닮았구나."의 '-았-'은 '엄마를 닮은 상태'가 지속되어 왔다는 의미를 나타내고, "이제 승리하는 일만 남았다."의 '-았-'은 미래 실현에 대한 확신의 의미를 나타낸다.

오답 피하기

① "그는 울고만 있었다.", "구슬픈 노랫소리가 들렸다."의 '-었-'은 과거 시제를 나타낸다.
② "오늘 잠은 다 잤네."의 '-았-'은 미래 실현에 대한 확신을, "커다란 해일이 몰려왔다."의 '-았-'은 과거 시제를 나타낸다.
③ "어제 늦게 잠들었다.", "아기가 아장아장 걸었다."의 '-었-'은 과거 시제를 나타낸다.
⑤ "일찍 집으로 돌아갔다."의 '-았-'은 과거 시제를, "성적표가 나오면 나는 죽었다."의 '-았-'은 미래 실현에 대한 확신을 나타낸다.

11 동작상 ❸

㉠의 '-는 중이다'는 진행상, ㉡의 '-고 있다'는 진행상, ㉢의 '-어 버리다'는 완료상을 나타내는 표현이다.

12 미래 시제 선어말 어미 ❹

시간 부사 '지금'은 현재 시제를 나타낸다. 따라서 '-겠-'은 미래 시제로 쓰인 것이 아니라 현재에 대한 추측의 의미를 나타낸다.

오답 피하기

①, ②, ③, ⑤ '-겠-'은 미래 시제를 나타낸다.

13 미래 시제 선어말 어미 ❶

①은 들어가도 되는지 묻는 화자의 완곡한 태도를 드러내기 위해 '-겠-'이 사용되었다.

오답 피하기

②, ⑤ '-겠-'이 말하는 이의 의지를 나타낸다.
③, ④ '-겠-'이 미래의 일에 대한 추측을 나타낸다.

14 간접 발화 ❸

③의 밑줄 친 부분은 의문문이지만 청자에게 어떤 행동을 요청하려는 의도는 없다.

오답 피하기

① 청유문으로 '조용히 하라'라는 명령의 의도를 나타낸다.
② 청유문으로 '창문을 열어라'라는 명령의 의도를 나타낸다.
④ 의문문으로 '비켜라'라는 명령의 의도를 나타낸다.
⑤ 의문문으로 '신호등 앞에서 차를 세워라'라는 명령의 의도를 나타낸다.

15 높임 표현 ❶

'허리가 아프시다'라는 표현을 통해 높여야 할 대상인 '아버지'의 신체를 간접 높임하고 있으며, '뵙다'라는 특수 어휘를 통해 객체인 '할아버지'를 높이고 있다. 또 하십시오체의 '-습니다'라는 어미를 통해 청자를 높이는 상대 높임을 하고 있다.

16 높임 표현 ❺

ⓔ의 '편찮으셨나'는 주체인 '할머니'를 높이기 위해 사용한 특수 어휘 '편찮다'의 활용형이다.

오답 피하기

①, ②, ③ 객체를 높이는 특수 어휘(드리다, 뵙다, 모시다)가 사용되었다.
④ ⓓ에는 객체인 큰아버지를 높이기 위한 부사격 조사 '께'가 사용되었다.

17 시간 표현 ❶

'집에 돌아오면'이라는 표현에서 '혼나는 행위'가 아직 일어나지 않은 일(미래)임을 추측할 수 있다. 따라서 '혼났다'의 '-았-'은 ㄱ에 해당하는 예가 아니다.

18 시간 표현 ❶

'왔겠다'에서는 과거 사실에 대한 추측의 기능을 하는 '-겠-'이, '오겠지'에서는 현재를 의미하는 시간 부사어 '지금'을 통해 현재 사실에 대한 추측의 기능을 하는 '-겠-'이 쓰이고 있음을 알 수 있다.

오답 피하기

② ⓛ의 '막차를 놓쳤으니 나는 집에 다 갔다.'에 쓰인 '-았-'은 아직 이루어지지 않은 사건에 대한 확신을 나타내기 때문에 과거 시제를 나타내는 데 쓰였다고 보기 어렵다.
③ ⓒ의 앞 문장에 쓰인 '-ㄹ'은 '올 것이다'와 함께 쓰였다는 점에서 미래의 사건을 나타내는 관형사형 어미로 볼 수 있지만 뒤 문장의 관형사형 어미 '-ㄹ'은 '왔다'의 과거 시제 선어말 어미 '-았-'과 함께 쓰였다는 점에서 미래의 사건을 나타낸다고 보기 어렵다.
④ ⓓ의 '진학한다고'에 쓰인 '-ㄴ-'은 '내년에'와 함께 쓰인다는 점에서 미래의 사건을 나타낸다.
⑤ ⓜ의 앞 문장에 쓰인 형용사 '작다'는 '오늘'과 함께 쓰여 현재시제를 나타내고 있다. 이때 시제 선어말 어미가 결합하지 않고 기본형 그대로 사용되고 있음을 알 수 있다.

19 높임 표현 ❺

ⓜ은 '모시다'라는 특수 어휘를 사용하여 객체인 '어머니'를 높인 표현이다.

오답 피하기

① ㉠은 '할머니'와 관련된 대상인 '집'을 높이는 특수 어휘이다.
② ⓛ은 보조사 '요'를 통해 해요체가 실현되고 있다.
③ ⓒ은 '가다'의 어간 '가-'에 주체 높임 선어말 어미 '-시-'를 사용하여 '어머니'를 높이고 있다.
④ ⓓ은 높임의 주격 조사 '-께서'를 사용하여 주체인 '할머니'를 높이고 있다.

20 시간 표현 ❸

관형사형 어미 '-ㄴ'은 과거 시제를 나타내므로 사건시가 발화시에 앞선다는 것을 드러낸다.

오답 피하기

① 보조 용언 '-고 있다'는 동작이 진행되고 있음(진행상)을 나타내는 표현이다.
② 선어말 어미 '-았-'은 과거 시제를 나타내므로 사건시가 발화시에 앞선다는 것을 드러낸다.
④ 보조 용언 '-어 버리다'는 동작이 완결되었음(완료상)을 나타내는 표현이다.
⑤ 관형사형 어미 '-ㄹ'은 미래 시제를 나타내므로 발화시가 사건시에 앞선다는 것을 드러낸다.

09 문법 요소 ❷ – 피동, 사동, 부정, 인용

사뿐히 즈려밟는 **확인 문제** p.89~93

☑ **바로바로 간단 체크** 1 (1) 피동문 / (주어가) 그림을 벽에 걸었다. (2) 피동문 / 파도가 배를 뒤집었다. (3) 피동문 / 사람들이 생태계를 파괴했다. (4) 능동문 / 이 영화는 박 감독에 의해 만들어졌다. 2 (1) 사동문 / 동생이 옷을 입었다. (2) 주동문 / (주어가) 동생에게 잠자리를 잡게 했다. (3) 주동문 / (주어가) 물을 유리잔에 가득 채웠다. / (주어가) 물이 유리잔에 가득 차게 했다. (4) 사동문 / 학생이 밥을 먹었다. 3 (1) 송희가 빨리 뛰지 말라고 말했다. (2) 어제 엄마는 오늘 공원에서 김밥을 먹자고 하셨다. (3) 민규는 자기가 선생님을 모시고 오겠다고 했다.

01 ⑤	02 ④	03 ④	04 ④	05 ③	06 ③
07 ①	08 ②	09 ⑤	10 ④	11 ④	12 ②
13 ③	14 ④	15 ⑤	16 ②	17 ⑤	18 ①

01 피동 표현 ❺

⑤는 보조 용언 '-게 되다'에 의해 만들어진 장형 피동문이다.

오답 피하기

①, ③ 피동 접미사 '-이-'에 의해 만들어진 단형 피동문이다.
② 피동 접미사 '-기-'에 의해 만들어진 단형 피동문이다.
④ 피동 접미사 '-리-'에 의해 만들어진 단형 피동문이다.

02 피동문의 의미 특성 ❹

④에서는 빨래를 떨어뜨린 주체가 '바람'이므로, 자신의 행동에 의해 발생한 사건을 숨기려는 의도로 피동문을 사용했다고 보기 어렵다.

오답 피하기

① 사슴을 '무는' 행위는 늑대가 한 것이다.
② 피동문이므로 사슴이 행위를 당한 것이다.
③ 피동 표현은 자신의 행위를 드러내지 않으려는 의도에서 사용하기도 한다.
⑤ 닦이지 않은 '탁자'를 강조함으로써 종업원에게 탁자를 닦아 달라는 의도를 간접적으로 드러낸 것으로 볼 수 있다.

03 피동 표현 ❹

④는 사동사 '밝히다'의 어간 '밝히-'에 '-어지다'가 결합된 통사적 피동 표현이다. 피동 접미사가 붙어 만들어진 피동사에 '-어지다'를 결합하면 이중 피동으로 적절하지 않은 표현이 되지만, 사동사에 '-어지다'를 결합하는 것은 가능하다.

오답 피하기

① '풀다'의 어간 '풀-'에 피동 접미사 '-리-', 통사적 피동 표현 '-어지다'가 결합한 이중 피동이다.
② '들다'의 어간 '들-'에 피동 접미사 '-리-', 통사적 피동 표현 '-어지다'가 결합한 이중 피동이다.
③ '제작하다'의 체언 '제작'을 어근으로 하여, 피동 접미사 '-되다', 통사적 피동 표현 '-어지다'가 결합한 이중 피동이다.
⑤ '찢다'의 어간 '찢-'에 피동 접미사 '-기-', 통사적 피동 표현 '-어지다'가 결합한 이중 피동이다.

04 사동 표현 ❹

④의 '끌렸다(끌-+-리-+-었-+-다)'는 '끌다'의 피동사이므로 이 문장은 피동문이다.

오답 피하기

① 사동사 '눕히다'가, ② 사동사 '읽히다'가, ③ 사동사 '남기다'가, ⑤ 사동사 '속이다'가 쓰인 사동문이다.

05 직접 사동과 간접 사동 ❸

㉠의 중의성을 해소하려면 통사적 사동으로 바꾸어야 한다. 통사적 사동 표현은 주동사 '신다'의 어간에 '-게 하다'를 결합하여 '신게 하다'로 쓰는 것이 적절하다.

06 피동 표현과 사동 표현 ❸

〈보기〉에서 피동문이 형성될 때 능동문의 주어(엄마가)가 피동문의 부사어(엄마에게)로 바뀌었으므로, 피동문이 형성될 때도 주어가 부사어가 되는 경우가 있음을 확인할 수 있다.

오답 피하기

① 주동사가 사동사가 되거나, 능동사가 피동사로 바뀌더라도 단어의 실질적 의미를 나타내는 어근의 의미는 변하지 않는다.
② '넓혔다'라는 사동사를 만들 때 사동 접미사 '-히-'가, '업혔다'라는 피동사를 만들 때 피동 접미사 '-히-'가 쓰였다.
④ 사동문이 될 때, 주동문에서는 없던 주체가 새로 설정되었다.
⑤ 피동문이 형성될 때, 능동문의 주체가 객체로 능동문의 객체는 주체가 되었다.

07 '안' 부정문의 구분 ❶

①은 상태 부정에 해당한다. 나머지는 모두 주어의 의지에 따라 행동을 하지 않음을 나타내는 의지 부정에 해당한다.

08 부정 표현 ❷

규희는 '몸살' 때문에 모임에 참석하지 못했으므로 ⓐ에는 능력이나 외부의 원인에 의한 부정을 의미하는 '못' 부정의 형태를 사용해야 한다. ⓑ는 명령문이므로 '-지 마라'의 형태를 사용하는 것이 적절하다.

09 부정 표현 ❺

'먹었지 않아?'는 점심을 먹는 행동 여부를 확인하려는 의도를 나타낸다. 이런 경우에는 '-지 않-'이 '-잖-'으로 축약되어 쓰일 수 있다.

10 부정 표현 ❹

㉣은 짧은 부정문을 만드는 '못', ㉤은 긴 부정문을 만드는 '-지 못하다'이다. 짧은 부정문과 긴 부정문은 형태에 따른 차이를 보이지만, 두 부정 표현 사이의 의미 차이는 크지 않다.

오답 피하기

① ㉠의 '안', ㉡의 '못'은 부정 부사이다.
② ㉠의 '안'은 의지 부정이다. ㉢은 확인의 의미로, 부정의 의미를 나타내지 않는다.
③ ㉡, ㉣의 '못'은 능력 부정을 나타낸다.
⑤ ㉥은 청유문에서 쓰이는 부정 표현 '-지 말자'가 사용되었다.

11 인용 표현 ❹

ㄴ의 인용 표지는 '고'로, '고'는 간접 인용을 나타내는 조사이다.

12 인용 표현 ❷

어머니는 민호와 학생 모두에게 높임의 대상이므로 '주무시고'로 표현하는 것이 적절하다.

오답 피하기

① 민호가 어제 한 말을 다음날인 오늘 인용하는 것이므로, '오늘'이 적절하다.
③ 어머니는 민호와 학생 모두에게 높임의 대상이므로 '계시라고'로 쓴 것이 적절하다.
④ '계시라고'에는 간접 인용의 부사격 조사 '고'가 적절하게 사용되었다. '-라'는 간접 인용절에서 명령의 뜻을 나타내는 종결 어미로 쓰였다.
⑤ 간접 인용이므로 큰따옴표를 쓰지 않는다.

13 피동 표현 ❸

㉠에는 파생 접미사 '-이-, -히-, -리-, -기-'를 통해 피동사를 만들 수 없는 동사가 와야 한다. 제시된 답지 중 '주다', '돕다', '만나다'가 이에 해당된다. ㉡에는 파생 접미사를 통해 피동사를 만들 수는 있으나, 파생적 피동문으로 바꾸었을 때 의미가 성립하지 않는 문장이 와야 한다. 이에 따라 답을 찾으면 ③ "동생이 부모님께 칭찬을 들었다."가 해당된다. '들었다'를 파생적 피동사로 바꾸면 '들렸다'이지만, 이를 활용해서 문장을 바꾸면 "칭찬이 (부모님으로부터) 동생에게 들렸다."가 되므로 의미가 어색해진다.

오답 피하기

① ㉠의 '주다'는 피동 접미사를 붙여 피동사로 만들 수 없다. ㉡에서 동사의 피동사는 '잡히다'로, 문장을 "쥐가 고양이에게 잡혔다."라는 파생적 피동문으로 바꿀 수 있다.
② ㉠의 '먹다'는 피동 접미사 '-이-'를 붙여 피동사 '먹이다'로 만들 수 있다. ㉡에서 동사의 피동사는 '뽑히다'로, 문장을 "풀이 사람들에게 뽑혔다."라는 파생적 피동문으로 바꿀 수 있다.
④ ㉠의 '만나다'는 피동 접미사를 붙여 피동사로 만들 수 없다. ㉡의 동사 '그리다'는 피동 접미사를 붙여 피동사로 만들 수는 없지만, '-어지다'를 붙여 문장을 "벽화가 학생들에게 그려지다."라는 통사적 피동문으로 바꿀 수는 있다.
⑤ ㉠의 '나누다'는 피동 접미사 '-이-'를 붙여 피동사로 '나뉘다(나누-+-이-+-다)'가 된다. ㉡에서 동사의 피동사는 '닫히다'로, 문장을 "문이 누나에게 세게 닫혔다."라는 파생적 피동문으로 바꿀 수 있다.

1등급만 아는 개념⊕ 피동사를 가지지 못하는 타동사

- 두 개 이상의 대상이 있어야 하는 경우: 주다, 받다, 닮다, 돕다, 만나다 등
- 이동을 나타내는 경우: 가다, 걷다, 지나다 등
- 추상적인 심리 작용을 나타내는 경우: 알다, 배우다, 느끼다 등
- 사동사인 경우: 죽이다, 살리다, 웃기다, 높이다, 밝히다 등
- 어간이 'ㅣ'로 끝나는 동사인 경우: 그리다, 지키다, 가르치다 등
- '-하다'로 끝나는 동사인 경우: 하다, 취하다, 약하다 등

14 사동 표현 ❹

'-게 하다'가 붙은 통사적 사동은 '간접 사동'의 의미만을 갖기 때문에 중의적인 의미가 나타나지 않는다.

오답 피하기

① ㉠은 사동문에 대한 설명으로 제시된 문장이 적절한 예이다.
② '재우고'는 '자-+-이-+-우-+-고'로 분석되므로 사동 접미사가 두 개 사용되었다.
③ 용언 어간 '깎-'에 '-게 하다'가 붙어 사동문이 만들어진 예이다.
⑤ '먹이다'는 '먹다'의 사동사와 형태가 같지만, 사동의 의미에서 멀어져 '가축 따위를 기르다.'라는 의미로 쓰이는 주동사이다.

15 피동 표현과 사동 표현 ❺

㉠은 동사의 접미사를 빼고 '-게 하다'를 결합해도 문장이 어색하지 않으므로 사동사가 쓰였다고 볼 수 있으며, ㉡은 동사의 접미사를 빼고 '-게 하다'를 결합하면 문장이 어색하므로 피동사가 쓰였다고 볼 수 있다. 또는 ㉠에 목적어가 있으므로 사동사가 쓰였다고 볼 수 있으며, ㉡에는 목적어가 없으므로 피동사가 쓰였다고 볼 수 있다.

오답 피하기

① ㉠, ㉡의 '풀리다'는 피동사이다.
② ㉠의 '업히다'는 피동사, ㉡의 '업히다'는 사동사이다.
③ ㉠의 '말리다'는 사동사, ㉡의 '말리다'는 주동사이다.
④ ㉠, ㉡의 '녹이다'는 사동사이다.

16 피동 표현과 사동 표현 ❷

능동문(㉡)의 목적어(그림을)가 피동문(ⓒ)의 주어(그림이)로 쓰이고 있다.

오답 피하기

① 능동문(㉠)의 주어(언니가)가 피동문(ⓐ)에서 부사어(언니에게)가 되었다.
③ 사동문(ⓓ)에 새로운 주어(형이)가 나타났다.
④ 피동사 '안기다(ⓐ)'와 사동사 '안기다(ⓑ)'의 형태가 같음을 알 수 있다.
⑤ ⓑ는 사동사 '안기다', ⓓ는 '-게 하다'에 의한 사동문이다.

17 부정 표현 ❺

"꽃이 안 예쁘다."는 행동 주체의 의지를 부정하는 의지 부정이 아니라 단순히 사실을 부정하는 상태 부정에 해당한다.

18 인용 표현 ❶

아들이 어제 한 말을 간접 인용으로 바꿀 때는 현재를 기준으로 시제를 바꾸어야 하므로 ⓐ는 '오늘'이 적절하다. 또 인용하는 사람 스스로에게 높임 표현을 쓰지 않으므로 '계십시오'를 '있으라(있-+-으라)'로 바꾸고, 간접 인용의 표지인 조사 '고'를 붙인 '있으라고'를 ⓑ로 보는 것이 적절하다. 그리고 ⓒ는 1인칭 대명사 '나'를, 인용하는 사람에 맞추어 3인칭 대명사 '자기'로 바꾼 '자기의'로 써야 하며, ⓓ는 간접 인용의 표지인 '고'를 서술어인 '남기라

(남기- + -라)'에 붙여 '남기라고'로 써야 한다.

1등급만 아는 개념 간접 인용절에서의 문장 종결 표현 변화

직접 인용절에서 간접 인용절이 될 때 평서형과 감탄형은 '-다'로, 의문형은 '-냐'로, 명령형은 '-(으)라'로, 청유형은 '-자'로 바뀌게 된다.

10 올바른 문장 표현

사뿐히 즈려밟는 **확인 문제** p.98~100

☑ **바로바로 간단 체크** 1 (1) 실내 공기를 → 실내를 (2) 먹고 싶다. → 먹고 싶지 않다. (3) 고양이에도 → 고양이에게도 (4) 임해라. → 임하라는 것이다. (5) 달콤하신 메뉴세요. → 달콤한 메뉴예요. (6) 따뜻한 온정이 → 온정이 (7) 기적이다. → 기적 같다. (8) 비와 → 비가 내리고 (9) 마음을 → 남의 마음을 (10) 모여졌다. → 모였다. 2 (1) ○ (2) X (3) X (4) ○ (5) ○ (6) X

01 ①	02 ①	03 ⑤	04 ③	05 ③	06 ①
07 ①	08 ④	09 ②	10 ③		

01 중의적 표현 ❶

문장에서 '사랑스러운'이 수식하는 말이 '짝꿍'인지, '짝꿍의 강아지'인지 불분명하여 중의성이 발생한다.

오답 피하기

② 조사 '보다'가 비교하는 대상이 불분명하기 때문에 중의성이 발생한다.

③ '신고 계신다'가 진행상인지 완료상인지 불분명하기 때문에 중의성이 발생한다.

④ '나'와 '그'가 결혼할 것인지 '나'와 '그'가 각각 다른 사람과 결혼할 것인지 불분명한 데서 중의성이 발생한다.

⑤ '망고'와 '바나나'가 각각 하나씩 두 개인지, '망고'와 '바나나'가 각각 두 개인지, '망고'는 하나고 '바나나'는 두 개인지 불분명한 데서 중의성이 발생한다.

02 문장 성분의 호응 ❶

①은 〈보기〉에서 언급된 '부사어와 서술어의 호응'이 지켜지지 않은 문장이다. 부사 '비단'은 서술어 '~아니다.'와 호응하기 때문에, "이는 비단 나만의 일이 아니다." 정도로 수정하는 것이 적절하다.

오답 피하기

② 〈보기〉에서 언급된 '주어와 서술어의 호응'이 지켜지지 않은 문장이다. 주어 '정부는'은 '전망'이라는 속성을 지니는 주체가 될 수 없고, '전망'이라는 행동을 하는 주체가 되기 때문에 서술어 '전망입니다'를 '전망합니다'로 수정하였다.

③ 〈보기〉에서 언급된 '주어와 서술어의 호응'이 지켜지지 않은 문장이다. 서술어 '가자'는 청유형으로 말하는 사람의 의지를 드러내기 때문에 사람이 주어로 와야 하지만 주어는 '내가'가 아닌 '내가 하고 싶은 말은'이기 때문에 서술어 '가자'를 '가자는 것이다'로 수정하였다.

④ 〈보기〉에서 언급된 '부사어와 서술어의 호응'이 지켜지지 않은 문장이다. 부사어 '여간'은 부정 서술어와 호응하기 때문에 서술어 '일이다'를 '일이 아니다'로 수정하였다.

⑤ 〈보기〉에서 언급된 '시간을 나타내는 말과 서술어의 호응'이 지켜지지 않은 문장이다. '어젯밤'은 과거 시제를 나타내는 말이므로 서술어 '있는지'에 과거 시제 선어말 어미 '-었-'을 추가하여 '있었는지'로 수정하였다.

03 올바른 문장 표현 ❺

[원래 문장]의 '용감한 왕의 신하는'은 '용감한'의 수식 범위 때문에 중의적으로 해석되는 것이지, 관형격 조사 '의' 때문에 중의적으로 해석되는 것이 아니다.

오답 피하기

① [원래 문장]에서 '우선'과 '먼저'의 의미가 중복되므로 [수정한 문장]에서는 '우선'을 삭제하였다.

② 서술어 '승리하자'는 목적어가 아닌 부사어와 호응하므로 [원래 문장]에서 쓰인 목적격 조사 '을'을 [수정한 문장]에서는 부사격 조사 '에게'로 고쳤다.

③ [원래 문장]에서 '감사'는 '칭찬했다'와 호응하지 않으므로 [수정한 문장]에서는 새로운 서술어인 '표하고'를 추가하였다.

④ [원래 문장]에서는 '용감한'이 수식하는 대상이 '왕'인지 '신하'인지 불분명하므로 [수정된 문장]에서는 문장 성분의 위치를 바꾸어서 중의성을 해소하였다.

04 중의적 표현 ❸

'말'은 동음이의어('馬' 또는 '言')로, '단어 자체가 지닌 의미 때문에 중의성을 지니는 경우'에 해당한다.

오답 피하기

①, ② 부정 표현이 미치는 범위가 분명하지 않은 중의적 표현이다. ①은 "나는 집에 안 갔다.(다른 사람은 집에 갔음.)", "집에 간 사람은 '나'가 아니다.", "내가 집에 간 것은 아니다."로 해석할 수 있으며, ②는 "친구들이 모두 오지 않았다.", "친구들이 모두 오지는 않았다."로 해석할 수 있다.

④ 관형격 조사 '의' 때문에 중의적으로 해석되는 표현이다. '누나가 그린 그림', '누나가 소유한 그림', '누나를 그린 그림'으로 해석할 수 있다.

⑤ 수식 범위가 불명확함에 따른 중의적 표현이다. "따사로운 너의, 미소 덕분이다." 또는 "너의 따사로운 미소 덕분이다."로 고쳐 쓰면 중의성을 해소할 수 있다.

05 올바른 문장 표현 ❸

"영현이는 부모님께서 사 주신 외투를 입고 있었다."는 문장의 시제만 과거로 바뀌었을 뿐 여전히 외투를 입는 도중의 모습을 나타내는 진행상이나 외투를 완전히 입고 있는 상태를 나타내는 완료상으로 해석될 수 있다. "영현이는 부모님께서 사 주신 외투를 입

는 중이다."라고 하거나 "영현이는 부모님께서 사 주신 외투를 입은 상태로 있다."라고 해야 그 중의성을 해소할 수 있다.

오답 피하기

① 과반수의 '과'와 '넘어야'의 '넘다'의 의미가 중복되므로, '과반수'를 '절반'으로 바꾸어 단어의 중복을 피하는 것이 적절하다.
② '새로 산'의 수식 범위가 '자동차'인지 '자동차의 바퀴'인지 불분명하므로, 쉼표를 찍어 '새로 산 자동차의, 바퀴'로 수정하는 것이 적절하다.
④ '구속받는다.'가 필요로 하는 부사어가 없으므로 '자연에'를 보충하여 이를 보완하는 것이 적절하다.
⑤ 주어 '문제는'에 호응하는 서술어가 적절하지 않으므로 이를 '있다는 것이다.'로 바꾸는 것이 적절하다.

06 올바른 문장 표현 ❶

'나이'는 '크기'의 개념이 아닌 '수량이나 정도'의 개념이기에 '크고 작음'이 아니라 '많고 적음'으로 고쳐 써야 한다.

오답 피하기

② 명사인 '생신'을 수식해야 하므로 부사격 조사 '에'를 쓴 '아버지에'가 아니라 관형격 조사 '의'를 쓴 '아버지의'가 적절하다.
③ '던지'는 '회상'의 의미를 지니므로, 선택의 의미를 지닌 '든지'로 바꾸어 쓰는 것이 적절하다.
④ '결코'는 서술어 '~아니다, 없다, 못하다.'와 호응하므로 '우연한 일이 아니었다.'로 수정하는 것이 적절하다.
⑤ '노래와'에 호응하는 서술어가 없으므로 서술어 '부르며'를 추가하는 것이 적절하다.

07 올바른 문장 표현 ❶

'모름지기'는 '~해야 한다'와 호응하므로, ①은 부사어와 서술어의 호응이 바르지 않은 경우에 해당한다.

오답 피하기

② '연결 어미가 의미에 맞게 사용되지 않은 경우'에 해당한다.
③ '피동 표현이 중복되어 과도한 피동이 된 경우'에 해당한다.
④ '목적어에 대응하는 서술어가 잘못 생략된 경우'에 해당한다.
⑤ '어머니'에게 '외할머니'가 높임의 대상이므로, 서술어 '드린'에 맞추어 '한테'가 아닌 높임의 부사격 조사 '께'를 써야 한다. 따라서 '높임 표현이 적절하게 사용되지 않은 경우'에 해당한다.

08 올바른 문장 표현 ❹

"주호는 책을 나보다 더 좋아한다."에서도 비교 대상은 명확하지 않다. '나'와 '책'이 비교 대상이라면 "주호는 나를 좋아하는 것보다 책을 더 좋아한다."라고 고쳐야 하고, '주호'와 '나'가 비교 대상이라면, "주호는 내가 책을 좋아하는 것보다 더 책을 좋아한다."라고 고쳐야 의미의 중의성을 해소할 수 있다.

오답 피하기

① '불리우다'는 피동 접미사 '-리-'와 통사적 피동 표현인 '-어지다'가 중복된 이중 피동이므로, '불리다'로 고치는 것이 적절하다.
② 손님에게 방으로 들어가라는 행동을 요청해야 하므로 청유형 종결 어미인 '-세요'를 사용하여, '들어가실게요'를 '들어가세요'로 고치는 것이 적절하다.
③ '설레다'의 어간이 '설레-'이므로, '설레임'을 '설렘'으로 고치는 것이 적절하다.
⑤ 주어인 '(손님이) 지금 보고 계신 제품'은 주체와 관련된 소유물이 아니므로 간접 높임의 대상이 될 수 없다. 따라서 주체 높임 선어말 어미 '-시-'가 사용된 '신상품이셔요'를 '신상품이에요'로 고치는 것이 적절하다.

09 올바른 문장 표현 ❷

㉡에서 주어와 서술어의 호응은 적절하며, 서술어 '의논했다.'가 필요로 하는 목적어가 빠져 있으므로 목적어 '그 일을'을 추가해야 한다.

오답 피하기

① '미리'와 '예상'의 '예'의 의미가 겹치므로 두 단어 중 하나를 삭제하여 쓰는 것이 적절하다.
③ '눈이 시리도록'이 '파란 하늘'을 수식하는 것인지, '나'가 '파란 하늘'을 '눈이 시릴 때까지' 보았다는 것인지 그 의미가 중의적인 문장이다.
④ 파생적 피동의 '-히-'와 통사적 피동 '-어지다'가 겹쳐서 사용된 이중 피동이다.
⑤ '따님'은 선생님을 높이기 위한 간접 높임의 대상으로, 간접 높임에는 특수 어휘 '계시다'를 사용할 수 없다.

10 올바른 문장 표현 ❸

〈자료〉를 살펴보면, '비록 초보자일수록'이 '비록 초보자일지라도'로 수정되었고, '그려서 작성할 수 있다'가 '그려서 문서를 작성할 수 있다'로 고쳐졌다. 전자는 '비록'이라는 부사어와 연결 어미 '-ㄹ지라도'의 호응을 고려한 결과이고, 후자는 '작성하다'의 목적어 '문서를'이 누락된 것을 바로 잡은 결과이다.

꿈엔들 잊힐리야 수능 다가가기 p.103~105

01 ③ 02 ③ 03 ② 04 ⑤ 05 ④ 06 ② 07 ② 08 ⑤ 09 ③

01 문장 성분과 문장 구조 정답 ③ 정답률 75%

답인 이유

③ ⓒ의 '별을'은 안긴문장의 목적어이면서 안은문장의 목적어이군.

➡ "동주는 반짝이는 별을 응시했다."에서 '별을'은 안긴문장(별이 반짝이다)의 주어이면서 안은문장의 목적어이다.

오답 풀이

① ⓐ의 '삼았다'는 주어 이외에도 두 개의 문장 성분을 필수적으로 요구하는군.

➡ ⓐ의 '삼았다'는 주어 이외에도 목적어 '위기를'과 부사어 '기회로'를 필수적으로 요구한다.

② ⓑ의 '바다가'와 '눈이'는 각각 다른 서술어의 주어이군.

➡ ⓑ의 '바다가'는 '파랗다'의 주어이고 '눈이'는 '부시다(부시게)'의 주어이다.

④ ⓐ의 '좋은'과 ⓒ의 '반짝이는'은 안긴문장의 서술어이군.

➡ ⓐ의 '좋은'은 안긴문장 '기회가 좋다.'의 서술어이고 ⓒ의 '반짝이는'은 안긴문장 '별이 반짝이다.'의 서술어이다.

⑤ ⓑ의 '눈이 부시게'와 ⓒ의 '반짝이는'은 수식의 기능을 하는군.

➡ ⓑ의 '눈이 부시게'는 부사절로 용언 '파랗다'를 수식하며, ⓒ의 '반짝이는'은 관형절로 체언 '별'을 수식한다.

개념의 좌표 찾기

• 문장 성분(→ 59쪽) • 안은문장/안긴문장(→ 69쪽)

02 부사어

정답 ③ 정답률 94%

답인 이유

③ 부사어 '너무'가 서술어 '샀다'를 수식하는군.

➡ 부사어 '너무'는 뒤에 오는 '헌'이라는 관형사를 수식하는 역할을 한다.

오답 풀이

① 절인 '눈이 부시게'가 부사어로 쓰였군.

➡ '눈이 부시게'는 '부시다'의 어간 '부시-'에 '-게'가 결합한 부사절로, 관형어 '푸른'을 수식하는 부사어로 쓰였다.

② 부사격 조사가 결합한 '하늘에서'와 부사 '펑펑'이 부사어로 쓰였군.

➡ 체언 '하늘'에 부사격 조사 '에서'가 결합한 '하늘에서'와 부사 '펑펑'은 모두 서술어 '내리고 있다'를 수식하는 부사어로 쓰였다.

④ ㉠의 '엄마와', ㉡의 '취미로'는 둘 다 부사어인데, ㉠의 '엄마와'는 ㉡의 '취미로'와 달리 필수 성분이군.

➡ ㉠의 '엄마와'는 두 자리 서술어 '닮았다'가 필수적으로 요구하는 부사어이다.

⑤ ㉠의 '재로'는 부사어이고 ㉡의 '재가'는 보어로서, 문장 성분은 서로 다르지만 서술어가 반드시 필요로 하는 성분이라는 점에서는 같군.

➡ ㉠의 '재로'는 부사어이고 ㉡의 '재가'는 보어로서, 두 단어 모두 생략하면 비문이 되므로 서술어가 반드시 필요로 하는 성분이라고 볼 수 있다.

개념의 좌표 찾기

• 서술어의 자릿수(→ 61쪽) • 부사어(→ 62쪽)

03 올바른 문장 표현

정답 ② 정답률 89%

답인 이유

② 참관인 자격으로 회의에 참석한 두 사람은 눈짓을 주고받은 후 조용히 회의장을 빠져나갔다.

➡ '두 사람은'이 주어이고, '주고받은'과 '빠져나갔다'가 서술어이다. 주어와 서술어가 호응을 이루며 정확한 의미를 드러내고 있는 문장이다.

오답 풀이

① 그는 자기가 창안한 사회 이론을 더욱 발전해 사회 문제의 해결에 기여하고자 하였다.

➡ '그는'이 주어이고, '발전해'와 '(기여하고자) 하였다'가 서술어이다. 두 서술어 중 '발전해'는 주어 '그는'과 호응을 이루지 않는다. "그는 자기가 창안한 사회 이론을 발전시켜 사회 문제의 해결에 기여하고자 하였다." 정도로 고쳐야 한다.

③ 유럽은 18세기 후반부터 약 100년 동안 생산 기술의 발달과 그에 따라 사회 조직의 큰 변화를 겪었다.

➡ '생산 기술의 발달과'와 '그에 따라 사회 조직의 큰 변화를 겪었다'의 서술어 '겪었다'가 호응을 이루지 않는다. '변화'는 겪을 수 있는 것이지만, '생산 기술의 발달'은 겪는 것이 아니기 때문이다. "유럽은 18세기 후반부터 약 100년 동안 생산 기술이 발달하였고, 그에 따라 사회 조직의 큰 변화를 겪었다." 정도로 고쳐야 한다.

④ 이 책의 저자가 독자에게 말하려는 요점은 모름지기 사람은 남을 위하여 자기를 희생할 줄도 알아야 한다.

➡ 주어 '요점은'과 서술어 '알아야 한다'가 호응을 이루지 못하는 문장이다. "이 책의 저자가 독자에게 말하려는 요점은 모름지기 사람은 남을 위하여 자기를 희생할 줄도 알아야 한다는 것이다." 정도로 고쳐야 한다.

⑤ 그의 작품들은 엇비슷해서 학생들이 작품 이름의 혼동이나 각 작품의 이야기 줄거리를 잘 기억하지 못했다.

➡ '작품 이름의 혼동이나'가 '각 작품의 이야기 줄거리를 잘 기억하지 못했다'의 서술어 '기억하지 못했다'와 호응이 되지 않아 어색한 문장이다. "그의 작품들은 엇비슷해서 학생들이 작품 이름을 혼동하거나 각 작품의 이야기 줄거리를 잘 기억하지 못했다." 정도로 고쳐야 한다.

개념의 좌표 찾기

• 문장 성분의 호응(→ 94쪽)

04 문장 성분과 문장 구조

정답 ⑤ 정답률 54%

답인 이유

⑤ ㉠의 안긴문장 속에는 목적어가 있지만 ㉡의 안긴문장 속에는 목적어가 없다.

➡ ㉠에는 '내가 노래 부르기(내가 노래를 부르다.)'라는 명사절이

안겨 있고 ㉡에는 '이 지역 토양이 벼농사에 적합함(이 지역 토양이 벼농사에 적합하다.)'이라는 명사절이 안겨 있다. ㉠의 안긴문장에서 '노래 부르기'는 목적어와 서술어의 결합이므로 ㉠에는 목적어가 있지만, ㉡에는 목적어가 없다.

오답 풀이

① ㉠에는 부사어가 있지만 ㉡에는 부사어가 없다.

➡ ㉠에는 부사어가 없고, ㉡에는 '벼농사에'라는 부사어가 있다.

② ㉠에는 명사절이 안겨 있지만 ㉡에는 부사절이 안겨 있다.

➡ ㉡에는 부사절이 아니라 명사절이 안겨 있다.

③ ㉠에는 서술절이 안겨 있지만 ㉡에는 관형절이 안겨 있다.

➡ 서술절, 관형절은 모두 없다.

④ ㉠의 안긴문장 속에는 관형어가 있지만 ㉡의 안긴문장 속에는 관형어가 없다.

➡ ㉠의 안긴문장 속에는 관형어가 없고, ㉡의 안긴문장 속에는 '이', '지역' 이라는 관형어가 있다.

개념의 좌표 찾기

- 문장 성분(→ 59쪽)
- 안은문장/안긴문장(→ 69쪽)

05 시간 표현과 문장의 중의성 정답 ④ 정답률 82%

답인 이유

④ ⓒ ┌ A: 너 안경 잃어버렸다며? 괜찮아?
└ B: 눈이 아주 나쁘진 않아서 안경 벗고 있어도 괜찮아.

➡ ④의 A의 말에서 '안경을 잃어버린 상황'이라는 문맥이 충분히 주어졌음이 확인되므로 해당 문장은 '안경을 벗고 지내다.'라는 ⓑ(완료상)의 의미만 나타낸다고 볼 수 있다.

오답 풀이

① ⓐ ┌ A: 아빠 들어오실 때 형은 뭐 하고 있었니?
└ B: 형은 양치질을 하고 있었어요.

➡ '양치질을 하는 동작이 진행되고 있음.'을 나타낸다.

② ⓑ ┌ A: 오빠가 너한테 화가 많이 났나 봐.
└ B: 오빠는 지금 날 오해하고 있는 것 같아.

➡ '오빠가 나를 오해하고 있는 상태가 지속되고 있음.'을 나타낸다.

③ ⓑ ┌ A: 내일이 고모님 생신이라고 하네.
└ B: 아, 나 그거 이미 알고 있어.

➡ '고모님 생신을 알고 있는 상태가 지속되고 있음.'을 나타낸다.

⑤ ⓒ ┌ A: 저 중에 신입 사원이 누구야?
└ B: 저기에 있잖아. 넥타이를 매고 있네.

➡ 문맥이 충분히 주어지지 않았으므로, '신입 사원이 넥타이를 매는 동작을 진행하고 있음.'과 '신입 사원이 넥타이를 맨 상태로 있음.'이라는 두 가지 의미로 해석될 수 있다.

개념의 좌표 찾기

- 동작상(→ 78쪽)
- 시제 표현에 따른 중의성(→ 97쪽)

06 서술어의 자릿수와 올바른 문장 표현 정답 ② 정답률 75%

답인 이유

② 문제는 우리가 예의를 지키지 못하는 경우가 많다.
→ 문제는 우리가 예의를 지키지 못하는 경우가 많다는 사실이다.

➡ "문제는 우리가 예의를 지키지 못하는 경우가 많다."라는 문장은 주어와 서술어의 호응 관계가 적절하지 않은 비문이다. "문제는 우리가 예의를 지키지 못하는 경우가 많다는 것이다." 정도로 고쳐야 한다.

오답 풀이

① 그들은 양식이 다 떨어지자 식량 공급을 요청했다.
→ 그들은 양식이 다 떨어지자 정부에 식량 공급을 요청했다.

➡ '요청하다'라는 서술어가 요구하는 필수적 부사어인 '정부에'를 추가하여 올바른 문장으로 고쳤다.

③ 나는 오늘 점심을 먹으면서 내 친구를 소개하였다.
→ 나는 오늘 점심을 먹으면서 내 친구를 누나에게 소개하였다.

➡ '소개하다'라는 서술어가 요구하는 필수적 부사어인 '누나에게'를 추가하여 올바른 문장으로 고쳤다.

④ 우리는 전화위복의 계기로 삼아 지금보다 강해질 것이다.
→ 우리는 그 일을 전화위복의 계기로 삼아 지금보다 강해질 것이다.

➡ '삼다'라는 서술어가 요구하는 목적어 '그 일을'을 추가하여 올바른 문장으로 고쳤다.

⑤ 형은 이곳에 온 지 얼마 되지 않아 어두울 수밖에 없다.
→ 형은 이곳에 온 지 얼마 되지 않아 동네 지리에 어두울 수밖에 없다.

➡ "어떤 분야에 대하여 잘 알지 못하다."라는 뜻의 '어둡다'가 요구하는 필수적 부사어인 '동네 지리에'를 추가하여 올바른 문장으로 고쳤다.

개념의 좌표 찾기

- 서술어의 자릿수(→ 61쪽)

07 문장 분석과 사동 표현 정답 ② 정답률 66%

답인 이유

② ㉠, ㉢을 보니, A가 B로 바뀌면 서술어의 자릿수가 늘어나는군.

➡ A에서는 서술어 '숨는다'와 '낮다'가 각각 '동생이'와 '실내 온도가'라는 주어만을 필요로 하는 한 자리 서술어임에 비해, B에서는 '숨기다'와 '낮추다'가 각각 '동생을'과 '실내 온도를'이라는 목적어도 필요로 하는 두 자리 서술어이기 때문에, A에서 B로 바뀌면 서술어의 자릿수가 늘어난다는 진술은 타당하다.

오답 풀이

① ㉠, ㉡을 보니, A의 주어는 C에서 동일한 문장 성분으로 나타나는군.

➡ ㉠에서 A의 주어는 C의 목적어로 나타난다. ㉡에서 A의 주어는 C의 부사어로 나타난다.

③ ㉡, ㉢을 보니, A가 B로 바뀌면 겹문장이 되는군.

➡ ㉡, ㉢을 보면 A가 B로 바뀌어도 주어와 서술어는 각각 한 개씩이므로, 겹문장이 된다고 보기 어렵다. '본용언+보조 용언'의 구는 하나의 서술어로 본다.

④ ㉡, ㉣을 보니, A의 서술어가 타동사이면 대응하는 사동사가 없군.

➡ ㉡에서 A의 서술어 '먹는다'는 목적어 '밥을'을 필요로 하는 타동사이지만, B를 고려할 때 '먹이다'라는 사동사가 대응함을 알 수 있다. ㉣에서 A의 서술어 '차다'는 목적어 '공을'이 필요한 타동사이며, 사동사에 의한 사동문은 만들 수 없고 '-게 하다'에 의한 사동문을 만들 수 있음을 각각 B, C에서 확인할 수 있다.

⑤ ㉢, ㉣을 보니, A의 서술어가 형용사이면 사동문을 만들지 못하는군.

➡ ㉢에서 A의 서술어 '낮다'가 형용사이지만 사동사 '낮추다'에 의한 사동문과 '-게 하다'에 의한 사동문을 만들 수 있음을 B, C를 통해 확인할 수 있다.

개념의 좌표 찾기

- 문장 성분(→ 59쪽)
- 서술어의 자릿수(→ 61쪽)
- 사동 표현(→ 86쪽)

08 이어진문장과 동작상

정답 ⑤ | 정답률 93%

답인 이유

⑤ 출근할 때, 일부는 버스를 이용하며 일부는 지하철을 이용한다.

➡ ⑤의 앞 문장과 뒤 문장의 '일부는'이라는 주어는 형태가 같지만, 앞 문장의 주어는 '버스를 이용하는 일부 사람들'을, 뒤 문장의 주어는 '지하철을 이용하는 일부 사람들'을 가리키고 있으므로 주어가 서로 같지 않다. 또한 문장의 연결 어미 '-(으)며'를 '-(으)면서'로 바꾼 "출근할 때, 일부는 버스를 이용하면서 일부는 지하철을 이용한다."라는 문장은 사용하기 어렵다.

오답 풀이

① 우리는 함께 걸으며 희망에 대해 이야기했다.

➡ 앞 문장의 주어와 뒤 문장의 주어가 '우리는'으로 서로 같으며, 문장의 연결 어미 '-(으)며'를 '-(으)면서'로 바꾼 "우리는 함께 걸으면서 희망에 대해 이야기했다."라는 문장으로 쓸 수 있다.

② 모두들 음정에 주의하며 노래를 제대로 부르자.

➡ 앞 문장의 주어와 뒤 문장의 주어가 '모두들'로 서로 같으며, 문장의 연결 어미 '-(으)며'를 '-(으)면서'로 바꾼 "모두들 음정에 주의하면서 노래를 제대로 부르자."라는 문장으로 쓸 수 있다.

③ 아는 사람 하나가 미소를 지으며 내게 다가왔다.

➡ 앞 문장의 주어와 뒤 문장의 주어가 '아는 사람 하나가'로 서로 같으며, 문장의 연결 어미 '-(으)며'를 '-(으)면서'로 바꾼 "아는 사람 하나가 미소를 지으면서 내게 다가왔다."라는 문장으로 쓸 수 있다.

④ 마라톤 선수가 가쁜 숨을 몰아쉬며 결승선을 통과했다.

➡ 앞 문장의 주어와 뒤 문장의 주어가 '마라톤 선수가'로 서로 같으며, 문장의 연결 어미 '-(으)며'를 '-(으)면서'로 바꾼 "마라톤 선수가 가쁜 숨을 몰아쉬면서 결승선을 통과했다."라는 문장으로 쓸 수 있다.

개념의 좌표 찾기

- 이어진문장(→ 68쪽)
- 동작상(진행상)(→ 78쪽)

09 높임 표현

정답 ③ | 정답률 78%

답인 이유

③ 연세가 많으신 할머니께서는 홍시를 잘 잡수신다.

➡ 주체인 '할머니'를 직접 높이기 위해 '먹다'를 높여 이르는 용언인 '잡수시다(㉠)'가 쓰였다. 주체인 '할머니'를 높이기 위해, 할머니의 '나이'를 높여 이르는 명사인 '연세(㉡)'가 간접 높임으로 쓰였다.

오답 풀이

① 나는 아직 그분의 성함을 기억하고 있다.

➡ 높여야 할 인물을 직접 높이는 명사 '그분'과, 높여야 할 인물인 '그분'과 관련된 '이름'을 높이는 명사 '성함(㉡)'이 간접 높임으로 쓰였다.

② 누나는 여쭐 것이 있다며 할머니 댁에 갔다.

➡ 객체인 '할머니'를 높이는 용언 '여쭈다'와, 높여야 할 인물인 '할머니'와 관련된 '집'을 높이는 명사 '댁(㉡)'이 간접 높임으로 쓰였다.

④ 우리는 부모님을 모시고 바닷가로 여행을 떠났다.

➡ 객체인 '부모님'을 높이는 용언 '모시다'와, 높여야 할 인물을 직접 높이는 명사인 '부모님'이 쓰였다.

⑤ 어머니께서는 몹시 피곤하셨는지 거실에서 주무신다.

➡ 주체를 높이는 용언인 '주무시다(㉠)'와, 주체 높임 선어말 어미 '-시-(피곤하셨는지)', 주체 높임의 주격 조사 '께서'가 쓰였다.

개념의 좌표 찾기

- 주체 높임법, 객체 높임법(→ 76쪽)

3. 음운

11 음운과 음운 체계

사뿐히 즈려밟는 **확인 문제** p.114~117

☑ **바로바로 간단 체크** 1 (1) 음운 (2) 자음 (3) 음절, 모음 2 (1) ○ (2) ○ (3) X 3 ㉠ 경구개음 ㉡ 파열음 ㉢ 된소리 ㉣ ㅈ ㉤ 유음 4 (1) ○ (2) X (3) X 5 (1) ㄱ, ㅏ, ㅇ, ㅏ, ㅈ, ㅣ (2) ㅜ, ㄴ, ㅅ, ㅜ (3) ㅑ, ㄱ, ㄲ, ㅜ, ㄱ (4) ㄱ, ㅏ, ㅂ, ㅆ, ㅏ, ㄷ, ㅏ 6 ㉠ 분절. ㉡ 모음. ㉢ 장단 7 (1) ○ (2) ○ (3) X

01 ①	02 ⑤	03 ㉠	04 ③	05 ②	06 ⑤
07 ③	08 ④	09 ③	10 ④	11 ④	12 ②
13 ①	14 ③				

01 음운의 개념 ❶

같은 음운이더라도 언어에 따라 다른 문자로 표기되므로 모든 음운이 하나의 문자에 일대일로 대응한다는 설명은 적절하지 않다. 또한 음운 중에서 분절 음운인 자음과 모음은 문자로 표기할 수 있지만 비분절 음운인 소리의 길이, 강약, 높낮이 등은 문자로 표기할 수 없다.

02 음운의 개념 ❺

〈보기〉의 '외국인'은 [b]와 [p]를 다른 음운으로 인식하고 있으며, '한국인'은 [b]와 [p]를 'ㅂ'이라는 하나의 음운으로 인식하고 있다. 이때 음성 [b]와 [p]는 음운 'ㅂ'의 변이음이다. 이로부터 언어에 따라 인식하고 있는 음운 체계가 다르다는 사실을 추론할 수 있다.

오답 피하기

① '한국인'도 '바보'를 발음할 수 있으므로 [b]와 [p] 모두 발음할 수 있다고 볼 수 있다.
② [b]와 [p]를 'ㅂ'이라는 하나의 음운으로 인식하고 있는 것은 '한국인'이다.
③ '한국인'은 "'바'의 'ㅂ'과 '보'의 'ㅂ'은 같은 소리야."라고 하였다. 이를 통해 우리말에서 [b]와 [p]는 하나의 음운으로 인식된다는 것을 알 수 있다.
④ 음성은 발음 기관을 통해 나오는 사람의 말소리이다. 음운이 하나의 음성을 가진다는 설명은 적절하지 않다.

03 비분절 음운 ㉠

'눈ː[雪]'과 '밤ː[栗]'은 장음으로 발음하지만, 장음은 일반적으로 단어의 첫음절에서만 나타나기 때문에 ㉣의 '밤ː[栗]'은 단음으로 발음한다.

오답 피하기

㉡(눈[眼]), ㉢(밤[夜])은 단음으로 발음한다.

04 자음 체계 ❸

'ㄲ, ㄸ, ㅃ'은 조음 위치로 분류하면 '여린입천장소리, 잇몸소리, 입술소리'로 각각 다른 조음 위치에서 소리가 난다. 조음 방법으로 분류하면 파열음이라는 공통점이 있다.

오답 피하기

① 자음은 목청의 울림 여부에 따라 울림소리와 안울림소리로 나뉜다.
② 'ㅎ'은 목청소리이고 마찰음이다. 이는 목청에서 공기의 흐름이 방해를 받고, 마찰을 일으켜 나는 소리임을 뜻한다.
④ 자음은 소리의 세기에 따라 예사소리, 된소리, 거센소리로 나뉜다.
⑤ 울림소리에는 비음과 유음이 있으며, 'ㄴ, ㅁ, ㅇ'는 비음, 'ㄹ'은 유음이다.

05 자음의 특성 ❷

'좇다'는 "목표, 이상, 행복, 규범 등을 추구하다."라는 의미이며, '쫓다'는 "어떤 대상을 잡거나 만나기 위하여 뒤를 급히 따르다."라는 의미이다. '좇다'에는 예사소리 'ㅈ', '쫓다'에는 된소리 'ㅉ'이 쓰인 것은 맞으나 이들은 의미가 아예 서로 다른 단어로, 'ㅈ'과 'ㅉ'이 주는 느낌 때문에 어감의 차이가 생긴 말이 아니다.

오답 피하기

① '팡팡'은 '빵빵'보다 거센 느낌을 준다.
③ '빨갛다'는 '발갛다'보다 붉은빛이 더 밝고 짙은 느낌을 준다.
④ '뽀글뽀글'은 '보글보글'보다 센 느낌을 준다.
⑤ '컴컴하다'는 '껌껌하다'보다 거센 느낌을 준다.

1등급만 아는 개념⊕ 여린말 – 센말 – 거센말

여린말은 어감이 세거나 거세지 아니하고 예사소리로 된 말이다. 센말은 어감이 센 느낌을 주는 말로 예사소리 대신에 된소리를 쓴다. 거센말은 어감을 거세게 하기 위하여 거센소리를 쓴 말이다. 이때 여린말, 센말, 거센말은 어감만 다르고 그 뜻은 동일하다는 특성이 있다.
예 감감하다(여린말) – 깜깜하다(센말) – 캄캄하다(거센말)

06 모음 체계 ❺

'ㅐ'와 'ㅔ'는 둘 다 혀의 최고점이 앞에 위치하는 전설 모음, 입술 모양이 평평한 평순 모음이다. 그러나 'ㅐ'는 혀의 높이가 낮은 저모음으로 입을 크게 벌려 소리 내고, 'ㅔ'는 중모음으로 'ㅐ'보다는 혀의 높이가 높아 입을 작게 벌려 소리 낸다. 따라서 '내'와 '네'를 발음할 때는 혀의 앞뒤 위치가 아닌, 혀의 높이 혹은 입을 벌리는 정도를 고려하여 발음해야 정확하게 의미를 전달할 수 있다.

07 모음 체계 ❸

'ㅘ', 'ㅝ'는 반모음 'ㅗ/ㅜ[w]'가 단모음과 결합한 이중 모음에 속한다.

08 음운 체계 ❹

〈보기〉에 쓰인 원순 모음은 'ㅜ와 ㅗ'이고, 둘은 모두 후설 모음이다.

오답 피하기

① 비음에는 'ㅁ, ㄴ, ㅇ'이 있다. 이중 〈보기〉에서 쓰인 비음은 'ㄴ' 뿐이다. '와'와 '아'에 쓰인 'ㅇ'은 음가가 없고, 표기상 쓰인 것이므로 음운으로 볼 수 없다.

② 거센소리는 'ㅋ, ㅌ, ㅍ, ㅊ'로, 〈보기〉에 쓰인 거센소리는 'ㅊ' 뿐이다.

③ 입술소리에는 'ㅁ, ㅂ, ㅍ, ㅃ'이 있다. 이중 〈보기〉에 쓰인 입술소리는 'ㅂ'이다.

⑤ 〈보기〉에 쓰인 이중 모음은 'ㅘ, ㅑ'인데 'ㅘ'는 ㅗ/ㅜ계 이중 모음, 'ㅑ'는 ㅣ계 이중 모음이므로 서로 다른 종류의 반모음과 결합하였다.

09 음운 체계 ❸

〈보기〉에서 설명하는 자음은 여린입천장소리, 파열음, 예사소리에 해당하는 'ㄱ'이다. 〈보기〉에서 설명하는 모음은 단모음, 전설 모음, 저모음인 'ㅐ'이다. 자음 'ㄱ'와 모음 'ㅐ'로 이루어진 음절을 포함하고 있는 단어는 '날개'이다.

10 음절의 특성 ❹

음절은 소리 단위이므로 ㉰의 '볶음밥'은 표기이며, 이 말은 [보끔밥]으로 발음된다. 음절은 소리 단위이므로 표기가 아닌 발음을 통해 파악해야 한다. 또한 'ㄲ'은 쌍자음으로, 음운의 개수가 두 개가 아닌 한 개다.

오답 피하기

① 음절이 성립하기 위해선 반드시 모음이 있어야 하기 때문에 모음의 개수와 음절의 개수는 일치한다. ㉰에서도 문장에 쓰인 모음의 개수(10)와 음절의 개수(10)가 일치한다.

② 음절은 발음과 관련된 최소 단위이므로, 단어가 지닌 의미보다는 발음과 관련이 깊다.

③ 〈보기〉에서 선생님은 자음이 모음과 어떻게 결합하느냐에 따라 음절은 총 네 가지 구조로 나뉜다고 하였다. ㉰의 [어]는 모음 단독으로 된 음절, [제]는 '자음+모음'으로 된 음절, [븐]은 '자음+모음+자음'으로 된 음절, [안]은 '모음+자음'으로 된 음절로, 이들은 음절 구조의 네 가지 유형에 각각 속하는 적절한 예이다.

⑤ ㉰에서 '먹었어'는 [머거써]로 발음되었는데 음절의 첫소리에 쓰인 'ㅇ'은 음가가 없으므로 발음되지 않고, 그 자리에서는 연음 현상에 의해 앞말의 끝소리 [ㅆ]이 발음되었다.

11 음운의 개념 ❹

가운뎃소리(중성)은 '먹'처럼 첫소리(초성)의 오른쪽에 올 수도 있고, '목'처럼 첫소리(초성)의 아래쪽에 올 수도 있다.

12 음운 체계 ❷

음운(초성, 중성, 종성, 장단 등)은 말의 뜻을 구별해 주는 소리의 가장 작은 단위이다.

13 자음 체계 ❶

'ㅁ'은 울림소리로, 파열음 'ㅃ'이 'ㅁ'보다 더 강하게 파열되어 나는 소리이다.

14 모음 체계 ❸

놀이의 승리 조건은 '전설 모음', '평순 모음', '고모음'이다. 모든 조건을 만족하는 음운은 'ㅣ'이다.

12 음운의 변동 ❶ – 교체

사뿐히 즈려밟는 **확인 문제** p.124~127

✔ 바로바로 간단 체크 1 (1) [갈꼳] / 음절의 끝소리 규칙, 된소리되기 (2) [압날] → [암날] / 음절의 끝소리 규칙, 비음화 (3) [국쑤] / 된소리되기 (4) [신찌마] / 된소리되기 (5) [물바지] / 구개음화 (6) [실래] / 유음화 (7) [깍는] → [깡는] / 음절의 끝소리 규칙, 비음화 (8) [찰라] / 유음화 (9) [약깐] / 된소리되기 (10) [곧고시] → [곧꼬시] / 음절의 끝소리 규칙, 된소리되기 (11) [심만] / 비음화 (12) [낟나치] → [난나치] / 음절의 끝소리 규칙, 구개음화, 비음화 (13) [압섭] → [압썹] / 음절의 끝소리 규칙, 된소리되기 (14) [꼳눈] → [꼰눈] / 음절의 끝소리 규칙, 비음화 (15) [할라산] / 유음화 (16) [쫃다] → [쫃따] / 음절의 끝소리 규칙, 된소리되기 (17) [발램새] / 유음화 (18) [갇다] → [갇따] / 음절의 끝소리 규칙, 된소리되기 (19) [가을거지] / 구개음화 (20) [건니] / 비음화 2 (1) ① 국빱 ② 낟썰다 ③ 엽찝 ④ 더듬찌 ⑤ 언따 ⑥ 절또 ⑦ 발쩐 ⑧ 갈꼳 (2) ① 논는 ② 암마당 ③ 강능 ④ 철리 ⑤ 물랄리 (3) ① 고지듣따 ② 무치다

01 ②	02 ④	03 ⑤	04 ④	05 ④	06 ⑤
07 ④	08 ②	09 ③	10 ②	11 ①	12 ④
13 ①	14 ⑤	15 ⑤	16 ③		

01 음절의 끝소리 규칙 ❷

'햇빛이'는 '햇빛' 뒤에 형식 형태소인 조사 '이'가 왔으므로 ㅊ은 음절의 끝소리 규칙이 실현되지 않고 연음되어 [핻삐치]로 발음한다.

오답 피하기

① '꽃 안'은 '꽃' 뒤에 실질 형태소인 '안'이 왔으므로 음절의 끝소리 규칙에 따라 [꼬단]으로 발음한다.

③ '잎 위에'는 '잎' 뒤에 실질 형태소인 '위'가 왔으므로 음절의 끝소리 규칙에 따라 [이뷔에]로 발음한다.

④ '부엌에서'는 '부엌' 뒤에 형식 형태소인 조사 '에서'가 왔으므로 ㅋ은 음절의 끝소리 규칙이 실현되지 않아 [부어케서]로 발음한다.

⑤ '닭이'는 겹받침으로 된 '닭' 뒤에 형식 형태소인 조사 '이'가 왔으므로 음절의 끝소리 규칙이 실현되지 않아 [달기]로 발음한다.

02 유음화 ❹

'생산량'은 한자어이면서 '생산+량'으로 그 단어를 둘로 쉽게 나눌 수 있기 때문에 [생산냥]으로 발음되며 이는 비음화 현상에 해당한다.

오답 피하기

① 설날[설랄], ② 물난리[물랄리], ③ 천리[철리], ⑤ 신라[실라]로 발음되며 유음화 현상에 해당한다.

03 비음화 ❺

⑤에서 '받은'의 '은'은 모음으로 시작하는 형식 형태소이므로 연음 현상이 일어나 [바든]으로 발음된다.

오답 피하기

① 먹는다[멍는다], ② 앞날[압날→암날], ③ 속는[송는], ④ 담력[담녁]으로 발음되며 비음화 현상에 해당한다.

04 된소리되기 ❹

㉡ 신더라[신떠라], ㉣ 안고[안꼬], ㉥ 감고[감꼬]는 어간의 끝소리 'ㄴ, ㅁ' 뒤에 첫소리가 'ㄱ, ㄷ'인 어미가 결합한 경우로 된소리되기 현상이 일어난다.

오답 피하기

㉠, ㉤ '고무신', '감자'는 음운 변동 현상 없이 [고무신], [감자]로 발음된다.

㉢ '안다'는 '알-+-ㄴ-+-다'로 분석되며, 용언의 어간이 ㄹ로 끝나므로 된소리되기가 일어나지 않고, [안다]로 발음한다.

05 된소리되기 ❹

'담다'는 ㉠에 따라 [담따]로, '발전'은 ㉡에 따라 [발쩐]으로 발음한다.

오답 피하기

① '신다'는 ㉠에 따라 [신따]로 발음하지만, '굴곡(屈曲)'은 'ㄹ' 뒤에 결합되는 자음이 'ㄱ'이므로 ㉡에 해당하지 않는다.

② '앉다'는 ㉠에 따라 [안따]로 발음하지만, '불법(不法)'은 'ㄹ' 뒤에 결합되는 자음이 'ㅂ'이므로 ㉡에 해당하지 않는다.

③ '굶다'는 ㉠에 따라 [굼따]로 발음하지만, '약국(藥局)'은 ㉡에 해당하지는 않는다. '약국(藥局)'은 받침 ㄱ 뒤에 ㄱ이 연결되기 때문에 [약꾹]으로 발음한다.

⑤ '깎다'는 어간 받침이 'ㄲ'이므로 ㉠에 해당하지는 않지만, [깍다 → 깍따]의 과정을 거쳐 된소리되기가 일어난다. '월세(月貰)'는 ㉡에 따라 [월쎄]로 발음한다.

06 구개음화 ❺

⑤에서는 구개음화 현상이 일어나지 않는다. '돛이'가 [도치]로 발음되는 것은 연음 현상이다.

오답 피하기

① '낱낱이[난:나치]' ② '밭이랑[바치랑]' ③ '걷히다[거치다]' ④ '맏이[마지]'로 발음되며 구개음화 현상에 속한다.

07 된소리되기 ❹

'마음속'은 사잇소리 현상에 의해 울림소리 'ㅁ' 뒤의 예사소리 'ㅅ'이 된소리로 바뀌어 발음되었다. 나머지 선지들은 받침 [ㄱ, ㄷ, ㅂ] 뒤의 예사소리가 된소리로 바뀐 경우이다.

08 음운의 교체 ❷

'칼날[칼랄]'은 'ㄹ+ㄴ → ㄹ+ㄹ'의 순행 동화이고, '난로[날로]'는 'ㄴ+ㄹ → ㄹ+ㄹ'로 바뀌는 역행 동화이다. 그러므로 동화의 방향이 서로 다르다.

오답 피하기

④ 'ㅣ'모음 역행 동화는 후설 모음인 'ㅏ, ㅓ, ㅗ, ㅜ'가 뒤에 오는 전설 모음 'ㅣ'의 영향을 받아 각각 'ㅐ, ㅔ, ㅚ, ㅟ'로 바뀌는 현상인데, 일부 단어를 제외하고는 표준 발음으로 인정하지 않는다. [괴기], [애기] 역시 표준 발음으로 인정하지 않는다.

⑤ 구개음화는 잇몸소리인 자음 'ㄷ, ㅌ'이 모음 'ㅣ'의 조음 위치에 가까워져 센입천장소리인 'ㅈ, ㅊ'으로 바뀐 것이기 때문에 자음의 조음 위치가 모음의 조음 위치에 동화된 것으로 볼 수 있다.

09 음운의 교체 ③

〈보기〉의 단어에서는 각각 ㉠ 비음화 ㉡ 유음화 ㉢ 구개음화가 일어났으며, ㉠과 ㉡은 자음 동화이며 음운이 교체될 때 조음 방법만 바뀐다. ㉠은 파열음 'ㅂ(받침 ㅍ의 대표음)'이 비음 'ㅁ'으로, ㉡은 비음 'ㄴ'이 유음 'ㄹ'로 조음 방법이 바뀌었다.

오답 피하기

① ㉠의 '앞문'은 'ㅍ'이 [압문 → 암문]과 같이 'ㅁ'으로 바뀌어 발음되었다. 입술소리이면서 파열음인 'ㅂ(받침 'ㅍ'의 대표음)'이 입술소리이면서 비음인 'ㅁ'으로 발음된 것이므로 조음 방법만 바뀌었고, 이는 비음화에 해당한다.

② ㉡의 '한라'는 'ㄴ'이 [할라]와 같이 'ㄹ'로 바뀌어 발음되었다. 잇몸소리이면서 비음인 'ㄴ'이 잇몸소리이면서 유음인 'ㄹ'로 바뀌어 발음된 것이므로 조음 방법만 바뀌었고, 이는 유음화에 해당한다.

④ ㉡은 조음 방법만 바뀌었다. ㉢의 '미닫이'의 경우 'ㄷ'이 'ㅈ'으로 바뀌면서 조음 위치와 조음 방법이 모두 바뀌었음을 확인할 수 있다.

⑤ ㉢은 구개음화의 예로, 조음 위치뿐만 아니라 조음 방법도 함께 바뀌었다.

10 음운의 교체 ②

〈보기〉에서 일어난 음운 변동은 음절의 끝소리 법칙, 비음화이다. 둘 다 교체 현상에 해당하기 때문에 음운의 개수에는 변화가 없다.

오답 피하기

③, ⑤ '꽃나무'는 음절의 끝소리 규칙이 적용되어 [꼳나무]가 되며, 교체된 'ㄷ'이 뒤에 있는 비음 'ㄴ'의 영향을 받아 조음 방법이 닮는 비음화 현상이 일어나 [꼰나무]로 발음된다. 이는 발음을 좀 더 쉽게 하기 위해 일어난 음운 변동 현상이다.

④ 음절 끝 'ㅊ'은 받침에서 발음될 수 있는 7개의 자음(ㄱ, ㄴ, ㄷ, ㄹ, ㅁ, ㅂ ,ㅇ)에 속하지 않기 때문에 음절의 끝소리 규칙이 적용되어 대표음 'ㄷ'으로 바뀌어 발음된다.

11 음운의 교체 ①

㉠(뻗대다[뻗때다]), ㉤(껴안다[껴안따])은 된소리되기, ㉡(곡물[공물]), ㉣(맏며느리[만며느리])은 비음화, ㉢(신라[실라]), ㉥(권력[궐력])은 유음화가 일어난다.

12 음운의 교체 ④

발전은 [발쩐]으로 발음되며 한자어에서 받침 'ㄹ' 뒤에 위치한 'ㅈ'이 된소리로 소리 나는 경우에 해당한다.

오답 피하기

① 칼날[칼랄]: 유음화

② 곧이[고지]: 구개음화

③ 꽃에[꼬체]: 연음(음운의 변동 현상이 아님)

⑤ 독립[독닙 → 동닙]: 'ㄹ'의 비음화, 'ㄱ'의 비음화

13 음절의 끝소리 규칙 ①

'밭은소리'의 '밭은'은 '숨이 가쁘고 급하다.'는 뜻의 형용사 '밭다'의 활용형으로, 어간 '밭-'에 관형사형 어미 '-은'이 결합된 것이다. 어미 '은'은 모음으로 시작하는 형식 형태소이므로, 앞말의 받침을 연음하여 [바튼소리]로 발음하여야 한다.

오답 피하기

② 조사 '으로'는 형식 형태소이고, 어근 '알'은 실질 형태소이므로 '낱으로'는 [나트로]로, '낱알'은 [나달]로 발음한다.

③ 어근 '어금니'는 실질 형태소이므로 '앞어금니'는 음절의 끝소리 규칙이 먼저 적용되어 [압어금니]로 발음하고 이후 연음하여 [아버금니]로 발음한다.

④ 어근 '웃-'은 실질 형태소이고, 접사 '-음'은 형식 형태소이다. 따라서 '겉웃음'은 일차적으로 [걷(음절의 끝소리 법칙 먼저 적용)우슴(연음 현상)]이 되고, 이후 다시 연음하여 [거두슴]으로 발음한다.

⑤ 조사 '을'은 형식 형태소이므로 '밭을'은 [바틀]로 연음하여 발음한다.

14 음운의 교체 ⑤

'꺾+지 → [꺽찌]'는 음절의 끝소리 규칙과 된소리되기가 일어났으므로 총 두 번의 음운 변동이 일어났다. ㉢ '꽃말'은 음절의 끝소리 규칙이 일어나 [꼳말]이 되고, 이어서 비음화가 일어나 [꼰말]로 발음되므로 음운 변동이 두 번 일어났다. 그러나 ㉣ '잡고'는 된소리되기만 일어나 [잡꼬]로 발음하므로 음운 변동이 한 번 일어났다.

오답 피하기

① '갓+이 → [가시]'에서는 연음 현상이 일어났는데, ㉠의 '끝에'도 받침 'ㅌ'이 뒤 음절로 이동하여 [끄테]로 발음되는 연음 현상이 일어났다. 연음은 음운 변동 현상이 아니다.

② '닫+는 → [단는]'에서는 비음화 현상이 일어나 어간 말 자음 'ㄷ'이 [ㄴ]으로 교체됐는데, ㉡의 '앞문'도 [압문 → 암문]의 과정을 거쳐 'ㅂ(받침 ㅍ의 대표음)'이 비음화 현상 때문에 [ㅁ]으로 교체되었다.

③ '입+니 → [임니]'에서는 '입'의 'ㅂ'이 뒤따르는 비음 'ㄴ'의 영향으로 비음 [ㅁ]으로 교체됐는데, ㉢의 '꽃말'도 [꼳말 → 꼰말]의

과정을 거쳐 'ㄷ(받침 ㅊ의 대표음)'이 뒤따르는 비음 'ㅁ'의 영향으로 비음 [ㄴ]으로 교체되었다.

④ '팥+죽 → [팓쭉]'에서 받침 'ㅌ'은 음절의 끝소리 규칙 때문에 [ㄷ]으로 교체됐는데, ㉡의 '앞문[압문 → 암문]'도 받침 'ㅍ'이 'ㅂ'으로, ㉢의 '꽃말[꼳말 → 꼰말]'도 받침 'ㅊ'이 'ㄷ'으로 음절의 끝소리 규칙에 따라 교체되었다.

15 음운의 교체와 동화 ❺

ⓐ는 음절의 끝소리 규칙이 일어나는 단어이다. 〈보기〉에 제시된 단어 중 '꽃[꼳]'과 '부엌[부억]'은 음절의 끝소리 규칙이 일어나므로 ⓐ에 해당한다. 동화 현상 중 유음화, 비음화가 일어나는 단어는 ⓑ에 해당하는데, 〈보기〉에 제시된 단어 중 '곡물[공물]', '속는다[송는다]', '맏며느리[만며느리]'는 비음화가 일어나므로 ⓑ에 해당한다.

오답 피하기

①~④ '굳이[구지]'는 'ㅣ' 모음의 영향으로 'ㄷ'이 [ㅈ]으로 바뀌어 발음되므로 ⓐ에도 ⓑ에도 해당하지 않는다.

16 음운의 동화 ❸

순행 동화의 예인 '칼랄'과 '강릉' 둘 다 앞 음절의 받침의 영향으로 뒤 음절의 첫소리가 [칼랄], [강능]으로 바뀌어 발음되었다. ③의 '달님[달림]'에서도 '달'의 'ㄹ'의 영향으로 뒤에 위치한 '님'의 'ㄴ'이 [ㄹ]로 바뀌어 발음되므로 동화의 양상이 순행 동화로 같다고 볼 수 있다.

오답 피하기

①, ②, ④ '입는[임는]', '작년[장년]', '밥물[밤물]'은 뒤 음절의 초성인 비음 'ㄴ, ㅁ'의 영향을 받아 앞 음절의 평파열음 'ㅂ, ㄱ'이 비음으로 바뀌는 역행 동화가 일어났다.

⑤ '관리[괄리]'에서는 '리'의 'ㄹ'의 영향으로 '관'의 'ㄴ'이 [ㄹ]로 바뀌는 역행 동화가 일어났다.

13 음운의 변동 ❷ – 탈락, 첨가, 축약

사뿐히 즈려밟는 확인 문제 p.134~138

☑ 바로바로 간단 체크 1 ㉠ −1 ㉡ 축약 ㉢ +1 2 (1) [나콰] / 거센소리되기 (2) [마텽] / 거센소리되기 (3) [저치다] / 거센소리되기 (4) [꼳한송이 → 꼬탄송이] / 음절의 끝소리 규칙, 거센소리되기 (5) [시공뉴] / 'ㄴ' 첨가 (6) [삭일 → 삭닐 → 상닐] / 자음군 단순화, 'ㄴ' 첨가, 비음화 (7) [이팍식 → 이팍씩] / 거센소리되기, 된소리되기 (8) [목목시 → 몽목씨] / 자음군 단순화, 비음화, 된소리되기 (9) [넉두리 → 넉뚜리] / 자음군 단순화, 된소리되기 (10) [알냑 → 알략] / 'ㄴ' 첨가, 유음화 (11) [치러] / 'ㅡ' 탈락 (12) [고파기] / 거센소리되기 (13) [탔다 → 탇다 → 탇따] / 'ㅏ' 탈락(동음 탈락), 음절의 끝소리 규칙, 된소리되기 (14) [싸아서] / 'ㅎ' 탈락 (15) [먹찌안타] / 된소리되기, 거센소리되기 3 (1) ① 넉 ② 안따 ③ 갑 ④ 닥 ⑤ 삼 ⑥ 읍따 (2) ① 뚤네 ② 나은 ③ 시러도 (3) ① 혼니불 ② 한녀름 (4) ① 노코 ② 안턴

01 ③	02 ③	03 ②	04 ②	05 ④	06 ⑤
07 ③	08 ①	09 ④	10 ②	11 ②	12 ①
13 ②	14 ③	15 ②	16 ②	17 ④	18 ④
19 ①					

01 음운의 탈락 ❸

'몫이'는 [목시–목씨]로 발음되는데, 이는 겹받침 'ㄳ'의 'ㅅ'이 연음된 다음 된소리로 소리 나는 것이므로 자음 탈락으로 볼 수 없다.

오답 피하기

① 둥글- + -니 → 둥그니('ㄹ' 탈락)

② 끊- + -어서 → [끄너서]('ㅎ' 탈락)

④ 쓰- + -어 → 써 ('ㅡ' 탈락)

⑤ 가- + -아서 → 가서(동음 'ㅏ' 탈락)

02 음운의 축약 ❸

㉡, ㉣ 모두 거센소리되기(축약)가 일어났다.

오답 피하기

㉠ 된소리되기(교체), 자음군 단순화(탈락)가 일어났다.

㉢ 동음 'ㅓ' 탈락(탈락)이 일어났다.

㉤ [피어]로 발음할 때는 음운 변동이 없지만, [피여]로 발음하는 경우에는 반모음 첨가(첨가)가 일어난다.

03 음운의 축약, 탈락 ❷

㉠은 거센소리되기(축약)가 일어나 [머키다]로 발음되고, ㉡은 동음 'ㅏ'가 탈락하여 '갔다'가 되고, 교체 현상인 음절의 끝소리 규칙, 된소리되기를 거쳐 [갇다 → 갇따]로 발음된다.

오답 피하기

① ㉡은 [갇따]로 발음된다.

④ '음절 끝에서 발음될 수 있는 자음의 개수가 제한되었'다는 것은 자음군 단순화에 의한 음절의 끝소리 규칙을 의미한다. ㉠에

서는 이러한 현상을 찾아볼 수 없다. ㉡의 '갔'에서 'ㅆ'은 음절의 끝소리에서 발음될 수 없기 때문에 'ㄷ'으로 바뀌어 '갔다[갇다 → 갇따]'로 발음된다.

⑤ ㉠은 축약, ㉡은 탈락 현상이 일어났기 때문에 음운의 개수가 줄어든다.

04 음운의 첨가 ②

'서울역'은 'ㄴ' 첨가가 일어나 [서울녁]이 되고, 이어서 유음화가 일어나 'ㄴ'이 'ㄹ'로 교체되어 [서울력]으로 발음된다.

오답 피하기

① 음운의 첨가는 없던 음운이 생기므로 음운의 개수가 늘어난다.

③ 'ㄴ' 첨가는 자음이 첨가되는 현상이고, 반모음 첨가는 반모음이 첨가되는 현상이다.

④ '깻잎'은 합성어이고 모음으로 된 뒤 음절의 첫소리에서 'ㄴㄴ' 소리가 덧나므로 사잇소리 현상에 해당한다.

⑤ '되어'를 [되여]로 발음하는 경우, '어'에 반모음 'ǐ'가 첨가되어 'ㅕ'가 되는 것이다.

05 음운의 첨가 ④

'뒷머리'는 사이시옷 뒤에 'ㅁ'이 결합되는 경우이므로 〈보기〉의 '제30항 2'를 따라 [뒨머리]로 발음해야 한다.

오답 피하기

①, ② 사이시옷이 'ㅂ' 앞에 위치한 경우이기 때문에 〈보기〉의 '제30항 1'을 따라 [귀빱], [나루빼]로 발음하는 것을 원칙으로 하되, [귇빱], [나룯빼]로 발음하는 것도 허용한다.

③ 사이시옷 뒤에 'ㅁ'이 결합하는 경우이기 때문에 〈보기〉의 '제30항 2'를 따라 [아랜마을]로 발음해야 한다.

⑤ 사이시옷 뒤에 '이' 소리가 결합하는 경우이기 때문에 〈보기〉의 '제30항 3'을 따라 [훈닐]로 발음해야 한다.

06 음운의 탈락, 축약 ⑤

음운의 개수가 줄어드는 음운의 변동은 탈락과 축약이다. 〈보기〉의 단어 중 ㉠, ㉡은 종성의 자음군 중 하나의 자음이 탈락하는 자음군 단순화가 일어나며, ㉣은 'ㅎ'과 'ㄷ'이 만나 [ㅌ]으로 축약하는 거센소리되기 현상이 일어난다.

오답 피하기

㉢ '볶다[복다 → 복따]'는 교체 현상인 음절의 끝소리 규칙, 된소리되기가 일어나므로 음운의 개수에는 변함이 없다.

㉤ '눈요기[눈뇨기]'는 첨가 현상인 'ㄴ' 첨가가 일어나므로 음운의 개수가 한 개 늘어난다.

07 음운의 변동 ③

㉢의 '꽃만[꼳만 → 꼰만]'은 음절의 끝소리 규칙과 비음화가 일어나는데, '앞마당[압마당 → 암마당]'과 '놓는[녿는 → 논는]'에서도 음절의 끝소리 규칙과 비음화가 일어난다.

오답 피하기

① ㉠의 '꽃다발[꼳다발 → 꼳따발]'은 음절의 끝소리 규칙과 된소리되기 현상이 일어난다. '덮밥[덥밥 → 덥빱]'에서는 ㉠과 동일한 음운 변동이 일어나지만, '부엌칼[부억칼]'에서는 음절의 끝소리 규칙만 일어난다.

② ㉡의 '끓는[끌는 → 끌른]'은 자음군 단순화와 유음화 현상이 일어난다. '닳는[달는 → 달른]'에서는 ㉡과 동일한 음운 변동이 일어나지만, '넓더라[널더라 → 널떠라]'에서는 자음군 단순화와 된소리되기 현상이 일어난다.

④ ㉣의 '독특한[독트칸]'은 거센소리되기 현상이 일어난다. '맏형[마텽]'은 ㉣과 동일한 음운 변동이 일어나지만, '같이[가치]'는 구개음화 현상이 일어난다.

⑤ ㉤의 '색연필[색년필 → 생년필]'은 'ㄴ' 첨가와 비음화 현상이 일어나는데, '맨입[맨닙]'과 '담요[담뇨]'에서는 'ㄴ' 첨가 현상만 일어난다.

08 음운의 변동 ①

'많고[만코]'는 거센소리되기가 일어난 경우로 '많'의 음절 말 자음 ㅎ이 '고'의 'ㄱ'을 만나 거센소리 'ㅋ'이 되었다.

오답 피하기

② '덮는다[덥는다 → 덤는다]'는 음절 말 자음 'ㅍ'이 'ㅂ'으로 바뀌는 음절의 끝소리 규칙이 적용된 후, 이 'ㅂ'이 뒤따르는 비음 'ㄴ'의 영향으로 'ㅁ'으로 바뀌는 비음화가 일어났다.

③ '숱하다[숟하다 → 수타다]'는 음절 말 자음 'ㅌ'이 'ㄷ'으로 바뀌는 음절의 끝소리 규칙이 적용된 후, 이 'ㄷ'과 'ㅎ'이 만나 'ㅌ'이 되는 거센소리되기가 일어났다.

④ '밭이랑[받니랑 → 받니랑 → 반니랑]'은 어근 '밭'과 'ㅣ' 모음으로 시작하는 어근 '이랑'이 만나 이루어진 합성어로 'ㄴ' 첨가 현상이 일어난 뒤, 음절의 끝소리 규칙, 비음화가 적용되었으므로 총 세 번의 음운 변동이 일어났다.

⑤ '직행열차[지캥녈차]'는 '직행'에서 'ㄱ'과 'ㅎ'이 만나 'ㅋ'이 되는 거센소리되기가 일어날 뿐만 아니라, 어근 '직행'과 반모음 'ǐ'로 시작하는 어근 '열차'가 만나 이루어진 합성어이기 때문에 'ㄴ' 첨가도 함께 일어났다.

09 음운의 변동 ④

〈보기〉의 ㉠은 음절의 끝소리 규칙, ㉡은 'ㄴ' 첨가, ㉢은 유음화이다. 그러나 '붙이다'는 용언의 어간 '붙-'에 'ㅣ'로 시작하는 형식 형태소(사동 접미사)가 결합하였으므로 구개음화가 일어나 [부치다]로 발음된다.

오답 피하기

① 안팎[안팍], 맨끝[맨끋]에서는 음절의 끝소리 규칙(㉠)이 일어난다.

② 눈요기[눈뇨기], 논일[논닐]에서는 'ㄴ' 첨가(㉡)가 일어난다.

③ 신라[실라], 편리[편리]에서는 유음화(㉢)가 일어난다.

⑤ 설익다[설닉다 → 설릭다], 물엿[물녇 → 물렫]에서는 'ㄴ'첨가(㉡), 유음화(㉢)가 일어난다.

10 음운의 변동 ❷

'권력[궐력]'은 유음화가 일어나므로 교체(㉠) 현상의 예로, '쓰-+-어 → 써[써]'는 'ㅡ' 탈락이 일어나므로 탈락(㉡) 현상의 예로, '맨입[맨닙]'은 'ㄴ' 첨가가 일어나므로 첨가(㉢) 현상의 예로, '축하[추카]'는 거센소리되기가 일어나므로 축약(㉣) 현상의 예로 적절하다.

오답 피하기

① '덮개[덥개]'는 음절의 끝소리 규칙이 적용되므로 교체(㉠) 현상의 예이지, 첨가(㉢) 현상의 예가 아니다.
③ '바치다[바치다]'는 별도의 음운 변동 현상이 일어나지 않는다.
④ '급류[급뉴]'는 'ㄹ'의 비음화 현상이 일어나므로 교체(㉠) 현상의 예이다. '옳아'는 [오라]로 'ㅎ' 탈락(㉡) 현상의 예이다.
⑤ '엽서[엽써]'는 된소리되기 현상이 일어나므로 교체(㉠) 현상의 예이다. '끊어'는 [끄너]로 'ㅎ' 탈락(㉡) 현상의 예이다.

11 음운의 변동 ❷

㉠은 음절의 끝소리 규칙과 연음 현상을 적용하여 [번꼬치]로 읽어야 하고, ㉢은 거센소리되기, 음절의 끝소리 규칙, 된소리되기를 적용하여 [조켇따고]로 읽어야 한다.

오답 피하기

㉡ '한여름'은 접사 '한'과 반모음 'ǐ'로 시작하는 어근 '여름'이 만나 이루어진 파생어이기 때문에, 'ㄴ' 첨가를 적용하여 [한녀름]으로 읽는다.
㉣ '맑은'은 어간 '맑-'과 모음으로 시작하는 형식 형태소인 어미 '-은'이 만났기 때문에 연음하여 [말근]으로 읽어야 한다.
㉤ '닫고'는 받침 'ㄷ' 뒤에 'ㄱ'이 오기 때문에 된소리되기를 적용하여 [닫꼬]로 읽어야 한다.

12 음운의 축약 ❶

'먹히다'는 거센소리되기에 따라 [머키다]로 발음되므로 축약 현상의 예로 적절하다.

오답 피하기

② '밭머리[받머리→반머리]'는 음절의 끝소리 규칙, 비음화가 일어나므로 교체 현상의 예이다.
③, ⑤ '솜이불[솜니불]', '한여름[한녀름]'은 'ㄴ' 첨가가 일어나므로 첨가 현상의 예이다.
④ '좋으면[조으면]'은 'ㅎ' 탈락이 일어나므로 탈락 현상의 예이다.

13 음운의 탈락 ❷

ⓑ의 '낳아'는 [나아]로 발음되지만, 표기는 그대로 '낳아'라고 쓴다. 따라서 'ㅎ'이 발음상 탈락되는 현상이 표기에는 반영되지 않음을 알 수 있다.

오답 피하기

① ⓐ의 '도니'를 보면 어간의 끝소리 'ㄹ'이 'ㄴ'으로 시작하는 어미 앞에서 탈락된다.
③ ⓒ의 '써'를 보면 어간의 모음 'ㅡ'가 모음으로 시작하는 어미 앞에서 탈락된다.
④ ⓓ의 '가'를 보면 동일 음운 'ㅏ'가 연결될 경우 하나가 탈락된다.
⑤ ⓐ와 ⓑ는 자음의 탈락, ⓒ와 ⓓ는 모음의 탈락이다.

14 음운의 변동 ❸

탈락 현상이 나타난 단어끼리 묶인 선지를 고르면 된다. ㉡의 '밟고'는 음절 끝소리 'ㄼ'에서 'ㄹ'이 탈락하는 자음군 단순화가 일어난 후, 뒷말 첫소리 'ㄱ'이 'ㅂ'과 만나 된소리로 바뀌어 [밥:꼬]로 발음된다. ㉤의 '좋아서'는 끝소리 'ㅎ'이 모음으로 시작하는 어미와 만나 탈락하여 [조아서]로 발음된다.

오답 피하기

㉠ '않기'는 'ㅎ'과 'ㄱ'이 만나 'ㅋ'으로 축약되는 거센소리되기 현상이 일어나 [안키]로 발음된다.
㉢ '같이'는 'ㅌ'이 모음 'ㅣ'로 시작하는 형식 형태소를 만나 'ㅊ'으로 발음되는 구개음화 현상이 일어나 [가치]로 발음된다.
㉣ '멋진'은 음절 끝소리인 'ㅅ'이 'ㄷ'으로 바뀐 후, 뒷말 첫소리인 'ㅈ'이 'ㄷ'과 만나 된소리로 바뀌어 [먿찐]으로 발음된다.

15 음운의 변동 ❷

'깎다[깍다 → 깍따]'는 음절의 끝소리 규칙, 된소리되기가 일어나는데, 이는 모두 교체 현상에 해당한다.

오답 피하기

①, ③ '막일[막닐 → 망닐]'과 '색연필[색년필 → 생년필]'은 둘 다 'ㄴ' 첨가(첨가), 비음화(교체)가 일어난다.
④ '값하다[갑하다 → 가파다]'는 자음군 단순화(탈락), 거센소리되기(축약)가 일어난다.
⑤ '설익다[설닉따 → 설릭따]'는 'ㄴ' 첨가(첨가), 된소리되기(교체), 유음화(교체)가 일어난다.

16 음운의 변동 ❷

'옷하고'는 음절의 끝소리 규칙(교체)이 적용되어 [옫하고]가 되고, 이어서 거센소리되기(축약)가 일어나 [오타고]로 발음된다. '홑이불'은 음절의 끝소리 규칙(교체)과 'ㄴ' 첨가가 일어나 [혿니불]이 되었다가 이어서 비음화(교체) 되어 [혼니불]로 발음된다.

17 음운의 변동 ❹

'낱낱이(㉠)'에서 'ㅌ'은 음절의 끝소리 규칙, 비음화를 거쳐 [ㄴ]으로 발음되고, '첫여름(㉣)'에서 'ㅅ'은 음절의 끝소리 규칙, 비음화를 거쳐 [ㄴ]으로 발음되므로 음운 교체 횟수는 2회로 같다.

오답 피하기

① 첫여름(㉣)에서는 첨가 현상인 'ㄴ' 첨가가 일어나[첟녀름(음절의 끝소리 규칙, ㄴ첨가)→천녀름(비음화)]으로 발음되었으나, 낱낱이(㉠)에서는 [낟나치→난나치]처럼 교체 현상(음절의 끝소리 규칙, 구개음화, 비음화)이 일어날 뿐 첨가 현상이 일어나지 않는다.

② 넋두리(㉡)에서는 탈락 현상인 자음군 단순화가 일어나 겹받침 'ㄳ'에서 'ㅅ'이 탈락하여 [ㄱ]으로 발음되었으나, 입학식(㉢)에서는 [이팍식→이팍씩]처럼 축약 현상(거센소리되기), 교체 현상(된소리되기)이 일어날 뿐 탈락 현상이 일어나지 않는다.

③ 입학식(㉢)에서는 거센소리되기에 따라 'ㅎ'과 'ㅅ'이 축약되어 [ㅍ]으로 발음되었으나, 낱낱이(㉠)에서는 구개음화에 따라 'ㅌ'이 [ㅊ]으로 교체되었을 뿐 축약 현상이 일어나지 않는다.

⑤ 넋두리(㉡)에서는 자음군 단순화(탈락)가 일어나 겹받침 'ㄳ'에서 'ㅅ'이 탈락하여 [ㄱ]으로 발음되었으나, 입학식(㉢)에서는 된소리되기(교체)가 일어나 'ㅅ'이 [ㅆ]으로 발음되었으므로 음운 변동의 횟수는 1회로 동일하다.

18 음운의 변동 ④

'급행열차'는 거센소리되기(축약)와 'ㄴ' 첨가(첨가)가 일어나 [그팽녈차]로 발음된다.

오답 피하기

① '가랑잎'은 'ㄴ' 첨가(첨가)와 음절의 끝소리 규칙(교체)이 일어나 [가랑닙]으로 발음된다.

② '값지다'는 자음군 단순화(탈락)와 된소리되기(교체)가 일어나 [갑찌다]로 발음된다.

③ '숱하다'는 음절의 끝소리 규칙(교체)과 거센소리되기(축약)가 일어나 [수타다]로 발음된다.

⑤ '서른여덟'은 'ㄴ' 첨가(첨가)와 자음군 단순화(탈락)이 일어나 [서른녀덜]로 발음된다.

19 음운의 변동 ①

'흙하고'는 자음군 단순화(탈락)가 일어나 [흑하고]가 된 뒤, 거센소리되기(축약)가 일어나 [흐카고]로 발음된다. 탈락과 축약이 일어났으므로 음운의 개수는 2개가 줄어들었다.

오답 피하기

② '저녁연기'는 'ㄴ' 첨가(첨가)가 일어나 [저녁년기]가 된 뒤, 비음화(교체)가 일어나 [저녕년기]가 된다. 첨가와 교체가 일어났으므로 음운의 개수는 1개가 늘어난다.

③ '부엌문'과 '볶는'은 음절의 끝소리 규칙(교체)과 비음화(교체)가 일어나 '부엌문[부억문 → 부엉문]', '볶는[복는 → 봉는]'으로 발음된다. 음운의 개수는 변화가 없지만 교체 현상이 두 번 일어난다.

④ '얹지'와 '묽고'는 자음군 단순화(탈락)와 된소리되기(교체)가 일어나 '얹지[언지 → 언찌]', '묽고[물고 → 물꼬]'로 발음된다. 탈락과 교체 현상이 일어났으므로 음운의 개수가 1개 줄었다.

⑤ '넓네'는 자음군 단순화(탈락)과 유음화(교체)가 일어나 [널네 → 널레]로 발음되며, '밝는'은 자음군 단순화(탈락)과 비음화(교체)가 일어나 [박는 → 방는]으로 발음된다. 탈락과 교체 현상이 일어났으므로 음운의 개수가 1개 줄었다.

꿈엔들 잊힐리야 수능 다가가기 p.140~142

01 ③ 02 ① 03 ⑤ 04 ③ 05 ① 06 ② 07 ③ 08 ⑤ 09 ③ 10 ④ 11 ② 12 ①

01 음운의 체계 정답 ③ 정답률 82%

답인 이유

③ 3개의 평순 모음

최소 대립쌍은 '하나의 소리로 인해 뜻이 구별되는 단어의 짝'이므로 [A]에 제시된 단어 중 최소 대립쌍을 찾으면 '쉬리'와 '소리', '마루'와 '머루', '구실'과 '구슬'임을 알 수 있다. 이 최소 대립쌍의 뜻이 구별되도록 하는 음운은 각각 'ㅟ, ㅗ', 'ㅏ, ㅓ', 'ㅣ, ㅡ'이고, [B]에서 이 모음들의 위치를 확인하면 평순 모음은 'ㅏ, ㅓ, ㅣ, ㅡ'로 4개임을 알 수 있다.

오답 풀이

① 2개의 전설 모음

➡ 전설 모음은 'ㅟ, ㅣ'로 모두 2개이다.

② 2개의 중모음

➡ 중모음은 'ㅗ, ㅓ'로 모두 2개이다.

④ 3개의 고모음

➡ 고모음은 'ㅟ, ㅣ, ㅡ'로 모두 3개이다.

⑤ 4개의 후설 모음

➡ 후설 모음은 'ㅗ, ㅏ, ㅓ, ㅡ'로 모두 4개이다.

개념의 좌표 찾기

최소 대립쌍(→ 109쪽) 모음의 체계(→ 112쪽)

02 음운의 체계 정답 ① 정답률 93%

답인 이유

① 초성에는 최대 두 개의 자음이 온다.

우리말 음절의 초성 자리에는 자음이 둘 이상 오지 못한다. 제시된 〈자료〉 중 '끼', '딸'의 'ㄲ', 'ㄸ'은 각각 된소리에 해당하는 하나의 자음이다. 참고로, 영어에서는 'strike'처럼 초성에 해당하는 자리에 'str'과 같이 둘 이상의 자음이 오기도 한다.

오답 풀이

② 중성에 올 수 있는 음운은 모음이다.

➡ 중성 자리에는 모음이 오는 것을 네 유형 모두에서 확인할 수 있다.

③ **종성에 올 수 있는 음운은 자음이다.**

➡ ⓒ과 ⓡ 유형에서 종성 자리에는 자음이 오는 것을 확인할 수 있다.

④ **초성 또는 종성이 없는 음절도 있다.**

➡ ㉠ 유형은 초성과 종성이 없이 중성으로만 이루어진 음절이며, ⓒ 유형은 초성이 없는 음절, ⓛ 유형은 종성이 없는 음절이라는 점에서 확인할 수 있다.

⑤ **모든 음절에는 중성이 있어야 한다.**

➡ 네 유형 모두에 중성이 포함되어 있음을 통해 확인할 수 있다.

개념의 좌표 찾기

음절의 구조(→ 113쪽)

03 음운의 교체

정답 ⑤ 정답률 93%

답인 이유

⑤ **'우표를 붙이다'의 '붙이다'는 ⓛ에 따라 '티'를 [치]로 바꿔 [부치다]로 발음해야겠군.**

'붙이다'는 '붙-'이라는 어간의 받침 'ㅌ' 뒤에 사동 접미사 '-이-'가 결합한 것이므로 표준 발음법의 항목 중 ⓛ에 따라 [부치다]로 발음해야 한다.

오답 풀이

① **'같이 걷다'의 '같이'는 ㉠에 따라 'ㅌ'을 [ㅊ]으로 바꿔 [가치]로 발음해야겠군.**

➡ '같이'의 '-이'는 조사가 아니라 어근 '같-'에 결합하여 용언을 부사로 만들어 주는 접미사이다. 따라서 '같이'를 [가치]로 발음하는 것은 ㉠이 아닌 ⓛ에 따른 결과이다.

② **'솥이나 냄비를 준비하다'의 '솥이나'는 ⓛ에 따라 'ㅌ'을 [ㅊ]으로 바꿔 [소치나]로 발음해야겠군.**

➡ '솥이나'는 명사 '솥'에 보조사 '이나'가 결합된 경우이므로 '솥이나'를 [소치나]로 발음하는 것은 ⓛ이 아닌 ㉠에 따른 결과이다.

③ **'그것은 팥이다'의 '팥이다'는 ⓛ에 따라 'ㅌ'을 [ㅊ]으로 바꿔 [파치다]로 발음해야겠군.**

➡ '팥이다'는 '팥+이다'로 명사에 서술격 조사가 붙은 것이다. 따라서 '팥이다'를 [파치다]로 발음하는 것은 ⓛ이 아닌 ㉠에 따른 결과이다.

④ **'자전거에 받히다'의 '받히다'는 ⓛ에 따라 '티'를 [치]로 바꿔 [바치다]로 발음해야겠군.**

➡ '받히다'의 '-히-'는 피동 접미사이기 때문에, '받히다'를 [바치다]로 발음하는 것은 ⓛ이 아닌 ⓒ에 따른 결과이다.

개념의 좌표 찾기

• 조사(→ 16쪽)
• 접미사(→ 39쪽)
• 어근(→ 38쪽)
• 사동 접미사(→ 86쪽)
• 어간(→ 24쪽)
• 피동 접미사(→ 85쪽)

04 모음의 변동

정답 ③ 정답률 93%

답인 이유

③ ⓛ, ⓒ

ⓐ에 해당하는 것은 ⓛ과 ⓒ이다. ⓛ '살피-+-어 → [살펴]'는 'ㅣ'와 'ㅓ'가 합쳐져 'ㅕ'가 되었고 ⓒ '배우-+-어 → [배워]'는 'ㅜ'와 'ㅓ'가 합쳐져 'ㅝ'가 되었다.

오답 풀이

㉠ **기+어 → [기여]**

➡ ㉠에서는 'ㅣ+ㅓ→ㅣ+ㅕ'와 같이 모음이 변동되었다. 즉, 어간의 단모음 'ㅣ'는 그대로지만, 어미의 단모음 'ㅓ'는 이중 모음 'ㅕ'로 변동된 것이다. 그런데 이때의 'ㅕ'는 반모음 'ㅣ[j]'와 단모음 'ㅓ'가 결합하여 이루어진 이중 모음이므로 ㉠의 모음 변동 양상은 'ㅣ+ㅓ→ㅣ+ǐ[j]+ㅓ'와 같이 나타낼 수 있다. 즉, ㉠은 두 개의 단모음 사이에 반모음 'ǐ[j]'가 첨가된 것으로 볼 수 있다. ㉠이 ⓐ에 해당되려면 [기여]가 아니라 [겨]로 발음 되어야 한다.

ⓡ **나서+어 → [나서]**

➡ ⓡ에서는 'ㅓ+ㅓ→ㅓ'로 모음이 변동되었으므로, ⓡ은 모음으로 끝난어간과 모음으로 시작하는 어미가 동일할 때 두 개의 단모음 중 하나가 없어지는 동음 탈락에 해당한다.

개념의 좌표 찾기

• 반모음 첨가(→ 132쪽)
• 동음 탈락(→ 131쪽)

05 음운의 변동

정답 ① 정답률 93%

답인 이유

① ⓐ: **유음화** ⓑ: **비음화** ⓒ: **거센소리되기**

㉠의 비표준 발음은 '긁는 → [글는] → [글른]'의 과정을, ⓛ의 표준 발음은 '짧네 → [짤네] → [짤레]'의 과정을 거치므로 자음군 단순화 이후에 유음화가 나타남을 확인할 수 있다.

이에 비해 ㉠의 표준 발음은 '긁는 → [극는] → [긍는]'의 과정을, ⓛ의 비표준 발음은 '짧네 → [짭네 → [짬네]'의 과정을 거치므로 자음군 단순화 이후에 비음화가 나타남을 확인할 수 있다.

한편, ⓒ과 ⓡ의 표준 발음은 각각 '끊기고[끈키고]', '뚫지[뚤치]'이며, 이때 예사소리 'ㄱ, ㄷ, ㅂ, ㅈ'이 'ㅎ'과 만나 'ㅋ, ㅌ, ㅍ, ㅊ'으로 바뀌는 거센소리되기만 일어난다.

개념의 좌표 찾기

• 자음군 단순화(→ 129쪽)
• 비음화(→ 122쪽)
• 유음화(→ 122쪽)
• 거센소리되기(→ 133쪽)

06 음운의 변동

정답 ② 정답률 93%

답인 이유

② ㉠~㉢에 공통적으로 일어난 음운 변동은 첨가이다.

㉠ '흙일'은 자음군 단순화(탈락)와 'ㄴ' 첨가(첨가)가 일어나서 [흑닐]이 되고, 여기에 다시 비음화(교체)가 일어나서 [흥닐]로 발음한다. ㉡ '닮는'은 자음군 단순화(탈락)가 일어나서 [달는]이 되고, 여기에 다시 유음화(교체)가 일어나서 [달른]으로 발음한다. ㉢ '발야구'는 'ㄴ' 첨가(첨가)가 일어나서 [발냐구]가 되고, 여기에 다시 유음화(교체)가 일어나서 [발랴구]로 발음한다. 따라서 '닮는'에는 첨가 현상이 일어나지 않는다.

오답 풀이

① ㉠~㉢은 각각 2회 이상의 음운 변동이 일어났다.

➡ '흙일'은 3회(자음군 단순화, 'ㄴ' 첨가, 비음화), '닮는'은 2회(자음군 단순화, 유음화), '발야구'는 2회('ㄴ' 첨가, 유음화)의 음운 변동이 일어났다.

③ 음운 변동의 결과 음운의 개수에 변화가 없는 것은 ㉠이다.

➡ ㉠에서는 음운이 하나 줄어드는 탈락 현상인 자음군 단순화와, 음운이 하나 늘어나는 첨가 현상인 'ㄴ' 첨가가 적용되기 때문에 결과적으로는 음운의 개수에 변화가 없다.

④ ㉡과 ㉢에서 일어난 음운 변동의 횟수는 같다.

➡ '닮는'은 2회(자음군 단순화, 유음화), '발야구'는 2회('ㄴ' 첨가, 유음화)의 음운 변동이 일어났으므로 ㉡과 ㉢에서 일어난 음운 변동의 횟수는 같다.

⑤ ㉢에서 첨가된 음운은 ㉠에서 첨가된 음운과 같다.

➡ ㉠은 어근 '흙'과 어근 '일'로 이루어진 합성어로, 뒷말이 'ㅣ' 모음으로 시작하기 때문에 'ㄴ'이 첨가되었고, ㉢도 어근 '발'과 어근 '야구'로 이루어진 합성어로, 뒷말이 반모음 'ㅣ'로 시작하기 때문에 'ㄴ'이 첨가되었다. 따라서 ㉢과 ㉠에서 첨가된 음운은 'ㄴ'으로 같다.

개념의 좌표 찾기

- 자음군 단순화(→ 129쪽)
- 'ㄴ' 첨가(→ 131쪽)
- 비음화(→ 122쪽)
- 유음화(→ 122쪽)
- 합성어(→ 40쪽)

07 음운의 변동

정답 ③ 정답률 93%

답인 이유

③ ㉢, ㉣: '깊다 → [깁따]'에서처럼 음절 끝에서 발음되는 자음이 7개로 제한되는 현상이 일어난다.

'음절 끝에서 발음되는 자음이 7개로 제한되는 현상'은 음절의 끝소리 규칙을 말한다. ㉢의 '숯도 → [숟또], 옷고름 → [옫꼬름]'은 받침 'ㅊ'과 'ㅅ'이 대표음 'ㄷ'으로 바뀌는 음절의 끝소리 규칙이 나타난다. 또한 ㉣의 '닦는'은 음절의 끝소리 규칙에 따라 [닥는]이 되었다가, 다시 비음화에 의해 [당는]으로 발음한다. '부엌문' 역시 음절의 끝소리 규칙으로 [부억문]이 되었다가, 비음화에 의해 [부엉문]으로 발음한다.

오답 풀이

① ㉠, ㉡: 'ㅎ'과 다른 음운이 결합하여 한 음운으로 축약되는 현상이 일어난다.

➡ ㉠은 'ㅎ'과 다른 음운이 축약되는 현상이 나타나지만 ㉡은 축약이 아니라 'ㅎ' 탈락 현상이 나타난다.

② ㉠, ㉢, ㉤: 앞 음절의 종성에 따라 뒤 음절의 초성이 된소리로 되는 현상이 일어난다.

➡ ㉠에는 된소리되기가 아니라 거센소리되기 현상이 나타난다.

④ ㉣: '겉모양 → [건모양]'에서처럼 앞 음절의 종성이 뒤 음절의 초성과 조음 위치가 같아지는 현상이 일어난다.

➡ ㉣에서는 비음화가 나타나는데 비음화는 조음 위치가 아니라 조음 방법이 같아지는 음운 현상이다.

⑤ ㉣, ㉤: '앉고 → [안꼬]'에서처럼 받침 자음의 일부가 탈락하는 현상이 일어난다.

➡ ㉤에서는 자음의 일부가 탈락하는 현상이 일어나지만 ㉣에서는 음절의 끝소리 규칙(교체)과 비음화(교체)만 나타날 뿐, 탈락 현상이 나타나지 않는다.

개념의 좌표 찾기

- 음절의 끝소리 규칙(→ 120쪽)
- 된소리되기(→ 121쪽)
- 비음화(→ 122쪽)
- 거센소리되기(→ 133쪽)
- 'ㅎ' 탈락(→ 130쪽)
- 유음화(→ 122쪽)
- 자음군 단순화(→ 129쪽)

08 음운의 변동

정답 ⑤ 정답률 93%

답인 이유

⑤ '읊고[읍꼬]'에는 (가), (나) 모두에 해당하는 음운 변동이 있다.

(가)는 음절의 끝소리 규칙, (나)는 자음군 단순화를 설명한 부분이다. '읊고'는 자음군 단순화를 거쳐 [읖고]가 되고, 음절의 끝소리 규칙과 된소리되기를 거쳐 [읍꼬]로 발음된다.

오답 풀이

① '꽂힌[꼬친]'에는 (가)에 해당하는 음운 변동이 있다.

➡ '꽂힌[꼬친]'에서는 거센소리되기(축약) 현상이 나타나므로 (가)와 관계가 없다.

② '몫이[목씨]'에는 (나)에 해당하는 음운 변동이 있다.

➡ '몫이[목씨]'에는 겹받침 중에 뒤에 오는 'ㅅ'이 뒤로 연음되면서 된소리로 바뀌는 교체 현상이 나타나므로 (나)와 관련이 없다.

③ '비옷[비옫]'에는 (나)에 해당하는 음운 변동이 있다.

➡ '비옷[비옫]'에는 음절의 끝소리 규칙(교체)이 적용되므로 (가)의 음운 변동에 해당한다.

④ '않고[안코]'에는 (가), (나) 모두에 해당하는 음운 변동이 있다.

➡ '않고[안코]'에는 거센소리되기(축약)만 나타나므로 (나)의 음운 변동에만 해당한다.

개념의 좌표 찾기

- 음절의 끝소리 규칙(→ 120쪽)
- 연음(→ 120쪽)
- 자음군 단순화(→ 129쪽)
- 거센소리되기(→ 133쪽)
- 음운의 변동(→ 119쪽)

09 음운의 변동

정답 ③ 정답률 93%

답인 이유

③ ㉠과 ㉢의 변동이 모두 일어난 예로 '따뜻하다 → [따뜨타다]'를 들 수 있다.

㉠에는 음절의 끝소리 규칙(교체), ㉡에는 된소리되기(교체), ㉢에는 거센소리되기(축약)이 일어난다. '따뜻하다'는 음절의 끝소리 규칙을 거쳐 [따뜯하다]가 되고, 이어 거센소리되기가 일어나 [따뜨타다]로 발음되므로 ㉠과 ㉢의 변동이 일어난 예이다.

오답 풀이

① ㉠과 ㉡은 음절 종성에 놓인 자음이 바뀌는 변동이다.

➡ ㉠에는 음절의 끝소리 규칙이 일어나 음절 종성에 놓인 자음이 바뀌었지만, ㉡에는 된소리되기가 일어나 평파열음인 받침 뒤에 놓인 음절 초성이 된소리로 바뀌었다.

② ㉠은 거센소리를 예사소리로, ㉢은 거센소리를 된소리로 바꾸는 변동이다.

➡ ㉠은 종성에 올 수 없는 자음이 종성에 올 수 있는 대표음으로 바뀌는 교체 현상이며, ㉢은 'ㅎ'과 예사소리가 합쳐져 거센소리로 축약되는 현상이다.

③ ㉡과 ㉢의 변동은 뒤의 자음이 앞의 자음에 동화된 것이다.

➡ ㉡과 ㉢은 동화 현상이 아니다.

⑤ ㉡은 음운의 첨가에, ㉢은 음운의 축약에 속한다.

➡ ㉢은 거센소리되기 현상으로 음운의 축약 현상에 해당하지만, ㉡은 된소리되기 현상으로 음운의 교체 현상에 해당한다.

개념의 좌표 찾기

- 음절의 끝소리 규칙(→ 120쪽)
- 동화 현상(→ 122쪽)
- 된소리되기(→ 121쪽)
- 거센소리되기(→ 133쪽)

10 음운의 교체

정답 ④ 정답률 93%

답인 이유

④ ㉣: '밖'과 '밑'을 음운 변동의 예로 추가할 수 있다.

'밖[박]', '밑[믿]'은 음절의 끝소리 규칙이 적용되어 '(3)음절 끝의 자음이 바뀌는 경우'(ㄱ, ㄷ, ㅂ)와 동일한 음운 변동이 일어난다.

오답 풀이

① ㉠: 음절 끝의 자음이 바뀌지 않는 경우는 '부엌, 간, 달, 섬, 창'이다.

➡ '부엌'은 음절의 끝소리 규칙이 적용되어 [부억]으로 발음된다.

② ㉡: 음절 끝의 자음이 예사소리일 때에는 바뀌지 않는다.

➡ '옷'과 '빚'은 음절 끝 자음이 예사소리이지만 음절의 끝소리 규칙에 따라 각각 [옫]과 [빋]으로 발음된다.

③ ㉢: 음운 변동이 일어나면 'ㄱ, ㄹ, ㅂ' 중 하나로 바뀐다.

➡ '부엌[부억]', '옷[옫], 빚[빋]', '앞[압]'의 경우를 볼 때 음절 끝 자음이 'ㄱ, ㄷ, ㅂ'으로 바뀜을 알 수 있다.

⑤ ㉤: 음절 끝에서는 'ㄱ, ㄴ, ㄹ, ㅁ, ㅂ, ㅅ, ㅇ'만 발음된다.

➡ 음절 끝에서는 'ㄱ, ㄴ, ㄷ, ㄹ, ㅁ, ㅂ, ㅇ'만 발음된다.

개념의 좌표 찾기

- 음절의 끝소리 규칙(→ 120쪽)

11 음운의 변동

정답 ② 정답률 93%

답인 이유

② ㉡의 예: 값싸다, 닭똥

㉡의 '흙까지[흑까지]'는 자음군 단순화가 일어나 겹받침 'ㄺ'에서 자음 'ㄹ'이 탈락하였다. '값싸다[갑싸다], 닭똥[닥똥]'에서도 각각 겹받침 중 'ㅅ'과 'ㄹ'이 탈락하는 자음군 단순화가 일어남을 알 수 있다.

오답 풀이

① ㉠의 예: 먹히다, 목걸이

➡ ㉠의 '밥하고[바파고]'에서는 거센소리되기가 일어났다. '먹히다[머키다]'는 거센소리되기가 일어나지만 '목걸이[목꺼리]'는 된소리되기가 일어나므로 ㉠의 예로 적절하지 않다.

③ ㉢의 예: 굳세다, 솜이불

➡ ㉢의 '잡고[잡꼬]'에서는 된소리되기가 일어났다. '굳세다[굳쎄다]'는 된소리되기가 일어나지만 '솜이불[솜니불]'은 'ㄴ' 첨가가 일어나므로 ㉢의 예로 적절하지 않다.

④ ㉣의 예: 겁내다, 맨입

➡ ㉣의 '듣는다[든는다]'에서는 비음화가 일어났다. '겁내다[검내다]'에서는 비음화가 일어나지만 '맨입[맨닙]'에서는 'ㄴ' 첨가가 일어나므로 ㉣의 예로 적절하지 않다.

⑤ ㉤의 예: 잡히다, 설날

➡ ㉤의 '칼날[칼랄]'에서는 유음화가 일어났다. '설날[설랄]'에서는 유음화가 일어나지만 '잡히다[자피다]'에서는 거센소리되기가 일어나 ㉤의 예로 적절하지 않다.

개념의 좌표 찾기

- 자음군 단순화(→ 129쪽)
- 거센소리되기(→ 133쪽)
- 된소리되기(→ 121쪽)
- 비음화(→ 122쪽)
- 유음화(→ 122쪽)

12 음운의 변동

정답 ① 정답률 93%

답인 이유

① 앞 자음의 조음 방식

'식물[싱물]', '입는[임는]', '뜯는[뜬는]'은 각각 앞 글자의 받침에 있는 'ㄱ, ㅂ, ㄷ'이 뒤에 오는 'ㅁ, ㄴ'을 만나 'ㅇ, ㅁ, ㄴ'으로 바뀐다. 이를 제시된 자음 분류표에서 살펴보면, 파열음이 뒤에 오는 비음의 영향을 받아 비음으로 바뀌었음을 확인할 수 있다. 이는 앞 자음의 조음 방식(발음하는 방법)이 달라진 것으로 파악하는 것이 적절하다.

개념의 좌표 찾기

- 비음화(→122쪽) 조음 방법(→110쪽)

4. 담화

14 담화

사뿐히 즈려밟는 확인 문제 p.148~150

바로바로 간단 체크 1 (1) 담화 (2) 화자, 맥락 (3) 언어적 (4) 직접 발화, 간접 발화 2 (1) ○ (2) ○ (3) X 3 ㉠ 통일성 ㉡ 주제 ㉢ 형식적

01 ⑤ 02 ④ 03 ③ 04 ③ 05 ③ 06 ④
07 ④ 08 ③ 09 ④

01 담화의 개념과 특성 ❺

담화에서는 화자와 청자가 같은 맥락을 공유하고 있을 경우 일정 성분을 생략하는 것이 가능하다.

02 담화 상황 이해 ❹

㉢ '엄마'와 ㉤ '여보'는 동일한 대상인 '엄마'를 지칭하는 말이다.

오답 피하기

① 대화의 맥락으로 볼 때, 엄마는 ㉠ '엄마, 비 와요.'라는 말에 담긴 상황 맥락-'마당에 널린 빨래를 걷어야 할 것 같다'-을 잘 파악한 것으로 볼 수 있다.

② 민수는 ㉡을 '비가 오니 빨래를 같이 걷자'는 뜻으로 이해하고, '저도 도와드릴게요.'라고 이야기하고 있다.

③ ㉠과 ㉣은 '엄마, 비 와요.'라는 동일한 말이지만 서로 다른 상황 맥락에서 사용되었다. ㉠은 마당에 빨래가 널려 있는 상황 맥락에서 '비가 오니 빨래를 걷어야겠다.'는 의미로, ㉣은 등교를 하는 상황 맥락에서 '비가 오니 우산을 가져가야 한다.'는 의미로 사용한 것으로 볼 수 있다.

⑤ ㉥ '신발장에.'는 원래 '우산이 신발장에 있다.'고 해야 온전한 발화이다. 하지만 〈보기〉에서는 화자인 엄마와 청자인 아빠가 같은 상황 맥락을 공유하고 있기 때문에 문장에서 반드시 필요한 주어와 서술어를 생략해도 의사소통에 무리가 없다.

03 접속 표현 ❸

㉠은 '남한 사람이 북한 이탈 주민을 돕겠다고 마음먹게 됨. - ㉠ - 그 뜻을 전달함.'의 흐름이므로, '그래서'와 같은 인과 관계로 이어 주는 접속 표현이 들어가야 적절하다. ㉡은 '호의를 베풀려던 남한 사람은 북한 이탈 주민이 강한 어조로 "일없습네다."라고 하여 무례하다고 생각하게 됨. - ㉡ - 북한에서 "일없습네다."라는 말은 공손한 거절 표현임.'의 흐름이므로 '하지만', '그렇지만' 등의 전환 관계로 이어 주는 접속 표현이 들어가야 적절하다.

04 담화 상황 이해 ❸

㉢ '당신'과 ㉣ '여기' 모두 맥락에 따라 지시 대상이 바뀔 수 있는 표현에 해당한다. 이러한 표현에는 '나, 너, 당신, 그, 그녀'나 '여기, 거기, 저기', '오늘, 지금, 내일' 따위가 있다.

오답 피하기

① ㉠ '미리 마중 좀 나갈 수 있니?'는 상대방의 대답을 요구하는 의문문이고 ㉦ '할아버지를 뵈면 얼마나 반가울까요?'는 '할아버지를 뵈면 무척 반가울 것이다'라는 의미로, 굳이 상대방의 대답을 요구하는 발화가 아니다.

② ㉡ '우리'는 경애가 자신과 남편인 하림을 가리키며 지칭한 말이고, ㉤ '우리'는 경찬이 자신과 매부인 하림을 포함하여 지칭한 말이다.

④ ㉢ '당신'은 할아버지를 가리키는 말이므로 발화 현장에 없는 인물을, ㉧ '당신'은 경애가 자신의 남편인 하림을 가리키는 말이므로 발화 현장에 있는 인물을 가리킨다.

⑤ ㉣ '여기'와 ㉥ '이곳'은 화자가 자신과 가까운 위치를 가리키는 말이므로 발화자가 자신의 위치를 중심으로 사용한 표현이다.

05 직접 발화와 간접 발화 ❸

③에서 '축구하고 가자.(청유문)'는 상대방에게 특정 행위를 함께 할 것을 요청하는 직접 발화로, 겉으로 드러난 표현과 전달하려는 의도가 일치한다. ①, ②, ④, ⑤는 화자의 의도가 간접적으로 표현된 간접 발화이다.

06 담화 상황 이해 ❹

㉤ '너희'는 청자인 은진과 희연을 가리킨다. 이것은 화자가 같은 담화 맥락을 공유하는 둘 이상의 청자를 가리킬 때 사용하는 표현으로, 상황 맥락이 달라지더라도 화자를 포함하지는 않는다.

오답 피하기

① 은진이 ㉠ '이 책'이라고 한 것을 희연은 ㉡ '그건'이라고 표현하고 있다. 이는 ㉠ '이 책'이 은진에게는 가까이 있지만 희연에게는 떨어져 있기 때문이다.

② 희연이 은진이 말한, ㉠ '이 책'이 너무 쉽다고 하며 새로 권한 책이 ㉢ '《코스모스》'이다.

③ ㉣ '재미있겠어요.'에는 화자의 심리가 드러난다.

⑤ ㉥ '그럼 《코스모스》로 정하는 게 좋겠다.'는 평서문이지만 '이번 세미나에서 함께 읽어 볼 책은 《코스모스》로 정하자.'라는 청유의 의미를 담고 있다. 따라서 문장의 종류와 발화의 의도가 일치하지 않는다는 설명은 적절하다.

07 발화에 담긴 심리적 태도 ❹

㉣은 엄마를 통해 알게 된 정보를 영희에게 전달하는 것으로 '단정'이 아닌 '사실 전달'에 해당한다.

08 담화의 표현 ❸

㉢은 은주의 발화에 앞서 아버지가 이야기한 '저 옷이랑 같이 입으면'이라는 내용을 대신하여 표현하고 있는 대용 표현이다. 그러므로 ③의 '아버지가 앞에서 한 말과 관련된 세부 사항이 뒤에 추가될 것임을 나타낸다.'라는 진술은 적절하지 않다.

오답 피하기

① '이거'는 가리키는 대상이 화자와 가깝게 위치할 때 쓰이는 지시 표현이다. 따라서 지시하는 대상이 청자인 은주에 비해 화자인 아버지에게 가까이 있음을 나타낸다.

② '저'는 상황 맥락 속에 존재하는 대상을 직접적으로 가리키는 지시 표현이므로 지시하는 대상을 화자인 아버지는 물론, 청자인 은주도 볼 수 있음을 전제로 한다.

④ 은주가 '그렇게' 하려고 했다는 것은 앞서 아버지가 이야기한 내용, '고모한테 고맙다고 전화 한 통 드려'라는 말대로 하려 했다는 것이다. 앞선 아버지의 말을 대신 표현한 대용 표현이므로 담화의 중복을 피한다는 진술은 적절하다.

⑤ 아버지는 고모의 선물에 대한 이야기를 하다가 '그런데'를 사용하여 내일 함께 영화를 보러 가자는 화제로 바꾸고 있으므로 '그런데'가 화제를 다른 데로 돌리는 기능을 한다는 진술은 적절하다.

09 간접 발화 ❹

㉣에서 소연은, 학교에 늦은 지연에게 학교에 빨리 가라는 명령의 의도를 '가라'라는 명령형 종결 표현으로 전달하고 있다. 따라서 화자의 의도와 종결 표현이 일치한다.

꿈엔들 잊힐리야 수능 다가가기 p.152~153

01 ⑤ 02 ③ 03 ⑤ 04 ⑤ 05 ② 06 ①

01 담화 맥락 이해 정답 ⑤ 정답률 82%

답인 이유

⑤ ⓗ과 ⓞ은 화자와 청자를 제외한 제삼자를 가리킨다.

ⓗ '누나'는 담화 현장에 없으므로 화자와 청자를 제외한 제삼자가 맞지만, ⓞ '영수'는 담화 참여자인 '아들'로, 화자와 청자의 역할을 번갈아가며 수행하고 있다.

오답 풀이

① ㉠과 ⓗ은 청자의 관점에서 사용한 지칭어이다.

➡ ㉠ '엄마'와 ⓗ '누나'는 모두 화자인 엄마가 청자인 아들(영수)의 관점에서 사용한 지칭어이다.

② ㉠과 ⓢ은 현재의 담화 상황에 참여하고 있는 사람을 가리킨다.

➡ ㉠ '엄마'는 화자 자신을, ⓢ '우리 아들'은 청자인 영수를 지칭하므로 ㉠과 ⓢ은 모두 현재의 담화 상황에 참여하고 있는 사람을 가리킨다.

③ ㉡과 ㉢은 동일한 대상을 가리킨다.

➡ ㉡ '저거'와 ㉢ '저거'는 모두 '저 옷 가게 광고판'이라는 동일한 대상을 가리킨다.

④ ㉣과 ㉤은 동일한 날을 가리킨다.

➡ ㉣ '오늘'과 ㉤ '어제'는 모두 광고판에 적힌 '2015년 12월 30일'을 의미한다.

02 지칭어와 호칭어의 이해 정답 ③ 정답률 93%

답인 이유

'우리'는 대화 맥락에 따라 서로 다른 대상을 가리킬 수 있다. 〈보기〉의 대화 중 ⓑ는 대화 참여자 '수빈, 나경, 세은' 모두를 포함한다. 또한, ⓔ의 '우리' 역시 머리핀을 사러 같이 갈 수 없는 '수빈'을 포함한 대화 참여자 세 명을 모두 가리킨다. 이는 전체적인 대화 맥락을 통해, 그리고 ⓑ와 함께 쓰인 '셋이', ⓔ와 함께 쓰인 '다 같이'를 통해 확인할 수 있다.

오답 풀이

ⓐ ➡ ⓐ의 '우리'는 나경 혹은 나경을 포함한 형제자매로 볼 수 있다.

ⓒ ➡ ⓒ의 '우리'는 수빈 혹은 수빈의 가족 구성원을 의미하는 것으로 볼 수 있다.

ⓓ ➡ ⓓ의 '우리'는 ⓑ나 ⓔ와 달리, 세은과 나경만 포함한 것으로, 수빈이 포함되지 않는다.

03 담화 맥락 이해 정답 ⑤ 정답률 79%

답인 이유

⑤ ㉤은 1인칭으로 사용되고 있다.

'우리 아이들은 ㉤저희들끼리 책을 고르려고 아옹다옹한단다.'에서의 ㉤ '저희'는 바로 앞에서 말한 '우리 아이들'을 의미한다. '우리 아이들'은 3인칭 명사이므로 같은 대상을 의미하는 ㉤ '저희'가 1인칭으로 사용되고 있다는 설명은 적절하지 않다. 이렇게 ㉤ '저희'와 같이 앞에 나온 명사를 다시 받는 대명사를 재귀칭 대명사라고 한다.

오답 풀이

① ㉠은 대화 상황에서 눈에 보이는 대상, 곧 학생이 들고 있는 책을 가리킨다.

➡ ㉠ '이것'은 선생님의 말에서 '(학생이) 손에 들고 있는 그거'에 해당하는 것으로, 학생의 말을 통해 책이라는 것을 알 수 있다.

② ㉡은 앞서 언급한 대상, 곧 할아버지께서 사 주신 책들을 가리킨다.

➡ ㉡ '그것'은 학생이 바로 앞에서 언급한 '할아버지께서는 제 생일마다 책들을 사 주셨는데'의 '책들'을 대신 표현한 말이다.

③ ㉢은 3인칭으로 사용되고 있다.

➡ ㉢ '당신'은 바로 앞의 '할아버지'를 가리키는 표현이다. '할아버지'는 3인칭이므로, 같은 대상을 가리키는 표현 또한 3인칭으로 사용되는 것이 적절하다.

④ ㉣은 청자를 포함하지 않는다.

➡ ㉣ '우리'는 선생님 혹은 선생님의 가족 구성원을 가리키는 말이므로 청자인 학생을 포함하지 않는다.

개념의 좌표 찾기

• 재귀칭 대명사(→ 15쪽)

04 간접 발화 정답 ⑤ 정답률 89%

답인 이유

⑤ A: <u>어디 보자.</u> 내가 다 챙겼나?

B: 거기서 혼자 뭐 해요. 빨리 나와요.

①~④의 밑줄 친 의문문과 청유문은 화자가 청자에게 특정한 행동을 하도록 요청하는 의미를 담고 있다. 그러나 ⑤의 '어디 보자'는 특정한 청자를 염두에 두고 하는 발화가 아니며, 혼잣말에 가깝다. 이어지는 B의 발화 '거기서 혼자 뭐 해요.'를 통해서도 이러한 점을 짐작할 수 있다.

오답 풀이

① A: 괜찮다면, 우리 여기서 잠깐 기다릴래요?
B: 좋아요. 10분만 더 기다려요.

➡ ① 화자는 의문문을 통해 청자에게 기다리는 행위를 함께할 것을 요청하고 있다.

② A: 다친 곳은 어떤가? 한번 보세.
B: 보시다시피 많이 좋아졌습니다.

➡ ② 화자는 청유문을 통해 청자에게 다친 곳을 보여 줄 것을 요청하고 있다.

③ A: 저기요. 먼저 좀 내립시다.
B: 아, 예. 저도 여기서 내려요.

➡ ③ 화자는 청유문을 통해 청자에게 내릴 수 있게 비켜 달라고 요청하고 있다.

④ A: 저 혹시, 모자를 벗어 주실 수 있을까요?
B: 제가 방해가 되었군요. 미안합니다.

➡ ④ 화자는 의문문을 통해 청자에게 모자를 벗어 줄 것을 요청하고 있다.

05 지칭어와 호칭어의 이해 | 정답 ② | 정답률 62%

답인 이유

② ㉠과 ㉢을 보면, 청자는 같지만 화자가 달라 동일한 인물이 다르게 표현되고 있다.

㉠ '김 서방'은 은미의 고모부를 가리키는 말이고, ㉢ '아가씨'는 은미의 고모를 가리키는 말이다. ㉠과 ㉢은 가리키는 인물이 달라 다르게 표현된 것이지, 청자는 같지만 화자가 달라서 동일한 인물을 다르게 표현한 것이 아니다.

오답 풀이

① ㉠과 ㉡을 보면, 화자와 청자가 맞바뀌어 동일한 인물이 다르게 표현되고 있다.

➡ ㉠ '김 서방'이라고 말한 화자는 할머니이고, 이를 듣는 청자는 고모이다. ㉡ '그이'라고 말한 화자는 고모이며, 이를 듣는 청자는 할머니이다. 따라서 화자와 청자가 바뀌었고, ㉠ '김 서방'과 ㉡ '그이' 모두 은미의 고모부를 가리키므로 적절한 설명이다.

③ ㉠과 ㉤을 보면, 화자도 다르고 청자도 달라 동일한 인물이 다르게 표현되고 있다.

➡ ㉠ '김 서방'이라고 말한 화자는 할머니이고, 이를 듣는 청자는 고모이다. ㉤ '고모부'라고 말한 화자는 고모이고, 이를 듣는 청자는 은미이다. ㉠ '김 서방'과 ㉤ '고모부' 모두 은미의 고모부를 가리키지만 화자도 다르고 청자도 각각 달라 동일한 인물이 다르게 표현되고 있으므로 적절한 설명이다.

④ ㉡과 ㉤을 보면, 화자는 같지만 청자가 달라 동일한 인물이 다르게 표현되고 있다.

➡ ㉡ '그이'라고 말한 화자는 고모이고, 이를 듣는 청자는 할머니이다. ㉤ '고모부'라고 말한 화자는 고모이고, 이를 듣는 청자는 은미이다. ㉡ '그이'와 ㉤ '고모부' 모두 은미의 고모부를 가리키고 은미의 고모가 화자이지만, 청자가 각각 할머니와 은미로 다르기 때문에 같은 인물이 다르게 표현되고 있으므로 적절한 설명이다.

⑤ ㉢과 ㉣을 보면, 화자가 달라 동일한 청자가 다르게 표현되고 있다.

➡ ㉢ '아가씨'라고 말한 화자는 엄마이고, 이를 듣는 청자는 고모이다. ㉣ '고모'라고 말한 화자는 은미이고, 이를 듣는 청자는 고모이다. ㉢ '아가씨'와 ㉣ '고모' 모두 청자인 은미의 고모를 가리키는 말이지만 화자가 다르기 때문에 각각 다르게 표현되고 있으므로 적절한 설명이다.

06 직접 발화와 간접 발화 | 정답 ① | 정답률 95%

답인 이유

㉮의 '독서 모둠 활동은 언제, 어디에서 하면 좋겠니?'는 '언제, 어디'에 대한 구체적인 설명을 요구하는 의문문으로(설명 의문문) ㉠에 해당한다. ㉯의 '일어나지 못하겠니?'는 의문문이지만 대답을 요구하지 않는 의문문(수사 의문문)이며, 담화 상황을 고려할 때 화자인 어머니는 '일어나라'는 명령의 의미를 담아 말하고 있으므로 ㉡에 해당한다.

오답 풀이

㉰ '나랑 같이 문구점에 갈 수 있니?'는 긍정이나 부정의 대답을 요구하는 의문문이다(판정 의문문).

㉱ '어쩜 이럴 수 있니?'는 '동생이 억울한 일을 겪은 상황'이라는 맥락을 고려할 때 대답을 요구하지 않는 의문문(수사 의문문)으로, 화자의 느낌을 표현한 경우이다.

개념의 좌표 찾기

- **의문문의 종류**: 판정 의문문, 설명 의문문, 수사 의문문(→ 75쪽)

5. 국어 규범

15 표준어와 표준 발음법

사뿐히 즈려밟는 **확인 문제** p.159~161

☑ **바로바로 간단 체크** 1 (1) ◯ (2) ◯ (3) X (4) X (5) ◯ (6) X

01 ⑤ 02 ⑤ 03 ② 04 ③ 05 ① 06 ②
07 ① 08 ⑤ 09 ⑤

01 '이중 모음의 발음' 관련 조항 ⑤

다만 4.에서 조사 '의'는 [ㅔ]로 발음함도 허용한다고 했기 때문에 '의지의'는 [의지의] 또는 [의지에]로 발음할 수 있다.

오답 피하기

① 'ㅢ'는 이중 모음으로 발음하기 때문에 발음할 때 입술 모양과 혀의 위치가 달라진다.
② 다만 3.에서 "자음을 첫소리로 가지고 있는 음절의 'ㅢ'는 [ㅣ]로 발음한다."라고 했으므로 '희망'은 [히망]으로만 발음해야 한다.
③ 다만 4.에서 "단어의 첫음절 이외의 'ㅢ'는 [ㅣ]로, 조사 'ㅢ'는 [ㅔ]로 발음함도 허용한다."라고 했으므로, '강의의'는 [강의의] 또는 [강이에]로 발음할 수 있다.
④ 다만 4.에서 단어의 첫음절 이외의 'ㅢ'는 [ㅣ]로 발음함도 허용한다고 했기 때문에 '주의'는 [주의] 또는 [주이]로 발음할 수 있다.

02 '자음군 단순화' 관련 조항 ⑤

제11항에서 "다만, 용언의 어간 말음 'ㄺ'은 'ㄱ' 앞에서 [ㄹ]로 발음한다."라고 했기 때문에 '얽거나'는 [얼꺼나]로 발음해야 한다.

오답 피하기

① 제10항에서 겹받침 'ㄳ'은 어말에서 [ㄱ]으로 발음한다고 했으며, 제11항에서 겹받침 'ㄺ'은 어말에서 [ㄱ]으로 발음한다고 했으므로 적절하다.
② 제10항에서 겹받침 'ㅄ'은 어말에서 [ㅂ]으로 발음한다고 했으며, 제11항에서 겹받침 'ㄿ'은 자음 앞에서 [ㅂ]으로 발음한다고 했으므로 적절하다.
③ 제11항에서 겹받침 'ㄻ'은 자음 앞에서 [ㅁ]으로 발음한다고 했으므로 적절하다.
④ 제10항에서 "다만, '밟-'은 자음 앞에서 [밥]으로 발음한다."라고 했으며, 'ㅄ'은 자음 앞에서 [ㅂ]으로 발음한다고 했으므로 적절하다.

03 '연음 현상' 관련 조항 ②

받침 뒤에 모음으로 시작하는 실질 형태소가 오는 경우를 찾으면 된다. ㄱ의 '옷'(명사), ㄴ과 ㄹ의 '있-'(용언의 어간)은 모두 모음으로 시작하는 실질 형태소이다.

오답 피하기

ㄷ. '사람'은 자음으로 시작하는 실질 형태소이다.
ㅁ. 접미사 '-히-'는 자음으로 시작하는 형식 형태소이다.

04 '된소리되기' 관련 조항 ③

'굶기'는 용언의 어간 '굶-'에 명사형 전성 어미 '-기'가 결합하였으므로 제24항에 따라 [굼끼]로 발음해야 한다.

오답 피하기

① '낳고'는 받침 'ㅎ'과 'ㄱ'이 연결되므로 제23항을 적용할 수 없으며, 거센소리되기 현상에 따라 [나코]로 발음된다. 미역국은 받침 'ㄱ' 뒤에 'ㄱ'이 연결되므로 제23항에 따라 [미역꾹]으로 발음해야 한다.
② '사람도'는 체언 '사람'에 조사 '도'가 결합한 경우이므로 용언의 어간과 어미에 대한 원칙인 제24항을 적용할 수 없다.
④ '산들바람'은 부사 '산들'이 명사 '바람'을 꾸며 주는 합성어이므로 관형격 기능의 사이시옷이 있어야 하는 경우가 아니기 때문에 제28항과 관계없이 [산들바람]으로 발음한다. '물살'은 고유어와 고유어의 합성어로, 표기상으로는 사이시옷이 없지만 관형격 기능을 지니는 사이시옷이 있어야 하기 때문에 제28항에 따라 [물쌀]로 발음한다.
⑤ '국밥'은 제23항에 의해 [국빱]으로 발음되며, '논밭'은 어근 '논'과 어근 '밭'이 대등적으로 연결되었기 때문에 제28항과 관계없이 [논받]으로 발음한다.

05 '비음화' 관련 조항 ①

〈보기〉의 조항은 음운 변동 중 비음화(교체)와 관련이 있다. '국물'은 [궁물]로 소리가 나는데, 그 이유는 받침 'ㄱ'이 뒤에 있는 비음 'ㅁ'의 영향을 받아 조음 방법을 닮게 되어 'ㅇ'으로 소리 나기 때문이다. 따라서 '국물'은 비음화에 해당한다.

오답 피하기

② '먹이'는 연음 현상에 따라 [머기]로 발음되며, 연음 현상은 음운의 변동 현상으로 볼 수 없다.
③ '밤낮'은 음절의 끝소리 규칙에 따라 [밤낟]으로 발음된다.
④ '손재주'는 사잇소리 현상에 따라 [손째주]로 발음된다.
⑤ '가을걷이'는 구개음화 현상에 따라 [가을거지]로 발음된다.

06 '연음 현상'과 '음운의 변동' 관련 조항 ②

'내복+약'은 ⓑ에 따라 [ㄴ] 소리가 첨가되고, ⓒ에 따라 받침소리 [ㄱ]이 [ㅇ]으로 발음되어 [내:봉냑]으로 발음되므로 적절하다.

오답 피하기

① '눈+요기'는 ⓑ에 따라 [ㄴ] 소리가 첨가되어 [눈뇨기]로 발음되므로 적절하지 않다.
③ '색+연필'은 ⓑ에 따라 [ㄴ] 소리가 첨가되고, ⓒ에 따라 받침소리 [ㄱ]이 [ㅇ]으로 발음되어 [생년필]로 발음되므로 적절하지 않다.

④ '들+일'은 ⓑ에 따라 [ㄴ] 소리가 첨가되고, 첨가된 [ㄴ] 소리가 ⓓ에 따라 [ㄹ]로 발음되어 [들:릴]로 발음되므로 적절하지 않다.
⑤ '칼+날'은 [ㄴ] 소리가 첨가되지 않고 원래의 [ㄴ] 소리가 앞 음절의 [ㄹ] 소리의 영향을 받아 [칼랄]로 발음되는 것이므로 적절하지 않다.

07 '연음 현상'과 '음운의 변동' 관련 조항 ❶

〈보기〉의 제13항에서 홑받침이 모음으로 시작된 조사와 결합되는 경우에는 제 음가대로 뒤 음절 첫소리로 옮겨 발음함을 알 수 있다. ㉠의 '들녘이'는 '들녘'의 받침 'ㅋ'이 모음으로 시작된 조사 '이'와 결합되는 경우이다. 따라서 '들녘이'의 'ㅋ'은 제 음가대로 뒤 음절 첫소리로 옮겨 [들녀키→들려키]로 발음해야 한다.

오답 피하기

② ㉡에서 '들녘'은 자음 'ㄷ' 앞에서 발음되므로 제9항에 따라 받침 'ㅋ'이 대표음 [ㄱ]으로 바뀌게 된다.
③ ㉡에서 '도'는 '들녘[들녁]' 뒤에 연결되므로 제23항에 따라 [또]라는 된소리로 발음한다.
④ ㉢에서 '들녘[들녁]'은 자음 'ㅁ' 앞에서 발음되므로 제18항에 따라 받침 'ㅋ'을 [ㅇ]으로 발음해야 한다.
⑤ ㉠~㉢에서 '들녘'의 'ㄴ'은 'ㄹ' 뒤에 위치하기 때문에 제20항에 따라 [ㄹ]로 발음해야 한다.

08 '된소리되기' 관련 조항 ❺

'얹지만'을 [언찌만]으로 발음하는 것은 어간 받침 'ㄵ' 뒤에 결합되는 어미의 첫소리인 'ㅈ'을 된소리 [ㅉ]으로 발음하는 것이므로 ㉠에 해당한다. 한편, '앉을수록'은 어간 '앉-'과 어미 '-을수록'으로 분석되는데, 이것을 [안즐쑤록]으로 발음하는 것은 '-(으)ㄹ'로 시작되는 어미인 '-(으)ㄹ수록'의 '-(으)ㄹ' 뒤에 연결되는 'ㅅ'을 된소리 [ㅆ]으로 발음한 것이므로 ㉢에 해당한다.

오답 피하기

① '품을 적에'를 [푸믈쩌게]로 발음하는 것은 관형사형 '-(으)ㄹ' 뒤에 연결되는 'ㅈ'을 된소리 [ㅉ]으로 발음하는 것이므로 ㉢에 해당한다. 한편, '삼고'를 [삼꼬]로 발음하는 것은 어간 받침 'ㅁ' 뒤에 결합되는 어미의 첫소리인 'ㄱ'을 된소리 [ㄲ]으로 발음하는 것이므로 ㉠에 해당한다.
② '넓거든'을 [널꺼든]으로 발음하는 것은 어간 받침 'ㄼ' 뒤에 결합되는 어미의 첫소리 'ㄱ'을 된소리 [ㄲ]으로 발음하는 것이므로 ㉡에 해당한다. 한편, '얇을지라도'는 어간 '얇-'과 어미 '-을지라도'로 분석되는데, 이것을 [얄블찌라도]로 발음하는 것은 '-(으)ㄹ'로 시작되는 어미인 '-(으)ㄹ지라도'의 '-(으)ㄹ' 뒤에 연결되는 'ㅈ'을 된소리 [ㅉ]으로 발음하는 것이므로 ㉢에 해당한다.
③ '신겠네요'를 [신:껜네요]로 발음하는 것은 어간 받침 'ㄴ' 뒤에 결합되는 어미의 첫소리인 'ㄱ'을 된소리 [ㄲ]으로 발음하는 것이므로 ㉠에 해당한다. 한편, '밟지도'를 [밥:찌도]로 발음하는 것은 어간 받침 'ㄼ' 뒤에 결합되는 어미의 첫소리 'ㅈ'을 된소리 [ㅉ]으로 발음하는 것이므로 ㉡에 해당한다.
④ '비웃을지언정'은 어간 '비웃-'과 어미 '-을지언정'으로 분석되는데, 이것을 [비우슬찌언정]으로 발음하는 것은 '-(으)ㄹ'로 시작되는 어미인 '-(으)ㄹ지언정'의 '-(으)ㄹ' 뒤에 연결되는 'ㅈ'을 된소리 [ㅉ]으로 발음한 것이므로 ㉢에 해당한다. 한편, '훑던'을 [훌떤]으로 발음하는 것은 어간 받침 'ㄾ' 뒤에 결합되는 어미의 첫소리 'ㄷ'을 된소리 [ㄸ]으로 발음한 것이므로 ㉡에 해당한다.

09 겹받침 'ㄻ'의 표준 발음법 ❺

'나의 삶만'에서 '삶만'은 명사 '삶'에 자음으로 시작된 조사 '만'이 결합한 경우로, 표준 발음이 [삼만]인 것은 자음 앞에서 겹받침 'ㄻ'을 [ㅁ]으로 발음해야 한다는 ㉠에 따른 결과이다.

오답 피하기

① '삶과 자연'의 '삶과'는 명사 '삶'에 자음으로 시작된 조사 '과'가 붙은 경우로, 표준 발음이 [삼과]인 것은 자음 앞에서 겹받침 'ㄻ'을 [ㅁ]으로 발음한다는 ㉠에 따른 결과이다.
② '국수를 삶고'의 '삶고'는 '삶다'의 어간 '삶-'에 자음으로 시작된 어미 '-고'가 결합되는 경우로, 표준 발음이 [삼꼬]인 것은 자음 앞에서 겹받침 'ㄻ'을 [ㅁ]으로 발음한다는 ㉠과, 어간의 겹받침 'ㄻ' 뒤에 결합되는 어미의 첫소리 'ㄱ'을 된소리로 발음한다는 ㉢에 따른 결과이다.
③ '바람직한 삶'에서 '삶'의 표준 발음이 [삼]인 것은 어말에서 겹받침 'ㄻ'을 [ㅁ]으로 발음한다는 ㉠에 따른 결과이다.
④ '삶에 대한 의지'의 '삶에'는 명사 '삶'에 모음으로 시작된 조사 '에'가 붙은 경우로, 표준 발음이 [살메]인 것은 겹받침 'ㄻ'이 모음으로 시작된 조사와 결합되면 뒤의 'ㅁ'만을 뒤 음절 첫소리로 옮겨 발음한다는 ㉡에 따른 결과이다.

16 한글 맞춤법

사뿐히 즈려밟는 확인 문제 p.168~171

✔ 바로바로 간단 체크 1 (1) ○ (2) X (3) ○ (4) X (5) X (6) X 2 (1) 깨끗히→깨끗이 / 살아지다→사라지다 (2) 합격율→합격률 / 그럴껄→그럴걸 (3) 아래집→아랫집 / 들어났다→드러났다 (4) 아니오→아니요 / 뵈요→봬요 3 (1) 걷힌다 (2) 늘린다 (3) 닫혔다 (4) 바쳤다 (5) 붙였다

01 ④ 02 ① 03 ② 04 ② 05 ③ 06 ⑤
07 ⑤ 08 ① 09 ④ 10 ② 11 ④ 12 ①
13 ⑤

01 한글 맞춤법 ❹

㉡의 '가든지 말든지'처럼 선택을 나타낼 때는 어미 '-든지'를, ㉤의 '말이 없던'처럼 과거를 나타낼 때는 어미 '-던'을 쓰므로, ㉡과 ㉤이 한글 맞춤법에 맞게 쓰인 문장이다.

오답 피하기

㉠ '거칠은'을 '거친'으로 고쳐 써야 한다. 형용사는 현재를 나타내는 관형사형 전성 어미 '-ㄴ'과 결합하기 때문이다. '올라갈수'는 '올라갈 수'로 띄어 써야 한다.

㉢ '얼키고설켜서'를 '얽히고설켜서'로 고쳐 써야 한다. 두 용언이 어울려 한 개의 용언이 될 때, 두 용언이 본뜻과 멀어지지 않았으면 원형을 밝히어 적어야 하기 때문이다.

㉣ '떡볶기'를 '떡볶이'로 고쳐 써야 한다. 어간 '볶-'에 접미사 '-이'가 붙어 명사가 될 때는 어간의 원형을 밝히어 적기 때문이다. '먹을 지'는 '먹을지'와 같이 붙여 써야 한다.

02 두음 법칙 ❶

'양심'과 '예의'는 한자음 '량'과 '례'가 단어의 첫머리에 와 두음 법칙에 따라 '양'과 '예'로 표기되었다.

오답 피하기

② 혼례, ③ 하류, ④ 협력, ⑤ 진리는 두음 법칙과는 상관이 없는 예시이다.

03 띄어쓰기 ❷

'수'는 의존 명사이므로 앞말과 띄어 쓴다.

오답 피하기

① '만큼'은 체언 '너' 뒤에 쓰여 '앞말과 비슷한 정도나 한도임'을 나타내는 조사이므로 앞말과 붙여 써야 한다.

③ '뿐'은 체언 '하나' 뒤에 쓰여 '그것만이고 더는 없음'이라는 뜻을 더하는 조사이므로 앞말과 붙여 써야 한다.

④ '먹어도보았다'는 본용언에 조사가 붙는 경우이므로, 보조 용언을 앞말(본용언)과 띄어 써야 한다.

⑤ '대로'는 체언 '것' 뒤에 쓰여 '따로따로 구별됨'이라는 뜻을 더하는 조사이므로 앞말과 붙여 써야 한다.

04 한글 맞춤법 ❷

㉠ 용언 어간 '덮-' 뒤에 자음으로 시작된 접미사 '-개'가 붙어서 된 말이므로 제21항에 따라 어간의 어원형을 밝혀 '덮개'로 표기한다. ㉢ 'ㄴ' 받침 뒤에 이어지는 '률'이므로 제11항의 '다만'에 따라 '선율'로 표기한다. ㉥ '-거리다'가 붙는 어근 '꿀꿀'에 '-이'가 붙어된 명사이므로 제23항에 따라 어근의 원형을 밝혀 '꿀꿀이'로 표기한다.

오답 피하기

㉡ '오뚝하다'처럼 '-하다'가 붙는 부사 어근 '오뚝' 뒤에 명사 파생 접미사 '-이'가 붙어 만들어진 단어이므로 제23항에 따라 어근의 원형을 밝혀 '오뚝이'로 적어야 한다.

㉣ 용언 어간 '늙-'에 자음으로 시작된 접미사 '-다리'가 붙어 만들어진 단어이므로 제21항에 따라 어간의 원형을 밝혀 '늙다리'로 적어야 한다.

㉤ 제11항을 참고할 때, 단어의 첫머리에 '료'가 온 것이 아니므로 '쌍룡'으로 적어야 한다.

05 형태에 관한 규정 ❸

'일찍'은 '-하다'가 붙어서 '일찍하다'가 되지 않는다. 그러므로 ㉠에 해당하지 않는다. 또한 부사 어근 '일찍'과 접사 '-이'로 분석되기 때문에 ㉢에도 해당하지 않는다. 해당 예는 부사 '일찍'에 접사 '-이'가 붙어 의미를 더하는 ㉡에 해당하는 경우이므로, 이에 근거하여 부사의 원형을 밝혀 적는 것이 옳은 표기이다.

06 한글 맞춤법의 기본 원칙 ❺

나-2의 '반드시'는 소리 나는 대로 표기하여 형태소의 본 모양이나 어근의 본뜻을 파악하기가 어렵다. 따라서 ⑤의 '어근의 본뜻이 파악되도록 어법에 맞게 적은 것'이라는 설명은 적절하지 않다.

07 형태에 관한 규정 ❺

ⓔ는 체언 '그것'과 조사 '이'가 어울려 줄어진 경우로 ㄴ(제33항)의 규정을 적용한 적절한 사례이다.

오답 피하기

① 체언 '무엇'과 조사 '을'이 어울려 준 대로 적은 경우로 ㄴ에 해당한다.

② 체언 '이것'과 조사 '은'이 어울려 준 대로 적은 경우로 ㄴ에 해당한다.

③ 체언이 단독으로 쓰인 경우로 ㄱ과 ㄴ 어디에도 해당하지 않는다.

④ 체언 '여기'와 조사 '에'를 구별하여 적었으므로 ㄱ에 해당한다.

08 형태에 관한 규정 ❶

〈보기〉는 용언의 어미 '-아/-어'가 결정되는 환경에 대한 설명이다. 이 원칙에 해당하지 않는 것은 '하다'로, 활용할 때 어미 '-아'가 '-여'로 바뀌어 '하여'가 되는 불규칙 활용을 한다. 〈한글 맞춤법〉 제18항에서는 "어미가 바뀔 경우, 그 어간이나 어미가 원칙에 벗어나면 벗어나는 대로 적는다."라고 명시해 불규칙 용언의 표기 원칙을 밝히고 있다.

오답 피하기

②, ④, ⑤ 어간이 '되-', '겪-', '베-'이므로 어미 '-어'와 결합하여 '되어', '겪어', '베어'로 바뀐다.

③ 어간 '보-'가 'ㅗ' 모음으로 끝나므로 어미 '-아'와 결합하여 '보아'로 바뀐다.

09 소리에 관한 규정 ❹

[씩씩]은 'ㄱ' 받침 뒤에서 나는 된소리로, 같은 음절이 겹쳐 나는 경우에 해당하므로 ⓒ로 설명할 수 있다. 따라서 ⓑ에 따라 '씩씩'

으로 표기한다는 것은 적절한 진술이 아니다.

오답 피하기

① '으뜸'은 두 모음('ㅡ, ㅡ') 사이에 된소리(ㄸ)가 나므로 적절한 진술이다.

② '거꾸로'는 두 모음('ㅓ, ㅜ') 사이에 된소리(ㄲ)가 나므로 적절한 진술이다.

③ '살짝'은 'ㄹ' 받침 뒤에서 된소리(ㅉ)가 나므로 적절한 진술이다.

⑤ '낙찌'는 'ㄱ' 받침 뒤에서 된소리(ㅉ)가 나지만, 같은 음절이나 비슷한 음절이 겹쳐 나는 경우가 아니므로 된소리로 적지 않는다. 따라서 ⓒ에 따라 '낙지'로 표기하는 것은 적절한 진술이다.

10 형태에 관한 규정 ②

'서울'이라는 체언과 결합하고 있다는 점과 후배가 선배에게 대답하는 말이라는 점을 고려하면, ㄴ의 밑줄 친 '요'는 청자에게 존대의 뜻을 나타내는 보조사 '요'에 해당한다. 따라서 ㄴ의 밑줄 친 '요'를 연결형의 '-이요'로 바꾸어 적는 것은 적절하지 않다.

오답 피하기

① 종결형에서 사용되는 어미 '-오'는 [요]로 발음할 수도 있다고 했으므로, ㄴ의 '이오'는 [이요]로 발음할 수 있다.

③ 종결형에서 사용되는 어미 '-오'는 하오체 종결 어미이므로, ㄷ의 밑줄 친 문장은 하오체 문장에 해당한다.

④ ㄹ에는 하오체가 쓰이고 있어, ㄹ의 밑줄 친 '요'는 '-이오'가 모음으로 끝나는 체언('영화') 뒤에서 줄어 쓰인 형태에 해당한다.

⑤ ㅁ에는 해요체가 쓰이고 있어, ㅁ의 밑줄 친 '요'는 둘 다 체언과 결합하여 청자에게 존대의 뜻을 나타내는 보조사에 해당한다고 볼 수 있다.

11 형태에 관한 규정 ④

㉠, ㉡은 '동사나 형용사의 어간'에 접미사가 붙어서 된 말, ㉢, ㉣은 '명사'에 접미사가 붙어서 된 말, ㉤은 명사나 용언(동사, 형용사)의 어간에 '자음으로 된 접미사'가 붙어서 된 말에 대한 규정이다. ④의 '귀머거리'는 동사 '귀먹다'의 어간 '귀먹-'에 접미사 '-어리'가 붙어서 명사가 된 말로, "어간에 '-이'나 '-음' 이외의 모음으로 시작된 접미사가 붙어서 다른 품사로 바뀐 것은 그 어간의 원형을 밝히어 적지 아니한다."라는 규정 즉, ㉡의 규정을 적용한 것이다. 따라서 ㉣의 규정을 적용했다는 진술은 적절하지 않다.

오답 피하기

① '다듬이'는 동사 '다듬다'의 어간 '다듬-'에 접미사 '-이'가 붙어서 명사가 된 말로, 그 어간의 원형을 밝혀 적은 것이므로 ㉠의 규정을 적용한 것이라는 진술은 적절하다.

② '마개'는 동사 '막다'의 어간 '막-'에 접미사 '-애'가 붙어서 명사가 된 말로, 그 어간의 원형을 밝혀 적지 않았으므로 ㉡의 규정을 적용한 것이라는 진술은 적절하다.

③ '삼발이'는 명사 '삼발' 뒤에 접미사 '-이'가 붙어서 된 말로, 그 명사의 원형을 밝혀 적었으므로 ㉢의 규정을 적용한 것이라는 진술은 적절하다.

⑤ '덮개'는 동사 '덮다'의 어간 '덮-'에 자음으로 시작된 접미사 '-개'가 붙어서 된 말로, 그 어간의 원형을 밝혀 적었으므로 ㉤의 규정을 적용한 것이라는 진술은 적절하다.

12 형태에 관한 규정 ①

〈보기〉에서 '파이다'처럼 'ㅏ'로 끝난 어간에 '-이-'가 결합해 'ㅐ'로 줄 경우 준 대로 적는다고 했으므로 ㉠에는 '패다', ㉡에는 '팬'이 적절하다. 또한, 〈보기〉에서 'ㅐ' 뒤에 '-었-'이 어울려 줄 경우 준 대로 적는다고 하였으므로, ㉢은 '패었다'가 적절하다. '팼다'는 '패었다'를 준 대로 적은 것이다.

13 형태에 관한 규정 ⑤

'여닫이'의 '여-'는 '열다'의 어간 '열-'이 '닫다'와 합성되면서 'ㄹ'이 탈락한 경우로 제28항을 따른 것이다.

오답 피하기

① '칼날(칼+날)'을 [칼랄]이라고 발음하지만 제27항에 의거하여 '칼날'로 표기한다.

②, ③, ④ '소나무(솔+나무)', '마소(말+소)', '아드님(아들+님)'은 제28항에 의거하여 각각 '솔나무', '말소', '아들님'이 아닌 '소나무', '마소', '아드님'으로 표기한다.

17 외래어 표기법, 국어의 로마자 표기법

사뿐히 즈려밟는 **확인 문제** p.174~175

☑ 바로바로 간단 체크 1 (1) ◯ (2) ◯ (3) X (4) X (5) X (6) ◯ 2 (1) garak (2) Ulsan (3) beotkkot 3 ① ㉣ ② ㉡ ③ ㉤ ④ ㉠ ⑤ ㉢

01 ③ 02 ③ 03 ② 04 ④

01 외래어 표기법 ③

'flute[fluːt]'는 장모음 [uː] 다음에 무성 파열음 [t]가 오므로, 외래어 표기법의 영어 표기 세칙에 따라 '플루트'로 적어야 한다.

오답 피하기

① 외래어 표기법 제1장 제4항을 따라 파열음 표기에는 된소리를 쓰지 않으므로, '가스'가 적절한 표기이다.

② 'cake[keik]'는 이중모음 [ei] 뒤에 무성 파열음 [k]가 오므로, 외래어 표기법의 영어 표기 세칙에 따라 '으'를 붙여 적은 '케이크'가 적절한 표기이다.

④ 외래어 표기법 제1장 제2항에 따라 [f]는 'ㅍ'으로만 적으므로, '프라이팬'이 적절한 표기이다.

⑤ 외래어 표기법 제1장 제3항에 따라 받침에는 'ㄱ, ㄴ, ㄹ, ㅁ, ㅂ, ㅅ, ㅇ'만 쓴다. '굿모닝'이 적절한 표기이다.

02 외래어 표기법 ③

질문 ㉠은 "파열음 표기에는 된소리를 쓰지 않는 것을 원칙으로 한다."라는 〈외래어 표기법〉 제4항에 따라 '파리'로 적어야 한다. 질문 ㉡은 외래어 표기 시 받침과 관련된 질문이므로, "받침에는 'ㄱ, ㄴ, ㄹ, ㅁ, ㅂ, ㅅ, ㅇ'만을 쓴다."라는 〈외래어 표기법〉 제3항에 따라 'ㅅ'으로 표기해야 한다. 질문 ㉢은 "외래어는 국어의 현용 24 자모만으로 적는다."라는 〈외래어 표기법〉 제1항을 근거로 하여 새로운 기호를 만들지 않는다고 판단할 수 있다.

03 국어의 로마자 표기법 ②

로마자 표기는 국어의 표준 발음법에 따라 소리 나는 대로 적는 것이 원칙이므로, 단어의 표준 발음을 먼저 살펴보아야 한다. "받침 'ㅁ, ㅇ' 뒤에 연결되는 'ㄹ'은 [ㄴ]으로 발음한다."라는 〈표준 발음법〉 제5장 제19항에 따라 '탐라'는 [탐나]로 발음되고, 이를 로마자 표기법에 따라 표기하면 'Tamna'가 된다.

오답 피하기

① "받침 'ㅁ, ㅇ' 뒤에 연결되는 'ㄹ'은 [ㄴ]으로 발음한다."라는 〈표준 발음법〉 제5장 제19항에 따라 '종로[종노]'는 'Jongno'로 표기해야 한다.

③ "받침소리로는 'ㄱ, ㄴ, ㄷ, ㄹ, ㅁ, ㅂ, ㅇ' 7개 자음만 발음한다."라는 〈표준 발음법〉 제4장 제8항에 따라 '벚꽃[벋꼳]'은 'beotkkot'으로 표기해야 한다.

④ "받침 'ㅁ, ㅇ' 뒤에 연결되는 'ㄹ'은 [ㄴ]으로 발음한다."라는 〈표준 발음법〉 제5장 제19항과, 'ㄱ'은 모음 앞에서는 'g'로 적는다는 〈로마자 표기법〉 제2장 제2항 [붙임1]에 따라 '강릉[강능]'은 'Gangneung'으로 표기해야 한다.

⑤ "'ㄴ'은 'ㄹ'의 앞이나 뒤에서 [ㄹ]로 발음한다."라는 〈표준 발음법〉 제5장 제20항과, 'ㄹㄹ'은 'll'로 적는다는 〈로마자 표기법〉 제2장 제2항 [붙임2]에 따라 '한라산[할라산]'은 'Hallasan'으로 표기해야 한다.

04 국어의 로마자 표기법 ④

'충의사'의 '의'는 '단어의 첫 음절 이외의 '의'는 [ㅣ]로 발음함도 허용한다'는 〈표준 발음법〉 제2장 제5항 다만4. 규정으로 보아 [ㅣ]로 발음될 수 있지만 "'ㅢ'는 'ㅣ'로 소리 나더라도 ui로 적는다."라는 〈로마자 표기법〉 제2장 제1항 [붙임1]의 규정에 따라 'ui'로 적어야 한다.

오답 피하기

①, ② '숭례문', '도예촌'의 'ㅖ'는 〈표준 발음법〉 제2장 제5항 다만2.의 "'예, 례' 이외의 'ㅖ'는 [ㅔ]로도 발음한다."를 고려할 때 'ㅖ'로만 발음된다. 따라서 두 단어의 'ㅖ'는 〈로마자 표기법〉 제2장 제1항에 따라 'ye'로 표기해야 한다.

③ '퇴계원'의 'ㅖ'는 "'예, 례' 이외의 'ㅖ'는 [ㅔ]로도 발음한다."라는 〈표준 발음법〉 제2장 제5항 다만2.에 따라 [ㅖ]와 [ㅔ] 모두로 발음할 수 있다. 따라서 '퇴계원'의 'ㅖ'는 〈로마자 표기법〉 제2장 제1항에 따라 [ㅖ]로 발음될 때는 'ye', [ㅔ]로 발음될 때는 'e'로 표기해야 한다.

⑤ '광희문'의 '희'는 "자음을 첫소리로 가지고 있는 음절의 'ㅢ'는 [ㅣ]로 발음한다."라는 〈표준 발음법〉 제2장 제5항 다만3.에 따라 [히]로 발음된다. 그러나 〈로마자 표기법〉 제2장 제1항의 [붙임1]에서 "'ㅢ'는 'ㅣ'로 소리 나더라도 ui로 적는다."라고 하였으므로, [히]의 [ㅣ]는 'ui'로 표기해야 한다.

꿈엔들 잊힐리야 수능 다가가기 p.177~179

01 ② 02 ② 03 ④ 04 ② 05 ⑤ 06 ① 07 ① 08 ⑤ 09 ⑤ 10 ⑤

01 한글 맞춤법 정답 ② 정답률 75%

답인 이유

	㉠	㉡
②	무덤, 지붕	뒤뜰, 쌀알

➡ '무덤'과 '지붕'은 각각 '묻-+-엄', '집+-웅'으로 분석될 수 있는 파생어이지만 어근의 원형을 밝히어 적지 않고 있다. 원형을 밝히어 적었다면 '*묻엄, *집웅'이 되어야 할 것이다. 또한, '뒤뜰', '쌀알'은 각각 '뒤+뜰', '쌀+알'로 분석되는 합성어이면서 어근의 원형을 밝히어 적고 있다.

오답 풀이

① ㉠ 길이, 마중 ㉡ 무덤, 지붕

➡ '길이'는 '길-+-이'로 분석될 수 있는 파생어지만 어근의 원형을 밝히어 적기 때문에 ㉠의 예로 적절하지 않다. '마중'은 '맞-+-웅'으로 분석될 수 있는 파생어이면서 어근의 원형을 밝히어 적지 않는 경우이므로 ㉠의 예에 해당한다. '무덤'과 '지붕'은 파생어이기 때문에 ㉡의 예로 적절하지 않다.

③ ㉠ 뒤뜰, 쌀알 ㉡ 무덤, 지붕

➡ '뒤뜰, 쌀알'은 ㉡의 예에, '무덤, 지붕'은 ㉠의 예에 해당한다.

④ ㉠ 길이, 무덤 ㉡ 뒤뜰, 쌀알

➡ '길이'는 '길-+-이'로 분석될 수 있는 파생어지만 어근의 원형을 밝히어 적기 때문에 ㉠의 예로 적절하지 않다.

⑤ ㉠ 마중, 지붕 ㉡ 길이, 쌀알

➡ '마중'과 '지붕'은 각각 '맞-+-웅', '집+-웅'으로 분석될 수 있는 파생어이지만 어근의 원형을 밝히어 적지 않고 있다. 원형을 밝히어 적었다면 '*맞웅, *집웅'이 되어야 할 것이다. 그러나 '길이'가 '길-+-이'로 분석될 수 있는 파생어이기 때문에 ㉡의 예로 적절하지 않다.

개념의 좌표 찾기

• 합성어(→ 40쪽) • 파생어(→ 39쪽)
• 어근(→ 38쪽)

02 한글 맞춤법 | 정답 ② | 정답률 54%

답인 이유

② 그가 발의한 안건은 다음 회의에 부치기로 했다.

➡ '부치다'는 "어떤 문제를 다른 곳이나 다른 기회로 넘기어 맡기다."의 의미를 지니는 말로 쓰여, '안건을 회의에 부치다.', '표결에 부치다.', '재판에 부치다.', '투표에 부치다.'처럼 쓰인다. '부치다'와 흔히 혼동하기 쉬운 '붙이다'는 대체로 '붙다'의 사동사로 쓰여 '봉투에 우표를 붙이다.', '벽에 메모지를 붙이다.', '연탄에 불을 붙이다.', '계약에 조건을 붙이다.' 등과 같이 쓰인다.

오답 풀이

① 엇저녁에는 고향 친구들과 만나서 식사를 했다.

➡ '어제저녁'의 준말로, '엇저녁'이 아니라 '엊저녁'으로 써야 한다.

③ 적잖은 사람들이 그 의견에 찬성의 뜻을 보였다.

➡ '적지 않은'의 준말로, '적잖은'이 아니라 '적잖은'으로 써야 한다.

④ 동생은 누나가 직접 만든 깍뚜기를 먹어보았다.

➡ 김치의 일종을 뜻하는 말로, '깍뚜기'가 아니라 '깍두기'가 바른 표기이다.

⑤ 저기 넙적하게 생긴 바위가 우리들의 놀이터였다.

➡ "펀펀하고 얇으면서 꽤 넓다."의 의미를 지니는 말로, '넙적하게'가 아니라 '넓적하게'가 바른 표기이다.

03 한글 맞춤법 | 정답 ④ | 정답률 85%

답인 이유

④ ㉣: 옷소매(옷+소매), 밥알(밥+알)

➡ '옷소매'와 '밥알'은 모두 어근으로 이루어진 합성어이지만 소리 나는 대로 '옫쏘매', '바발'로 적지 않고 어법에 맞도록(ⓑ) 적고 있으므로 ㉣에 들어갈 예로 적절하다.

오답 풀이

① ㉠: 이파리(잎+아리), 얼음(얼+음)

➡ '이파리'는 ㉠의 사례가 되지만, '얼음'은 소리 나는 대로 '어름'으로 적지 않고 어법에 맞도록 적은 파생어이므로 ㉢의 사례가 된다.

② ㉡: 마소(말+소), 낮잠(낮+잠)

➡ '마소'는 ㉡의 사례가 되지만, '낮잠'은 소리 나는 대로 '낟짬'으로 적지 않고 어법에 맞도록 적은 합성어이므로 ㉣의 사례가 된다.

③ ㉢: 웃음(웃+음), 바가지(박+아지)

➡ '웃음'은 ㉢의 사례가 되지만, '바가지'는 어법에 맞도록 '박아지'로 적지 않고 소리 나는 대로 적은 파생어이므로 ㉠의 사례가 된다.

⑤ ㉤: 꿈(꾸+ㅁ), 사랑니(사랑+이)

➡ '꿈'은 ㉤의 사례가 되지만, '사랑니'는 소리 나는 대로 적은 합성어이므로 ㉡의 사례가 된다.

개념의 좌표 찾기

• 합성어(→ 40쪽) • 파생어(→ 39쪽)

04 한글 맞춤법 | 정답 ② | 정답률 91%

답인 이유

② ㉠과 같은 예로 '높이다'를 '높히다'로 잘못 적는 경우를 들 수 있다.

➡ ㉠은 연음 현상에 따른 발음이 표기로 잘못 이어진 사례이다. 그러나 '높이다'를 '높히다'로 잘못 적는 것은 '높다'에 결합하는 사동 접미사를 '-이-'가 아닌 '-히-'로 잘못 파악한 경우로 연음 현상에 따른 잘못된 표기의 사례가 아니다.

오답 풀이

① ㉠은 연음 현상 때문에 잘못 적는 경우이다.

➡ ㉠의 '들어서다/드러서다'는 '들어서다'의 연음에 따른 발음 [드러서다]가 표기로 잘못 이어진 사례이다.

③ ㉡은 거센소리되기 때문에 잘못 적는 경우이다.

➡ ㉡의 '그렇지/그러치'는 '그렇지'의 거센소리되기에 따른 발음 [그러치]가 표기로 잘못 이어진 사례이다. 거센소리되기는 'ㄱ, ㄷ, ㅂ, ㅈ'이 'ㅎ'과 만나 거센소리인 'ㅋ, ㅌ, ㅍ, ㅊ'으로 발음되는 현상을 가리킨다.

④ ㉡과 같은 예로 '얽혀'를 '얼켜'로 잘못 적는 경우를 들 수 있다.

➡ '얽혀'는 거센소리되기에 따라 [얼켜]로 발음되는데, 이를 표기에까지 반영하여 '얼켜'로 잘못 적는 것은 ㉡의 사례로 볼 수 있다.

⑤ ㉢과 같은 예로 '금붙이'를 '금부치'로 잘못 적는 경우를 들 수 있다.

➡ ㉢은 '해돋이'의 구개음화에 따른 발음 [해도지]가 표기로 잘못 이어진 사례인데, '금붙이' 역시 구개음화에 따라 [금부치]로 발음되기 때문에 이를 '금부치'로 잘못 적는 것은 같은 유형의 사례로 볼 수 있다. 구개음화는 끝소리가 'ㄷ', 'ㅌ'인 형태소가 모음 'ㅣ'나 반모음 'ǐ'로 시작되는 형식 형태소와 만나면 그것이 구개음 'ㅈ', 'ㅊ'으로 발음되는 현상을 가리킨다.

개념의 좌표 찾기

• 연음 현상(→ 119쪽) • 사동 접미사(→ 86쪽)
• 거센소리되기(→ 133쪽) • 구개음화(→ 123쪽)

05 국어의 로마자 표기법 | 정답 ⑤ | 정답률 92%

답인 이유

⑤ ㉡에서 '집'의 'ㅈ'과 ㉢에서 '장'의 'ㅈ'을 같은 로마자로 표기한 것을 보니, ㉡ '앞집'의 로마자 표기는 된소리되기를 반영하여 적었어요.

➡ ㉡ '앞집'은 [압찝]으로 발음되지만 '장롱[장ː농]'에서와 마찬가지로 'ㅈ'을 'j'로 적고 있음을 확인할 수 있다. 다시 말해, '앞집'에서 일어나는 된소리되기(ㅈ → [ㅉ])가 로마자 표기에 반영되지 않았다.

오답 풀이

① ㉠에서 '가'의 'ㄱ'은 'g'로, '락'의 'ㄱ'은 'k'로 표기한 것을 보니, '가락'의 두 'ㄱ'은 같은 자음이지만 다른 로마자로 적었어요.

➡ [가락]을 'garak'으로 적은 사례에서 모음 앞의 'ㄱ'과 어말의 'ㄱ'을 각각 'g'와 'k'로 다르게 적는다는 사실을 확인할 수 있다. 로마자 표기법에서는 'ㄱ, ㄷ, ㅂ'은 모음 앞에서는 'g, d, b'로,

자음 앞이나 어말에서는 'k, t, p'로 적는다고 규정하고 있다.

② ㉡에서 '앞'의 'ㅍ'과 '집'의 'ㅂ'을 모두 'p'로 표기한 것을 보니, '앞집'의 'ㅍ'과 'ㅂ'은 다른 자음이지만 동일한 로마자로 적었어요.

➡ '앞집'을 'apjip'으로 적은 사례에서 '앞'의 'ㅍ'과 '집'의 'ㅂ'을 모두 'p'로 적었음을 확인할 수 있는데, 이는 로마자 표기는 국어의 표준 발음법에 따라 적는 것을 원칙으로 하기 때문이다. 즉, '앞'은 [압]으로 발음되기 때문에 종성을 'p'로 적는 것이다.

③ ㉢에서 장음을 표시하는 기호인 'ː'가 로마자 표기에 없는 것을 보니, 장단의 구별은 로마자 표기에 반영하지 않았어요.

➡ [장ː농]을 'jangnong'으로 적은 사례에서 장음을 표시하는 별도의 표기가 로마자 표기에 반영되지 않았다는 점을 통해 이러한 사실을 확인할 수 있다.

④ ㉠에서 '락'의 'ㄹ'은 'r'로, ㉢에서 '롱'의 'ㄹ'은 'n'으로 표기한 것을 보니, ㉢ '장롱'의 로마자 표기는 자음 동화를 반영하여 적었어요.

➡ 로마자 표기법에서는 "음운 변화가 일어날 때에는 변화의 결과에 따라 적는다."라고 규정하는데, '장롱'은 자음 동화(비음화)가 일어나 [장ː농]으로 발음되기 때문에 'jangnong'으로 적는 것이다. 자음 동화는 '음절 끝의 자음이 그 뒤에 오는 자음과 만날 때, 어느 한쪽이 다른 쪽을 닮아서 그와 비슷하거나 같은 소리로 바뀌기도 하고, 양쪽이 서로 닮아서 두 소리가 다 바뀌기도 하는 현상'을 가리킨다.

06 표준 발음법 | 정답 ① | 정답률 84%

답인 이유

	㉠	㉡
①	[꼰니랑]	[꼬도목]

➡ 제시된 사례는 '꽃이랑(㉠)'과 '꽃오목(㉡)'인데, 전자는 제29항과 후자는 제15항과 관련된다. 먼저, '꽃이랑'은 해당 단어의 뜻풀이를 참조할 때 '꽃 + 이랑'의 합성어이다. 또한, 앞 단어의 끝이 자음이고 뒤 단어의 첫 음절이 '이'이다. 따라서 'ㄴ' 소리를 첨가하여 [꼳니랑] → [꼰니랑]으로 발음해야 한다. 다음으로, '꽃오목'은 '꽃 + 오목'의 합성어로, 이때 '오목'은 'ㅗ'로 시작되는 실질 형태소(부사)이다. 따라서 '꽃'의 받침 'ㅊ'을 대표음 [ㄷ]으로 바꾸어서 뒤 음절 첫소리로 옮겨 발음한 [꼬도목]이 표준 발음이다.

07 한글 맞춤법 | 정답 ① | 정답률 89%

답인 이유

① ㉠ - ⓐ

➡ ㉠의 '이것은 유명한 책이 [아니요]'에서 '아니요'는 '아니오'로 표기하여야 하는데, 종결형에서 사용되는 어미 '-오'는 '요'로 소리가 나더라도 '오'로 적어야 하기 때문이다. 이를 설명한 규정 ⓐ를 ㉠의 올바른 표기에 적용되는 원칙으로 짝지은 ①이 정답이다.

오답 풀이

㉡ 영화 구경 [가지요].

➡ ㉡ '가지요'의 '요'는 종결 어미 '-지' 뒤에 덧붙은 보조사이다. '요'가 보조사임은 이를 뺀 '영화 구경 가지.'가 성립됨을 통해서 알 수 있다. 어미 뒤에 덧붙는 조사 '요'의 표기를 규정한 것은 ⓒ이다.

㉢ 이것은 [설탕이요], 저것은 소금이다.

➡ ㉢ '설탕이요'의 '요'는 어떤 사물이나 사실 따위를 열거할 때 쓰이는 연결 어미이며, '이-'는 서술격 조사 '이다'의 어간이다. ⓑ의 설명을 볼 때 '이요'로 적어야 한다.

08 표준 발음법 | 정답 ⑤ | 정답률 33%

답인 이유

⑤ '밟는[밤ː는]'은 ⓐ를 지키기 위해 ㉠, ㉡이 모두 적용되었다.

➡ 이 문항에서는 표준 발음법 제8항에 대한 이해를 바탕으로, '받침 발음의 원칙'을 지키기 위한 탈락과 교체를 파악하는 것이 핵심이다. '밟는'이 [밤ː는]으로 발음되는 과정을 보면, 우선 겹받침 'ㄼ' 중 'ㄹ'이 탈락되어 ㉠이 적용된 것을 확인할 수 있다. 또한, [밥ː는*]이 아니라 [밤ː는]으로 발음됨을 통해 'ㅂ'이 'ㅁ'으로 교체되는 것도 확인할 수 있다. 그렇지만 이때의 교체는 '받침 발음의 원칙'을 지키기 위한 자음의 교체가 아니다. 'ㅂ'은 받침소리로 발음되는 'ㄱ, ㄴ, ㄷ, ㄹ, ㅁ, ㅂ, ㅇ'에 포함되어 있다는 점, '밟고, 밟지'는 [밥ː꼬], [밥ː찌]로 발음되어 'ㅂ'이 교체되지 않는다는 점을 고려해야 하기 때문이다. '밟는'이 [밤ː는]으로 발음되는 과정에서 'ㅂ'이 'ㅁ'으로 교체되는 것은 뒤이어 소리 나는 'ㄴ'의 영향에 따른 비음화의 결과이며, 이는 '받침 발음의 원칙'을 지키기 위한 교체 현상이 아니기 때문에 ⑤에는 ㉡이 적용되지 않는다.

오답 풀이

① '읽다[익따]'는 ⓐ를 지키기 위해 ㉠이 적용되었다.

➡ '읽다'가 [익따]로 발음되어 겹받침 'ㄺ' 중 'ㄹ'이 탈락하는 현상(㉠)을 확인할 수 있다.

② '옮는[옴ː는]'은 ⓐ를 지키기 위해 ㉠이 적용되었다.

➡ '옮는'이 [옴ː는]으로 발음되어 겹받침 'ㄻ' 중 'ㄹ'이 탈락하는 현상(㉠)을 확인할 수 있다.

③ '닦지[닥찌]'는 ⓐ를 지키기 위해 ㉡이 적용되었다.

➡ '닦지'가 [닥찌]로 발음되어 'ㄲ'이 'ㄱ'으로 발음되는데, 'ㄲ'은 겹받침이 아니라 하나의 자음이다. 따라서 자음 'ㄲ'이 자음 'ㄱ'으로 교체되어 발음되므로 ㉡의 적용을 받은 것으로 보아야 한다.

④ '읊기[읍끼]'는 ⓐ를 지키기 위해 ㉠, ㉡이 모두 적용되었다.

➡ '읊기'가 [읍끼]로 발음되는 과정을 보면, 우선 겹받침 'ㄿ' 중 'ㄹ'이 탈락되어 ㉠의 적용을 받는다. 이때 '읖'의 'ㅍ'은 'ㄱ, ㄴ, ㄷ, ㄹ, ㅁ, ㅂ, ㅇ'에 속하지 않으므로 'ㅂ'으로 교체되어 발음되므로 ㉡의 적용을 받는다. 이때 'ㅍ'이 'ㅂ'으로 교체되는 것은 '받침 발음의 원칙'을 지키기 위한 현상으로 ⑤에서 'ㅂ'이 'ㅁ'으로 교체되는 현상과는 차이가 있다.

개념의 좌표 찾기

• 음절의 끝소리 규칙(→ 120쪽) • 자음군 단순화(→ 129쪽)

09 표준 발음법 정답 ⑤ 정답률 82%

답인 이유

	예	적용 내용	발음
⑤	닭+하고	ⓑ, ⓔ	[다카고]

➡ '닭+하고'의 '닭'은 ⓑ에 따라 [닥]으로 발음하고, 여기에 '하고'가 결합하면 ⓔ에 따라 'ㄱ'과 'ㅎ'을 합쳐서 [ㅋ]으로 발음해야 하므로 [다카고]로 발음하게 된다.

오답 풀이

①	여덟+이	ⓐ	[여더리]

➡ '여덟+이'는 ⓐ에 따라 [여덜비]로 발음한다.

②	몫+을	ⓐ	[목슬]

➡ '몫+을'은 ⓐ에 따라 [목쓸]로 발음한다.

③	흙+만	ⓑ, ⓒ	[흑만]

➡ '흙+만'은 ⓑ에 따라 [흑만]으로, 다시 ⓒ에 따라 [흥만]으로 발음한다.

④	값+까지	ⓑ, ⓓ	[갑까지]

➡ '값+까지'는 ⓑ에 따라 [갑까지]로 발음한다.

10 한글 맞춤법 정답 ⑤ 정답률 84%

답인 이유

⑤ '일찍이 없던 일'의 '일찍이'는 ⓒ의 규정을 따른 것이군.

➡ '일찍이'는 부사 '일찍'에 '-이'가 붙어서 부사 '일찍이'가 된 것이므로 ⓒ의 규정을 따라 그 부사의 원형을 밝히어 적었다.

오답 풀이

① '급히 떠나다'의 '급히'는 ㉠의 규정을 따른 것이군.

➡ '급히'는 '급하다'의 어근 '급'에 '-히'가 붙어 부사가 된 것이므로 ㉡의 규정을 따른 사례이다.

② '방긋이 웃다'의 '방긋이'는 ㉠의 규정을 따른 것이군.

➡ '방긋이'는 부사 '방긋'에 '-이'가 붙어서 부사 '방긋이'가 된 것이므로 ㉢의 규정을 따른 사례이다.

③ '많이 먹다'의 '많이'는 ㉡의 규정을 따른 것이군.

➡ '많이'는 '많다'의 어간 '많-'에 '-이'가 붙어서 부사가 된 것이므로 ㉠의 규정을 따른 사례이다.

④ '깊이 파다'의 '깊이'는 ㉡의 규정을 따른 것이군.

➡ '깊이'는 '깊다'의 어간 '깊-'에 '-이'가 붙어서 명사 혹은 부사가 된 것이므로 ㉠의 규정을 따른 사례이다.

6. 국어사

18 훈민정음의 창제 원리

사뿐히 즈려밟는 **확인 문제** p.186~187

☑ 바로바로 **간단 체크** 1 (1) 상형 (2) 하늘, 재출자 (3) 종성부용초성
2 (1) ○ (2) X (3) ○ 3 ㉠ 이체 ㉡ ㄴ ㉢ ㄹ ㉣ ㅈ ㉤ ㆆ

01 ⑤ 02 ③ 03 ② 04 ③ 05 ④ 06 ② 07 ②

01 향찰 ⑤

향찰은 실질 형태소를 표기할 때는 뜻을 빌려(훈차) 표기하였고, 형식 형태소를 표기할 때는 음을 빌려(음차) 표기하였다.

오답 피하기

① 조사나 어미와 같은 형식 형태소는 한자의 음을 빌려 표기하였다.
②, ③, ④ 향찰은 한글이라는 우리 고유의 문자가 만들어지기 이전 한자의 음과 뜻을 빌려 우리말 문장을 표기하기 위해 사용된 표기법이다.

02 훈민정음의 창제 원리 ③

초성의 기본자 'ㄱ, ㄴ, ㅁ, ㅅ, ㅇ'은 발음 기관의 모양을 본떠 만들어졌다.

오답 피하기

①, ② 받침(종성)은 '종성부용초성'에 따라 새 글자를 만들지 않고 초성의 글자를 다시 썼다. 단, '팔종성가족용법'에 따라 종성에서 발음되는 'ㄱ, ㄴ, ㄷ, ㄹ, ㅁ, ㅂ, ㅅ, ㆁ'의 여덟 글자만 표기하였다.
④ 상형의 원리를 따라 만들어진 글자는 초성의 'ㄱ, ㄴ, ㅁ, ㅅ, ㅇ', 중성의 'ㆍ, ㅡ, ㅣ'이다.
⑤ 이체자는 가획의 원리를 따르지 않고 다르게 만들어진 글자이다.

03 종성의 제자 원리 ②

종성은 '종성부용초성'에 따라 새로운 글자를 만들지 않고 초성의 글자를 가져와 썼다. 사용하는 글자의 수가 늘지 않으므로 경제적이라 할 수 있다.

오답 피하기

① 종성부용초성 때문에 글자를 음절 단위로 표기하기 어려워졌다고 보기 어렵다.
③ 종성은 초성의 글자를 빌려와 사용하였다.
④ 사용하는 글자의 수가 늘어나지 않으므로 글자를 외워야 하는 부담을 줄일 수 있는 방식이다.
⑤ 종성을 표기하기 위한 글자를 따로 만들지 않았다.

04 중성의 제자 원리 ❸

이체자는 초성의 자음 'ㆁ, ㄹ, ㅿ'를 말한다.

오답 피하기

①, ② 초출자는 기본자 'ㆍ, ㅡ, ㅣ'를 서로 더해 만들어졌으며, 재출자는 초출자에 'ㆍ'를 더해 만들어졌다.

④ 합용의 원리에 따라 만들어진 초출자와 재출자가 있다.

⑤ 중성의 기본자 'ㆍ, ㅡ, ㅣ'는 성리학의 삼재인 '하늘, 땅, 사람'을 본따 만들어졌다.

05 초성·중성의 제자 원리 ❹

자음, 모음의 기본자는 모두 상형의 원리에 따라 만들어졌다. 자음의 가획자는 소리가 세어지면 획을 더하는 가획의 원리에 따라 만들어졌으며, 모음의 초출자, 재출자는 합용의 원리에 따라 만들어졌다.

06 자음의 제자 원리 ❷

〈보기〉에서 이체자는 가획의 원리를 따르지 않은 글자라고 설명했다. 따라서 이체자 'ㅿ'에 가획의 원리가 적용되었다는 것은 적절하지 않은 진술이다.

오답 피하기

① 〈보기〉의 표로 볼 때 'ㅋ'은 기본자 'ㄱ'을 가획한 것이므로 적절한 진술이다.

③ 〈보기〉의 표로 볼 때 'ㄴ'과 'ㄹ'은 같은 위치에서 소리가 나는 혓소리이므로 적절한 진술이다.

④ 〈보기〉의 설명으로 볼 때 가획자 'ㅎ'은 기본자 'ㅇ'을 가획하였으며, 'ㅇ'보다 더 세게 소리가 나므로 적절한 진술이다.

⑤ 〈보기〉의 설명으로 볼 때 자음은 발음 기관을 상형한 것이므로 적절한 진술이다.

07 훈민정음의 창제 원리 ❷

가획자는 소리가 세짐에 따라 획을 더하는 방식으로 만들어진 글자이다.

오답 피하기

① 어금닛소리의 기본자 'ㄱ'은 같은 조음 위치의 가획자 'ㅋ'과 그 형태가 비슷하다. 혓소리, 입술소리, 잇소리, 목구멍소리의 기본자와 가획자 역시 마찬가지이다. 이를 통해 조음 위치가 같은 기본자와 가획자는 형태상의 유사성이 있음을 알 수 있다.

③ 훈민정음에서는 이체자에는 획을 더한 뜻이 없다고 하였다.

④ 모음의 초출자는 기본자 'ㆍ, ㅡ, ㅣ'의 결합으로 만들어졌다. 모음의 재출자는 초출자에 기본자의 'ㆍ'가 결합하여 이루어진 것인데 이것 역시 기본자의 결합으로 만들어졌다고 볼 수 있다.

⑤ 훈민정음에서는 종성을 위해 별도의 문자를 만들지 않고, 종성에 초성자를 다시 사용할 수 있게 하였다. 이는 문자 운용의 효율성을 높이는 효과를 가져왔다.

19 국어의 변천

사뿐히 즈려밟는 **확인 문제** p.198~201

바로바로 간단 체크 1 (1) ○ (2) ○ (3) ○ (4) ○ (5) ○ (6) X (7) X (8) X
2 ㉠, ㉡, ㉢ 3 (1) 원순 모음화 (2) 구개음화 (3) 두음법칙

01 ①	02 ④	03 ③	04 ③	05 ④	06 ④
07 ①	08 ⑤	09 ②	10 ⑤	11 ①	12 ②
13 ②	14 ⑤				

01 이어적기, 거듭적기, 끊어적기 ❶

ⓐ, ⓑ: 이어적기 ⓒ, ⓔ: 끊어적기 ⓓ: 거듭적기

02 중세 국어의 표기 ❹

중세 국어에서는 '팔종성가족용법'에 따라 받침을 표기할 때 'ㄱ, ㄴ. ㄷ, ㄹ, ㅁ, ㅂ, ㅅ, ㆁ'의 자음만 사용하였다.

오답 피하기

① 중세 국어에서는 띄어쓰기를 하지 않았으며, 띄어쓰기는 근대 국어와 현대 국어의 과도기에 발간된 《독립신문》에서 본격적으로 사용되었다.

② 중세 국어에는 성조가 있었으며, 이를 글자 왼쪽에 방점을 찍어 표시하였다.

③ 앞말의 받침을 뒤 음절의 초성으로 옮겨 소리 나는 대로 적는 이어적기(연철)가 중세 국어의 표기 원칙이었다.

⑤ 중세 국어 시기에 속하는 한글 창제 당시에는 동국정운식 표기에 따라 한자음을 중국 한자의 원음에 가깝게 표기하였다.

03 중세 국어의 의문문 ❸

(가)는 판정 의문문이고 (나)는 설명 의문문이다. (나)에만 의문사 '누'가 쓰였다.

04 중세 국어의 자음 ❸

현대 국어에서 초성 'ㅇ'은 음가가 없다. 'ㆆ'은 훈민정음 창제 당시 일부 사례에만 쓰이다가 소멸하였다.

오답 피하기

① 'ᄆᆞᅀᆞᆷ'이 'ᄆᆞᄋᆞᆷ'으로 바뀐 것을 통해 'ㅿ'이 사라진 후에도 'ㆍ'가 남아 있었음을 알 수 있다.

② 'ᄆᆞᄋᆞᆷ'이 'ᄆᆞᄋᆞᆷ'이 되었다가 '마음'으로 변하는 것으로 볼 때, 첫째 음절의 'ㆍ'는 'ㅏ'로, 둘째 음절의 'ㆍ'는 'ㅡ'로 바뀌었음을 알 수 있다.

④ 어두에 'ㅷ'과 같은 자음군이 쓰인 것으로 볼 때, 어두에서 두 개의 자음이 발음되었을 것으로 추측할 수 있다.

⑤ '더버'가 '더워'가 되는 과정에서 'ㅸ'이 'ㅓ' 앞에서 반모음 'ㅜ̆'로 바뀌었음을 알 수 있다.

05 중세 국어와 현대 국어 ④

(다)의 과거 선어말 어미 '-더-'는 현대 국어에서 사용하는 과거 선어말 어미와 형태가 동일하다.

오답 피하기

① '말싸미'의 원형은 '말씀 + 이'로, 현대 국어와 달리 단어의 원형을 밝히지 않고 이어적기로 표기하였다.
② (나)는 의문사가 없는 판정 의문문이므로 종결 어미 '-가', 즉 'ㅏ' 계열 어미가 쓰이고 있다. 'ㅗ' 계열 어미는 의문사가 있는 설명 의문문에 쓰였다.
③ (가), (나)에 쓰인 'ㅅ'은 앞말이 높임의 대상이거나 무정물일 경우 사용한 관형격 조사로, 현대 국어에는 쓰이지 않는다.
⑤ (라)의 '홈'에 쓰인 명사형 전성 어미는 '-옴'으로, 현대 국어에서는 사용하지 않는다.

06 중세 국어 ④

'-숩-'은 객체를 높이는 선어말 어미로, '부모'가 아니라 '태자'를 높이고 있다.

오답 피하기

① (가)의 '六龍(육룡)이'에는 주격 조사 '이', (나)의 '父母ㅣ'에는 다른 형태의 주격 조사 'ㅣ'가 쓰이고 있다.
② (가)의 '天福(천복)이시니'와 (나)의 '드리ᅀᆞᄫᆞ시니'에서 '-시-'는 자음으로 시작되는 '-니' 앞에서 쓰이고 있다.
③ (가)의 'ᄂᆞᄅᆞ샤'에 쓰인 '-샤-'는 주체 높임 선어말 어미이므로 행동의 주체인 '해동 육룡'을 높이는 역할을 한다.
⑤ (나)의 '드리ᅀᆞᄫᆞ시니'에 쓰인 객체 높임 선어말 어미 '-숩-'은 현대 국어에서는 쓰이지 않는다.

07 근대 국어 ①

근대 국어 자료의 '븕은'에는 아직 원순 모음화가 일어나지 않았다. 이후 '븕은'은 원순 모음화하여 '붉은'으로 바뀌게 된다.

오답 피하기

② '하ᄂᆞᆯ'에는 같은 양성 모음인 'ᄋᆞ'이 쓰여야 하지만 음성 모음인 '을'이 쓰인 데서 모음 조화가 점차 파괴되고 있음이 드러난다.
③ 이어적기인 '믈미ᄎᆞᆯ'과 끊어적기인 '믈밋ᄋᆞᆯ'과 달리 '믈밋ᄎᆞᆯ'에서는 앞말의 받침을 뒤 음절의 초성에도 적는 과도기적 표기인 거듭적기가 나타나고 있다.
④ 'ᄀᆞᆺᄒᆞᆫ'은 중세 국어에서는 8종성법에 따라 'ᄀᆞᆮᄒᆞᆫ'으로 쓰였으나, 근대 국어에 들어 종성의 'ㄷ'을 'ㅅ'으로 표기하게 되면서 'ᄀᆞᆺᄒᆞᆫ'으로 표기된다.
⑤ '-기'는 중세 국어 시기에는 낮은 빈도로 쓰이다가 근대 국어 시기에 그 쓰임이 발달한 명사형 전성 어미로, '븕기'에 쓰인 '-기'가 이에 해당한다.

08 중세 국어, 근대 국어 ⑤

ⓜ은 '올 것이니'를 이어적기한 것으로, 주체 높임의 선어말 어미 '-시-'는 사용되지 않았다.

오답 피하기

① '석ᄃᆞᆯ'에 목적격 조사 'ᄋᆞᆯ'을 이어적기한 것으로, 양성 모음에 양성 모음이 어울리는 모음 조화가 이루어지고 있다.
② 지금은 사라진 자음 'ㅿ'이 쓰였다.
③ 주체 높임 선어말 어미 '-시-'를 통해 주체 높임법이 실현되고 있으며, 상대 높임 선어말 어미 '-이-'와 어말 어미 '-다'가 결합한 ᄒᆞ쇼셔체 '-이다'를 통해 상대 높임법이 나타나고 있다. 현대 국어에서 역시 주체 높임법과 상대 높임법이 함께 나타날 수 있다.
④ '가'는 중세 국어 시기에는 쓰이지 않던 주격 조사로, 근대 국어 시기에 새롭게 나타났다.

09 중세 국어, 근대 국어 ②

'뫼'는 'ㅎ' 종성 체언으로, 조사와 결합할 때 'ㅎ' 소리가 덧난다.

오답 피하기

① 중세 국어 '구룸'의 'ㅜ'가 'ㅡ'로 바뀌어 현대 국어에서 '구름'이 된 것이므로 의미의 이동이 아니라 음운의 변화가 일어났다.
③ 중세 국어에 있던 방점이 근대 국어에서는 나타나지 않으므로 근대 국어에서는 방점 표기가 사라졌다고 볼 수 있다.
④ 구개음화는 'ㄷ, ㅌ'이 'ㅣ'나 반모음 'ǐ' 앞에서 'ㅈ, ㅊ'으로 교체되는 음운 변화인데 'ᄀᆞ리지 > 가리지'에서는 이와 같은 변화가 나타나지 않는다.
⑤ 제시된 중세 국어, 근대 국어 자료에서는 어두의 'ㄴ'이 탈락하는 두음법칙을 확인할 수 없다. 하지만 중세 국어와 근대 국어의 '너기노라'가 현대 국어의 '여긴다'에 대응하는 것을 보아, 근대 국어에서 현대 국어로 넘어가는 시기에 두음법칙이 적용되었을 것임을 추측할 수 있다.

10 중세 국어, 현대 국어 ⑤

ⓜ은 '어느'에 목적격 조사가 결합한 형태로, ⓜ에 사용된 '어느'는 현대 국어의 '어느 것'이라는 의미를 가진 옛말이므로 대명사이다. 이는 〈보기 2〉의 '어느[02]'에 해당한다.

오답 피하기

① 뒤에 이어지는 체언 '나라'를 수식하고 있으므로 ㉠의 '어느'는 관형사이다.
② ㉡의 '어늬'는 현대 국어 문장의 '어느 것이'에 해당하므로 대명사인 '어느[02]'에 주격 조사 'ㅣ'가 결합된 것으로 볼 수 있다.
③ ㉢의 '어느'는 현대 국어 문장의 '어찌'에 해당하므로 용언 '듣ᄌᆞᄫᆞ리잇고'를 수식하는 부사임을 알 수 있다.
④ ㉣의 '어느'는 현대 국어 문장의 '어찌'에 해당하므로 이어지는 용언 '플리'를 수식하는 부사임을 알 수 있다. 따라서 ㉣은 관형사인 '어느[01]'과 품사가 서로 다르다.

11 중세 국어 ❶

첫 번째 문장의 주어는 '부톄(부처가)'이므로 3인칭이다. 또 '누가, 언제' 등과 같은 물음말, 즉 의문사가 없으므로 '-ㄴ가', '-ㄹ가'와 같은 '아'형 어미를 사용해야 한다. 두 번째 문장의 주어는 '네(너는)'로 2인칭이므로 '-ㄴ다'를 사용해야 한다.

12 중세 국어 ❷

㉡의 '에'는 현대 국어의 '과'와 대응하므로 비교 부사격 조사로 쓰였음을 알 수 있다.

오답 피하기

① '나랏'의 'ㅅ'은 중세 국어에서 무정물에 쓰이던 관형격 조사이다.
③ '니르고져'는 현대어 풀이의 '말하고자'에 대응하므로 '-고져'가 현대 국어 연결 어미 '-고자'에 해당함을 알 수 있다.
④ '배'는 현대어 풀이의 '바가'에 해당하며 이를 분석하면 '바+ㅣ'이므로, 여기서 'ㅣ'는 모음으로 끝나는 체언인 '바'에 결합한 주격 조사임을 알 수 있다.
⑤ '펴디'의 '디'에서는 구개음화가 확인되지 않는다. '펴디'의 'ㄷ'이 'ㅣ'와 만나면서 구개음화가 일어나면 '펴지'가 된다.

13 중세 국어 ❷

'ㆍ'는 첫째 음절에서는 'ㅏ', 둘째 음절에서는 'ㅡ'로 변화하였다.

오답 피하기

① 'ᄆᆞᅀᆞᆯ'과 'ᄀᆞᅀᆞᆯ'의 'ᅀᆞᆯ'은 모두 'ᄋᆞᆯ'로 변화하는데, 이는 'ㅿ'이 소멸하면서 나타난 변화이다.
③ ㄴ에서 '덥다'의 어간이 모음으로 시작하는 어미 '-어' 와 결합하여 '더ᄫᅥ'로 바뀐 것을 볼 때, '덥다' 의 'ㅂ'이 모음으로 시작하는 어미와 결합하여 'ㅸ'으로 바뀌는 것을 알 수 있다는 진술은 적절하다.
④ '고ᄫᅡ'는 'ㅸ' 뒤에 양성 모음 'ㅏ'가 결합하여 현대 국어에서 '고와'로 변화했고, '구ᄫᅥ'는 'ㅸ' 뒤에 음성 모음 'ㅓ'가 결합하여 현대 국어에서 '구워'로 변화했다. 그러므로 'ㅸ'에 결합되는 어미의 모음에 따라 현대 국어에서의 표기가 달라졌다는 진술은 적절하다.
⑤ 'ᄆᆞᅀᆞᆯ'과 'ᄀᆞᅀᆞᆯ'은 현대 국어에서 각각 '마을'과 '가을'로, '고ᄫᅡ'와 '구ᄫᅥ'는 현대 국어에서 각각 '고와'와 '구워'로 변화한 것을 볼 때, 'ㅸ'과 'ㅿ'은 현대 국어에서 쓰이지 않음을 확인할 수 있다. 그러므로 'ㅸ'과 'ㅿ'이 현대 국어에 표기되지 않게 되었다는 진술은 적절하다.

14 중세 국어 ❺

(마)의 '미틔(밑 + 의)'는 현대어 '밑에'로 풀이된다. 이를 통해 '의'는 관형격 조사가 아니라 장소를 나타내는 부사격 조사임을 알 수 있다.

오답 피하기

① '하ᄂᆞᆳ'은 현대어 '하늘의'로 풀이되므로 'ㅅ'은 '하ᄂᆞᆯ'이라는 무정명사에 결합된 관형격 조사임을 알 수 있다.
② '-ᅀᆞᆸ-'은 객체 높임 선어말 어미로, 객체인 '부텨'를 높이는 역할을 한다.
③ (다)는 의문사가 쓰이지 않은 판정 의문문으로, '-아' 계열 의문형 어미인 '-잇가'가 쓰이고 있다.
④ 현대어 풀이 '내가'를 보면, '내'가 주어임을 알 수 있다. 이는 모음 'ㅣ'나 반모음 'ǐ'를 제외한 모음으로 끝나는 체언 '나'에 주격 조사 'ㅣ'가 결합한 것이다.

꿈엔들 잊힐리야 **수능 다가가기** p.206~209

01 ③ 02 ② 03 ④ 04 ④ 05 ④ 06 ① 07 ② 08 ①

01 훈민정음의 제자 원리 정답 ③ 정답률 83%

답인 이유

③ 학생 3 – 나, 다

➡ '학생 3'은 한글의 자음자에서 〈예사소리〉–〈거센소리〉–〈된소리〉 사이의 관계를 설명하고 있는데, 〈예사소리〉–〈거센소리〉의 관계를 〈A〉–〈A에 획 추가〉로 표현한 것을 통해 '나'의 '가획의 원리'를 확인할 수 있다. 또한 〈예사소리〉–〈된소리〉를 〈A〉–〈AA〉로 표현한 것을 통해 '다'의 '초성자를 나란히 써서 또 다른 초성자로 사용하였다.'라는 '병서(竝書)의 원리'를 확인할 수 있다. 예컨대 'ㄱ–ㅋ–ㄲ'에서 거센소리 'ㅋ'은 예사소리 'ㄱ'에 가획하여 만든 글자이고, 된소리 'ㄲ'은 'ㄱ'을 나란히 이어 써서 만든 글자이다.

오답 풀이

① 학생 1 – 가, 나

➡ '학생 1'은 자음자 중 'ㄱ'이 어떠한 모습을 형상화한 것인지를 설명하고 있는데, 이는 '가'의 '상형의 원리'에 해당한다. '가'에서 초성자와 중성자의 기본자는 상형의 원리로 만들었다고 하였는데, 초성의 기본자 'ㄱ, ㄴ, ㅁ, ㅅ, ㅇ'과 중성의 기본자 'ㆍ, ㅡ, ㅣ'는 각각 발음 기관과 천지인(天地人)을 상형하여 만든 글자이다. 그러나 '나'에 제시된 '가획의 원리'와 관련된 내용은 찾아볼 수 없다.

② 학생 2 – 다, 라

➡ '학생 2'는 'ㆍ, ㅡ, ㅣ'의 기본자를 바탕으로 모든 모음자를 휴대 전화 자판으로 입력할 수 있음을 언급하고 있는데, 이는 '라'에 제시된 중성자의 제자 원리인 '합용의 원리'에 해당한다. 모음자 즉 중성자의 경우, 기본자 'ㆍ, ㅡ, ㅣ' 가운데 'ㅡ'와 'ㆍ'를 합성하여 'ㅗ, ㅜ'를 만들고, 'ㅣ'와 'ㆍ'를 합성하여 'ㅏ, ㅓ'를 만들었다. 여기에 다시 'ㆍ'를 하나씩 더해 'ㅛ, ㅑ, ㅠ, ㅕ'를 만들어 모두 11자의 중성자(모음자)를 완성한 것이다. 그러나 '다'에서 설명하고 있는 초성자의 병서에 관련된 내용은 찾아볼 수 없다.

④ 학생 4 – 나, 라

➡ '학생 4'는 'ㅁ'에 획을 더해 만든 자음자 'ㅂ, ㅍ'은 모두 'ㅁ' 모양을 공통적으로 지니며, 이것은 'ㅁ, ㅂ, ㅍ'의 공통된 소리 특징을 반영한다는 설명을 하고 있는데, 여기에는 '나'의 '가획의 원리'가 반영되었다. 이는 초성자와 관련된 설명으로 '라'에 제시된 중성자의 제자 원리인 '합용의 원리'와는 관련이 없다.

⑤ 학생 5 – 가, 라

➡ '학생 5'는 종성자, 즉 받침 글자를 따로 만들지 않았다는 점을 설명하는데, 이 점은 한글이 과학적이고 경제적인 문자로 평가받는 이유 중 하나이지만 제시된 제자 원리 중에는 이 점, 즉 '종성부용초성'에 대한 서술은 나타나지 않는다.

02 중세 국어 정답 ② 정답률 79%

답인 이유

② ㉡의 '이'와 ㉦의 'ㅣ'는 격 조사의 종류가 달라서 서로 다른 형태로 나타난 것이군.

➡ ㉡의 '이'와 ㉦의 'ㅣ'는 모두 주격 조사이다. 현대어와 대응해 보면 '선인이', '연꽃이'로 둘 다 주격 조사임을 알 수 있다. 중세 국어의 주격 조사는 체언의 끝소리 종류에 따라 형태가 달리 실현되었는데, '선인'은 자음으로 끝나는 체언이어서 '이'가, '연화'는 'ㅣ' 이외의 모음으로 끝나는 체언이어서 'ㅣ'가 결합한 것이다. 중세 국어에서 체언이 'ㅣ' 모음으로 끝나는 경우에는 주격 조사가 실현되지 않는다.

오답 풀이

① ㉠에서는 주체인 '대사'를 높이기 위한 선어말 어미가 쓰였군.

➡ ㉠에 해당하는 현대어 풀이 '대사 하신 일'로 볼 때 행위의 주체는 '대사'이므로, 주체 높임 선어말 어미 '–샤–'를 써서 '대사'를 높이고 있음을 알 수 있다.

③ ㉢을 보니 'ㅅ'은 현대 국어의 '의'에 해당하는 관형격 조사로 쓰였군.

➡ '남굴ㅅ'은 현대어 풀이 중 '남굴의'에 해당하므로 'ㅅ'이 현대 국어의 '의'에 해당하는 관형격 조사로 쓰이고 있음을 알 수 있다.

④ ㉣과 ㉥을 보니 모음 조화에 따라 형태를 달리하는 부사격 조사가 있었군.

➡ 끝모음이 양성 모음 'ㅏ'인 '세간'에는 '애'가 결합하고, 끝모음이 음성 모음 'ㅓ'인 '시절'에는 '에'가 결합한 것으로 볼 때, 모음 조화에 따라 형태가 다른 부사격 조사 '애'와 '에'가 달리 결합했음을 알 수 있다.

⑤ ㉤과 현대 국어의 '쉽지'를 비교해 보니 '–디'에서는 구개음화가 확인되지 않는군.

➡ 중세 국어의 '쉽디'가 현대 국어의 '쉽지'에 대응하는 것으로 볼 때, 중세 국어에서는 구개음화가 일어나지 않았지만 이후 근대 국어에서 구개음화가 일어나 'ㄷ'이 'ㅈ'으로 변하고, 이가 현대 국어의 표기에 반영되어 있음을 추측할 수 있다.

03 국어의 변천 정답 ④ 정답률 78%

답인 이유

④ '노퓌'와 '노피'의 형태를 보니, '노퓌'는 파생 부사이고 '노피'는 파생 명사이겠군.

➡ '노퓌'는 명사 파생 접미사 '–이'가 붙어 만들어진 파생 명사이고, '노피'는 부사 파생 접미사 '–이'가 붙어 만들어진 파생 부사이다.

오답 풀이

① '됴흔 여름 여루미(좋은 열매 열림이)'에서 '여름'과 '여룸'의 형태를 보니, 이 둘의 품사가 다르겠군.

➡ '여름'은 어간 '열–'에 명사 파생 접미사 '–음'이 결합하여 만들어진 명사이고, '여룸'은 어간 '열–'에 명사형 전성 어미 '–움'이

결합된 동사의 명사형이다.

② **'거름'과 '거룸'의 형태를 보니, '거름'은 파생 명사이고 '거룸'은 동사의 명사형이겠군.**

➡ '거름'은 어간 '걷-'에 명사 파생 접미사 '-음'이 결합했으므로 파생 명사임을 알 수 있고, '거룸'은 어간 '걷-'에 명사형 전성 어미 '-움'이 결합했으므로 동사의 명사형임을 알 수 있다.

③ **'거룸'과 '노퓌'의 모음 조화 양상을 보니, 중세 국어 '높-'에는 '-움'이 아니고 '-옴'이 결합하겠군.**

➡ 3문단 마지막 문장에서 "마지막 음절의 모음이 양성 모음인 어근이나 용언 어간에는 모음 조화에 따라 '-(ᄋᆞ)ㅁ'과 '-옴'이 각각 결합한다."라고 하였으므로, 양성 모음을 가진 '높-'에는 '-옴'이 결합한다.

⑤ **중세 국어의 형용사 '곧다', '굳다'가 부사 파생 접미사 '-이'와 결합할 때, 그 형태가 모음 조화에 따라 달라지지 않겠군.**

➡ 4문단의 마지막 문장에서 부사 파생 접미사는 모음 조화에 상관없이 '-이'가 결합한다고 하였다.

04 품사의 구분 정답 ④ 정답률 81%

답인 이유

④ **어려운 이웃을 도움으로써 보람을 찾는 이도 있다.**
나는 그를 온전히 믿음에도 그 일은 맡기고 싶지 않다.

➡ ㉠은 명사형 전성 어미가 붙어 서술어로 쓰이는 용언을 말한다. ④의 '도움'과 '믿음'은 '돕다'와 '믿다'라는 용언에 명사형 전성 어미가 붙어 문장의 서술어로 기능하고 있다.

오답 풀이

① **많이 앎이 항상 미덕인 것은 아니다.**
그의 목소리는 격한 슬픔으로 떨렸다.

➡ '앎'은 부사 '많이'의 수식을 받고 있어 동사의 명사형이자 서술어로 쓰이고 있음을 알 수 있고, '슬픔'은 관형어 '격한'의 수식을 받고 있으므로 명사임을 알 수 있다.

② **멸치 볶음은 맛도 좋고 건강에도 좋다.**
오빠는 몹시 기쁨에도 내색을 안 했다.

➡ '볶음'은 절이나 문장의 서술어로 쓰이지 않았고 관형어인 '멸치'의 수식을 받는 데서 명사임을 알 수 있다. 반면 '기쁨'은 '몹시'라는 부사의 수식을 받고 서술어로 쓰이고 있으므로 형용사의 명사형임을 알 수 있다.

③ **요즘은 상품을 큰 묶음으로 파는 가게가 많다.**
무용수들이 군무를 춤과 동시에 조명이 켜졌다.

➡ '묶음'은 '큰'이라는 관형어의 수식을 받고 서술어로 쓰이지 않으므로 명사임을 알 수 있다. 반면 '춤'은 '무용수들이 군무를 춤'이라는 절의 서술어로 기능하고 있으므로 동사의 명사형에 해당한다.

⑤ **아이가 울음 섞인 목소리로 빨리 오라고 소리쳤다.**
수술 뒤 친구가 밝게 웃음을 보니 나도 마음이 놓였다.

➡ '울음'은 서술어가 아니라 관형절인 '울음 섞인'의 주어로 쓰이고 있다는 점에서 동사의 명사형이 아닌 명사임을 알 수 있다. 반면 '웃음'은 '친구가 밝게 웃음'이라는 명사절의 서술어로 쓰이고 있고 부사어 '밝게'의 수식을 받고 있으므로 동사의 명사형에 해당한다.

05 단어의 형성 방법 정답 ④ 정답률 68%

답인 이유

④ **'깨뜨리는'은 ㉣에 해당하는 예로, 어미 '-리는'이 용언 어간 '깨뜨-'와 결합했다.**

➡ '깨뜨리는'은 어근 '깨-'에 접사 '-뜨리다'가 결합한 파생어가 활용된 형태이다. 기본형은 '깨뜨리다'로 '깨뜨리-'까지가 어간이며 어미는 '-는'이다. 만약 '깨뜨-'가 어간이라면 '깨뜨다'라는 단어가 있어야 한다.

오답 풀이

① **'아기장수가'의 '아기장수'는 ㉠에 해당하는 예로, 어근 '아기'와 어근 '장수'가 결합했다.**

➡ 어근 '아기'에 또 다른 어근 '장수'가 결합하여 '나이는 많지 아니하나 기개와 체질이 굳센 사람'이라는 뜻의 '아기장수'라는 단어가 만들어졌다.

② **'맨손으로'의 '맨손'은 ㉡에 해당하는 예로, 파생 접사 '맨-'이 어근 '손' 앞에 결합했다.**

➡ '맨손'은 '아무것도 끼거나 감지 아니한 손'이라는 의미의 단어로, '다른 것이 없는'의 뜻을 더하는 접두사 '맨-'이 어근 '손' 앞에 결합한 것이다.

③ **'쌓인'의 어간은 ㉢에 해당하는 예로, 파생 접사 '-이-'가 어근 '쌓-' 뒤에 결합했다.**

➡ '쌓인'의 어간 '쌓이-'는 어근 '쌓-'에 피동 파생 접미사 '-이-'가 결합한 것이다.

⑤ **'모습이'는 ㉤에 해당하는 예로, 조사 '이'가 체언 '모습'과 결합했다.**

➡ '모습'은 명사로 체언에 해당하며 '이'는 주격 조사이다. 따라서 '모습이'는 체언에 조사가 결합한 형태이다.

06 국어의 변천 정답 ① 정답률 61%

답인 이유

① **(가)에서 미지칭의 인칭 대명사의 형태는 '누', '누고', '누구'이다.**

➡ (가)에 나타난 인칭 대명사는 '누'이다. '누고', '누구'의 경우 인칭 대명사 '누'에 보조사 '고/구'가 붙은 형태에 해당한다.

오답 풀이

② **(나)에서 미지칭의 인칭 대명사는 '누고', '누구'이다.**

➡ [A]에서 체언 또는 의문사에 보조사 '고/구'가 결합해 의문문을 만드는 방식은 근대 국어에도 지속되었다고 하였다. 따라서 (나)의 '누고고'와 '누구고'에서 미지칭의 인칭 대명사에 해당하는 것은 보조사 '고/구'를 제외한 나머지인 '누고'와 '누구'이다.

③ **(다)에서 미지칭의 인칭 대명사의 형태는 '누구'이다.**

➡ (다)에서 미지칭의 인칭 대명사는 '누구'로 나타나고 있으며, [탐구 결과]에서 오늘날에는 '누고', '누구' 중 '누구'만 남게 되었다고 하였다.

④ (가)에서 (나)로의 변화를 보니, '누고', '누구'는 체언과 보조사가 결합한 형태였다가 새로운 단어가 되었다.

➡ [탐구 결과]에서 '누고', '누구'는 미지칭의 인칭 대명사(체언)에 보조사 '고/구'가 결합된 형태였다가 점점 굳어져 새로운 단어가 되었다고 하였다.

⑤ (나)에서 (다)로의 변화를 보니, 현대 국어에서는 미지칭의 인칭 대명사 '누고'는 쓰이지 않고 '누구'만이 쓰이고 있다.

➡ (나)에서는 '누고', '누구'가 모두 나타나나 (다)에서는 '누구'만 나타나고 있으며, [탐구 결과]에서 오늘날에는 '누고', '누구' 중 '누구'만 남게 되었다고 하였다.

07 국어의 변천

정답 ② | 정답률 61%

답인 이유

② 15세기 국어의 '도ᄫᅡ'가 현대 국어에서 '도와'로 나타나는 것은 'ㅸ'이 어간 끝에서 'ㅂ'으로 바뀐 결과이군.

➡ 15세기 국어의 '도ᄫᅡ'가 현대 국어에서 '도와'로 나타나는 것은 'ㅸ'이 어간 끝에서 반모음 'ㅗ̆[w]'로 바뀐 결과이다.

오답 풀이

① 현대 국어의 '도와', '저어'와 같은 활용형은 어간의 형태가 달라지는 불규칙 활용에 해당하는군.

➡ 각각 기본형 '돕다'와 '젓다'의 어간인 '돕-'과 '젓-'의 형태가 달라졌으므로 불규칙 활용에 해당한다.

③ 15세기 국어의 '저ᅀᅥ'가 현대 국어에서 '저어'로 나타나는 것은 'ㅿ'의 소실로 어간의 끝 'ㅿ'이 없어진 결과이군.

➡ <자료>의 2문단에서 16세기 중엽에 'ㅿ'가 사라지면서 '저ᅀᅥ'가 '저어'로 변화했다고 하였다.

④ 15세기 국어의 '돕고'와 현대 국어의 '돕고'는, 자음으로 시작하는 어미 앞에서 어간의 모양이 달라지지 않았군.

➡ <대화 1>을 통해 현대 국어의 '돕다'는 자음으로 시작하는 어미 앞에서는 '돕고'와 같이 어간이 '돕-'으로 나타남을 알 수 있다. 또한 <자료>의 1문단에서 15세기 중엽 국어에서 '돕다'는 자음으로 시작하는 어미 앞에서는 어간이 '돕-'으로 나타난다고 하였다. 이를 통해 두 경우 모두 자음으로 시작하는 어미 앞에서는 어간의 모양이 유지됨을 알 수 있다.

⑤ 15세기 국어의 '젓고'와 현대 국어의 '젓고'는, 자음으로 시작하는 어미 앞에서 어간의 모양이 달라지지 않았군.

➡ <자료>의 1문단에서 15세기 중엽 국어에서 '젓다'는 자음으로 시작하는 어미 앞에서는 어간이 '젓-'으로 나타난다고 하였고, 현대 국어의 '젓다' 역시 자음으로 시작하는 어미 앞에서는 어간의 모양이 '젓-'으로 나타난다.

08 국어의 변천

정답 ① | 정답률 44%

답인 이유

①

	15세기 중엽 이전			17세기 초엽		
	-게	-아/-어	-ᄋᆞᆫ/-은	-게	-아/-어	-ᄋᆞᆫ/-은
(마음이) 곱다	곱게	고ᄫᅡ	고ᄫᆞᆫ	곱게	고와	고온

➡ '(마음이) 곱다'는 현대 국어의 'ㅂ' 불규칙 용언이기 때문에 중세 국어에서 자음 앞 어간은 '곱-', 모음 앞 어간은 '고ᇦ-'에 해당한다. 따라서 '-아/-어'가 붙으면 '고ᄫᅡ', '-ᄋᆞᆫ/은'이 붙으면 '고ᄫᆞᆫ'의 형태로 활용되었을 것이다. 'ㅸ'은 15세기 중엽을 지난 뒤 'ㅏ/ㅓ'앞에서 반모음 'ㅗ̆/ㅜ̆[w]'로 바뀌었기 때문에 17세기에는 '-아/-어'가 붙으면 '고와'로 활용되었을 것이고, 'ㆍ'나 'ㅡ' 앞에서는 모음과 결합하여 'ㅗ/ㅜ'로 바뀌었기 때문에 '-ᄋᆞᆫ/-은'이 붙으면 '고온'으로 활용되었을 것이다.

오답 풀이

②

(선을) 긋다	긋게	그ᅀᅥ	그ᅀᅳᆫ	긋게	그서	그슨

➡ '긋다'는 ('ㅿ'의 소멸로 인해 생긴) 'ㅅ' 불규칙 용언이므로 15세기 중엽 이전에 '긋-'은 자음으로 시작하는 어미 앞에서 '긋-'으로, 모음으로 시작하는 어미 앞에서 '그ᇫ-'으로 나타났을 것이다. 따라서 15세기 중엽 이전 '긋다'의 활용형은 '긋게, 그ᅀᅥ, 그ᅀᅳᆫ'으로 추정할 수 있으나, 16세기 중엽 'ㅿ'이 사라지면서 17세기 초엽에는 '긋게, 그어, 그은'으로 변화했을 것이다.

③

(자리에) 눕다	눕게	누ᄫᅥ	누ᄫᅳᆫ	눕게	누워	누은

➡ '눕다'는 ('ㅸ'의 소멸로 인해 생긴) 'ㅂ' 불규칙 용언이므로 15세기 중엽 이전에 '눕-'은 자음으로 시작하는 어미 앞에서 '눕-'으로, 모음으로 시작하는 어미 앞에서 '누ᇦ-'으로 나타났을 것이다. 따라서 15세기 중엽 이전 '눕다'의 활용형은 '눕게, 누ᄫᅥ, 누ᄫᅳᆫ'으로 추정할 수 있다. 그런데 15세기 중엽 이후 'ㅸ'이 사라지면서 'ㅸ'이 'ㅏ/ㅓ' 앞에서 반모음 'ㅗ̆/ㅜ̆'로 바뀌었다. 따라서 17세기 초엽에 '누ᄫᅥ'는 '누워'가 되고, 어미에 'ㆍ/ㅡ'가 이어진 경우에는 이와 결합하여 'ㅗ/ㅜ'로 바뀌면서 '누ᄫᅳᆫ'은 '누운'이 되었을 것이다.

④

(머리를) 빗다	빗게	비서	비슨	빗게	비서	비슨

➡ '빗다'는 불규칙 용언이 아니므로 '벗다'와 마찬가지로 15세기 중엽 이전이든 17세기 초엽이든 모두 '빗게, 비서, 비슨'으로 나타났을 것이다.

⑤

(손을) 잡다	잡게	자바	자ᄇᆞᆫ	잡게	자바	자ᄇᆞᆫ

➡ '잡다'는 불규칙 용언이 아니므로 '좁다'와 마찬가지로 15세기 중엽 이전이든 17세기 초엽이든 모두 '잡게, 자바, 자ᄇᆞᆫ'으로 나타났을 것이다.

7. 언어와 매체 언어

20 언어와 매체 언어

사뿐히 즈려밟는 확인 문제 p.213~215

☑ **바로바로 간단 체크** 1 (1) 사고, 사회, 문화 (2) 조사, 어미, 어순 (3) 매체, 매체 언어 (4) 복합 양식성 2 (1) 자의성 (2) 역사성 (3) 사회성
3 (1) X (2) ◯ (3) ◯

01 ③ 02 ② 03 ④ 04 ⑤ 05 ⑤
06 ⑤ 07 ⑤

01 언어와 국어의 특성 ❸

학생 3은 무지개 색깔을 각 민족마다 달리 인식하는 이유를 각 나라의 문화적 수준의 차이 때문이라고 했으나 이는 잘못된 이해이며, 본문에서는 무지개 빛깔이 각 민족이나 나라마다 다르게 인식되는 이유가 '그것을 인식하는 문화의 차이'에서 비롯되었다고 하였다.

오답 피하기

①, ② 언어가 그 민족의 세계 인식과 문화적 특성을 반영한다는 글의 내용을 알맞게 이해하고 있다. 이러한 내용 이해를 바탕으로 민족마다 다르게 인식하는 무지개 색깔의 예를 든 것도 적절하다.

④, ⑤ 영어와 비교할 때 국어에 높임 표현이 발달했다는 것을 지적하고 이에 따른 예를 든 것으로, 우리 문화가 반영된 국어의 특징을 알맞게 이해한 내용으로 볼 수 있다.

02 언어의 특성 ❷

언어의 창조성이란 한정된 단어를 가지고 무한한 문장을 만들 수 있는 언어의 특성으로, 동일한 대상이라도 문화권에 따라 다르게 표현하는 것(언어의 자의성)과는 관련이 없다.

오답 피하기

① 옛 사람들은 '무지개의 빛깔'이라는 대상을 백색이나 오색으로 표현하였고, 최근에는 '무지개의 빛깔'을 일곱 가지 빛깔로 표현하고 있다. 시간의 흐름에 따라 대상에 대한 언어 사용자의 인식이 달라졌기 때문에 대상을 표현하는 방식도 달라진 것이다.

③ 우리나라는 가족 관계를 자세하게 표현하여 의미를 나누는 문화를 가지고 있으며, 이러한 문화는 '사촌'을 나타내는 단어가 '친·외·내종·외종' 등 네 가지로 구분되는 것에도 반영되어 있다. 이는 외국과 다른 우리나라만의 고유한 문화 양식이다.

④ 우리말에는 피동형이 발달되지 않았다고 하였으며, ㉣의 예시에는 주인공인 내가 머리를 깎으라고 해서 이발사가 '나'의 머리를 깎은 것이니, 머리를 깎은 주체는 '나'라고 생각하여 주체를 중심으로 표현하는 우리의 인식이 반영되어 있다.

⑤ '영어나 중국어'와 우리말은 주술 구조가 다르며, 이는 두 언어군 사이에 나타난 세계 인식과 문화의 차이 때문이라고 하였다. 언어에는 언어 사용자의 세계 인식과 문화가 반영되어 있으므로 적절한 설명이다.

03 매체의 생산과 수용 ❹

제시된 공익 광고 포스터의 경우 음성적 요소는 활용되지 않았다. 따라서 음성적·문자적·공간적 요소가 복합적으로 사용되었다는 설명은 잘못된 것이다.

오답 피하기

① 공익 광고이므로 광고 수용자는 범국민이 된다.

② 공익 광고는 궁극적으로 광고 수용자들의 의식이나 행동 변화를 목적으로 한다.

③ 매체의 수용자는 광고에 사용된 전략을 비판적으로 수용하려는 태도를 지니는 것이 바람직하다.

⑤ 매체 수용자가 공익 광고가 추구하는 바를 미리 알고 있다면 이를 수용할 때 생산자의 의도를 더 잘 파악할 수 있을 것이다.

04 뉴 미디어의 특성 ❺

복합 양식성은 다양한 요소가 복합적으로 작용하여 의미를 드러내는 것을 의미한다. ㄱ은 '대사(문자), 그림, 음악'이, ㄴ은 '영상, 음성'이, ㄷ은 '소개말(문자), 영상'이, ㄹ은 '삽화(그림), 책(문자)'이 복합적으로 작용하여 의미를 드러내고 있다.

05 매체의 생산과 수용 ❺

매체 수용자는 매체 자료가 주는 정보를 무조건적으로 수용하는 것이 아니라, 비판적으로 판단하고 선별하는 과정을 거쳐야 한다. 〈보기〉의 매체 수용자는 매체 자료가 주는 정보를 제대로 확인하지 않고 수동적으로 수용하고만 있으므로 매체를 적절하지 못한 태도로 이용하고 있다.

06 언어와 국어의 특성 ❺

우리말에서 한자어의 비중이 높아진 것은 다량의 한자어가 외부에서 유입되었기 때문이라고 하였다. 상징어는 대체로 고유어이므로 한자어가 많은 것과는 관련이 없다.

07 언어와 국어의 특성 ❺

상징어는 주로 의성어와 의태어를 나타내는 것으로, '캄캄하다'와 '깜깜하다'는 자음의 교체를 통해 어감이 다르게 분화된 단어들이지만 상징어에는 해당하지 않는 형용사이다.

오답 피하기

① ㉠: 언어가 문화의 색인이라는 것은 언어에 그 민족의 문화가 반영된다는 것으로 '김치', '된장', '온돌'은 이에 적절한 예라고 볼 수 있다.

② ㉡: 우리말로 된 지명이 한자어로 바뀐 예로 적절하다.

③ ㉢: 노란색을 표현하는 우리말의 여러 가지 예이므로 적절하다.

④ ㉣: '졸졸졸', '딸깍딸깍'은 소리를 나타내는 말, '삐죽삐죽', '뒤뚱뒤뚱'은 동작 형태를 나타내는 말의 예로 적절하다.

꿈엔들 잊힐리야 수능 다가가기 p.217~219

01 ② 02 ① 03 ④ 04 ③ 05 ⑤ 06 ③

01 언어의 특성 정답 ② 정답률 89%

답인 이유

② 언어와 인간의 심리는 어떤 관계가 있는가?

➡ (가)의 '인간의 심리 구조는 언어 표현에도 반영된다.', (다)의 "사물에 대한 인간의 인식과 그 언어 표현에는 상응 관계가 있다.", (라)의 "언어 표현은 인간의 심리 구조에서 영향을 받기도 하지만, 인간의 심리 작용에 영향을 받기도 한다." 등의 내용을 종합해 볼 때 ②가 가장 적절하다.

오답 풀이

① 언어가 인간의 심리를 결정하는가?

➡ 글의 전반에서 언어와 인간 심리 사이의 상호작용에 관한 내용을 다루고 있기는 하지만, '언어가 인간의 심리를 결정하는가?'를 이 글이 다루는 핵심 내용이라고 보기는 어렵다.

③ 언어 표현이 사고력 향상과 어떤 관련이 있는가?

➡ 언어 표현과 사고력 향상의 연관관계에 관련한 내용은 찾아보기 어렵다.

④ 인간의 의식이 언어 표현에 어떤 영향을 미치는가?

➡ (가), (나), (다)에서 인간의 의식이 언어 표현에 반영된다는 내용을 다루고 있기는 하지만, '인간의 의식이 언어 표현에 어떤 영향을 미치는가?'를 이 글이 다루는 핵심 내용이라고 보기는 어렵다.

⑤ 언어 구조가 문화권에 따라 어떻게 달리 나타나는가?

➡ (다)에서 영어의 부정 표현에 대한 내용을 일부 다루기는 하지만, '언어 구조가 문화권에 따라 어떻게 달리 나타나는가?'를 이 글이 다루는 핵심 내용이라고 보기는 어렵다.

02 언어의 특성 정답 ① 정답률 89%

답인 이유

① 입방아를 찧다.

➡ '바늘귀'는 인간의 신체의 일부인 '귀'를 빌려 다른 사물을 표현한 예이다. 하지만 '입방아'의 경우는 이와 반대로 신체의 일부와 관련된 의미(입방아: 남의 일에 대해 이러쿵저러쿵 방정맞게 입을 놀리는 일)를 표현하기 위해 '방아'라는 사물을 빌려온 경우에 해당한다.

오답 풀이

② 말허리를 자르다.

➡ '말허리'란 '하고 있는 말의 중간.'을 의미한다. 신체의 일부인 '허리'를 빌려 '말'이라는 사물의 특정 부분을 표현한 예이다.

③ 상다리가 부러지다.

➡ '상다리'란 '상에 붙어서 상을 떠받치는 다리.'를 의미한다. 신체의 일부인 '다리'를 빌려 '상'이라는 사물의 특정 부분을 표현한 예이다.

④ 칼등으로 두부를 다지다.

➡ '칼등'이란 '칼날 반대쪽의 두꺼운 부분.'을 의미한다. 신체의 일부인 '등'을 빌려 '칼'이라는 사물의 특정 부분을 표현한 예이다.

⑤ 치마가 버선코를 가리다.

➡ '버선코'란 '버선 앞쪽 끝에 뾰족하게 올라온 부분.'을 의미한다. 신체의 일부인 '코'를 빌려 '버선'이라는 사물의 특정 부분을 표현한 예이다.

03 국어의 특성 정답 ④ 정답률 89%

답인 이유

④ 동사 '말하다'의 종결 어미 '-다'를 '-게'로 바꾸어 명령형의 '말하게'로 표현한다.

➡ 동사 '말하다(말하- + -다)'의 종결 어미 '-다'를 종결 어미 '-게'로 바꾸어 명령과 높임(하게체)의 의미를 더한 '말하게(말하- + -게)'로 표현할 수 있으나, 이는 종결 어미가 교체되면서 의미가 더해진 것일뿐 개념이 복잡해지면서 표현이 복잡해진 사례로 보기는 어렵다.

오답 풀이

① 대명사 '너, 저'에 '-희'를 붙여 복수형 대명사 '너희, 저희'라는 단어를 만든다.

➡ 대명사 '너, 저'에 '여럿'의 뜻을 더하는 접미사 '-희'를 붙여 복수형 대명사 '너희, 저희'를 만든 것은 개념과 표현이 이전보다 복잡해진 사례에 해당한다.

② 예사말 '사장, 과장'에 '-님'을 붙여 높임말 '사장님, 과장님'으로 표현한다.

➡ 예사말 '사장, 과장'에 높임의 뜻을 나타내는 접미사 '-님'을 붙여 높임말 '사장님, 과장님'으로 표현한 것은 개념과 표현이 이전보다 복잡해진 사례에 해당한다.

③ 대명사 '우리'에 보조사 '만'을 붙여 한정의 의미를 더한 '우리만'으로 표현한다.

➡ 대명사 '우리'에 한정의 의미를 더하는 보조사 '만'을 붙여 '우리만'으로 표현한 것은 개념과 표현이 이전보다 복잡해진 사례에 해당한다.

⑤ 어근 '사랑, 잠'에 접두사 '풋-'을 붙여 '미숙한'의 뜻을 더한 '풋사랑, 풋잠'이라는 단어를 만든다.

➡ 어근 '사랑, 잠'에 '미숙한'이라는 뜻을 더해 주는 접두사 '풋-'을 붙여 '풋사랑, 풋잠'이라는 단어를 만든 것은 개념과 표현이 이전보다 복잡해진 사례에 해당한다.

04 매체의 수용

정답 ③ 정답률 89%

답인 이유

③ 시우: (가)와 (나)의 기사 내용이 독자에게 객관적인 정보를 전달하는 것으로 보아 뉴스 결정권자의 주관은 배제되어 있겠군.

➡ 선생님의 견해는 기사화된 내용이 뉴스 결정권자의 영향을 받는다는 것이다. (가), (나)의 기사문은 동일한 사안에 대해 다른 관점을 보이고 있는데, 이는 뉴스 결정권자의 주관이 반영되었기 때문이다.

오답 풀이

① 서진: (가)의 기사 내용은 ○○ 철도 사업을 시행하는 정부의 입장에 중점을 두었군.

➡ (가)는 정부의 입장에서 ○○ 철도 사업에 대한 긍정적 기대를 담은 기사이다.

② 우진: (나)는 ○○ 철도 사업 시행에 따른 논란과 문제점을 언급하고, 이에 대한 국민적 관심을 부각하고 있군.

➡ (나)는 ○○ 철도 사업이 전문가들의 비판적 의견과 환경 단체의 비판 때문에 진통을 겪었다는 내용을 전달하면서, ○○ 철도 사업의 원활한 진행 여부에 국민들의 이목이 집중되고 있다고 하였다.

④ 시현: (가)는 ○○ 철도 사업에 대한 긍정적 기대를, (나)는 ○○ 철도 사업에 대해 우려되는 점을 중심으로 기사가 작성되었군.

➡ (가)와 (나)는 ○○ 철도 사업에 대해 반대되는 시각에서 기사를 작성하였다.

⑤ 연아: (가)와 (나)는 생산자의 관점과 의도가 반영되어 있으므로, 수용자는 비판적으로 기사를 받아들여야 하는군.

➡ 선생님의 말에서 기사화된 내용은 뉴스 결정권자의 영향을 받는다고 했으므로, 수용자는 이를 고려하여 기사를 비판적으로 수용해야 한다.

05 매체의 생산

정답 ⑤ 정답률 89%

답인 이유

⑤ (나): 환경 단체와 정부 측의 대표가 만나 논의하고 합의하는 과정을 동영상으로 제시하여 사안에 대한 양측의 관심도가 높은 것을 강조하면 좋겠군.

➡ (나)는 이번 철도 사업에 충분한 논의와 합의의 과정이 부족했다고 지적하고 있으므로 양측이 모여 대화를 나누는 모습을 동영상으로 제시하는 것은 기사 내용을 전달하는 데 오히려 혼란을 줄 수 있다.

오답 풀이

① (가): ○○ 철도 사업에 대한 정부 관계자의 인터뷰를 추가한다면, 정부 입장을 생생하게 전달할 수 있겠군.

➡ (가)는 정부의 입장에 중점을 둔 기사이므로 적절하다.

② (가): ○○ 철도가 완공되었을 때의 모습을 합성 사진의 형태로 제시하면 독자들의 기대 심리를 자극할 수 있겠군.

➡ ○○ 철도 사업에 대한 긍정적인 보도이므로 완공 사진을 통해 기대감을 높일 수 있을 것이다.

③ (가): ○○ 철도가 가져올 지속 가능한 발전을 강조하고 싶다면 경제적 이익의 추이(推移)를 강조할 수 있는 선 그래프를 제시하면 좋겠군.

➡ ○○ 철도로 인한 경제적 이익을 그래프로 제시하면 매체 수용자들의 긍정적 인식을 이끌어 내는 데 도움이 될 것이다.

④ (나): 정부 측의 의견을 비판하는 전문가 의견을 하이퍼텍스트를 통해 제시한다면 독자가 사안을 파악하는데 도움이 될 수 있겠군.

➡ 전문가의 비판적 의견을 하이퍼텍스트로 추가 제시하면, ○○ 철도 산업에 대해 우려하는 (나)의 기사 내용을 보강할 수 있다.

06 매체의 생산과 수용

정답 ③ 정답률 89%

답인 이유

③ 매체 이용자는 필요한 정보와 광고를 구별할 수 있는 비판적 안목을 길러야 한다.

➡ ㉠ 앞에 제시된 내용을 고려할 때, ㉠은 '매체 이용자가 광고 기법의 문제점을 정확히 인식할 필요가 있다'라는 내용과 이어지는 내용이어야 한다. 따라서 매체 이용자가 매체 자료를 비판적으로 판단하여 분별할 수 있는 능력을 길러야 한다는 내용의 ③이 가장 적절하다.

오답 풀이

① 매체 생산자는 매체 자료를 생산할 때 소통 목적에 주의를 기울여야 한다.

➡ 매체 생산자가 매체 자료를 생산할 때 지녀야 할 바람직한 자세이나, ㉠ 앞에서 '매체 이용자가 광고 기법의 문제점을 정확하게 인식할 필요가 있다'라는 내용을 다루고 있으므로, 이어지는 ㉠에 들어가기 어려운 내용이다.

② 매체 생산자는 복합 양식성을 활용하여 광고를 더 매력적으로 만들어야 한다.

➡ ㉠ 앞에서 '매체 이용자가 광고 기법의 문제점을 정확하게 인식할 필요가 있다'라는 내용을 다루고 있으므로, 이어지는 ㉠에 들어가기 어려운 내용이다.

④ 매체 이용자는 '특집', '기획' 등의 표지가 붙은 기사를 무조건적으로 신뢰해야 한다.

➡ '기사형 광고'에는 '특집', '기획' 등의 표지를 사용할 수 없지만, 이러한 표지가 사용되는 '기사'라고 하더라도 매체 이용자가 이를 무조건적으로 신뢰하고 수용하는 것은 바람직하지 않은 태도이다.

⑤ 매체 이용자는 매체의 특성을 고려하여 매체 생산자와 쌍방향적으로 소통해야 한다.

➡ 뉴 미디어 시대의 매체 이용자는 제공하는 정보의 오류나 왜곡을 발견했을 때 수정을 요구하는 등 매체 생산자와 쌍방향적으로 소통할 수 있으나, '매체 이용자가 광고 기법의 문제점을 정확하게 인식할 필요가 있다'라는 내용 다음에 이어지는 ㉠에 들어가기 어려운 내용이다.

Ⅱ. 화법과 작문

1. 화법

01 화법의 본질과 태도

사뿐히 즈려밟는 **확인 문제** p.225~226

✔ 바로바로 **간단 체크** 1 (1) 구두 언어, 의사소통, 의미 (2) 상황 맥락 (3) 계획하기 (4) 자아 개념, 자아 개념 (5) 담화 관습
2 (1) 구 (2) 문 (3) 구 3 (1) X (2) ○

01 ④ 02 ④ 03 ③ 04 ② 05 ④

01 화법의 성격 ④

상대방을 위로하기 위해 손을 잡아 주는 것은 비언어적 표현이다. 이와 같은 비언어적 표현은 언어적 표현과 함께 의사소통에서 중요한 역할을 한다.

오답 피하기

① 민수는 소진의 얼굴이 어두운 것을 보고 소진이에게 무슨 일이 생긴 것은 아닌지 걱정하고 있으므로, '얼굴 표정'이라는 비언어적 요소가 민수의 판단에 단서를 제공한 것으로 볼 수 있다.
② 소진은 민수의 말을 듣고 자신의 사정을 이야기하기로 마음먹었으므로, 직접적이고 즉각적인 상호 작용에 기여하는 구두 언어의 특성이 드러난다.
③ 개인적 자아는 관계가 발전할수록 노출되는 것이 일반적이다. 소진이 자신의 고민을 민수에게 털어 놓으면서 개인적 자아를 노출하는 것으로 보아, 두 대화 참여자의 관계가 꽤 친밀함을 추측할 수 있다.
⑤ 민수는 즉각적으로 소진의 말을 재구성하여 진술하고 있다.

02 화법의 맥락 ④

강연에서 "여러분과 같은 고등학생에게 자주 발생하는 교통사고의 유형과 그 예방법"이라고 언급하는 것을 보아, 화자는 청자의 일상생활과 관련이 높은 주제를 선정하였다고 볼 수 있다.

오답 피하기

①, ③ 화자는 교통사고의 유형과 예방법을 안내하면서, '교통사고 유형에 따른 예방법을 숙지하여 안전사고를 예방하자.'라는 주제로 청자에게 안전 수칙을 지키라고 설득하고 있다.
② 화자는 다수의 청자를 상대로 하는 공적인 말하기를 하고 있으므로, 자신보다 나이가 어린 청자에게도 존댓말을 사용하였다.
⑤ 화자의 전문성은 화자가 전달하는 내용의 신뢰도에 영향을 미친다.

03 화법의 맥락 ③

'불법 운전'이라는 표현을 사용하면, '불법 운전' 중 정확히 어떤 행위를 말하는 것인지 몰라 전달하고자 하는 내용이 불명확해질 수 있다. 초등학생들의 수준을 고려하여 '면허 없이 운전하는 행위' 정도로 수정하는 것이 적절하다.

오답 피하기

① '주차장이나 차도에서 공놀이를 하는 것'은 청자인 초등학생들이 흔히 할 수 있는 행동이므로, 관련 내용을 추가하는 것은 적절하다.
② '보행 중'이라는 표현은 초등학생인 청자에게 어려울 수 있으므로 '길을 걷는 중'이라고 바꾸는 것은 적절하다.
④ '스마트폰을 보면서 보행하는 초등학생들의 모습이 담긴 영상'은 청자인 초등학생들의 흥미를 유발하기에 적절한 자료이다.
⑤ 초등학생인 청자에게 '초등학생이 무면허 운전을 했던 실제 사례와 그 피해'를 추가하여 제시하면 강연의 내용을 효과적으로 전달할 수 있을 것이다.

04 화법의 원리 ②

사고 과정의 가장 첫 단계인 '계획하기' 단계에서는 주제, 목적, 청자 등을 분석하고 설정하는 사고가 이루어진다.

오답 피하기

① '표현하기' 단계에서 이루어지는 사고이다.
③, ⑤ '내용 생성하기' 단계에서 이루어지는 사고이다.
④ '내용 조직하기' 단계에서 이루어지는 사고이다.

05 언어 공동체의 담화 관습 ④

<보기>에서 학생은 한국이라는 민족 언어 공동체의 성향에 비추어 담화 관습을 분석하고, 담화 관습과 관련된 자신의 경험을 떠올리는 한편 비판적인 태도로 담화 관습을 성찰하고 있다. 그러나 우리나라의 담화 관습을 다른 나라와 비교하지는 않았다.

오답 피하기

①, ② 자신이 속한 '한국어를 사용하는 민족적 언어 공동체'에 대해 생각하면서, 우리 민족의 성향을 '상하 관계를 중시함', '혈연을 중시함'으로 추측하였다.
③ '지난주 누나의 결혼식'에서 겪었던, '호칭어'와 관련한 경험을 떠올리고 있다.
⑤ 전통적인 담화 관습에 대해 '핵가족화된 오늘날의 사회를 고려하면 언어 공동체의 호칭어가 지나치게 세분화되어 있다'라는 내용으로 성찰하고 있다.

02 대화, 면접

사뿐히 즈려밟는 **확인 문제** p.229~231

✔ 바로바로 **간단 체크** 1 (1) 순서 (2) 공손성 (3) 공감적 듣기
2 (1) 공적 대화, 격식을 갖춘 표현 (2) 추론하며 듣는

01 ⑤ 02 ④ 03 ④ 04 ② 05 ③
06 ③ 07 ② 08 ①

01 대화의 특성과 원리 ❺

대화 참여자는 대화 목적을 달성하기 위해 서로 협력해야 하며(협력의 원리), 이를 위해 진실한 정보를 필요한 만큼 제공해야 한다.

오답 피하기

① 대화는 두 사람 이상이 모여 서로의 생각이나 느낌을 말로 표현하고 이해하는 상호 교섭적인 의사소통이다.
② 공손성의 원리 중 '겸손하게 말하기'에 해당하는 설명이다.
③ '순서 교대의 원리'에 해당하는 설명이다.
④ '공손성의 원리'에 해당하는 설명이다.

02 공감적 듣기 ❹

공감적 듣기의 '적극적 들어 주기'에는 상대방의 말을 자신의 말로 요약하거나, 감정을 이입하여 상대방의 정서를 추측하거나, 자신의 경험에 비추어 상대방의 처지에 공감하는 방법이 있다. 서진은 ⓓ에서 우진의 말을 자신의 말로 요약하여 재진술하면서, 상대방이 객관적인 관점에서 문제를 바라볼 수 있도록 돕고 있다.

오답 피하기

①, ②, ③ 대화의 맥락을 조절하며 대화를 진행하는 소극적 들어 주기이다.
⑤ 상대방의 말에 관심을 표현하는 소극적 들어 주기이다.

03 대화의 원리 ❹

〈보기〉를 참고했을 때 주변 상황이나 상대방에게 책임을 미루는 표현은 적절하지 않다. ④는 '내가 잘 못 들어서 그런데'라는 표현을 통해 상대방의 말을 듣지 못한 것이 자신에게 책임이 있음을 나타내고 있다.

오답 피하기

① 자신의 책임을 나타내는 표현은 찾아보기 어렵다.
② 상대방에게 책임을 미루는 표현이다.
③ 주변 상황에 책임을 미루는 표현이다.
⑤ 대화의 맥락과 거리가 멀며, 자신의 책임을 나타내는 표현을 찾아보기 어렵다.

04 말하기 방식의 이해 ❷

서진의 마지막 발언 중, "(부드러운 목소리로) 혹시 너도 지금 너만의 공든 탑을 쌓아 올리고 있는 것이 아닐까?"라는 부분을 보면 서진이 준언어적 표현을 활용하여 우진을 격려하고 있음을 알 수 있다.

오답 피하기

① 서진이 자신의 경험을 언급한 부분은 찾아보기 어렵다.
③ 서진은 "공든 탑은 무너지지 않는다"라는 관용적 표현을 활용하고 있지만 이를 통해 상대방의 의견을 비판하지는 않았다.
④ 서진은 상대방인 우진을 위로하고 있지만, 새로운 화제로 말을 돌리지 않았다.
⑤ 서진이 상대방을 설득하기 위해 자신이 제시한 해결 방안의 타당성을 강조하는 부분은 찾아보기 어렵다.

05 면접 대상자의 역할 ❸

면접은 시간적 제약이 있기 때문에 면접 대상자는 질문의 핵심을 파악하여 그와 관련된 내용만 간결하고 효과적으로 답변해야 한다.

06 면접관의 역할 ❸

[A]의 "경제학 관련 서적을 많이 읽었다고 했는데, 그동안의 독서 경험이 자신에게 어떤 영향을 주었나요?"나 [C]의 "그렇게 생각하는 이유가 무엇입니까?"를 통해 앞선 답변에 대한 추가 질문을 하고 있지만, 이를 통해 전공 선택의 동기에 대한 구체적인 경험을 요구하지는 않았다.

오답 피하기

① "그러면 경제학과에 지원하기 위해 어떤 준비를 해 왔나요?"라는 질문을 통해 피면접자가 진학을 위해 어떤 준비를 했는지 묻고 있다.
② "자기소개서를 보니 심리학에 관심이 많고 ~ 그런데 심리학과가 아닌 경제학과에 지원한 이유는 뭐죠?"를 통해 자기소개서에 드러난 피면접자의 관심 분야인 '심리학'과 관련지어 피면접자의 경제학과 지원 동기를 묻고 있다.
④ "긴장한 것처럼 보이는데, 심호흡 한번 하시고 편하게 답해 주세요."를 통해 피면접자의 긴장을 풀어 주는 발언을 하고 있다.
⑤ "기업의 입장에서 'CSR'을 강화해야 한다고 생각하나요? 아니면 약화해야 한다고 생각하나요?"에서 'CSR'이라는 전문 용어를 사용하여 학과에서 다루는 내용에 대한 기본적인 지식과 생각을 확인하는 질문을 하고 있다.

07 면접 답변 전략 ❷

피면접자는 어떤 경제학자의 "경제는 심리다."라는 말을 인용하여 자신의 관심 분야인 '심리학'과 선택 전공인 '경제학'의 관련성을 강조하고 있다.

오답 피하기

① 자신의 학습 계획을 구체적으로 언급하는 부분은 찾아보기 어렵다.
③ [B]에서 "'기업의 사회적 책임'에 대한 생각을 물어보시는 것인가요?"라는 말을 통해 질문의 내용을 확인하는 부분이 나오지만, 첫 번째 답변에서는 면접자가 질문한 내용의 의미를 재확인하는 부분을 찾아보기 어렵다.
④ 관심 분야인 '심리학'과 관련한 독서 경험을 이야기하고 있지만, '선택 전공'인 '경제학'을 전문적으로 다룬 서적에 대한 풍부한 독서 경험을 내세우는 부분은 찾아보기 어렵다.
⑤ 자신이 선택한 전공 분야인 '경제학'의 미래 전망에 대해 이야기하는 부분은 찾아보기 어렵다.

08 면접의 질문 유형 ❶

[A]에서 면접자는 피면접자에게 그동안의 독서 경험이 자신에게 어떤 영향을 주었는지 이야기하라는 개방형 질문을 하고 있다. 그러나 피면접자는 질문의 의도를 제대로 파악하지 못하고 질문의 의도에 부합하지 않는 답변(영향을 받은 책의 제목만을 언급함.)을 하고 있다.

오답 피하기

② 피면접자는 '기업의 사회적 책임 강화 여부'에 대하여 '기업의 사회적 책임을 강화해야 한다.'라는 자신의 판단을 밝히고 있다.

③, ④ [A], [C]에서 면접자는 개방형 질문을 하고 있다.

⑤ [C]에서 피면접자는 [B]에서 답변하였던 '기업의 사회적 책임을 강화해야 한다.'라는 의견을 보충하여 심화된 내용을 답변하고 있다.

03 발표, 연설

사뿐히 즈려밟는 **확인 문제** p.235~237

☑ **바로바로 간단 체크** 1 (1) 발표 (2) 청자(청중) (3) 비판적 (4) 연설 (5) 공신력 2 (1) ○ (2) ○ (3) X (4) X

01 ①	02 ⑤	03 ⑤	04 ②	05 ①	06 ①

01 발표의 내용 구성 ❶

발표자는 '시간 수축 효과'의 개념을 정의한 후, 이 개념에 대한 대표적인 견해인 '생리 시계 효과'와 '회상 효과'를 소개하고 있다.

02 발표의 원리와 표현 전략 ❺

발표자는 발표를 마무리하는 과정에서 발표의 핵심 내용을 요약적으로 제시하고 있지 않다.

오답 피하기

① 도입 부분에서 "나이가 들수록 시간 참 빨리 간다!"라는 어른들의 말씀을 인용하여 청중의 흥미를 유발하였다.

② 세 번째 문단 "미국의 신경학자 피터 맹건은 실험을 통해 이를 확인했습니다." 부분에서 실제 실험 내용을 제시하여, 발표 내용의 신뢰도를 높였다.

③ 도입 부분에서 '그림'이라는 시각 자료를 활용하였다.

④ 발표자는 발표의 전반에서 청중에게 질문을 던지고 있다. 또한 "누가 더 시간이 빠르게 흘러간다고 느꼈을까요? (청중의 대답을 듣고) 네, 맞습니다." 부분에서 자신이 던진 질문에 대한 청중의 반응을 살펴보면서, 청중의 이해 여부를 확인하고 있다.

03 발표의 듣기 전략 ❺

노년기에 '익숙하지 않은 일들을 새롭게 경험'하는 경우에도 '회상 효과'가 나타나 시간을 빠르게 인식하게 되느냐는 질문이므로 가장 적절하다.

오답 피하기

① 발표에서 '노인들이 청년층에 비해 실제 시간을 더 짧다고 느끼는 이유'를 '시간 수축 효과'라는 현상으로 설명하고 있으므로 추가 질문으로는 적절하지 않으며, 학생이 떠올린 생각과도 연관이 없는 질문이다.

② 노인들이 정적인 이미지보다 동적인 이미지를 선호하는 경향이 있다는 내용은 찾아보기 어렵다. 발표에서는 노인들이 '시간'하면 떠올리는 이미지가 동적인 이미지였다는 실험 결과를 소개하고 있을 뿐이며, 학생이 떠올린 생각과도 연관이 없는 질문이다.

③ 도파민의 방출이 줄어듦에 따라 생리학적 시계도 느려진다는 것은 '생리 시계 효과'와 관련이 있는 내용으로, 학생이 떠올린 생각과 연관이 없는 질문이다.

④ 발표에서 '생리 시계 효과'와 '회상 효과'에 따르면 나이가 들수록 실제 시간의 흐름을 더욱 빠르게 느끼게 된다고 소개하였으므로 추가 질문으로는 적절하지 않으며, 학생이 떠올린 생각과도 연관이 없는 질문이다.

04 강연의 원리와 표현 전략 ❷

통계 자료를 활용하면 내용의 신뢰성을 높일 수 있으나, 이 강연에서는 통계 자료를 활용하지 않았다.

오답 피하기

① 발표의 전반에서 "여러분은 어떤 삶이 '정의로운 삶'이라고 생각하나요?", "여러분, 이 이야기의 교훈은 무엇인가요?" 등 청중에게 질문하며 청중과 상호 작용하고 있다.

③ "제가 '정의(正義)'를 '정의(定義)'해 보겠습니다." 부분에서 확인할 수 있다.

④ 정리 부분에서 강연을 끝까지 들어준 것에 대한 감사 인사는 하지 않았으므로 적절하다.

⑤ 세 번째 문단의 '우선', 네 번째 문단의 '다음으로'에서 순서를 나타내는 말이 드러난다.

05 관점에 따른 강연 내용 판단 ❶

토끼는 거북이의 입장을 전혀 고려하지 않고 자신의 입장에서만 생각하여 경주 장소를 뭍으로 정하였다. 때문의 경주의 과정이 공정하다고 보기 어렵다.

오답 피하기

② 거북이가 경주 장소를 바다로 바꾸면 거북이에게만 유리한 장소이기 때문에 공정한 과정의 경주라고 보기 어렵다.

③, ⑤ 거북이가 승리한 것은 타인의 허점이나 실수를 기회로 삼았기 때문이다. 따라서 공정한 절차를 따른 경주라고 보기 어렵다.

④ 토끼가 중간에 잠을 잔 것과 '결과의 불평등을 정당화하는 것'은 관련이 없다.

06 강연의 듣기 전략 ❶

'승리하기 위해 상대의 실수를 이용한 것'은 강연에서 언급한 '거북이의 승리에 관한 문제점'에 해당한다. 따라서 '강연에서 언급되지 않은 내용을 추론'하였다고 보기 어렵다.

오답 피하기

② 학생 2는 강연자가 이솝 우화 〈토끼와 거북이〉를 빌려 '정의로운 삶'에 대해 이야기하는 것을 신선하다고 여기고 있으므로 적절하다.
③ 학생 3은 수업 시간에 배웠던 정의에 대한 철학자들의 이론을 떠올리며 강연을 들었으므로 적절하다.
④ 학생 4는 강연 내용인 '자신의 입장에서만 생각한 토끼'와 관련된 자신의 경험(학급 회의에서 내 입장만 생각하여 의견을 고집했던 일)을 떠올리고 있으므로 적절하다.
⑤ 학생 5는 강연을 통해 '정의'를 실현하는 과정의 중요성에 대해 알게 되었다고 했으므로 적절하다.

04 토의, 토론, 협상

사뿐히 즈려밟는 **확인 문제** p.242~244

☑ **바로바로 간단 체크** 1 (1) 토의 (2) 입론 (3) 이유, 근거 (4) 타협
2 (1) X (2) X (3) ○ (4) ○ (5) X

01 ③ 02 ⑤ 03 ④ 04 ③ 05 ⑤

01 토의 참여자의 말하기 방식 ❸

[B]에서 '부원 1'이 작년의 활동을 토대로 하여 독서가 동아리 활동으로 적합한 이유를 설명하는 부분은 찾아보기 어렵다.

오답 피하기

① '부원 1'은 "학교 밖으로 나가서 활동하는 것이 부담 ~ 거리도 멀었고, 그만큼 실제로 활동할 수 있었던 시간도 부족했습니다."에서 작년 활동의 문제점을 지적한 다음, 교내 활동인 독서 활동을 제안하였다.
② '부원 2'는 "환경 문제에 대한 관심을 높일 수 있습니다. 학교도 깨끗해질 수 있고요."에서 텃밭 가꾸기 활동이 가져올 긍정적 결과를 근거로 하여 텃밭 가꾸기 활동을 제안하고 있다.
④ '부원 3'은 "저도 환경에 대해 아는 것이 중요하다고는 생각합니다."에서, 독서를 통해 환경에 대해 아는 것이 의미 있다는 '부원 1'의 의견에 부분적으로 동의하였으나, "동아리의 목적을 생각한다면 독서는 적절하지 않으며"라고 하였다.
⑤ '부원 4'는 "부원마다 읽고 싶은 책도 다르고 ~ 같은 책을 동시에 읽기 어려운데"에서 독서 활동에서 생길 수 있는 문제점을 지적하며 이에 대한 해결 방안을 요구하고 있다.

02 자료에 근거한 말하기 ❺

'부원 4'가 '텃밭 가꾸기' 활동의 의의에 대해 묻고 있으므로 ㉠에는 이에 대한 대답이 들어가야 한다. 이때 ⑤는 자료에 제시된 내용인 '텃밭 관리 방법'과 '텃밭 운영의 효과'를 적절하게 활용하여 '텃밭 가꾸기' 활동의 의의를 제시하였다.

오답 피하기

①, ②, ③, ④ 〈보기〉의 내용을 적절하게 활용했다고 보기 어렵다.

03 토론의 과정 ❹

반론에서 질문의 형식을 활용한 사람은 '찬성 2'로 "○○고등학교에서 쓰레기통을 설치해 문제가 생겼다고 해서 우리 학교에서도 동일한 상황이 벌어진다고 볼 수 있을까요?"라고 발언하고 있다.

오답 피하기

① "교내 설문 조사에 따르면"에서 확인할 수 있다.
② "인근 ○○고등학교의 경우 ~ 문제가 되고 있다고 합니다."에서 확인할 수 있다.
③ "이어서 양측의 반론을 듣겠습니다. 반대 측부터 반론해 주시기 바랍니다."에서 확인할 수 있다.
⑤ "분리수거를 할 수 있도록 재활용 쓰레기통을 함께 설치한다면", "학급별 순번제 관리 시스템을 도입한다면 ~ 학생들이 주인 의식을 기를 수 있어 교육적으로도 가치가 있다고 생각"에서 확인할 수 있다.

04 토론자의 입장 파악 ❸

'반대 1'의 입론 "산책로 쓰레기통까지 관리해야 한다면 그것을 담당할 학생들에게 부담이 될 것"이라는 말과, '찬성 2'의 반론 "학급별 순번제 관리 시스템을 도입한다면 관리에 대한 부담을 줄일 수 있고"라는 말에서 두 사람 모두 쓰레기통을 관리하는 문제로 학생들이 부담을 느낄 수 있다고 생각함을 알 수 있다.

오답 피하기

① 캠페인 실시는 근본적인 해결책이 될 수 없다는 내용은 찾아보기 어렵다.
② '반대 1'은 입론에서 인근 고등학교인 ○○고등학교의 사례를 들어 쓰레기통을 설치하면 안 된다고 주장하고 있으며, 반론에서 '찬성 2'는 ○○고등학교에서 겪었던 문제점을 해결하기 위한 해결 방안을 제시하고 있으므로 적절하지 않다.
④ '찬성 1'은 입론에서 설문 조사 결과를 근거로 하여, 주변 환경이 더러워서 산책로를 이용하지 않는다는 학생들의 불편 해소

를 위해 쓰레기통을 설치해야 한다고 하였으므로 '찬성 1'의 의견과 연결된다.

⑤ '찬성 2'는 ○○고등학교에서 겪었던 문제점을 해결하기 위해 분리수거가 가능한 재활용 쓰레기통을 함께 설치할 것을 제안하였으나, '반대 1'이 이를 인정하는 부분은 찾아보기 어렵다.

05 자료의 활용 방안 ❺

'찬성 1'은 입론에서 '학생들이 산책로를 이용하지 않는 이유'를 아무렇게나 버려져 있는 쓰레기 때문이라고 밝혔다. 〈보기〉의 자료 중 (가)는 쓰레기통이 없기 때문에 시민들이 쓰레기를 무단 투기하는 것이라는 내용의 자료로, "산책로에 쓰레기통을 설치하면 깨끗한 산책로를 조성할 수 있다"라는 '찬성 1'의 주장을 뒷받침하기에 적절하다. '반대 2'는 반론에서 학생들의 잘못된 인식을 개선하지 않는 한 쓰레기통을 설치한다고 해서 산책로가 깨끗해지지 않는다고 하였다. 자료 (나)는 쓰레기통이 설치되었음에도 불구하고 시민들의 몰상식한 행동 때문에 주변 환경이 오염된 ○○시의 사례이므로, "산책로에 쓰레기통을 설치하지 말아야 하며, 학생들의 인식 개선이 없는 한 쓰레기통을 설치하더라도 산책로가 깨끗해지지는 않을 것이다"라는 '반대 2'의 주장을 뒷받침하기에 적절하다.

오답 피하기

①, ②, ④ (가)는 찬성 측 주장을 뒷받침하고, (나)는 반대 측 주장을 뒷받침하는 자료이므로 적절하지 않다.

③ '반대 1'은 입론에서 쓰레기통을 설치했음에도 불구하고 주변 환경이 더러워진 사례를 근거로 들고 있다. 따라서 (가)는 '반대 1'의 주장을 반박하는 근거로 활용하기 어렵다. (나)는 '찬성 1'의 주장을 반박하는 근거로 활용할 수 있다.

꿈엔들 잊힐리야 수능 다가가기 p.249~251

01 ④ 02 ④ 03 ⑤ 04 ① 05 ③ 06 ③

01 토론의 입론 | 정답 ④ | 정답률 91%

답인 이유

④ '반대 1'은 기존 방식의 긍정적 측면을 근거로 삼아 새로운 방식을 반대하고 있다.

➡ '반대 1'은 기존 방식인 '심사 방식'의 장점(평가자의 주관적 개입을 줄일 수 있다, 평가 기준의 타당성이 높다, 모든 동아리가 계획서를 제출할 기회를 공평하게 부여받는다, 축제의 내실화가 이루어진다.)을 근거로 하여 새로운 방식인 '추첨 방식'을 반대하고 있다.

오답 풀이

① '찬성 1'은 용어의 개념을 정의함으로써 논의의 범위를 한정하고 있다.

➡ '찬성 1'이 용어의 개념을 정의하는 부분은 찾아보기 어렵다.

② '찬성 1'은 기존 방식이 유지될 때 발생하는 기대 효과를 중심으로 주장하고 있다.

➡ '찬성 1'은 기존 방식인 '심사 방식'을 유지하는 것이 아니라 새로운 방식인 '추첨 방식'을 도입하자고 주장하면서, '추첨 방식'이 도입될 때 발생하는 기대 효과(평가자의 주관적 견해 배제 가능, 모든 동아리에게 균등한 선정 기회 부여, 동아리들이 운영 계획서를 준비하기 위해 시간, 노력을 들이지 않음)를 근거로 들고 있다.

③ '반대 1'은 논제와 관련된 문제 해결의 시급성을 강조하고 있다.

➡ '반대 1'의 발언에서 논제와 관련된 문제 해결의 시급성을 강조하는 내용은 찾아보기 어렵다.

⑤ '반대 1'은 새로운 방식을 도입할 때 발생할 수 있는 부정적 측면에 대하여 언급하고 있다.

➡ '반대 1'의 발언에서 새로운 방식인 '추첨 방식'을 도입할 때 발생할 수 있는 부정적 측면에 대한 내용은 찾아보기 어렵다. 기존 방식인 '심사 방식'을 유지할 때의 긍정적인 측면을 근거로 들고 있을 뿐이다.

개념의 좌표 찾기

• 입론(→ 239쪽) • 필수 쟁점(→ 239쪽)

02 토론의 전략 | 정답 ④ | 정답률 93%

답인 이유

④ [B]는 상대측이 언급한 내용의 일부를 확인하고, 설문 조사 결과를 근거로 평가 기준의 타당성에 대해 의문을 제기하고 있다.

➡ "홍보관 운영 계획서를 평가하는 기준이 타당하다고 하셨는데"라는 부분에서 상대측이 언급한 내용의 일부를 확인하고 있으며, "작년 설문 조사 결과에 따르면 ~ 평가 기준이 타당하다고 보기 어렵지 않나요?"라는 부분에서 설문 조사 결과를 근거로 평가 기준의 타당성에 대한 의문을 제기하고 있다.

오답 풀이

① [A]는 상대측이 제시한 사례가 적합한지에 대해 의문을 제기하고, 적합한 사례를 제시할 것을 요구하고 있다.

➡ [A]에서 상대측이 제시한 사례의 적합성에 대한 의문을 제기하는 부분은 찾아보기 어렵다.

② [A]는 상대측이 앞서 진술한 내용의 일부를 확인하고, 기존 방식을 고수할 경우 생길 문제점을 제기하고 있다.

➡ "추첨 방식이 기회를 균등하게 부여한다고 말씀하셨는데,"에서 상대측이 앞서 진술한 내용의 일부를 확인하고, "동아리 홍보관 운영을 더 잘 계획하고 준비한 동아리가 탈락할 ~ 동아리 홍보관 운영의 부실로 이어질 수 있지 않나요?"에서 '추첨 방식'을 도입했을 때 예상되는 문제점을 지적하고 있다. 그러나 '추첨 방식'은 기존 방식이 아니라 새로운 방식에 해당한다.

③ [B]는 상대측 주장을 뒷받침하는 근거가 믿을 만한지 의문을 제기하고, 출처를 제시할 것을 요구하고 있다.

➡ "홍보관 운영 계획서를 평가하는 기준이 타당하다고 하셨는데 ~ 작년 설문 조사 결과에 따르면 ~ 이런 점에서 평가 기준이 타당하다고 보기 어렵지 않나요?"에서 상대 측 주장을 뒷받침하는 근거가 믿을 만한지 '설문 조사 결과'를 근거로 들어 의문을 제시하고 있다. 그러나 상대측에게 근거의 출처를 제시할 것을 요구하지는 않았다.

⑤ [A]와 [B] 모두 상대측이 인용한 전문가의 설명이 적합한지 따지고, 사실 관계를 확인하고 있다.

➡ 양측 모두 입론에서 전문가의 설명을 인용하지 않았다.

개념의 좌표 찾기

- 반대 신문(→ 239쪽)
- 타당성(→ 240쪽)

03 양측의 주장과 근거 파악

정답 ⑤ 정답률 93%

답인 이유

⑤ 반대 측은 ㉡을 도입하면 모든 동아리에게 선정 기회가 균등하게 부여된다는 점을 들어 ㉡이 ㉠보다 더 공평하다고 주장하고 있군.

➡ 반대 측은 "심사 방식(㉠)은 모든 동아리가 홍보관 운영 계획서를 제출할 기회를 공평하게 부여"한다는 근거를 제시하고 있다. 그러므로 반대 측이 '㉡(추첨 방식)이 ㉠(심사 방식)보다 더 공평하다'라고 주장했다고 보기는 어렵다.

오답 풀이

① 찬성 측은 평가자의 주관이 개입될 수 없다는 점에서 ㉡이 적합한 방식이라고 주장하고 있군.

➡ 찬성 측은 '㉠(심사 방식)은 평가자 주관이 개입될 수 있다'라는 근거를 들어 ㉡(추첨 방식)을 도입해야 한다고 주장하고 있다.

② 찬성 측은 시간과 노력이 불필요하게 드는 ㉠의 문제점을 ㉡이 해소할 수 있다는 점에서 ㉡이 적합하다고 주장하고 있군.

➡ 찬성 측은 '㉠(심사 방식)은 홍보관 운영 계획서를 준비하는 과정에서 동아리들이 시간과 노력을 불필요하게 들인다'라는 근거를 들어 ㉡(추첨 방식)을 도입해야 한다고 주장하고 있다.

③ 반대 측은 홍보관 운영을 더 잘 계획하고 준비한 동아리가 ㉡으로 인해 탈락할 수 있다는 점을 들어 ㉠을 옹호하고 있군.

➡ 반대 측은 '㉡(추첨 방식)을 도입하면 동아리 홍보관 운영을 더 잘 계획하고 준비한 동아리가 탈락할 수 있다.'라고 지적하면서 ㉠(심사 방식)을 옹호하고 있다.

④ 반대 측은 동아리가 홍보관 운영 계획서를 준비하는 과정을 통해 축제가 내실화될 수 있다고 주장하며 ㉠을 지지하고 있군.

➡ 반대 측은 '㉠(심사 방식)은 홍보관 운영 계획서를 준비하는 과정을 통해 축제가 내실화되게 한다'라는 근거를 들어 ㉠(심사 방식)을 지지하고 있다.

개념의 좌표 찾기

- 논증(→ 240쪽)

04 말하기 방식

정답 ① 정답률 95%

답인 이유

① 사연 내용을 정리하고 사연 신청자의 마음에 공감하고 있다.

➡ "□□님은 스스로를 못났다고 생각하는 친구를 돕고 싶은데 방법을 모르신다는 거네요."에서 사연을 요약하고 있으며, "저도 □□님처럼 안타깝네요."를 통해 사연 신청자의 마음에 공감하고 있다.

오답 풀이

② 사연 신청자의 궁금증을 해소하고 다음 방송을 예고하고 있다.

➡ '자책하는 친구를 돕고 싶다'라는 고민의 궁금증을 해결책 2가지를 제시함으로써 해소하였으나, 다음 방송을 예고하는 부분은 찾아보기 어렵다.

③ 사연 내용을 선정하게 된 동기를 밝히고 청취자의 참여를 독려하고 있다.

➡ 마지막 문단에서 "저에게 하고 싶은 말이나 청취 소감은 언제든 게시판에 올려 주세요."는 청취자의 참여를 독려하는 것으로 볼 수 있으나, 사연 내용을 선정하게 된 동기를 밝히는 부분은 찾아보기 어렵다.

④ 사연과 관련된 자신의 과거 경력을 소개하고 전문성을 부각하고 있다.

➡ "저는 이 방송의 진행자인 심리 상담가 ○○○입니다."를 통해 전문성을 부각하고 있으나, 사연과 관련된 자신의 과거 경력을 소개하는 부분은 찾아보기 어렵다.

⑤ 사연에 대한 상담 중에 질문을 던지고 사연 속 상황을 다양한 관점에서 생각해 보도록 유도하고 있다.

➡ 마지막 문단의 "오늘 방송 잘 들으셨나요?"에서 질문을 던지고 있으나 상담 중에 던진 질문으로 볼 수 없으며, 이를 통해 사연 속 상황을 다양한 관점에서 생각해 보도록 유도한다고 보기는 어렵다.

개념의 좌표 찾기

- 공감적 듣기(→ 228쪽)

05 말하기 계획

정답 ③ 정답률 96%

답인 이유

③ ㉢ 사연의 문제 상황을 설명하기 위해 유사한 문제 상황 제시

➡ 사연의 문제 상황과 유사한 문제 상황을 제시한 부분은 찾아보기 어렵다.

오답 풀이

① ㉠ 내용의 이해를 돕기 위해 자존감이라는 용어의 의미 제시

➡ 상담 내용 중 두 번째 문단, "자신의 능력과 가치에 대한 전반적인 평가와 태도를 나타내는 말을 자존감이라고 합니다."를 통해 '자신감'이라는 용어의 정의를 밝히고 있다.

③ ㉡ 자존감이 낮은 원인 중 일반적으로 알려진 원인을 제시하고 사연의 문제 상황에 적용

➡ 상담 내용 두 번째 문단, "자존감이 낮은 원인은 ~ 남과 비교하는 버릇이 원인인 경우와 자책하는 태도가 원인인 경우가 있습니다. 사연 속 친구는 자신을 다른 사람과 비교해서 열등감을 느끼고, 사소한 실수에도 자신을 탓하며 스트레스를 받아서 자존감이 낮아진 것으로 보이네요."에서 자존감이 낮은 일반적 원인 두 가지를 밝히고, 이를 사연의 문제 상황에 적용하고 있다.

④ ㉣ '장점 말해 주기' 방법을 안내하고 효과 제시

➡ "이러한 경우에는 '장점 말해 주기' ~ 방법이 도움이 될 수 있어요.", "그러면 친구가 자신의 장점을 깨닫고 남과 비교하지 않을 거예요." 부분에서 '장점 말해 주기' 방법을 안내한 뒤, 이 방법의 효과를 제시하고 있다.

⑤ ㉤ '감정 헤아려 주기' 방법을 예를 들어 소개하고 효과 제시

➡ 상담 내용 세 번째 문단, "이러한 경우에는 ~ '감정 헤아려 주기' 방법이 도움이 될 수 있어요.", "만약 친구가 실수해서 자책하고 있으면 ~ 그러면 친구가 괜찮다고 느껴 스트레스를 덜 받고 자책하지 않을 거예요." 부분에서 '감정 헤아려 주기' 방법을 안내하고, 이 방법을 적용할 수 있는 예시를 소개한 후 '감정 헤아려 주기'의 효과를 제시하고 있다.

06 청자의 반응 | 정답 ③ | 정답률 87%

답인 이유

③ '청취자 3'은 방송에서 언급한 방법을 다른 사람들에게 권유하고 적용할 것을 다짐하고 있군.

➡ '청취자 3'은 "딸아이의 자존감이 향상되도록 ~ 긍정적인 면들을 말해 줘야겠어요."를 통해 자신의 딸아이에게 방송에서 언급한 방법을 적용하겠다고 다짐하고 있을 뿐, 다른 사람들에게 해당 방법을 권유하고 적용할 것을 다짐하고 있지는 않다.

오답 풀이

① '청취자 1'은 자신이 방송을 들은 목적과 관련해 방송 내용이 충분하지 않다고 판단하고 있군.

➡ '청취자 1'은 "저도 자존감이 낮은 것 같아서 ~ 스스로 자존감을 높이는 방법은 안 나오네요."라는 말에서, '스스로의 자존감을 높이는 방법'을 기대하고 방송을 들었는데 관련한 정보를 얻지 못했다는 것을 알 수 있으므로 적절한 진술이다.

② '청취자 2'는 방송 내용을 이해한 바를 확인하고 방송에서 안내되지 않았던 방법의 효과를 예측하고 있군.

➡ '청취자 2'는 방송 내용을 '자존감을 높여 주려면 자기만 부족하다는 생각에서 벗어나게 해 주어야 한다'라고 이해하고 이를 확인하였으며, "가능한 목표를 세워서 도달하게 하는 방법"을 떠올려 이 방법 또한 자존감을 높이는 효과를 가져올 것이라고 예측하고 있다.

④ '청취자 4'는 방송에서 제시한 방법을 다른 경우에도 적용할 수 있는지 궁금해하고 있군.

➡ 사연 속 친구는 '고등학생'으로, '청취자 4'는 "도와주고 싶은 대상의 연령대가 사연 속 친구와 다를 때"를 언급하며 고등학생이 아닌 연령대의 대상에게도 방송에서 제시한 방법을 사용할 수 있는지 궁금해하고 있다.

⑤ '청취자 5'는 방송에서 언급한 방법을 긍정적으로 평가하고 자신의 언어 습관을 반성하고 있군.

➡ '청취자 5'는 "감정을 헤아려 주는 건 좋은 방법이네요."라고 하면서 방송에서 언급한 '감정 헤아려 주기'를 긍정적으로 평가하고 있으며, "제가 직설적으로 말하는 버릇이 있어서 ~ 활용해 볼게요."를 통해 자신의 언어 습관을 반성하고 이를 방송에서 안내된 방법을 활용하여 개선하려는 다짐을 하고 있다.

2. 작문

05 작문의 본질과 태도

사뿐히 스려밟는 **확인 문제** p.255~256

✔ **바로바로 간단 체크** 1 (1) 문제 해결 과정 (2) 사회적 (3) 쓰기 윤리 (4) 주제, 목적, 독자

01 ⑤ 02 ③ 03 ③ 04 ④ 05 ③ 06 ⑤

01 작문의 본질 ⑤

사회·문화 공동체의 상황과 요구를 반영하여 의미를 구성하는 작문 활동은 사회적 차원의 의사소통 행위이다.

오답 피하기

① 작문은 문자 언어로 필자의 사고와 정서를 표현하는 행위이다.

②, ④ 작문은 사회적 의사소통 행위이기 때문에 필자는 글을 쓸 때 언어 공동체의 사회·문화적 상황, 지식, 가치관, 신념 등을 고려하며 글을 쓰게 된다. 이러한 글쓰기 행위는 후대로 전승된다는 점에서 공동체의 지식, 가치관, 신념을 유지하고 발전시키는데 기여한다.

③ '예상 독자, 작문 목적'과 같은 쓰기 맥락은 글쓰기 과정 전체에 걸쳐 고려되는 요소이다. 따라서 필자는 예상 독자와 작문 목적을 고려하며 내용을 생성한다.

02 작문의 원리 ③

내용 조직하기 단계에서는 글의 통일성과 응집성을 고려하여, 내용 생성하기 단계에서 수집한 글감을 조직한다.(㉠) 계획하기 단계에는 주제, 독자, 목적, 매체와 같은 쓰기 맥락을 고려하여 작문 계획을 수립한다.(㉣)

오답 피하기

㉡ 작문은 각 단계가 순차적으로 진행되는 순차적인 과정이 아니라 회귀적인 과정으로, 언제든 이전의 단계로 돌아가 미흡한 점을 점검할 수 있다.

㉢ 주제와 목적에 적합하고 독자에게 유용한 내용을 선정해야 한다.

㉤ 글을 다 쓴 뒤에라도 필요한 경우 글 전체 수준에서 고쳐쓰기를 할 수 있다.

03 내용 조직하기 ③

글의 내용 구성 방안 중 '스몸비 문제로 인한 세대 갈등'은 초고에 반영되지 않았다.

오답 피하기

① 첫째 문단에 소개된 인근 학교 학생의 사례를 통해 확인할 수 있다.

② 둘째 문단의 "스몸비는 '스마트폰'과 '좀비'를 합성하여 만들어진 단어로, 스마트폰에 집중한 채 좀비처럼 걷는 사람들을 일컫는 말입니다."라는 내용을 통해 스몸비의 개념이 제시되어 있다. 또한 '보행 속도'가 느리고 '자극에 대한 인지 능력'이 떨어진다는 스몸비의 행동 특성이 제시되어 있다.

④ 셋째 문단의 '스몸비와 관련된 안전사고를 예방하기 위해'라는 내용을 통해 확인할 수 있다.

⑤ 셋째 문단의 보고서 작성, '스마트폰 게임하며 공 피하기' 등의 체험 활동 기획하기를 통해 확인할 수 있다.

04 <조건>에 따라 표현하기 ④

'안전도 방전!'이라는 표현을 통해 스몸비에 대한 경각심을 불러일으키고 있고, '배터리처럼'이라고 직유법을 사용하여 표현하였다.

오답 피하기

① 스몸비에 대한 경각심을 환기하는 내용이 드러나지 않으며 직유법도 사용되지 않았다.

② 스몸비에 대한 경각심을 드러내고 있지만 직유법이 사용되지 않았다.

③ '거북이처럼'에서 직유법을 사용하고 있지만 스몸비에 대한 경각심을 환기하는 표현은 제시되어 있지 않다.

⑤ 스몸비와 '병원'이라는 단어를 연결하여 스몸비에 대한 경각심에 대해서는 어느 정도 언급하고 있지만 직유법이 사용되지 않았다.

05 고쳐쓰기 ③

㉢은 이중 피동 표현으로 '보인다고'로 수정하는 것이 적절하다. ㉠과 ㉡은 모두 어법에 맞고 문맥에 어울리는 단어이며, ㉣과 ㉤은 글 전체의 전개 과정과 내용 흐름에 적절하게 기여하는 문장이다.

06 자료의 활용 방안 ⑤

Ⅲ의 신문 기사는 스몸비로 인한 문제를 해결하기 위해 다양한 나라에서 어떤 방법들을 사용하고 있는지를 보여 주는 자료이다. 여기에는 스몸비 문제를 해결하기 위해 기업의 협조가 필수적이라는 내용이 언급되어 있지 않으므로, ⑤의 활용 방안은 적절하지 않다.

오답 피하기

① Ⅰ은 연도별로 스몸비 관련 교통사고가 증가하고 있음을 보여 주는 자료이므로, 보고서에서 스몸비 관련 교통사고가 증가하고 있는 추세를 구체적으로 보여 주는 자료로 활용될 수 있다.

② Ⅱ에서 보행 중 스마트폰 사용이 위험하다는 것을 알면서도 사용하고 있는 사람들이 많다는 것과 그 사람들에 대한 계도가 시급하다는 내용이 언급되어 있으므로, 보고서에서 계도의 필요성을 보여 주는 자료로 활용이 가능하다.

③ Ⅲ은 스몸비로 인한 문제를 해결하기 위해 다양한 나라에서 시행되고 있거나 앞으로 시행할 방안에 대한 자료이므로, 보고서에서 다양한 방안의 구체적 사례를 보여 주는 자료로 활용이 가능하다.

④ Ⅰ은 스몸비 관련 교통사고가 증가하고 있음을 보여 주는 자료이고, Ⅱ는 보행 중 스마트폰 사용에 따른 시야 폭 감소와 전방 주시율 저하를 보여 주는 자료이다. 따라서 이 두 자료는 둘째 문단의 "인지 능력이 떨어지는 행동 특성~사고가 일어날 확률이 높습니다."와 연결하여 보행 중 스마트폰을 사용하면 인지 능력이 떨어짐을 보여주는 자료로 활용이 가능하다.

06 정보를 전달하는 글, 설득하는 글

사뿐히 즈려밟는 **확인 문제** p.261~264

☑ **바로바로 간단 체크** 1 (1) 분석 (2) 정의 (3) 분류 (4) 비교 · 대조
2 ㉠: 독자, ㉡: 부제, ㉢: 표제, ㉣: 육하원칙
3 타당성, 신뢰성, 공정성 4 유추

01 ⑤ 02 ⑤ 03 ④ 04 ② 05 ④ 06 ④
07 ①

01 건의문의 특성 ⑤

(나)에서 해결 방안으로 얻을 수 있는 기대 효과(출근길 교통 체증 해소)는 세 번째 문단의 끝부분에서 언급되고 있다.

오답 피하기

③ (나)의 첫 번째 문단 "안녕하십니까? 저는 □□고등학교 2학년에 재학 중인 홍길동입니다."에서 확인할 수 있다.
④ (나)의 둘째 문단에서는 '통학로가 차도와 인도로 구분되어 있지 않은 점', '불법 주 · 정차된 자동차'와 같은 통학로의 위험 요소를 열거하고 있다.

02 글쓰기 전략 ⑤

ㄷ은 시청 도로교통 담당자의 관심을 유도하기 위해 통학로가 차도와 인도로 나누어져 있지 않으며, 불법 주차된 차량들 때문에 학생들이 불편을 겪게 되는 문제 상황을 제시한 것에서 확인할 수 있다. ㄹ은 안전한 통학로를 확보해 달라는 요청이 수용되어야 하는 필요성을 설득하기 위해 지난주 학교 앞에서 발생한 교통사고를 예시로 제시한 것에서 확인할 수 있다.

오답 피하기

ㄱ. (나)에서는 글의 주제(안전한 통학로를 확보하기 위한 방안)를 드러내기 위한 비유적인 표현을 찾을 수 없다.
ㄴ. (나)에서는 통계 자료가 제시되지 않았다.

03 자료의 활용 방안 ④

학부모의 인터뷰, 신문 기사 내용은 모두 통학로가 안전하지 못하여 발생하는 문제 상황을 담고 있지만, 이러한 불안이 학교에 대한 불신으로 이어지고 있음을 추론할 만한 내용은 언급되지 않았다.

오답 피하기

① 학부모 인터뷰([A])에서는 자녀의 통학 때문에 경제적(승합차를 이용하는 비용)으로나 시간적(출근 시간의 빠듯함)으로 부담이 된다는 내용이 구체적으로 언급되어 있다.
② 신문 기사([B])에서는 '중 · 고등학생을 위해 스쿨존을 확대해야 한다'는 내용을 제시하고 있는데, 이는 (나)에서 제시한 해결 방안이 아니다. 따라서 새로운 해결 방안으로 추가할 수 있다.
③ 교통 잡지([C])에서는 교통안전시설을 설치한 곳의 교통사고 건수가 적다는 통계 자료가 제시되어 있는데, 이는 교통안전시설을 설치해 달라는 제안의 근거 자료로 삼을 수 있다.
⑤ 신문 기사([B])와 교통 잡지 자료([C])를 통해 스쿨존 확대나 교통안전시설 설치는 도로교통 부서에서 담당함을 알 수 있다. 따라서 이를 활용하여 예상 독자인 '시청 도로교통 담당자'의 역할이 중요함을 강조할 수 있다.

04 고쳐쓰기 ②

㉡과 호응하는 주어는 '문제는'으로 서술어 '있다는 것(점)입니다.'와 자연스럽게 호응하고 있으므로 ㉡을 수정해서는 안 된다. 오히려 '있습니다'로 바꿀 경우 주어와 서술어의 호응이 어색해진다.

오답 피하기

① 이어지는 단어인 '반복'은 '같은 일을 되풀이함'이라는 뜻이므로 의미가 중복되는 '되풀이해서'를 삭제하여야 한다.
③ 민원을 제기하는 주체는 주민들이다. '시청의 민원'이라고 표현하면 민원의 주체가 '시청'이 되므로, 민원을 받는 대상이 '시청'임을 분명하게 드러내기 위해 '시청에'로 고쳐야 한다.
④ 접속 부사 앞의 문장이 뒤 문장의 조건이 되므로 '그러면'으로 고쳐야 한다.
⑤ 문장의 주어가 빠져 있으므로 '학생들이'를 추가해야 한다.

05 내용 생성하기 ④

(가)에서 발명가는, "발명 단계에서는 ~ 도움을 얻기 위해 기존의 다른 발명품들을 참고할 수 있다."고 하였다. 이에 따라 (나)의 4문단에서 기존의 다른 발명품(자동으로 공기가 채워지는 튜브)을 참고해 새로운 아이디어(물에 뜨는 자전거)를 창출한다고 하였으므로 적절하다.

오답 피하기

① (가)와 (나) 모두에서 발명품을 만드는 데 겪은 어려움에 관해 언급한 부분을 찾을 수 없다.
② (가)에서 발명가는 '주변 사물에 호기심을 갖고 개선할 점이 있는지' 살펴보라고 말하였으나, (나)에서 개선이 필요한 주변 사물의 문제점에 대해 언급한 부분은 찾을 수 없다.
③ 발명가가 '모형의 각 단계'를 설명한 것은 맞지만, 이를 '양념 담는 통'으로 설명한 것이 아니라 '필기구'를 통해 제시하고 있으므로 적절하지 않다.
⑤ (나)에서는 새로운 아이디어를 떠올리기 위한 아이디어 창출 중

심 모형의 단계에 대해 설명하고 있을 뿐, 창출한 아이디어를 이용하여 새로운 물건을 제작, 완성하는 과정에 대해 언급하지 않았다.

06 조건에 따른 글쓰기 ❹

"이처럼~진행된다."에서, 글의 중심 내용에 해당하는 아이디어 창출 중심 내용의 각 단계를 요약적으로 제시하였다. 그리고 "이 모형의~가질 수 있다."에서 아이디어 창출 모형이 주는 의의를 덧붙이며 글을 마무리하였다.

오답 피하기

① 아이디어 창출 중심 모형이 발명을 위한 좋은 안내가 되고 주위를 꼼꼼히 관찰하는 태도를 길러 준다는 의의를 제시하였으나, 글의 중심 내용을 요약하는 내용은 언급되지 않았다.
② 글의 중심 내용은 요약적으로 제시하였으나, 중심 내용이 지닌 의의는 언급하지 않았다. 또한 글의 끝부분에 '발명 단계 이후'에 대한 내용을 추가하는 것은 적절하지 않다.
③ (나)의 중심 내용은 아이디어 창출 중심 모형의 각 단계인데, 이를 언급하지 않고 '주변의 사물들 중에서 발명 주제를 선정하는 것'이라고 글에는 없는 내용을 언급하였다. 또한 '손쉽게 아이디어를 구상할 수 있다'는 것은 (나)의 중심 내용이 지닌 의의가 아니라, '주변의 사물들 중에서 발명 주제를 선정하는 것'에 대한 의의이다.
⑤ 글의 중심 내용은 요약적으로 제시하였으나, 이것이 지닌 의의는 언급하지 않았다. 또한 글의 끝부분에 '적용 단계'에 대한 내용을 추가하는 것은 적절하지 않다.

07 글쓰기 과정의 점검과 조정 ❶

(나)에서는 '자전거'를 예로 들어 아이디어 창출 중심 모형을 설명하고 있을 뿐, 비교의 방법을 사용하는 부분을 찾을 수 없다.

오답 피하기

② 각 문단의 앞부분에 '먼저', '그 후', '마지막으로'와 같이 순서를 알려주는 표지를 사용하여 글의 흐름이 잘 드러나게 하였다.
③ 2문단의 "그리고 직접 자전거를 타 보이기도 하고, 자전거를 분해해 보이기도 하면서 탐색된다."는 불필요한 피동 표현이 사용된 어색한 문장이므로, '보이기도'를 '보기도'로 '탐색된다'를 '탐색한다'로 수정해야 한다.
④ "자전거를 탔던 즐거운 추억을 떠올려 감상문을 써 보는 것도 좋다."라는 문장은 자전거의 과학적 원리를 학습한다는 3문단의 중심 내용과 무관하여 통일성을 떨어뜨린다.
⑤ 첫 문장에서 '자전거에 대한 이해를 바탕으로' 그것의 개선 방안을 생각한다고 하였으므로, 곧바로 '자전거가 아닌' 튜브를 참고하여 아이디어를 창출한다는 내용이 이어지는 것은 연결이 자연스럽지 않다. 이때 두 번째 문장과 마지막 문장의 순서를 바꾸면 첫 문장에서 언급된 '개선 방안'을 생각할 때 '기존의 다른 발명품을 참고'할 수 있다는 내용이 '자전거가 아닌' 발명품(튜브)을 참고한다는 내용과 이어지게 되면서 내용의 연결이 자연스러워진다.

07 사회적 상호 작용을 위한 글, 자기표현적 글

사뿐히 즈려밟는 **확인 문제** p.267~268

바로바로 간단 체크 1 (1) 자기소개서 (2) 목적 (3) 독자
2 (1) X (2) X (3) ○ 3 (1) ㉠ (2) ㉢ (3) ㉡

01 ③ 02 ④ 03 ⑤ 04 ③

01 글의 내용 파악하기 ❸

세 번째 문단에서 학생 자치회 활동에서 겪은 어려움과 이를 해결한 과정을 나타낸 것은 맞지만, 이를 통해 얻은 것은 '소통 능력'이라고 하였으므로 ③은 적절하지 않다.

오답 피하기

① 첫 번째 문단의 '저는 얼마 전 저희 학교에서 열린~알게 되었습니다.'에서 청소년참여위원회를 알게 된 계기를 언급하였고, 이 뒤에 이어지는 내용에서, 이를 계기로 청소년참여위원회에 자신이 청소년참여위원회에 관심이 생겼져 지원하게 되었다고 지원 동기를 밝히고 있다.
② 두 번째 문단의 '저는 고등학교 1학년 때~경험이 있습니다.'에서 지원 분야와 연관 깊은 자신의 경험을 제시하였고, 이를 통해 자신이 청소년참여위원으로서 요구되는 역량인 창의적 능력을 지니고 있음을 강조하였다.
④ [청소년참여위원 공고문]의 '선발 방법' 항목에서는 자기소개서에 청소년을 위한 정책 제안을 포함할 것을 요구하고 있다. 이에 글쓴이는 네 번째 문단과 다섯 번째 문단에서 청소년을 위한 정책을 제안하는 내용을 언급하고 있다.
⑤ 다섯 번째 문단의 마지막 문장에서 자신의 제안이 청소년들에게 가져 올 긍정적인 효과를 언급하고 있다.

02 글쓰기 전략 ❹

두 번째 문단의 '첫 번째'는 자신의 자질을 순서에 따라 드러내기 위한 내용 연결 표현(표지)에 해당한다.

오답 피하기

① 지원 분야인 청소년참여위원과 관련된 통념을 언급한 부분은 찾을 수 없다.
② 설의적 표현은 평서문으로 표현해도 좋을 문장을 일부러 의문문의 형식으로 표현함으로써 내용을 강조하는 표현 방법이다. 이 글에서는 설의적 표현이 사용된 부분을 찾을 수 없다.
③ 두 번째 문단에서 구체적인 통계 자료를 활용하였지만 이는 자신이 창의적 능력이 있다는 글쓴이의 생각에 대한 근거로 활용된 것이지, 지원 분야의 최근 현황과는 관련이 없다.
⑤ 글쓴이의 독서 경험과 관련된 내용은 찾을 수 없다.

03 고쳐쓰기 ⑤

'이루어지지'는 '이루-+-어지-+-지'의 총 세 개의 형태소로 분석할 수 있다. 이 중 '-어지-'는 피동의 의미를 더하는 통사적 피동 표현에 해당하며, '-지'는 부정을 나타내는 보조 용언(못하고)과 본용언을 연결하는 어미에 해당한다.

04 〈조건〉에 맞게 고쳐쓰기 ③

'어둠'과 '촛불'이 대조되어 나타나며, 자기 자신을 촛불에 비유하고 있다. 창의와 소통 능력을 바탕으로 청소년참여위원이 되고자 하는 글의 목적도 그대로 드러난다.

오답 피하기

① "바늘과 실처럼 잘 어울릴 것입니다."에서 비유를 사용하였고, 글의 목적과 흐름을 고려하며 마무리를 하였지만 대조의 표현 방법은 사용되지 않았다.

② '택배원처럼'에 비유가 반영되지만, 대조의 방법은 쓰이지 않았으며 글의 목적과 흐름을 모두 고려하여 글을 마무리하였다고 보기 어렵다.

④ '훌륭한 요리사'에 비유적 표현이 사용되었으며, 글의 목적과 흐름을 고려하며 마무리를 하였지만 대조의 표현 방법은 사용되지 않았다.

⑤ '학생은 약하지만, 행동하는 학생은 강합니다.'에서 대조의 방법이 쓰였고, 글의 목적과 흐름을 고려해 마무리하였다고 볼 수 있으나 비유의 방법은 사용되지 않았다.

꿈엔들 잊힐리야 수능 다가가기 p.270~271

01 ③ 02 ④ 03 ⑤ 04 ③

01 토의 계획하기 | 정답 ③ | 정답률 95%

답인 이유

③ ㉮, ㉱, ㉲

➡ (가)의 토의에서 '현지'는 사회자 역할을 맡아 토의를 진행하고 있다. 토의를 시작하는 현지의 첫 번째 발언에서는 '허생의 처가 추구하는 행복의 조건은 무엇인가?'라는 주제가 언급(㉮)되었다. 현지의 두 번째 발언과 세 번째 발언에서는 '정리하면~'이라는 표현을 통해 '민호'와 '영수'의 토의 내용이 정리(㉱)되었다. 또한, 현지의 두 번째 발언 중 "그렇다면 허생의 처가 추구한 행복의 조건을 다른 측면에서는 어떻게 접근할 수 있을까?"에서 질문을 통해 다른 관점에서 생각해 볼 것을 유도(㉲)하는 모습을 확인할 수 있다.

오답 풀이

㉯ 발언 순서를 지정

➡ '현지'는 발언 순서를 지정하지 않고 자유롭게 발언하도록 하고 있다.

㉰ 근거 없이 의견만을 이야기할 때는 근거를 함께 제시하도록 요구

➡ 현지는 근거를 함께 제시하도록 요구하는 발언을 하지 않고 있다.

02 토의 참여자의 말하기 방식 | 정답 ④ | 정답률 92%

답인 이유

④ [B]: '영수'는 '민호'의 의견을 받아들이며 이를 보완하는 의견을 추가하고 있다.

➡ [B]에서 '영수'는 허생의 처가 추구하는 행복의 조건을 가족 구성원의 관계라는 측면에서 접근한 '민호'의 의견에 동의하면서, "허생의 처가 추구하는 행복의 조건을 가족 구성원의 관계라는 측면에서 더 살펴 보면 ~ 가족 간의 소원한 관계도 행복하지 않은 이유로 여기는 것 같아."라고 '민호'의 의견에 대해 보완하는 의견을 추가하고 있다.

오답 풀이

① [A]: '영수'는 '민호'에게 추가적인 근거를 요구하기 위해 질문하고 있다.

➡ [A]에서 '영수'는 '민호'에게 "과연 그럴까?"라고 하며 다른 의견을 제시하고 있을 뿐, 추가적인 근거를 요구하기 위한 질문을 던지지는 않았다.

② [A]: '영수'는 '민호'의 의견을 수용하면서 또 다른 근거를 제시하고 있다.

➡ [A]에서 '민호'는 허생의 처가 행복의 외적 조건인 '부'를 추구하는 인물이라고 주장하였으나, '영수'는 "허생의 처는 생존을 위한 기본적 요건을 충족하고자 한 것으로 ~ 부를 추구하는 사람이라고 볼 수는 없을 것 같아."라며 '민호'와는 다른 의견을 제시하고 있다.

③ [A]: '영수'는 '민호'의 의견에 동의하면서 그 의견을 재진술하고 있다.

➡ "영수"는 '민호'의 의견에 동의하지 않고 다른 의견을 제시하고 있다.

⑤ [B]: '영수'는 '민호'의 의견에 대해 논리적 오류를 지적하면서 상반된 의견을 제시하고 있다.

➡ [B]에서 '영수'는 '민호'의 의견에 동의하고 있으므로 상반된 의견을 제시하고 있다고 이해하는 것은 적절하지 않다.

03 글쓰기 과정 | 정답 ⑤ | 정답률 73%

답인 이유

⑤ 허생의 처가 왜 행복하지 않은지에 대해 나와 '영수'가 동의했던 두 가지 이유 중 강요된 희생을 주된 이유로, 소원한 관계를 부차적 이유로 구별하고 이에 비추어 나의 삶을 반성하는 내용을 써야겠어.

➡ 3문단의 내용은 허생의 처가 행복하지 못한 두 가지 이유 '강요된 희생'과 '소원한 가족 관계'를 자신의 삶의 모습에 투영하여

반성하고 있는 것을 핵심으로 한다. 이 두 가지 이유는 열거의 방식으로 제시되어 있을 뿐, 주된 이유와 부차적 이유로 구별되어 있지는 않다.

오답 풀이

① 허생의 처가 추구한 행복의 조건이 외적 조건이라고 한 기존의 내 의견과, 토의를 통해 수정된 내 생각을 함께 써야겠어.

➡ 첫 문단 전체의 내용이 (가)에서 민호가 허생의 처가 행복의 외적 조건을 추구했다는 의견을 냈다가, 이를 수정한 부분을 반영한 것임을 알 수 있다.

② 허생의 처가 행복하지 않은 이유를 생계 문제를 중심으로 파악했던 의견에 의문을 제기하고 이에 답하는 식으로 써야겠어.

➡ 2문단의 첫 문장 "그런데 생계와 관련된 문제만 해결된다면 허생의 처는 행복해질 수 있었을까 하는 의문이 들었다."에서 허생의 처가 행복하지 않은 이유를 생계 문제를 중심으로 파악했던 자신의 의견에 대한 의문을 제기한 부분임을, 그리고 이어진 문장들이 모두 이에 대한 답(결국 허생의 처가 행복해지기 위해서는 가족 구성원간의 바람직한 관계 역시 중요한 조건이었던 것이다.)의 근거가 됨을 확인할 수 있다.

③ '영수'가 허생의 처의 말을 인용하면서 개진한 의견을 포함하여 허생의 처가 행복해지기 위한 조건을 써야겠어.

➡ (가)에서 영수는 '허생'과 '허생의 처' 사이에 소원한 관계를 설명하는 과정에서 소설 속 '허생의 처'가 한 말을 인용하는데, (나)의 두 번째 문단 "남편인 허생과 소원해지면서 가족 구성원으로서의 유대감 또한 느낄 수 없었던 것이다."에 이 내용이 반영되어 있음을 확인할 수 있다.

④ 나와 '영수'가 허생의 처의 행복을 가족 간의 관계의 측면에서 논의한 내용을 바탕으로, 내가 기존에 갖고 있던 행복에 대한 생각이 편협했음을 깨달았다는 내용을 써야겠어.

➡ 마지막 문단의 "그동안 나는 돈을 많이 벌거나 좋은 직업을 갖는 등 행복의 외적 조건만이 나를 행복으로 이끌어 줄 수 있을 것이라 생각했다."에서 자신이 기존에 갖고 있던 행복의 조건이, "하지만 이 조건만이 행복을 위한 조건의 전부가 아니라는 것을 깨닫게 되었다."에서 자신의 깨달음을 확인할 수 있다.

04 자료의 활용

정답 ③ 정답률 91%

답인 이유

③ ⓒ를 활용하여, 행복을 위한 조건으로 물질적 부도 고려해야 하지만 가족 구성원 간의 바람직한 관계 형성도 고려해야 한다는 내용으로 구체화한다.

➡ 〈보기〉의 ⓐ~ⓒ와 (나)의 문맥을 연관 지어 정리해 보면, ⓐ는 행복의 조건이 물질적인 부(소득)일 것이라는 사람들의 통념에 해당하므로 행복의 조건을 외적 조건이라고 생각했던 기존의 '민호'의 주장과 관련이 있다. ⓑ는 물질적인 부(소득)로만 행복을 얻는 것이 한계가 있음을 드러내므로 민호가 기존의 주장에 의문을 제기했던 부분과, ⓒ는 행복의 조건에 물질적 풍요 수준과 인간관계가 모두 작용함을 드러내므로 가족 구성원의 관계 역시 행복의 중요한 조건이라는 '민호'의 깨달음과 관련이 있다. 따라서 민호는 ⓒ를 활용하여 ㉠의 진술을 "물질적인 부가 행복을 위한 조건의 전부가 아니라, 가족 구성원간의 바람직한 관계 역시 행복을 위한 조건으로 고려해야 한다."라는 식으로 구체화할 수 있을 것이다.

오답 풀이

① ⓐ를 활용하여, 행복을 위한 조건인 물질적 부의 수준은 사람마다 다를 수 있다는 내용으로 구체화한다.

➡ ⓐ는 행복을 위한 조건이 물질적인 부일 것이라는 사람의 통념을 제시할 뿐, 행복을 위한 조건인 물질적 부의 수준은 사람마다 다를 수 있다는 내용을 담고 있지 않다. 또한 이러한 내용이 ㉠을 구체화하는데 적합하지도 않다.

② ⓑ를 활용하여, 일정 소득 수준을 넘어선 물질적 부의 추구가 행복의 조건에 해당하지 않는다는 내용으로 구체화한다.

➡ ⓑ에서 일정 소득 수준을 넘어선 물질적 부의 추구가 행복의 조건에 해당하지 않는다는 내용을 도출할 수는 있지만, 이 내용만으로는 행복의 외적 조건 외에 어떠한 요소가 행복을 위한 조건인지 밝힐 수 없으므로 ㉠을 구체화하는 데 한계가 있다.

④ ⓐ와 ⓒ를 활용하여, 행복을 위한 조건인 바람직한 가족 관계를 형성하려면 일정 수준 이상의 소득이 보장되어야 한다는 내용으로 구체화한다.

➡ ⓐ와 ⓒ를 모두 활용한다고 해도, 행복을 위한 조건인 바람직한 가족 관계를 형성하려면 일정 수준 이상의 소득이 보장되어야 한다는 내용을 도출할 수 없고, 이는 민호가 구체화하려는 ㉠의 내용과도 거리가 있다.

⑤ ⓑ와 ⓒ를 활용하여, 행복을 위한 조건인 물질적 부를 추구할 경우 가족 간의 관계가 소원해질 수 있다는 내용으로 구체화한다.

➡ ⓑ와 ⓒ를 모두 활용한다고 해도, 행복을 위한 조건인 물질적 부를 추구할 경우 가족 관계가 소원해 질 수 있다는 내용을 도출할 수 없고, 이는 민호가 구체화하려는 ㉠과도 무관한 내용이다.

정답과 해설

100인의 지혜

배움으로 행복한 내일을 꿈꾸는

천재교육 커뮤니티 안내

교재 안내부터 구매까지 한 번에!

천재교육 홈페이지

천재교육 홈페이지에서는 자사가 발행하는 참고서,
교과서에 대한 소개는 물론 도서 구매도 할 수 있습니다.
회원에게 지급되는 별을 모아 다양한 상품 응모에도
도전해 보세요.

구독, 좋아요는 필수! 핵유용 정보 가득한

천재교육 유튜브 <천재TV>

신간에 대한 자세한 정보가 궁금하세요?
참고서를 어떻게 활용해야 할지 고민인가요?
공부 외 다양한 고민을 해결해 줄 채널이 필요한가요?
학생들에게 꼭 필요한 콘텐츠로 가득한 천재TV로 놀러 오세요!

다양한 교육 꿀팁에 깜짝 이벤트는 덤!

천재교육 인스타그램

천재교육의 새롭고 중요한 소식을 가장 먼저 접하고 싶다면?
천재교육 인스타그램 팔로우가 필수!
누구보다 빠르고 재미있게 천재교육의 소식을 전달합니다.
깜짝 이벤트도 수시로 진행되니 놓치지 마세요!